ARISTOTLE'S METAPHYSICS

ΑΡΙΣΤΟΤΕΛΟΥΣ ΤΑ ΜΕΤΑ ΤΑ ΦΥΣΙΚΑ

ARISTOTLE'S
METAPHYSICS

A REVISED TEXT
WITH INTRODUCTION AND COMMENTARY

BY

W. D. ROSS

FELLOW OF ORIEL COLLEGE
DEPUTY PROFESSOR OF MORAL PHILOSOPHY IN THE
UNIVERSITY OF OXFORD

VOLUME II

OXFORD
AT THE CLARENDON PRESS

Oxford University Press, Ely House, London W. 1

GLASGOW NEW YORK TORONTO MELBOURNE WELLINGTON
CAPE TOWN SALISBURY IBADAN NAIROBI DAR ES SALAAM LUSAKA ADDIS ABABA
BOMBAY CALCUTTA MADRAS KARACHI LAHORE DACCA
KUALA LUMPUR SINGAPORE HONG KONG TOKYO

FIRST EDITION 1924
REPRINTED LITHOGRAPHICALLY IN GREAT BRITAIN
AT THE UNIVERSITY PRESS, OXFORD
FROM SHEETS OF THE FIRST EDITION
1948, 1953 (WITH CORRECTIONS)
1958, 1966, 1970

CONTENTS

ΑΡΙΣΤΟΤΕΛΟΥΣ
ΤΑ ΜΕΤΑ ΤΑ ΦΥΣΙΚΑ

SIGLA

E = Parisinus gr. 1853, saec. x
J = Vindobonensis phil. gr. C, saec. x ineuntis
A^b = Laurentianus 87. 12, saec. xii
Γ = Gulielmi de Moerbeka translatio, c. 1260-1275
Al., Asc., Syr., Them. = Alexandri, Asclepii, Syriani, Themistii
    commentaria
Al.^{l}, etc. = Alexandri, etc., lemmata
Al.^{c}, etc. = Alexandri, etc., citationes

    Raro citantur

recc. = codices recentiores
  S = Laurentianus 81. 1, saec. xiii
  T = Vaticanus 256, anni 1321
  F^b = Parisinus gr. 1876, saec. xiii
  i = Bessarionis translatio, c. 1452
  a = editio Aldina, anni 1498
  Φ = Aristotelis *Physica*
  A = *Metaphysicorum* liber A

ΑΡΙΣΤΟΤΕΛΟΥΣ

ΤΩΝ ΜΕΤΑ ΤΑ ΦΥΣΙΚΑ Ζ

1 Τὸ ὂν λέγεται πολλαχῶς, καθάπερ διειλόμεθα πρό- 1028ᵃ
τερον ἐν τοῖς περὶ τοῦ ποσαχῶς· σημαίνει γὰρ τὸ μὲν τί
ἐστι καὶ τόδε τι, τὸ δὲ ποιὸν ἢ ποσὸν ἢ τῶν ἄλλων ἕκαστον
τῶν οὕτω κατηγορουμένων. τοσαυταχῶς δὲ λεγομένου τοῦ
ὄντος φανερὸν ὅτι τούτων πρῶτον ὂν τὸ τί ἐστιν, ὅπερ σημαί-
νει τὴν οὐσίαν (ὅταν μὲν γὰρ εἴπωμεν ποῖόν τι τόδε, ἢ ἀγα- 15
θὸν λέγομεν ἢ κακόν, ἀλλ' οὐ τρίπηχυ ἢ ἄνθρωπον· ὅταν δὲ
τί ἐστι, οὐ λευκὸν οὐδὲ θερμὸν οὐδὲ τρίπηχυ, ἀλλὰ ἄνθρωπον
ἢ θεόν), τὰ δ' ἄλλα λέγεται ὄντα τῷ τοῦ οὕτως ὄντος τὰ
μὲν ποσότητες εἶναι, τὰ δὲ ποιότητες, τὰ δὲ πάθη, τὰ δὲ
ἄλλο τι. διὸ κἂν ἀπορήσειέ τις πότερον τὸ βαδίζειν καὶ 20
τὸ ὑγιαίνειν καὶ τὸ καθῆσθαι ἕκαστον αὐτῶν ὂν σημαίνει,
ὁμοίως δὲ καὶ ἐπὶ τῶν ἄλλων ὁτουοῦν τῶν τοιούτων· οὐδὲν
γὰρ αὐτῶν ἐστιν οὔτε καθ' αὑτὸ πεφυκὸς οὔτε χωρίζεσθαι
δυνατὸν τῆς οὐσίας, ἀλλὰ μᾶλλον, εἴπερ, τὸ βαδίζον
τῶν ὄντων καὶ τὸ καθήμενον καὶ τὸ ὑγιαῖνον. ταῦτα δὲ 25
μᾶλλον φαίνεται ὄντα, διότι ἔστι τι τὸ ὑποκείμενον αὐτοῖς
ὡρισμένον (τοῦτο δ' ἐστὶν ἡ οὐσία καὶ τὸ καθ' ἕκαστον), ὅπερ
ἐμφαίνεται ἐν τῇ κατηγορίᾳ τῇ τοιαύτῃ· τὸ ἀγαθὸν γὰρ ἢ
τὸ καθήμενον οὐκ ἄνευ τούτου λέγεται. δῆλον οὖν ὅτι διὰ
ταύτην κἀκείνων ἕκαστον ἔστιν, ὥστε τὸ πρώτως ὂν καὶ οὐ τὶ 30
ὂν ἀλλ' ὂν ἁπλῶς ἡ οὐσία ἂν εἴη. πολλαχῶς μὲν οὖν λέγε-
ται τὸ πρῶτον· ὅμως δὲ πάντως ἡ οὐσία πρῶτον, καὶ λόγῳ
καὶ γνώσει καὶ χρόνῳ. τῶν μὲν γὰρ ἄλλων κατηγορημά-

1028ᵃ 12 δὲ Aᵇ Al.: δὲ ὅτι ΕJΓ   16 κακόν ΕJΓ Asc.: καλόν Aᵇ
Al.   τρίπηχυ ἢ codd. Γ Al. et ut vid. Asc.: θεὸν ἢ Shute: secl.
Susemihl   19 ποσότητες . . . ποιότητες Aᵇ Al.: ποσότητας . . .
ποιότητας ΕJ   20 τι] τι τοιοῦτον ΕJΓ   κἂν] καὶ Aᵇ   21 ση-
μαίνει] ἢ μὴ ὂν ΕJΓ Al. Asc.   25 καὶ pr. Aᵇ Al.ᶜ: τι καὶ ΕJΓ
29 τοῦτο J   32 πάντως Aᵇ γρ. Ε: πάντων ΕJΓ Al.¹ Asc.   καὶ]
καὶ φύσει καὶ Asc.ᶜ   33 χρόνῳ] χρόνῳ καὶ φύσει ia

των οὐθὲν χωριστόν, αὕτη δὲ μόνη· καὶ τῷ λόγῳ δὲ τοῦτο
35 πρῶτον (ἀνάγκη γὰρ ἐν τῷ ἑκάστου λόγῳ τὸν τῆς οὐσίας ἐνυ-
πάρχειν)· καὶ εἰδέναι δὲ τότ᾽ οἰόμεθα ἕκαστον μάλιστα, ὅταν
τί ἐστιν ὁ ἄνθρωπος γνῶμεν ἢ τὸ πῦρ, μᾶλλον ἢ τὸ ποιὸν ἢ τὸ
1028ᵇ ποσὸν ἢ τὸ πού, ἐπεὶ καὶ αὐτῶν τούτων τότε ἕκαστον ἴσμεν,
ὅταν τί ἐστι τὸ ποσὸν ἢ τὸ ποιὸν γνῶμεν. καὶ δὴ καὶ τὸ
πάλαι τε καὶ νῦν καὶ ἀεὶ ζητούμενον καὶ ἀεὶ ἀπορούμενον,
τί τὸ ὄν, τοῦτό ἐστι τίς ἡ οὐσία (τοῦτο γὰρ οἱ μὲν ἓν εἶναί
5 φασιν οἱ δὲ πλείω ἢ ἕν, καὶ οἱ μὲν πεπερασμένα οἱ δὲ
ἄπειρα), διὸ καὶ ἡμῖν καὶ μάλιστα καὶ πρῶτον καὶ μόνον
ὡς εἰπεῖν περὶ τοῦ οὕτως ὄντος θεωρητέον τί ἐστιν.

Δοκεῖ δ᾽ ἡ οὐσία ὑπάρχειν φανερώτατα μὲν τοῖς σώ- 2
μασιν (διὸ τά τε ζῷα καὶ τὰ φυτὰ καὶ τὰ μόρια αὐτῶν
10 οὐσίας εἶναί φαμεν, καὶ τὰ φυσικὰ σώματα, οἷον πῦρ καὶ
ὕδωρ καὶ γῆν καὶ τῶν τοιούτων ἕκαστον, καὶ ὅσα ἢ μόρια
τούτων ἢ ἐκ τούτων ἐστίν, ἢ μορίων ἢ πάντων, οἷον ὅ τε οὐρα-
νὸς καὶ τὰ μόρια αὐτοῦ, ἄστρα καὶ σελήνη καὶ ἥλιος)· πό-
τερον δὲ αὗται μόναι οὐσίαι εἰσὶν ἢ καὶ ἄλλαι, ἢ τούτων τινὲς
15 ἢ καὶ ἄλλαι, ἢ τούτων μὲν οὐθὲν ἕτεραι δέ τινες, σκεπτέον.
δοκεῖ δέ τισι τὰ τοῦ σώματος πέρατα, οἷον ἐπιφάνεια καὶ γραμμὴ
καὶ στιγμὴ καὶ μονάς, εἶναι οὐσίαι, καὶ μᾶλλον ἢ τὸ σῶμα καὶ
τὸ στερεόν. ἔτι παρὰ τὰ αἰσθητὰ οἱ μὲν οὐκ οἴονται εἶναι οὐδὲν
τοιοῦτον, οἱ δὲ πλείω καὶ μᾶλλον ὄντα ἀΐδια, ὥσπερ Πλά-
20 των τά τε εἴδη καὶ τὰ μαθηματικὰ δύο οὐσίας, τρίτην δὲ
τὴν τῶν αἰσθητῶν σωμάτων οὐσίαν, Σπεύσιππος δὲ καὶ
πλείους οὐσίας ἀπὸ τοῦ ἑνὸς ἀρξάμενος, καὶ ἀρχὰς ἑκάστης
οὐσίας, ἄλλην μὲν ἀριθμῶν ἄλλην δὲ μεγεθῶν, ἔπειτα ψυ-
χῆς· καὶ τοῦτον δὴ τὸν τρόπον ἐπεκτείνει τὰς οὐσίας. ἔνιοι δὲ
25 τὰ μὲν εἴδη καὶ τοὺς ἀριθμοὺς τὴν αὐτὴν ἔχειν φασὶ φύσιν,
τὰ δὲ ἄλλα ἐχόμενα, γραμμὰς καὶ ἐπίπεδα, μέχρι πρὸς
τὴν τοῦ οὐρανοῦ οὐσίαν καὶ τὰ αἰσθητά. περὶ δὴ τούτων τί

ᵃ 35 οὐσίας] οὐσίας λόγον EJΓ   36 δὲ et 37 τὸ pr. om. Aᵇ
ᵇ 2 ἐστι AᵇΓ Asc.: ἐστιν ἢ EJ   γνῶμεν Aᵇ Al. Asc.: εἰδῶμεν EJΓ
8 ἢ . . . μὲν] κυρίως ὂν εἶναι ἡ οὐσία, φανερώτατα μὲν ἐν ut vid. Al.
11 ἢ EJΓ Asc.ᶜ: δὴ Aᵇ   12 μορίων codd. Γ Al.: τινῶν vel ἐνίων
ci. Bonitz   14 αὗται AᵇΓ Al. Asc.ˡᶜ: αὐταὶ EJ   ἢ alt. . . .
15 ἄλλαι T: ἢ . . . ἄλλων EJ Asc.: ἢ τούτων τινὲς καὶ ἄλλων Aᵇ:
om. Γ Al.   16 δέ] δὴ Bywater   21 καὶ EJΓ Asc.ᶜ: om.
Aᵇ

λέγεται καλῶς ἢ μὴ καλῶς, καὶ τίνες εἰσὶν οὐσίαι, καὶ πότε-
ρον εἰσί τινες παρὰ τὰς αἰσθητὰς ἢ οὐκ εἰσί, καὶ αὗται πῶς
εἰσί, καὶ πότερον ἔστι τις χωριστὴ οὐσία, καὶ διὰ τί καὶ πῶς, 30
ἢ οὐδεμία, παρὰ τὰς αἰσθητάς, σκεπτέον, ὑποτυπωσαμένοις
τὴν οὐσίαν πρῶτον τί ἐστιν.

3 Λέγεται δ᾽ ἡ οὐσία, εἰ μὴ πλεοναχῶς, ἀλλ᾽ ἐν τέτ-
ταρσί γε μάλιστα· καὶ γὰρ τὸ τί ἦν εἶναι καὶ τὸ καθόλου
καὶ τὸ γένος οὐσία δοκεῖ εἶναι ἑκάστου, καὶ τέταρτον τούτων 35
τὸ ὑποκείμενον. τὸ δ᾽ ὑποκείμενόν ἐστι καθ᾽ οὗ τὰ ἄλλα λέ-
γεται, ἐκεῖνο δὲ αὐτὸ μηκέτι κατ᾽ ἄλλου· διὸ πρῶτον περὶ τού-
του διοριστέον· μάλιστα γὰρ δοκεῖ εἶναι οὐσία τὸ ὑποκείμενον 1029ᵃ
πρῶτον. τοιοῦτον δὲ τρόπον μέν τινα ἡ ὕλη λέγεται, ἄλλον
δὲ τρόπον ἡ μορφή, τρίτον δὲ τὸ ἐκ τούτων (λέγω δὲ τὴν
μὲν ὕλην οἷον τὸν χαλκόν, τὴν δὲ μορφὴν τὸ σχῆμα τῆς
ἰδέας, τὸ δ᾽ ἐκ τούτων τὸν ἀνδριάντα τὸ σύνολον), ὥστε εἰ τὸ 5
εἶδος τῆς ὕλης πρότερον καὶ μᾶλλον ὄν, καὶ τοῦ ἐξ ἀμφοῖν
πρότερον ἔσται διὰ τὸν αὐτὸν λόγον. νῦν μὲν οὖν τύπῳ εἴρη-
ται τί ποτ᾽ ἐστὶν ἡ οὐσία, ὅτι τὸ μὴ καθ᾽ ὑποκειμένου ἀλλὰ
καθ᾽ οὗ τὰ ἄλλα· δεῖ δὲ μὴ μόνον οὕτως· οὐ γὰρ ἱκανόν·
αὐτὸ γὰρ τοῦτο ἄδηλον, καὶ ἔτι ἡ ὕλη οὐσία γίγνεται. εἰ 10
γὰρ μὴ αὕτη οὐσία, τίς ἐστιν ἄλλη διαφεύγει· περιαιρουμέ-
νων γὰρ τῶν ἄλλων οὐ φαίνεται οὐδὲν ὑπομένον· τὰ μὲν
γὰρ ἄλλα τῶν σωμάτων πάθη καὶ ποιήματα καὶ δυνάμεις,
τὸ δὲ μῆκος καὶ πλάτος καὶ βάθος ποσότητές τινες ἀλλ᾽
οὐκ οὐσίαι (τὸ γὰρ ποσὸν οὐκ οὐσία), ἀλλὰ μᾶλλον ᾧ ὑπάρ- 15
χει ταῦτα πρώτῳ, ἐκεῖνό ἐστιν οὐσία. ἀλλὰ μὴν ἀφαι-
ρουμένου μήκους καὶ πλάτους καὶ βάθους οὐδὲν ὁρῶμεν ὑπολει-
πόμενον, πλὴν εἴ τί ἐστι τὸ ὁριζόμενον ὑπὸ τούτων, ὥστε τὴν
ὕλην ἀνάγκη φαίνεσθαι μόνην οὐσίαν οὕτω σκοπουμένοις.
λέγω δ᾽ ὕλην ἣ καθ᾽ αὑτὴν μήτε τὶ μήτε ποσὸν μήτε ἄλλο 20
μηδὲν λέγεται οἷς ὥρισται τὸ ὄν. ἔστι γάρ τι καθ᾽ οὗ κατηγο-
ρεῖται τούτων ἕκαστον, ᾧ τὸ εἶναι ἕτερον καὶ τῶν κατηγοριῶν

ᵇ28 τίνες EJΓ Al.¹: τίνων Aᵇ Asc.   33 ἡ οὐσία, εἰ μὴ EJΓ Al. :
om. Aᵇ   1029ᵃ 2 λέγεται EJΓ Al. : φαίνεται Aᵇ Asc.   3 λέγω
δὲ et 5 τὸν om. Aᵇ   6 τοῦ E¹JΓ Asc. : τὸ E² Al. et fecit Aᵇ
10 αὐτό τε γὰρ E   11 αὐτὴ Aᵇᵞ   ἔσται ci. Bonitz   16 ταῦτα
Aᵇ Al. Asc. : ταῦτα αὐτὰ EJΓ   πρώτῳ Aᵇ Al. : πρώτως EJΓ Asc.
ἐκείνως J   οὐσία Aᵇ Asc.: ἡ οὐσία EJ   μὴν] μὴν καὶ Aᵇ   20 μήτε
τὶ] μηκέτι γρ. E   22 ᾧ] ὥστε Aᵇ

ἑκάστῃ (τὰ μὲν γὰρ ἄλλα τῆς οὐσίας κατηγορεῖται, αὕτη
δὲ τῆς ὕλης), ὥστε τὸ ἔσχατον καθ᾽ αὑτὸ οὔτε τὶ οὔτε ποσὸν
25 οὔτε ἄλλο οὐδέν ἐστιν· οὐδὲ δὴ αἱ ἀποφάσεις, καὶ γὰρ αὗται
ὑπάρξουσι κατὰ συμβεβηκός. ἐκ μὲν οὖν τούτων θεωροῦσι
συμβαίνει οὐσίαν εἶναι τὴν ὕλην· ἀδύνατον δέ· καὶ γὰρ τὸ
χωριστὸν καὶ τὸ τόδε τι ὑπάρχειν δοκεῖ μάλιστα τῇ οὐσίᾳ,
διὸ τὸ εἶδος καὶ τὸ ἐξ ἀμφοῖν οὐσία δόξειεν ἂν εἶναι μᾶλ-
30 λον τῆς ὕλης. τὴν μὲν τοίνυν ἐξ ἀμφοῖν οὐσίαν, λέγω δὲ
τὴν ἔκ τε τῆς ὕλης καὶ τῆς μορφῆς, ἀφετέον, ὑστέρα γὰρ
καὶ δήλη· φανερὰ δέ πως καὶ ἡ ὕλη· περὶ δὲ τῆς τρίτης
σκεπτέον, αὕτη γὰρ ἀπορωτάτη. ὁμολογοῦνται δ᾽ οὐσίαι
εἶναι τῶν αἰσθητῶν τινές, ὥστε ἐν ταύταις ζητητέον πρῶτον.
1029ᵇ 3 πρὸ ἔργου γὰρ τὸ μεταβαίνειν εἰς τὸ γνωριμώτερον. ἡ γὰρ
μάθησις οὕτω γίγνεται πᾶσι διὰ τῶν ἧττον γνωρίμων φύσει
5 εἰς τὰ γνώριμα μᾶλλον· καὶ τοῦτο ἔργον ἐστίν, ὥσπερ ἐν
ταῖς πράξεσι τὸ ποιῆσαι ἐκ τῶν ἑκάστῳ ἀγαθῶν τὰ ὅλως
ἀγαθὰ ἑκάστῳ ἀγαθά, οὕτως ἐκ τῶν αὑτῷ γνωριμωτέρων τὰ
τῇ φύσει γνώριμα αὑτῷ γνώριμα. τὰ δ᾽ ἑκάστοις γνώριμα
καὶ πρῶτα πολλάκις ἠρέμα ἐστὶ γνώριμα, καὶ μικρὸν ἢ
10 οὐθὲν ἔχει τοῦ ὄντος· ἀλλ᾽ ὅμως ἐκ τῶν φαύλως μὲν γνω-
στῶν αὑτῷ δὲ γνωστῶν τὰ ὅλως γνωστὰ γνῶναι πειρατέον,
μεταβαίνοντας, ὥσπερ εἴρηται, διὰ τούτων αὐτῶν.

1 Ἐπεὶ δ᾽ ἐν ἀρχῇ διειλόμεθα πόσοις ὁρίζομεν τὴν οὐσίαν, 4
καὶ τούτων ἕν τι ἐδόκει εἶναι τὸ τί ἦν εἶναι, θεωρητέον περὶ
13 αὐτοῦ. καὶ πρῶτον εἴπωμεν ἔνια περὶ αὐτοῦ λογικῶς, ὅτι ἐστὶ
τὸ τί ἦν εἶναι ἑκάστου ὃ λέγεται καθ᾽ αὑτό. οὐ γάρ ἐστι τὸ σοὶ
15 εἶναι τὸ μουσικῷ εἶναι· οὐ γὰρ κατὰ σαυτὸν εἶ μουσικός. ὃ ἄρα
κατὰ σαυτόν. οὐδὲ δὴ τοῦτο πᾶν· οὐ γὰρ τὸ οὕτως καθ᾽ αὑτὸ
ὡς ἐπιφανείᾳ λευκόν, ὅτι οὐκ ἔστι τὸ ἐπιφανείᾳ εἶναι τὸ

ᵃ 23 ἑκάστῃ EJ   28 τὸ EJ Al.ᶜ : om. Aᵇ   31 τε om. EJΓ
ᵇ 3 πρὸ . . . 12 αὐτῶν hic codd. Γ Al. invitis ponenda censuit Bonitz
γὰρ pr.] γὰρ εἰς E¹J   5 τὸ αὐτὸ E   ἐν ταῖς] ἐνίαις Aᵇ   7 αὐτῶν
J   8 αὑτῷ γνώριμα om. Aᵇ   9 ἐστὶ Aᵇ Al.ᶜ : om. EJΓ Asc.ᶜ
10 ὄντος JAᵇΓ, ex ὄντως fecit Ε   11 αὐτῷ δὲ γνωστῶν om. E¹
12 μεταβαίνοντας EJΓ Al. Asc. : μεταβαίνοντα Aᵇ   2 ἐδόκει ex δοκεῖ
fecit E : δοκεῖ Γ   14 ἑκάστου ὃ λέγεται scripsi : ἕκαστον ὃ λέγεται
codd. Γ : ἑκάστῳ ὃ λέγεται Bonitz : ὃ λέγεται ἕκαστον fort. Al.   15 ὃ
. . . 16 σαυτόν EJΓ et ut vid. Al. : om. Aᵇ   17 ἐπιφανείᾳ EJΓ Al.
Asc. : ἐπιφάνεια Aᵇ   ἐπιφανείᾳ E²JΓ Al. Asc.ᶜ : ἐπιφάνεια
AᵇE¹

λευκῷ εἶναι. ἀλλὰ μὴν οὐδὲ τὸ ἐξ ἀμφοῖν, τὸ ἐπιφανείᾳ
λευκῇ, ὅτι πρόσεστιν αὐτό. ἐν ᾧ ἄρα μὴ ἐνέσται λόγῳ
αὐτό, λέγοντι αὐτό, οὗτος ὁ λόγος τοῦ τί ἦν εἶναι ἑκάστῳ, 20
ὥστ' εἰ τὸ ἐπιφανείᾳ λευκῇ εἶναί ἐστι τὸ ἐπιφανείᾳ εἶναι
λείᾳ, τὸ λευκῷ καὶ λείῳ εἶναι τὸ αὐτὸ καὶ ἕν. ἐπεὶ δ'
ἔστι καὶ κατὰ τὰς ἄλλας κατηγορίας σύνθετα (ἔστι γάρ
τι ὑποκείμενον ἑκάστῳ, οἷον τῷ ποιῷ καὶ τῷ ποσῷ καὶ τῷ
ποτὲ καὶ τῷ ποῦ καὶ τῇ κινήσει), σκεπτέον ἆρ' ἔστι λόγος τοῦ 25
τί ἦν εἶναι ἑκάστῳ αὐτῶν, καὶ ὑπάρχει καὶ τούτοις τὸ τί ἦν
εἶναι, οἷον λευκῷ ἀνθρώπῳ [τί ἦν λευκῷ ἀνθρώπῳ]. ἔστω δὴ
ὄνομα αὐτῷ ἱμάτιον. τί ἐστι τὸ ἱματίῳ εἶναι; ἀλλὰ μὴν
οὐδὲ τῶν καθ' αὑτὸ λεγομένων οὐδὲ τοῦτο. ἢ τὸ οὐ καθ' αὑτὸ
λέγεται διχῶς, καὶ τούτου ἐστὶ τὸ μὲν ἐκ προσθέσεως τὸ δὲ 30
οὔ. τὸ μὲν γὰρ τῷ αὐτὸ ἄλλῳ προσκεῖσθαι λέγεται ὃ ὁρί-
ζεται, οἷον εἰ τὸ λευκῷ εἶναι ὁριζόμενος λέγοι λευκοῦ ἀν-
θρώπου λόγον· τὸ δὲ τῷ ἄλλο αὐτῷ, οἷον εἰ σημαίνοι τὸ
ἱμάτιον λευκὸν ἄνθρωπον, ὁ δὲ ὁρίζοιτο ἱμάτιον ὡς λευκόν. τὸ
δὴ λευκὸς ἄνθρωπος ἔστι μὲν λευκόν, οὐ μέντοι ⟨τὸ⟩ τί ἦν εἶναι 1030ᵃ
λευκῷ εἶναι.—ἀλλὰ τὸ ἱματίῳ εἶναι ἆρά ἐστι τί ἦν εἶναί τι
[ἢ] ὅλως; ἢ οὔ; ὅπερ γάρ τί ἐστι τὸ τί ἦν εἶναι· ὅταν
δ' ἄλλο κατ' ἄλλου λέγηται, οὐκ ἔστιν ὅπερ τόδε τι, οἷον ὁ
λευκὸς ἄνθρωπος οὐκ ἔστιν ὅπερ τόδε τι, εἴπερ τὸ τόδε 5
ταῖς οὐσίαις ὑπάρχει μόνον· ὥστε τὸ τί ἦν εἶναί ἐστιν ὅσων ὁ
λόγος ἐστὶν ὁρισμός. ὁρισμὸς δ' ἐστὶν οὐκ ἂν ὄνομα λόγῳ
ταὐτὸ σημαίνῃ (πάντες γὰρ ἂν εἶεν οἱ λόγοι ὅροι· ἔσται
γὰρ ὄνομα ὁτῳοῦν λόγῳ, ὥστε καὶ ἡ Ἰλιὰς ὁρισμὸς ἔσται),

ᵇ 18 λευκῷ EJ Al. Asc.ᵒ: λευκὸν AᵇΓ   ἐπιφάνεια λευκή Aᵇ et ut
vid. Asc. : ἐπιφανείᾳ λευκῇ εἶναι E²]²Γ Asc.ᵒ et fort. Al.   19 ὅτι
Aᵇ Al. : διὰ τί ; ὅτι EJΓ γρ. Al.   αὐτὸ AᵇΓ Al. : αὐτό J² : αὐτῆι E : αὐτῃ
J¹ : αὐτή γρ. Al.   20 αὐτὸ pr. EJΓ Al. : om. Aᵇ   21 ἐπιφανείᾳ
λευκῇ EJΓ Al. : ἐπιφάνεια λευκή Aᵇ   ἐπιφανείᾳ E²Γ Al. : ἐπιφάνεια E¹JAᵇ
22 λείᾳ recc. Al. : λεία AᵇE² et in marg. J : ἀεί E¹JΓ   25 τῇ om.
Aᵇ   26 εἶναι ἑκάστῳ αὐτῶν Aᵇ Al. : ἑκάστου αὐτῶν εἶναι EJΓ
27 τί . . . ἀνθρώπῳ om. Aᵇ   ἦν] ἦν εἶναι ci. Bonitz   29 οὐδὲ pr.
om. Aᵇ   30 ἐστί τι τὸ EJ   33 σημαίνει Γ   34 ὁ δὲ om. J
ὁρίζοιτο JAᵇ Asc. et fort. Al. : ὁρίζοι τὸ E¹ : ὁρίζοιτο τὸ E²   1030ᵃ 1 δὲ
recc.   τὸ addidi   εἶναι codd. ΓAl. : incl. Bonitz   2 ante
ἀλλὰ interpunxerunt Asc. Bonitz, ante ἆρα ceteri   τὸ codd. ΓAl. :
τῷ Bonitz   3 ἢ incl. Bonitz   τί pr. Aᵇ γρ. E Al.ᵒ : τί ἦν εἶναι EJΓ :
τόδε τι Bonitz   4 οἷον . . . 5 τι EJΓ Al. Asc.ᵒ: om. Aᵇ   5 τόδε
alt.] τόδε τι recc. et ut vid. Al. Asc.   9 λόγῳ Aᵇ Al. : λόγῳ ταὐτόν
EJΓ

10 ἀλλ' ἐὰν πρώτου τινὸς ᾖ· τοιαῦτα δ' ἐστὶν ὅσα λέγεται
μὴ τῷ ἄλλο κατ' ἄλλου λέγεσθαι. οὐκ ἔσται ἄρα οὐδενὶ
τῶν μὴ γένους εἰδῶν ὑπάρχον τὸ τί ἦν εἶναι, ἀλλὰ τούτοις
μόνον (ταῦτα γὰρ δοκεῖ οὐ κατὰ μετοχὴν λέγεσθαι καὶ
πάθος οὐδ' ὡς συμβεβηκός)· ἀλλὰ λόγος μὲν ἔσται ἑκάστου
15 καὶ τῶν ἄλλων τί σημαίνει, ἐὰν ᾖ ὄνομα, ὅτι τόδε τῷδε
ὑπάρχει, ἢ ἀντὶ λόγου ἁπλοῦ ἀκριβέστερος· ὁρισμὸς δ' οὐκ
ἔσται οὐδὲ τὸ τί ἦν εἶναι. ἢ καὶ ὁ ὁρισμὸς ὥσπερ καὶ τὸ τί
ἐστι πλεοναχῶς λέγεται; καὶ γὰρ τὸ τί ἐστιν ἕνα μὲν τρό-
πον σημαίνει τὴν οὐσίαν καὶ τὸ τόδε τι, ἄλλον δὲ ἕκαστον
20 τῶν κατηγορουμένων, ποσὸν ποιὸν καὶ ὅσα ἄλλα τοιαῦτα.
ὥσπερ γὰρ καὶ τὸ ἔστιν ὑπάρχει πᾶσιν, ἀλλ' οὐχ ὁμοίως
ἀλλὰ τῷ μὲν πρώτως τοῖς δ' ἑπομένως, οὕτω καὶ τὸ τί ἐστιν
ἁπλῶς μὲν τῇ οὐσίᾳ πὼς δὲ τοῖς ἄλλοις· καὶ γὰρ τὸ ποιὸν
ἐροίμεθ' ἂν τί ἐστιν, ὥστε καὶ τὸ ποιὸν τῶν τί ἐστιν, ἀλλ'
25 οὐχ ἁπλῶς, ἀλλ' ὥσπερ ἐπὶ τοῦ μὴ ὄντος λογικῶς φασί
τινες εἶναι τὸ μὴ ὄν, οὐχ ἁπλῶς ἀλλὰ μὴ ὄν, οὕτω καὶ τὸ
ποιόν.—δεῖ μὲν οὖν σκοπεῖν καὶ τὸ πῶς δεῖ λέγειν περὶ ἕκα-
στον, οὐ μὴν μᾶλλόν γε ἢ τὸ πῶς ἔχει· διὸ καὶ νῦν ἐπεὶ τὸ
λεγόμενον φανερόν, καὶ τὸ τί ἦν εἶναι ὁμοίως ὑπάρξει πρώ-
30 τως μὲν καὶ ἁπλῶς τῇ οὐσίᾳ, εἶτα καὶ τοῖς ἄλλοις, ὥσπερ
καὶ τὸ τί ἐστιν, οὐχ ἁπλῶς τί ἦν εἶναι ἀλλὰ ποιῷ ἢ ποσῷ
τί ἦν εἶναι. δεῖ γὰρ ἢ ὁμωνύμως ταῦτα φάναι εἶναι ὄντα,
ἢ προστιθέντας καὶ ἀφαιροῦντας, ὥσπερ καὶ τὸ μὴ ἐπιστητὸν
ἐπιστητόν, ἐπεὶ τό γε ὀρθόν ἐστι μήτε ὁμωνύμως φάναι
35 μήτε ὡσαύτως ἀλλ' ὥσπερ τὸ ἰατρικὸν τῷ πρὸς τὸ αὐτὸ
1030ᵇ μὲν καὶ ἕν, οὐ τὸ αὐτὸ δὲ καὶ ἕν, οὐ μέντοι οὐδὲ ὁμωνύμως·
οὐδὲ γὰρ ἰατρικὸν σῶμα καὶ ἔργον καὶ σκεῦος λέγεται οὔτε
ὁμωνύμως οὔτε καθ' ἓν ἀλλὰ πρὸς ἕν. ἀλλὰ ταῦτα μὲν
ὁποτέρως τις ἐθέλει λέγειν διαφέρει οὐδέν· ἐκεῖνο δὲ φανερὸν
5 ὅτι ὁ πρώτως καὶ ἁπλῶς ὁρισμὸς καὶ τὸ τί ἦν εἶναι τῶν
οὐσιῶν ἐστίν. οὐ μὴν ἀλλὰ καὶ τῶν ἄλλων ὁμοίως ἐστί, πλὴν

ᵃ 10 ᾖ om. Aᵇ   11 κατ' ἄλλου EJΓ Asc.: om. Aᵇ Al.   18 γὰρ
om. Aᵇ   21 τὸ τί ἐστιν Aᵇ Al.   23 τοῖς ... γὰρ EJΓ Al. Asc.:
καὶ Aᵇ   24 ἀλλ' Aᵇ Al.ᵒ Asc.: μὲν ἀλλ' EJ   32 ταὐτὰ J
34 τό τε Aᵇ   ᵇ 2 οὐδὲ Aᵇ Al.: οὐδὲν EJΓ Asc.ᶜ   3 ἀλλὰ
πρὸς ἕν in marg. J   ἀλλὰ ταῦτα μὲν Aᵇ Al.ᵒ: ταῦτα μὲν οὖν EJΓ
4 διαφέροι Aᵇ   5 πρώτως EJΓ Al.ᶜ: πρῶτος Aᵇ Asc.ᶜ   6 οὐ
μήν] καὶ οὐ μόνον Γ   ὁμοίως secl. Christ: ὅμως Aᵇ et ut vid. Al.   ἐστί,
πλὴν οὐ πρώτως EJΓ Asc.: om. Aᵇ et fort. Al.

οὐ πρώτως. οὐ γὰρ ἀνάγκη, ἂν τοῦτο τιθῶμεν, τούτου ὁρισμὸν
εἶναι ὃ ἂν λόγῳ τὸ αὐτὸ σημαίνῃ, ἀλλὰ τινὶ λόγῳ· τοῦτο
δὲ ἐὰν ἑνὸς ᾖ, μὴ τῷ συνεχεῖ ὥσπερ ἡ Ἰλιὰς ἢ ὅσα συν-
δέσμῳ, ἀλλ' ἐὰν ὁσαχῶς λέγεται τὸ ἕν· τὸ δ' ἐν λέγεται 10
ὥσπερ τὸ ὄν· τὸ δὲ ὂν τὸ μὲν τόδε τι τὸ δὲ ποσὸν τὸ δὲ
ποιόν τι σημαίνει. διὸ καὶ λευκοῦ ἀνθρώπου ἔσται λόγος καὶ
ὁρισμός, ἄλλον δὲ τρόπον καὶ τοῦ λευκοῦ καὶ οὐσίας.

5 Ἔχει δ' ἀπορίαν, ἐάν τις μὴ φῇ ὁρισμὸν εἶναι τὸν ἐκ
προσθέσεως λόγον, τίνος ἔσται ὁρισμὸς τῶν οὐχ ἁπλῶν ἀλλὰ 15
συνδεδυασμένων· ἐκ προσθέσεως γὰρ ἀνάγκη δηλοῦν. λέγω
δὲ οἷον ἔστι ῥὶς καὶ κοιλότης, καὶ σιμότης τὸ ἐκ τῶν δυοῖν
λεγόμενον τῷ τόδε ἐν τῷδε, καὶ οὐ κατὰ συμβεβηκός γε
οὔθ' ἡ κοιλότης οὔθ' ἡ σιμότης πάθος τῆς ῥινός, ἀλλὰ καθ'
αὑτήν· οὐδ' ὡς τὸ λευκὸν Καλλίᾳ, ἢ ἀνθρώπῳ, ὅτι Καλλίας 20
λευκὸς ᾧ συμβέβηκεν ἀνθρώπῳ εἶναι, ἀλλ' ὡς τὸ ἄρρεν τῷ
ζῴῳ καὶ τὸ ἴσον τῷ ποσῷ καὶ πάντα ὅσα λέγεται καθ'
αὑτὰ ὑπάρχειν. ταῦτα δ' ἐστὶν ἐν ὅσοις ὑπάρχει ἢ ὁ λόγος ἢ
τοὔνομα οὗ ἐστὶ τοῦτο τὸ πάθος, καὶ μὴ ἐνδέχεται δηλῶσαι
χωρίς, ὥσπερ τὸ λευκὸν ἄνευ τοῦ ἀνθρώπου ἐνδέχεται ἀλλ' 25
οὐ τὸ θῆλυ ἄνευ τοῦ ζῴου· ὥστε τούτων τὸ τί ἦν εἶναι καὶ
ὁρισμὸς ἢ οὐκ ἔστιν οὐδενὸς ἤ, εἰ ἔστιν, ἄλλως, καθάπερ εἰρήκα-
μεν. ἔστι δὲ ἀπορία καὶ ἑτέρα περὶ αὐτῶν. εἰ μὲν γὰρ τὸ αὐτό
ἐστι σιμὴ ῥὶς καὶ κοίλη ῥίς, τὸ αὐτὸ ἔσται τὸ σιμὸν καὶ τὸ
κοῖλον· εἰ δὲ μή, διὰ τὸ ἀδύνατον εἶναι εἰπεῖν τὸ σιμὸν 30
ἄνευ τοῦ πράγματος οὗ ἐστὶ πάθος καθ' αὑτό (ἔστι γὰρ τὸ σι-
μὸν κοιλότης ἐν ῥινί), τὸ ῥῖνα σιμὴν εἰπεῖν ἢ οὐκ ἔστιν ἢ δὶς
τὸ αὐτὸ ἔσται εἰρημένον, ῥὶς ῥὶς κοίλη (ἡ γὰρ ῥὶς ἡ σιμὴ ῥὶς
ῥὶς κοίλη ἔσται), διὸ ἄτοπον τὸ ὑπάρχειν τοῖς τοιούτοις τὸ τί
ἦν εἶναι· εἰ δὲ μή, εἰς ἄπειρον εἶσιν· ῥινὶ γὰρ ῥινὶ σιμῇ ἔτι 35
ἄλλο ἐνέσται. δῆλον τοίνυν ὅτι μόνης τῆς οὐσίας ἐστὶν ὁ 1031ᵃ
ὁρισμός. εἰ γὰρ καὶ τῶν ἄλλων κατηγοριῶν, ἀνάγκη ἐκ προσ-

ᵇ 9 ἢ om. Aᵇ   ὅσαι E   10 λέγηται τὸ EJ   13 δὲ et τοῦ
EJΓ Asc.ᶜ: om. Aᵇ   15 ὁ ὁρισμὸς Aᵇ   17 τοῖν δυοῖν J
18 τῷ om. E   19 οὔθ' alt.] οὐδ' J   26 καὶ Aᵇ Al.ᵒ Asc.:
καὶ ὁ EJ   27 εἰ EJΓ Asc.: om. Aᵇ Al.   ἀλλὰ ut vid. Al.
31 ἔστι γὰρ] καὶ ἔστι EJΓ   33 ῥὶς pr. . . . 34 κοίλη EJ Al.
et (omisso ῥὶς l. 34) Γ Asc.: σιμὴ ῥὶς εἶ Aᵇ   35 ῥὶν Aᵇ   ῥινὶ
σιμῇ Aᵇ: ῥινὸς εἰ μὴ J: ῥινὸς εἰ μὴ Γ   ἔτι om. Aᵇ   1031ᵃ 1 ἔσται
Aᵇ   μόνης EJΓ Al.¹ Asc.ᶜ: μόνον Aᵇ γρ. E γρ. J   ὁ om. J

θέσεως εἶναι, οἷον τοῦ †ποιοῦ† καὶ περιττοῦ· ,οὐ γὰρ ἄνευ ἀριθ-
μοῦ, οὐδὲ τὸ θῆλυ ἄνευ ζῴου (τὸ δὲ ἐκ προσθέσεως λέγω ἐν οἷς
5 συμβαίνει δὶς τὸ αὐτὸ λέγειν ὥσπερ ἐν τούτοις). εἰ δὲ τοῦτο
ἀληθές, οὐδὲ συνδυαζομένων ἔσται, οἷον ἀριθμοῦ περιττοῦ·
ἀλλὰ λανθάνει ὅτι οὐκ ἀκριβῶς λέγονται οἱ λόγοι. εἰ δ᾽
εἰσὶ καὶ τούτων ὅροι, ἤτοι ἄλλον τρόπον εἰσὶν ἢ καθάπερ
ἐλέχθη πολλαχῶς λεκτέον εἶναι τὸν ὁρισμὸν καὶ τὸ τί ἦν
10 εἶναι, ὥστε ὡδὶ μὲν οὐδενὸς ἔσται ὁρισμὸς οὐδὲ τὸ τί ἦν εἶναι
οὐδενὶ ὑπάρξει πλὴν ταῖς οὐσίαις, ὡδὶ δ᾽ ἔσται. ὅτι μὲν οὖν
ἐστὶν ὁ ὁρισμὸς ὁ τοῦ τί ἦν εἶναι λόγος, καὶ τὸ τί ἦν εἶναι ἢ
μόνων τῶν οὐσιῶν ἐστὶν ἢ μάλιστα καὶ πρώτως καὶ ἁπλῶς,
δῆλον.
15 Πότερον δὲ ταὐτόν ἐστιν ἢ ἕτερον τὸ τί ἦν εἶναι καὶ 6
ἕκαστον, σκεπτέον. ἔστι γάρ τι πρὸ ἔργου πρὸς τὴν περὶ τῆς
οὐσίας σκέψιν· ἕκαστόν τε γὰρ οὐκ ἄλλο δοκεῖ εἶναι τῆς
ἑαυτοῦ οὐσίας, καὶ τὸ τί ἦν εἶναι λέγεται εἶναι ἡ ἑκάστου οὐσία.
ἐπὶ μὲν δὴ τῶν λεγομένων κατὰ συμβεβηκὸς δόξειεν ἂν
20 ἕτερον εἶναι, οἷον λευκὸς ἄνθρωπος ἕτερον καὶ τὸ λευκῷ ἀν-
θρώπῳ εἶναι (εἰ γὰρ τὸ αὐτό, καὶ τὸ ἀνθρώπῳ εἶναι καὶ τὸ
λευκῷ ἀνθρώπῳ τὸ αὐτό· τὸ αὐτὸ γὰρ ἄνθρωπος καὶ λευ-
κὸς ἄνθρωπος, ὡς φασίν, ὥστε καὶ τὸ λευκῷ ἀνθρώπῳ καὶ
τὸ ἀνθρώπῳ· ἢ οὐκ ἀνάγκη ὅσα κατὰ συμβεβηκὸς εἶναι
25 ταῦτά, οὐ γὰρ ὡσαύτως τὰ ἄκρα γίγνεται ταῦτά· ἀλλ᾽
ἴσως γε ἐκεῖνο δόξειεν ἂν συμβαίνειν, τὰ ἄκρα γίγνεσθαι
ταὐτὰ τὰ κατὰ συμβεβηκός, οἷον τὸ λευκῷ εἶναι καὶ τὸ μου-
σικῷ· δοκεῖ δὲ οὔ)· ἐπὶ δὲ τῶν καθ᾽ αὑτὰ λεγομένων
ἆρ᾽ ἀνάγκη ταὐτὸ εἶναι, οἷον εἴ τινες εἰσὶν οὐσίαι ὧν ἕτεραι
30 μὴ εἰσὶν οὐσίαι μηδὲ φύσεις ἕτεραι πρότεραι, οἵας φασὶ τὰς
ἰδέας εἶναί τινες; εἰ γὰρ ἔσται ἕτερον αὐτὸ τὸ ἀγαθὸν καὶ

ᵃ 3 ποιοῦ codd. Γ Asc. : ποσοῦ Al. : ἀρτίου ci. Bonitz, πολλοῦ
Goebel   4 τὸ θῆλυ Aᵇ Asc.ᶜ : ὁ τοῦ θήλεος ΕJΓ   λέγομεν οἷς
Aᵇ   7 λαμβάνει fecit E   12 ὁ pr. om. EJ Al.ᶜ Asc.
13 μόνον JAᵇΓ, ex μόνων fecit E   17 τε om. E   21 καὶ τὸ Aᵇ Al. :
om. EJΓ Asc.   τὸ Aᵇ Al. : om. EJ Asc.   22 τὸ αὐτό sup.
lin. J   23 ὥστε EJΓ Al. Asc. : εἶναι Aᵇ   τὸ JAᵇ, ex τῷ fecit E
24 τὸ ex τῷ fecit E : τῷ J   25 οὐ γὰρ om. Aᵇˡ   26 γ᾽ Aᵇ
ἂν om. Aᵇ   γενέσθαι Aᵇ   27 τὰ Aᵇ Al. : om. EJΓ Asc.   μουσικῷ
EJAᵇΓ Al. Asc.ᶜ : εἶναι add. Eʸ J sup. lin. : εἶναι ὡς add. E   29 ἆρ᾽
Aᵇ Al. Asc. : ἀεὶ EJΓ Asc.ˡ   30 πρότεραι οἵας EJΓ Al : πρότερον
οἷον Aᵇ

τὸ ἀγαθῷ εἶναι, καὶ ζῷον καὶ τὸ ζῴῳ, καὶ τὸ ὄντι καὶ τὸ
ὄν, ἔσονται ἄλλαι τε οὐσίαι καὶ φύσεις καὶ ἰδέαι παρὰ τὰς 1031ᵇ
λεγομένας, καὶ πρότεραι οὐσίαι ἐκεῖναι, εἰ τὸ τί ἦν εἶναι
οὐσία ἐστίν. καὶ εἰ μὲν ἀπολελυμέναι ἀλλήλων, τῶν μὲν
οὐκ ἔσται ἐπιστήμη τὰ δ' οὐκ ἔσται ὄντα (λέγω δὲ τὸ ἀπο-
λελύσθαι εἰ μήτε τῷ ἀγαθῷ αὐτῷ ὑπάρχει τὸ εἶναι ἀγαθῷ 5
μήτε τούτῳ τὸ εἶναι ἀγαθόν)· ἐπιστήμη τε γὰρ ἑκάστου ἔστιν
ὅταν τὸ τί ἦν ἐκείνῳ εἶναι γνῶμεν, καὶ ἐπὶ ἀγαθοῦ καὶ τῶν
ἄλλων ὁμοίως ἔχει, ὥστε εἰ μηδὲ τὸ ἀγαθῷ εἶναι ἀγαθόν, οὐδὲ
τὸ ὄντι ὂν οὐδὲ τὸ ἑνὶ ἕν· ὁμοίως δὲ πάντα ἔστιν ἢ οὐθὲν τὰ
τί ἦν εἶναι, ὥστ' εἰ μηδὲ τὸ ὄντι ὄν, οὐδὲ τῶν ἄλλων οὐδέν. 10
ἔτι ᾧ μὴ ὑπάρχει ἀγαθῷ εἶναι, οὐκ ἀγαθόν. ἀνάγκη ἄρα
ἓν εἶναι τὸ ἀγαθὸν καὶ ἀγαθῷ εἶναι καὶ καλὸν καὶ καλῷ
εἶναι, ⟨καὶ⟩ ὅσα μὴ κατ' ἄλλο λέγεται, ἀλλὰ καθ' αὑτὰ καὶ
πρῶτα· καὶ γὰρ τοῦτο ἱκανὸν ἂν ὑπάρχῃ, κἂν μὴ ᾖ εἴδη,
μᾶλλον δ' ἴσως κἂν ᾖ εἴδη (ἅμα δὲ δῆλον καὶ ὅτι εἴπερ 15
εἰσὶν αἱ ἰδέαι οἵας τινές φασιν, οὐκ ἔσται τὸ ὑποκείμενον
οὐσία· ταύτας γὰρ οὐσίας μὲν ἀναγκαῖον εἶναι, μὴ καθ'
ὑποκειμένου δέ· ἔσονται γὰρ κατὰ μέθεξιν).—ἔκ τε δὴ τούτων
τῶν λόγων ἓν καὶ ταὐτὸ οὐ κατὰ συμβεβηκὸς αὐτὸ ἕκαστον
καὶ τὸ τί ἦν εἶναι, καὶ ὅτι γε τὸ ἐπίστασθαι ἕκαστον τοῦτό 20
ἐστι, τὸ τί ἦν εἶναι ἐπίστασθαι, ὥστε καὶ κατὰ τὴν ἔκθεσιν
ἀνάγκη ἕν τι εἶναι ἄμφω (τὸ δὲ κατὰ συμβεβηκὸς λεγό-
μενον, οἷον τὸ μουσικὸν ἢ λευκόν, διὰ τὸ διττὸν σημαίνειν
οὐκ ἀληθὲς εἰπεῖν ὡς ταὐτὸ τὸ τί ἦν εἶναι καὶ αὐτό· καὶ
γὰρ ᾧ συμβέβηκε λευκὸν καὶ τὸ συμβεβηκός, ὥστ' ἔστι 25
μὲν ὡς ταὐτόν, ἔστι δὲ ὡς οὐ ταὐτὸ τὸ τί ἦν εἶναι καὶ αὐτό·

ᵃ 32 τὸ JAᵇ, ex τῷ fecit E   καὶ alt. om. J   τὸ ὄντι καὶ τὸ ὄν] ὂν
(sup. lin.) τὸ ὄντι J   ᵇ 2 οὐσίαι] καὶ οὐσίαι Aᵇ et fort. Al.   εἰ om.
J   3 οὐσία Aᵇ Al. Asc.ᶜ: οὐσίας EJΓ   6 τε om. Aᵇ Al.ᶜ
ἐστὶν ὅταν Aᵇ Al. : αὕτη EJ: αὕτη ἐστὶν Γ   7 εἶναι ἐκεῖνο Aᵇ
γνῶμεν Aᵇ Al. : om. EJΓ   8 τὸ Γ Al. et fecit E : τῷ JAᵇ   9 τὸ
... τὸ JΓ Al. et fecit E : τῷ ... τῷ Aᵇ Asc.   ἔσται ci. Bonitz
12 καὶ pr. Aᵇ Al.ᶜ Asc.ᶜ: καὶ τὸ EJ   13 καὶ Al.¹ Joachim : om.
codd. Γ   καθ' αὑτὰ καὶ πρῶτα Aᵇ Al.ᶜ: πρῶτα καὶ καθ' αὑτὰ EJΓ Asc.
14 ἂν Aᵇ Al. : ἐὰν EJ Asc.¹   ὑπάρχοι ut vid. Aᵇ   ᾖ εἴδη EJΓ Asc.¹ :
εἴδη ᾖ Aᵇ   15 ᾖ om. Aᵇ   17 ἀναγκαῖον EJ Asc.ᶜ: ἀνάγκη
AᵇΓ   20 τοῦτό Aᵇ Al.ᶜ Asc. et fecit E : τούτων JΓ   21 καὶ
Aᵇ Al. : om. EJΓ   22 τι EJΓ Asc. et ut vid. Al. : om. Aᵇ
23 ἢ EJΓ Asc.ᶜ: καὶ Aᵇ   25 συμβέβηκε EJ Al. Asc. : συμβαίνει
Aᵇ   λευκὸν om. Aᵇ

τῷ μὲν γὰρ ἀνθρώπῳ καὶ τῷ λευκῷ ἀνθρώπῳ οὐ ταὐτό, τῷ πάθει δὲ ταὐτό). ἄτοπον δ' ἂν φανείη κἂν εἴ τις ἑκάστῳ ὄνομα θεῖτο τῶν τί ἦν εἶναι· ἔσται γὰρ καὶ παρ' ἐκεῖνο 30 ἄλλο, οἷον τῷ τί ἦν εἶναι ἵππῳ τί ἦν εἶναι [ἵππῳ] ἕτερον. καίτοι τί κωλύει καὶ νῦν εἶναι ἔνια εὐθὺς τί ἦν εἶναι, εἴπερ οὐσία τὸ τί ἦν εἶναι; ἀλλὰ μὴν οὐ μόνον ἕν, ἀλλὰ καὶ ὁ 1032ᵃ λόγος ὁ αὐτὸς αὐτῶν, ὡς δῆλον καὶ ἐκ τῶν εἰρημένων· οὐ γὰρ κατὰ συμβεβηκὸς ἓν τὸ ἑνὶ εἶναι καὶ ἕν. ἔτι εἰ ἄλλο ἔσται, εἰς ἄπειρον εἴσιν· τὸ μὲν γὰρ ἔσται τί ἦν εἶναι τοῦ ἑνὸς τὸ δὲ τὸ ἕν, ὥστε καὶ ἐπ' ἐκείνων ὁ αὐτὸς ἔσται λόγος. ὅτι 5 μὲν οὖν ἐπὶ τῶν πρώτων καὶ καθ' αὑτὰ λεγομένων τὸ ἑκάστῳ εἶναι καὶ ἕκαστον τὸ αὐτὸ καὶ ἕν ἐστι, δῆλον· οἱ δὲ σοφιστικοὶ ἔλεγχοι πρὸς τὴν θέσιν ταύτην φανερὸν ὅτι τῇ αὐτῇ λύονται λύσει καὶ εἰ ταὐτὸ Σωκράτης καὶ Σωκράτει εἶναι· οὐδὲν γὰρ διαφέρει οὔτε ἐξ ὧν ἐρωτήσειεν ἄν τις οὔτε ἐξ ὧν 10 λύων ἐπιτύχοι. πῶς μὲν οὖν τὸ τί ἦν εἶναι ταὐτὸν καὶ πῶς οὐ ταὐτὸν ἑκάστῳ, εἴρηται.

Τῶν δὲ γιγνομένων τὰ μὲν φύσει γίγνεται τὰ δὲ **7** τέχνῃ τὰ δὲ ἀπὸ ταὐτομάτου, πάντα δὲ τὰ γιγνόμενα ὑπό τέ τινος γίγνεται καὶ ἔκ τινος καὶ τί· τὸ δὲ τὶ λέγω καθ' 15 ἑκάστην κατηγορίαν· ἢ γὰρ τόδε ἢ ποσὸν ἢ ποιὸν ἢ πού. αἱ δὲ γενέσεις αἱ μὲν φυσικαὶ αὗταί εἰσιν ὧν ἡ γένεσις ἐκ φύσεώς ἐστιν, τὸ δ' ἐξ οὗ γίγνεται, ἣν λέγομεν ὕλην, τὸ δὲ ὑφ' οὗ τῶν φύσει τι ὄντων, τὸ δὲ τὶ ἄνθρωπος ἢ φυτὸν ἢ ἄλλο τι τῶν τοιούτων, ἃ δὴ μάλιστα λέγομεν οὐσίας εἶναι 20 —ἅπαντα δὲ τὰ γιγνόμενα ἢ φύσει ἢ τέχνῃ ἔχει ὕλην· δυνατὸν γὰρ καὶ εἶναι καὶ μὴ εἶναι ἕκαστον αὐτῶν, τοῦτο δ' ἐστὶν ἡ ἐν ἑκάστῳ ὕλη—καθόλου δὲ καὶ ἐξ οὗ φύσις καὶ καθ' ὃ φύσις (τὸ γὰρ γιγνόμενον ἔχει φύσιν, οἷον φυτὸν ἢ ζῷον)

ᵇ 27 τὸ Al.   τῷ alt. EJΓ Asc.ᶜ : τὸ Aᵇ Al.   29 θεῖτο EJ Al.
Asc. : τιθεῖτο Aᵇ   30 οἷον Aᵇ et fort. Al. : om. EJΓ Asc.ᶜ   τὸ
Γ et fecit E   ἵππῳ JAᵇ Al. Asc.ᶜ : ἵππῳ αὑτῷ Γ : τὸ γὰρ E sed γὰρ
postea additum   τί ... ἵππῳ om. J   ἵππῳ codd. Γ Al. : secl.
Bonitz   1032ᵃ 2 καὶ om. Aᵇ   3 τοῦ ἑνός] τὸ ἑνὶ εἶναι EJΓ
4 ὁ αὐτὸς ἔσται EJ Asc.ᶜ : ἔσται ὁ αὐτὸς AᵇΓ   6 καὶ alt. om. Aᵇ
8 εἰ] εἰς Aᵇ   Σωκράτει EJΓAl. Asc. : Σωκράτην Aᵇ   9 ἐρωτη
θεὶς Aᵇ : ἐρωτηθείη Asc.ᶜ   12 δὲ om. Aᵇ   γινόμενον J
15 ποσὸν EJΓAl. Asc. : τοσόνδε Aᵇ   16 φυσικαὶ αὗταί secl.
Bywater   18 τὶ] τι ὁ EJ   22 ἢ om. Aᵇ Asc.   ἐν om. E
καθ' secl. Cannan

καὶ ὑφ᾽ οὗ ἡ κατὰ τὸ εἶδος λεγομένη φύσις ἡ ὁμοειδής
(αὕτη δὲ ἐν ἄλλῳ)· ἄνθρωπος γὰρ ἄνθρωπον γεννᾷ·—οὕτω μὲν 25
οὖν γίγνεται τὰ γιγνόμενα διὰ τὴν φύσιν, αἱ δ᾽ ἄλλαι γε-
νέσεις λέγονται ποιήσεις. πᾶσαι δὲ εἰσὶν αἱ ποιήσεις ἢ ἀπὸ
τέχνης ἢ ἀπὸ δυνάμεως ἢ ἀπὸ. διανοίας. τούτων δέ τινες
γίγνονται καὶ ἀπὸ ταὐτομάτου καὶ ἀπὸ τύχης παραπλη-
σίως ὥσπερ ἐν τοῖς ἀπὸ φύσεως γιγνομένοις· ἔνια γὰρ 30
κἀκεῖ ταὐτὰ καὶ ἐκ σπέρματος γίγνεται καὶ ἄνευ σπέρ-
ματος. περὶ μὲν οὖν τούτων ὕστερον ἐπισκεπτέον, ἀπὸ τέχνης
δὲ γίγνεται ὅσων τὸ εἶδος ἐν τῇ ψυχῇ (εἶδος δὲ λέγω τὸ 1032ᵇ
τί ἦν εἶναι ἑκάστου καὶ τὴν πρώτην οὐσίαν)· καὶ γὰρ τῶν ἐναν-
τίων τρόπον τινὰ τὸ αὐτὸ εἶδος· τῆς γὰρ στερήσεως οὐσία ἡ
οὐσία ἡ ἀντικειμένη, οἷον ὑγίεια νόσου, ἐκείνης γὰρ ἀπουσία
ἡ νόσος, ἡ δὲ ὑγίεια ὁ ἐν τῇ ψυχῇ λόγος καὶ ἡ ἐπι- 5
στήμη. γίγνεται δὲ τὸ ὑγιὲς νοήσαντος οὕτως· ἐπειδὴ τοδὶ
ὑγίεια, ἀνάγκη εἰ ὑγιὲς ἔσται τοδὶ ὑπάρξαι, οἷον ὁμα-
λότητα, εἰ δὲ τοῦτο, θερμότητα· καὶ οὕτως ἀεὶ νοεῖ, ἕως ἂν
ἀγάγῃ εἰς τοῦτο ὃ αὐτὸς δύναται ἔσχατον ποιεῖν. εἶτα ἤδη
ἡ ἀπὸ τούτου κίνησις ποίησις καλεῖται, ἡ ἐπὶ τὸ ὑγιαίνειν. 10
ὥστε συμβαίνει τρόπον τινὰ τὴν ὑγίειαν ἐξ ὑγιείας γίγνεσθαι
καὶ τὴν οἰκίαν ἐξ οἰκίας, τῆς ἄνευ ὕλης τὴν ἔχουσαν ὕλην·
ἡ γὰρ ἰατρική ἐστι καὶ ἡ οἰκοδομικὴ τὸ εἶδος τῆς ὑγιείας
καὶ τῆς οἰκίας, λέγω δὲ οὐσίαν ἄνευ ὕλης τὸ τί ἦν εἶναι.

Τῶν δὴ γενέσεων καὶ κινήσεων ἡ μὲν νόησις καλεῖται ἡ δὲ 15
ποίησις, ἡ μὲν ἀπὸ τῆς ἀρχῆς καὶ τοῦ εἴδους νόησις ἡ δ᾽
ἀπὸ τοῦ τελευταίου τῆς νοήσεως ποίησις. ὁμοίως δὲ καὶ τῶν
ἄλλων τῶν μεταξὺ ἕκαστον γίγνεται. λέγω δ᾽ οἷον εἰ ὑγια-
νεῖ, δέοι ἂν ὁμαλυνθῆναι. τί οὖν ἐστὶ τὸ ὁμαλυνθῆναι; τοδί,

ᵃ 27 ἢ EJ Asc.ᶜ: om. Aᵇ Γ: αἱ Joachim   28 ἀπὸ alt. om. EJ
Asc.ᶜ   30 ἀπὸ Aᵇ Al.: ὑπὸ EJ Asc.ᶜ   ᵇ 2 ἑκάστου EJΓ Asc.ᶜ:
ἑκάστῳ Aᵇ   3–4 οὐσία ἡ οὐσία ἡ Al.: οὐσία ἡ τῆι οὐσίᾳ Aᵇ (sed τῆι
expunctum) EJΓ: τῇ οὐσίᾳ ἡ γρ. E   4 ἀπουσίᾳ Al.: ἀπουσία
δηλοῦται EJΓ Asc.   5–6 καὶ ἐν τῇ ἐπιστήμῃ EJΓ   6 δὲ Aᵇ Asc.:
δὴ EJΓ Al.¹   7 ἔσται om. Aᵇ   9 τοῦτο . . . δύναται EJΓ Asc.:
τὸ αὐτὸ δύνασθαι τὸ Aᵇ: τὸ αὐτὸς δύνασθαι τὸ Cannan   11 τὴν
ὑγίειαν ἐξ ὑγιείας Aᵇ Al. Asc.ᶜ: ἐξ ὑγιείας τὴν ὑγίειαν EJΓ   13 ἡ
alt. EJ Asc.ᶜ: om. Aᵇ   14 οἰκίας JAᵇΓ Al. Asc.ᶜ: οἰκοδομίας E
15 δὴ Bywater: δὲ codd. Γ   17 τῶν Aᵇ Al.ᶜ: ἐπὶ τῶν EJΓ
et fort. Asc.   18 ὑγιαίνει Γ   19 δέοι ἄν] δεῖ EJΓ Asc.ᶜ et
fort. Al.

20 τοῦτο δ' ἔσται εἰ θερμανθήσεται. τοῦτο δὲ τί ἐστι; τοδί. ὑπάρ-
χει δὲ τοδὶ δυνάμει· τοῦτο δὲ ἤδη ἐπ' αὐτῷ. τὸ δὴ ποιοῦν
καὶ ὅθεν ἄρχεται ἡ κίνησις τοῦ ὑγιαίνειν, ἂν μὲν ἀπὸ
τέχνης, τὸ εἶδός ἐστι τὸ ἐν τῇ ψυχῇ, ἐὰν δ' ἀπὸ ταὐτο-
μάτου, ἀπὸ τούτου ὅ ποτε τοῦ ποιεῖν ἄρχει τῷ ποιοῦντι ἀπὸ
25 τέχνης, ὥσπερ καὶ ἐν τῷ ἰατρεύειν ἴσως ἀπὸ τοῦ θερμαίνειν
ἡ ἀρχή (τοῦτο δὲ ποιεῖ τῇ τρίψει)· ἡ θερμότης τοίνυν ἡ ἐν
τῷ σώματι ἢ μέρος τῆς ὑγιείας ἢ ἕπεταί τι αὐτῇ τοιοῦτον
ὅ ἐστι μέρος τῆς ὑγιείας, ἢ διὰ πλειόνων· τοῦτο δ' ἔσχα-
τόν ἐστι, τὸ ποιοῦν τὸ μέρος τῆς ὑγιείας,—καὶ τῆς οἰκίας
30 (οἷον οἱ λίθοι) καὶ τῶν ἄλλων· ὥστε, καθάπερ λέγεται, ἀδύ-
νατον γενέσθαι εἰ μηδὲν προϋπάρχοι. ὅτι μὲν οὖν τι μέρος
ἐξ ἀνάγκης ὑπάρξει φανερόν· ἡ γὰρ ὕλη μέρος (ἐνυπάρ-
1033ᵃ χει γὰρ καὶ γίγνεται αὕτη). ἀλλ' ἆρα καὶ τῶν ἐν τῷ
λόγῳ; ἀμφοτέρως δὴ λέγομεν τοὺς χαλκοῦς κύκλους τί εἰσι,
καὶ τὴν ὕλην λέγοντες ὅτι χαλκός, καὶ τὸ εἶδος ὅτι σχῆμα
τοιόνδε, καὶ τοῦτό ἐστι τὸ γένος εἰς ὃ πρῶτον τίθεται. ὁ δὴ
5 χαλκοῦς κύκλος ἔχει ἐν τῷ λόγῳ τὴν ὕλην.—ἐξ οὗ δὲ ὡς
ὕλης γίγνεται ἔνια λέγεται, ὅταν γένηται, οὐκ ἐκεῖνο ἀλλ'
ἐκείνινον, οἷον ὁ ἀνδριὰς οὐ λίθος ἀλλὰ λίθινος, ὁ δὲ ἄνθρω-
πος ὁ ὑγιαίνων οὐ λέγεται ἐκεῖνο ἐξ οὗ· αἴτιον δὲ ὅτι γίγνε-
ται ἐκ τῆς στερήσεως καὶ τοῦ ὑποκειμένου, ὃ λέγομεν τὴν
10 ὕλην (οἷον καὶ ὁ ἄνθρωπος καὶ ὁ κάμνων γίγνεται ὑγιής),
μᾶλλον μέντοι λέγεται γίγνεσθαι ἐκ τῆς στερήσεως, οἷον ἐκ
κάμνοντος ὑγιὴς ἢ ἐξ ἀνθρώπου, διὸ κάμνων μὲν ὁ ὑγιὴς οὐ
λέγεται, ἄνθρωπος δέ, καὶ ὁ ἄνθρωπος ὑγιής· ὧν δ' ἡ στέρησις

ᵇ20 τί om. Aᵇ Asc.ᶜ   21 τοδὶ Aᵇ² γρ. EJΓ Al. : τῳδὶ EAᵇ¹
Asc.   22 τὸ Aᵇ   24 ὅ ποτε] ὅπερ Al.ᶜ, ci. Bonitz   ἀρχὴ
ΓST Al.ᶜ et ut vid. Al.   26 τοίνυν EJ Asc.¹ : οὖν Aᵇ   ἡ om.
Aᵇ   27 ἢ alt. ... 28 ὑγιείας EJΓ Al. Asc. : om. Aᵇ   28 ἔσχατόν
ἐστι] ἔσχατον EJΓ Al.ᶜ : ἐστὶν ἔσχατον Asc.ᶜ   29 τὸ μέρος Aᵇ Al.
et ut vid. Asc. : καὶ τὸ οὕτως μέρος ἐστὶ EJΓ : an τὸ μέρος καὶ τὸ οὕτως
μέρος ? : καὶ αὐτό πως μέρος ἐστὶ ci. Bonitz, καὶ τὸ οὕτως μέρος Shute,
καὶ τὸ οὕτως μέρος ἐστὶν ὕλη Christ, καὶτὸ οὕτως μέρος ἐστὶ Bullinger
31 τι Aᵇ Al. Asc. : τὸ EJΓ   1033ᵃ 1 ἄρα Asc. i : ἆρα codd. Γ
2 δὴ Bullinger : δὲ codd. Γ : γε i   χαλκοῦς Aᵇ γρ. ΕΓ Al. Asc. :
πολλοὺς EJ   3 τὴν] εἰ τὴν Aᵇ¹ : οἱ τὴν Aᵇ²   4 καὶ ... τίθεται
an spuria?   5 χαλκὸς Aᵇ   ἐν] καὶ ἐν fort. Al.   δὲ EJΓ
Al.¹ : δὴ Aᵇ   7 ἐκεῖνον J   ὁ om. EJ   λίθος EJΓ Al. : λίθοι
Aᵇ   8 ὁ om. Aᵇ Asc.   11 γίγνεσθαι post στερήσεως EJ
12 ὁ om. Aᵇ Asc.ᶜ   13 ὁ om. recc. Asc.ᶜ

ἄδηλος καὶ ἀνώνυμος, οἷον ἐν χαλκῷ σχήματος ὁποιονοῦν ἢ
ἐν πλίνθοις καὶ ξύλοις οἰκίας, ἐκ τούτων δοκεῖ γίγνεσθαι ὡς 15
ἐκεῖ ἐκ κάμνοντος· διὸ ὥσπερ οὐδ' ἐκεῖ ἐξ οὗ τοῦτο, ἐκεῖνο οὐ
λέγεται, οὐδ' ἐνταῦθα ὁ ἀνδριὰς ξύλον, ἀλλὰ παράγεται
ξύλινος, [οὐ ξύλον,] καὶ χαλκοῦς ἀλλ' οὐ χαλκός, καὶ λίθινος
ἀλλ' οὐ λίθος, καὶ ἡ οἰκία πλινθίνη ἀλλ' οὐ πλίνθοι, ἐπεὶ οὐδὲ
ὡς ἐκ ξύλου γίγνεται ἀνδριὰς ἢ ἐκ πλίνθων οἰκία, ἐάν τις 20
ἐπιβλέπῃ σφόδρα, οὐκ ἂν ἁπλῶς εἴπειεν, διὰ τὸ δεῖν μετα-
βάλλοντος γίγνεσθαι ἐξ οὗ, ἀλλ' οὐχ ὑπομένοντος. διὰ μὲν
οὖν τοῦτο οὕτως λέγεται.

8 Ἐπεὶ δὲ ὑπό τινός τε γίγνεται τὸ γιγνόμενον (τοῦτο δὲ
λέγω ὅθεν ἡ ἀρχὴ τῆς γενέσεώς ἐστι) καὶ ἔκ τινος (ἔστω δὲ 25
μὴ ἡ στέρησις τοῦτο ἀλλ' ἡ ὕλη· ἤδη γὰρ διώρισται ὃν τρό-
πον τοῦτο λέγομεν) καὶ τὶ γίγνεται (τοῦτο δ' ἐστὶν ἢ σφαῖρα
ἢ κύκλος ἢ ὅ τι ἔτυχε τῶν ἄλλων), ὥσπερ οὐδὲ τὸ ὑποκεί-
μενον ποιεῖ, τὸν χαλκόν, οὕτως οὐδὲ τὴν σφαῖραν, εἰ μὴ
κατὰ συμβεβηκὸς ὅτι ἡ χαλκῆ σφαῖρα σφαῖρά ἐστιν 30
ἐκείνην δὲ ποιεῖ. τὸ γὰρ τόδε τι ποιεῖν ἐκ τοῦ ὅλως ὑποκει-
μένου τόδε τι ποιεῖν ἐστίν (λέγω δ' ὅτι τὸν χαλκὸν στρογγύ-
λον ποιεῖν ἐστὶν οὐ τὸ στρογγύλον ἢ τὴν σφαῖραν ποιεῖν ἀλλ'
ἕτερόν τι, οἷον τὸ εἶδος τοῦτο ἐν ἄλλῳ· εἰ γὰρ ποιεῖ, ἔκ
τινος ἂν ποιοίη ἄλλου, τοῦτο γὰρ ὑπέκειτο· οἷον ποιεῖ χαλ- 1033ᵇ
κῆν σφαῖραν, τοῦτο δὲ οὕτως ὅτι ἐκ τουδί, ὅ ἐστι χαλκός,
τοδὶ ποιεῖ, ὅ ἐστι σφαῖρα)· εἰ οὖν καὶ τοῦτο ποιεῖ αὐτό, δῆλον
ὅτι ὡσαύτως ποιήσει, καὶ βαδιοῦνται αἱ γενέσεις εἰς ἄπει-
ρον. φανερὸν ἄρα ὅτι οὐδὲ τὸ εἶδος, ἢ ὁτιδήποτε χρὴ καλεῖν 5
τὴν ἐν τῷ αἰσθητῷ μορφήν, οὐ γίγνεται, οὐδ' ἔστιν αὐτοῦ γένε-
σις, οὐδὲ τὸ τί ἦν εἶναι (τοῦτο γάρ ἐστιν ὃ ἐν ἄλλῳ γίγνεται
ἢ ὑπὸ τέχνης ἢ ὑπὸ φύσεως ἢ δυνάμεως). τὸ δὲ χαλκῆν
σφαῖραν εἶναι ποιεῖ· ποιεῖ γὰρ ἐκ χαλκοῦ καὶ σφαίρας·
εἰς τοδὶ γὰρ τὸ εἶδος ποιεῖ, καὶ ἔστι τοῦτο σφαῖρα χαλκῆ. 10

ᵃ 14 ἐν] ἐκ J γρ. E   χαλκοῦ γρ. E   ὅποι οὖν fecit E   17 προά-
γεται Γ   18 οὐ ξύλον secl. Christ   21 σφόδρα ἐπιβλέπῃ
AᵇΓ   εἴπειεν J: εἶπε Aᵇ: εἴποιε E: εἴποι Al. Asc.ᶜ   27 τὶ Al.
Bonitz: ὁ codd. Γ   31 ποιεῖν om. Aᵇ   32 τι AᵇAl.: om.
EJΓ   33 οὐδὲ J   ᵇ 1 ποιεῖ AᵇAl.: ποιείν EJΓ   3 τοδὶ
EJ Asc.ᶜ: τόδε Aᵇ   ὅ] ὅτι Aᵇ   5 οὐδὲ Aᵇ Al.: οὔτε EJ
6 οὐ om. Aᵇ et fort. Al.   7 εἶναι] εἶναι τούτωι EJΓ: εἶναι τοῦτο
Al.   8 ἢ pr. EJΓ Asc.ᶜ: om. Aᵇ   9 καὶ σφαίρας EJΓ Al.
Asc.ᶜ: σφαῖραν Aᵇ   10 τὸ] τοδὶ τὸ EJΓ

τοῦ δὲ σφαίρᾳ εἶναι ὅλως εἰ ἔσται γένεσις, ἔκ τινος τὶ ἔσται.
δεήσει γὰρ διαιρετὸν εἶναι ἀεὶ τὸ γιγνόμενον, καὶ εἶναι τὸ
μὲν τόδε τὸ δὲ τόδε, λέγω δ' ὅτι τὸ μὲν ὕλην τὸ δὲ εἶδος.
εἰ δή ἐστι σφαῖρα τὸ ἐκ τοῦ μέσου σχῆμα ἴσον, τούτου τὸ μὲν
15 ἐν ᾧ ἔσται ὃ ποιεῖ, τὸ δ' ἐν ἐκείνῳ, τὸ δὲ ἅπαν τὸ γεγονός,
οἷον ἡ χαλκῆ σφαῖρα. φανερὸν δὴ ἐκ τῶν εἰρημένων ὅτι
τὸ μὲν ὡς εἶδος ἢ οὐσία λεγόμενον οὐ γίγνεται, ἡ δὲ σύνολος
ἡ κατὰ ταύτην λεγομένη γίγνεται, καὶ ὅτι ἐν παντὶ τῷ
γεννωμένῳ ὕλη ἔνεστι, καὶ ἔστι τὸ μὲν τόδε τὸ δὲ τόδε.—πότε-
20 ρον οὖν ἔστι τις σφαῖρα παρὰ τάσδε ἢ οἰκία παρὰ τὰς πλίν-
θους; ἢ οὐδ' ἄν ποτε ἐγίγνετο, εἰ οὕτως ἦν, τόδε τι, ἀλλὰ τὸ
τοιόνδε σημαίνει, τόδε δὲ καὶ ὡρισμένον οὐκ ἔστιν, ἀλλὰ ποιεῖ
καὶ γεννᾷ ἐκ τοῦδε τοιόνδε, καὶ ὅταν γεννηθῇ, ἔστι τόδε
τοιόνδε; τὸ δὲ ἅπαν τόδε, Καλλίας ἢ Σωκράτης, ἐστὶν ὥσπερ
25 ἡ σφαῖρα ἡ χαλκῆ ἡδί, ὁ δ' ἄνθρωπος καὶ τὸ ζῷον ὥσπερ
σφαῖρα χαλκῆ ὅλως. φανερὸν ἄρα ὅτι ἡ τῶν εἰδῶν αἰτία,
ὡς εἰώθασί τινες λέγειν τὰ εἴδη, εἰ ἔστιν ἄττα παρὰ τὰ καθ'
ἕκαστα, πρός γε τὰς γενέσεις καὶ τὰς οὐσίας οὐθὲν χρησίμη·
οὐδ' ἂν εἶεν διά γε ταῦτα οὐσίαι καθ' αὑτάς. ἐπὶ μὲν δή
30 τινων καὶ φανερὸν ὅτι τὸ γεννῶν τοιοῦτον μὲν οἷον τὸ γεννώ-
μενον, οὐ μέντοι τὸ αὐτό γε, οὐδὲ ἓν τῷ ἀριθμῷ ἀλλὰ τῷ
εἴδει, οἷον ἐν τοῖς φυσικοῖς—ἄνθρωπος γὰρ ἄνθρωπον γεννᾷ—
ἂν μή τι παρὰ φύσιν γένηται, οἷον ἵππος ἡμίονον (καὶ
ταῦτα δὲ ὁμοίως· ὃ γὰρ ἂν κοινὸν εἴη ἐφ' ἵππου καὶ ὄνου
1034ᵃ οὐκ ὠνόμασται, τὸ ἐγγύτατα γένος, εἴη δ' ἂν ἄμφω ἴσως,
οἷον ἡμίονος)· ὥστε φανερὸν ὅτι οὐθὲν δεῖ ὡς παράδειγμα εἶδος
κατασκευάζειν (μάλιστα γὰρ ἂν ἐν τούτοις ἐπεζητοῦντο·
οὐσίαι γὰρ αἱ μάλιστα αὖται) ἀλλὰ ἱκανὸν τὸ γεννῶν ποιῆ-
5 σαι καὶ τοῦ εἴδους αἴτιον εἶναι ἐν τῇ ὕλῃ. τὸ δ' ἅπαν ἤδη,

ᵇ 11 τοῦ] τοῦτο δὲ σφαίρᾳ εἶναι τοῦ Γ : τοῦτο δὲ σφαίραν εἶναι ὅλως δ'
εἰ ἔσται γένεσις τοῦ J   σφαίρᾳ recc. Γ : σφαῖρα ΕJΑᵇ   ἔσται
ΑᵇΓ Al. et fecit Ε : ἔστι J Asc.   ἔκ τινος τὶ] ἔκ τινος Al. : ἐκ τίνος τί
Joachim   12 ἀεὶ et 13 τὸ δὲ pr. om. Αᵇ   15 ὃ ΕJΓ Al. : οὐ Αᵇ
17 ἢ Αᵇ Asc.ᶜ : ἢ ὡς ΕJΓ Al.ᵒ   σύνολος Jaeger : σύνοδος codd. Γ
18 παντὶ Αᵇ Al.ᶜ : ἅπαντι ΕJ Asc.ᶜ   19 γεννομένῳ Αᵇ : γινομένῳ
Al.ᵒ Asc.ᵒ   ἔνεστι ΕJΓ Al.ᶜ : ἔστι Αᵇ Asc.ᶜ   20 τι J   τάδε Ε
21 ἄν om. Γ   ἀλλὰ τὸ Αᵇ Al. : ἀλλ' ὅτι ΕΓ : ἄλλο τι J   22 δὲ om.
Αᵇ   28 τε ΕJ Asc.   τὰς alt. om. ΕJ   χρήσιμα ΕJΓΑl.
29 μὲν δή] μὴ δή Αᵇ : δέ Γ   30 καὶ om. Αᵇ Γ   31 ἀλλὰ]
ἀλλ' ἐν ΕΓ : ἀλλ' ἐν J   1034ᵃ 4 αἱ om. Αᵇ

τὸ τοιόνδε εἶδος ἐν ταῖσδε ταῖς σαρξὶ καὶ ὀστοῖς, Καλλίας
καὶ Σωκράτης· καὶ ἕτερον μὲν διὰ τὴν ὕλην (ἑτέρα γάρ),
ταὐτὸ δὲ τῷ εἴδει (ἄτομον γὰρ τὸ εἶδος).

9 Ἀπορήσειε δ' ἄν τις διὰ τί τὰ μὲν γίγνεται καὶ τέχνῃ
καὶ ἀπὸ ταὐτομάτου, οἷον ὑγίεια, τὰ δ' οὔ, οἷον οἰκία. αἴτιον 10
δὲ ὅτι τῶν μὲν ἡ ὕλη ἡ ἄρχουσα τῆς γενέσεως ἐν τῷ ποιεῖν
καὶ γίγνεσθαί τι τῶν ἀπὸ τέχνης, ἐν ᾗ ὑπάρχει τι μέρος
τοῦ πράγματος,—ἡ μὲν τοιαύτη ἐστὶν οἵα κινεῖσθαι ὑφ' αὑτῆς
ἡ δ' οὔ, καὶ ταύτης ἡ μὲν ὡδὶ οἷα τε ἡ δὲ ἀδύνατος· πολλὰ
γὰρ δυνατὰ μὲν ὑφ' αὑτῶν κινεῖσθαι ἀλλ' οὐχ ὡδί, οἷον 15
ὀρχήσασθαι. ὅσων οὖν τοιαύτη ἡ ὕλη, οἷον οἱ λίθοι, ἀδύνα-
τον ὡδὶ κινηθῆναι εἰ μὴ ὑπ' ἄλλου, ὡδὶ μέντοι ναί—καὶ τὸ
πῦρ. διὰ τοῦτο τὰ μὲν οὐκ ἔσται ἄνευ τοῦ ἔχοντος τὴν τέχνην
τὰ δὲ ἔσται· ὑπὸ γὰρ τούτων κινηθήσεται τῶν οὐκ ἐχόντων
τὴν τέχνην, κινεῖσθαι δὲ δυναμένων αὐτῶν ὑπ' ἄλλων 20
οὐκ ἐχόντων τὴν τέχνην ἢ ἐκ μέρους. δῆλον δ' ἐκ τῶν
εἰρημένων καὶ ὅτι τρόπον τινὰ πάντα γίγνεται ἐξ ὁμωνύμου,
ὥσπερ τὰ φύσει, ἢ ἐκ μέρους ὁμωνύμου (οἷον ἡ οἰκία ἐξ
οἰκίας, ᾗ ὑπὸ νοῦ· ἡ γὰρ τέχνη τὸ εἶδος) [ἢ ἐκ μέρους] ἢ
ἔχοντός τι μέρος,—ἐὰν μὴ κατὰ συμβεβηκὸς γίγνηται· τὸ 25
γὰρ αἴτιον τοῦ ποιεῖν πρῶτον καθ' αὑτὸ μέρος. θερμότης γὰρ
ἡ ἐν τῇ κινήσει θερμότητα ἐν τῷ σώματι ἐποίησεν· αὕτη
δὲ ἐστὶν ἢ ὑγίεια ἢ μέρος, ἢ ἀκολουθεῖ αὐτῇ μέρος τι τῆς
ὑγιείας ἢ αὐτὴ ἡ ὑγίεια· διὸ καὶ λέγεται ποιεῖν, ὅτι ἐκεῖνο
ποιεῖ [τὴν ὑγίειαν] ᾧ ἀκολουθεῖ καὶ συμβέβηκε [θερμότης]. ὥστε, 30
ὥσπερ ἐν τοῖς συλλογισμοῖς, πάντων ἀρχὴ ἡ οὐσία· ἐκ γὰρ
τοῦ τί ἐστιν οἱ συλλογισμοί εἰσιν, ἐνταῦθα δὲ αἱ γενέσεις.
ὁμοίως δὲ καὶ τὰ φύσει συνιστάμενα τούτοις ἔχει. τὸ μὲν

ᵃ 8 ταυτά Aᵇ   9 καὶ τέχνῃ EJΓ Al. Asc. : om. Aᵇ   11 ἤ alt.
om. Aᵇ   14 ὧδε Aᵇ   15 δύναται Γ   ὡδί EJ Al. : ὧδε Aᵇ
16 ἀδύνατοι Aᵇ   17 ὧδε Aᵇ   εἰ] ἢ J   μέντοι ναί—καὶ] μέντ'
εἶναι καὶ Aᵇ : μέντοι κινεῖται Apelt   20 τὴν AᵇAl. Asc.ᶜ : μὲν τὴν
EJΓ   κινεῖσθαι ... 21 τέχνην om. Al. : an secludenda? ὑπ'] ἢ
ὑπ' EJΓ   21 ἐκ μέρους an secludenda?   22 πάντα
Aᵇ Al. : ἅπαντα EJ Asc.   23 ἤ ... ὁμωνύμου EJAᵇΓAsc.ᶜ :
secl. Christ   24 ᾗ Robin : ἢ codd. Γ : ἡ ci. Schwegler, τῆς
Bonitz   ἢ ἐκ μέρους seclusi : μέρους om. Aᵇ : ἢ ἐκ μέρους ὁμωνύμου
Christ   ἢ om. Aᵇ   25 τι EJΓ Al.ᶜ Asc.ᶜ : ἢ Aᵇ   26 αἴτιον
om. Aᵇ   28 ἢ pr. Aᵇ Asc.ᶜ : ἢ Al. : ἤτοι EJ ἢ tert. codd. ΓAl.
Asc.ᶜ : ᾗ Jaeger   29 αὕτη ὑγίεια J   30 τὴν ὑγίειαν om. Al.,
secludenda ci. Bonitz   θερμότης secl. Jaeger : ἡ θερμότης fecit E :
ἡ ὑγίεια ci. Bonitz   33 δὲ Aᵇ Al. Asc.¹ : δὴ EJΓ

2673·2

C

γὰρ σπέρμα ποιεῖ ὥσπερ τὰ ἀπὸ τέχνης (ἔχει γὰρ δυνά-
1034ᵇ μει τὸ εἶδος, καὶ ἀφ' οὗ τὸ σπέρμα, ἐστί πως ὁμώνυμον—οὐ
γὰρ πάντα οὕτω δεῖ ζητεῖν ὡς ἐξ ἀνθρώπου ἄνθρωπος· καὶ
γὰρ γυνὴ ἐξ ἀνδρός—ἐὰν μὴ πήρωμα ᾖ· διὸ ἡμίονος οὐκ
ἐξ ἡμιόνου)· ὅσα δὲ ἀπὸ ταὐτομάτου ὥσπερ ἐκεῖ γίγνε-
5 ται, ὅσων ἡ ὕλη δύναται καὶ ὑφ' αὑτῆς κινεῖσθαι ταύτην
τὴν κίνησιν ἣν τὸ σπέρμα κινεῖ· ὅσων δὲ μή, ταῦτα ἀδύ-
νατα γίγνεσθαι ἄλλως πως ἢ ἐξ αὐτῶν.—οὐ μόνον δὲ περὶ
τῆς οὐσίας ὁ λόγος δηλοῖ τὸ μὴ γίγνεσθαι τὸ εἶδος, ἀλλὰ
περὶ πάντων ὁμοίως τῶν πρώτων κοινὸς ὁ λόγος, οἷον ποσοῦ
10 ποιοῦ καὶ τῶν ἄλλων κατηγοριῶν. γίγνεται γὰρ ὥσπερ ἡ
χαλκῆ σφαῖρα ἀλλ' οὐ σφαῖρα οὐδὲ χαλκός, καὶ ἐπὶ
χαλκοῦ, εἰ γίγνεται (ἀεὶ γὰρ δεῖ προϋπάρχειν τὴν ὕλην
καὶ τὸ εἶδος), οὕτως καὶ ἐπὶ τοῦ τί ἐστι καὶ ἐπὶ τοῦ ποιοῦ καὶ
ποσοῦ καὶ τῶν ἄλλων ὁμοίως κατηγοριῶν· οὐ γὰρ γίγνεται
15 τὸ ποιὸν ἀλλὰ τὸ ποιὸν ξύλον, οὐδὲ τὸ ποσὸν ἀλλὰ τὸ πο-
σὸν ξύλον ἢ ζῷον. ἀλλ' ἴδιον τῆς οὐσίας ἐκ τούτων λαβεῖν
ἔστιν ὅτι ἀναγκαῖον προϋπάρχειν ἑτέραν οὐσίαν ἐντελεχείᾳ
οὖσαν ἣ ποιεῖ, οἷον ζῷον εἰ γίγνεται ζῷον· ποιὸν δ' ἢ ποσὸν
οὐκ ἀνάγκη ἀλλ' ἢ δυνάμει μόνον.

20 Ἐπεὶ δὲ ὁ ὁρισμὸς λόγος ἐστί, πᾶς δὲ λόγος μέρη ἔχει, 10
ὡς δὲ ὁ λόγος πρὸς τὸ πρᾶγμα, καὶ τὸ μέρος τοῦ λόγου πρὸς
τὸ μέρος τοῦ πράγματος ὁμοίως ἔχει, ἀπορεῖται ἤδη πότερον
δεῖ τὸν τῶν μερῶν λόγον ἐνυπάρχειν ἐν τῷ τοῦ ὅλου λόγῳ
ἢ οὔ. ἐπ' ἐνίων μὲν γὰρ φαίνονται ἐνόντες ἐνίων δ' οὔ. τοῦ μὲν
25 γὰρ κύκλου ὁ λόγος οὐκ ἔχει τὸν τῶν τμημάτων, ὁ δὲ τῆς
συλλαβῆς ἔχει τὸν τῶν στοιχείων· καίτοι διαιρεῖται καὶ ὁ
κύκλος εἰς τὰ τμήματα ὥσπερ καὶ ἡ συλλαβὴ εἰς τὰ στοι-
χεῖα. ἔτι δὲ εἰ πρότερα τὰ μέρη τοῦ ὅλου, τῆς δὲ ὀρθῆς ἡ

ᵃ 34 τὸ Ε   δυνάμει ΕJΓ Al. Asc. : δύναμιν Aᵇ   ᵇ 1 πως Aᵇ²
ΕJΓ Al. Asc. : πρώτως Aᵇ¹   3 ἐὰν ... ᾖ ante διὸ ... 4 ἡμιόνου
transposui : sic fort. leg. Al.: post διὸ ... ἡμιόνου codd. ΓAsc.: omnia
haec verba secl. Jaeger   ἐὰν Aᵇ Al. Asc. : ἀλλ' ἐὰν ΕJΓ   5 δύναται
om. Aᵇ   12 εἰ om. fort. Al.   ἀεὶ] εἰ Aᵇ   13 οὕτως om.
JΓ   17 ἀναγκαῖον Aᵇ Al. : ἀνάγκη ΕJΓ Asc.ᶜ   ἑτέραν Aᵇ Al.
Asc.ᶜ : ἀεὶ ἑτέραν ΕJΓ   18 εἰ γίγνεται ζῷον ΕJ Asc. : om. AᵇΓ
19 ἀλλ' ᾖ] ἀλλὰ Aᵇ Al. Asc.   20 ὁ Aᵇ Asc.ˡᶜ : om. ΕJ   21 τοῦ
... 22 μέρος om. Aᵇ   24 ἢ οὔ ΕJΓ Al. Asc.ᶜ : om. Aᵇ   ἐπ' AᵇΓ
Al.ᶜ : om. ΕJ Asc.   ἐνόντες J : ἐνόντα recc.   ἐπ' ἐνίων recc.
25 τῶν] τοῦ Aᵇ²   26 καίτοι ΕJΓ Asc.ᶜ : καίτοι καὶ Aᵇ   28 πρότερα
ΕΓ Al. Asc.ˡᶜ : πρότερον JAᵇ   τὰ μέρη ΕJΓ Al. Asc.ˡᶜ : τὸ μέρος Aᵇ

ὀξεῖα μέρος καὶ ὁ δάκτυλος τοῦ ζῴου, πρότερον ἂν εἴη ἡ ὀξεῖα
τῆς ὀρθῆς καὶ ὁ δάκτυλος τοῦ ἀνθρώπου. δοκεῖ δ᾽ ἐκεῖνα εἶναι 30
πρότερα· τῷ λόγῳ γὰρ λέγονται ἐξ ἐκείνων, καὶ τῷ εἶναι
δὲ ἄνευ ἀλλήλων πρότερα.—ἢ πολλαχῶς λέγεται τὸ μέρος,
ὧν εἷς μὲν τρόπος τὸ μετροῦν κατὰ τὸ ποσόν—ἀλλὰ τοῦτο
μὲν ἀφείσθω· ἐξ ὧν δὲ ἡ οὐσία ὡς μερῶν, τοῦτο σκεπτέον.
εἰ οὖν ἐστὶ τὸ μὲν ὕλη τὸ δὲ εἶδος τὸ δ᾽ ἐκ τούτων, καὶ 1035ᵃ
οὐσία ἥ τε ὕλη καὶ τὸ εἶδος καὶ τὸ ἐκ τούτων, ἔστι μὲν ὡς
καὶ ἡ ὕλη μέρος τινὸς λέγεται, ἔστι δ᾽ ὡς οὔ, ἀλλ᾽ ἐξ ὧν
ὁ τοῦ εἴδους λόγος. οἷον τῆς μὲν κοιλότητος οὐκ ἔστι μέρος
ἡ σάρξ (αὕτη γὰρ ἡ ὕλη ἐφ᾽ ἧς γίγνεται), τῆς δὲ σιμό- 5
τητος μέρος· καὶ τοῦ μὲν συνόλου ἀνδριάντος μέρος ὁ χαλ-
κὸς τοῦ δ᾽ ὡς εἴδους λεγομένου ἀνδριάντος οὔ (λεκτέον γὰρ
τὸ εἶδος καὶ ᾗ εἶδος ἔχει ἕκαστον, τὸ δ᾽ ὑλικὸν οὐδέποτε
καθ᾽ αὑτὸ λεκτέον)· διὸ ὁ μὲν τοῦ κύκλου λόγος οὐκ ἔχει
τὸν τῶν τμημάτων, ὁ δὲ τῆς συλλαβῆς ἔχει τὸν τῶν στοιχείων· 10
τὰ μὲν γὰρ στοιχεῖα τοῦ λόγου μέρη τοῦ εἴδους καὶ οὐχ ὕλη,
τὰ δὲ τμήματα οὕτως μέρη ὡς ὕλη ἐφ᾽ ἧς ἐπιγίγνεται·
ἐγγυτέρω μέντοι τοῦ εἴδους ἢ ὁ χαλκὸς ὅταν ἐν χαλκῷ ἡ
στρογγυλότης ἐγγένηται. ἔστι δ᾽ ὡς, οὐδὲ τὰ στοιχεῖα πάντα
τῆς συλλαβῆς ἐν τῷ λόγῳ ἐνέσται, οἷον ταδὶ τὰ κήρινα 15
ἢ τὰ ἐν τῷ ἀέρι· ἤδη γὰρ καὶ ταῦτα μέρος τῆς συλλα-
βῆς ὡς ὕλη αἰσθητή. καὶ γὰρ ἡ γραμμὴ οὐκ εἰ διαιρου-
μένη εἰς τὰ ἡμίση φθείρεται, ἢ ὁ ἄνθρωπος εἰς τὰ ὀστᾶ
καὶ νεῦρα καὶ σάρκας, διὰ τοῦτο καὶ εἰσὶν ἐκ τούτων οὕτως·
ὡς ὄντων τῆς οὐσίας μερῶν, ἀλλ᾽ ὡς ἐξ ὕλης, καὶ τοῦ μὲν 20
συνόλου μέρη, τοῦ εἴδους δὲ καὶ οὗ ὁ λόγος οὐκέτι· διόπερ οὐδ᾽
ἐν τοῖς λόγοις. τῷ μὲν οὖν ἐνέσται ὁ τῶν τοιούτων μερῶν
λόγος, τῷ δ᾽ οὐ δεῖ ἐνεῖναι, ἂν μὴ ᾖ τοῦ συνειλημμένου·

ᵇ29 τοῦ ... 30 δάκτυλος om. AᵇΓ   33 ποσοῦν Aᵇ   1035ᵃ4 μέρος
ἡ σάρξ ΕJΓ Asc.ᶜ: ἡ σὰρξ μέρος Aᵇ   5 ἡ alt. om. Aᵇ   ἀφ᾽ Ε
6 μέρος Aᵇ Al. Asc.ᶜ: μέρος τι ΕJΓ   οὖν ὅλου J   10 ἔχει
om. ΕJΓ   11 ὡς οὐχ ὕλη γρ. Ε   12 οὕτως] τούτων
οὕτως ΕJ : τούτου οὕτως Γ: οὔτε Asc.ᶜ   ἧς Jaeger : οἷς codd. Γ Asc.
14 πάντα ΕJ Asc.ᶜ: ἅπαντα Aᵇ   15 ἔνεστι Γ   19 εἰσὶν
ΕJΓ Al.¹: ἐκεῖν᾽ Aᵇ   21 οὐδ᾽] οὐδὲν J: καὶ Aᵇ   22 τῷ scripsi :
τῶν codd.   οὖν om Aᵇ: οὖν οὐκ Ε   τῶν ... 23 ἐνεῖναι] διόπερ τοῖς
μὲν ἐνέσται ὁ τῶν τοιούτων μερῶν λόγος, τοῖς δ᾽ οὐ δεῖ ἐνεῖναι γρ. Ε
23 τῷ scripsi: τῶν ΕJΓ: τοῖς Aᵇ et fort. Al.   ἂν ... συνειλημμένου
secl. Jaeger   ᾖ et 24 ὡς om. Aᵇ

διὰ γὰρ τοῦτο ἔνια μὲν ἐκ τούτων ὡς ἀρχῶν ἐστὶν εἰς ἃ
25 φθείρονται, ἔνι·α δὲ οὐκ ἔστιν. ὅσα μὲν οὖν συνειλημμένα τὸ
εἶδος καὶ ἡ ὕλη ἐστίν, οἷον τὸ σιμὸν ἢ ὁ χαλκοῦς κύκλος,
ταῦτα μὲν φθείρεται εἰς ταῦτα καὶ μέρος αὐτῶν ἡ ὕλη·
ὅσα δὲ μὴ συνείληπται τῇ ὕλῃ ἀλλὰ ἄνευ ὕλης, ὧν οἱ
λόγοι τοῦ εἴδους μόνον, ταῦτα δ' οὐ φθείρεται, ἢ ὅλως ἢ
30 οὕτοι οὕτω γε· ὥστ' ἐκείνων μὲν ἀρχαὶ καὶ μέρη ταῦτα
τοῦ δὲ εἴδους οὔτε μέρη οὔτε ἀρχαί. καὶ διὰ τοῦτο
φθείρεται ὁ πήλινος ἀνδριὰς εἰς πηλὸν καὶ ἡ σφαῖρα
εἰς χαλκὸν καὶ ὁ Καλλίας εἰς σάρκα καὶ ὀστᾶ, ἔτι δὲ
ὁ κύκλος εἰς τὰ τμήματα· ἔστι γάρ τις ὃς συνείληπται τῇ
1035ᵇ ὕλῃ· ὁμωνύμως γὰρ λέγεται κύκλος ὅ τε ἁπλῶς λεγό-
μενος καὶ ὁ καθ' ἕκαστα διὰ τὸ μὴ εἶναι ἴδιον ὄνομα τοῖς
καθ' ἕκαστον.—εἴρηται μὲν οὖν καὶ νῦν τὸ ἀληθές, ὅμως δ' ἔτι
σαφέστερον εἴπωμεν ἐπαναλαβόντες. ὅσα μὲν γὰρ τοῦ λόγου
5 μέρη καὶ εἰς ἃ διαιρεῖται ὁ λόγος, ταῦτα πρότερα ἢ
πάντα ἢ ἔνια· ὁ δὲ τῆς ὀρθῆς λόγος οὐ διαιρεῖται εἰς
ὀξείας λόγον, ἀλλ' ⟨ὁ⟩ τῆς ὀξείας εἰς ὀρθήν· χρῆται γὰρ ὁ
ὁριζόμενος τὴν ὀξεῖαν τῇ ὀρθῇ· "ἐλάττων" γὰρ "ὀρθῆς" ἡ ὀξεῖα.
ὁμοίως δὲ καὶ ὁ κύκλος καὶ τὸ ἡμικύκλιον ἔχουσιν· τὸ
10 γὰρ ἡμικύκλιον τῷ κύκλῳ ὁρίζεται καὶ ὁ δάκτυλος τῷ
ὅλῳ· "τὸ" γὰρ "τοιόνδε μέρος ἀνθρώπου" δάκτυλος. ὥσθ' ὅσα
μὲν μέρη ὡς ὕλη καὶ εἰς ἃ διαιρεῖται ὡς ὕλην, ὕστερα·
ὅσα δὲ ὡς τοῦ λόγου καὶ τῆς οὐσίας τῆς κατὰ τὸν λόγον,
πρότερα ἢ πάντα ἢ ἔνια. ἐπεὶ δὲ ἡ τῶν ζῴων ψυχή
15 (τοῦτο γὰρ οὐσία τοῦ ἐμψύχου) ἡ κατὰ τὸν λόγον οὐσία καὶ
τὸ εἶδος καὶ τὸ τί ἦν εἶναι τῷ τοιῷδε σώματι (ἕκαστον
γοῦν τὸ μέρος ἐὰν ὁρίζηται καλῶς, οὐκ ἄνευ τοῦ ἔργου ὁριεῖ-
ται, ὃ οὐχ ὑπάρξει ἄνευ αἰσθήσεως), ὥστε τὰ ταύτης μέρη

ᵃ 25 ὅσα ΕJΓ γρ. Aᵇ Al.ᶜ : ἔνια Aᵇ   28 ὕλης ὧν οἱ Aᵇ Al. (ὧν
ex οἷον facto in Aᵇ): τῆς ὕλης οἷον ΕJΓ   30 οὕτοι οὕτω JΓ Al.ᶜ :
οὐ τοιούτω Aᵇ¹ : οὔτι οὕτω ΕAᵇ²   ταῦτα Aᵇ et ut vid. Al. : τὰ ὑφ'
αὑτὰ ΕJΓ: τὰ ὑφ' αὑτῶν Asc.ᶜ : τὰ ὑλικὰ ci. Bonitz   31 ἀρχαί Aᵇ
Al. : ἀρχαὶ ταῦτα ΕJΓ   32 ἢ] ἡ χαλκῆ fort. Al., Bonitz   33 σάρκα
ΕJΓ Al. Asc.ᶜ : σάρκας Aᵇ   δὲ] δὲ ὁμοίως Aᵇ : δὲ καὶ Ε²   34 τι
ὁ Aᵇ Al.   τῇ ὕλῃ] ὡς ὕλη ut vid. Al.   ᵇ 2 ὁ] οἱ ΕΓ   7 ἀλλ'
ὁ scripsi, fort. legit Al.: ἀλλὰ codd.   9 ὁ et τὸ pr. Aᵇ Al.ᶜ: om.
ΕJ Asc.ᶜ   12 ὡς εἰς ὕλην ΕΓ   16 τοιῷδε Aᵇ Al. : τοιούτω
ΕJ   ἑκάστου ΕJΓ   17 καλῶς ΕJΓ Asc.: τὸ μέρος καλῶς Aᵇ :
καλῶς τὸ μέρος Al.ᶜ

πρότερα ἢ πάντα ἢ ἔνια τοῦ συνόλου ζῴου, καὶ καθ᾽ ἕκα-
στον δὴ ὁμοίως, τὸ δὲ σῶμα καὶ τὰ τούτου μόρια ὕστερα 20
ταύτης τῆς οὐσίας, καὶ διαιρεῖται εἰς ταῦτα ὡς εἰς ὕλην
οὐχ ἡ οὐσία ἀλλὰ τὸ σύνολον,—τοῦ μὲν οὖν συνόλου πρότερα
ταῦτ᾽ ἔστιν ὥς, ἔστι δ᾽ ὡς οὔ (οὐδὲ γὰρ εἶναι δύναται χωρι-
ζόμενα· οὐ γὰρ ὁ πάντως ἔχων δάκτυλος ζῴου, ἀλλ᾽
ὁμώνυμος ὁ τεθνεώς)· ἔνια δὲ ἅμα, ὅσα κύρια καὶ ἐν ᾧ 25
πρώτῳ ὁ λόγος καὶ ἡ οὐσία, οἷον εἰ τοῦτο καρδία ἢ ἐγκέ-
φαλος· διαφέρει γὰρ οὐθὲν πότερον τοιοῦτον. ὁ δ᾽ ἄνθρωπος
καὶ ὁ ἵππος καὶ τὰ οὕτως ἐπὶ τῶν καθ᾽ ἕκαστα, καθόλου δέ,
οὐκ ἔστιν οὐσία ἀλλὰ σύνολόν τι ἐκ τουδὶ τοῦ λόγου καὶ τησδὶ
τῆς ὕλης ὡς καθόλου· καθ᾽ ἕκαστον δ᾽ ἐκ τῆς ἐσχάτης ὕλης ὁ 30
Σωκράτης ἤδη ἐστίν, καὶ ἐπὶ τῶν ἄλλων ὁμοίως.—μέρος μὲν οὖν
ἐστὶ καὶ τοῦ εἴδους (εἶδος δὲ λέγω τὸ τί ἦν εἶναι) καὶ τοῦ συνόλου
τοῦ ἐκ τοῦ εἴδους καὶ τῆς ὕλης ⟨καὶ τῆς ὕλης⟩ αὐτῆς. ἀλλὰ
τοῦ λόγου μέρη τὰ τοῦ εἴδους μόνον ἐστίν, ὁ δὲ λόγος ἐστὶ τοῦ
καθόλου· τὸ γὰρ κύκλῳ εἶναι καὶ κύκλος καὶ ψυχῇ εἶναι 1036ᵃ
καὶ ψυχὴ ταὐτό. τοῦ δὲ συνόλου ἤδη, οἷον κύκλου τουδὶ
καὶ τῶν καθ᾽ ἕκαστά τινος ἢ αἰσθητοῦ ἢ νοητοῦ—λέγω δὲ νοητοὺς
μὲν οἷον τοὺς μαθηματικούς, αἰσθητοὺς δὲ οἷον τοὺς χαλκοῦς
καὶ τοὺς ξυλίνους—τούτων δὲ οὐκ ἔστιν ὁρισμός, ἀλλὰ μετὰ 5
νοήσεως ἢ αἰσθήσεως γνωρίζονται, ἀπελθόντες δὲ ἐκ τῆς
ἐντελεχείας οὐ δῆλον πότερον εἰσὶν ἢ οὐκ εἰσίν· ἀλλ᾽
ἀεὶ λέγονται καὶ γνωρίζονται τῷ καθόλου λόγῳ. ἡ δ᾽ ὕλη
ἄγνωστος καθ᾽ αὑτήν. ὕλη δὲ ἡ μὲν αἰσθητή ἐστιν ἡ δὲ
νοητή, αἰσθητὴ μὲν οἷον χαλκὸς καὶ ξύλον καὶ ὅση κινητὴ 10
ὕλη, νοητὴ δὲ ἡ ἐν τοῖς αἰσθητοῖς ὑπάρχουσα μὴ ᾗ αἰσθητά,
οἷον τὰ μαθηματικά. πῶς μὲν οὖν ἔχει περὶ ὅλου καὶ μέ-

ᵇ 21 καὶ] καὶ ὁ Γ   22 οὐκ οὐσίαν Aᵇ   24 οὐ EJ Asc.º :
οὐδὲ AᵇΓ Al.º   ὁ πάντως EJΓ Al.º et ut vid. Asc. : ἄλλως πως Aᵇ
25 τεθνεώς EJ Asc. : τεθνηκὼς Aᵇ Al.   26 πρῶτος Γ   27 τοιοῦτον
EJ Al.º : τὸ τοιοῦτον Aᵇ   28 ὁ EJΓ Asc.º : om. Aᵇ Al.º   τὰ
EJΓ Al.º : ταῦτα Aᵇ   33 καὶ pr. EJΓ Asc. : ὡς Aᵇ   καὶ τῆς
ὕλης add. Bonitz   αὐτῆς susp. Joachim, om. fort. Al.   34 τοῦ
tert. EJΓ Asc. : τὸ Aᵇ et fort. Al.   1036ᵃ 2 ἤδη] ἢ EJΓ   3 καὶ
EJAᵇΓ Asc. : om. recc.   ἢ pr. om. E   5 τοὺς om. EJ
6 post γνωρίζονται add. Γ τοῦτο δ᾽ ὅταν ἐνεργείᾳ ὁρῶνται   ἀπελθόντας
recc.   7 πότερον Aᵇ Asc. : πότερόν ποτε EJΓ   10 ὅση . . .
11 νοητή EJΓ Asc. : ὅσα κινεῖται, ἡ Aᵇ   12 οἷον τὰ μαθηματικά EJΓ
Asc. : ὄντα τὰ μαθηματικά Aᵇ : om. fort. Al.   καὶ EJΓ Al. Asc. :
καὶ περὶ Aᵇ

ρους καὶ περὶ τοῦ προτέρου καὶ ὑστέρου, εἴρηται· πρὸς δὲ τὴν
ἐρώτησιν ἀνάγκη ἀπαντᾶν, ὅταν τις ἔρηται πότερον ἡ ὀρθὴ
15 καὶ ὁ κύκλος καὶ τὸ ζῷον πρότερον ἢ εἰς ἃ διαιροῦνται
καὶ ἐξ ὧν εἰσί, τὰ μέρη, ὅτι οὐχ ἁπλῶς. εἰ μὲν γάρ ἐστι
καὶ ἡ ψυχὴ ζῷον ἢ ἔμψυχον, ἢ ἕκαστον ἡ ἑκάστου, καὶ
κύκλος τὸ κύκλῳ εἶναι, καὶ ὀρθὴ τὸ ὀρθῇ εἶναι καὶ ἡ
οὐσία ἡ τῆς ὀρθῆς, τὶ μὲν καὶ τινὸς φατέον ὕστερον, οἷον
20 τῶν ἐν τῷ λόγῳ καὶ τινὸς ὀρθῆς (καὶ γὰρ ἡ μετὰ τῆς
ὕλης, ἡ χαλκῆ ὀρθή, καὶ ἡ ἐν ταῖς γραμμαῖς ταῖς καθ᾽
ἕκαστα), ἡ δ᾽ ἄνευ ὕλης τῶν μὲν ἐν τῷ λόγῳ ὑστέρα τῶν
δ᾽ ἐν τῷ καθ᾽ ἕκαστα μορίων προτέρα, ἁπλῶς δ᾽ οὐ φατέον·
εἰ δ᾽ ἑτέρα καὶ μὴ ἔστιν ἡ ψυχὴ ζῷον, καὶ οὕτω τὰ μὲν
25 φατέον τὰ δ᾽ οὐ φατέον, ὥσπερ εἴρηται.
 Ἀπορεῖται δὲ εἰκότως καὶ ποῖα τοῦ εἴδους μέρη καὶ ΙΙ
ποῖα οὔ, ἀλλὰ τοῦ συνειλημμένου. καίτοι τούτου μὴ δήλου
ὄντος οὐκ ἔστιν ὁρίσασθαι ἕκαστον· τοῦ γὰρ καθόλου καὶ τοῦ
εἴδους ὁ ὁρισμός· ποῖα οὖν ἐστὶ τῶν μερῶν ὡς ὕλη καὶ ποῖα
30 οὔ, ἐὰν μὴ ᾖ φανερά, οὐδὲ ὁ λόγος ἔσται φανερὸς ὁ τοῦ
πράγματος. ὅσα μὲν οὖν φαίνεται ἐπιγιγνόμενα ἐφ᾽ ἑτέ-
ρων τῷ εἴδει, οἷον κύκλος ἐν χαλκῷ καὶ λίθῳ καὶ ξύλῳ,
ταῦτα μὲν δῆλα εἶναι δοκεῖ ὅτι οὐδὲν τῆς τοῦ κύκλου οὐσίας
ὁ χαλκὸς οὐδ᾽ ὁ λίθος διὰ τὸ χωρίζεσθαι αὐτῶν· ὅσα δὲ
35 μὴ ὁρᾶται χωριζόμενα, οὐδὲν μὲν κωλύει ὁμοίως ἔχειν
1036ᵇ τούτοις, ὥσπερ κἂν εἰ οἱ κύκλοι πάντες ἑωρῶντο χαλκοῖ·
οὐδὲν γὰρ ἂν ἧττον ἦν ὁ χαλκὸς οὐδὲν τοῦ εἴδους· χαλεπὸν
δὲ ἀφελεῖν τοῦτον τῇ διανοίᾳ. οἷον τὸ τοῦ ἀνθρώπου εἶδος
ἀεὶ ἐν σαρκὶ φαίνεται καὶ ὀστοῖς καὶ τοῖς τοιούτοις μέρεσιν·
5 ἆρ᾽ οὖν καὶ ἐστὶ ταῦτα μέρη τοῦ εἴδους καὶ τοῦ λόγου; ἢ οὔ,
ἀλλ᾽ ὕλη, ἀλλὰ διὰ τὸ μὴ καὶ ἐπ᾽ ἄλλων ἐπιγίγνεσθαι
ἀδυνατοῦμεν χωρίσαι; ἐπεὶ δὲ τοῦτο δοκεῖ μὲν ἐνδέχεσθαι
ἄδηλον δὲ πότε, ἀποροῦσί τινες ἤδη καὶ ἐπὶ τοῦ κύκλου καὶ

ᵃ 15 πρότερα ΕΓ   διαιρεῖται Αᵇ   17 ἢ ΕJΑᵇ Γ Αl. : om.
recc.: ἢ Christ   ἔμψυχος Ε   ἢ ΕΑᵇΓ Αl. : ἢ J γρ. Ε   ἑκάστῳ
Γ   18 καὶ pr. om. Αᵇ : καὶ ἡ ΕJ : et Γ   20 καὶ pr.] an καὶ
τῶν?   ἡ μὲν μετὰ Γ   26 τοῦ ΕJΓ Asc. : ἔσται τοῦ Αᵇ : ἐστι τοῦ
Αl.   29 ποῖα pr.] ἢ ποῖα Αᵇ   ᵇ 1 εἰ ΕJΓ Asc. : om. Αᵇ
2 οὐδὲν alt. om. ΕJΓ   3 τοῦτον Αᵇ Αl. : τοῦτο ΕJΓ   5 ταῦτα
μέρη Αᵇ Αl.ᶜ Asc. : μέρη ταῦτα ΕJ : μέρη τούτου Γ

τοῦ τριγώνου ὡς οὐ προσῆκον γραμμαῖς ὁρίζεσθαι καὶ τῷ
συνεχεῖ, ἀλλὰ πάντα καὶ ταῦτα ὁμοίως λέγεσθαι ὡσανεὶ 10
σάρκες καὶ ὀστᾶ τοῦ ἀνθρώπου καὶ χαλκὸς καὶ λίθος τοῦ ἀν-
δριάντος· καὶ ἀνάγουσι πάντα εἰς τοὺς ἀριθμούς, καὶ γραμ-
μῆς τὸν λόγον τὸν τῶν δύο εἶναί φασιν. καὶ τῶν τὰς
ἰδέας λεγόντων οἱ μὲν αὐτογραμμὴν τὴν δυάδα, οἱ δὲ τὸ
εἶδος τῆς γραμμῆς, ἔνια μὲν γὰρ εἶναι τὸ αὐτὸ τὸ εἶδος 15
καὶ οὗ τὸ εἶδος (οἷον δυάδα καὶ τὸ εἶδος δυάδος), ἐπὶ
γραμμῆς δὲ οὐκέτι. συμβαίνει δὴ ἕν τε πολλῶν εἶδος
εἶναι ὧν τὸ εἶδος φαίνεται ἕτερον (ὅπερ καὶ τοῖς Πυθα-
γορείοις συνέβαινεν), καὶ ἐνδέχεται ἐν πάντων ποιεῖν αὐτὸ
εἶδος, τὰ δ' ἄλλα μὴ εἴδη· καίτοι οὕτως ἐν πάντα ἔσται. 20

Ὅτι μὲν οὖν ἔχει τινὰ ἀπορίαν τὰ περὶ τοὺς ὁρισμούς, καὶ
διὰ τίν' αἰτίαν, εἴρηται· διὸ καὶ τὸ πάντα ἀνάγειν οὕτω καὶ
ἀφαιρεῖν τὴν ὕλην περίεργον· ἔνια γὰρ ἴσως τόδ' ἐν τῷδ'
ἐστὶν ἢ ὡδὶ ταδὶ ἔχοντα. καὶ ἡ παραβολὴ ἡ ἐπὶ τοῦ ζῴου,
ἣν εἰώθει λέγειν Σωκράτης ὁ νεώτερος, οὐ καλῶς ἔχει· 25
ἀπάγει γὰρ ἀπὸ τοῦ ἀληθοῦς, καὶ ποιεῖ ὑπολαμβάνειν ὡς
ἐνδεχόμενον εἶναι τὸν ἄνθρωπον ἄνευ τῶν μερῶν, ὥσπερ
ἄνευ τοῦ χαλκοῦ τὸν κύκλον. τὸ δ' οὐχ ὅμοιον· αἰσθητὸν
γάρ τι τὸ ζῷον, καὶ ἄνευ κινήσεως οὐκ ἔστιν ὁρίσασθαι, διὸ
οὐδ' ἄνευ τῶν μερῶν ἐχόντων πώς. οὐ γὰρ πάντως τοῦ ἀν- 30
θρώπου μέρος ἡ χείρ, ἀλλ' ἢ δυναμένη τὸ ἔργον ἀποτελεῖν,
ὥστε ἔμψυχος οὖσα· μὴ ἔμψυχος δὲ οὐ μέρος. περὶ δὲ τὰ
μαθηματικὰ διὰ τί οὐκ εἰσὶ μέρη οἱ λόγοι τῶν λόγων,
οἷον τοῦ κύκλου τὰ ἡμικύκλια; οὐ γάρ ἐστιν αἰσθητὰ ταῦτα.
ἢ οὐθὲν διαφέρει; ἔσται γὰρ ὕλη ἐνίων καὶ μὴ αἰσθητῶν· 35
καὶ παντὸς γὰρ ὕλη τις ἔστιν ὃ μὴ ἔστι τί ἦν εἶναι καὶ 1037ᵃ

ᵃ 9 τοῦ Aᵇ Al. Asc.ᵒ : ἐπὶ τοῦ ΕJΓ   10 καὶ om. ΕJΓ   11 αἱ
σάρκες Aᵇ   καὶ pr. AᵇΓ Al. Asc. : ἢ ΕJ   τοῦ ἀνδριάντος Aᵇ Al. :
ἢ ἀνδριάντος ἀνδριάντος gr. Ε : κύκλου ΕJΓ   12 πάντας JΓ : πάντως
gr. Ε   15 τὸ αὐτὸ AᵇΓ Asc. : ταῦτα ΕJ   16 τὸ alt. ΕJ Asc.ᵒ :
om. Aᵇ   17 οὐκ ἔστιν Ε   19-20 αὐτὸεἶδος Joachim
21 τινὰ ἀπορίαν Aᵇ Al.ˡᵒ : ἀπορίαν τινὰ ΕJΓ Asc.ˡ   22 καὶ τὸ Ε
Al.ˡ : καὶ Aᵇ : τὸ JΓ   29 τι Aᵇ Al. Asc. : τι ἴσως ΕJΓ   30 οὐδ' om.
Aᵇ   31 ἀλλ' ἢ Joachim : ἀλλ' ἡ ΕJ Asc. : ἀλλὰ Aᵇ   32 περὶ—
1037ᵃ 5 νοητή cum loco 1034ᵇ 24 — 1035ᵃ 17 'primum coniuncta
fuisse ci. Al.   33 μαθηματικὰ J   34 τοῦ Aᵇ Al.ˡ : om. ΕJ
35 ἡ ὕλη J Asc.ᵒ   1037ᵃ 1 γὰρ . . . ἐστιν Aᵇ et ut vid. Al. : om.
ΕJΓ Asc.   καὶ . . . 2 τι AᵇΓ et ut vid. Al. : om. ΕJ

εἶδος αὐτὸ καθ᾽ αὐτὸ ἀλλὰ τόδε τι. κύκλου μὲν οὖν οὐκ
ἔσται τοῦ καθόλου, τῶν δὲ καθ᾽ ἔκαστα ἔσται μέρη ταῦτα,
ὥσπερ εἴρηται πρότερον· ἔστι γὰρ ὕλη ἡ μὲν αἰσθητὴ ἡ
5 δὲ νοητή. δῆλον δὲ καὶ ὅτι ἡ μὲν ψυχὴ οὐσία ἡ πρώτη,
τὸ δὲ σῶμα ὕλη, ὁ δ᾽ ἄνθρωπος ἢ τὸ ζῷον τὸ ἐξ ἀμφοῖν
ὡς καθόλου· Σωκράτης δὲ καὶ Κορίσκος, εἰ μὲν καὶ ἡ ψυχὴ
Σωκράτης, διττόν (οἱ μὲν γὰρ ὡς ψυχὴν οἱ δ᾽ ὡς τὸ σύνολον),
εἰ δ᾽ ἁπλῶς ἡ ψυχὴ ἥδε καὶ ⟨τὸ⟩ σῶμα τόδε, ὥσπερ τὸ
10 καθόλου [τε] καὶ τὸ καθ᾽ ἔκαστον. πότερον δὲ ἔστι παρὰ
τὴν ὕλην τῶν τοιούτων οὐσιῶν τις ἄλλη, καὶ δεῖ ζητεῖν
οὐσίαν ἑτέραν τινὰ οἷον ἀριθμοὺς ἤ τι τοιοῦτον, σκεπτέον
ὕστερον. τούτου γὰρ χάριν καὶ περὶ τῶν αἰσθητῶν οὐσιῶν
πειρώμεθα διορίζειν, ἐπεὶ τρόπον τινὰ τῆς φυσικῆς καὶ
15 δευτέρας φιλοσοφίας ἔργον ἡ περὶ τὰς αἰσθητὰς οὐσίας
θεωρία· οὐ γὰρ μόνον περὶ τῆς ὕλης δεῖ γνωρίζειν τὸν φυ-
σικὸν ἀλλὰ καὶ τῆς κατὰ τὸν λόγον, καὶ μᾶλλον. ἐπὶ
δὲ τῶν ὁρισμῶν πῶς μέρη τὰ ἐν τῷ λόγῳ, καὶ διὰ τί εἷς
λόγος ὁ ὁρισμός (δῆλον γὰρ ὅτι τὸ πρᾶγμα ἕν, τὸ δὲ
20 πρᾶγμα τίνι ἕν, μέρη γε ἔχον;), σκεπτέον ὕστερον.

Τί μὲν οὖν ἐστὶ τὸ τί ἦν εἶναι καὶ πῶς αὐτὸ καθ᾽
αὑτό, καθόλου περὶ παντὸς εἴρηται, καὶ διὰ τί τῶν μὲν ὁ
λόγος ὁ τοῦ τί ἦν εἶναι ἔχει τὰ μόρια τοῦ ὁριζομένου τῶν
δ᾽ οὔ, καὶ ὅτι ἐν μὲν τῷ τῆς οὐσίας λόγῳ τὰ οὕτω μόρια
25 ὡς ὕλη οὐκ ἐνέσται—οὐδὲ γὰρ ἔστιν ἐκείνης μόρια τῆς οὐσίας
ἀλλὰ τῆς συνόλου, ταύτης δέ γ᾽ ἔστι πως λόγος καὶ οὐκ
ἔστιν· μετὰ μὲν γὰρ τῆς ὕλης οὐκ ἔστιν (ἀόριστον γάρ),
κατὰ τὴν πρώτην δ᾽ οὐσίαν ἔστιν, οἷον ἀνθρώπου ὁ τῆς ψυχῆς
λόγος· ἡ γὰρ οὐσία ἐστὶ τὸ εἶδος τὸ ἐνόν, ἐξ οὗ καὶ τῆς

ᵃ 2 κύκλου . . . 3 τοῦ] τοῦ μὲν καθόλου κύκλου οὐκ ἔσται μέρη Aᵇ
4 ὕλη Aᵇ Asc.ᶜ : ἡ ὕλη ΕJ   5 καὶ om. Aᵇ   7 εἰ] η Jᶦ   καὶ
Aᵇ Al. : om. ΕJΓ   8 Σωκράτης om. ΕJΓ Asc.   ψυχὴν] ψυχὴ
Aᵇ   9 καὶ om. Aᵇ   τὸ add. a   τόδε] τὰ δὲ Aᵇ   τὰ Aᵇ
10 τε codd. Asc. : om. Al. a : οὕτω Apelt   ἔστι τι παρὰ Ε Al.
Asc.ᶦ   11 τις οὐσιῶν ΕJΓ Asc.ᶦ   12 οὐσίαν] τὴν οὐσίαν Aᵇ
ἑτέραν Aᵇ et fort. Al. : αὐτῶν ἑτέραν ΕJΓ Asc.ᶜ   14 πειρώμεθα
Aᵇ   ἢ ἐπεὶ Aᵇ   16 ὑλικῆς ci. Christ   17 ⟨περὶ τῆς οὐσίας⟩
τῆς Jaeger   ἐπὶ ΕJΓ Asc.: εἰ Aᵇ : ἔτι ci. Brandis   19 ὁ om.
Εᶦ   20 τίνι ΕJAᵇΓ Asc.: τινὶ γρ. Ε Al.   δὲ Aᵇ   22 καθόλου
om. Γ   23 ὁ om. AᵇAl.ᵒ   26 συνόλου Ta Al. : συνόλης ΕJAᵇ
29 γὰρ οὐσία ΕJ Asc.ᶜ : οὐσία γὰρ Aᵇ Al.ᶜ

ὕλης ἡ σύνολος λέγεται οὐσία, οἷον ἡ κοιλότης (ἐκ γὰρ 30
ταύτης καὶ τῆς ῥινὸς σιμὴ ῥὶς καὶ ἡ σιμότης ἐστί [δὶς γὰρ
ἐν τούτοις ὑπάρξει ἡ ῥίς])—ἐν δὲ τῇ συνόλῳ οὐσίᾳ, οἷον ῥινὶ
σιμῇ ἢ Καλλίᾳ, ἐνέσται καὶ ἡ ὕλη· καὶ ὅτι τὸ τί ἦν
εἶναι καὶ ἕκαστον ἐπὶ τινῶν μὲν ταὐτό, ὥσπερ ἐπὶ τῶν πρώ- 1037ᵇ
των οὐσιῶν, οἷον καμπυλότης καὶ καμπυλότητι εἶναι, εἰ
πρώτη ἐστίν (λέγω δὲ πρώτην ἢ μὴ λέγεται τῷ ἄλλο ἐν
ἄλλῳ εἶναι καὶ ὑποκειμένῳ ὡς ὕλῃ), ὅσα δὲ ὡς ὕλη ἢ
ὡς συνειλημμένα τῇ ὕλῃ, οὐ ταὐτό, οὐδ᾽ ⟨εἰ⟩ κατὰ συμβεβη- 5
κὸς ἕν, οἷον Σωκράτης καὶ τὸ μουσικόν· ταῦτα γὰρ ταὐτὰ
κατὰ συμβεβηκός.

12 Νῦν δὲ λέγωμεν πρῶτον ἐφ᾽ ὅσον ἐν τοῖς ἀναλυτι-
κοῖς περὶ ὁρισμοῦ μὴ εἴρηται· ἡ γὰρ ἐν ἐκείνοις ἀπορία
λεχθεῖσα πρὸ ἔργου τοῖς περὶ τῆς οὐσίας ἐστὶ λόγοις. λέγω 10
δὲ ταύτην τὴν ἀπορίαν, διὰ τί ποτε ἕν ἐστιν οὗ τὸν λόγον
ὁρισμὸν εἶναί φαμεν, οἷον τοῦ ἀνθρώπου τὸ ζῷον δίπουν·
ἔστω γὰρ οὗτος αὐτοῦ λόγος. διὰ τί δὴ τοῦτο ἕν ἐστιν ἀλλ᾽
οὐ πολλά, ζῷον καὶ δίπουν; ἐπὶ μὲν γὰρ τοῦ ἄνθρωπος
καὶ λευκὸν πολλὰ μέν ἐστιν ὅταν μὴ ὑπάρχῃ θατέρῳ 15
θάτερον, ἐν δὲ ὅταν ὑπάρχῃ καὶ πάθῃ τι τὸ ὑποκείμενον,
ὁ ἄνθρωπος (τότε γὰρ ἐν γίγνεται καὶ ἔστιν ὁ λευκὸς ἄν-
θρωπος)· ἐνταῦθα δ᾽ οὐ μετέχει θατέρου θάτερον· τὸ γὰρ
γένος οὐ δοκεῖ μετέχειν τῶν διαφορῶν (ἅμα γὰρ ἂν τῶν
ἐναντίων τὸ αὐτὸ μετεῖχεν· αἱ γὰρ διαφοραὶ ἐναντίαι αἷς 20
διαφέρει τὸ γένος). εἰ δὲ καὶ μετέχει, ὁ αὐτὸς λόγος, εἴ-
περ εἰσὶν αἱ διαφοραὶ πλείους, οἷον πεζὸν δίπουν ἄπτερον.
διὰ τί γὰρ ταῦθ᾽ ἐν ἀλλ᾽ οὐ πολλά; οὐ γὰρ ὅτι ἐνυπάρ-
χει· οὕτω μὲν γὰρ ἐξ ἁπάντων ἔσται ἕν. δεῖ δέ γε ἐν
εἶναι ὅσα ἐν τῷ ὁρισμῷ· ὁ γὰρ ὁρισμὸς λόγος τίς ἐστιν 25

ᵃ 30 σύνολος EJΓAl. Asc.: σύνοδος Aᵇ   31 δὶς ... 32 ῥίς seclusi:
habent codd. ΓAl. Asc.   δὶς] δι᾽ ἃ Aᵇ   33 ἔνεστι Γ   τὸ τί
om. Aᵇ   ᵇ 1 καὶ ἕκαστον] ἕκαστον καὶ Aᵇ: ἕκαστον recc.   2 καμ-
πυλότης καὶ om. Aᵇ   εἰ Γ et fecit E: ἡ JAᵇ   3 δὲ πρῶτον Aᵇ
ἢ EΓ Al.º Asc.: ἢ JAᵇ   τὸ Aᵇ   4 ὕλῃ] ὕλῃ JAᵇ   ὕλῃ codd.
ΓAl. : ἐν ὕλῃ ut vid. Asc.   5 ὡς EJAl.: ὡς τὰ Aᵇ   οὐδ᾽
εἰ scripsi: οὐδὲ codd. Γ et ut vid. Asc.: οὐδ᾽ ὅσα Bonitz: οὐδὲ τὰ ci.
Winckelmann, οὐδ᾽ ἐὰν Christ   6 οἷον] οἷον ὁ EJAl. Asc.
μουσικόν EJΓAl.: μουσικός Aᵇ   7 τὰ κατὰ E   10 λόγοις
ἐστί AᵇΓ   11 ἕν om. Aᵇ   12 τοῦ AᵇΓ Asc.: ὁ τοῦ EJ
16 εἰ δὲ Aᵇ   19 ἂν om. Aᵇ   22 αἱ om. E

εἰς καὶ οὐσίας, ὥστε ἑνός τινος δεῖ αὐτὸν εἶναι λόγον· καὶ
γὰρ ἡ οὐσία ἕν τι καὶ τόδε τι σημαίνει, ὡς φαμέν.—δεῖ
δὲ ἐπισκοπεῖν πρῶτον περὶ τῶν κατὰ τὰς διαιρέσεις ὁρι-
σμῶν. οὐδὲν γὰρ ἕτερόν ἐστιν ἐν τῷ ὁρισμῷ πλὴν τὸ
30 πρῶτον λεγόμενον γένος καὶ αἱ διαφοραί· τὰ δ' ἄλλα
γένη ἐστὶ τό τε πρῶτον καὶ μετὰ τούτου αἱ συλλαμβανό-
μεναι διαφοραί, οἷον τὸ πρῶτον ζῷον, τὸ δὲ ἐχόμενον
ζῷον δίπουν, καὶ πάλιν ζῷον δίπουν ἄπτερον· ὁμοίως δὲ
1038ᵃ κἂν διὰ πλειόνων λέγηται. ὅλως δ' οὐδὲν διαφέρει διὰ
πολλῶν ἢ δι' ὀλίγων λέγεσθαι, ὥστ' οὐδὲ δι' ὀλίγων ἢ
διὰ δυοῖν· τοῖν δυοῖν δὲ τὸ μὲν διαφορὰ τὸ δὲ γένος, οἷον
τοῦ ζῷον δίπουν τὸ μὲν ζῷον γένος διαφορὰ δὲ θάτερον.
5 εἰ οὖν τὸ γένος ἁπλῶς μὴ ἔστι παρὰ τὰ ὡς γένους εἴδη,
ἢ εἰ ἔστι μὲν ὡς ὕλη δ' ἐστίν (ἡ μὲν γὰρ φωνὴ γένος καὶ
ὕλη, αἱ δὲ διαφοραὶ τὰ εἴδη καὶ τὰ στοιχεῖα ἐκ ταύτης
ποιοῦσιν), φανερὸν ὅτι ὁ ὁρισμός ἐστιν ὁ ἐκ τῶν διαφορῶν
λόγος. ἀλλὰ μὴν καὶ δεῖ γε διαιρεῖσθαι τῇ τῆς διαφο-
10 ρᾶς διαφορᾷ, οἷον ζῴου διαφορὰ τὸ ὑπόπουν· πάλιν τοῦ
ζῴου τοῦ ὑπόποδος τὴν διαφορὰν δεῖ εἶναι ᾗ ὑπόπουν,
ὥστ' οὐ λεκτέον τοῦ ὑπόποδος τὸ μὲν πτερωτὸν τὸ δὲ ἄπτε-
ρον, ἐάνπερ λέγῃ καλῶς (ἀλλὰ διὰ τὸ ἀδυνατεῖν ποιήσει
τοῦτο), ἀλλ' ἢ τὸ μὲν σχιζόπουν τὸ δ' ἄσχιστον· αὗται
15 γὰρ διαφοραὶ ποδός· ἡ γὰρ σχιζοποδία ποδότης τις. καὶ
οὕτως ἀεὶ βούλεται βαδίζειν ἕως ἂν ἔλθῃ εἰς τὰ ἀδιάφορα·
τότε δ' ἔσονται τοσαῦτα εἴδη ποδὸς ὅσαιπερ αἱ διαφοραί,
καὶ τὰ ὑπόποδα ζῷα ἴσα ταῖς διαφοραῖς. εἰ δὴ ταῦτα
οὕτως ἔχει, φανερὸν ὅτι ἡ τελευταία διαφορὰ ἡ οὐσία τοῦ
20 πράγματος ἔσται καὶ ὁ ὁρισμός, εἴπερ μὴ δεῖ πολλάκις
ταὐτὰ λέγειν ἐν τοῖς ὅροις· περίεργον γάρ. συμβαίνει δέ
γε τοῦτο· ὅταν γὰρ εἴπῃ ζῷον ὑπόπουν δίπουν, οὐδὲν ἄλλο
εἴρηκεν ἢ ζῷον πόδας ἔχον, δύο πόδας ἔχον· κἂν τοῦτο
διαιρῇ τῇ οἰκείᾳ διαιρέσει, πλεονάκις ἐρεῖ καὶ ἰσάκις ταῖς

ᵇ 26 οὐσία EJΓ   καὶ EJΓ Al. Asc.ᵒ: εἰ Aᵇ   29 τὸ Aᵇ Asc.
et ut vid. Al. : τό τε EJ   30 ἡ διαφορά γρ. E Al. Asc.   αἱ om.
JAᵇ   1038ᵃ 2 δι' pr. et 3 διὰ om. Aᵇ   4 τοῦ] τὸ J   7 ἐκ]
δ' ἐκ E   9 τῇ ... διαφορᾷ Joachim : τὴν ... διαφοράν codd. ΓAl.
11 εἰδέναι EJΓ Asc. : διελεῖν ex Al. Asc. ci. Bonitz   13 δυνατεῖν Aᵇ
14 ᾗ] εἰ EJΓ   16 δ' ἀεὶ J   21. ταῦτα EJ   23 ἢ EJΓ
Asc.ᵒ : εἰ μὴ Aᵇ   πόδας pr. om. EJ¹

διαφοραῖς. ἐὰν μὲν δὴ διαφορᾶς διαφορὰ γίγνηται, μία 25
ἔσται ἡ τελευταία τὸ εἶδος καὶ ἡ οὐσία· ἐὰν δὲ κατὰ συμ-
βεβηκός, οἷον εἰ διαιροῖ τοῦ ὑπόποδος τὸ μὲν λευκὸν τὸ δὲ
μέλαν, τοσαῦται ὅσαι ἂν αἱ τομαὶ ὦσιν. ὥστε φανερὸν ὅτι
ὁ ὁρισμὸς λόγος ἐστὶν ὁ ἐκ τῶν διαφορῶν, καὶ τούτων τῆς τε-
λευταίας κατά γε τὸ ὀρθόν. δῆλον δ' ἂν εἴη, εἴ τις μετατά- 30
ξειε τοὺς τοιούτους ὁρισμούς, οἷον τὸν τοῦ ἀνθρώπου, λέγων ζῷον
δίπουν ὑπόπουν· περίεργον γὰρ τὸ ὑπόπουν εἰρημένου τοῦ δί-
ποδος. τάξις δ' οὐκ ἔστιν ἐν τῇ οὐσίᾳ· πῶς γὰρ δεῖ νοῆσαι τὸ
μὲν ὕστερον τὸ δὲ πρότερον; περὶ μὲν οὖν τῶν κατὰ τὰς διαιρέ-
σεις ὁρισμῶν τοσαῦτα εἰρήσθω τὴν πρώτην, ποῖοί τινές εἰσιν. 35
13 Ἐπεὶ δὲ περὶ τῆς οὐσίας ἡ σκέψις ἐστί, πάλιν ἐπαν- 1038ᵇ
έλθωμεν. λέγεται δ' ὥσπερ τὸ ὑποκείμενον οὐσία εἶναι καὶ
τὸ τί ἦν εἶναι καὶ τὸ ἐκ τούτων, καὶ τὸ καθόλου. περὶ μὲν
οὖν τοῖν δυοῖν εἴρηται (καὶ γὰρ περὶ τοῦ τί ἦν εἶναι καὶ τοῦ
ὑποκειμένου, ὅτι διχῶς ὑπόκειται, ἢ τόδε τι ὄν, ὥσπερ τὸ 5
ζῷον τοῖς πάθεσιν, ἢ ὡς ἡ ὕλη τῇ ἐντελεχείᾳ), δοκεῖ δὲ
καὶ τὸ καθόλου αἴτιόν τισιν εἶναι μάλιστα, καὶ εἶναι ἀρχὴ
τὸ καθόλου· διὸ ἐπέλθωμεν καὶ περὶ τούτου. ἔοικε γὰρ ἀδύ-
νατον εἶναι οὐσίαν εἶναι ὁτιοῦν τῶν καθόλου λεγομένων. πρῶτον
μὲν γὰρ οὐσία ἑκάστου ἡ ἴδιος ἑκάστῳ, ἣ οὐχ ὑπάρχει ἄλλῳ, 10
τὸ δὲ καθόλου κοινόν· τοῦτο γὰρ λέγεται καθόλου ὃ πλείοσιν
ὑπάρχειν πέφυκεν. τίνος οὖν οὐσία τοῦτ' ἔσται; ἢ γὰρ πάν-
των ἢ οὐδενός, πάντων δ' οὐχ οἷόν τε· ἑνὸς δ' εἰ ἔσται, καὶ
τἆλλα τοῦτ' ἔσται· ὧν γὰρ μία ἡ οὐσία καὶ τὸ τί ἦν εἶναι
ἕν, καὶ αὐτὰ ἕν. ἔτι οὐσία λέγεται τὸ μὴ καθ' ὑποκειμένου, 15
τὸ δὲ καθόλου καθ' ὑποκειμένου τινὸς λέγεται ἀεί. ἀλλ'
ἆρα οὕτω μὲν οὐκ ἐνδέχεται ὡς τὸ τί ἦν εἶναι, ἐν τούτῳ δὲ
ἐννπάρχειν, οἷον τὸ ζῷον ἐν τῷ ἀνθρώπῳ καὶ ἵππῳ; οὐκοῦν
δῆλον ὅτι ἔστι τις αὐτοῦ λόγος. διαφέρει δ' οὐθὲν οὐδ' εἰ μὴ

ᵃ27 διαιρεῖ Aᵇ   28 τοσαῦτα Aᵇ   33 δ' om. J   ᵇ5 ἡ
EJΓ Asc.ᶜ : om. Aᵇ   9 εἶναι pr. om. Aᵇ Al.ᶜ   πρῶτον AᵇΓ Asc.
et ut vid. Al. : πρώτη EJᶜ   10 οὐσία ἑκάστου ἡ scripsi : οὐσία ἡ
ἑκάστου EJΓ Asc. : ἡ οὐσία Aᵇ   ἑκάστῳ Aᵇ Al. : ἑκάστου EJΓ Asc.
ἢ T : καὶ fort. Al.   12 ἁπάντων recc.   13 ἁπάντων Aᵇ Al.ᶜ
Asc.ᶜ   ἑνὸς . . . 14 ἔσται codd. Γ Al. Asc. : primum afuisse ci.
Christ   δὴ ἔστιν γρ. E   17 ἆρα Asc.¹ Bekker : ἄρα EJAᵇ
τούτῳ Aᵇ Al.: αὐτῷ EJΓ : αὐτοῖς γρ. E   18 ἐννπάρχει JΓ   19 οὐδ'
EJΓ Asc.ᶜ : om. Aᵇ

20 πάντων λόγος ἔστι τῶν ἐν τῇ οὐσίᾳ· οὐδὲν γὰρ ἧττον οὐσία
τοῦτ᾽ ἔσται τινός, ὡς ὁ ἄνθρωπος τοῦ ἀνθρώπου ἐν ᾧ
ὑπάρχει, ὥστε τὸ αὐτὸ συμβήσεται πάλιν· ἔσται γὰρ ἐκείνου
οὐσία, οἷον τὸ ζῷον, ἐν ᾧ ὡς ἴδιον ὑπάρχει. ἔτι δὲ καὶ
ἀδύνατον καὶ ἄτοπον τὸ τόδε καὶ οὐσίαν, εἰ ἔστιν ἔκ τινων,
25 μὴ ἐξ οὐσιῶν εἶναι μηδ᾽ ἐκ τοῦ τόδε τι ἀλλ᾽ ἐκ ποιοῦ·
πρότερον γὰρ ἔσται μὴ οὐσία τε καὶ τὸ ποιὸν οὐσίας τε καὶ
τοῦ τόδε. ὅπερ ἀδύνατον· οὔτε λόγῳ γὰρ οὔτε χρόνῳ οὔτε
γενέσει οἷόν τε τὰ πάθη τῆς οὐσίας εἶναι πρότερα· ἔσται
γὰρ καὶ χωριστά. ἔτι τῷ Σωκράτει ἐνυπάρξει οὐσία οὐσίᾳ,
30 ὥστε δυοῖν ἔσται οὐσία. ὅλως δὲ συμβαίνει, εἰ ἔστιν οὐσία
ὁ ἄνθρωπος καὶ ὅσα οὕτω λέγεται, μηθὲν τῶν ἐν τῷ λόγῳ
εἶναι μηδενὸς οὐσίαν μηδὲ χωρὶς ὑπάρχειν αὐτῶν μηδ᾽ ἐν
ἄλλῳ, λέγω δ᾽ οἷον οὐκ εἶναί τι ζῷον παρὰ τὰ τινά, οὐδ᾽
ἄλλο τῶν ἐν τοῖς λόγοις οὐδέν. ἔκ τε δὴ τούτων θεωροῦσι
35 φανερὸν ὅτι οὐδὲν τῶν καθόλου ὑπαρχόντων οὐσία ἐστί, καὶ
1039ᵃ ὅτι οὐδὲν σημαίνει τῶν κοινῇ κατηγορουμένων τόδε τι, ἀλλὰ
τοιόνδε. εἰ δὲ μή, ἄλλα τε πολλὰ συμβαίνει καὶ ὁ τρί-
τος ἄνθρωπος. ἔτι δὲ καὶ ὧδε δῆλον. ἀδύνατον γὰρ οὐσίαν
ἐξ οὐσιῶν εἶναι ἐνυπαρχουσῶν ὡς ἐντελεχείᾳ· τὰ γὰρ δύο
5 οὕτως ἐντελεχείᾳ οὐδέποτε ἓν ἐντελεχείᾳ, ἀλλ᾽ ἐὰν δυνάμει
δύο ᾖ, ἔσται ἕν (οἷον ἡ διπλασία ἐκ δύο ἡμίσεων δυνάμει
γε· ἡ γὰρ ἐντελέχεια χωρίζει), ὥστ᾽ εἰ ἡ οὐσία ἕν, οὐκ
ἔσται ἐξ οὐσιῶν ἐνυπαρχουσῶν καὶ κατὰ τοῦτον τὸν τρόπον,
ὃν λέγει Δημόκριτος ὀρθῶς· ἀδύνατον γὰρ εἶναί φησιν ἐκ
10 δύο ἓν ἢ ἐξ ἑνὸς δύο γενέσθαι· τὰ γὰρ μεγέθη τὰ ἄτομα
τὰς οὐσίας ποιεῖ. ὁμοίως τοίνυν δῆλον ὅτι καὶ ἐπ᾽ ἀριθμοῦ
ἕξει, εἴπερ ἐστὶν ὁ ἀριθμὸς σύνθεσις μονάδων, ὥσπερ λέγε-
ται ὑπό τινων· ἢ γὰρ οὐχ ἓν ἡ δυὰς ἢ οὐκ ἔστι μονὰς ἐν
αὐτῇ ἐντελεχείᾳ.—ἔχει δὲ τὸ συμβαῖνον ἀπορίαν. εἰ γὰρ

ᵇ 22 γὰρ Aᵇ Asc.ᶜ : γὰρ οὐσία ΕJΓ : γὰρ οὐσίας fort. Al., Joachim
ἐν ἐκείνου Γ   23 οὐσίᾳ Γ : οὖσα Innes   ὡς JAᵇ Al. : εἴδει ὡς
ΕΓ : ἰδίως fort. Asc.   26 τε alt. om. Aᵇ   27 τοῦ τόδε] τοῦτο
δέ Aᵇ   28 γενέσει] γνώσει Lord   29 καὶ om. ΕJΓ Asc. ἐνυπάρξει
οὐσία οὐσίᾳ γρ. Ε : ἐνυπάρξει οὐσία οὐσία J : ἐνυπάρξει οὐσία οὐσία
Γ : οὐσίᾳ ἐνυπάρξει οὐσίᾳ recc.   34 οὐδενός Γ : οὐδὲν γάρ Aᵇ
1039ᵃ 3 γὰρ om. Aᵇ   4 ὡς] οὕτως ὡς ΕJΓ : οὕτως Asc.   5 οὕτως
ὡς Ε² ⁶ ἢ] εἰ Aᵇ Al.   7 εἰ om. EJ   9 ὃν om. fort. Asc. :
ὁ Τ   12 ὁ EJ Asc.ᶜ : om. Aᵇ   σύνθεσις ΕJΓ Asc.ᶜ : om. Aᵇ
13 ἔστι AᵇΓ Al. Asc. : ἔνεστι EJ

μήτε ἐκ τῶν καθόλου οἷόν τ' εἶναι μηδεμίαν οὐσίαν διὰ τὸ 15
τοιόνδε ἀλλὰ μὴ τόδε τι σημαίνειν, μήτ' ἐξ οὐσιῶν ἐνδέ-
χεται ἐντελεχείᾳ εἶναι μηδεμίαν οὐσίαν σύνθετον, ἀσύνθε-
τον ἂν εἴη οὐσία πᾶσα, ὥστ' οὐδὲ λόγος ἂν εἴη οὐδεμιᾶς
οὐσίας. ἀλλὰ μὴν δοκεῖ γε πᾶσι καὶ ἐλέχθη πάλαι ἢ
μόνον οὐσίας εἶναι ὅρον ἢ μάλιστα· νῦν δ' οὐδὲ ταύτης. 20
οὐδενὸς ἄρ' ἔσται ὁρισμός· ἢ τρόπον μέν τινα ἔσται τρόπον
δέ τινα οὔ. δῆλον δ' ἔσται τὸ λεγόμενον ἐκ τῶν ὕστερον
μᾶλλον.

14   Φανερὸν δ' ἐξ αὐτῶν τούτων τὸ συμβαῖνον καὶ τοῖς
τὰς ἰδέας λέγουσιν οὐσίας τε χωριστὰς εἶναι καὶ ἅμα 25
τὸ εἶδος ἐκ τοῦ γένους ποιοῦσι καὶ τῶν διαφορῶν. εἰ γὰρ
ἔστι τὰ εἴδη, καὶ τὸ ζῷον ἐν τῷ ἀνθρώπῳ καὶ ἵππῳ, ἤτοι
ἓν καὶ ταὐτὸν τῷ ἀριθμῷ ἐστὶν ἢ ἕτερον· τῷ μὲν γὰρ
λόγῳ δῆλον ὅτι ἕν· τὸν γὰρ αὐτὸν διέξεισι λόγον ὁ λέγων
ἐν ἑκατέρῳ. εἰ οὖν ἐστί τις ἄνθρωπος αὐτὸς καθ' αὐτὸν τόδε 30
τι καὶ κεχωρισμένον, ἀνάγκη καὶ ἐξ ὧν, οἷον τὸ ζῷον καὶ
τὸ δίπουν, τόδε τι σημαίνειν καὶ εἶναι χωριστὰ καὶ οὐσίας·
ὥστε καὶ τὸ ζῷον. εἰ μὲν οὖν τὸ αὐτὸ καὶ ἓν τὸ ἐν τῷ
ἵππῳ καὶ τῷ ἀνθρώπῳ, ὥσπερ σὺ σαυτῷ, πῶς τὸ ἓν
ἐν τοῖς οὖσι χωρὶς ἓν ἔσται, καὶ διὰ τί οὐ καὶ χωρὶς αὑτοῦ 1039ᵇ
ἔσται τὸ ζῷον τοῦτο; ἔπειτα εἰ μὲν μεθέξει τοῦ δίποδος καὶ
τοῦ πολύποδος, ἀδύνατόν τι συμβαίνει, τἀναντία γὰρ ἅμα
ὑπάρξει αὐτῷ ἑνὶ καὶ τῷδέ τινι ὄντι· εἰ δὲ μή, τίς ὁ τρό-
πος ὅταν εἴπῃ τις τὸ ζῷον εἶναι δίπουν ἢ πεζόν; ἀλλ' ἴσως 5
σύγκειται καὶ ἅπτεται ἢ μέμικται· ἀλλὰ πάντα ἄτοπα.
ἀλλ' ἕτερον ἐν ἑκάστῳ· οὐκοῦν ἄπειρα ὡς ἔπος εἰπεῖν ἔσται

ᵃ 15 et 17 μηδὲ μίαν Γ   17 σύνθετον Aᵇ Al. : om. EJΓAsc.
18 οὐδὲ μᾶς Γ   19 πᾶσα Aᵇ   20 οὐσίας εἶναι Aᵇ Asc. : εἶναι
οὐσίας EJΓ   25 τε Aᵇ Al.ᶜ : τε καὶ EJΓ Asc.ᶜ   καὶ om. γρ. E
26 τὸ AᵇΓ Al.ᶜ : καὶ τὸ EJ Asc.ᶜ   28 γὰρ om. Aᵇ   29 ὁ λέγων
διέξεισι λόγον Aᵇ   30 αὐτὸς καθ' αὐτὸν Aᵇ Al.ᶜ : αὐτὸ καθ' αὐτὸ
EJΓ   33 ὥστε καὶ τὸ ζῷον codd. Γ Asc. : om. fort. Al., susp.
Christ   οὖν om. Joachim, virgula post ζῷον posita   ἐν τὸ om.
EJΓ : καὶ ἐν add. γρ. E   34 καὶ τῷ ἀνθρώπῳ Aᵇ Al. : om. EJΓ
σὺ σαυτῷ] αὐτὸς σαυτῷ ut vid. Al. : αὐτὸς αὐτῷ Aᵇ : αὐτὸς αὐτῷ fort.
Asc.   πῶς EJΓ Al. Asc. : om. Aᵇ   τὸ ... ᵇ 1 χωρὶς pr. Aᵇ Al. : ἐν
χωρὶς οὖσι EJΓ   ᵇ 1 χωρὶς αὐτοῦ JΓ : αὐτὸ Aᵇ   2 τοῦτο EJΓ Asc. :
ἑαυτοῦ Aᵇ   4 τινι E²Aᵇ et fort. Al. : om. E¹JΓAsc.ᶜ   ὁ EJ
Al. : om. Aᵇ   5 τις recc. Γ : τίς EJ : τί Aᵇ

ὧν ἡ οὐσία ζῷον· οὐ γὰρ κατὰ συμβεβηκὸς ἐκ ζῴου ἄνθρωπος. ἔτι πολλὰ ἔσται αὐτὸ τὸ ζῷον· οὐσία τε γὰρ τὸ
10 ἐν ἑκάστῳ ζῷον (οὐ γὰρ κατ' ἄλλο λέγεται· εἰ δὲ μή, ἐξ
ἐκείνου ἔσται ὁ ἄνθρωπος καὶ γένος αὐτοῦ ἐκεῖνο), καὶ ἔτι
ἰδέαι ἅπαντα ἐξ ὧν ὁ ἄνθρωπος· οὐκοῦν οὐκ ἄλλου μὲν ἰδέα
ἔσται ἄλλου δ' οὐσία (ἀδύνατον γάρ)· αὐτὸ ἄρα ζῷον ἐν
ἕκαστον ἔσται τῶν ἐν τοῖς ζῴοις. ἔτι ἐκ τίνος τοῦτο, καὶ
15 πῶς ἐξ αὐτοῦ ζῴου; ἢ πῶς οἷόν τε εἶναι τὸ ζῷον, ᾧ οὐσία
τοῦτο αὐτό, παρ' αὐτὸ τὸ ζῷον; ἔτι δ' ἐπὶ τῶν αἰσθητῶν
ταῦτά τε συμβαίνει καὶ τούτων ἀτοπώτερα. εἰ δὴ ἀδύνα-
τον οὕτως ἔχειν, δῆλον ὅτι οὐκ ἔστιν εἴδη αὐτῶν οὕτως ὥς
τινές φασιν.

20 Ἐπεὶ δ' ἡ οὐσία ἑτέρα, τό τε σύνολον καὶ ὁ λόγος 15
(λέγω δ' ὅτι ἡ μὲν οὕτως ἐστὶν οὐσία, σὺν τῇ ὕλῃ συνειλημ-
μένος ὁ λόγος, ἡ δ' ὁ λόγος ὅλως), ὅσαι μὲν οὖν οὕτω λέ-
γονται, τούτων μὲν ἔστι φθορά (καὶ γὰρ γένεσις), τοῦ δὲ
λόγου οὐκ ἔστιν οὕτως ὥστε φθείρεσθαι (οὐδὲ γὰρ γένεσις, οὐ
25 γὰρ γίγνεται τὸ οἰκίᾳ εἶναι ἀλλὰ τὸ τῇδε τῇ οἰκίᾳ), ἀλλ'
ἄνευ γενέσεως καὶ φθορᾶς εἰσὶ καὶ οὐκ εἰσίν· δέδεικται γὰρ
ὅτι οὐδεὶς ταῦτα γεννᾷ οὐδὲ ποιεῖ. διὰ τοῦτο δὲ καὶ τῶν
οὐσιῶν τῶν αἰσθητῶν τῶν καθ' ἕκαστα οὔτε ὁρισμὸς οὔτε ἀπό-
δειξις ἔστιν, ὅτι ἔχουσιν ὕλην ἧς ἡ φύσις τοιαύτη ὥστ' ἐν-
30 δέχεσθαι καὶ εἶναι καὶ μή· διὸ φθαρτὰ πάντα τὰ καθ'
ἕκαστα αὐτῶν. εἰ οὖν ἥ τ' ἀπόδειξις τῶν ἀναγκαίων καὶ ὁ
ὁρισμὸς ἐπιστημονικόν, καὶ οὐκ ἐνδέχεται, ὥσπερ οὐδ' ἐπιστή-
μην ὁτὲ μὲν ἐπιστήμην ὁτὲ δ' ἄγνοιαν εἶναι, ἀλλὰ δόξα τὸ
τοιοῦτόν ἐστιν, οὕτως οὐδ' ἀπόδειξιν οὐδ' ὁρισμόν, ἀλλὰ δόξα
1040ᵃ ἐστὶ τοῦ ἐνδεχομένου ἄλλως ἔχειν, δῆλον ὅτι οὐκ ἂν εἴη

ᵇ8 ἄνθρωπος scripsi: ἄνθρωπος Aᵇ: ὁ ἄνθρωπος EJ Al.º Asc.ᶜ
9 ἔτι] ὥστε Joachim   10 ἄλλον J: ἄλλου Γ   12 ἰδέαι] ἰδέα γρ. E
13 ἄρα E¹   ἐν om. EJΓ   14 ἔσται ἕκαστον EJΓ   τούτου EJ
15 αὐτοζῴου γρ. E   ζῴου Aᵇ: ζῴου ζῶον fort. Al. Asc.   ἢ . . .
16 ζῷον post ἀτοπώτερα l. 17 legit ut vid. Al.   τὸ ζῷον] οὐσία γρ. E
ᾧ fort. Al., ci. Bonitz: ὃ EJΓ Asc.: om. Aᵇ   18 ἰδέα EΓ Asc.º
et fecit J   ἑαυτῶν Aᵇ   20 δ' ἤ] δὴ J   22 ὅλως JΓ Al.º et
ex ὅλος fecit E: om. Aᵇ: αὐτός vel ἁπλῶς ci. Bonitz   23 ἔστι
EJΓ Asc.: ἔστι καὶ Aᵇ   24 οὐ AᵇΓ et ut vid. Al.: οὐδὲ J: οὐδὲν
E   32 ἐπιστημονικός EJΓ Asᵉ.: ὁ ἐπιστημονικός Joachim   33 ὁτὲ
μὲν ἐπιστήμην EJΓ Al.: om. Aᵇ Asc.   34 ἀπόδειξις οὐδ' ὁρισμός
Aᵇ

αὐτῶν οὔτε ὁρισμὸς οὔτε ἀπόδειξις. ἄδηλά τε γὰρ τὰ φθειρόμενα τοῖς ἔχουσι τὴν ἐπιστήμην, ὅταν ἐκ τῆς αἰσθήσεως ἀπέλθῃ, καὶ σωζομένων τῶν λόγων ἐν τῇ ψυχῇ τῶν αὐτῶν οὐκ ἔσται οὔτε ὁρισμὸς ἔτι οὔτε ἀπόδειξις. διὸ δεῖ, 5 τῶν πρὸς ὅρον ὅταν τις ὁρίζηταί τι τῶν καθ᾽ ἕκαστον, μὴ ἀγνοεῖν ὅτι ἀεὶ ἀναιρεῖν ἔστιν· οὐ γὰρ ἐνδέχεται ὁρίσασθαι. Οὐδὲ δὴ ἰδέαν οὐδεμίαν ἔστιν ὁρίσασθαι. τῶν γὰρ καθ᾽ ἕκαστον ἡ ἰδέα, ὡς φασί, καὶ χωριστή· ἀναγκαῖον δὲ ἐξ ὀνομάτων εἶναι τὸν λόγον, ὄνομα δ᾽ οὐ ποιήσει ὁ ὁριζόμενος 10 (ἄγνωστον γὰρ ἔσται), τὰ δὲ κείμενα κοινὰ πᾶσιν· ἀνάγκη ἄρα ὑπάρχειν καὶ ἄλλῳ ταῦτα· οἷον εἴ τις σὲ ὁρίσαιτο, ζῷον ἐρεῖ ἰσχνὸν ἢ λευκὸν ἢ ἕτερόν τι ὃ καὶ ἄλλῳ ὑπάρξει. εἰ δέ τις φαίη μηδὲν κωλύειν χωρὶς μὲν πάντα πολλοῖς ἅμα δὲ μόνῳ τούτῳ ὑπάρχειν, λεκτέον πρῶτον μὲν 15 ὅτι καὶ ἀμφοῖν, οἷον τὸ ζῷον δίπουν τῷ ζῴῳ καὶ τῷ δίποδι (καὶ τοῦτο ἐπὶ μὲν τῶν ἀϊδίων καὶ ἀνάγκη εἶναι, πρότερά γ᾽ ὄντα καὶ μέρη τοῦ συνθέτου· ἀλλὰ μὴν καὶ χωριστά, εἴπερ τὸ ἄνθρωπος χωριστόν· ἢ γὰρ οὐθὲν ἢ ἄμφω· εἰ μὲν οὖν μηθέν, οὐκ ἔσται τὸ γένος παρὰ τὰ εἴδη, εἰ δ᾽ 20 ἔσται, καὶ ἡ διαφορά)· εἶθ᾽ ὅτι πρότερα τῷ εἶναι· ταῦτα δὲ οὐκ ἀνταναιρεῖται. ἔπειτα εἰ ἐξ ἰδεῶν αἱ ἰδέαι (ἀσυνθετώτερα γὰρ τὰ ἐξ ὧν), ἔτι ἐπὶ πολλῶν δεήσει κἀκεῖνα κατηγορεῖσθαι ἐξ ὧν ἡ ἰδέα, οἷον τὸ ζῷον καὶ τὸ δίπουν. εἰ δὲ μή, πῶς γνωρισθήσεται; ἔσται γὰρ ἰδέα τις 25 ἣν ἀδύνατον ἐπὶ πλειόνων κατηγορῆσαι ἢ ἑνός. οὐ δοκεῖ δέ, ἀλλὰ πᾶσα ἰδέα εἶναι μεθεκτή. ὥσπερ οὖν εἴρηται, λανθάνει ὅτι ἀδύνατον ὁρίσασθαι ἐν τοῖς ἀϊδίοις, μάλιστα δὲ ὅσα μοναχά, οἷον ἥλιος ἢ σελήνη. οὐ μόνον γὰρ διαμαρτάνουσι τῷ προστιθέναι τοιαῦτα ὧν ἀφαιρουμένων ἔτι 30 ἔσται ἥλιος, ὥσπερ τὸ περὶ γῆν ἰὸν ἢ νυκτικρυφές (ἂν γὰρ

1040^a 2 τὰ om. A^b   6 ἕκαστα recc.   7 ἀεὶ om. E   12 οἷον A^b γρ. ΕΓ Al. Asc.: καὶ EJ   13 ἢ pr. secl. Christ, om. Al. Asc.^c ὑπάρξει EJ Asc. : ὑπάρχει A^bΓ Al.   15 λεκτέον A^b γρ. E Al. : om. EJΓ   16 καὶ pr. EJΓ Al. : τὸ A^b   17 εἶναι A^b Al.^c Asc.^c: γε εἶναι EJ   21 διαφορά· εἶθ᾽ ὅτι codd. Γ Asc.^c : διαφοραί, καὶ ἔσονται fort. Al.: διαφορὰ ἔσται, ὅτι ci. Bonitz   22 ἔπειτα εἰ] ἔπειτα δὲ εἰ EJΓ: ἔτι δ᾽ εἰ γρ. E: ἔτι Al.   23 ἔτι] ὅτι ci. Joachim 26 κατηγορεῖσθαι Γ   29 ἢ] καὶ Γ   μόνον δὲ δὴ ἀμαρτάνουσι E 31 ἂν γὰρ στῇ] ἄνδρες τῆι E

στῇ ἢ φανῇ, οὐκέτι ἔσται ἥλιος· ἀλλ' ἄτοπον εἰ μή· ὁ γὰρ
ἥλιος οὐσίαν τινὰ σημαίνει)· ἔτι ὅσα ἐπ' ἄλλου ἐνδέχεται,
οἷον ἐὰν ἕτερος γένηται τοιοῦτος, δῆλον ὅτι ἥλιος ἔσται· κοι-
1040ᵇ νὸς ἄρα ὁ λόγος· ἀλλ' ἦν τῶν καθ' ἕκαστα ὁ ἥλιος, ὥσπερ
Κλέων ἢ Σωκράτης· ἐπεὶ διὰ τί οὐδεὶς ὅρον ἐκφέρει αὐτῶν
ἰδέας; γένοιτο γὰρ ἂν δῆλον πειρωμένων ὅτι ἀληθὲς τὸ
νῦν εἰρημένον.

5 Φανερὸν δὲ ὅτι καὶ τῶν δοκουσῶν εἶναι οὐσιῶν αἱ πλεῖ- 16
σται δυνάμεις εἰσί, τά τε μόρια τῶν ζῴων (οὐθὲν γὰρ κε-
χωρισμένον αὐτῶν ἐστίν· ὅταν δὲ χωρισθῇ, καὶ τότε ὄντα
ὡς ὕλη πάντα) καὶ γῆ καὶ πῦρ καὶ ἀήρ· οὐδὲν γὰρ αὐτῶν
ἕν ἐστιν, ἀλλ' οἷον σωρός, πρὶν ἢ πεφθῇ καὶ γένηταί τι
10 ἐξ αὐτῶν ἕν. μάλιστα δ' ἄν τις τὰ τῶν ἐμψύχων ὑπο-
λάβοι μόρια καὶ τὰ τῆς ψυχῆς πάρεγγυς ἄμφω γίγνε-
σθαι, ὄντα καὶ ἐντελεχείᾳ καὶ δυνάμει, τῷ ἀρχὰς ἔχειν
κινήσεως ἀπό τινος ἐν ταῖς καμπαῖς· διὸ ἔνια ζῷα διαι-
ρούμενα ζῇ. ἀλλ' ὅμως δυνάμει πάντ' ἔσται, ὅταν ᾖ ἓν καὶ
15 συνεχὲς φύσει, ἀλλὰ μὴ βίᾳ ἢ συμφύσει· τὸ γὰρ
τοιοῦτον πήρωσις. ἐπεὶ δὲ τὸ ἓν λέγεται ὥσπερ καὶ τὸ ὄν,
καὶ ἡ οὐσία ἡ τοῦ ἑνὸς μία, καὶ ὧν μία ἀριθμῷ ἓν ἀριθμῷ,
φανερὸν ὅτι οὔτε τὸ ἓν οὔτε τὸ ὄν ἐνδέχεται οὐσίαν εἶναι τῶν
πραγμάτων, ὥσπερ οὐδὲ τὸ στοιχείῳ εἶναι ἢ ἀρχῇ· ἀλλὰ
20 ζητοῦμεν τίς οὖν ἡ ἀρχή, ἵνα εἰς γνωριμώτερον ἀναγάγω-
μεν. μᾶλλον μὲν οὖν τούτων οὐσία τὸ ὂν καὶ ἓν ἢ ἥ τε
ἀρχὴ καὶ τὸ στοιχεῖον καὶ τὸ αἴτιον, οὔπω δὲ οὐδὲ ταῦτα,
εἴπερ μηδ' ἄλλο κοινὸν μηδὲν οὐσία· οὐδενὶ γὰρ ὑπάρχει ἡ
οὐσία ἀλλ' ἢ αὐτῇ τε καὶ τῷ ἔχοντι αὐτήν, οὗ ἐστὶν οὐσία.
25 ἔτι τὸ ἓν πολλαχῇ οὐκ ἂν εἴη ἅμα, τὸ δὲ κοινὸν ἅμα
πολλαχῇ ὑπάρχει· ὥστε δῆλον ὅτι οὐδὲν τῶν καθόλου
ὑπάρχει παρὰ τὰ καθ' ἕκαστα χωρίς. ἀλλ' οἱ τὰ εἴδη
λέγοντες τῇ μὲν ὀρθῶς λέγουσι χωρίζοντες αὐτά, εἴπερ

ᵃ 32 ἢ] ἢ ἀεὶ Brandis   ᵇ 5 εἶναι οὐσιῶν Aᵇ Al.¹: οὐσιῶν εἶναι
ΕJΓ   6 δυνάμει Γ   7 ἔστιν ci. Joachim   9 σωρός EJ
Asc.ᶜ: ὁ σωρός Aᵇ Al.: ὁ ὁρρός γρ. Ε γρ. Al.   11–12 πάρεγγυς ὄντα,
ἄμφω γίγνεσθαι ci. Christ   15 ἢ ΕJΓ Al.ᶜ Asc.ᶜ: ἢ καὶ Aᵇ   19 τὸ
JAᵇ, ex τῷ fecit E   ἡ ἀρχή E   24 ἢ om. ΕJΓ   αὐτῇ] αὐτῇ E¹J:
ταύτῃ Γ: αὐτῇ Christ   25 ἓν ΕJΓ Al. Asc.: ὂν Aᵇ γρ. Al.: ἐν ὂν
Joachim   27 χωρίς ΕJΓ Al. Asc.ᶜ: om. Aᵇ   28 τῇ ΕJΓ Asc.ᶜ
et fort. Al.: εἶναι τῇ Aᵇ Al.¹

οὐσίαι εἰσί, τῇ δ' οὐκ ὀρθῶς, ὅτι τὸ ἓν ἐπὶ πολλῶν εἶδος λέγουσιν. αἴτιον δ' ὅτι οὐκ ἔχουσιν ἀποδοῦναι τίνες αἱ 30 τοιαῦται οὐσίαι αἱ ἄφθαρτοι παρὰ τὰς καθ' ἕκαστα καὶ αἰσθητάς· ποιοῦσιν οὖν τὰς αὐτὰς τῷ εἴδει τοῖς φθαρτοῖς (ταύτας γὰρ ἴσμεν), αὐτοάνθρωπον καὶ αὐτόϊππον, προστιθέντες τοῖς αἰσθητοῖς τὸ ῥῆμα τὸ "αὐτό". καίτοι κἂν εἰ μὴ ἑωράκειμεν τὰ ἄστρα, οὐδὲν ἂν ἧττον, οἶμαι, ἦσαν οὐσίαι 1041ᵃ ἀΐδιοι παρ' ἃς ἡμεῖς ᾔδειμεν· ὥστε καὶ νῦν εἰ μὴ ἔχομεν τίνες εἰσίν, ἀλλ' εἶναί γέ τινας ἴσως ἀναγκαῖον. ὅτι μὲν οὖν οὔτε τῶν καθόλου λεγομένων οὐδὲν οὐσία οὔτ' ἐστὶν οὐσία οὐδεμία ἐξ οὐσιῶν, δῆλον. 5

17 Τί δὲ χρὴ λέγειν καὶ ὁποῖόν τι τὴν οὐσίαν, πάλιν ἄλλην οἷον ἀρχὴν ποιησάμενοι λέγωμεν· ἴσως γὰρ ἐκ τούτων ἔσται δῆλον καὶ περὶ ἐκείνης τῆς οὐσίας ἥτις ἐστὶ κεχωρισμένη τῶν αἰσθητῶν οὐσιῶν. ἐπεὶ οὖν ἡ οὐσία ἀρχὴ καὶ αἰτία τις ἐστίν, ἐντεῦθεν μετιτέον. ζητεῖται δὲ τὸ διὰ τί 10 ἀεὶ οὕτως, διὰ τί ἄλλο ἄλλῳ τινὶ ὑπάρχει. τὸ γὰρ ζητεῖν διὰ τί ὁ μουσικὸς ἄνθρωπος μουσικὸς ἄνθρωπός ἐστιν, ἤτοι ἐστὶ τὸ εἰρημένον ζητεῖν, διὰ τί ὁ ἄνθρωπος μουσικός ἐστιν, ἢ ἄλλο. τὸ μὲν οὖν διὰ τί αὐτό ἐστιν αὐτό, οὐδέν ἐστι ζητεῖν (δεῖ γὰρ τὸ ὅτι καὶ τὸ εἶναι ὑπάρχειν δῆλα ὄντα 15 —λέγω δ' οἷον ὅτι ἡ σελήνη ἐκλείπει—, αὐτὸ δὲ ὅτι αὐτό, εἷς λόγος καὶ μία αἰτία ἐπὶ πάντων, διὰ τί ὁ ἄνθρωπος ἄνθρωπος ἢ ὁ μουσικὸς μουσικός, πλὴν εἴ τις λέγοι ὅτι ἀδιαίρετον πρὸς αὐτὸ ἕκαστον, τοῦτο δ' ἦν τὸ ἑνὶ εἶναι· ἀλλὰ τοῦτο κοινόν γε κατὰ πάντων καὶ σύντομον)· ζητήσειε δ' ἄν τις 20 διὰ τί ἄνθρωπός ἐστι ζῷον τοιονδί. τοῦτο μὲν τοίνυν δῆλον, ὅτι οὐ ζητεῖ διὰ τί ὅς ἐστιν ἄνθρωπος ἄνθρωπός ἐστιν· τὶ ἄρα κατά τινος ζητεῖ διὰ τί ὑπάρχει (ὅτι δ' ὑπάρχει,

ᵇ 31 αἱ om. J   32 ποιοῦσιν οὖν τὰς EJΓ Al. Asc.: ποιοῦντες Aᵇ
33 ταύτας γὰρ ἴσμεν EJΓ Asc.: τὰς αὐτάς. τὸ μὲν γὰρ Aᵇ   καὶ EJΓ
Asc.: τὸ δὲ Aᵇ   1041ᵃ 2 ἃ EJΓ   ᾔδειμεν] εἴδομεν Γ   ἔχομεν
EJAᵇΓ Al. Asc.: ἔχοιμεν recc.   3 τε Aᵇ   5 οὐδὲ μία Γ
11 ἀεὶ om. Aᵇ   ἄλλο Aᵇ Asc.ᶜ: ἄλλο τι EJΓ   12 μουσικὸς
ἄνθρωπός EJAᵇΓ Al. Asc.ᶜ: ἄνθρωπος μουσικός recc.   13 διὰ ...
14 ἐστιν om. ut vid. Al.: διὰ τί ὁ μουσικὸς ἄνθρωπος μουσικὸς ἄνθρωπός
ἐστιν Joachim   14 τί om. J   16 αὐτὸ δὲ Aᵇ Al.: αὐτοῦ δὲ
EJΓ: αὐτοῦ Asc.ᶜ   18 ὁ μουσικὸς om. Aᵇ   19 ἑνὶ Aᵇ Asc.:
ἐν EJΓ   20 γε] τε EJ: τὸ Γ   21 ἄνθρωπος scripsi: ἄνθρωπος
Aᵇ: ὁ ἄνθρωπος EJ Asc.   22 διὰ τί om. Aᵇ

δεῖ δῆλον εἶναι· εἰ γὰρ μὴ οὕτως, οὐδὲν ζητεῖ), οἷον διὰ τί
25 βροντᾷ; διὰ τί ψόφος γίγνεται ἐν τοῖς νέφεσιν; ἄλλο γὰρ
οὕτω κατ᾽ ἄλλου ἐστὶ τὸ ζητούμενον. καὶ διὰ τί ταδί, οἷον
πλίνθοι καὶ λίθοι, οἰκία ἐστίν; φανερὸν τοίνυν ὅτι ζητεῖ τὸ
αἴτιον· τοῦτο δ᾽ ἐστὶ τὸ τί ἦν εἶναι, ὡς εἰπεῖν λογικῶς, ὃ
ἐπ᾽ ἐνίων μέν ἐστι τίνος ἕνεκα, οἷον ἴσως ἐπ᾽ οἰκίας ἢ κλί-
30 νης, ἐπ᾽ ἐνίων δὲ τί ἐκίνησε πρῶτον· αἴτιον γὰρ καὶ τοῦτο.
ἀλλὰ τὸ μὲν τοιοῦτον αἴτιον ἐπὶ τοῦ γίγνεσθαι ζητεῖται καὶ
φθείρεσθαι, θάτερον δὲ καὶ ἐπὶ τοῦ εἶναι. λανθάνει δὲ μά-
λιστα τὸ ζητούμενον ἐν τοῖς μὴ κατ᾽ ἀλλήλων λεγομένοις,
1041^b οἷον ἄνθρωπος τί ἐστι ζητεῖται διὰ τὸ ἁπλῶς λέγεσθαι
ἀλλὰ μὴ διορίζειν ὅτι τάδε τόδε. ἀλλὰ δεῖ διαρθρώ-
σαντας ζητεῖν· εἰ δὲ μή, κοινὸν τοῦ μηθὲν ζητεῖν καὶ τοῦ
ζητεῖν τι γίγνεται. ἐπεὶ δὲ δεῖ ἔχειν τε καὶ ὑπάρχειν τὸ
5 εἶναι, δῆλον δὴ ὅτι τὴν ὕλην ζητεῖ διὰ τί ⟨τί⟩ ἐστιν· οἷον
οἰκία ταδὶ διὰ τί; ὅτι ὑπάρχει ὃ ἦν οἰκίᾳ εἶναι. καὶ ἄν-
θρωπος τοδί, ἢ τὸ σῶμα τοῦτο τοδὶ ἔχον. ὥστε τὸ αἴτιον
ζητεῖται τῆς ὕλης (τοῦτο δ᾽ ἐστὶ τὸ εἶδος) ᾧ τί ἐστιν· τοῦτο
δ᾽ ἡ οὐσία. φανερὸν τοίνυν ὅτι ἐπὶ τῶν ἁπλῶν οὐκ ἔστι ζήτη-
10 σις οὐδὲ δίδαξις, ἀλλ᾽ ἕτερος τρόπος τῆς ζητήσεως τῶν τοιού-
των.—ἐπεὶ δὲ τὸ ἔκ τινος σύνθετον οὕτως ὥστε ἓν εἶναι τὸ πᾶν,
[ἂν] μὴ ὡς σωρὸς ἀλλ᾽ ὡς ἡ συλλαβή—ἡ δὲ συλλαβὴ
οὐκ ἔστι τὰ στοιχεῖα, οὐδὲ τῷ $\overline{\beta a}$ ταὐτὸ τὸ $\overline{\beta}$ καὶ $\overline{a}$, οὐδ᾽

^a 24 δεῖ om. A^b   25 διὰ τί A^b Al. : διότι EJΓ   26 τοδί A^bΓ :
ταδὶ τοδί, virgula post λίθοι eiecta, ci. Christ   27 λίθοι καὶ πλίν-
θοι A^b   οἰκία] καὶ ἃ J   ὅτι] ὅ J   28 τοῦτο... λογικῶς codd.
Γ Asc. : damnavit Al.   33 μὴ κατ᾽ ἀλλήλων γρ. Ε : μὴ καταλλήλως
A^b Al. : μὴ κατ᾽ ἄλλων μένοις Ε : μὴ κατ᾽ ἄλλων JΓ γρ. Ε : κατ᾽ ἀλλήλων
γρ. Al.   ^b 1 οἷον εἰ Schwegler   τί EJA^bΓ Al. : διὰ τί Asc. γρ. Ε
2 τάδε A^b Al. : τάδε ἢ EJ : τόδε ἢ Γ   διαρθρώσαντας A^b Al. : διορθώ-
σαντας EJΓ   3 καὶ ... 4 τι EJΓ Al. Asc. : om. A^b   4 τε om.
A^b Asc.^c   5 διὰ ... 6 τί] ἡ τί ἐστιν (οἷον οἰκία) ταδί ; Trendelen-
burg   διὰ τί τί fort. Al., Christ : διὰ τί codd. Γ Asc.^c : ταδὶ διὰ τί
Bonitz : διὰ τί τοδί ci. Joachim   6 τοδὶ Al.   διὰ τί; ὅτι] διότι A^b :
διὰ τί; διὰ τί Al.   ὑπάρχει] ταδὶ ὑπάρχει EJΓ Al. : ὑπάρχει ταδὶ recc.
ὃ ἦν om. A^b   οἰκία A^b Al.   εἶναι om. Al.   7 τοδί A^b Al. : ὁδὶ
EJΓ   τουτὶ fort. Al. : om. A^b   τοδὶ] ὡδὶ ex Al. ci. Bonitz
8 τοῦτο...εἶδος codd. Γ Al. Asc. : incl. Christ, fort. recte   10 οὐδὲ
δίδαξις in marg. J   12 ἂν] ἀλλὰ EJΓ Asc.^c : om. ut vid. Al.   δὲ
EJΓ Asc.^c : τε A^b : om. ut vid. Al.   13 ἔστι EJΓ Al. Asc.^c : ἔσται
A^b   τῷ $\overline{\beta a}$ A^b Al. : τὸ $\overline{\beta a}$ recc. : τὰ $\overline{\beta a}$ Asc.^c : om. EJΓ   ταὐτὸ τὸ
EJΓ Al. : ταὐτὸ τῷ recc. Asc. : αὐτὸ τῷ A^b

ἡ σὰρξ πῦρ καὶ γῆ (διαλυθέντων γὰρ τὰ μὲν οὐκέτι ἔστιν,
οἷον ἡ σὰρξ καὶ ἡ συλλαβή, τὰ δὲ στοιχεῖα ἔστι, καὶ τὸ 15
πῦρ καὶ ἡ γῆ)· ἔστιν ἄρα τι ἡ συλλαβή, οὐ μόνον τὰ στοι-
χεῖα τὸ φωνῆεν καὶ ἄφωνον ἀλλὰ καὶ ἕτερόν τι, καὶ ἡ
σὰρξ οὐ μόνον πῦρ καὶ γῆ ἢ τὸ θερμὸν καὶ ψυχρὸν
ἀλλὰ καὶ ἕτερόν τι—εἰ τοίνυν ἀνάγκη κἀκεῖνο ἢ στοιχεῖον
ἢ ἐκ στοιχείων εἶναι, εἰ μὲν στοιχεῖον, πάλιν ὁ αὐτὸς ἔσται 20
λόγος (ἐκ τούτου γὰρ καὶ πυρὸς καὶ γῆς ἔσται ἡ σὰρξ καὶ
ἔτι ἄλλου, ὥστ᾽ εἰς ἄπειρον βαδιεῖται)· εἰ δὲ ἐκ στοιχείου,
δῆλον ὅτι οὐχ ἑνὸς ἀλλὰ πλειόνων, ἢ ἐκεῖνο αὐτὸ ἔσται,
ὥστε πάλιν ἐπὶ τούτου τὸν αὐτὸν ἐροῦμεν λόγον καὶ ἐπὶ τῆς
σαρκὸς ἢ συλλαβῆς. δόξειε δ᾽ ἂν εἶναι τὶ τοῦτο καὶ οὐ 25
στοιχεῖον, καὶ αἴτιόν γε τοῦ εἶναι τοδὶ μὲν σάρκα τοδὶ δὲ
συλλαβήν· ὁμοίως δὲ καὶ ἐπὶ τῶν ἄλλων. οὐσία δὲ ἑκάστου
μὲν τοῦτο (τοῦτο γὰρ αἴτιον πρῶτον τοῦ εἶναι)—ἐπεὶ δ᾽ ἔνια
οὐκ οὐσίαι τῶν πραγμάτων, ἀλλ᾽ ὅσαι οὐσίαι, κατὰ φύσιν
καὶ φύσει συνεστήκασι, φανείη ἂν [καὶ] αὕτη ἡ φύσις οὐσία, 30
ἥ ἐστιν οὐ στοιχεῖον ἀλλ᾽ ἀρχή·—στοιχεῖον δ᾽ ἐστὶν εἰς ὃ
διαιρεῖται ἐνυπάρχον ὡς ὕλην, οἷον τῆς συλλαβῆς τὸ ᾱ
καὶ τὸ β̄.

Η   1042ᵃ

Ἐκ δὴ τῶν εἰρημένων συλλογίσασθαι δεῖ καὶ συνα-
γαγόντας τὸ κεφάλαιον τέλος ἐπιθεῖναι. εἴρηται δὴ ὅτι
τῶν οὐσιῶν ζητεῖται τὰ αἴτια καὶ αἱ ἀρχαὶ καὶ τὰ στοι- 5
χεῖα. οὐσίαι δὲ αἱ μὲν ὁμολογούμεναί εἰσιν ὑπὸ πάντων,
περὶ δὲ ἐνίων ἰδίᾳ τινὲς ἀπεφήναντο· ὁμολογούμεναι μὲν

ᵇ 14 τὰ EJΓ Asc.ᵒ: τὸ Aᵇ   15 ἡ pr. om. Aᵇ   16 ἄρα τι
ἡ συλλαβή EJΓ Al.: δὲ τῆς συλλαβῆς Aᵇ   19 εἰ] ἔτι recc. et fort.
Al.   20 ἔσται λόγος Aᵇ Asc.ᵒ: λόγος ἔσται EJΓ   22 εἴ τι
ἄλλο Aᵇ   στοιχείων fort. Al.   23 ἢ codd. Γ Al.: secl. Christ
24 post λόγον interpunxit Case, post συλλαβῆς ceteri   25 δ᾽ om.
Aᵇ Case οὐ sup. lin. E, om. JΓ   28 πρῶτον τοῦ εἶναι EJΓ
Asc.ᵒ: τοῦ εἶναι πρῶτον Aᵇ   29 ὅσαι οὐσίαι] αἱ οὐσίαι Aᵇ: οὐσίαι
ὅσα fort. Al.   κατὰ . . . 30 φύσει JΓ Al. Asc.: φύσει Aᵇ: κατὰ φύσιν E
30 καὶ secl. Christ, habent recc.: ὅτι Aᵇ: τισι EJΓ   33 τὸ
EJ Asc.ᵒ: om. Aᵇ   1042ᵃ 3 συλλογίσασθαι Aᵇ Al.: συλ-
λογίζεσθαι EJ   συναγαγόντα Aᵇ: συνάγοντας E sed ς in ras.
4 δὲ γρ. E   5 τὰ alt. om. Aᵇ

αἱ φυσικαί, οἷον πῦρ γῆ ὕδωρ ἀὴρ καὶ τᾶλλα τὰ ἁπλᾶ
σώματα, ἔπειτα τὰ φυτὰ καὶ τὰ μόρια αὐτῶν, καὶ τὰ
10 ζῷα καὶ τὰ μόρια τῶν ζῴων, καὶ τέλος ὁ οὐρανὸς καὶ τὰ
μόρια τοῦ οὐρανοῦ· ἰδίᾳ δέ τινες οὐσίας λέγουσιν εἶναι τά τ᾽
εἴδη καὶ τὰ μαθηματικά. ἄλλας δὲ δὴ συμβαίνει ἐκ τῶν
λόγων οὐσίας εἶναι, τὸ τί ἦν εἶναι καὶ τὸ ὑποκείμενον· ἔτι
ἄλλως τὸ γένος μᾶλλον τῶν εἰδῶν καὶ τὸ καθόλου τῶν
15 καθ᾽ ἕκαστα· τῷ δὲ καθόλου καὶ τῷ γένει καὶ αἱ ἰδέαι
συνάπτουσιν (κατὰ τὸν αὐτὸν γὰρ λόγον οὐσίαι δοκοῦσιν εἶναι).
ἐπεὶ δὲ τὸ τί ἦν εἶναι οὐσία, τούτου δὲ λόγος ὁ ὁρισμός, διὰ
τοῦτο περὶ ὁρισμοῦ καὶ περὶ τοῦ καθ᾽ αὑτὸ διώρισται· ἐπεὶ δὲ
ὁ ὁρισμὸς λόγος, ὁ δὲ λόγος μέρη ἔχει, ἀναγκαῖον καὶ
20 περὶ μέρους ἦν ἰδεῖν, ποῖα τῆς οὐσίας μέρη καὶ ποῖα οὔ, καὶ
εἰ ταῦτα καὶ τοῦ ὁρισμοῦ. ἔτι τοίνυν οὔτε τὸ καθόλου οὐσία
οὔτε τὸ γένος· περὶ δὲ τῶν ἰδεῶν καὶ τῶν μαθηματικῶν
ὕστερον σκεπτέον· παρὰ γὰρ τὰς αἰσθητὰς οὐσίας ταύτας
λέγουσί τινες εἶναι.—νῦν δὲ περὶ τῶν ὁμολογουμένων οὐσιῶν
25 ἐπέλθωμεν. αὗται δ᾽ εἰσὶν αἱ αἰσθηταί· αἱ δ᾽ αἰσθηταὶ
οὐσίαι πᾶσαι ὕλην ἔχουσιν. ἔστι δ᾽ οὐσία τὸ ὑποκείμενον,
ἄλλως μὲν ἡ ὕλη (ὕλην δὲ λέγω ἣ μὴ τόδε τι οὖσα
ἐνεργείᾳ δυνάμει ἐστὶ τόδε τι), ἄλλως δ᾽ ὁ λόγος καὶ ἡ
μορφή, ὃ τόδε τι ὂν τῷ λόγῳ χωριστόν ἐστιν· τρίτον δὲ τὸ
30 ἐκ τούτων, οὗ γένεσις μόνου καὶ φθορά ἐστι, καὶ χωριστὸν
ἁπλῶς· τῶν γὰρ κατὰ τὸν λόγον οὐσιῶν αἱ μὲν αἱ δ᾽ οὔ.
ὅτι δ᾽ ἐστὶν οὐσία καὶ ἡ ὕλη, δῆλον· ἐν πάσαις γὰρ ταῖς
ἀντικειμέναις μεταβολαῖς ἐστί τι τὸ ὑποκείμενον ταῖς μετα-
βολαῖς, οἷον κατὰ τόπον τὸ νῦν μὲν ἐνταῦθα πάλιν δ᾽
35 ἄλλοθι, καὶ κατ᾽ αὔξησιν ὃ νῦν μὲν τηλικόνδε πάλιν δ᾽
ἔλαττον ἢ μεῖζον, καὶ κατ᾽ ἀλλοίωσιν ὃ νῦν μὲν ὑγιὲς
1042b πάλιν δὲ κάμνον· ὁμοίως δὲ καὶ κατ᾽ οὐσίαν ὃ νῦν μὲν ἐν

ᵃ8 ἀὴρ om. JΓ   10 ὅ om. Aᵇ   11 τέ Aᵇ   τιν.ις fecit Aᵇ
12 δὴ om. Γ: δεῖ J   17 ὁ λόγος ὁρισμός Al.   20 καὶ εἰ EJΓ
Al. : εἰ Aᵇ   21 ταῦτα Al.   ὁρισμοῦ δὴ sed η in ras. E : ὁρισμοῦ
δεῖ JΓ: ὡρισμένου γρ. E : ὁρισμοῦ καὶ τοῦ ὡρισμένου fort. Al.   ἔτι]
ἔστι Christ   22 τῶν pr. om. Aᵇ   24 νῦν . . . 25 αἰσθηταί AᵇΓ Al. :
om. EJ   26 οὐσίαι EJΓ Al. : οὖσαι Aᵇ   τὰ ὑποκείμενα γρ. E Al.
27, 28 ἄλλως δ᾽ ὁ λόγος et ante et post parenthesin Aᵇ et fort. Al. ;
ante parenthesin γρ. E   29 ὃ om. Aᵇ   32 καὶ om. Γ   ἡ erasum
in E

γενέσει πάλιν δ᾽ ἐν φθορᾷ, καὶ νῦν μὲν ὑποκείμενον ὡς
τόδε τι πάλιν δ᾽ ὑποκείμενον ὡς κατὰ στέρησιν. καὶ ἀκο-
λουθοῦσι δὴ ταύτῃ αἱ ἄλλαι μεταβολαί, τῶν δ᾽ ἄλλων ἢ
μιᾷ ἢ δυοῖν αὕτη οὐκ ἀκολουθεῖ· οὐ γὰρ ἀνάγκη, εἴ τι 5
ὕλην ἔχει τοπικήν, τοῦτο καὶ γεννητὴν καὶ φθαρτὴν ἔχειν.
τίς μὲν οὖν διαφορὰ τοῦ ἁπλῶς γίγνεσθαι καὶ μὴ ἁπλῶς,
ἐν τοῖς φυσικοῖς εἴρηται.

2 Ἐπεὶ δ᾽ ἡ μὲν ὡς ὑποκειμένη καὶ ὡς ὕλη οὐσία ὁμο-
λογεῖται, αὕτη δ᾽ ἐστὶν ἡ δυνάμει, λοιπὸν τὴν ὡς ἐνέργειαν 10
οὐσίαν τῶν αἰσθητῶν εἰπεῖν τίς ἐστιν. Δημόκριτος μὲν οὖν
τρεῖς διαφορὰς ἔοικεν οἰομένῳ εἶναι (τὸ μὲν γὰρ ὑποκεί-
μενον σῶμα, τὴν ὕλην, ἓν καὶ ταὐτόν, διαφέρειν δὲ ἢ
ῥυσμῷ, ὅ ἐστι σχῆμα, ἢ τροπῇ, ὅ ἐστι θέσις, ἢ διαθιγῇ, ὅ
ἐστι τάξις)· φαίνονται δὲ πολλαὶ διαφοραὶ οὖσαι, οἷον τὰ 15
μὲν συνθέσει λέγεται τῆς ὕλης, ὥσπερ ὅσα κράσει καθά-
περ μελίκρατον, τὰ δὲ δεσμῷ οἷον φάκελος, τὰ δὲ κόλλῃ
οἷον βιβλίον, τὰ δὲ γόμφῳ οἷον κιβώτιον, τὰ δὲ πλείοσι
τούτων, τὰ δὲ θέσει οἷον οὐδὸς καὶ ὑπέρθυρον (ταῦτα γὰρ
τῷ κεῖσθαί πως διαφέρει), τὰ δὲ χρόνῳ οἷον δεῖπνον καὶ 20
ἄριστον, τὰ δὲ τόπῳ οἷον τὰ πνεύματα· τὰ δὲ τοῖς τῶν
αἰσθητῶν πάθεσιν οἷον σκληρότητι καὶ μαλακότητι, καὶ
πυκνότητι καὶ ἀραιότητι, καὶ ξηρότητι καὶ ὑγρότητι, καὶ
τὰ μὲν ἐνίοις τούτων τὰ δὲ πᾶσι τούτοις, καὶ ὅλως τὰ
μὲν ὑπεροχῇ τὰ δὲ ἐλλείψει. ὥστε δῆλον ὅτι καὶ τὸ ἔστι 25
τοσαυταχῶς λέγεται· οὐδὸς γὰρ ἔστιν ὅτι οὕτως κεῖται, καὶ
τὸ εἶναι τὸ οὕτως αὐτὸ κεῖσθαι σημαίνει, καὶ τὸ κρύσταλ-
λον εἶναι τὸ οὕτω πεπυκνῶσθαι. ἐνίων δὲ τὸ εἶναι καὶ
πᾶσι τούτοις ὁρισθήσεται, τῷ τὰ μὲν μεμῖχθαι, τὰ δὲ κε-
κρᾶσθαι, τὰ δὲ δεδέσθαι, τὰ δὲ πεπυκνῶσθαι, τὰ δὲ ταῖς 30
ἄλλαις διαφοραῖς κεχρῆσθαι, ὥσπερ χεὶρ ἢ πούς. λη-
πτέα οὖν τὰ γένη τῶν διαφορῶν (αὗται γὰρ ἀρχαὶ ἔσον-
ται τοῦ εἶναι), οἷον τὰ τῷ μᾶλλον καὶ ἧττον ἢ πυκνῷ καὶ

ᵇ2 μὲν EJΓ et fort. Al.: om. Aᵇ   6 ἔχει ὕλην EJ   10 ἐνέργεια
Aᵇ: ἐνεργείᾳ Al.   13 διαφέρει AᵇΓ   14 διαθιγῇ E²JAᵇAl.:
διαθηγῇ E¹   16 ὥσπερ om. Aᵇ   17 φάκελλος fecit E
18 δὲ ἐν πλείοσι AᵇΓ: δὲ ἐμπλείοσιν J   23 ἀραιότητι] μανότητι EJ
Al.   27 κρυστάλλῳ Bonitz   28 τὸ alt.] τὸ sed o in ras. E
εἶναι] εἶδος Aᵇ   29 τὰ δὲ κεκρᾶσθαι om. Al.   31 ἡ χεὶρ E:
ἢ χεὶρ J   ληπτέον E

μανῷ καὶ τοῖς ἄλλοις τοῖς τοιούτοις· πάντα γὰρ ταῦτα
35 ὑπεροχὴ καὶ ἔλλειψίς ἐστιν. εἰ δέ τι σχήματι ἢ λειότητι
καὶ τραχύτητι, πάντα εὐθεῖ καὶ καμπύλῳ. τοῖς δὲ τὸ
1043ᵃ εἶναι τὸ μεμῖχθαι ἔσται, ἀντικειμένως δὲ τὸ μὴ εἶναι.
φανερὸν δὴ ἐκ τούτων ὅτι εἴπερ ἡ οὐσία αἰτία τοῦ εἶναι
ἕκαστον, ὅτι ἐν τούτοις ζητητέον· τί τὸ αἴτιον τοῦ εἶναι τούτων
ἕκαστον. οὐσία μὲν οὖν οὐδὲν τούτων οὐδὲ συνδυαζόμενον, ὅμως
5 δὲ τὸ ἀνάλογον ἐν ἑκάστῳ· καὶ ὡς ἐν ταῖς οὐσίαις τὸ τῆς
ὕλης κατηγορούμενον αὐτὴ ἡ ἐνέργεια, καὶ ἐν τοῖς ἄλλοις
ὁρισμοῖς μάλιστα. οἷον εἰ οὐδὸν δέοι ὁρίσασθαι, ξύλον ἢ
λίθον ὡδὶ κείμενον ἐροῦμεν, καὶ οἰκίαν πλίνθος καὶ ξύλα ὡδὶ
κείμενα (ἢ ἔτι καὶ τὸ οὗ ἕνεκα ἐπ' ἐνίων ἔστιν), εἰ δὲ κρύσταλ-
10 λον, ὕδωρ πεπηγὸς ἢ πεπυκνωμένον ὡδί· συμφωνία δὲ ὀξέος
καὶ βαρέος μῖξις τοιαδί· τὸν αὐτὸν δὲ τρόπον καὶ ἐπὶ τῶν
ἄλλων. φανερὸν δὴ ἐκ τούτων ὅτι ἡ ἐνέργεια ἄλλη ἄλλης
ὕλης καὶ ὁ λόγος· τῶν μὲν γὰρ ἡ σύνθεσις τῶν δ' ἡ μῖξις
τῶν δὲ ἄλλο τι τῶν εἰρημένων. διὸ τῶν ὁριζομένων οἱ μὲν
15 λέγοντες τί ἐστιν οἰκία, ὅτι λίθοι πλίνθοι ξύλα, τὴν δυνάμει
οἰκίαν λέγουσιν, ὕλη γὰρ ταῦτα· οἱ δὲ ἀγγεῖον σκεπαστικὸν
χρημάτων καὶ σωμάτων ἤ τι ἄλλο τοιοῦτον προτιθέντες, τὴν
ἐνέργειαν λέγουσιν· οἱ δ' ἄμφω ταῦτα συντιθέντες τὴν τρί-
την καὶ τὴν ἐκ τούτων οὐσίαν (ἔοικε γὰρ ὁ μὲν διὰ τῶν δια-
20 φορῶν λόγος τοῦ εἴδους καὶ τῆς ἐνεργείας εἶναι, ὁ δ' ἐκ τῶν
ἐνυπαρχόντων τῆς ὕλης μᾶλλον)· ὁμοίως δὲ καὶ οἵους Ἀρχύ-
τας ἀπεδέχετο ὅρους· τοῦ συνάμφω γάρ εἰσιν. οἷον τί ἐστι νη-
νεμία; ἠρεμία ἐν πλήθει ἀέρος· ὕλη μὲν γὰρ ὁ ἀήρ, ἐνέργεια
δὲ καὶ οὐσία ἡ ἠρεμία. τί ἐστι γαλήνη; ὁμαλότης θαλάττης·
25 τὸ μὲν ὑποκείμενον ὡς ὕλη ἡ θάλαττα, ἡ δὲ ἐνέργεια καὶ
ἡ μορφὴ ἡ ὁμαλότης. φανερὸν δὴ ἐκ τῶν εἰρημένων τίς
ἡ αἰσθητὴ οὐσία ἐστὶ καὶ πῶς· ἡ μὲν γὰρ ὡς ὕλη, ἡ δ'
ὡς μορφὴ καὶ ἐνέργεια, ἡ δὲ τρίτη ἡ ἐκ τούτων.

Δεῖ δὲ μὴ ἀγνοεῖν ὅτι ἐνίοτε λανθάνει πότερον ση- 3

ᵇ 35 ὑπεροχὴ καὶ ἔλλειψις EJΓ Al. : ὑπεροχῇ καὶ ἐλλείψει Aᵇ
36 πάντα] ἢ Γ 1043ᵃ 6 αὕτη Aᵇ 11 μίξει Aᵇ 15 τὴν
recc. Al. : τῇ EJAᵇ 17 σωμάτων καὶ χρημάτων, ἤ τι καὶ ἄλλο recc.
προτιθέντες scripsi : προσθέντες codd. 18 ἐνεργείᾳ Bekker 2f
οἵους E²J²Aᵇ Al. : οὓς E¹J¹Γ 23 γὰρ Aᵇ Al : om. EJΓ 26 ἡ
bis om. Aᵇ 28 καὶ Al. Bonitz: ὅτι codd. Γ ἐνέργειαι E ἡ ἐκ]
ἐκ fort. Al. 29 πότερον σημαίνει in marg. J

μαίνει τὸ ὄνομα τὴν σύνθετον οὐσίαν ἢ τὴν ἐνέργειαν καὶ 30
τὴν μορφήν, οἷον ἡ οἰκία πότερον σημεῖον τοῦ κοινοῦ ὅτι
σκέπασμα ἐκ πλίνθων καὶ λίθων ὡδὶ κειμένων, ἢ τῆς ἐνερ-
γείας καὶ τοῦ εἴδους ὅτι σκέπασμα, καὶ γραμμὴ πότερον
δυὰς ἐν μήκει ἢ [ὅτι] δυάς, καὶ ζῷον πότερον ψυχὴ ἐν
σώματι ἢ ψυχή· αὕτη γὰρ οὐσία καὶ ἐνέργεια σώματός 35
τινος. εἴη δ' ἂν καὶ ἐπ' ἀμφοτέροις τὸ ζῷον, οὐχ ὡς ἑνὶ
λόγῳ λεγόμενον ἀλλ' ὡς πρὸς ἕν. ἀλλὰ ταῦτα πρὸς μέν
τι ἄλλο διαφέρει, πρὸς δὲ τὴν ζήτησιν τῆς οὐσίας τῆς
αἰσθητῆς οὐδέν· τὸ γὰρ τί ἦν εἶναι τῷ εἴδει καὶ τῇ ἐνερ- 1043ᵇ
γείᾳ ὑπάρχει. ψυχὴ μὲν γὰρ καὶ ψυχῇ εἶναι ταὐτόν,
ἀνθρώπῳ δὲ καὶ ἄνθρωπος οὐ ταὐτόν, εἰ μὴ καὶ ἡ ψυχὴ
ἄνθρωπος λεχθήσεται· οὕτω δὲ τινὶ μὲν τινὶ δ' οὔ.—οὐ φαί-
νεται δὴ ζητοῦσιν ἡ συλλαβὴ ἐκ τῶν στοιχείων οὖσα καὶ 5
συνθέσεως, οὐδ' ἡ οἰκία πλίνθοι τε καὶ σύνθεσις. καὶ τοῦτο
ὀρθῶς· οὐ γάρ ἐστιν ἡ σύνθεσις οὐδ' ἡ μῖξις ἐκ τούτων ὧν
ἐστι σύνθεσις ἢ μῖξις. ὁμοίως δὲ οὐδὲ τῶν ἄλλων οὐθέν,
οἷον εἰ ὁ οὐδὸς θέσει, οὐκ ἐκ τοῦ οὐδοῦ ἡ θέσις ἀλλὰ μᾶλλον
οὗτος ἐξ ἐκείνης. οὐδὲ δὴ ὁ ἄνθρωπός ἐστι τὸ ζῷον καὶ δί- 10
πουν, ἀλλά τι δεῖ εἶναι ὃ παρὰ ταῦτά ἐστιν, εἰ ταῦθ' ὕλη,
οὔτε δὲ στοιχεῖον οὔτ' ἐκ στοιχείου, ἀλλ' ἡ οὐσία· ὃ ἐξαιροῦντες
τὴν ὕλην λέγουσιν. εἰ οὖν τοῦτ' αἴτιον τοῦ εἶναι, καὶ οὐσία
τοῦτο, αὐτὴν ἂν τὴν οὐσίαν οὐ λέγοιεν. (ἀνάγκη δὴ ταύτην ἢ
ἀΐδιον εἶναι ἢ φθαρτὴν ἄνευ τοῦ φθείρεσθαι καὶ γεγονέναι 15
ἄνευ τοῦ γίγνεσθαι. δέδεικται δὲ καὶ δεδήλωται ἐν ἄλλοις
ὅτι τὸ εἶδος οὐθεὶς ποιεῖ οὐδὲ γεννᾷ, ἀλλὰ ποιεῖται τόδε,
γίγνεται δὲ τὸ ἐκ τούτων. εἰ δ' εἰσὶ τῶν φθαρτῶν αἱ οὐσίαι
χωρισταί, οὐδέν πω δῆλον· πλὴν ὅτι γ' ἐνίων οὐκ ἐνδέχεται
δῆλον, ὅσα μὴ οἷόν τε παρὰ τὰ τινὰ εἶναι, οἷον οἰκίαν ἢ 20
σκεῦος. ἴσως μὲν οὖν οὐδ' οὐσίαι εἰσὶν οὔτ' αὐτὰ ταῦτα οὔτε

ᵃ 32 κείμενον Aᵇ   34 ὅτι secl. Bywater   36 τὸ om. E
ᵇ 2 ψυχῇ ... ψυχὴ, omisso εἶναι, Aᵇ   4 δὲ EJΓΑl.: δ' ἐπὶ Aᵇ
5 καὶ EJ Al.¹: καὶ τῆς Aᵇ   7 οὐδ' Aᵇ Al.: καὶ EJΓ   8 ἐστὶ] ἐστὶν
ἢ Aᵇ   9 εἰ ὁ Aᵇ γρ. E: εἰ Al.: om. EJΓ   11 ταῦτά] τὰ ἄλλα
Aᵇ   ὕλης J   12 οὔτε δὲ] ὃ οὔτε E¹Aᵇ γρ. E et fort. Al.   ἀλλ'
ἡ οὐσία codd. ΓΑl.: secl. Christ   13 εἶναι καὶ οὐσίας, τοῦτο
αὐτὴν Bonitz, fort. legit Al.   14 οὐ E¹J γρ. EΓ: om. E²Aᵇ Al.
17 γεννᾶται EJΓ ποιεῖται codd. ΓΑl.: ποιεῖ εἰς ci. Bonitz   21 οὔτ'
Bekker: οὐδὲ Aᵇ γρ. E: οὐδέ τι EJΓ

τι τῶν ἄλλων ὅσα μὴ φύσει συνέστηκεν· τὴν γὰρ φύσιν
μόνην ἄν τις θείη τὴν ἐν τοῖς φθαρτοῖς οὐσίαν.) ὥστε ἡ
ἀπορία ἦν οἱ Ἀντισθένειοι καὶ οἱ οὕτως ἀπαίδευτοι ἠπόρουν
25 ἔχει τινὰ καιρόν, ὅτι οὐκ ἔστι τὸ τί ἔστιν ὁρίσασθαι (τὸν
γὰρ ὅρον λόγον εἶναι μακρόν), ἀλλὰ ποῖον μέν τί ἐστιν
ἐνδέχεται καὶ διδάξαι, ὥσπερ ἄργυρον, τί μέν ἐστιν οὔ,
ὅτι δ᾽ οἷον καττίτερος· ὥστ᾽ οὐσίας ἔστι μὲν ἧς ἐνδέχεται
εἶναι ὅρον καὶ λόγον, οἷον τῆς συνθέτου, ἐάν τε αἰσθητὴ
30 ἐάν τε νοητὴ ᾖ· ἐξ ὧν δ᾽ αὕτη πρώτων, οὐκέτι, εἴπερ τὶ
κατὰ τινὸς σημαίνει ὁ λόγος ὁ ὁριστικὸς καὶ δεῖ τὸ μὲν
ὥσπερ ὕλην εἶναι τὸ δὲ ὡς μορφήν.—φανερὸν δὲ καὶ
διότι, εἴπερ εἰσί πως ἀριθμοὶ αἱ οὐσίαι, οὕτως εἰσὶ καὶ οὐχ
ὥς τινες λέγουσι μονάδων· ὅ τε γὰρ ὁρισμὸς ἀριθμός τις·
35 διαιρετός τε γὰρ καὶ εἰς ἀδιαίρετα (οὐ γὰρ ἄπειροι οἱ
λόγοι), καὶ ὁ ἀριθμὸς δὲ τοιοῦτον. καὶ ὥσπερ οὐδ᾽ ἀπ᾽
ἀριθμοῦ ἀφαιρεθέντος τινὸς ἢ προστεθέντος ἐξ ὧν ὁ ἀριθμός
ἐστιν, οὐκέτι ὁ αὐτὸς ἀριθμός ἐστιν ἀλλ᾽ ἕτερος, κἂν τοὐλά-
1044ᵃ χιστον ἀφαιρεθῇ ἢ προστεθῇ, οὕτως οὐδὲ ὁ ὁρισμὸς οὐδὲ τὸ τί
ἦν εἶναι οὐκέτι ἔσται ἀφαιρεθέντος τινὸς ἢ προστεθέντος. καὶ
τὸν ἀριθμὸν δεῖ εἶναί τι ᾧ εἷς, ὃ νῦν οὐκ ἔχουσι λέγειν τίνι
εἷς, εἴπερ ἐστὶν εἷς (ἢ γὰρ οὐκ ἔστιν ἀλλ᾽ οἷον σωρός, ἢ
5 εἴπερ ἐστί, λεκτέον τί τὸ ποιοῦν ἐν ἐκ πολλῶν)· καὶ ὁ ὁρι-
σμὸς εἷς ἐστίν, ὁμοίως δὲ οὐδὲ τοῦτον ἔχουσι λέγειν. καὶ τοῦτο
εἰκότως συμβαίνει· τοῦ αὐτοῦ γὰρ λόγου, καὶ ἡ οὐσία ἓν οὕτως,
ἀλλ᾽ οὐχ ὡς λέγουσί τινες οἷον μονάς τις οὖσα ἢ στιγμή,
ἀλλ᾽ ἐντελέχεια καὶ φύσις τις ἑκάστη. καὶ ὥσπερ οὐδὲ ὁ
10 ἀριθμὸς ἔχει τὸ μᾶλλον καὶ ἧττον, οὐδ᾽ ἡ κατὰ τὸ εἶδος
οὐσία, ἀλλ᾽ εἴπερ, ἡ μετὰ τῆς ὕλης. περὶ μὲν οὖν γενέσεως
καὶ φθορᾶς τῶν λεγομένων οὐσιῶν, πῶς τ᾽ ἐνδέχεται καὶ
πῶς ἀδύνατον, καὶ περὶ τῆς εἰς τὸν ἀριθμὸν ἀναγωγῆς,
ἔστω μέχρι τούτων διωρισμένον.

ᵇ23 μόνον γρ. E   τὴν ia Al. : τῶν codd. Γ   26 μέν τί]
μέντοι fecit E   27 ἐνδέχεσθαι Aᵇ   28 οὐσία E¹   30 ἦ
om. Aᵇ   οὐκ ἔστι EJΓAl.   32 ὡς om. Aᵇ   36 τοιοῦτος
recc.   38 ἐστιν alt. om. Aᵇ   1044ᵃ 3 τὸν ἀριθμὸν codd. Γ:
τῷ ἀριθμῷ ex Al. ci. Bonitz   τι ᾧ] αἴτιον Aᵇ : τι τὸ ἐνοῦν καὶ ᾧ ci.
Bonitz   ὃ . . . τίνι εἷς AᵇΓ Al. : om. EJ   4 εἴπερ . . . γὰρ] εἷς
γὰρ Aᵇ   11 ἤ] τῆς ut vid. Al.   12 τ᾽ om. EJ   13 τὸν
ἀριθμὸν E sed o utrumque in ras.

4 Περὶ δὲ τῆς ὑλικῆς οὐσίας δεῖ μὴ λανθάνειν ὅτι εἰ 15
καὶ ἐκ τοῦ αὐτοῦ πάντα πρώτου ἢ τῶν αὐτῶν ὡς πρώτων
καὶ ἡ αὐτὴ ὕλη ὡς ἀρχὴ τοῖς γιγνομένοις, ὅμως ἔστι τις
οἰκεία ἑκάστου, οἷον φλέγματος [ἐστι πρώτη ὕλη] τὰ γλυκέα
ἢ λιπαρά, χολῆς δὲ τὰ πικρὰ ἢ ἄλλ᾽ ἄττα· ἴσως δὲ
ταῦτα ἐκ τοῦ αὐτοῦ. γίγνονται δὲ πλείους ὗλαι τοῦ αὐτοῦ 20
ὅταν θατέρου ἡ ἑτέρα ᾖ, οἷον φλέγμα ἐκ λιπαροῦ καὶ γλυ-
κέος εἰ τὸ λιπαρὸν ἐκ τοῦ γλυκέος, ἐκ δὲ χολῆς τῷ ἀνα-
λύεσθαι εἰς τὴν πρώτην ὕλην τὴν χολήν. διχῶς γὰρ τόδ᾽
ἐκ τοῦδε, ἢ ὅτι πρὸ ὁδοῦ ἔσται ἢ ὅτι ἀναλυθέντος εἰς τὴν
ἀρχήν. ἐνδέχεται δὲ μιᾶς τῆς ὕλης οὔσης ἕτερα γίγνεσθαι 25
διὰ τὴν κινοῦσαν αἰτίαν, οἷον ἐκ ξύλου καὶ κιβωτὸς καὶ
κλίνη. ἐνίων δ᾽ ἑτέρα ἡ ὕλη ἐξ ἀνάγκης ἑτέρων ὄντων,
οἷον πρίων οὐκ ἂν γένοιτο ἐκ ξύλου, οὐδ᾽ ἐπὶ τῇ κινούσῃ αἰτίᾳ
τοῦτο· οὐ γὰρ ποιήσει πρίονα ἐξ ἐρίου ἢ ξύλου. εἰ δ᾽ ἄρα
τὸ αὐτὸ ἐνδέχεται ἐξ ἄλλης ὕλης ποιῆσαι, δῆλον ὅτι ἡ 30
τέχνη καὶ ἡ ἀρχὴ ἡ ὡς κινοῦσα ἡ αὐτή· εἰ γὰρ καὶ ἡ ὕλη
ἑτέρα καὶ τὸ κινοῦν, καὶ τὸ γεγονός.—ὅταν δή τις ζητῇ
τὸ αἴτιον, ἐπεὶ πλεοναχῶς τὰ αἴτια λέγεται, πάσας δεῖ
λέγειν τὰς ἐνδεχομένας αἰτίας. οἷον ἀνθρώπου τίς αἰτία ὡς
ὕλη; ἆρα τὰ καταμήνια; τί δ᾽ ὡς κινοῦν; ἆρα τὸ σπέρμα; 35
τί δ᾽ ὡς τὸ εἶδος; τὸ τί ἦν εἶναι. τί δ᾽ ὡς οὗ ἕνεκα; τὸ
τέλος. ἴσως δὲ ταῦτα ἄμφω τὸ αὐτό. δεῖ δὲ τὰ ἐγγύ- 1044ᵇ
τατα αἴτια λέγειν. τίς ἡ ὕλη; μὴ πῦρ ἢ γῆν ἀλλὰ
τὴν ἴδιον. περὶ μὲν οὖν τὰς φυσικὰς οὐσίας καὶ γενητὰς
ἀνάγκη οὕτω μετιέναι εἴ τις μέτεισιν ὀρθῶς, εἴπερ ἄρα
αἴτιά τε ταῦτα καὶ τοσαῦτα καὶ δεῖ τὰ αἴτια γνωρίζειν· 5
ἐπὶ δὲ τῶν φυσικῶν μὲν ἀϊδίων δὲ οὐσιῶν ἄλλος λόγος.
ἴσως γὰρ ἔνια οὐκ ἔχει ὕλην, ἢ οὐ τοιαύτην ἀλλὰ μόνον
κατὰ τόπον κινητήν. οὐδ᾽ ὅσα δὴ φύσει μέν, μὴ οὐσίαι δέ,
οὐκ ἔστι τούτοις ὕλη, ἀλλὰ τὸ ὑποκείμενον ἡ οὐσία. οἷον τί
αἴτιον ἐκλείψεως, τίς ὕλη; οὐ γὰρ ἔστιν, ἀλλ᾽ ἡ σελήνη τὸ 10

ᵃ 17 ἡ om. Aᵇ   18 ἐστι πρώτη ὕλη om. Aᵇ   24 πρὸ ὁδοῦ]
πρῶτον Γ   26 καὶ pr. om. Aᵇ   29 ᾖ] ἢ ἐκ Aᵇ   εἰ δ᾽] τί Aᵇ
30 ὕλης om. Aᵇ Al.   31 ἡ ὡς] ὡς Aᵇ   32 γένος J¹ an δέ?
33 τὸ Aᵇ Al. : τί τὸ EJΓ   ᵇ 2 τίς ἡ EJ² Simpl.ᶜ : τί ὡς Aᵇ : τίς J¹ :
quae Γ   3 οὐσίας EJAᵇ²Γ Simpl.ᶜ : αἰτίας γρ. Aᵇ, fort. Aᵇ¹   γενητὰς
E¹JAᵇ Simpl.ᶜ : γεννητὰς E²Al.   4 ἄρα om. Aᵇ et fort. Al.
8 οὐσίαι EJAᵇ Al. : οὐσίᾳ recc. Γ Simpl.ᶜ   9 ἡ ὕλη Aᵇ   10 ἢ E

πάσχον. τί δ᾽ αἴτιον ὡς κινῆσαν καὶ φθεῖραν τὸ φῶς; ἡ
γῆ. τὸ δ᾽ οὗ ἕνεκα ἴσως οὐκ ἔστιν. τὸ δ᾽ ὡς εἶδος ὁ λόγος,
ἀλλὰ ἄδηλος ἐὰν μὴ μετὰ τῆς αἰτίας ᾖ ὁ λόγος. οἷον τί
ἔκλειψις; στέρησις φωτός. ἐὰν δὲ προστεθῇ τὸ ὑπὸ γῆς ἐν
15 μέσῳ γιγνομένης, ὁ σὺν τῷ αἰτίῳ λόγος οὗτος. ὕπνου δ᾽
ἄδηλον τί τὸ πρῶτον πάσχον. ἀλλ᾽ ὅτι τὸ ζῷον; ναί,
ἀλλὰ τοῦτο κατὰ τί, καὶ τί πρῶτον; καρδία ἢ ἄλλο τι.
εἶτα ὑπὸ τίνος; εἶτα τί τὸ πάθος, τὸ ἐκείνου καὶ μὴ τοῦ
ὅλου; ὅτι ἀκινησία τοιαδί; ναί, ἀλλ᾽ αὕτη τῷ τί πάσχειν
20 τὸ πρῶτον;

Ἐπεὶ δ᾽ ἔνια ἄνευ γενέσεως καὶ φθορᾶς ἔστι καὶ οὐκ 5
ἔστιν, οἷον αἱ στιγμαί, εἴπερ εἰσί, καὶ ὅλως τὰ εἴδη
(οὐ γὰρ τὸ λευκὸν γίγνεται ἀλλὰ τὸ ξύλον λευκόν, εἰ
ἔκ τινος καὶ τὶ πᾶν τὸ γιγνόμενον γίγνεται), οὐ πάντα
25 ἂν τἀναντία γίγνοιτο ἐξ ἀλλήλων, ἀλλ᾽ ἑτέρως λευκὸς
ἄνθρωπος ἐκ μέλανος ἀνθρώπου καὶ λευκὸν ἐκ μέλανος·
οὐδὲ παντὸς ὕλη ἔστιν ἀλλ᾽ ὅσων γένεσις ἔστι καὶ μεταβολὴ
εἰς ἄλληλα· ὅσα δ᾽ ἄνευ τοῦ μεταβάλλειν ἔστιν ἢ μή, οὐκ
ἔστι τούτων ὕλη.—ἔχει δ᾽ ἀπορίαν πῶς πρὸς τἀναντία ἡ
30 ὕλη ἡ ἑκάστου ἔχει. οἷον εἰ τὸ σῶμα δυνάμει ὑγιεινόν,
ἐναντίον δὲ νόσος ὑγιείᾳ, ἆρα ἄμφω δυνάμει; καὶ τὸ
ὕδωρ δυνάμει οἶνος καὶ ὄξος; ἢ τοῦ μὲν καθ᾽ ἕξιν καὶ
κατὰ τὸ εἶδος ὕλη, τοῦ δὲ κατὰ στέρησιν καὶ φθορὰν τὴν
παρὰ φύσιν; ἀπορία δέ τις ἔστι καὶ διὰ τί ὁ οἶνος οὐχ
35 ὕλη τοῦ ὄξους οὐδὲ δυνάμει ὄξος (καίτοι γίγνεται ἐξ αὐτοῦ
ὄξος) καὶ ὁ ζῶν δυνάμει νεκρός. ἢ οὔ, ἀλλὰ κατὰ συμ-
1045ᵃ βεβηκὸς αἱ φθοραί, ἡ δὲ τοῦ ζῴου ὕλη αὐτὴ κατὰ φθορὰν
νεκροῦ δύναμις καὶ ὕλη, καὶ τὸ ὕδωρ ὄξους· γίγνεται γὰρ
ἐκ τούτων ὥσπερ ἐξ ἡμέρας νύξ. καὶ ὅσα δὴ οὕτω μετα-
βάλλει εἰς ἄλληλα, εἰς τὴν ὕλην δεῖ ἐπανελθεῖν, οἷον εἰ
5 ἐκ νεκροῦ ζῷον, εἰς τὴν ὕλην πρῶτον, εἶθ᾽ οὕτω ζῷον· καὶ
τὸ ὄξος εἰς ὕδωρ, εἶθ᾽ οὕτως οἶνος.

ᵇ 11 δ᾽ om. EJΓ   14 τὸ om. EJ   16 ἀλλ᾽ ὅτι EJ²AᵇΓ
Al.: ἄλλο τι fort. J¹, ci. Bonitz   ναί] etiam primum Γ   19 τοιάδ᾽
εἶναι Aᵇ   22 εἴδη EJ et ut vid. Al.: εἴδη καὶ αἱ μορφαί AᵇΓ
23 εἰ] ἢ E¹JΓ   25 γίγνοιντο AᵇAl.º   28 μεταβαλεῖν J   30
ἔχοι Aᵇ   ὑγιεινόν AᵇΓ Al.: ὑγιαῖνον EJ   32 καὶ alt. EJΓAl.:
ἢ Aᵇ   33 καὶ] καὶ κατὰ EJ   34 δέ τις EJΓAl.º: δ᾽ ἔτι Aᵇ
35 καίτοι] καίτοι γε E²   1045ᵃ 1 αὕτη J: hoc Γ: αὐτὴ Christ
4-5 εἰ ἐκ JΓAl.: ἐκ E: om. Aᵇ

6 Περὶ δὲ τῆς ἀπορίας τῆς εἰρημένης περί τε τοὺς ὁρι-
σμοὺς καὶ περὶ τοὺς ἀριθμούς, τί αἴτιον τοῦ ἓν εἶναι; πάντων
γὰρ ὅσα πλείω μέρη ἔχει καὶ μὴ ἔστιν οἷον σωρὸς τὸ πᾶν
ἀλλ᾽ ἔστι τι τὸ ὅλον παρὰ τὰ μόρια, ἔστι τι αἴτιον, ἐπεὶ 10
καὶ ἐν τοῖς σώμασι τοῖς μὲν ἀφὴ αἰτία τοῦ ἓν εἶναι τοῖς
δὲ γλισχρότης ἤ τι πάθος ἕτερον τοιοῦτον. ὁ δ᾽ ὁρισμὸς
λόγος ἐστὶν εἷς οὐ συνδέσμῳ καθάπερ ἡ Ἰλιὰς ἀλλὰ τῷ
ἑνὸς εἶναι. τί οὖν ἐστιν ὃ ποιεῖ ἓν τὸν ἄνθρωπον, καὶ διὰ τί
ἓν ἀλλ᾽ οὐ πολλά, οἷον τό τε ζῷον καὶ τὸ δίπουν, ἄλλως 15
τε δὴ καὶ εἰ ἔστιν, ὥσπερ φασί τινες, αὐτό τι ζῷον καὶ
αὐτὸ δίπουν; διὰ τί γὰρ οὐκ ἐκεῖνα αὐτὰ ὁ ἄνθρωπός ἐστι,
καὶ ἔσονται κατὰ μέθεξιν οἱ ἄνθρωποι οὐκ ἀνθρώπου οὐδ᾽
ἑνὸς ἀλλὰ δυοῖν, ζῴου καὶ δίποδος, καὶ ὅλως δὴ οὐκ ἂν
εἴη ὁ ἄνθρωπος ἓν ἀλλὰ πλείω, ζῷον καὶ δίπουν; φανε- 20
ρὸν δὴ ὅτι οὕτω μὲν μετιοῦσιν ὡς εἰώθασιν ὁρίζεσθαι καὶ
λέγειν, οὐκ ἐνδέχεται ἀποδοῦναι καὶ λῦσαι τὴν ἀπορίαν·
εἰ δ᾽ ἐστίν, ὥσπερ λέγομεν, τὸ μὲν ὕλη τὸ δὲ μορφή, καὶ
τὸ μὲν δυνάμει τὸ δὲ ἐνεργείᾳ, οὐκέτι ἀπορία δόξειεν ἂν
εἶναι τὸ ζητούμενον. ἔστι γὰρ αὕτη ἡ ἀπορία ἡ αὐτὴ κἂν 25
εἰ ὁ ὅρος εἴη ἱματίου στρογγύλος χαλκός· εἴη γὰρ ἂν
σημεῖον τοὔνομα τοῦτο τοῦ λόγου, ὥστε τὸ ζητούμενόν ἐστι
τί αἴτιον τοῦ ἓν εἶναι τὸ στρογγύλον καὶ τὸν χαλκόν.
οὐκέτι δὴ ἀπορία φαίνεται, ὅτι τὸ μὲν ὕλη τὸ δὲ μορφή.
τί οὖν τούτου αἴτιον, τοῦ τὸ δυνάμει ὂν ἐνεργείᾳ εἶναι, 30
παρὰ τὸ ποιῆσαν, ἐν ὅσοις ἔστι γένεσις; οὐθὲν γάρ ἐστιν
αἴτιον ἕτερον τοῦ τὴν δυνάμει σφαῖραν ἐνεργείᾳ εἶναι σφαῖ-
ραν, ἀλλὰ τοῦτ᾽ ἦν τὸ τί ἦν εἶναι ἑκατέρῳ. ἔστι δὲ τῆς
ὕλης ἡ μὲν νοητὴ ἡ δ᾽ αἰσθητή, καὶ ἀεὶ τοῦ λόγου τὸ μὲν
ὕλη τὸ δὲ ἐνέργειά ἐστιν, οἷον ὁ κύκλος σχῆμα ἐπίπεδον. 35
ὅσα δὲ μὴ ἔχει ὕλην μήτε νοητὴν μήτε αἰσθητήν, εὐθὺς
ὅπερ ἕν τί [εἶναί] ἐστιν ἕκαστον, ὥσπερ καὶ ὅπερ ὄν τι, τὸ 1045ᵇ

ᵃ 8 πάντων recc. Γ: πάντα EJAᵇ   9 πᾶν EJ Al.ᵒ: ἅπαν Aᵇ
10 τὸ om. γρ. E   16 δὴ om. Aᵇ Al.ᵒ   17 αὐτοάνθρωπος Aᵇ
Al.ᵒ: αὐτὰ αὐτοάνθρωπος fort. Al.   18 οἱ EJΓAl. : οἷον Aᵇ
18–19 οὐδενὸς ἀλλὰ Aᵇ Al.ᵒ   26 ὁ om. Aᵇ Al.ᵒ   ὁ στρογγύλος Aᵇ Al.ᵒ
28 τὸν] τὸ γρ. E   29 δὴ] δ᾽ ἡ Aᵇ   30 τούτου τὸ αἴτιον Aᵇ
τοῦ JAᵇΓ, ex τοῦτο fecit E   35 ἐνεργείαι E   οἷον . . . ἐπίπεδον
om. fort. Al.   ὁ om. Aᵇ   ᵇ 1 εἶναί om. fort. Al., secl. Bonitz
τὸ om. EᵗΓ

τόδε, τὸ ποιόν, τὸ ποσόν—διὸ καὶ οὐκ ἔνεστιν ἐν τοῖς ὁρισ-
μοῖς οὔτε τὸ ὂν οὔτε τὸ ἕν—, καὶ τὸ τί ἦν εἶναι εὐθὺς ἕν τί
ἐστιν ὥσπερ καὶ ὄν τι—διὸ καὶ οὐκ ἔστιν ἕτερόν τι αἴτιον τοῦ
5 ἓν εἶναι οὐθενὶ τούτων οὐδὲ τοῦ ὄν τι εἶναι· εὐθὺς γὰρ ἕκαστόν
ἐστιν ὄν τι καὶ ἕν τι, οὐχ ὡς ἐν γένει τῷ ὄντι καὶ τῷ ἑνί,
οὐδ' ὡς χωριστῶν ὄντων παρὰ τὰ καθ' ἕκαστα. διὰ ταύτην
δὲ τὴν ἀπορίαν οἱ μὲν μέθεξιν λέγουσι, καὶ αἴτιον τί τῆς
μεθέξεως καὶ τί τὸ μετέχειν ἀποροῦσιν· οἱ δὲ συνουσίαν
10 [ψυχῆς], ὥσπερ Λυκόφρων φησὶν εἶναι τὴν ἐπιστήμην τοῦ
ἐπίστασθαι καὶ ψυχῆς· οἱ δὲ σύνθεσιν ἢ σύνδεσμον ψυχῆς
σώματι τὸ ζῆν. καίτοι ὁ αὐτὸς λόγος ἐπὶ πάντων· καὶ
γὰρ τὸ ὑγιαίνειν ἔσται ἢ συνουσία ἢ σύνδεσμος ἢ σύνθεσις
ψυχῆς καὶ ὑγιείας, καὶ τὸ τὸν χαλκὸν εἶναι τρίγωνον
15 σύνθεσις χαλκοῦ καὶ τριγώνου, καὶ τὸ λευκὸν εἶναι σύνθε-
σις ἐπιφανείας καὶ λευκότητος. αἴτιον δ' ὅτι δυνάμεως
καὶ ἐντελεχείας ζητοῦσι λόγον ἑνοποιὸν καὶ διαφοράν. ἔστι
δ', ὥσπερ εἴρηται, ἡ ἐσχάτη ὕλη καὶ ἡ μορφὴ ταὐτὸ καὶ
ἕν, δυνάμει, τὸ δὲ ἐνεργείᾳ, ὥστε ὅμοιον τὸ ζητεῖν τοῦ
20 ἑνὸς τί αἴτιον καὶ τοῦ ἓν εἶναι· ἓν γάρ τι ἕκαστον, καὶ τὸ
δυνάμει καὶ τὸ ἐνεργείᾳ ἕν πώς ἐστιν, ὥστε αἴτιον οὐθὲν
ἄλλο πλὴν εἴ τι ὡς κινῆσαν ἐκ δυνάμεως εἰς ἐνέργειαν.
ὅσα δὲ μὴ ἔχει ὕλην, πάντα ἁπλῶς ὅπερ ἕν τι.

25
Θ

Περὶ μὲν οὖν τοῦ πρώτως ὄντος καὶ πρὸς ὃ πᾶσαι αἱ
ἄλλαι κατηγορίαι τοῦ ὄντος ἀναφέρονται εἴρηται, περὶ τῆς
οὐσίας (κατὰ γὰρ τὸν τῆς οὐσίας λόγον λέγεται τἆλλα

ᵇ 2 τόδε] τοῦτο γρ. Ε   ante διὸ collocanda οὐχ . . . ἑνί (l. 6) ci.
Al., διὸ . . . ἕκαστα (ll. 4–7) Schwegler   4 καὶ alt. om. Aᵇᴳ
5 οὐθενὶ EJΓ Al. : οὐδὲ ἑνὶ Aᵇ   8 τι Γ   10 ψυχῆς codd. Γ
Al. : incl. Bonitz   14 τὸ sup. lin. J   15 τὸ] τὸ τὴν ἐπιφάνειαν
ex Al. ci. Bonitz   ἐν εἶναι γρ. Εᴳ   17 λόγον Aᵇ γρ. Ε Al. :
τὸ EJΓ   διαφορὰν ἕν Ε²Aᵇ   ἔστι . . . 23 τι om. Ε γρ. J
18 ἡ pr. Aᵇ et fort. Al. : καὶ ἡ EJΓ   19 ἕν om. EJΓ; ἓν καὶ γρ.
Ε : τὸ μὲν Casaubon : ἕν, τὸ μὲν ci. Bonitz   δυνάμει . . . 21 ἐστιν
om. Aᵇ Al.   22 εἰ τὸ ὡς EJΓ   23 ἕν Aᵇ Al. : ὄντα EJΓ : ἕν
τι, ὥσπερ καὶ ὅπερ ὄν ci. Bonitz   τι] τι περὶ μὲν οὖν τοῦ πρώτως ὄντος
καὶ πρὸς ὃ αἱ ἄλλαι κατηγορίαι τοῦ ὄντος ἀναφέρονται εἴρηται, περὶ τῆς
οὐσίας Aᵇ

ὄντα, τό τε ποσὸν καὶ τὸ ποιὸν καὶ τἆλλα τὰ οὕτω λε- 30
γόμενα· πάντα γὰρ ἕξει τὸν τῆς οὐσίας λόγον, ὥσπερ
εἴπομεν ἐν τοῖς πρώτοις λόγοις)· ἐπεὶ δὲ λέγεται τὸ ὂν τὸ
μὲν τὸ τὶ ἢ ποιὸν ἢ ποσόν, τὸ δὲ κατὰ δύναμιν καὶ ἐν-
τελέχειαν καὶ κατὰ τὸ ἔργον, διορίσωμεν καὶ περὶ δυνά-
μεως καὶ ἐντελεχείας, καὶ πρῶτον περὶ δυνάμεως ἢ λέ- 35
γεται μὲν μάλιστα κυρίως, οὐ μὴν χρησιμωτάτη γέ ἐστι πρὸς
ὃ βουλόμεθα νῦν· ἐπὶ πλέον γάρ ἐστιν ἡ δύναμις καὶ ἡ 1046ᵃ
ἐνέργεια τῶν μόνον λεγομένων κατὰ κίνησιν. ἀλλ᾽ εἰπόν-
τες περὶ ταύτης, ἐν τοῖς περὶ τῆς ἐνεργείας διορισμοῖς δη-
λώσομεν καὶ περὶ τῶν ἄλλων. ὅτι μὲν οὖν λέγεται
πολλαχῶς ἡ δύναμις καὶ τὸ δύνασθαι, διώρισται ἡμῖν ἐν 5
ἄλλοις· τούτων δ᾽ ὅσαι μὲν ὁμωνύμως λέγονται δυνάμεις
ἀφείσθωσαν (ἔνιαι γὰρ ὁμοιότητί τινι λέγονται, καθάπερ
ἐν γεωμετρίᾳ καὶ δυνατὰ καὶ ἀδύνατα λέγομεν τῷ εἶναί
πως ἢ μὴ εἶναι), ὅσαι δὲ πρὸς τὸ αὐτὸ εἶδος, πᾶσαι ἀρ-
χαί τινές εἰσι, καὶ πρὸς πρώτην μίαν λέγονται, ἥ ἐστιν 10
ἀρχὴ μεταβολῆς ἐν ἄλλῳ ἢ ᾗ ἄλλο. ἡ μὲν γὰρ τοῦ παθεῖν
ἐστὶ δύναμις, ἡ ἐν αὐτῷ τῷ πάσχοντι ἀρχὴ μεταβολῆς
παθητικῆς ὑπ᾽ ἄλλου ἢ ᾗ ἄλλο· ἡ δ᾽ ἕξις ἀπαθείας τῆς ἐπὶ
τὸ χεῖρον καὶ φθορᾶς τῆς ὑπ᾽ ἄλλου ἢ ᾗ ἄλλο ὑπ᾽ ἀρχῆς
μεταβλητικῆς. ἐν γὰρ τούτοις ἔνεστι πᾶσι τοῖς ὅροις ὁ τῆς 15
πρώτης δυνάμεως λόγος. πάλιν δ᾽ αὗται δυνάμεις λέγον-
ται ἢ τοῦ μόνον ποιῆσαι ἢ [τοῦ] παθεῖν ἢ τοῦ καλῶς, ὥστε
καὶ ἐν τοῖς τούτων λόγοις ἐνυπάρχουσί πως οἱ τῶν προτέ-
ρων δυνάμεων λόγοι.—φανερὸν οὖν ὅτι ἔστι μὲν ὡς μία δύ-
ναμις τοῦ ποιεῖν καὶ πάσχειν (δυνατὸν γάρ ἐστι καὶ τῷ 20
ἔχειν αὐτὸ δύναμιν τοῦ παθεῖν καὶ τῷ ἄλλο ὑπ᾽ αὐτοῦ),
ἔστι δὲ ὡς ἄλλη. ἡ μὲν γὰρ ἐν τῷ πάσχοντι (διὰ γὰρ
τὸ ἔχειν τινὰ ἀρχήν, καὶ εἶναι καὶ τὴν ὕλην ἀρχήν τινα,
πάσχει τὸ πάσχον, καὶ ἄλλο ὑπ᾽ ἄλλου· τὸ λιπαρὸν μὲν
γὰρ καυστὸν τὸ δ᾽ ὑπεῖκον ὡδὶ θλαστόν, ὁμοίως δὲ καὶ 25

ᵇ 33 τὸ ex τῶι fecit E : τῶι JΓ τὶ scripsi : τί vulgo ποσὸν ἢ
ποιόν Aᵇ 36 χρησιμωτάτη Aᵇ Al. : χρησίμη EJΓ 1046ᵃ 1 πλέον
EJ Al. : πλεῖον Aᵇ 2 μόνων Aᵇ 4-5 πολλαχῶς λέγεται Aᵇ
7 ἔνια J 11 ἢ om. AᵇΓ ᾗ om. J 13, 14 ἢ om. AᵇΓ 14 ὑπ᾽
alt. EJΓ Al. : om. Aᵇ 16 αὗται λέγονται αἱ δυνάμεις Aᵇ 17 τοῦ
incl. Bonitz 19 λόγοι δυνάμεων JΓ 20 καὶ τὸ JΓ 23 καὶ
τὴν ... τινα EJΓ Al. : om. Aᵇ

ἐπὶ τῶν ἄλλων), ἢ δ' ἐν τῷ ποιοῦντι, οἷον τὸ θερμὸν καὶ
ἡ οἰκοδομική, ἡ μὲν ἐν τῷ θερμαντικῷ ἡ δ' ἐν τῷ οἰκο-
δομικῷ· διὸ ᾗ συμπέφυκεν, οὐθὲν πάσχει αὐτὸ ὑφ' ἑαυτοῦ·
ἓν γὰρ καὶ οὐκ ἄλλο. καὶ ἡ ἀδυναμία καὶ τὸ ἀδύνατον
30 ἡ τῇ τοιαύτῃ δυνάμει ἐναντία στέρησίς ἐστιν, ὥστε τοῦ
αὐτοῦ καὶ κατὰ τὸ αὐτὸ πᾶσα δύναμις ἀδυναμίᾳ. ἡ δὲ
στέρησις λέγεται πολλαχῶς· καὶ γὰρ τὸ μὴ ἔχον καὶ τὸ
πεφυκὸς ἂν μὴ ἔχῃ, ἢ ὅλως ἢ ὅτε πέφυκεν, καὶ ἢ ὡδί,
οἷον παντελῶς, ἢ κἂν ὁπωσοῦν. ἐπ' ἐνίων δέ, ἂν πεφυκότα
35 ἔχειν μὴ ἔχῃ βίᾳ, ἐστερῆσθαι ταῦτα λέγομεν.

Ἐπεὶ δ' αἱ μὲν ἐν τοῖς ἀψύχοις ἐνυπάρχουσιν ἀρχαὶ 2
τοιαῦται, αἱ δ' ἐν τοῖς ἐμψύχοις καὶ ἐν ψυχῇ καὶ τῆς
1046ᵇ ψυχῆς ἐν τῷ λόγον ἔχοντι, δῆλον ὅτι καὶ τῶν δυνάμεων
αἱ μὲν ἔσονται ἄλογοι αἱ δὲ μετὰ λόγου· διὸ πᾶσαι αἱ
τέχναι καὶ αἱ ποιητικαὶ ἐπιστῆμαι δυνάμεις εἰσίν· ἀρχαὶ
γὰρ μεταβλητικαί εἰσιν ἐν ἄλλῳ ἢ ᾗ ἄλλο. καὶ αἱ μὲν
5 μετὰ λόγου πᾶσαι τῶν ἐναντίων αἱ αὐταί, αἱ δὲ ἄλο-
γοι μία ἑνός, οἷον τὸ θερμὸν τοῦ θερμαίνειν μόνον· ἡ δὲ
ἰατρικὴ νόσου καὶ ὑγιείας. αἴτιον δὲ ὅτι λόγος ἐστὶν ἡ ἐπι-
στήμη, ὁ δὲ λόγος ὁ αὐτὸς δηλοῖ τὸ πρᾶγμα καὶ τὴν στέ-
ρησιν, πλὴν οὐχ ὡσαύτως, καὶ ἔστιν ὡς ἀμφοῖν ἔστι δ' ὡς
10 τοῦ ὑπάρχοντος μᾶλλον, ὥστ' ἀνάγκη καὶ τὰς τοιαύτας
ἐπιστήμας εἶναι μὲν τῶν ἐναντίων, εἶναι δὲ τοῦ μὲν καθ'
αὑτὰς τοῦ δὲ μὴ καθ' αὑτάς· καὶ γὰρ ὁ λόγος τοῦ μὲν
καθ' αὑτὸ τοῦ δὲ τρόπον τινὰ κατὰ συμβεβηκός· ἀποφά-
σει γὰρ καὶ ἀποφορᾷ δηλοῖ τὸ ἐναντίον· ἡ γὰρ στέρησις
15 ἡ πρώτη τὸ ἐναντίον, αὕτη δὲ ἀποφορὰ θατέρου. ἐπεὶ δὲ
τὰ ἐναντία οὐκ ἐγγίγνεται ἐν τῷ αὐτῷ, ἡ δ' ἐπιστήμη δύ-
ναμις τῷ λόγον ἔχειν, καὶ ἡ ψυχὴ κινήσεως ἔχει ἀρχήν,
τὸ μὲν ὑγιεινὸν ὑγίειαν μόνον ποιεῖ καὶ τὸ θερμαντικὸν
θερμότητα καὶ τὸ ψυκτικὸν ψυχρότητα, ὁ δ' ἐπιστήμων
20 ἄμφω. λόγος γάρ ἐστιν ἀμφοῖν μέν, οὐχ ὁμοίως δέ, καὶ
ἐν ψυχῇ ἢ ἔχει κινήσεως ἀρχήν· ὥστε ἄμφω ἀπὸ τῆς

ᵃ 30 ἡ Aᵇ Al.: καὶ ἡ EJΓ   31 ἀδυναμίᾳ recc. Γ: ἀδυναμία EJ
Aᵇ Al.   33 ἢ tert. JΤΓ Al.: ἢ Aᵇ: ἡ E   35 μὴ ἔχει Aᵇ
37 αἱ om. Aᵇ   ᵇ 2 ἄλογοι] λόγοι γρ. E   3 post ποιητικαὶ
add. καὶ recc., καὶ αἱ Al.°   4 εἰσιν AᵇΓAl.°: om. EJ   ἢ JΓ:
om. EAᵇ   7 ὁ λόγος E sup. lin., Al   9 ὡσαύ Aᵇ¹   21 ἢ
recc. Γ Al.: ἡ J¹: ᾗι EJ²: ἢ ἡ Aᵇ

αὐτῆς ἀρχῆς κινήσει πρὸς ταὐτὸ συνάψασα· διὸ τὰ κατὰ
λόγον δυνατὰ τοῖς ἄνευ λόγου δυνατοῖς ποιεῖ τἀναντία·
μιᾷ γὰρ ἀρχῇ περιέχεται, τῷ λόγῳ. φανερὸν δὲ καὶ ὅτι
τῇ μὲν τοῦ εὖ δυνάμει ἀκολουθεῖ ἡ τοῦ μόνον ποιῆσαι ἢ 25
παθεῖν δύναμις, ταύτῃ δ᾽ ἐκείνη οὐκ ἀεί· ἀνάγκη γὰρ τὸν
εὖ ποιοῦντα καὶ ποιεῖν, τὸν δὲ μόνον ποιοῦντα οὐκ ἀνάγκη
καὶ εὖ ποιεῖν.

3   Εἰσὶ δέ τινες οἵ φασιν, οἷον οἱ Μεγαρικοί, ὅταν ἐνεργῇ
μόνον δύνασθαι, ὅταν δὲ μὴ ἐνεργῇ οὐ δύνασθαι, οἷον τὸν 30
μὴ οἰκοδομοῦντα οὐ δύνασθαι οἰκοδομεῖν, ἀλλὰ τὸν οἰκοδο-
μοῦντα ὅταν οἰκοδομῇ· ὁμοίως δὲ καὶ ἐπὶ τῶν ἄλλων. οἷς
τὰ συμβαίνοντα ἄτοπα οὐ χαλεπὸν ἰδεῖν. δῆλον γὰρ ὅτι
οὔτ᾽ οἰκοδόμος ἔσται ἐὰν μὴ οἰκοδομῇ (τὸ γὰρ οἰκοδόμῳ
εἶναι τὸ δυνατῷ εἶναί ἐστιν οἰκοδομεῖν), ὁμοίως δὲ καὶ ἐπὶ 35
τῶν ἄλλων τεχνῶν. εἰ οὖν ἀδύνατον τὰς τοιαύτας ἔχειν
τέχνας μὴ μαθόντα ποτὲ καὶ λαβόντα, καὶ μὴ ἔχειν
μὴ ἀποβαλόντα ποτέ (ἢ γὰρ λήθῃ ἢ πάθει τινὶ ἢ χρόνῳ· 1047ᵇ
οὐ γὰρ δὴ τοῦ γε πράγματος φθαρέντος, ἀεὶ γὰρ ἔστιν),
ὅταν παύσηται, οὐχ ἕξει τὴν τέχνην, πάλιν δ᾽ εὐθὺς οἰκο-
δομήσει πῶς λαβών; καὶ τὰ ἄψυχα δὴ ὁμοίως· οὔτε γὰρ
ψυχρὸν οὔτε θερμὸν οὔτε γλυκὺ οὔτε ὅλως αἰσθητὸν οὐθὲν 5
ἔσται μὴ αἰσθανομένων· ὥστε τὸν Πρωταγόρου λόγον συμ-
βήσεται λέγειν αὐτοῖς. ἀλλὰ μὴν οὐδ᾽ αἴσθησιν ἕξει οὐδὲν
ἂν μὴ αἰσθάνηται μηδ᾽ ἐνεργῇ. εἰ οὖν τυφλὸν τὸ μὴ ἔχον
ὄψιν, πεφυκὸς δὲ καὶ ὅτε πέφυκε καὶ ἔτι ὄν, οἱ αὐτοὶ
τυφλοὶ ἔσονται πολλάκις τῆς ἡμέρας, καὶ κωφοί. ἔτι εἰ 10
ἀδύνατον τὸ ἐστερημένον δυνάμεως, τὸ μὴ γιγνόμενον ἀδύ-
νατον ἔσται γενέσθαι· τὸ δ᾽ ἀδύνατον γενέσθαι ὁ λέγων ἢ
εἶναι ἢ ἔσεσθαι ψεύσεται (τὸ γὰρ ἀδύνατον τοῦτο ἐσήμαι-
νεν), ὥστε οὗτοι οἱ λόγοι ἐξαιροῦσι καὶ κίνησιν καὶ γένεσιν.
ἀεὶ γὰρ τό τε ἑστηκὸς ἑστήξεται καὶ τὸ καθήμενον καθε- 15

ᵇ 22 τὸ αὐτὸ recc. Al. : αὐτὸ EJAᵇΓ   23 τοῖς . . . δυνατοῖς an
spuria?   24 μιᾷ γὰρ ἀρχῇ ΕΓ Al. : μιὰ γὰρ ἀρχὴ JAᵇ   29 οἱ
om. Aᵇ   30, 31 οὐ] μὴ EJ   34 οὐδ᾽ J   ἔσται Aᵇ Al. :
ἐστὶν EJΓ   37 μαθόντα Al., ci. Bonitz : μανθάνοντα EJAᵇ
1047ᵃ 1 ἀποβάλλοντα J   2 ἀεὶ] εἰ Al.   3 ὅταν] πῶς ὅταν ex
Al. ci. Bonitz   δ᾽] ὁ E¹ : ὁ J : ὃς Γ   4 πως Γ   6 αἰσθανό-
μενον recc.   9 ὂν EJAᵇΓ Al. : ὡς recc. ia   10 καὶ κωφοί om.
fort. Al., susp. Bonitz   11 γιγνόμενον Aᵇ Al. : γενόμενον EJ
14 οὔτε οἱ Aᵇ

δεῖται· οὐ γὰρ ἀναστήσεται ἂν καθέζηται· ἀδύνατον γὰρ
ἔσται ἀναστῆναι ὅ γε μὴ δύναται ἀναστῆναι. εἰ οὖν μὴ ἐν-
δέχεται ταῦτα λέγειν, φανερὸν ὅτι δύναμις καὶ ἐνέργεια
ἕτερόν ἐστιν (ἐκεῖνοι δ' οἱ λόγοι δύναμιν καὶ ἐνέργειαν ταὐτὸ
20 ποιοῦσιν, διὸ καὶ οὐ μικρόν τι ζητοῦσιν ἀναιρεῖν), ὥστε ἐνδέ-
χεται δυνατὸν μέν τι εἶναι μὴ εἶναι δέ, καὶ δυνατὸν μὴ
εἶναι εἶναι δέ, ὁμοίως δὲ καὶ ἐπὶ τῶν ἄλλων κατηγοριῶν
δυνατὸν βαδίζειν ὂν μὴ βαδίζειν, καὶ μὴ βαδίζειν δύ-
νατὸν ὂν βαδίζειν. ἔστι δὲ δυνατὸν τοῦτο ᾧ ἐὰν ὑπάρξῃ
25 ἡ ἐνέργεια οὗ λέγεται ἔχειν τὴν δύναμιν, οὐθὲν ἔσται ἀδύ-
νατον. λέγω δὲ οἷον, εἰ δυνατὸν καθῆσθαι καὶ ἐνδέχεται
καθῆσθαι, τούτῳ ἐὰν ὑπάρξῃ τὸ καθῆσθαι, οὐδὲν ἔσται ἀδύ-
νατον· καὶ εἰ κινηθῆναι ἢ κινῆσαι ἢ στῆναι ἢ στῆσαι ἢ
εἶναι ἢ γίγνεσθαι ἢ μὴ εἶναι ἢ μὴ γίγνεσθαι, ὁμοίως.
30 ἐλήλυθε δ' ἡ ἐνέργεια τοὔνομα, ἡ πρὸς τὴν ἐντελέχειαν
συντιθεμένη, καὶ ἐπὶ τὰ ἄλλα ἐκ τῶν κινήσεων μάλιστα·
δοκεῖ γὰρ ἡ ἐνέργεια μάλιστα ἡ κίνησις εἶναι, διὸ καὶ
τοῖς μὴ οὖσιν οὐκ ἀποδιδόασι τὸ κινεῖσθαι, ἄλλας δέ τινας
κατηγορίας, οἷον διανοητὰ καὶ ἐπιθυμητὰ εἶναι τὰ μὴ ὄντα,
35 κινούμενα δὲ οὔ, τοῦτο δὲ ὅτι οὐκ ὄντα ἐνεργείᾳ ἔσονται ἐνερ-
1047b γείᾳ. τῶν γὰρ μὴ ὄντων ἔνια δυνάμει ἐστίν· οὐκ ἔστι δέ,
ὅτι οὐκ ἐντελεχείᾳ ἐστίν.

Εἰ δέ ἐστι τὸ εἰρημένον τὸ δυνατὸν ἢ ἀκολουθεῖ, φανερὸν 4
ὅτι οὐκ ἐνδέχεται ἀληθὲς εἶναι τὸ εἰπεῖν ὅτι δυνατὸν μὲν
5 τοδί, οὐκ ἔσται δέ, ὥστε τὰ ἀδύνατα εἶναι ταύτῃ διαφεύ-
γειν· λέγω δὲ οἷον εἴ τις φαίη δυνατὸν τὴν διάμετρον
μετρηθῆναι οὐ μέντοι μετρηθήσεσθαι—ὁ μὴ λογιζόμενος τὸ
ἀδύνατον εἶναι—ὅτι οὐθὲν κωλύει δυνατόν τι ὂν εἶναι ἢ γε-

a 17 ὅ . . . ἀναστῆναι in marg. J   21 καὶ . . . 22 δέ om. fort. Al.
22 ἐπὶ om. Aᵇ   23 καὶ] δὲ καὶ Aᵇ   μὴ . . . 24 βαδίζειν Joachim:
μὴ βαδίζον (βαδίζειν a) δυνατὸν εἶναι βαδίζειν codd. Γ: βαδίζον δυνατὸν
εἶναι μὴ βαδίζειν Hayduck : μὴ βαδίζειν δυνατὸν εἶναι βαδίζον Bullinger
26 ἐνδέχεσθαι Γ   27 ὑπάρχῃ Aᵇ   28 εἰ] ἢ JΓ   ἢ pr.] τι ἢ
E²Aᵇ   29 ἢ γενέσθαι EJ   31 συντεθειμένη Al.ˡᶜ   32 ἡ
pr. om. fort. Al., omittendum ci. Bonitz   35 τοῦτο δὲ om. Aᵇ
ᵇ 1 οὐκ ἔστι δέ, ὅτι EJΓAl.: διότι Aᵇ   2 εἰσίν Aᵇ   3 ante τὸ
pr. et post εἰρημένον interpunxit Zeller   τὸ alt. om. EJ Al.   ἢ JΤ:
ἢ EAᵇΓ Al.: ᾧ ἀδύνατον μὴ Zeller   4 τὸ Aᵇ Al.: τι EJΓ
5 διαφεύγει Aᵇ   7 μὲν Aᵇ   μετρηθήσεται EJΓ   ὁ EJAᵇ Al.:
om. Τ Γ   8 δυνατόν] ἀδύνατον Aᵇ

νέσθαι μὴ εἶναι μηδ' ἔσεσθαι. ἀλλ' ἐκεῖνο ἀνάγκη ἐκ
τῶν κειμένων, εἰ καὶ ὑποθοίμεθα εἶναι ἢ γεγονέναι ὃ οὐκ 10
ἔστι μὲν δυνατὸν δέ, ὅτι οὐθὲν ἔσται ἀδύνατον· συμβήσεται
δέ γε, τὸ γὰρ μετρεῖσθαι ἀδύνατον. οὐ γὰρ δή ἐστι
ταὐτὸ τὸ ψεῦδος καὶ τὸ ἀδύνατον· τὸ γάρ σε ἑστάναι νῦν
ψεῦδος μέν, οὐκ ἀδύνατον δέ. ἅμα δὲ δῆλον καὶ ὅτι, εἰ
τοῦ Α ὄντος ἀνάγκη τὸ Β εἶναι, καὶ δυνατοῦ ὄντος εἶναι τοῦ 15
Α καὶ τὸ Β ἀνάγκη εἶναι δυνατόν· εἰ γὰρ μὴ ἀνάγκη
δυνατὸν εἶναι, οὐθὲν κωλύει μὴ εἶναι δυνατὸν εἶναι. ἔστω
δὴ τὸ Α δυνατόν. οὐκοῦν ὅτε τὸ Α δυνατὸν εἴη εἶναι, εἰ
τεθείη τὸ Α, οὐθὲν ἀδύνατον εἶναι συνέβαινεν· τὸ δέ γε Β
ἀνάγκη εἶναι. ἀλλ' ἦν ἀδύνατον. ἔστω δὴ ἀδύνατον. εἰ δὴ 20
ἀδύνατον [ἀνάγκη] εἶναι τὸ Β, ἀνάγκη καὶ τὸ Α εἶναι. ἀλλ'
ἦν ἄρα τὸ πρῶτον ἀδύνατον· καὶ τὸ δεύτερον ἄρα. ἂν ἄρα ᾖ
τὸ Α δυνατόν, καὶ τὸ Β ἔσται δυνατόν, εἴπερ οὕτως εἶχον
ὥστε τοῦ Α ὄντος ἀνάγκῃ εἶναι τὸ Β. ἐὰν δὴ οὕτως ἐχόν-
των τῶν Α Β μὴ ᾖ δυνατὸν τὸ Β οὕτως, οὐδὲ τὰ Α Β ἕξει 25
ὡς ἐτέθη· καὶ εἰ τοῦ Α δυνατοῦ ὄντος ἀνάγκη τὸ Β δυνα-
τὸν εἶναι, εἰ ἔστι τὸ Α ἀνάγκη εἶναι καὶ τὸ Β. τὸ γὰρ
δυνατὸν εἶναι ἐξ ἀνάγκης τὸ Β εἶναι, εἰ τὸ Α δυνατόν,
τοῦτο σημαίνει, ἐὰν ᾖ τὸ Α καὶ ὅτε καὶ ὡς ἦν δυνατὸν
εἶναι, κἀκεῖνο τότε καὶ οὕτως εἶναι ἀναγκαῖον. 30

5   Ἁπασῶν δὲ τῶν δυνάμεων οὐσῶν τῶν μὲν συγγενῶν
οἷον τῶν αἰσθήσεων, τῶν δὲ ἔθει οἷον τῆς τοῦ αὐλεῖν, τῶν
δὲ μαθήσει οἷον τῆς τῶν τεχνῶν, τὰς μὲν ἀνάγκη προενερ-
γήσαντας ἔχειν, ὅσαι ἔθει καὶ λόγῳ, τὰς δὲ μὴ τοιαύ-
τας καὶ τὰς ἐπὶ τοῦ πάσχειν οὐκ ἀνάγκη. ἐπεὶ δὲ τὸ δυ- 35
νατὸν τὶ δυνατὸν καὶ ποτὲ καὶ πῶς καὶ ὅσα ἄλλα ἀνάγκη 1048ᵃ
προσεῖναι ἐν τῷ διορισμῷ, καὶ τὰ μὲν κατὰ λόγον δύνα-

ᵇ9 μηδ'] δὲ μηδ' EJ : δ' ἢ μὴ Γ   10 εἰ recc. Al. : εἰ εἴη Aᵇ γρ. E :
εἴη JΓ : εἶναι εἰ fecit E²   11 συμβήσεται ... 12 ἀδύνατον om. E¹
12 δή om. Aᵇ   13 τὸ pr.] τό τε AᵇΓ   15 εἶναι τοῦ A] τοῦ Α εἶναι a :
τοῦ εἶναι A Brandis : τοῦ Α Γ   19 τό in ras. E : τὰ J   A] Α Β EJ
20 ἔστω ... 22 ἄρα alt. om. Aᵇ et ut vid. Al. : in marg. J
21 ἀνάγκη secl. Bonitz   Β ... Α Γ Bonitz : Α ... Β codd.
22 πρῶτον ... δεύτερον] Α δυνατὸν καὶ τὸ Β recc.   ἄρα post δεύτερον
om. EJ   ᾖ Bekker   25 τῶν scripsi : τοῦ codd.   μὴ .. Α Β
om. Aᵇ   τὰ] τό recc.   27 καὶ Aᵇ Al. : om. EJΓ   29 τὸ ᾱ
bis Aᵇ   30 εἶναι] εἶναι ἦν Aᵇ   ἀναγκαῖον AᵇΓ Al. : ἀνάγκη EJ
32 λύειν J   33 τεχνῶν EJΓ Al. : τεχνιτῶν Aᵇ   35 ἀδύνατον Aᵇ

ται κινεῖν καὶ αἱ δυνάμεις αὐτῶν μετὰ λόγου, τὰ δὲ ἄλογα
καὶ αἱ δυνάμεις ἄλογοι, κἀκείνας μὲν ἀνάγκη ἐν ἐμψύχῳ
5 εἶναι ταύτας δὲ ἐν ἀμφοῖν, τὰς μὲν τοιαύτας δυνάμεις
ἀνάγκη, ὅταν ὡς δύνανται τὸ ποιητικὸν καὶ τὸ παθητικὸν
πλησιάζωσι, τὸ μὲν ποιεῖν τὸ δὲ πάσχειν, ἐκείνας δ' οὐκ
ἀνάγκη· αὗται μὲν γὰρ πᾶσαι μία ἑνὸς ποιητική, ἐκεῖναι
δὲ τῶν ἐναντίων, ὥστε ἅμα ποιήσει τὰ ἐναντία· τοῦτο δὲ
10 ἀδύνατον. ἀνάγκη ἄρα ἕτερόν τι εἶναι τὸ κύριον· λέγω
δὲ τοῦτο ὄρεξιν ἢ προαίρεσιν. ὁποτέρου γὰρ ἂν ὀρέγηται
κυρίως, τοῦτο ποιήσει ὅταν ὡς δύναται ὑπάρχῃ καὶ πλη-
σιάζῃ τῷ παθητικῷ· ὥστε τὸ δυνατὸν κατὰ λόγον ἅπαν
ἀνάγκη, ὅταν ὀρέγηται οὗ ἔχει τὴν δύναμιν καὶ ὡς ἔχει,
15 τοῦτο ποιεῖν· ἔχει δὲ παρόντος τοῦ παθητικοῦ καὶ ὡδὶ ἔχον-
τος [ποιεῖν]· εἰ δὲ μή, ποιεῖν οὐ δυνήσεται (τὸ γὰρ μηθενὸς
τῶν ἔξω κωλύοντος προσδιορίζεσθαι οὐθὲν ἔτι δεῖ· τὴν γὰρ
δύναμιν ἔχει ὡς ἔστι δύναμις τοῦ ποιεῖν, ἔστι δ' οὐ πάντως
ἀλλ' ἐχόντων πῶς, ἐν οἷς ἀφορισθήσεται καὶ τὰ ἔξω κω-
20 λύοντα· ἀφαιρεῖται γὰρ ταῦτα τῶν ἐν τῷ διορισμῷ προσόν-
των ἔνια)· διὸ οὐδ' ἐὰν ἅμα βούληται ἢ ἐπιθυμῇ ποιεῖν
δύο ἢ τὰ ἐναντία, οὐ ποιήσει· οὐ γὰρ οὕτως ἔχει αὐτῶν τὴν
δύναμιν οὐδ' ἔστι τοῦ ἅμα ποιεῖν ἡ δύναμις, ἐπεὶ ὧν ἐστιν
οὕτως ποιήσει.

25 Ἐπεὶ δὲ περὶ τῆς κατὰ κίνησιν λεγομένης δυνάμεως 6
εἴρηται, περὶ ἐνεργείας διορίσωμεν τί τέ ἐστιν ἡ ἐνέργεια
καὶ ποῖόν τι. καὶ γὰρ τὸ δυνατὸν ἅμα δῆλον ἔσται διαι-
ροῦσιν, ὅτι οὐ μόνον τοῦτο λέγομεν δυνατὸν ὃ πέφυκε κινεῖν
ἄλλο ἢ κινεῖσθαι ὑπ' ἄλλου ἢ ἁπλῶς ἢ τρόπον τινά, ἀλλὰ
30 καὶ ἑτέρως, διὸ ζητοῦντες καὶ περὶ τούτων διήλθομεν. ἔστι
δὴ ἐνέργεια τὸ ὑπάρχειν τὸ πρᾶγμα μὴ οὕτως ὥσπερ
λέγομεν δυνάμει· λέγομεν δὲ δυνάμει οἷον ἐν τῷ ξύλῳ
Ἑρμῆν καὶ ἐν τῇ ὅλῃ τὴν ἡμίσειαν, ὅτι ἀφαιρεθείη ἄν,

1048ᵃ 6 δύνανται ... παθητικὸν AᵇΓAl. : δύνανται τὸ παθητικὸν καὶ τὸ
ποιητικὸν EJ   11 τοῦτο] εἴτε Aᵇ   14 οὗ EJΓAl.: ὅτ' Aᵇ :
οὗ τ' recc.   16 ποιεῖν om. fort. Al., secl. Christ   ποιεῖ Aᵇ
18 δύναμις EJΓAl.: δυνάμει Aᵇ   19 ἔχοντος J¹: ἐχόντως J²
21 ἐπιθυμεῖν Aᵇ   22 τὴν] ἅμα τὴν Γ   23 ἅμα τοῦ ἅμα Aᵇ
ὧν codd. ΓAl.: ὡς ci. Christ   26 τέ om. J   28 δυνατὸν
EJΓAl.ᶜ: om. Aᵇ   31 δὴ E et fort. Al.: δ' ἡ JAᵇ   32 λέγομεν
... 35 ἐνεργείᾳ in marg. J   τῷ om. J

καὶ ἐπιστήμονα καὶ τὸν μὴ θεωροῦντα, ἂν δυνατὸς ᾖ θεω-
ρῆσαι· τὸ δὲ ἐνεργείᾳ. δῆλον δ' ἐπὶ τῶν καθ' ἕκαστα τῇ 35
ἐπαγωγῇ ὃ βουλόμεθα λέγειν, καὶ οὐ δεῖ παντὸς ὅρον ζη-
τεῖν ἀλλὰ καὶ τὸ ἀνάλογον συνορᾶν, ὅτι ὡς τὸ οἰκοδο-
μοῦν πρὸς τὸ οἰκοδομικόν, καὶ τὸ ἐγρηγορὸς πρὸς τὸ κα- 1048ᵇ
θεῦδον, καὶ τὸ ὁρῶν πρὸς τὸ μῦον μὲν ὄψιν δὲ ἔχον, καὶ
τὸ ἀποκεκριμένον ἐκ τῆς ὕλης πρὸς τὴν ὕλην, καὶ τὸ
ἀπειργασμένον πρὸς τὸ ἀνέργαστον. ταύτης δὲ τῆς διαφο-
ρᾶς θατέρῳ μορίῳ ἔστω ἡ ἐνέργεια ἀφωρισμένη θατέρῳ 5
δὲ τὸ δυνατόν. λέγεται δὲ ἐνεργείᾳ οὐ πάντα ὁμοίως ἀλλ'
ἢ τῷ ἀνάλογον, ὡς τοῦτο ἐν τούτῳ ἢ πρὸς τοῦτο, τόδ' ἐν
τῷδε ἢ πρὸς τόδε· τὰ μὲν γὰρ ὡς κίνησις πρὸς δύναμιν
τὰ δ' ὡς οὐσία πρός τινα ὕλην. ἄλλως δὲ καὶ τὸ ἄπειρον
καὶ τὸ κενόν, καὶ ὅσα τοιαῦτα, λέγεται δυνάμει καὶ ἐνερ- 10
γείᾳ ⟨ἢ⟩ πολλοῖς τῶν ὄντων, οἷον τῷ ὁρῶντι καὶ βαδίζοντι καὶ
ὁρωμένῳ. ταῦτα μὲν γὰρ ἐνδέχεται καὶ ἁπλῶς ἀληθεύε-
σθαί ποτε (τὸ μὲν γὰρ ὁρώμενον ὅτι ὁρᾶται, τὸ δὲ ὅτι
ὁρᾶσθαι δυνατόν)· τὸ δ' ἄπειρον οὐχ οὕτω δυνάμει ἔστιν ὡς
ἐνεργείᾳ ἐσόμενον χωριστόν, ἀλλὰ γνώσει. τὸ γὰρ μὴ 15
ὑπολείπειν τὴν διαίρεσιν ἀποδίδωσι τὸ εἶναι δυνάμει ταύ-
την τὴν ἐνέργειαν, τὸ δὲ χωρίζεσθαι οὔ.

Ἐπεὶ δὲ τῶν πράξεων ὧν ἔστι πέρας οὐδεμία τέλος
ἀλλὰ τῶν περὶ τὸ τέλος, οἷον τὸ ἰσχναίνειν ἢ ἰσχνασία
[αὐτό], αὐτὰ δὲ ὅταν ἰσχναίνῃ οὕτως ἐστὶν ἐν κινήσει, μὴ 20
ὑπάρχοντα ὧν ἕνεκα ἡ κίνησις, οὐκ ἔστι ταῦτα πρᾶξις ἢ
οὐ τελεία γε (οὐ γὰρ τέλος)· ἀλλ' ἐκείνη ⟨ᾗ⟩ ἐνυπάρχει τὸ

ᵃ 34 καὶ alt.] τὸν θεωροῦντα καὶ E   τὸν om. J   ᾖ om. E
35 τὸ δὲ EJ Al. : τόδε AᵇΓα   ἐνεργείᾳ (δῆλον . . . 37 συνορᾶν)
ὡς Schwegler : ἐνεργείᾳ (δῆλον . . . συνορᾶν) ὅ τι ὡς Bullinger
ἐνεργείᾳ δῆλον ἐπὶ ci. Bonitz   37 καὶ] κατὰ Bywater   τῷ E¹J
ὅτι om. Aᵇ, ante οὐ l. 36 collocandum ci. Bywater   ᵇ 4 ταύτης
δὲ] ἔστι τέ τι καὶ ταύτης EJΓ et ut vid. Al. : ad τι add. γρ. ἔστι τοῦτο
E   5 θάτερον μόριον Aᵇ Al.ᶜ   ἔστω EJΓ Al.ᶜ : ἔσται Aᵇ
6 ἐνεργείᾳ EJΓ Al. : ἐνέργεια Aᵇ   7 τῷ AᵇΓ Al. : τὸ J et fecit E
τόδ'] τὸ δ' J   9 καὶ om. Aᵇ   10 τὸ Aᵇ Al.¹ : om. EJ   11 ἢ
addidi   12 εἰ ταῦτα Aᵇ   15 τὸ Aᵇ Al. : τῷ EJΓ   16 ὑπολείπειν
E Al. : ὑπολιπεῖν AᵇJ   ἀποδιδόασι Γ   17 τὸ Al. Christ : τῷ
codd. Γ   18 ἐπεὶ . . . 35 κίνησιν Aᵇ, codd. plerique, Philop., cod.
F. Alexandri : om. EJΓ, codd. ceteri Alexandri   19 τὸ alt. . . . . ἢ
Bywater: τοῦ . . . ἢ codd.   ἰσχνασία Aᵇ   20 αὐτό secl. Christ
οὕτως] οὐ τέλος F   21 ὑπαρχόντων ὧν fort. Al., Fonseca
22 ἐκείνη ᾗ ci. Bonitz: ἐκείνη codd.

τέλος καὶ [ἡ] πρᾶξις. οἷον ὁρᾷ ἅμα ⟨καὶ ἑώρακε,⟩ καὶ φρονεῖ ⟨καὶ
πεφρόνηκε,⟩ καὶ νοεῖ καὶ νενόηκεν, ἀλλ' οὐ μανθάνει καὶ μεμά-
25 θηκεν οὐδ' ὑγιάζεται καὶ ὑγίασται· εὖ ζῇ καὶ εὖ ἔζηκεν ἅμα,
καὶ εὐδαιμονεῖ καὶ εὐδαιμόνηκεν. εἰ δὲ μή, ἔδει ἄν ποτε παύε-
σθαι ὥσπερ ὅταν ἰσχναίνῃ, νῦν δ' οὔ, ἀλλὰ ζῇ καὶ ἔζηκεν.
τούτων δὴ ⟨δεῖ⟩ τὰς μὲν κινήσεις λέγειν, τὰς δ' ἐνεργείας.
πᾶσα γὰρ κίνησις ἀτελής, ἰσχνασία μάθησις βάδισις οἰκοδό-
30 μησις· αὗται δὴ κινήσεις, καὶ ἀτελεῖς γε. οὐ γὰρ ἅμα
βαδίζει καὶ βεβάδικεν, οὐδ' οἰκοδομεῖ καὶ ᾠκοδόμηκεν, οὐδὲ
γίγνεται καὶ γέγονεν ἢ κινεῖται καὶ κεκίνηται, ἀλλ' ἕτε-
ρον, καὶ κινεῖ καὶ κεκίνηκεν· ἑώρακε δὲ καὶ ὁρᾷ ἅμα τὸ
αὐτό, καὶ νοεῖ καὶ νενόηκεν. τὴν μὲν οὖν τοιαύτην ἐνέργειαν
35 λέγω, ἐκείνην δὲ κίνησιν. τὸ μὲν οὖν ἐνεργείᾳ τί τέ ἐστι
καὶ ποῖον, ἐκ τούτων καὶ τῶν τοιούτων δῆλον ἡμῖν ἔστω.

Πότε δὲ δυνάμει ἔστιν ἕκαστον καὶ πότε οὔ, διοριστέον· 7
1049ᵃ οὐ γὰρ ὁποτεοῦν. οἷον ἡ γῆ ἆρ' ἐστὶ δυνάμει ἄνθρωπος; ἢ οὔ,
ἀλλὰ μᾶλλον ὅταν ἤδη γένηται σπέρμα, καὶ οὐδὲ τότε
ἴσως; ὥσπερ οὖν οὐδ' ὑπὸ ἰατρικῆς ἅπαν ἂν ὑγιασθείη οὐδ'
ἀπὸ τύχης, ἀλλ' ἔστι τι ὃ δυνατόν ἐστι, καὶ τοῦτ' ἔστιν
5 ὑγιαῖνον δυνάμει. ὅρος δὲ τοῦ μὲν ἀπὸ διανοίας ἐντελε-
χείᾳ γιγνομένου ἐκ τοῦ δυνάμει ὄντος, ὅταν βουληθέντος γί-
γνηται μηθενὸς κωλύοντος τῶν ἐκτός, ἐκεῖ δ' ἐν τῷ ὑγια-
ζομένῳ, ὅταν μηθὲν κωλύῃ τῶν ἐν αὐτῷ· ὁμοίως δὲ δυ-
νάμει καὶ οἰκία· εἰ μηθὲν κωλύει τῶν ἐν τούτῳ καὶ τῇ
10 ὕλῃ τοῦ γίγνεσθαι οἰκίαν, οὐδ' ἔστιν ὃ δεῖ προσγενέσθαι ἢ
ἀπογενέσθαι ἢ μεταβαλεῖν, τοῦτο δυνάμει οἰκία· καὶ ἐπὶ
τῶν ἄλλων ὡσαύτως ὅσων ἔξωθεν ἡ ἀρχὴ τῆς γενέσεως.
καὶ ὅσων δὴ ἐν αὐτῷ τῷ ἔχοντι, ὅσα μηθενὸς τῶν ἔξωθεν

ᵇ23 καὶ ἡ πρᾶξις] τῇ πράξει Γ   ἡ incl. ci. Bonitz   ἅμα καὶ
ἑώρακε ci. Bonitz: ἀλλὰ codd.   καὶ πεφρόνηκε addenda ci. Bonitz
25 ἅμα ci. Bonitz: ἀλλὰ codd.   28 τούτων ... 35 κίνησιν expunxit
Aᵇ   δεῖ addendum ci Bonitz   λέγω Schwegler   30 δὴ ci.
Bonitz: δὲ codd.   31 ᾠκοδόμηκεν recc.: ᾠκοδόμησεν Aᵇ
32 κινεῖ τε ci. Bonitz   κεκίνηκεν recc.   ἀλλ' ἕτερον post κεκίνηκεν
l. 33 legenda ci. Christ   33 κεκίνηκεν] κινεῖται recc.   35 ἐνεργείᾳ
EJΓAl.: ἐνεργεῖν Aᵇ   τέ om. E¹   36 ἔστω Aᵇ Al.ᶜ: ἔσται
EJΓ   1049ᵃ 1 δυνάμει ἄνθρωπος EJΓAl.: ἄνθρωπος δυνάμει Aᵇ
2 τότε] τοῦτο γρ. ΕΓ: τοῦτό πως Ε: τοῦτό πω J   3 οὖν om. Ji
Bonitz: ἂν ci. Bonitz   ἂν] δὴ Aᵇ   6 βουληθὲν Γ   8 τῶν] τῶι Ε
9 εἰ ... 10 οἰκίαν EJΓAl.: om. Aᵇ   κωλύῃ τῶν ἐν τούτοις JΓ

ἐμποδίζοντος ἔσται δι' αὐτοῦ· οἷον τὸ σπέρμα οὔπω (δεῖ γὰρ
ἐν ἄλλῳ ⟨πεσεῖν⟩ καὶ μεταβάλλειν), ὅταν δ' ἤδη διὰ τῆς αὐτοῦ 15
ἀρχῆς ᾖ τοιοῦτον, ἤδη τοῦτο δυνάμει· ἐκεῖνο δὲ ἑτέρας ἀρ-
χῆς δεῖται, ὥσπερ ἡ γῆ οὔπω ἀνδριὰς δυνάμει (μετα-
βαλοῦσα γὰρ ἔσται χαλκός). ἔοικε δὲ ὃ λέγομεν εἶναι οὐ
τόδε ἀλλ' ἐκείνινον—οἷον τὸ κιβώτιον οὐ ξύλον ἀλλὰ ξύλι-
νον, οὐδὲ τὸ ξύλον γῆ ἀλλὰ γήϊνον, πάλιν ἡ γῆ εἰ οὔτως 20
μὴ ἄλλο ἀλλὰ ἐκείνινον—ἀεὶ ἐκεῖνο δυνάμει ἁπλῶς τὸ ὕστε-
ρόν ἐστιν. οἷον τὸ κιβώτιον οὐ γήϊνον οὐδὲ γῆ ἀλλὰ ξύλινον·
τοῦτο γὰρ δυνάμει κιβώτιον καὶ ὕλη κιβωτίου αὕτη, ἁπλῶς
μὲν τοῦ ἁπλῶς τουδὶ δὲ τοδὶ τὸ ξύλον. εἰ δέ τί ἐστι πρῶ-
τον ὃ μηκέτι κατ' ἄλλο λέγεται ἐκείνινον, τοῦτο πρώτη 25
ὕλη· οἷον εἰ ἡ γῆ ἀερίνη, ὁ δ' ἀὴρ μὴ πῦρ ἀλλὰ πύρινος,
τὸ πῦρ ὕλη πρώτη οὐ τόδε τι οὖσα. τούτῳ γὰρ δια-
φέρει τὸ καθ' οὗ καὶ τὸ ὑποκείμενον, τῷ εἶναι τόδε τι ἢ
μὴ εἶναι· οἷον τοῖς πάθεσι τὸ ὑποκείμενον ἄνθρωπος καὶ
σῶμα καὶ ψυχή, πάθος δὲ τὸ μουσικὸν καὶ λευκόν (λέ- 30
γεται δὲ τῆς μουσικῆς ἐγγενομένης ἐκεῖνο οὐ μουσικὴ ἀλλὰ
μουσικόν, καὶ οὐ λευκότης ὁ ἄνθρωπος ἀλλὰ λευκόν, οὐδὲ
βάδισις ἢ κίνησις ἀλλὰ βαδίζον ἢ κινούμενον, ὡς τὸ ἐκεί-
νινον)· ὅσα μὲν οὖν οὕτω, τὸ ἔσχατον οὐσία· ὅσα δὲ μὴ
οὕτως ἀλλ' εἶδός τι καὶ τόδε τι τὸ κατηγορούμενον, τὸ 35
ἔσχατον ὕλη καὶ οὐσία ὑλική. καὶ ὀρθῶς δὴ συμβαίνει τὸ
ἐκείνινον λέγεσθαι κατὰ τὴν ὕλην καὶ τὰ πάθη· ἄμφω 1049ᵇ
γὰρ ἀόριστα. πότε μὲν οὖν λεκτέον δυνάμει καὶ πότε οὔ,
εἴρηται.

8 Ἐπεὶ δὲ τὸ πρότερον διώρισται ποσαχῶς λέγεται,
φανερὸν ὅτι πρότερον ἐνέργεια δυνάμεώς ἐστιν. λέγω δὲ 5
δυνάμεως οὐ μόνον τῆς ὡρισμένης ἣ λέγεται ἀρχὴ μετα-

ᵃ 14 αὐτοῦ Aᵇ Al.ᶜ: αὐτοῦ EJ   15 πεσεῖν addidi, fort. leg. Al. :
εἶναι add. Bullinger   μεταβαλεῖν fecit E   αὐτοῦ Aᵇ   16 ᾖ Aᵇ
ἐκεῖνο Aᵇ Al.: ἐκεῖνα EJΓ   17 μεταβάλλουσα E²JAᵇ   19 κιβωτόν
J   21 ἀλλὰ ἐκείνινον om. Aᵇ   ἀεὶ ἐκεῖνο δυνάμει] ἀεὶ ἐκεῖνο δὲ
δυνάμει E²: ἐκεῖνο Aᵇ Al.: om. γρ.   23 γὰρ om. Aᵇ
25 ἄλλο Aᵇ γρ. E Al.: ἄλλου EJΓ   ἐκείνινον EJΓ Al.: ἐκεῖνο ὂν Aᵇ
27 οὐ om. ΓAl.: εἰ δὲ Aᵇ: ὡς E²   οὖσα EJΓ Al.: οὐσία Aᵇ:
καὶ οὐσία recc.   28 καθ' οὗ Apelt: καθόλου codd. Γ Al.   τῷ]
τὸ J   ᾖ] εἰ J   29 εἶναι om. E¹JΓ   31 ἐγγινομένης fecit E
ἐκείνω Aᵇ   33 ἢ pr. EJΓ Al.: οὐδὲ Aᵇ   τὸ] τε E   ᵇ 4 ποσαχῶς
AᵇΓ Al.¹: ὁσαχῶς EJ Al.

βλητικὴ ἐν ἄλλῳ ἢ ᾗ ἄλλο, ἀλλ᾽ ὅλως πάσης ἀρχῆς κινη-
τικῆς ἢ στατικῆς. καὶ γὰρ ἡ φύσις ἐν ταὐτῷ [γίγνεται·
ἐν ταὐτῷ γὰρ] γένει τῇ δυνάμει· ἀρχὴ γὰρ κινητική, ἀλλ᾽
10 οὐκ ἐν ἄλλῳ ἀλλ᾽ ἐν αὐτῷ ᾗ αὐτό.—πάσης δὴ τῆς τοιαύ-
της προτέρα ἐστὶν ἡ ἐνέργεια καὶ λόγῳ καὶ τῇ οὐσίᾳ· χρόνῳ
δ᾽ ἔστι μὲν ὥς, ἔστι δὲ ὡς οὔ. τῷ λόγῳ μὲν οὖν ὅτι προτέρα,
δῆλον (τῷ γὰρ ἐνδέχεσθαι ἐνεργῆσαι δυνατόν ἐστι τὸ πρώ-
τως δυνατόν, οἷον λέγω οἰκοδομικὸν τὸ δυνάμενον οἰκοδο-
15 μεῖν, καὶ ὁρατικὸν τὸ ὁρᾶν, καὶ ὁρατὸν τὸ δυνατὸν ὁρᾶ-
σθαι· ὁ δ᾽ αὐτὸς λόγος καὶ ἐπὶ τῶν ἄλλων, ὥστ᾽ ἀνάγκη
τὸν λόγον προϋπάρχειν καὶ τὴν γνῶσιν τῆς γνώσεως)· τῷ
δὲ χρόνῳ πρότερον ὧδε· τὸ τῷ εἴδει τὸ αὐτὸ ἐνεργοῦν πρότερον,
ἀριθμῷ δ᾽ οὔ. λέγω δὲ τοῦτο ὅτι τοῦδε μὲν τοῦ ἀνθρώπου τοῦ
20 ἤδη ὄντος κατ᾽ ἐνέργειαν καὶ τοῦ σίτου καὶ τοῦ ὁρῶντος πρό-
τερον τῷ χρόνῳ ἡ ὕλη καὶ τὸ σπέρμα καὶ τὸ ὁρατικόν, ἃ
δυνάμει μέν ἐστιν ἄνθρωπος καὶ σῖτος καὶ ὁρῶν, ἐνεργείᾳ
δ᾽ οὔπω· ἀλλὰ τούτων πρότερα τῷ χρόνῳ ἕτερα ὄντα ἐνερ-
γείᾳ ἐξ ὧν ταῦτα ἐγένετο· ἀεὶ γὰρ ἐκ τοῦ δυνάμει ὄντος
25 γίγνεται τὸ ἐνεργείᾳ ὂν ὑπὸ ἐνεργείᾳ ὄντος, οἷον ἄνθρωπος ἐξ
ἀνθρώπου, μουσικὸς ὑπὸ μουσικοῦ, ἀεὶ κινοῦντός τινος πρώτου·
τὸ δὲ κινοῦν ἐνεργείᾳ ἤδη ἔστιν. εἴρηται δὲ ἐν τοῖς περὶ τῆς
οὐσίας λόγοις ὅτι πᾶν τὸ γιγνόμενον γίγνεται ἔκ τινός τι
καὶ ὑπό τινος, καὶ τοῦτο τῷ εἴδει τὸ αὐτό. διὸ καὶ δοκεῖ
30 ἀδύνατον εἶναι οἰκοδόμον εἶναι μὴ οἰκοδομήσαντα μηθὲν ἢ
κιθαριστὴν μηθὲν κιθαρίσαντα· ὁ γὰρ μανθάνων κιθαρίζειν
κιθαρίζων μανθάνει κιθαρίζειν, ὁμοίως δὲ καὶ οἱ ἄλλοι.
ὅθεν ὁ σοφιστικὸς ἔλεγχος ἐγίγνετο ὅτι οὐκ ἔχων τις τὴν
ἐπιστήμην ποιήσει οὗ ἡ ἐπιστήμη· ὁ γὰρ μανθάνων οὐκ ἔχει.
35 ἀλλὰ διὰ τὸ τοῦ γιγνομένου γεγενῆσθαί τι καὶ τοῦ ὅλως
κινουμένου κεκινῆσθαί τι (δῆλον δ᾽ ἐν τοῖς περὶ κινήσεως
1050ᵃ τοῦτο) καὶ τὸν μανθάνοντα ἀνάγκη ἔχειν τι τῆς ἐπιστήμης
ἴσως. ἀλλ᾽ οὖν καὶ ταύτῃ γε δῆλον ὅτι ἡ ἐνέργεια καὶ
οὕτω προτέρα τῆς δυνάμεως κατὰ γένεσιν καὶ χρόνον.

ᵇ7 ἢ om. E¹JAᵇΓ   8 γίγνεται … 9 γὰρ om. Aᵇ Al. : γίγνεται
δυνάμει· ἐν ταυτῶι γὰρ E   13 τῷ] τὸ E   18 ὧδε om. E¹JΓ
21 ἅ om. Aᵇ   22 ἔσται Aᵇ   23 πρότερα τῷ χρόνῳ Aᵇ Al. :
τῷ χρόνῳ πρότερα EJΓ   25 τὸ om. Aᵇ   ὑπὸ ἐνεργείᾳ ὄντος EJΓ
Al. : om. Aᵇ   28 πᾶν Aᵇ Al.: ἅπαν EJ   τι om. Γ: ὅτι J

Ἀλλὰ μὴν καὶ οὐσίᾳ γε, πρῶτον μὲν ὅτι τὰ τῇ γενέσει
ὕστερα τῷ εἴδει καὶ τῇ οὐσίᾳ πρότερα (οἶον ἀνὴρ παιδὸς 5
καὶ ἄνθρωπος σπέρματος· τὸ μὲν γὰρ ἤδη ἔχει τὸ εἶδος
τὸ δ' οὔ), καὶ ὅτι ἅπαν ἐπ' ἀρχὴν βαδίζει τὸ γιγνόμενον
καὶ τέλος (ἀρχὴ γὰρ τὸ οὗ ἕνεκα, τοῦ τέλους δὲ ἕνεκα ἡ
γένεσις), τέλος δ' ἡ ἐνέργεια, καὶ τούτου χάριν ἡ δύναμις
λαμβάνεται. οὐ γὰρ ἵνα ὄψιν ἔχωσιν ὁρῶσι τὰ ζῷα ἀλλ' 10
ὅπως ὁρῶσιν ὄψιν ἔχουσιν, ὁμοίως δὲ καὶ οἰκοδομικὴν ἵνα
οἰκοδομῶσι καὶ τὴν θεωρητικὴν ἵνα θεωρῶσιν· ἀλλ' οὐ θεω-
ροῦσιν ἵνα θεωρητικὴν ἔχωσιν, εἰ μὴ οἱ μελετῶντες· οὗτοι δὲ
οὐχὶ θεωροῦσιν ἀλλ' ἢ ὡδί, † ἢ ὅτι οὐδὲν δέονται θεωρεῖν †.
ἔτι ἡ ὕλη ἔστι δυνάμει ὅτι ἔλθοι ἂν εἰς τὸ εἶδος· ὅταν 15
δέ γε ἐνεργείᾳ ᾖ, τότε ἐν τῷ εἴδει ἐστίν. ὁμοίως δὲ καὶ ἐπὶ
τῶν ἄλλων, καὶ ὧν κίνησις τὸ τέλος, διὸ ὥσπερ οἱ διδά-
σκοντες ἐνεργοῦντα ἐπιδείξαντες οἴονται τὸ τέλος ἀποδεδω-
κέναι, καὶ ἡ φύσις ὁμοίως. εἰ γὰρ μὴ οὕτω γίγνεται, ὁ
Παύσωνος ἔσται Ἑρμῆς· ἄδηλος γὰρ καὶ ἡ ἐπιστήμη εἰ 20
ἔσω ἢ ἔξω, ὥσπερ κἀκεῖνος. τὸ γὰρ ἔργον τέλος, ἡ δὲ
ἐνέργεια τὸ ἔργον, διὸ καὶ τοὔνομα ἐνέργεια λέγεται κατὰ
τὸ ἔργον καὶ συντείνει πρὸς τὴν ἐντελέχειαν. ἐπεὶ δ' ἐστὶ
τῶν μὲν ἔσχατον ἡ χρῆσις (οἶον ὄψεως ἡ ὅρασις, καὶ οὐθὲν
γίγνεται παρὰ ταύτην ἕτερον ἀπὸ τῆς ὄψεως), ἀπ' ἐνίων 25
δὲ γίγνεταί τι (οἶον ἀπὸ τῆς οἰκοδομικῆς οἰκία παρὰ τὴν
οἰκοδόμησιν), ὅμως οὐθὲν ἧττον ἔνθα μὲν τέλος, ἔνθα δὲ
μᾶλλον τέλος τῆς δυνάμεώς ἐστιν· ἡ γὰρ οἰκοδόμησις ἐν
τῷ οἰκοδομουμένῳ, καὶ ἅμα γίγνεται καὶ ἔστι τῇ οἰκίᾳ.
ὅσων μὲν οὖν ἕτερόν τί ἐστι παρὰ τὴν χρῆσιν τὸ γιγνόμε- 30
νον, τούτων μὲν ἡ ἐνέργεια ἐν τῷ ποιουμένῳ ἐστίν (οἶον ἥ τε
οἰκοδόμησις ἐν τῷ οἰκοδομουμένῳ καὶ ἡ ὕφανσις ἐν τῷ
ὑφαινομένῳ, ὁμοίως δὲ καὶ ἐπὶ τῶν ἄλλων, καὶ ὅλως ἡ

1050ᵃ 8 τὸ οὗ EJ Al. : ὅτου Aᵇ   13 θεωρητικὴν om. Aᵇ
14 οὐχὶ Aᵇ γρ. ΕΓ et ut vid. Al. et fecit J : οὐχ ἢ E   ἢ Aᵇ Al. : ᾗ ι
ΕΓ et fecit J   ἢ alt. . . . θεωρεῖν secl. Diels   ἢ EJΓ Al. : om. Aᵇ
Apelt   ὅτι om. fort. Al. : ὅ τι Bullinger   οὐ δύνανται Apelt
16 δέ γε] δὲ E sed ε in rasura maiore   17 διὸ . . . 18 τέλος JAᵇΓ
Al. : in marg. E   19 γένηται Al.   20 Πάσωνος Aᵇ Al. et in
marg. E : Πάσσωνος Γ   ἔσται Ἑρμῆς Aᵇ Al.ᶜ : Ἑρμῆς ἔσται EJΓ
καὶ om. Aᵇ   21 κἀκεῖνος EJΓ Al. : κἀκείνω Aᵇ   22 λέγεται
ἐνέργεια EJΓ   24 ἐσχάτων Aᵇ   ἢ alt. Aᵇ Al.¹ : om. EJ
25 ὄψεως Aᵇ Al. : ὄψεως ἔργον EJΓ   ἐπ' E Al.

κίνησις ἐν τῷ κινουμένῳ· ὅσων δὲ μὴ ἔστιν ἄλλο τι ἔργον
35 παρὰ τὴν ἐνέργειαν, ἐν αὐτοῖς ὑπάρχει ἡ ἐνέργεια (οἷον ἡ
ὅρασις ἐν τῷ ὁρῶντι καὶ ἡ θεωρία ἐν τῷ θεωροῦντι καὶ ἡ
1050ᵇ ζωὴ ἐν τῇ ψυχῇ, διὸ καὶ ἡ εὐδαιμονία· ζωὴ γὰρ ποιά
τίς ἐστιν). ὥστε φανερὸν ὅτι ἡ οὐσία καὶ τὸ εἶδος ἐνέργειά
ἐστιν. κατά τε δὴ τοῦτον τὸν λόγον φανερὸν ὅτι πρότερον
τῇ οὐσίᾳ ἐνέργεια δυνάμεως, καὶ ὥσπερ εἴπομεν, τοῦ χρόνου
5 ἀεὶ προλαμβάνει ἐνέργεια ἑτέρα πρὸ ἑτέρας ἕως τῆς τοῦ
ἀεὶ κινοῦντος πρώτως.—ἀλλὰ μὴν καὶ κυριωτέρως· τὰ μὲν
γὰρ ἀίδια πρότερα τῇ οὐσίᾳ τῶν φθαρτῶν, ἔστι δ' οὐθὲν
δυνάμει ἀίδιον. λόγος δὲ ὅδε· πᾶσα δύναμις ἅμα τῆς
ἀντιφάσεώς ἐστιν· τὸ μὲν γὰρ μὴ δυνατὸν ὑπάρχειν οὐκ
10 ἂν ὑπάρξειεν οὐθενί, τὸ δυνατὸν δὲ πᾶν ἐνδέχεται μὴ ἐνερ-
γεῖν. τὸ ἄρα δυνατὸν εἶναι ἐνδέχεται καὶ εἶναι καὶ μὴ
εἶναι· τὸ αὐτὸ ἄρα δυνατὸν καὶ εἶναι καὶ μὴ εἶναι. τὸ
δὲ δυνατὸν μὴ εἶναι ἐνδέχεται μὴ εἶναι· τὸ δὲ ἐνδεχόμε-
νον μὴ εἶναι φθαρτόν, ἢ ἁπλῶς ἢ τοῦτο αὐτὸ ὃ λέγεται
15 ἐνδέχεσθαι μὴ εἶναι, ἢ κατὰ τόπον ἢ κατὰ τὸ ποσὸν ἢ ποιόν·
ἁπλῶς δὲ τὸ κατ' οὐσίαν. οὐθὲν ἄρα τῶν ἀφθάρτων ἁπλῶς
δυνάμει ἔστιν ἁπλῶς (κατά τι δὲ οὐδὲν κωλύει, οἷον ποιὸν
ἢ πού)· ἐνεργείᾳ ἄρα πάντα· οὐδὲ τῶν ἐξ ἀνάγκης ὄντων
(καίτοι ταῦτα πρῶτα· εἰ γὰρ ταῦτα μὴ ἦν, οὐθὲν ἂν ἦν)·
20 οὐδὲ δὴ κίνησις, εἴ τίς ἐστιν ἀίδιος· οὐδ' εἴ τι κινούμενον ἀίδιον,
οὐκ ἔστι κατὰ δύναμιν κινούμενον ἀλλ' ἢ ποθὲν ποί (τούτου
δ' ὕλην οὐδὲν κωλύει ὑπάρχειν), διὸ ἀεὶ ἐνεργεῖ ἥλιος καὶ
ἄστρα καὶ ὅλος ὁ οὐρανός, καὶ οὐ φοβερὸν μή ποτε στῇ, ὃ
φοβοῦνται οἱ περὶ φύσεως. οὐδὲ κάμνει τοῦτο δρῶντα· οὐ
25 γὰρ περὶ τὴν δύναμιν τῆς ἀντιφάσεως αὐτοῖς, οἷον τοῖς
φθαρτοῖς, ἡ κίνησις, ὥστε ἐπίπονον εἶναι τὴν συνέχειαν τῆς
κινήσεως· ἡ γὰρ οὐσία ὕλη καὶ δύναμις οὖσα, οὐκ ἐνέργεια,
αἰτία τούτου. μιμεῖται δὲ τὰ ἄφθαρτα καὶ τὰ ἐν μετα-
βολῇ ὄντα, οἷον γῆ καὶ πῦρ. καὶ γὰρ ταῦτα ἀεὶ ἐνεργεῖ·

ᵃ 35 ἡ pr.] ἡ δ' Aᵇ   ᵇ 2 ἐνέργειά τίς ἐστιν Γ   10 ὑπάρξειεν] ὑπάρξῃ
ἐν οὐδ' Aᵇ   11 καὶ pr. EJ Al. : om. AᵇΓ   15 τὸ om. EJ
16 φθαρτῶν EJ   17 ἔστιν Aᵇ Al. : ἐστιν ὂν EJΓ   κατά om.
EᵗJΓ   18 πάντα] ταῦτα Aᵇ   19 αὐτὰ Aᵇ   αὐτὰ Aᵇ Al.ᶜ
21 ἢ Aᵇ   τοῦτο Aᵇ   23 ὁ om. J   25 περὶ Aᵇ Al. : ὑπὲρ
EJ : εἶναι γρ. E : παρὰ Chandler   27 δυνάμει EJ   οὖσα om.
EJΓ   ἐνεργείᾳ EJΓ   28 φθαρτὰ Aᵇ Al.

καθ᾽ αὑτὰ γὰρ καὶ ἐν αὑτοῖς ἔχει τὴν κίνησιν. αἱ δὲ 30
ἄλλαι δυνάμεις, ἐξ ὧν διώρισται, πᾶσαι τῆς ἀντιφάσεώς
εἰσιν· τὸ γὰρ δυνάμενον ὡδὶ κινεῖν δύναται καὶ μὴ ὡδί,
ὅσα γε κατὰ λόγον· αἱ δ᾽ ἄλογοι τῷ παρεῖναι καὶ μὴ
τῆς ἀντιφάσεως ἔσονται αἱ αὐταί. εἰ ἄρα τινὲς εἰσὶ φύ-
σεις τοιαῦται ἢ οὐσίαι οἷας λέγουσιν οἱ ἐν τοῖς λόγοις τὰς 35
ἰδέας, πολὺ μᾶλλον ἐπιστῆμον ἄν τι εἴη ἢ αὐτὸ ἐπιστήμη
καὶ κινούμενον ἢ κίνησις· ταῦτα γὰρ ἐνέργειαι μᾶλλον, 1051ᵃ
ἐκεῖναι δὲ δυνάμεις τούτων. ὅτι μὲν οὖν πρότερον ἡ ἐνέργεια
καὶ δυνάμεως καὶ πάσης ἀρχῆς μεταβλητικῆς, φανερόν.
9 Ὅτι δὲ καὶ βελτίων καὶ τιμιωτέρα τῆς σπουδαίας
δυνάμεως ἡ ἐνέργεια, ἐκ τῶνδε δῆλον. ὅσα γὰρ κατὰ τὸ 5
δύνασθαι λέγεται, ταὐτόν ἐστι δυνατὸν τἀναντία, οἷον τὸ
δύνασθαι λεγόμενον ὑγιαίνειν ταὐτόν ἐστι καὶ τὸ νοσεῖν,
καὶ ἅμα· ἡ αὐτὴ γὰρ δύναμις τοῦ ὑγιαίνειν καὶ κάμνειν,
καὶ ἠρεμεῖν καὶ κινεῖσθαι, καὶ οἰκοδομεῖν καὶ καταβάλ-
λειν, καὶ οἰκοδομεῖσθαι καὶ καταπίπτειν. τὸ μὲν οὖν δύ- 10
νασθαι τἀναντία ἅμα ὑπάρχει· τὰ δ᾽ ἐναντία ἅμα ἀδύ-
νατον, καὶ τὰς ἐνεργείας δὲ ἅμα ἀδύνατον ὑπάρχειν (οἷον
ὑγιαίνειν καὶ κάμνειν), ὥστ᾽ ἀνάγκη τούτων θάτερον εἶναι
τἀγαθόν, τὸ δὲ δύνασθαι ὁμοίως ἀμφότερον ἢ οὐδέτερον·
ἡ ἄρα ἐνέργεια βελτίων. ἀνάγκη δὲ καὶ ἐπὶ τῶν κακῶν 15
τὸ τέλος καὶ τὴν ἐνέργειαν εἶναι χεῖρον τῆς δυνάμεως· τὸ
γὰρ δυνάμενον ταὐτὸ ἄμφω τἀναντία. δῆλον ἄρα ὅτι οὐκ
ἔστι τὸ κακὸν παρὰ τὰ πράγματα· ὕστερον γὰρ τῇ φύσει
τὸ κακὸν τῆς δυνάμεως. οὐκ ἄρα οὐδ᾽ ἐν τοῖς ἐξ ἀρχῆς
καὶ τοῖς ἀϊδίοις οὐθὲν ἔστιν οὔτε κακὸν οὔτε ἁμάρτημα οὔτε 20
διεφθαρμένον (καὶ γὰρ ἡ διαφθορὰ τῶν κακῶν ἐστίν). εὑρί-
σκεται δὲ καὶ τὰ διαγράμματα ἐνεργείᾳ· διαιροῦντες γὰρ
εὑρίσκουσιν. εἰ δ᾽ ἦν διῃρημένα, φανερὰ ἂν ἦν· νῦν δ᾽ ἐνυ-
πάρχει δυνάμει. διὰ τί δύο ὀρθαὶ τὸ τρίγωνον; ὅτι αἱ

ᵇ 30 αὐτὸ EJ   αὐτοῖς Γ   33 ὅσα Aᵇ γρ. E: ὅσαι EJ
34 ἔσονται αὗται Aᵇ   35 οἱ EJΓ Al.: om. Aᵇ   1051ᵃ 4 καὶ
pr. om. AᵇΓ Al.¹   7 δύνασθαι τὸ λεγόμενον Aᵇ   τὸ νοσεῖν ut vid.
Al., ci. Bonitz: τὸ νοσοῦν codd. Γ: νοσεῖν scr. Bonitz   8 καὶ pr.
om. fort. Al.   11 ὑπάρχει ἅμα Aᵇ   ἅμα alt. . . . 12 ἅμα Aᵇ Al.:
om. EΓ, expunxit J   15 βελτίων AᵇΓ Al. et fecit E: βέλτιον J
18 τὸ Aᵇ Al.: τι τὸ EJΓ   21 ἐστίν Aᵇ Al.: om. EJΓ   23 ἦν
pr.] ἢ Aᵇ

²⁵ περὶ μίαν στιγμὴν γωνίαι ἴσαι δύο ὀρθαῖς. εἰ οὖν ἀνῆκτο
ἡ παρὰ τὴν πλευράν, ἰδόντι ἂν ἦν εὐθὺς δῆλον διὰ τί.
ἐν ἡμικυκλίῳ ὀρθὴ καθόλου διὰ τί; ἐὰν ἴσαι τρεῖς, ἥ τε
βάσις δύο καὶ ἡ ἐκ μέσου ἐπισταθεῖσα ὀρθή, ἰδόντι δῆλον
τῷ ἐκεῖνο εἰδότι. ὥστε φανερὸν ὅτι τὰ δυνάμει ὄντα εἰς
³⁰ ἐνέργειαν ἀγόμενα εὑρίσκεται· αἴτιον δὲ ὅτι ἡ νόησις
ἐνέργεια· ὥστ' ἐξ ἐνεργείας ἡ δύναμις, καὶ διὰ τοῦτο ποιοῦν-
τες γιγνώσκουσιν (ὕστερον γὰρ γενέσει ἡ ἐνέργεια ἡ κατ'
ἀριθμόν).

Ἐπεὶ δὲ τὸ ὂν λέγεται καὶ τὸ μὴ ὂν τὸ μὲν κατὰ 10
³⁵ τὰ σχήματα τῶν κατηγοριῶν, τὸ δὲ κατὰ δύναμιν ἢ ἐνέρ-
1051ᵇ γειαν τούτων ἢ τἀναντία, τὸ δὲ [κυριώτατα ὄν] ἀληθὲς ἢ
ψεῦδος, τοῦτο δ' ἐπὶ τῶν πραγμάτων ἐστὶ τῷ συγκεῖσθαι ἢ
διῃρῆσθαι, ὥστε ἀληθεύει μὲν ὁ τὸ διῃρημένον οἰόμενος διῃ-
ρῆσθαι καὶ τὸ συγκείμενον συγκεῖσθαι, ἔψευσται δὲ ὁ ἐναν-
⁵ τίως ἔχων ἢ τὰ πράγματα, πότ' ἔστιν ἢ οὐκ ἔστι τὸ ἀληθὲς
λεγόμενον ἢ ψεῦδος; τοῦτο γὰρ σκεπτέον τί λέγομεν. οὐ
γὰρ διὰ τὸ ἡμᾶς οἴεσθαι ἀληθῶς σε λευκὸν εἶναι εἶ σὺ
λευκός, ἀλλὰ διὰ τὸ σὲ εἶναι λευκὸν ἡμεῖς οἱ φάντες τοῦτο
ἀληθεύομεν. εἰ δὴ τὰ μὲν ἀεὶ σύγκειται καὶ ἀδύνατα δι-
¹⁰ αιρεθῆναι, τὰ δ' ἀεὶ διῄρηται καὶ ἀδύνατα συντεθῆναι, τὰ
δ' ἐνδέχεται τἀναντία, τὸ μὲν εἶναί ἐστι τὸ συγκεῖσθαι καὶ
ἓν εἶναι, τὸ δὲ μὴ εἶναι τὸ μὴ συγκεῖσθαι ἀλλὰ πλείω
εἶναι· περὶ μὲν οὖν τὰ ἐνδεχόμενα ἡ αὐτὴ γίγνεται ψευδὴς
καὶ ἀληθὴς δόξα καὶ ὁ λόγος ὁ αὐτός, καὶ ἐνδέχεται ὁτὲ
¹⁵ μὲν ἀληθεύειν ὁτὲ δὲ ψεύδεσθαι· περὶ δὲ τὰ ἀδύνατα ἄλ-
λως ἔχειν οὐ γίγνεται ὁτὲ μὲν ἀληθὲς ὁτὲ δὲ ψεῦδος, ἀλλ'

ᵃ 26 post τί interpunxit Cannan, post δῆλον ceteri   27 ⟨ἡ⟩ ἐν
Bonitz   διὰ τί EJAᵇ Al. : διότι recc. Γ   post τί interpunxerunt
Al. Cannan: post καθόλου cett.   ἴσαι αἱ τρεῖς Al.ᶜ   28 βάσεις Aᵇ
ἐπισταθεῖσα . . . δῆλον codd. Γ Al. : ἐπισταθεῖσα, ὀρθή· ἰδόντι δὴ δῆλον
ci. Christ: ἐπισταθεῖσα, ὀρθὴ διὰ τί; δῆλον Cannan   30 ἀγόμενα
EJ et ut vid. Al. : ἀναγόμενα AᵇΓ edd.   an αἴτιον δέ ἐστι νόησις ἡ ἐνερ-
γείᾳ?   ἡ νόησις scripsi : νόησις ἡ codd. : νόησις ἦν Bywater   34
τὸ tert. EJΓAl.¹ : τὰ Aᵇ   35 τὸ] τὰ AᵇAl.   ᵇ 1 κυριώτατα ὂν
seclusi: an post μὲν (ᵃ 34) transponenda?   κυριώτατον Eᵢ ὄν] εἶ
EJ : ἢ Γ   ἢ J   2 δ'ἐπὶ EJΓAl. : δὴ ἔτι Aᵇ   τὸ EJ   3
ἀληθεύειν Aᵇ   διαιρεῖσθαι AᵇΓ   5 ἢ pr. om. EᵢJΓ   τὸ] ὡς
τὸ E : ὥστε τὸ JΓ   7 σε ἀληθῶς EJΓ   εἶ . . . 8 ἡμεῖς EJΓAl. :
om. Aᵇ   10 συντεθῆναι Aᵇ   11 τὸ pr.] καὶ τὸ ut vid. Al., Bonitz
14 ὁ pr. om. Aᵇ   16 ὁτὲ pr. EJΓAl. : οὐδὲ ὅτε Aᵇ

ἀεὶ ταὐτὰ ἀληθῆ καὶ ψευδῆ.—περὶ δὲ δὴ τὰ ἀσύνθετα τί
τὸ εἶναι ἢ μὴ εἶναι καὶ τὸ ἀληθὲς καὶ τὸ ψεῦδος; οὐ γάρ
ἐστι σύνθετον, ὥστε εἶναι μὲν ὅταν συγκέηται, μὴ εἶναι δὲ
ἐὰν διῃρημένον ᾖ, ὥσπερ τὸ λευκὸν ⟨τὸ⟩ ξύλον ἢ τὸ ἀσύμμετρον 20
τὴν διάμετρον· οὐδὲ τὸ ἀληθὲς καὶ τὸ ψεῦδος ὁμοίως ἔτι ὑπάρ-
ξει καὶ ἐπ' ἐκείνων. ἢ ὥσπερ οὐδὲ τὸ ἀληθὲς ἐπὶ τούτων τὸ
αὐτό, οὕτως οὐδὲ τὸ εἶναι, ἀλλ' ἔστι τὸ μὲν ἀληθὲς ἢ ψεῦδος,
τὸ μὲν θιγεῖν καὶ φάναι ἀληθές (οὐ γὰρ ταὐτὸ κατάφασις
καὶ φάσις), τὸ δ' ἀγνοεῖν μὴ θιγγάνειν (ἀπατηθῆναι γὰρ 25
περὶ τὸ τί ἐστιν οὐκ ἔστιν ἀλλ' ἢ κατὰ συμβεβηκός· ὁμοίως
δὲ καὶ περὶ τὰς μὴ συνθετὰς οὐσίας, οὐ γὰρ ἔστιν ἀπατηθῆ-
ναι· καὶ πᾶσαι εἰσὶν ἐνεργείᾳ, οὐ δυνάμει, ἐγίγνοντο γὰρ
ἂν καὶ ἐφθείροντο, νῦν δὲ τὸ ὂν αὐτὸ οὐ γίγνεται οὐδὲ φθεί-
ρεται, ἔκ τινος γὰρ ἂν ἐγίγνετο·—ὅσα δή ἐστιν ὅπερ εἶναί τι 30
καὶ ἐνέργειαι, περὶ ταῦτα οὐκ ἔστιν ἀπατηθῆναι ἀλλ' ἢ
νοεῖν ἢ μή· ἀλλὰ τὸ τί ἐστι ζητεῖται περὶ αὐτῶν, εἰ τοιαῦ-
τά ἐστιν ἢ μή)· τὸ δὲ εἶναι ὡς τὸ ἀληθές, καὶ τὸ μὴ
εἶναι τὸ ὡς τὸ ψεῦδος, ἐν μέν ἐστιν, εἰ σύγκειται, ἀληθές, τὸ
δ' εἰ μὴ σύγκειται, ψεῦδος· τὸ δὲ ἕν, εἴπερ ὄν, οὕτως ἐστίν, 35
εἰ δὲ μὴ οὕτως, οὐκ ἔστιν· τὸ δὲ ἀληθὲς τὸ νοεῖν ταῦτα· τὸ 1052ᵃ
δὲ ψεῦδος οὐκ ἔστιν, οὐδὲ ἀπάτη, ἀλλὰ ἄγνοια, οὐχ οἵα ἡ
τυφλότης· ἡ μὲν γὰρ τυφλότης ἐστὶν ὡς ἂν εἰ τὸ νοητικὸν
ὅλως μὴ ἔχοι τις. φανερὸν δὲ καὶ ὅτι περὶ τῶν ἀκινήτων
οὐκ ἔστιν ἀπάτη κατὰ τὸ ποτέ, εἴ τις ὑπολαμβάνει ἀκίνητα. 5
οἷον τὸ τρίγωνον εἰ μὴ μεταβάλλειν οἴεται, οὐκ οἰήσεται
ποτὲ μὲν δύο ὀρθὰς ἔχειν ποτὲ δὲ οὔ (μεταβάλλοι γὰρ ἄν),
ἀλλὰ τὶ μὲν τὶ δ' οὔ, οἷον ἄρτιον ἀριθμὸν πρῶτον εἶναι
μηθένα, ἢ τινὰς μὲν τινὰς δ' οὔ· ἀριθμῷ δὲ περὶ ἕνα οὐδὲ

ᵛ 17 ταὐτὰ γρ. Casaubon: ταῦτα codd. Γ   19 ὅταν] ἐὰν Aᵇ
σύγκειται EJ   20 τὸ add. Bywater   21 τὸ alt. EJ Al. :
om. Aᵇ   22 ἐπὶ] ἐν ἐπὶ EJ   23 ἔσται fort. Al.   ἢ] τὸ δὲ
recc. Al.ᶜ et fort. Al.   25 καὶ φάσις om. E¹   27 μὴ om
E¹JΓ   συνθέτους E   28 ἐνέργειαι Aᵇ Al.   30 τι] γάρ τι Γ
31 ἐνέργειαι scripsi : ἐνεργείᾳ codd. ΓAl.   32 τί EJΓ Al. : om. Aᵇ
εἰ] οὐκ εἰ ex Al. ci. Bonitz   33 δὲ] δὴ ci. Christ   34 τὸ ὡς τὸ
JΤ et fort. Al. : τὸ ὡς Aᵇ : ὡς τὸ recc. Al.¹ et fecit E   1052ᵃ 1
ταῦτα Aᵇ Al.ᶜ : αὐτὰ EJΓ Al. : οἷον Aᵇ   2 οἷα EJΓ Al. : οἷον Aᵇ   3 ἢ μὲν
γὰρ τυφλότης om. Aᵇ   4 καὶ ὅτι EJΓ Al.¹ : ὅτι καὶ Aᵇ   6
οἴεται] οἴηται Aᵇ   9 μηθ' ἕνα J

10 τοῦτο· οὐ γὰρ ἔτι τινὰ μὲν τινὰ δὲ οὐ οἰήσεται, ἀλλ᾽ ἀλη-
θεύσει ἢ ψεύσεται ὡς ἀεὶ οὕτως ἔχοντος.

I

15 Τὸ ἓν ὅτι μὲν λέγεται πολλαχῶς, ἐν τοῖς περὶ τοῦ
ποσαχῶς διῃρημένοις εἴρηται πρότερον· πλεοναχῶς δὲ λε-
γομένου οἱ συγκεφαλαιούμενοι τρόποι εἰσὶ τέτταρες τῶν
πρώτων καὶ καθ᾽ αὑτὰ λεγομένων ἐν ἀλλὰ μὴ κατὰ
συμβεβηκός. τό τε γὰρ συνεχὲς ἢ ἁπλῶς ἢ μάλιστά γε
20 τὸ φύσει καὶ μὴ ἁφῇ μηδὲ δεσμῷ (καὶ τούτων μᾶλλον ἓν
καὶ πρότερον οὗ ἀδιαιρετωτέρα ἡ κίνησις καὶ μᾶλλον ἁπλῆ)·
ἔτι τοιοῦτον καὶ μᾶλλον τὸ ὅλον καὶ ἔχον τινὰ μορφὴν καὶ
εἶδος, μάλιστα δ᾽ εἴ τι φύσει τοιοῦτον καὶ μὴ βίᾳ, ὥσπερ
ὅσα κόλλῃ ἢ γόμφῳ ἢ συνδέσμῳ, ἀλλὰ ἔχει ἐν αὑτῷ τὸ
25 αἴτιον αὑτῷ τοῦ συνεχὲς εἶναι. τοιοῦτον δὲ τῷ μίαν τὴν κί-
νησιν εἶναι καὶ ἀδιαίρετον τόπῳ καὶ χρόνῳ, ὥστε φανερόν,
εἴ τι φύσει κινήσεως ἀρχὴν ἔχει τῆς πρώτης τὴν πρώτην,
οἷον λέγω φορᾶς κυκλοφορίαν, ὅτι τοῦτο πρῶτον μέγεθος ἕν.
τὰ μὲν δὴ οὕτως ἓν ᾗ συνεχὲς ἢ ὅλον, τὰ δὲ ὧν ἂν ὁ λό-
30 γος εἷς ᾖ, τοιαῦτα δὲ ὧν ἡ νόησις μία, τοιαῦτα δὲ ὧν
ἀδιαίρετος, ἀδιαίρετος δὲ τοῦ ἀδιαιρέτου εἴδει ἢ ἀριθμῷ· ἀρι-
θμῷ μὲν οὖν τὸ καθ᾽ ἕκαστον ἀδιαίρετον, εἴδει δὲ τὸ τῷ γνω-
στῷ καὶ τῇ ἐπιστήμῃ, ὥσθ᾽ ἓν ἂν εἴη πρῶτον τὸ ταῖς οὐσίαις
αἴτιον τοῦ ἑνός. λέγεται μὲν οὖν τὸ ἓν τοσαυταχῶς, τό τε
35 συνεχὲς φύσει καὶ τὸ ὅλον, καὶ τὸ καθ᾽ ἕκαστον καὶ τὸ
καθόλου, πάντα δὲ ταῦτα ἐν τῷ ἀδιαίρετον εἶναι τῶν μὲν
1052ᵇ τὴν κίνησιν τῶν δὲ τὴν νόησιν ἢ τὸν λόγον.—δεῖ δὲ κατα-
νοεῖν ὅτι οὐχ ὡσαύτως ληπτέον λέγεσθαι ποῖά τε ἓν λέγε-
ται, καὶ τί ἐστι τὸ ἑνὶ εἶναι καὶ τίς αὑτοῦ λόγος. λέγεται
μὲν γὰρ τὸ ἓν τοσαυταχῶς, καὶ ἕκαστον ἔσται ἓν τούτων, ᾧ

ᵃ 10 ἔτι om. Γ : ἔστι ΕJ   οὐ Aᵇ γρ. Ε : οὐκ ΕJ Al.ᶜ
18 πρώτως Sylburg   αὐτὸ J et fecit Ε   21 ὧν Aᵇ
23 τι Aᵇ Al. : τι τῇ ΕJ   24 ἐν ΕJΓ Al. : τι ἐν Aᵇ   αὑτῷ Aᵇ
25 αὑτῷ Γ   29 ᾗ Christ· : ἢ Ε²Aᵇ Al.ᶜ : om. Ε¹Γ   ὧν AᵇΓ Al.ᶜ :
om. ΕJ   32 τὸ alt. om. Aᵇ   ᵇ 3 ἑνὶ ΕJΓ Al.¹ : ἐν Aᵇ
4 τὸ ΕJ Al. : om. Aᵇ   ἐν τῶν ὄντων fort. Al., quod scribendum
vel τούτων omittendum ci. Bonitz

ἂν ὑπάρχῃ τις τούτων τῶν τρόπων· τὸ δὲ ἑνὶ εἶναι ὁτὲ μὲν 5
τούτων τινὶ ἔσται, ὁτὲ δὲ ἄλλῳ ὃ καὶ μᾶλλον ἐγγὺς τῷ
ὀνόματί ἐστι, τῇ δυνάμει δ' ἐκεῖνα, ὥσπερ καὶ περὶ στοι-
χείου καὶ αἰτίου εἰ δέοι λέγειν ἐπί τε τοῖς πράγμασι διορί-
ζοντα καὶ τοῦ ὀνόματος ὅρον ἀποδιδόντα. ἔστι μὲν γὰρ ὡς
στοιχεῖον τὸ πῦρ (ἔστι δ' ἴσως καθ' αὑτὸ καὶ τὸ ἄπειρον ἤ 10
τι ἄλλο τοιοῦτον), ἔστι δ' ὡς οὔ· οὐ γὰρ τὸ αὐτὸ πυρὶ καὶ
στοιχείῳ εἶναι, ἀλλ' ὡς μὲν πρᾶγμά τι καὶ φύσις τὸ πῦρ
στοιχεῖον, τὸ δὲ ὄνομα σημαίνει τὸ τοδὶ συμβεβηκέναι
αὐτῷ, ὅτι ἐστί τι ἐκ τούτου ὡς πρώτου ἐνυπάρχοντος. οὕτω
καὶ ἐπὶ αἰτίου καὶ ἑνὸς καὶ τῶν τοιούτων ἁπάντων, διὸ καὶ 15
τὸ ἑνὶ εἶναι τὸ ἀδιαιρέτῳ ἐστὶν εἶναι, ὅπερ τόδε ὄντι καὶ
ἰδίᾳ χωριστῷ ἢ τόπῳ ἢ εἴδει ἢ διανοίᾳ, ἢ καὶ τὸ ὅλῳ καὶ ἀδιαι-
ρέτῳ, μάλιστα δὲ τὸ μέτρῳ εἶναι πρώτῳ ἑκάστου γένους
καὶ κυριώτατα τοῦ ποσοῦ· ἐντεῦθεν γὰρ ἐπὶ τὰ ἄλλα ἐλή-
λυθεν. μέτρον γάρ ἐστιν ᾧ τὸ ποσὸν γιγνώσκεται· γιγνώ- 20
σκεται δὲ ἢ ἑνὶ ἢ ἀριθμῷ τὸ ποσὸν ᾗ ποσόν, ὁ δὲ ἀριθμὸς
ἅπας ἑνί, ὥστε πᾶν τὸ ποσὸν γιγνώσκεται ᾗ ποσὸν τῷ ἑνί,
καὶ ᾧ πρώτῳ ποσὰ γιγνώσκεται, τοῦτο αὐτὸ ἕν· διὸ τὸ ἓν
ἀριθμοῦ ἀρχὴ ᾗ ἀριθμός. ἐντεῦθεν δὲ καὶ ἐν τοῖς ἄλλοις
λέγεται μέτρον τε ᾧ ἕκαστον πρώτῳ γιγνώσκεται, καὶ τὸ 25
μέτρον ἑκάστου ἕν, ἐν μήκει, ἐν πλάτει, ἐν βάθει, ἐν βάρει,
ἐν τάχει (τὸ γὰρ βάρος καὶ τάχος κοινὸν ἐν τοῖς ἐναντίοις·
διττὸν γὰρ ἑκάτερον αὐτῶν, οἷον βάρος τό τε ὁποσηνοῦν ἔχον
ῥοπὴν καὶ τὸ ἔχον ὑπεροχὴν ῥοπῆς, καὶ τάχος τό τε ὁπο-
σηνοῦν κίνησιν ἔχον καὶ τὸ ὑπεροχὴν κινήσεως· ἔστι γάρ τι 30
τάχος καὶ τοῦ βραδέος καὶ βάρος τοῦ κουφοτέρου). ἐν πᾶσι
δὴ τούτοις μέτρον καὶ ἀρχὴ ἕν τι καὶ ἀδιαίρετον, ἐπεὶ καὶ

ᵇ 5 μὲν] μὲν τὸ Aᵇ   7 ἐστι, τῇ] ᾗ Aᵇ   10 καὶ om. Christ
12 πράγματι καὶ φύσει ΕJΓ   13 ὄνομα ὅλον σημαίνει et sup. lin. τὸ
τοῦ στοιχείου Ε   τὸ Aᵇ et fecit Ε : τῷ JΓ   16 τὸ alt. AᵇJ, ex
τῷ fecit Ε   τῶδε Aᵇ   17 ἰδίᾳ χωριστῷ Aᵇ et fort. Al. : ἀδιαχωρίστῳ
fort. Al. : ἀχωρίστῳ ΕJΓ   καὶ om. Aᵇ et fort. Al.   τὸ ci. Bonitz :
τῷ codd. ΓAl.   ἀδιαιρέτῳ AᵇAl. : διωρισμένῳ ΕJΓ   18 τὸ Aᵇ
Jᵈ Al.¹º et fecit Ε : τῷ J¹Γ   μέτρῳ a : μέτρον JAᵇΓAl. et fecit Ε
πρώτῳ Christ : πρῶτον codd. ΓAl.   21 ᾗ alt. in marg. Aᵇ
23 πόσα Al. : om. ΕJΓ   25 τε . . . πρώτῳ] ᾧ πρώτῳ τε ἕκαστον
ΕJΓ   26 ἕν ΕJΓAl., in marg. Aᵇ   28 ὁποσηνοῦν ΕJAl.ᶜ :
ὁσηνοῦν Aᵇ   29 τάχος] τὸ τάχος Aᵇ   30 τι ΕJΓ Al.ᶜ : om.
Aᵇ   32 δὴ Aᵇ Al.¹ : δὲ ΕJΓ   διαιρετὸν Εⁱ

ἐν ταῖς γραμμαῖς χρῶνται ὡς ἀτόμῳ τῇ ποδιαίᾳ. παντα-
χοῦ γὰρ τὸ μέτρον ἕν τι ζητοῦσι καὶ ἀδιαίρετον· τοῦτο δὲ
35 τὸ ἁπλοῦν ἢ τῷ ποιῷ ἢ τῷ ποσῷ. ὅπου μὲν οὖν δοκεῖ μὴ
εἶναι ἀφελεῖν ἢ προσθεῖναι, τοῦτο ἀκριβὲς τὸ μέτρον (διὸ
1053ᵃ τὸ τοῦ ἀριθμοῦ ἀκριβέστατον· τὴν γὰρ μονάδα τιθέασι πάντῃ
ἀδιαίρετον)· ἐν δὲ τοῖς ἄλλοις μιμοῦνται τὸ τοιοῦτον· ἀπὸ
γὰρ σταδίου καὶ ταλάντου καὶ ἀεὶ τοῦ μείζονος λάθοι ἂν
καὶ προστεθέν τι καὶ ἀφαιρεθὲν μᾶλλον ἢ ἀπὸ ἐλάττονος·
5 ὥστε ἀφ' οὗ πρώτου κατὰ τὴν αἴσθησιν μὴ ἐνδέχεται, τοῦτο
πάντες ποιοῦνται μέτρον καὶ ὑγρῶν καὶ ξηρῶν καὶ βάρους
καὶ μεγέθους· καὶ τότ' οἴονται εἰδέναι τὸ ποσόν, ὅταν εἰ-
δῶσι διὰ τούτου τοῦ μέτρου. καὶ δὴ καὶ κίνησιν τῇ ἁπλῇ
κινήσει καὶ τῇ ταχίστῃ (ὀλίγιστον γὰρ αὕτη ἔχει χρόνον)·
10 διὸ ἐν τῇ ἀστρολογίᾳ τὸ τοιοῦτον ἐν ἀρχὴ καὶ μέτρον (τὴν
κίνησιν γὰρ ὁμαλὴν ὑποτίθενται καὶ ταχίστην τὴν τοῦ οὐρανοῦ,
πρὸς ἣν κρίνουσι τὰς ἄλλας), καὶ ἐν μουσικῇ δίεσις, ὅτι
ἐλάχιστον, καὶ ἐν φωνῇ στοιχεῖον. καὶ ταῦτα πάντα ἕν τι
οὕτως, οὐχ ὡς κοινόν τι τὸ ἐν ἀλλ' ὥσπερ εἴρηται.—οὐκ ἀεὶ
15 δὲ τῷ ἀριθμῷ ἐν τὸ μέτρον ἀλλ' ἐνίοτε πλείω, οἷον αἱ διέ-
σεις δύο, αἱ μὴ κατὰ τὴν ἀκοὴν ἀλλ' ἐν τοῖς λόγοις, καὶ
αἱ φωναὶ πλείους αἷς μετροῦμεν, καὶ ἡ διάμετρος δυσὶ με-
τρεῖται καὶ ἡ πλευρά, καὶ τὰ μεγέθη πάντα. οὕτω δὴ πάν-
των μέτρον τὸ ἕν, ὅτι γνωρίζομεν ἐξ ὧν ἐστὶν ἡ οὐσία διαι-
20 ροῦντες ἢ κατὰ τὸ ποσὸν ἢ κατὰ τὸ εἶδος. καὶ διὰ τοῦτο τὸ
ἐν ἀδιαίρετον, ὅτι τὸ πρῶτον ἑκάστων ἀδιαίρετον. οὐχ ὁμοίως
δὲ πᾶν ἀδιαίρετον, οἷον ποὺς καὶ μονάς, ἀλλὰ τὸ μὲν
πάντῃ, τὸ δ' εἰς ἀδιαίρετα πρὸς τὴν αἴσθησιν θετέον, ὥσπερ
εἴρηται ἤδη· ἴσως γὰρ πᾶν συνεχὲς διαιρετόν. ἀεὶ δὲ συγ-
25 γενὲς τὸ μέτρον· μεγεθῶν μὲν γὰρ μέγεθος, καὶ καθ' ἕκα-
στον μήκους μῆκος, πλάτους πλάτος, φωνῆς φωνή, βάρους

ᵇ 33 ταῖς EJΓAl.ᶜ: ταῖς ἄλλαις Aᵇ   35 ἁπλῶς Γ   36 προσθεῖναι
Aᵇ γρ. E Al.ᶜ: προστιθέναι EJ   36–1053ᵃ 1 διὸ τοὺς ἀριθμοὺς EJΓ
1053ᵃ 7 τότ' οἴονται EJΓAl.: τὸ τοιονδὶ Aᵇ   ἴδωσι Aᵇ   9 ὀλίγιστον
EJ¹Γ: ὀλιγοστὸν Aᵇ J²   10 τοιοῦτο μὲν Aᵇ   17 αἱ om. Aᵇ
18 καὶ ἡ πλευρά secl. Goebel, fort. recte   καὶ τὰ ... οὕτω] μεγέθη
τινὰ ὄντα δῆλον Aᵇ Al.: καὶ μεγέθη τινὰ οἷον τὸ Δήλιον. οὕτω Goebel
20 καὶ E²JΓ: om. E¹Aᵇ   23 πάντως Aᵇ: πάντῃ πάντως ut vid. Al.
εἰς ἀδιαίρετα] ἀδιαίρετον Γ: εἶναι ἀδιαίρετον Bonitz   θετέον Forster:
θέλει Aᵇ: ἐθέλει EJ: voluit Γ: τίθεται Goebel   26 φωνῶν
φωνή Aᵇ

βάρος, μονάδων μονάς. οὕτω γὰρ δεῖ λαμβάνειν, ἀλλ᾽ οὐχ ὅτι ἀριθμῶν ἀριθμός· καίτοι ἔδει, εἰ ὁμοίως· ἀλλ᾽ οὐχ ὁμοίως ἀξιοῖ ἀλλ᾽ ὥσπερ εἰ μονάδων μονάδας ἀξιώσειε μέτρον ἀλλὰ μὴ μονάδα· ὁ δ᾽ ἀριθμὸς πλῆθος μονάδων. 30 καὶ τὴν ἐπιστήμην δὲ μέτρον τῶν πραγμάτων λέγομεν καὶ τὴν αἴσθησιν διὰ τὸ αὐτό, ὅτι γνωρίζομέν τι αὐταῖς, ἐπεὶ μετροῦνται μᾶλλον ἢ μετροῦσιν. ἀλλὰ συμβαίνει ἡμῖν ὥσπερ ἂν εἰ ἄλλου ἡμᾶς μετροῦντος ἐγνωρίσαμεν πηλίκοι ἐσμὲν τῷ τὸν πῆχυν ἐπὶ τοσοῦτον ἡμῶν ἐπιβάλλειν. Πρωταγόρας 35 δ᾽ ἄνθρωπόν φησι πάντων εἶναι μέτρον, ὥσπερ ἂν εἰ .ὃν ἐπιστήμονα εἰπὼν ἢ τὸν αἰσθανόμενον· τούτους δ᾽ ὅτι ἔχουσιν 1053ᵇ ὁ μὲν αἴσθησιν ὁ δὲ ἐπιστήμην, ἅ φαμεν εἶναι μέτρα τῶν ὑποκειμένων. οὐθὲν δὴ λέγοντες περιττὸν φαίνονταί τι λέγειν. ὅτι μὲν οὖν τὸ ἑνὶ εἶναι μάλιστά ἐστι κατὰ τὸ ὄνομα ἀφορί- ζοντι μέτρον τι, καὶ κυριώτατα τοῦ ποσοῦ, εἶτα τοῦ ποιοῦ, 5 φανερόν· ἔσται δὲ τοιοῦτον τὸ μὲν ἂν ᾖ ἀδιαίρετον κατὰ τὸ ποσόν, τὸ δὲ ἂν κατὰ τὸ ποιόν· διόπερ ἀδιαίρετον τὸ ἓν ἢ ἁπλῶς ἢ ᾗ ἕν.

2   Κατὰ δὲ τὴν οὐσίαν καὶ τὴν φύσιν ζητητέον ποτέρως ἔχει, καθάπερ ἐν τοῖς διαπορήμασιν ἐπήλθομεν τί τὸ ἕν 10 ἐστι καὶ πῶς δεῖ περὶ αὐτοῦ λαβεῖν, πότερον ὡς οὐσίας τινὸς οὔσης αὐτοῦ τοῦ ἑνός, καθάπερ οἵ τε Πυθαγόρειοί φασι πρό- τερον καὶ Πλάτων ὕστερον, ἢ μᾶλλον ὑπόκειταί τις φύσις καὶ [πῶς] δεῖ γνωριμωτέρως λεχθῆναι καὶ μᾶλλον ὥσπερ οἱ περὶ φύσεως· ἐκείνων γὰρ ὁ μέν τις φιλίαν εἶναί φησι τὸ 15 ἓν ὁ δ᾽ ἀέρα ὁ δὲ τὸ ἄπειρον. εἰ δὴ μηδὲν τῶν καθόλου δυνατὸν οὐσίαν εἶναι, καθάπερ ἐν τοῖς περὶ οὐσίας καὶ περὶ τοῦ ὄντος εἴρηται λόγοις, οὐδ᾽ αὐτὸ τοῦτο οὐσίαν ὡς ἕν τι παρὰ τὰ πολλὰ δυνατὸν εἶναι (κοινὸν γάρ) ἀλλ᾽ ἢ κατηγόρημα μόνον, δῆλον ὡς οὐδὲ τὸ ἕν· τὸ γὰρ ὂν καὶ τὸ ἓν καθόλου 20 κατηγορεῖται μάλιστα πάντων. ὥστε οὔτε τὰ γένη φύσεις

ᵃ 32 αὐτοῖς Bekker   35 ἡμῖν Aᵇ Al.   ᵇ 1 ἴσχουσιν Aᵇ
2 ἃ om. Aᵇ   3 λέγων περιττὸν φαίνεταί recc. Al. et fecit E²
4 ἕν Aᵇ γρ. E Al.¹   ἀφορίζοντι Aᵇ Al.¹: ὁ ἀφορίζουσι EJΓ Al.
8 ᾖ] ἢ in marg. Aᵇ   10 ἔχειν J   14 πῶς δεῖ] προσδεῖ γρ. E
πῶς inclusit Christ (cf. l. 11): habent codd. ΓAl.: πως Schwegler
καὶ] ἆρα Al.: ἢ ci. Bonitz   16 ἕν φησιν ὁ Aᵇ   δὴ EJΓAl.:
δὲ Aᵇ   18 οὐδ᾽] ὅτι οὐδ᾽ Bywater   οὐσία Aᵇ γρ. EΓ   ὡς] τὸ
ὡς Aᵇ   21 φύσει Aᵇ

τινὲς καὶ οὐσίαι χωρισταὶ τῶν ἄλλων εἰσίν, οὔτε τὸ ἓν γένος
ἐνδέχεται εἶναι διὰ τὰς αὐτὰς αἰτίας δι' ἅσπερ οὐδὲ τὸ ὂν
οὐδὲ τὴν οὐσίαν. ἔτι δ' ὁμοίως ἐπὶ πάντων ἀναγκαῖον ἔχειν·
25 λέγεται δ' ἰσαχῶς τὸ ὂν καὶ τὸ ἕν· ὥστ' ἐπείπερ ἐν τοῖς
ποιοῖς ἐστί τι τὸ ἓν καί τις φύσις, ὁμοίως δὲ καὶ ἐν τοῖς
ποσοῖς, δῆλον ὅτι καὶ ὅλως ζητητέον τί τὸ ἕν, ὥσπερ καὶ
τί τὸ ὄν, ὡς οὐχ ἱκανὸν ὅτι τοῦτο αὐτὸ ἡ φύσις αὐτοῦ.
ἀλλὰ
μὴν ἕν γε χρώμασίν ἐστι τὸ ἓν χρῶμα, οἷον τὸ λευκόν, εἶτα
30 τὰ ἄλλα ἐκ τούτου καὶ τοῦ μέλανος φαίνεται γιγνόμενα, τὸ
δὲ μέλαν στέρησις λευκοῦ ὥσπερ καὶ φωτὸς σκότος [τοῦτο
δ' ἐστὶ στέρησις φωτός]· ὥστε εἰ τὰ ὄντα ἦν χρώματα, ἦν ἂν
ἀριθμός τις τὰ ὄντα, ἀλλὰ τίνων; δῆλον δὴ ὅτι χρωμά-
των, καὶ τὸ ἓν ἦν ἄν τι ἕν, οἷον τὸ λευκόν. ὁμοίως δὲ καὶ
35 εἰ μέλη τὰ ὄντα ἦν, ἀριθμὸς ἂν ἦν, διέσεων μέντοι, ἀλλ'
οὐκ ἀριθμὸς ἡ οὐσία αὐτῶν· καὶ τὸ ἓν ἦν ἄν τι οὗ ἡ οὐσία οὐ
1054ᵃ τὸ ἓν ἀλλὰ δίεσις. ὁμοίως δὲ καὶ ἐπὶ τῶν φθόγγων στοι-
χείων ἂν ἦν τὰ ὄντα ἀριθμός, καὶ τὸ ἓν στοιχεῖον φωνῆεν.
καὶ εἰ σχήματα εὐθύγραμμα, σχημάτων ἂν ἦν ἀριθμός,
καὶ τὸ ἓν τὸ τρίγωνον. ὁ δ' αὐτὸς λόγος καὶ ἐπὶ τῶν ἄλ-
5 λων γενῶν, ὥστ' εἴπερ καὶ ἐν τοῖς πάθεσι καὶ ἐν τοῖς ποιοῖς
καὶ ἐν τοῖς ποσοῖς καὶ ἐν κινήσει ἀριθμῶν ὄντων καὶ ἑνός
τινος ἐν ἅπασιν ὅ τε ἀριθμὸς τινῶν καὶ τὸ ἓν τὶ ἕν, ἀλλ'
οὐχὶ τοῦτο αὐτὸ ἡ οὐσία, καὶ ἐπὶ τῶν οὐσιῶν ἀνάγκη ὡσαύτως
ἔχειν· ὁμοίως γὰρ ἔχει ἐπὶ πάντων.—ὅτι μὲν οὖν τὸ ἓν ἐν
10 ἅπαντι γένει ἐστί τις φύσις, καὶ οὐδενὸς τοῦτό γ' αὐτὸ ἡ φύσις
τὸ ἕν, φανερόν, ἀλλ' ὥσπερ ἐν χρώμασι χρῶμα ἓν ζητη-
τέον αὐτὸ τὸ ἕν, οὕτω καὶ ἐν οὐσίᾳ οὐσίαν μίαν αὐτὸ τὸ
ἕν· ὅτι δὲ ταὐτὸ σημαίνει πως τὸ ἓν καὶ τὸ ὄν, δῆλον τῷ
τε παρακολουθεῖν ἰσαχῶς ταῖς κατηγορίαις καὶ μὴ εἶναι ἐν
15 μηδεμιᾷ (οἷον οὔτ' ἐν τῇ τί ἐστιν οὔτ' ἐν τῇ ποῖον, ἀλλ'
ὁμοίως ἔχει ὥσπερ τὸ ὄν) καὶ τῷ μὴ προσκατηγορεῖσθαι

ᵇ 28 οὐχὶ E   29 τὸ] τι τὸ EJΓ Al.   χρῶμα om. Al.
εἶτα JTΓ i et ut vid. Al.: εἰ AᵇE   31 τοῦτο ... 32 φωτός secl.
Jaeger   32 δ'] γὰρ fort. Al.   33 τίνων codd. ΓAl.: τινῶν Christ
35 διέσεως Aᵇ   1054ᵃ 2 φωνῆεν ἢ σύμφωνον fort. Al.   6 ἓν
om. E   ἐν] ἐν τῇ J   7 ἕν] ὄν Aᵇ   8 αὐτὸ Aᵇ et fort.
Al.: αὑτοῦ EJΓ: αὐτὸ αὑτοῦ i   10 ἅπαντι Aᵇ Al.ᶜ: παντὶ EJ
12 οὐσίαν μίαν EJΓ et ut vid. Al.: οὐσία μία Aᵇ γρ. E   αὐτὸ EJ Al.:
αὑτό τε Aᵇ   13 τὸ ὄν] ὄν EJ   14-15 ἐν μηδὲ μιᾷ fecit E : ἐν
μηδεμιᾷ μίαν (μίαν expunctum) J   15 τί om. Aᵇ   16 τῷ μὴ]
οὐ τῷ Al. γρ. E

ἕτερόν τι τὸ εἷς ἄνθρωπος τοῦ ἄνθρωπος (ὥσπερ οὐδὲ τὸ εἶναι
παρὰ τὸ τί ἢ ποῖον ἢ πόσον) καὶ ⟨τῷ εἶναι⟩ τὸ ἐνὶ εἶναι τὸ
ἑκάστῳ εἶναι.

3 Ἀντίκειται δὲ τὸ ἓν καὶ τὰ πολλὰ κατὰ πλείους τρό- 20
πους, ὧν ἕνα τὸ ἓν καὶ τὸ πλῆθος ὡς ἀδιαίρετον καὶ διαιρε-
τόν· τὸ μὲν γὰρ ἢ διῃρημένον ἢ διαιρετὸν πλῆθός τι λέγε-
ται, τὸ δὲ ἀδιαίρετον ἢ μὴ διῃρημένον ἕν. ἐπεὶ οὖν αἱ ἀντι-
θέσεις τετραχῶς, καὶ τούτων κατὰ στέρησιν λέγεται θάτερον,
ἐναντία ἂν εἴη καὶ οὔτε ὡς ἀντίφασις οὔτε ὡς τὰ πρός τι 25
λεγόμενα. λέγεται δὲ ἐκ τοῦ ἐναντίου καὶ δηλοῦται τὸ ἕν, ἐκ
τοῦ διαιρετοῦ τὸ ἀδιαίρετον, διὰ τὸ μᾶλλον αἰσθητὸν τὸ πλῆ-
θος εἶναι καὶ τὸ διαιρετὸν ἢ τὸ ἀδιαίρετον, ὥστε τῷ λόγῳ
πρότερον τὸ πλῆθος τοῦ ἀδιαιρέτου διὰ τὴν αἴσθησιν. ἔστι δὲ τοῦ
μὲν ἑνός, ὥσπερ καὶ ἐν τῇ διαιρέσει τῶν ἐναντίων διεγρά- 30
ψαμεν, τὸ ταὐτὸ καὶ ὅμοιον καὶ ἴσον, τοῦ δὲ πλήθους τὸ
ἕτερον καὶ ἀνόμοιον καὶ ἄνισον. λεγομένου δὲ τοῦ ταὐ-
τοῦ πολλαχῶς, ἕνα μὲν τρόπον κατ᾽ ἀριθμὸν λέγομεν
ἐνίοτε αὐτό, τὸ δ᾽ ἐὰν καὶ λόγῳ καὶ ἀριθμῷ ἓν ᾖ, οἷον
σὺ σαυτῷ καὶ τῷ εἴδει· καὶ τῇ ὕλῃ ἕν· ἔτι δ᾽ ἐὰν ὁ λόγος 35
ὁ τῆς πρώτης οὐσίας εἷς ᾖ, οἷον αἱ ἴσαι γραμμαὶ εὐθεῖαι αἱ 1054ᵇ
αὐταί, καὶ τὰ ἴσα καὶ ἰσογώνια τετράγωνα, καίτοι πλείω·
ἀλλ᾽ ἐν τούτοις ἡ ἰσότης ἑνότης. ὅμοια δὲ ἐὰν μὴ
ταὐτὰ ἁπλῶς ὄντα, μηδὲ κατὰ τὴν οὐσίαν ἀδιάφορα τὴν
συγκειμένην, κατὰ τὸ εἶδος ταὐτὰ ᾖ, ὥσπερ τὸ μεῖζον τετρά- 5
γωνον τῷ μικρῷ ὅμοιον, καὶ αἱ ἄνισοι εὐθεῖαι· αὗται γὰρ
ὅμοιαι μέν, αἱ αὐταὶ δὲ ἁπλῶς οὔ. τὰ δὲ ἐὰν τὸ αὐτὸ
εἶδος ἔχοντα, ἐν οἷς τὸ μᾶλλον καὶ ἧττον ἐγγίγνεται, μήτε
μᾶλλον ᾖ μήτε ἧττον. τὰ δὲ ἐὰν ᾖ τὸ αὐτὸ πάθος καὶ ἐν
τῷ εἴδει, οἷον τὸ λευκόν, σφόδρα καὶ ἧττον, ὅμοιά φασιν 10

ᵃ 18 ἢ pr. om. Aᵇ   τῷ add. Christ, εἶναι addidi   ἐνὶ EJ, ex
ἐν fecit Aᵇ   20 τὰ om. Aᵇ Al.ˡ   21 καὶ διαιρετόν in marg. J
24 τούτων] οὔτε Aᵇ : οὗτοι Schwegler   25 ἐναντία ἂν εἴη καὶ
omittenda ci. Bonitz   26 λεγόμενα om. Aᵇ et ut vid. Al.:
λεγόμενα, ἐναντία ἂν εἴη ci. Bonitz   29 ἔστι EJΓAl.: ἔτι Aᵇ
31 τὸ pr. om. J   32 τοῦ Aᵇ Al.: om. EJ   33 ἕνα EΓAl.: καὶ ἕνα
JAᵇ   ἀριθμὸν ὃ λέγομεν EJΓAl.   34 ταὐτό Al.   τὸ] τοῦτο AᵇΓ:
τοῦτο aut τοῦτο· τὸ γρ. E: τοῦτο· τὸ ut vid. Al.   ᵇ 2 καὶ alt. Aᵇ
Al.: καὶ τὰ EJ   3 μὴ] ἢ J   5 συγκειμένην Aᵇ γρ. E Al.:
ὑποκειμένην EJΓ   ᾖ om. AᵇAl.ᶜ   ὥσπερ Aᵇ et ut vid. Al.: οἷον
EJ   7 δὲ pr. om. Aᵇ   9 ᾖ pr.] ἢ Aᵇ   10 τὸ] τῷ Aᵇ

εἶναι ὅτι ἐν τὸ εἶδος αὐτῶν. τὰ δὲ ἐὰν πλείω ἔχῃ ταὐτὰ
ἢ ἕτερα, ἢ ἁπλῶς ἢ τὰ πρόχειρα, οἷον καττίτερος ἀργύρῳ
ᾗ λευκόν, χρυσὸς δὲ πυρὶ ᾗ ξανθὸν καὶ πυρρόν. ὥστε δῆλον
ὅτι καὶ τὸ ἕτερον καὶ τὸ ἀνόμοιον πολλαχῶς λέγεται. καὶ
15 τὸ μὲν ἄλλο ἀντικειμένως καὶ τὸ ταὐτό, διὸ ἅπαν πρὸς
ἅπαν ἢ ταὐτὸ ἢ ἄλλο· τὸ δ' ἐὰν μὴ καὶ ἡ ὕλη καὶ ὁ
λόγος εἷς, διὸ σὺ καὶ ὁ πλησίον ἕτερος· τὸ δὲ τρίτον ὡς
τὰ ἐν τοῖς μαθηματικοῖς. τὸ μὲν οὖν ἕτερον ἢ ταὐτὸ διὰ τοῦτο
πᾶν πρὸς πᾶν λέγεται, ὅσα λέγεται ἓν καὶ ὄν· οὐ γὰρ
20 ἀντίφασίς ἐστι τοῦ ταὐτοῦ, διὸ οὐ λέγεται ἐπὶ τῶν μὴ ὄντων
(τὸ δὲ μὴ ταὐτὸ λέγεται), ἐπὶ δὲ τῶν ὄντων πάντων· ἢ
γὰρ ἓν ἢ οὐχ ἓν πέφυχ' ὅσα ὂν καὶ ἕν. τὸ μὲν οὖν ἕτερον
καὶ ταὐτὸν οὕτως ἀντίκειται, διαφορὰ δὲ καὶ ἑτερότης ἄλλο.
τὸ μὲν γὰρ ἕτερον καὶ οὗ ἕτερον οὐκ ἀνάγκη εἶναι τινὶ ἕτερον·
25 πᾶν γὰρ ἢ ἕτερον ἢ ταὐτὸ ὅ τι ἂν ᾖ ὄν· τὸ δὲ διάφορον
τινὸς τινὶ διάφορον, ὥστε ἀνάγκη ταὐτό τι εἶναι ᾧ διαφέ-
ρουσιν. τοῦτο δὲ τὸ ταὐτὸ γένος ἢ εἶδος· πᾶν γὰρ τὸ διαφέρον
διαφέρει ἢ γένει ἢ εἴδει, γένει μὲν ὧν μὴ ἔστι κοινὴ ἡ ὕλη
μηδὲ γένεσις εἰς ἄλληλα, οἷον ὅσων ἄλλο σχῆμα τῆς κατη-
30 γορίας, εἴδει δὲ ὧν τὸ αὐτὸ γένος (λέγεται δὲ γένος ὃ
ἄμφω τὸ αὐτὸ λέγονται κατὰ τὴν οὐσίαν τὰ διάφορα). τὰ
δ' ἐναντία διάφορα, καὶ ἡ ἐναντίωσις διαφορά τις. ὅτι δὲ
καλῶς τοῦτο ὑποτιθέμεθα, δῆλον ἐκ τῆς ἐπαγωγῆς· πάντα
γὰρ διαφέροντα φαίνεται καὶ ταῦτα, οὐ μόνον ἕτερα
35 ὄντα ἀλλὰ τὰ μὲν τὸ γένος ἕτερα τὰ δ' ἐν τῇ αὐτῇ συ-
1055ᵃ στοιχίᾳ τῆς κατηγορίας, ὥστ' ἐν ταὐτῷ γένει καὶ ταὐτὰ τῷ
γένει. διώρισται δ' ἐν ἄλλοις ποῖα τῷ γένει ταὐτὰ ἢ ἕτερα.

Ἐπεὶ δὲ διαφέρειν ἐνδέχεται ἀλλήλων τὰ διαφέροντα 4

ᵇ12 ἢ τὰ ἕτερα ἢ ἁπλῶς EJ : om. fort. Al.   13 ᾗ λευκόν ex Al.
scripsi : ἢ λευκός Schwegler : ἢ χρυσῷ codd. Γ : ἢ χαλκὸς χρυσῷ ci.
Bonitz   χρυσὸς δὲ om. EJΓ   πυρὶ ᾗ] πῦρ ἢ JΓ et fecit E   καὶ]
καὶ τὸ EJ   15 ἅπαν Aᵇ Al. : πᾶν EJ   17 εἷς, διὸ σὺ] ἴδιος
Aᵇ γρ. E γρ. J Al.   καὶ τὸ πλησιαίτερον· τὸ Aᵇ Al.   19 πρὸς
ἅπαν Aᵇ Al.ᶜ   οὐ EJΓ Al. : οὐδὲ Aᵇ   21 πάντων τῶν ὄντων Aᵇ
22 πέφυχ' ὅσα scripsi : πέφυκε ὅσα Apelt : πέφυκὸς codd. Γ Al.   ὂν]
καὶ ὂν EJΓ Al.   καὶ in ras. E : om. J   24 καὶ om. Γ   26 τὸ
ταὐτό J γρ. E   27 ταὐτὸ EJ Al.ᶜ : αὐτὸ Aᵇ   31 λέγεται Aᵇ
κατὰ τὴν bis E .   31-2 τὰ δ' ἐναντία διάφορα in marg. J   34 γὰρ]
γὰρ τὰ Al.   φαίνεται Aᵇ Al. : τε φαίνεται EJΓ : τι φαίνεται ci. Bonitz
ταῦτα om. Aᵇ : ταυτά E Al.   1055ᵃ2 γένει pr. Aᵇ Al. : εἴδει EJΓ

πλεῖον καὶ ἔλαττον, ἔστι τις καὶ μεγίστη διαφορά, καὶ ταύ-
την λέγω ἐναντίωσιν. ὅτι δ' ἡ μεγίστη ἐστὶ διαφορά, δῆλον 5
ἐκ τῆς ἐπαγωγῆς. τὰ μὲν γὰρ γένει διαφέροντα οὐκ ἔχει
ὁδὸν εἰς ἄλληλα, ἀλλ' ἀπέχει πλέον καὶ ἀσύμβλητα·
τοῖς δ' εἴδει διαφέρουσιν αἱ γενέσεις ἐκ τῶν ἐναντίων εἰσὶν
ὡς ἐσχάτων, τὸ δὲ τῶν ἐσχάτων διάστημα μέγιστον, ὥστε
καὶ τὸ τῶν ἐναντίων. ἀλλὰ μὴν τό γε μέγιστον ἐν ἑκάστῳ 10
γένει τέλειον. μέγιστόν τε γὰρ οὗ μὴ ἔστιν ὑπερβολή, καὶ
τέλειον οὗ μὴ ἔστιν ἔξω λαβεῖν τι δυνατόν· τέλος γὰρ ἔχει
ἡ τελεία διαφορά (ὥσπερ καὶ τἆλλα τῷ τέλος ἔχειν λέ-
γεται τέλεια), τοῦ δὲ τέλους οὐθὲν ἔξω· ἔσχατον γὰρ ἐν παντὶ
καὶ περιέχει, διὸ οὐδὲν ἔξω τοῦ τέλους, οὐδὲ προσδεῖται οὐδενὸς 15
τὸ τέλειον. ὅτι μὲν οὖν ἡ ἐναντιότης ἐστὶ διαφορὰ τέλειος, ἐκ
τούτων δῆλον· πολλαχῶς δὲ λεγομένων τῶν ἐναντίων, ἀκο-
λουθήσει τὸ τελείως οὕτως ὡς ἂν καὶ τὸ ἐναντίοις εἶναι
ὑπάρχῃ αὐτοῖς. τούτων δὲ ὄντων φανερὸν ὅτι οὐκ ἐνδέχεται
ἑνὶ πλείω ἐναντία εἶναι (οὔτε γὰρ τοῦ ἐσχάτου ἐσχατώτερον 20
εἴη ἄν τι, οὔτε τοῦ ἑνὸς διαστήματος πλείω δυοῖν ἔσχατα),
ὅλως τε εἰ ἔστιν ἡ ἐναντιότης διαφορά, ἡ δὲ διαφορὰ δυοῖν,
ὥστε καὶ ἡ τέλειος. ἀνάγκη δὲ καὶ τοὺς ἄλλους ὅρους ἀληθεῖς
εἶναι τῶν ἐναντίων. καὶ γὰρ πλεῖστον διαφέρει ἡ τέλειος
διαφορά (τῶν τε γὰρ γένει διαφερόντων οὐκ ἔστιν ἐξωτέρω 25
λαβεῖν καὶ τῶν εἴδει· δέδεικται γὰρ ὅτι πρὸς τὰ ἔξω τοῦ
γένους οὐκ ἔστι διαφορά, τούτων δ' αὕτη μεγίστη), καὶ τὰ ἐν
ταὐτῷ γένει πλεῖστον διαφέροντα ἐναντία (μεγίστη γὰρ
διαφορὰ τούτων ἡ τέλειος), καὶ τὰ ἐν τῷ αὐτῷ δεκτικῷ πλεῖ-
στον διαφέροντα ἐναντία (ἡ γὰρ ὕλη ἡ αὐτὴ τοῖς ἐναντίοις) 30
καὶ τὰ ὑπὸ τὴν αὐτὴν δύναμιν πλεῖστον διαφέροντα (καὶ
γὰρ ἡ ἐπιστήμη περὶ ἓν γένος ἡ μία)· ἐν οἷς ἡ τελεία δια-
φορὰ μεγίστη.—πρώτη δὲ ἐναντίωσις ἕξις καὶ στέρησίς ἐστιν·
οὐ πᾶσα δὲ στέρησις (πολλαχῶς γὰρ λέγεται ἡ στέρησις)
ἀλλ' ἥτις ἂν τελεία ᾖ. τὰ δ' ἄλλα ἐναντία κατὰ ταῦτα 35
λεχθήσεται, τὰ μὲν τῷ ἔχειν τὰ δὲ τῷ ποιεῖν ἢ ποιητικὰ
εἶναι τὰ δὲ τῷ λήψεις εἶναι καὶ ἀποβολαὶ τούτων ἢ ἄλλων

ᵃ 4 ἔστι EJΓ Al.° Ammonius : καὶ ἔστι Aᵇ   6 οὐκ EJΓ Al.° :
οὐδ' Aᵇ   7 ἀσύμβλητον E¹J   18 τὸ pr.] τοῦ Aᵇ   20 τοῦ
om. E¹   22 τε] δὲ AᵇΓ Al.°   26 γὰρ om. Aᵇ   28 ἐναντία E²Aᵇ
et ut vid. Al. : τἀναντία E¹J   30 ἐναντία Aᵇ et fort. Al. : om. EJΓ
F 2

ἐναντίων. εἰ δὴ ἀντίκειται μὲν ἀντίφασις καὶ στέρησις καὶ
1055ᵇ ἐναντιότης καὶ τὰ πρός τι, τούτων δὲ πρῶτον ἀντίφασις, ἀντι-
φάσεως δὲ μηδέν ἐστι μεταξύ, τῶν δὲ ἐναντίων ἐνδέχεται,
ὅτι μὲν οὐ ταὐτὸν ἀντίφασις καὶ τἀναντία δῆλον· ἡ δὲ στέ-
ρησις ἀντίφασίς τίς ἐστιν· ἢ γὰρ τὸ ἀδύνατον ὅλως ἔχειν,
5 ἢ ὃ ἂν πεφυκὸς ἔχειν μὴ ἔχῃ, ἐστέρηται ἢ ὅλως ἢ πὼς
ἀφορισθέν (πολλαχῶς γὰρ ἤδη τοῦτο λέγομεν, ὥσπερ διή-
ρηται ἡμῖν ἐν ἄλλοις), ὥστ᾿ ἐστὶν ἡ στέρησις ἀντίφασίς τις ἢ
ἀδυναμία διορισθεῖσα ἢ συνειλημμένη τῷ δεκτικῷ· διὸ ἀντι-
φάσεως μὲν οὐκ ἔστι μεταξύ, στερήσεως δέ τινος ἔστιν· ἴσον
10 μὲν γὰρ ἢ οὐκ ἴσον πᾶν, ἴσον δ᾿ ἢ ἄνισον οὐ πᾶν, ἀλλ᾿ εἴπερ,
μόνον ἐν τῷ δεκτικῷ τοῦ ἴσου. εἰ δὴ αἱ γενέσεις τῇ ὕλῃ ἐκ
τῶν ἐναντίων, γίγνονται δὲ ἢ ἐκ τοῦ εἴδους καὶ τῆς τοῦ εἴδους
ἕξεως ἢ ἐκ στερήσεώς τινος τοῦ εἴδους καὶ τῆς μορφῆς, δῆλον
ὅτι ἡ μὲν ἐναντίωσις στέρησις ἂν εἴη πᾶσα, ἡ δὲ στέρησις
15 ἴσως οὐ πᾶσα ἐναντιότης (αἴτιον δ᾿ ὅτι πολλαχῶς ἐνδέχεται
ἐστερῆσθαι τὸ ἐστερημένον)· ἐξ ὧν γὰρ αἱ μεταβολαὶ ἐσχά-
των, ἐναντία ταῦτα. φανερὸν δὲ καὶ διὰ τῆς ἐπαγωγῆς.
πᾶσα γὰρ ἐναντίωσις ἔχει στέρησιν θάτερον τῶν ἐναντίων,
ἀλλ᾿ οὐχ ὁμοίως πάντα· ἀνισότης μὲν γὰρ ἰσότητος ἀνο-
20 μοιότης δὲ ὁμοιότητος κακία δὲ ἀρετῆς, διαφέρει δὲ ὥσπερ
εἴρηται· τὸ μὲν γὰρ ἐὰν μόνον ᾖ ἐστερημένον, τὸ δ᾿ ἐὰν ἢ
ποτὲ ἢ ἔν τινι, οἷον ἂν ἐν ἡλικίᾳ τινὶ ἢ τῷ κυρίῳ, ἢ πάντῃ·
διὸ τῶν μὲν ἔστι μεταξύ, καὶ ἔστιν οὔτε ἀγαθὸς ἄνθρωπος οὔτε
κακός, τῶν δὲ οὐκ ἔστιν, ἀλλ᾿ ἀνάγκη εἶναι ἢ περιττὸν ἢ
25 ἄρτιον. ἔτι τὰ μὲν ἔχει τὸ ὑποκείμενον ὡρισμένον, τὰ δ᾿
οὔ. ὥστε φανερὸν ὅτι ἀεὶ θάτερον τῶν ἐναντίων λέγεται
κατὰ στέρησιν· ἀπόχρη δὲ κἂν τὰ πρῶτα καὶ τὰ γένη τῶν
ἐναντίων, οἷον τὸ ἓν καὶ τὰ πολλά· τὰ γὰρ ἄλλα εἰς ταῦτα
ἀνάγεται.

30 Ἐπεὶ δὲ ἐν ἑνὶ ἐναντίον, ἀπορήσειεν ἄν τις πῶς 5
ἀντίκειται τὸ ἓν καὶ τὰ πολλά, καὶ τὸ ἴσον τῷ μεγάλῳ
καὶ τῷ μικρῷ. εἰ γὰρ τὸ πότερον ἀεὶ ἐν ἀντιθέσει λέγομεν,

ᵇ 13 ἐκ om. EJΓ   14 ἂν Aᵇ et ut vid. Al.: ἄν τις EJΓ
18 θάτερον AᵇAl.: θατέρου EJΓ   21 ἢ ex Al. scripsi: ᾖ codd. Γ
22 ἂν et 24 ᾖ pr. om. Aᵇ   25 ὅτι fort. Al. Bonitz   ὡρισμένον
bis E   30 ἑνί Aᵇ Al.¹: ἐνί ἐστιν EJΓ   32 τῷ om. Aᵇ   εἰ
γὰρ τὸ Aᵇ γρ. E et fort. Al.: τὸ γὰρ EJΓ   λεγόμενον E¹

οἷον πότερον λευκὸν ἢ μέλαν, καὶ πότερον λευκὸν ἢ οὐ λευ-
κόν (πότερον δὲ ἄνθρωπος ἢ λευκὸν οὐ λέγομεν, ἐὰν μὴ ἐξ
ὑποθέσεως καὶ ζητοῦντες οἷον πότερον ἦλθε Κλέων ἢ Σωκρά- 35
της—ἀλλ' οὐκ ἀνάγκη ἐν οὐδενὶ γένει τοῦτο· ἀλλὰ καὶ τοῦτο
ἐκεῖθεν ἐλήλυθεν· τὰ γὰρ ἀντικείμενα μόνα οὐκ ἐνδέχεται
ἅμα ὑπάρχειν, ᾧ καὶ ἐνταῦθα χρῆται ἐν τῷ πότερος ἦλ-
θεν· εἰ γὰρ ἅμα ἐνεδέχετο, γελοῖον τὸ ἐρώτημα· εἰ δέ, καὶ 1056ᵃ
οὕτως ὁμοίως ἐμπίπτει εἰς ἀντίθεσιν, εἰς τὸ ἓν ἢ πολλά,
οἷον πότερον ἀμφότεροι ἦλθον ἢ ἅτερος)·—εἰ δὴ ἐν τοῖς ἀντι-
κειμένοις ἀεὶ τοῦ ποτέρου ἡ ζήτησις, λέγεται δὲ πότερον μεῖ-
ζον ἢ ἔλαττον ἢ ἴσον, τίς ἐστιν ἡ ἀντίθεσις πρὸς ταῦτα τοῦ 5
ἴσου; οὔτε γὰρ θατέρῳ μόνῳ ἐναντίον οὔτ' ἀμφοῖν· τί γὰρ
μᾶλλον τῷ μείζονι ἢ τῷ ἐλάττονι; ἔτι τῷ ἀνίσῳ ἐναντίον
τὸ ἴσον, ὥστε πλείοσιν ἔσται ἢ ἑνί. εἰ δὲ τὸ ἄνισον ση-
μαίνει τὸ αὐτὸ ἅμα ἀμφοῖν, εἴη μὲν ἂν ἀντικείμενον ἀμ-
φοῖν (καὶ ἡ ἀπορία βοηθεῖ τοῖς φάσκουσι τὸ ἄνισον δυάδα 10
εἶναι), ἀλλὰ συμβαίνει ἐν δυοῖν ἐναντίον· ὅπερ ἀδύνατον.
ἔτι τὸ μὲν ἴσον μεταξὺ φαίνεται μεγάλου καὶ μικροῦ, ἐναν-
τίωσις δὲ μεταξὺ οὐδεμία οὔτε φαίνεται οὔτε ἐκ τοῦ ὁρισμοῦ
δυνατόν· οὐ γὰρ ἂν εἴη τελεία μεταξύ τινος οὖσα, ἀλλὰ μᾶλλον
ἔχει ἀεὶ ἑαυτῆς τι μεταξύ. λείπεται δὴ ἢ ὡς ἀπόφασιν ἀντι- 15
κεῖσθαι ἢ ὡς στέρησιν. θατέρου μὲν δὴ οὐκ ἐνδέχεται (τί γὰρ
μᾶλλον τοῦ μεγάλου ἢ μικροῦ;)· ἀμφοῖν ἄρα ἀπόφασις στε-
ρητική, διὸ καὶ πρὸς ἀμφότερα τὸ πότερον λέγεται, πρὸς
δὲ θάτερον οὔ (οἷον πότερον μεῖζον ἢ ἴσον, ἢ πότερον ἴσον ἢ
ἔλαττον), ἀλλ' ἀεὶ τρία. οὐ στέρησις δὲ ἐξ ἀνάγκης· οὐ γὰρ 20
πᾶν ἴσον ὃ μὴ μεῖζον ἢ ἔλαττον, ἀλλ' ἐν οἷς πέφυκεν
ἐκεῖνα.—ἔστι δὴ τὸ ἴσον τὸ μήτε μέγα μήτε μικρόν, πεφυ-
κὸς δὲ ἢ μέγα ἢ μικρὸν εἶναι· καὶ ἀντίκειται ἀμφοῖν ὡς
ἀπόφασις στερητική, διὸ καὶ μεταξύ ἐστιν. καὶ τὸ μήτε
ἀγαθὸν μήτε κακὸν ἀντίκειται ἀμφοῖν, ἀλλ' ἀνώνυμον· 25

ᵇ 35 καὶ an omittendum ?   πότερος Aᵇ   36 οὐ κατ' ἀνάγκην
γρ. E   38 ἐλθεῖν Aᵇ   1056ᵃ 2 ὅμως E   6 μόνον Aᵇ
7 τῷ pr.] ἢ τῷ EJΓ   8 ὥστε] ὥστ' ἐν EJΓ   ἢ ἐν ἑνί E   9 ἅμα
om. Aᵇ et ut vid. Al.   ἀμφοῖν alt.] ἀμφοῖς Aᵇ   10 βοήθεια Aᵇ
13 οὐδεμία om. EJΓ   15 ἀεὶ om. γρ. E   αὕτη Aᵇ   μεταξύ
τινος οὖσα E   21 ὃ μὴ] ἢ Al.ᶜ   22 ἐκεῖνα] εἶναι JΓ   23 ἢ pr.
om. EJΓ Al.ᶜ   24 ἀπόφασις] στέρησις γρ. Al.   25 ἀγαθὸν
μήτε κακὸν Aᵇ et ut vid. Al. : κακὸν μήτε ἀγαθὸν EJΓ

πολλαχῶς γὰρ λέγεται ἑκάτερον καὶ οὐκ ἔστιν ἓν τὸ δεκτι-
κόν, ἀλλὰ μᾶλλον τὸ μήτε λευκὸν μήτε μέλαν. ἐν δὲ
οὐδὲ τοῦτο λέγεται, ἀλλ᾽ ὡρισμένα πως ἐφ᾽ ὧν λέγεται
στερητικῶς ἡ ἀπόφασις αὕτη· ἀνάγκη γὰρ ἢ φαιὸν. ἢ
30 ὠχρὸν εἶναι ἢ τοιοῦτόν τι ἄλλο. ὥστε οὐκ ὀρθῶς ἐπιτι-
μῶσιν οἱ νομίζοντες ὁμοίως λέγεσθαι πάντα, ὥστε ἔσεσθαι
ὑποδήματος καὶ χειρὸς μεταξὺ τὸ μήτε ὑπόδημα μήτε
χεῖρα, ἔπειπερ καὶ τὸ μήτε ἀγαθὸν μήτε κακὸν τοῦ ἀγαθοῦ
καὶ τοῦ κακοῦ, ὡς πάντων ἐσομένου τινὸς μεταξύ. οὐκ ἀνάγ-
35 κη δὲ τοῦτο συμβαίνειν. ἡ μὲν γὰρ ἀντικειμένων συναπό-
φασίς ἐστιν ὧν ἔστι μεταξύ τι καὶ διάστημά τι πέφυκεν
1056ᵇ εἶναι· τῶν δ᾽ οὐκ ἔστι διαφορά· ἐν ἄλλῳ γὰρ γένει ὧν αἱ
συναποφάσεις, ὥστ᾽ οὐχ ἓν τὸ ὑποκείμενον.

Ὁμοίως δὲ καὶ περὶ τοῦ ἑνὸς καὶ τῶν πολλῶν ἀπορή- 6
σειεν ἄν τις. εἰ γὰρ τὰ πολλὰ τῷ ἑνὶ ἁπλῶς ἀντίκειται,
5 συμβαίνει ἔνια ἀδύνατα. τὸ γὰρ ἓν ὀλίγον ἢ ὀλίγα ἔσται·
τὰ γὰρ πολλὰ καὶ τοῖς ὀλίγοις ἀντίκειται. ἔτι τὰ δύο
πολλά, εἴπερ τὸ διπλάσιον πολλαπλάσιον λέγεται δὲ κατὰ
τὰ δύο· ὥστε τὸ ἓν ὀλίγον· πρὸς τί γὰρ πολλὰ τὰ δύο
εἰ μὴ πρὸς ἕν τε καὶ τὸ ὀλίγον; οὐθὲν γάρ ἐστιν ἔλαττον.
10 ἔτι εἰ ὡς ἐν μήκει τὸ μακρὸν καὶ βραχύ, οὕτως ἐν πλήθει
τὸ πολὺ καὶ ὀλίγον, καὶ ὃ ἂν ᾖ πολὺ καὶ πολλά, καὶ
τὰ πολλὰ πολύ (εἰ μή τι ἄρα διαφέρει ἐν συνεχεῖ εὐορί-
στῳ), τὸ ὀλίγον πλῆθός τι ἔσται. ὥστε τὸ ἓν πλῆθός τι,
εἴπερ καὶ ὀλίγον· τοῦτο δ᾽ ἀνάγκη, εἰ τὰ δύο πολλά. ἀλλ᾽
15 ἴσως τὰ πολλὰ λέγεται μέν πως καὶ [τὸ] πολύ, ἀλλ᾽ ὡς
διαφέρον, οἷον ὕδωρ πολύ, πολλὰ δ᾽ οὔ. ἀλλ᾽ ὅσα διαιρετά,
ἐν τούτοις λέγεται, ἕνα μὲν τρόπον ἐὰν ᾖ πλῆθος ἔχον ὑπερο-
χὴν ἢ ἁπλῶς ἢ πρός τι (καὶ τὸ ὀλίγον ὡσαύτως πλῆθος
ἔχον ἔλλειψιν), τὸ δὲ ὡς ἀριθμός, ὃ καὶ ἀντίκειται τῷ ἑνὶ
20 μόνον. οὕτως γὰρ λέγομεν ἓν ἢ πολλά, ὥσπερ εἴ τις εἴποι

ᵃ 28 οὐ EJΓ πως] πως τὰ χρώματα EJΓ Al.ᶜ 30 ἄλλο EJΓ et
ut vid. Al.: ἄλλο ὡρισμένον Aᵇ 31 ἔσεσθαι] λέγεσθαι γρ. E
33 εἴπερ E 34 τοῦ om. Aᵇ 36 ἐστι καὶ ὧν Al. ᵇ 7 κατὰ
EJΓ Al.: καὶ Aᵇ 8 δύο pr.] δύο διπλάσια Aᵇ 9 τε καὶ τὸ ΕΓ,
ut vid. Al., sup. lin. J: τε καὶ πρὸς τὸ Aᵇ 10 εἰ om. AᵇΓ Al.ᶜ
12 ἀορίστῳ γρ. Ε Al. 13 τι alt.] τί ἐστι J: τι ἔσται ΕΓ 15 πως
Aᵇ et ut vid. Al.: ὡς EJΓ τὸ om. Al., secl. Bonitz 18 ἢ pr.
EJΓ Al.ᶜ: om. Aᵇ

ἓν καὶ ἕνα ἢ λευκὸν καὶ λευκά, καὶ τὰ μεμετρημένα πρὸς
τὸ μέτρον [καὶ τὸ μετρητόν]· οὕτως καὶ τὰ πολλαπλάσια
λέγεται· πολλὰ γὰρ ἕκαστος ὁ ἀριθμὸς ὅτι ἕνα καὶ ὅτι με-
τρητὸς ἑνὶ ἕκαστος, καὶ ὡς τὸ ἀντικείμενον τῷ ἑνί, οὐ τῷ
ὀλίγῳ. οὕτω μὲν οὖν ἐστι πολλὰ καὶ τὰ δύο, ὡς δὲ πλῆθος 25
ἔχον ὑπεροχὴν ἢ πρός τι ἢ ἁπλῶς οὐκ ἔστιν, ἀλλὰ πρῶ-
τον. ὀλίγα δ᾽ ἁπλῶς τὰ δύο· πλῆθος γάρ ἐστιν ἔλλειψιν
ἔχον πρῶτον (διὸ καὶ οὐκ ὀρθῶς ἀπέστη Ἀναξαγόρας εἰπὼν
ὅτι ὁμοῦ πάντα χρήματα ἦν ἄπειρα καὶ πλήθει καὶ μικρό-
τητι, ἔδει δ᾽ εἰπεῖν ἀντὶ τοῦ "καὶ μικρότητι" "καὶ ὀλιγότητι"· 30
οὐ γὰρ ἄπειρα), ἐπεὶ τὸ ὀλίγον οὐ διὰ τὸ ἕν, ὥσπερ τινές
φασιν, ἀλλὰ διὰ τὰ δύο.—ἀντίκειται δὴ τὸ ἓν καὶ τὰ
πολλὰ τὰ ἐν ἀριθμοῖς ὡς μέτρον μετρητῷ· ταῦτα δὲ ὡς
τὰ πρός τι, ὅσα μὴ καθ᾽ αὑτὰ τῶν πρός τι. διῄρηται δ᾽
ἡμῖν ἐν ἄλλοις ὅτι διχῶς λέγεται τὰ πρός τι, τὰ μὲν ὡς 35
ἐναντία, τὰ δ᾽ ὡς ἐπιστήμη πρὸς ἐπιστητόν, τῷ λέγεσθαί τι
ἄλλο πρὸς αὐτό. τὸ δὲ ἓν ἔλαττον εἶναι τινός, οἷον τοῖν 1057
δυοῖν, οὐδὲν κωλύει· οὐ γάρ, εἰ ἔλαττον, καὶ ὀλίγον. τὸ δὲ
πλῆθος οἷον γένος ἐστὶ τοῦ ἀριθμοῦ· ἔστι γὰρ ἀριθμὸς πλῆθος
ἑνὶ μετρητόν, καὶ ἀντίκειταί πως τὸ ἓν καὶ ἀριθμός, οὐχ ὡς
ἐναντίον ἀλλ᾽ ὥσπερ εἴρηται τῶν πρός τι ἔνια· ᾗ γὰρ μέ- 5
τρον τὸ δὲ μετρητόν, ταύτῃ ἀντίκειται, διὸ οὐ πᾶν ὃ ἂν ᾖ
ἓν ἀριθμός ἐστιν, οἷον εἴ τι ἀδιαίρετόν ἐστιν. ὁμοίως δὲ λεγο-
μένη ἡ ἐπιστήμη πρὸς τὸ ἐπιστητὸν οὐχ ὁμοίως ἀποδίδωσιν.
δόξειε μὲν γὰρ ἂν μέτρον ἡ ἐπιστήμη εἶναι τὸ δὲ ἐπιστητὸν
τὸ μετρούμενον, συμβαίνει δὲ ἐπιστήμην μὲν πᾶσαν ἐπιστητὸν 10
εἶναι τὸ δὲ ἐπιστητὸν μὴ πᾶν ἐπιστήμην, ὅτι τρόπον τινὰ ἡ
ἐπιστήμη μετρεῖται τῷ ἐπιστητῷ. τὸ δὲ πλῆθος οὔτε τῷ
ὀλίγῳ ἐναντίον—ἀλλὰ τούτῳ μὲν τὸ πολὺ ὡς ὑπερέχον πλῆ-
θος ὑπερεχομένῳ πλήθει—οὔτε τῷ ἑνὶ πάντως· ἀλλὰ τὸ μὲν
ὥσπερ εἴρηται, ὅτι διαιρετὸν τὸ δ᾽ ἀδιαίρετον, τὸ δ᾽ ὡς 15

ᵇ 21 τὰ μεμετρημένα πρὸς secl. Schwegler   τὰ] ὥσπερ τὰ Jaeger
πρὸς . . . 22 μετρητόν] πρὸς . . . μετρητικόν Bywater : καὶ τὸ μετρητὸν
πρὸς τὸ μέτρον ci. Bonitz : καὶ τὸ μετρητὸν secl. Jaeger   23 πολλά·
πολλὰ Aᵇ   ὁ om. recc.   ἓν EJ   27 δ᾽ om. JΓ   28 καὶ om. EJ Al.¹
32 καὶ τὸ πολὺ τὰ ἐν ἀριθμοῖς Al.ᶜ : τοῖς πολλοῖς EJΓ   33 ταῦτα Aᵇ Γ
γρ. E Al.ᶜ : τὰ EJ   34 ὅσα . . . τι EJΓ Al. : om. Aᵇ   1057ᵃ 3 οἷον
ὡς γένος EJ   8 ἢ om. E¹   10 ἐπιστητὸν EJΓ Al. : ἐπιστητὴν
Aᵇ : an ἐπιστητοῦ?   11 an ⟨πρὸς⟩ ἐπιστήμην?   14 μὲν ἓν Aᵇ γρ. E
15 τὸ δ᾽ pr.] τόδ᾽ E   τὸ alt. sup. lin. J   δ᾽ om. J, in marg. E

πρός τι ὥσπερ ἡ ἐπιστήμη ἐπιστητῷ, ἐὰν ᾖ ἀριθμὸς τὸ δ' ἐν μέτρου.

Ἐπεὶ δὲ τῶν ἐναντίων ἐνδέχεται εἶναί τι μεταξὺ καὶ 7 ἐνίων ἔστιν, ἀνάγκη ἐκ τῶν ἐναντίων εἶναι τὰ μεταξύ. πάντα 20 γὰρ τὰ μεταξὺ ἐν τῷ αὐτῷ γένει ἐστὶ καὶ ὧν ἐστι μεταξύ. μεταξὺ μὲν γὰρ ταῦτα λέγομεν εἰς ὅσα μεταβάλλειν ἀνάγκη πρότερον τὸ μεταβάλλον (οἷον ἀπὸ τῆς ὑπάτης ἐπὶ τὴν νήτην εἰ μεταβαίνοι τῷ ὀλιγίστῳ, ἥξει πρότερον εἰς τοὺς μεταξὺ φθόγγους, καὶ ἐν χρώμασιν εἰ [ἥξει] ἐκ τοῦ λευκοῦ 25 εἰς τὸ μέλαν, πρότερον ἥξει εἰς τὸ φοινικοῦν καὶ φαιὸν ἢ εἰς τὸ μέλαν· ὁμοίως δὲ καὶ ἐπὶ τῶν ἄλλων)· μεταβάλλειν δ' ἐξ ἄλλου γένους εἰς ἄλλο γένος οὐκ ἔστιν ἀλλ' ἢ κατὰ συμβεβηκός, οἷον ἐκ χρώματος εἰς σχῆμα. ἀνάγκη ἄρα τὰ μεταξὺ καὶ αὑτοῖς καὶ ὧν μεταξύ εἰσιν ἐν τῷ αὐτῷ γένει 30 εἶναι. ἀλλὰ μὴν πάντα γε τὰ μεταξύ ἐστιν ἀντικειμένων τινῶν· ἐκ τούτων γὰρ μόνων καθ' αὑτὰ ἔστι μεταβάλλειν (διὸ ἀδύνατον εἶναι μεταξὺ μὴ ἀντικειμένων· εἴη γὰρ ἂν μεταβολὴ καὶ μὴ ἐξ ἀντικειμένων). τῶν δ' ἀντικειμένων ἀντιφάσεως μὲν οὐκ ἔστι μεταξύ (τοῦτο γάρ ἐστιν ἀντίφασις, 35 ἀντίθεσις ἧς ὁτῳοῦν θάτερον μόριον πάρεστιν, οὐκ ἐχούσης οὐθὲν μεταξύ), τῶν δὲ λοιπῶν τὰ μὲν πρός τι τὰ δὲ στέρησις τὰ δὲ ἐναντία ἐστίν. τῶν δὲ πρός τι ὅσα μὴ ἐναντία, οὐκ ἔχει μεταξύ· αἴτιον δ' ὅτι οὐκ ἐν τῷ αὐτῷ γένει ἐστίν. τί γὰρ 1057ᵇ ἐπιστήμης καὶ ἐπιστητοῦ μεταξύ; ἀλλὰ μεγάλου καὶ μικροῦ. εἰ δ' ἐστὶν ἐν ταὐτῷ γένει τὰ μεταξύ, ὥσπερ δέδεικται, καὶ μεταξὺ ἐναντίων, ἀνάγκη αὐτὰ συγκεῖσθαι ἐκ τούτων τῶν ἐναντίων. ἢ γὰρ ἔσται τι γένος αὐτῶν ἢ οὐθέν. καὶ εἰ μὲν 5 γένος ἔσται οὕτως ὥστ' εἶναι πρότερόν τι τῶν ἐναντίων, αἱ διαφοραὶ πρότεραι ἐναντίαι ἔσονται αἱ ποιήσουσαι τὰ ἐναντία εἴδη ὡς γένους· ἐκ γὰρ τοῦ γένους καὶ τῶν διαφορῶν τὰ εἴδη (οἷον εἰ τὸ λευκὸν καὶ μέλαν ἐναντία, ἔστι δὲ τὸ μὲν διακριτικὸν χρῶμα τὸ δὲ συγκριτικὸν χρῶμα, αὗται αἱ διαφοραί, 10 τὸ διακριτικὸν καὶ συγκριτικόν, πρότεραι· ὥστε ταῦτα ἐναν-

ᵃ 16 ἐν] ἐν καὶ Al.   18—1059ᵃ 14 om. Al.   18 τι om. Aᵇ
19 τὰ μεταξύ om. Γ   22 πρότερον ἀνάγκη ΕJΓ   23 ὀλιγίστῳ
λόγῳ ΕJΓ   24 ἥξει incl. Christ   29 καὶ αὐτοῖς] αὑτοῖς Aᵇ:
om. Γ   31 μόνον Aᵇ   38 τὰ μεταξύ ΕΓ   ᵇ 5 ἔστιν ci. Bonitz
6 πρότεραι Aᵇ γρ. ΕJΓ: πρότερον Ε γρ. J   ποιήσουσαι scripsi:
ποιήσασαι codd.   8 τὰ ἐναντία ΕJ

τία ἀλλήλοις πρότερα). ἀλλὰ μὴν τά γε ἐναντίως διαφέ-
ροντα μᾶλλον ἐναντία)· καὶ τὰ λοιπὰ καὶ τὰ μεταξὺ ἐκ
τοῦ γένους ἔσται καὶ τῶν διαφορῶν (οἷον ὅσα χρώματα τοῦ
λευκοῦ καὶ μέλανός ἐστι μεταξύ, ταῦτα δεῖ ἔκ τε τοῦ γένους λέ-
γεσθαι—ἔστι δὲ γένος τὸ χρῶμα—καὶ ἐκ διαφορῶν τινῶν· 15
αὗται δὲ οὐκ ἔσονται τὰ πρῶτα ἐναντία· εἰ δὲ μή, ἔσται
ἕκαστον ἢ λευκὸν ἢ μέλαν· ἕτεραι ἄρα· μεταξὺ ἄρα τῶν
πρώτων ἐναντίων αὗται ἔσονται, αἱ πρῶται δὲ διαφοραὶ τὸ
διακριτικὸν καὶ συγκριτικόν)· ὥστε ταῦτα πρῶτα ζητητέον
ὅσα ἐναντία μὴ ἐν γένει, ἐκ τίνος τὰ μεταξὺ αὐτῶν (ἀνάγκη 20
γὰρ τὰ ἐν τῷ αὐτῷ γένει ἐκ τῶν ἀσυνθέτων τῷ γένει συγκεῖ-
σθαι ἢ ἀσύνθετα εἶναι). τὰ μὲν οὖν ἐναντία ἀσύνθετα ἐξ
ἀλλήλων, ὥστε ἀρχαί· τὰ δὲ μεταξὺ ἢ πάντα ἢ οὐθέν. ἐκ
δὲ τῶν ἐναντίων γίγνεταί τι, ὥστ᾽ ἔσται μεταβολὴ εἰς τοῦτο
πρὶν ἢ εἰς αὐτά· ἑκατέρου γὰρ καὶ ἧττον ἔσται καὶ μᾶλλον. 25
μεταξὺ ἄρα ἔσται καὶ τοῦτο τῶν ἐναντίων. καὶ τἆλλα ἄρα
πάντα σύνθετα τὰ μεταξύ· τὸ γὰρ τοῦ μὲν μᾶλλον τοῦ δ᾽
ἧττον σύνθετόν πως ἐξ ἐκείνων ὧν λέγεται εἶναι τοῦ μὲν
μᾶλλον τοῦ δ᾽ ἧττον. ἐπεὶ δ᾽ οὐκ ἔστιν ἕτερα πρότερα ὁμογενῆ
τῶν ἐναντίων, ἅπαντ᾽ ἂν ἐκ τῶν ἐναντίων εἴη τὰ μεταξύ, 30
ὥστε καὶ τὰ κάτω πάντα, καὶ τἀναντία καὶ τὰ μεταξύ,
ἐκ τῶν πρώτων ἐναντίων ἔσονται. ὅτι μὲν οὖν τὰ μεταξὺ ἔν
τε ταὐτῷ γένει πάντα καὶ μεταξὺ ἐναντίων καὶ σύγκειται
ἐκ τῶν ἐναντίων πάντα, δῆλον.

8 Τὸ δ᾽ ἕτερον τῷ εἴδει τινὸς τὶ ἕτερόν ἐστι, καὶ δεῖ τοῦτο 35
ἀμφοῖν ὑπάρχειν· οἷον εἰ ζῷον ἕτερον τῷ εἴδει, ἄμφω ζῷα.
ἀνάγκη ἄρα ἐν γένει τῷ αὐτῷ εἶναι τὰ ἕτερα τῷ εἴδει· τὸ
γὰρ τοιοῦτο γένος καλῶ ὃ ἄμφω ἐν ταὐτὸ λέγεται, μὴ
κατὰ συμβεβηκὸς ἔχον διαφοράν, εἴτε ὡς ὕλη ὂν εἴτε ἄλ- 1058ª
λως. οὐ μόνον γὰρ δεῖ τὸ κοινὸν ὑπάρχειν, οἷον ἄμφω ζῷα,
ἀλλὰ καὶ ἕτερον ἑκατέρῳ τοῦτο αὐτὸ τὸ ζῷον, οἷον τὸ μὲν
ἵππον τὸ δὲ ἄνθρωπον, διὸ τοῦτο τὸ κοινὸν ἕτερον ἀλλήλων
ἐστὶ τῷ εἴδει. ἔσται δὴ καθ᾽ αὑτὰ τὸ μὲν τοιονδὶ ζῷον τὸ δὲ 5
τοιονδί, οἷον τὸ μὲν ἵππος τὸ δ᾽ ἄνθρωπος. ἀνάγκη ἄρα τὴν
διαφορὰν ταύτην ἑτερότητα τοῦ γένους εἶναι. λέγω γὰρ γένους

ᵇ 11 πρότερα Aᵇ γρ. EJΓ: πρότερον E γρ. J   14 τε om. E²Aᵇ
18 δὲ om. γρ. E   29 ἐπεὶ οὖν οὐκ E ᵗ 34 ἅπαντα Aᵇ   37 ἄρα] καὶ Aᵇ
38 ᾧ Aᵇ   1058ª 1 εἴτε alt.] εἴθ᾽ ὡς Aᵇ   4 διὰ recc.   5 αὐτὸ EJ

διαφορὰν ἑτερότητα ἢ ἕτερον ποιεῖ τοῦτο αὐτό. ἐναντίωσις
τοίνυν ἔσται αὕτη (δῆλον δὲ καὶ ἐκ τῆς ἐπαγωγῆς)· πάντα
10 γὰρ διαιρεῖται τοῖς ἀντικειμένοις, καὶ ὅτι τὰ ἐναντία ἐν ταὐτῷ
γένει, δέδεικται· ἡ γὰρ ἐναντιότης ἦν διαφορὰ τελεία, ἡ
δὲ διαφορὰ ἡ εἴδει πᾶσα τινὸς τί, ὥστε τοῦτο τὸ αὐτό τε
καὶ γένος ἐπ᾽ ἀμφοῖν (διὸ καὶ ἐν τῇ αὐτῇ συστοιχίᾳ πάντα
τὰ ἐναντία τῆς κατηγορίας ὅσα εἴδει διάφορα καὶ μὴ γένει,
15 ἕτερά τε ἀλλήλων μάλιστα—τελεία γὰρ ἡ διαφορά—καὶ
ἅμα ἀλλήλοις οὐ γίγνεται). ἡ ἄρα διαφορὰ ἐναντίωσίς ἐστιν.
τοῦτο ἄρα ἐστὶ τὸ ἑτέροις εἶναι τῷ εἴδει, τὸ ἐν ταὐτῷ γένει
ὄντα ἐναντίωσιν ἔχειν ἄτομα ὄντα (ταὐτὰ δὲ τῷ εἴδει ὅσα
μὴ ἔχει ἐναντίωσιν ἄτομα ὄντα)· ἐν γὰρ τῇ διαιρέσει καὶ
20 ἐν τοῖς μεταξὺ γίγνονται ἐναντιώσεις πρὶν εἰς τὰ ἄτομα
ἐλθεῖν· ὥστε φανερὸν ὅτι πρὸς τὸ καλούμενον γένος οὔτε
ταὐτὸν οὔτε ἕτερον τῷ εἴδει οὐθέν ἐστι τῶν ὡς γένους εἰδῶν
(προσηκόντως· ἡ γὰρ ὕλη ἀποφάσει δηλοῦται, τὸ δὲ γένος
ὕλη οὗ λέγεται γένος—μὴ ὡς τὸ τῶν Ἡρακλειδῶν ἀλλ᾽ ὡς τὸ
25 ἐν τῇ φύσει), οὐδὲ πρὸς τὰ μὴ ἐν ταὐτῷ γένει, ἀλλὰ διοίσει
τῷ γένει ἐκείνων, εἴδει δὲ τῶν ἐν ταὐτῷ γένει. ἐναντίωσιν
γὰρ ἀνάγκη εἶναι τὴν διαφορὰν οὗ διαφέρει εἴδει· αὕτη δὲ
ὑπάρχει τοῖς ἐν ταὐτῷ γένει οὖσι μόνοις.

Ἀπορήσειε δ᾽ ἄν τις διὰ τί γυνὴ ἀνδρὸς οὐκ εἴδει δια- 9
30 φέρει, ἐναντίου τοῦ θήλεος καὶ τοῦ ἄρρενος ὄντος τῆς δὲ δια-
φορᾶς ἐναντιώσεως, οὐδὲ ζῷον θῆλυ καὶ ἄρρεν ἕτερον τῷ
εἴδει· καίτοι καθ᾽ αὑτὸ τοῦ ζῴου αὕτη ἡ διαφορὰ καὶ οὐχ ὡς
λευκότης ἢ μελανία ἀλλ᾽ ᾗ ζῷον καὶ τὸ θῆλυ καὶ τὸ ἄρ-
ρεν ὑπάρχει. ἔστι δ᾽ ἡ ἀπορία αὕτη σχεδὸν ἡ αὐτὴ καὶ διὰ
35 τί ἡ μὲν ποιεῖ τῷ εἴδει ἕτερα ἐναντίωσις ἡ δ᾽ οὔ, οἷον τὸ
πεζὸν καὶ τὸ πτερωτόν, λευκότης δὲ καὶ μελανία οὔ. ἢ ὅτι
τὰ μὲν οἰκεῖα πάθη τοῦ γένους τὰ δ᾽ ἧττον; καὶ ἐπειδή ἐστι
1058b τὸ μὲν λόγος τὸ δ᾽ ὕλη, ὅσαι μὲν ἐν τῷ λόγῳ εἰσὶν ἐναν-
τιότητες εἴδει ποιοῦσι διαφοράν, ὅσαι δ᾽ ἐν τῷ συνειλημμένῳ

ᵃ9 καὶ om. Aᵇ   12 εἴδει πᾶσα] τέλειος γρ. E   17 ἄρα] γάρ ΕJΓ
18 ταὐτὰ . . . 19 ὄντα in marg. E¹   ταῦτα J   21 καλούμενον] κα-
λούμενον ὂν Aᵇ : καθόλου ὂν vel κατηγορούμενον ci. Bonitz   23 προση-
κόντων JΓ   24 οὗ] ὃ Aᵇ γρ. ΕJΓ   26 ἐκεῖνα . . . τὰ Aⁱ
27 οὐ Ε¹Γ   διαφέρειν Ε¹JΓ   29 ἀνδρὸς γυνὴ AᵇΓ   32 καθ᾽
αὑτὰ Aᵇ   ὡς] ὡς ἡ Aᵇ   36 τὸ om. Aᵇ   37 καὶ om. Ε¹JΓ :
ἢ E²

τῇ ὕλῃ οὐ ποιοῦσιν. διὸ ἀνθρώπου λευκότης οὐ ποιεῖ οὐδὲ με
λανία, οὐδὲ τοῦ λευκοῦ ἀνθρώπου ἔστι διαφορὰ κατ᾽ εἶδος πρὸς
μέλανα ἄνθρωπον, οὐδ᾽ ἂν ὄνομα ἓν τεθῇ. ὡς ὕλη γὰρ ὁ 5
ἄνθρωπος, οὐ ποιεῖ δὲ διαφορὰν ἡ ὕλη· οὐδ᾽ ἀνθρώπου γὰρ
εἴδη εἰσὶν οἱ ἄνθρωποι διὰ τοῦτο, καίτοι ἔτεραι αἱ σάρκες καὶ
τὰ ὀστᾶ ἐξ ὧν ὅδε καὶ ὅδε· ἀλλὰ τὸ σύνολον ἕτερον μέν, εἴδει
δ᾽ οὐχ ἕτερον, ὅτι ἐν τῷ λόγῳ οὐκ ἔστιν ἐναντίωσις. τοῦτο δ᾽
ἐστὶ τὸ ἔσχατον ἄτομον· ὁ δὲ Καλλίας ἐστὶν ὁ λόγος μετὰ 10
τῆς ὕλης· καὶ ὁ λευκὸς δὴ ἄνθρωπος, ὅτι Καλλίας λευκός·
κατὰ συμβεβηκὸς οὖν ὁ ἄνθρωπος. οὐδὲ χαλκοῦς δὴ κύκλος
καὶ ξύλινος· οὐδὲ τρίγωνον χαλκοῦν καὶ κύκλος ξύλινος,
οὐ διὰ τὴν ὕλην εἴδει διαφέρουσιν ἀλλ᾽ ὅτι ἐν τῷ λόγῳ
ἔνεστιν ἐναντίωσις. πότερον δ᾽ ἡ ὕλη οὐ ποιεῖ ἕτερα τῷ εἴδει, 15
οὖσά πως ἑτέρα, ἢ ἔστιν ὡς ποιεῖ; διὰ τί γὰρ ὁδὶ ὁ ἵππος
τουδὶ ⟨τοῦ⟩ ἀνθρώπου ἕτερος τῷ εἴδει; καίτοι σὺν τῇ ὕλῃ
οἱ λόγοι αὐτῶν. ἢ ὅτι ἔνεστιν ἐν τῷ λόγῳ ἐναντίωσις; καὶ
γὰρ τοῦ λευκοῦ ἀνθρώπου καὶ μέλανος ἵππου, καὶ ἔστι γε
εἴδει, ἀλλ᾽ οὐχ ᾗ ὁ μὲν λευκὸς ὁ δὲ μέλας, ἐπεὶ καὶ εἰ ἄμφω 20
λευκὰ ἦν, ὅμως ἂν ἦν εἴδει ἕτερα. τὸ δὲ ἄρρεν καὶ θῆλυ
τοῦ ζῴου οἰκεῖα μὲν πάθη, ἀλλ᾽ οὐ κατὰ τὴν οὐσίαν ἀλλ᾽ ἐν
τῇ ὕλῃ καὶ τῷ σώματι, διὸ τὸ αὐτὸ σπέρμα θῆλυ ἢ ἄρρεν
γίγνεται παθόν τι πάθος. τί μὲν οὖν ἐστὶ τὸ τῷ εἴδει ἕτερον
εἶναι, καὶ διὰ τί τὰ μὲν διαφέρει εἴδει τὰ δ᾽ οὔ, εἴρηται. 25

10 Ἐπειδὴ δὲ τὰ ἐναντία ἕτερα τῷ εἴδει, τὸ δὲ φθαρτὸν
καὶ τὸ ἄφθαρτον ἐναντία (στέρησις γὰρ ἀδυναμία διωρι
σμένη), ἀνάγκη ἕτερον εἶναι τῷ γένει τὸ φθαρτὸν καὶ τὸ
ἄφθαρτον. νῦν μὲν οὖν ἐπ᾽ αὐτῶν εἰρήκαμεν τῶν καθόλου
ὀνομάτων, ὥστε δόξειεν ἂν οὐκ ἀναγκαῖον εἶναι ὁτιοῦν ἄφθαρ- 30
τον καὶ φθαρτὸν ἕτερα εἶναι τῷ εἴδει, ὥσπερ οὐδὲ λευκὸν
καὶ μέλαν (τὸ γὰρ αὐτὸ ἐνδέχεται εἶναι, καὶ ἅμα, ἐὰν ᾖ
τῶν καθόλου, ὥσπερ ὁ ἄνθρωπος εἴη ἂν καὶ λευκὸς καὶ μέ-

ᵇ 6 οὐδ᾽ J : οὐκ E : οὐδὲν Aᵇ   7 εἴδη] ὕλη Aᵇ   10 τὸ om.
EJ   12 ἄνθρωπος λευκός EJΓ   οὐδ᾽ ὁ E (o sup. lin.) J
13 ξύλινος] ξύλινον τρίγωνον ci. Bonitz   15 δ᾽ ὕλῃ J   οὐ sup.
lin. E   16 οὖσ᾽ ἁπλῶς E²   ἑτέρα om. E¹JΓ   ὅδε Aᵇ   17 τοῦ
addidi   19 μέλανος om. Aᵇ   21 ὁμοίως E¹   24 τί ὅτι
E²   26 δὲ alt. E²J : om. E¹Aᵇ   27 τὸ om. Aᵇ   28 τῷ
εἴδει ci. Bonitz   τὸ alt. om. Aᵇ   30 ὥστε γρ. E recc. : ὡς δὲ
EJAᵇΓ   δείξειεν J

λας, καὶ τῶν καθ᾽ ἕκαστον· εἴη γὰρ ἄν, μὴ ἅμα, ὁ αὐτὸς
35 λευκὸς καὶ μέλας· καίτοι ἐναντίον τὸ λευκὸν τῷ μέλανι)·
ἀλλὰ τῶν ἐναντίων τὰ μὲν κατὰ συμβεβηκὸς ὑπάρχει
ἐνίοις, οἷον καὶ τὰ νῦν εἰρημένα καὶ ἄλλα πολλά, τὰ δὲ
1059ᵃ ἀδύνατον, ὧν ἐστι καὶ τὸ φθαρτὸν καὶ τὸ ἄφθαρτον· οὐδὲν
γάρ ἐστι φθαρτὸν κατὰ συμβεβηκός· τὸ μὲν γὰρ συμβεβη-
κὸς ἐνδέχεται μὴ ὑπάρχειν, τὸ δὲ φθαρτὸν τῶν ἐξ ἀνάγκης
ὑπαρχόντων ἐστὶν οἷς ὑπάρχει· ἢ ἔσται τὸ αὐτὸ καὶ ἐν φθαρ-
5 τὸν καὶ ἄφθαρτον, εἰ ἐνδέχεται μὴ ὑπάρχειν αὐτῷ τὸ
φθαρτόν. ἢ τὴν οὐσίαν ἄρα ἢ ἐν τῇ οὐσίᾳ ἀνάγκη ὑπάρχειν
τὸ φθαρτὸν ἑκάστῳ τῶν φθαρτῶν. ὁ δ᾽ αὐτὸς λόγος καὶ
περὶ τοῦ ἀφθάρτου· τῶν γὰρ ἐξ ἀνάγκης ὑπαρχόντων ἄμφω.
ᾗ ἄρα καὶ καθ᾽ ὃ πρῶτον τὸ μὲν φθαστὸν τὸ δ᾽ ἄφθαρτον,
10 ἔχει ἀντίθεσιν, ὥστε ἀνάγκη γένει ἕτερα εἶναι. φανερὸν τοί-
νυν ὅτι οὐκ ἐνδέχεται εἶναι εἴδη τοιαῦτα οἷα λέγουσί τινες·
ἔσται γὰρ καὶ ἄνθρωπος ὁ μὲν φθαρτὸς ὁ δ᾽ ἄφθαρτος.
καίτοι τῷ εἴδει ταὐτὰ λέγεται εἶναι τὰ εἴδη τοῖς τισὶ καὶ
οὐχ ὁμώνυμα· τὰ δὲ γένει ἕτερα πλεῖον διέστηκεν ἢ τὰ εἴδει.
15

Κ

Ὅτι μὲν ἡ σοφία περὶ ἀρχὰς ἐπιστήμη τίς ἐστι, δῆλον
ἐκ τῶν πρώτων ἐν οἷς διηπόρηται πρὸς τὰ ὑπὸ τῶν ἄλλων
20 εἰρημένα περὶ τῶν ἀρχῶν· ἀπορήσειε δ᾽ ἄν τις πότερον μίαν
ὑπολαβεῖν εἶναι δεῖ τὴν σοφίαν ἐπιστήμην ἢ πολλάς· εἰ μὲν
γὰρ μίαν, μία γ᾽ ἐστὶν ἀεὶ τῶν ἐναντίων, αἱ δ᾽ ἀρχαὶ οὐκ
ἐναντίαι· εἰ δὲ μὴ μία, ποίας δεῖ θεῖναι ταύτας; ἔτι τὰς
ἀποδεικτικὰς ἀρχὰς θεωρῆσαι μιᾶς ἢ πλειόνων; εἰ μὲν γὰρ
25 μιᾶς, τί μᾶλλον ταύτης ἢ ὁποιασοῦν; εἰ δὲ πλειόνων, ποίας
δεῖ ταύτας τιθέναι; ἔτι πότερον πασῶν τῶν οὐσιῶν ἢ οὔ; εἰ
μὲν γὰρ μὴ πασῶν, ποίων χαλεπὸν ἀποδοῦναι· εἰ δὲ πα-

1059ᵃ 20-23, cf. Β. 996ᵃ 18-ᵇ 26   23-26, cf. 996ᵇ 26 —
997ᵃ 15   26-29, cf. 997ᵃ 15-25

1059ᵃ 4 καὶ om. Aᵇ   7 ὁ αὐτὸς δὲ Aᵇ   9 ᾗ Aᵇ   καθ᾽ ὃ
Bonitz : καθὸ codd.   12 καὶ om. ΕJΓ   13 τοῖς τισὶ om. Γ
14 εἴδει] εἴδει ὅτι δὲ ἡ σοφία περὶ ἀρχὰς ἐπιστήμη Aᵇ   18 ἐπιστήμης
Γ   τίς Aᵇ Al. : om. ΕJΓ   22 γ᾽] δ᾽ ΕJΓ   23 μίαν Γi
26 τιθέναι Aᵇ Al. : θεῖναι ΕJ

σῶν μία, ἄδηλον πῶς ἐνδέχεται πλειόνων τὴν αὐτὴν ἐπι-
στήμην εἶναι. ἔτι πότερον περὶ τὰς οὐσίας μόνον ἢ καὶ τὰ
συμβεβηκότα [ἀπόδειξίς ἐστιν]· εἰ γὰρ περί γε τὰ συμβεβη- 30
κότα ἀπόδειξίς ἐστιν, περὶ τὰς οὐσίας οὐκ ἔστιν· εἰ δ' ἑτέρα,
τίς ἑκατέρα καὶ ποτέρα σοφία; ἢ μὲν γὰρ ἀποδεικτική, σο-
φία ἡ περὶ τὰ συμβεβηκότα· ἢ δὲ περὶ τὰ πρῶτα, ἡ τῶν
οὐσιῶν. ἀλλ' οὐδὲ περὶ τὰς ἐν τοῖς φυσικοῖς εἰρημένας αἰτίας
τὴν ἐπιζητουμένην ἐπιστήμην θετέον· οὔτε γὰρ περὶ τὸ οὗ ἕνεκεν 35
(τοιοῦτον γὰρ τὸ ἀγαθόν, τοῦτο δ' ἐν τοῖς πρακτοῖς ὑπάρχει καὶ
τοῖς οὖσιν ἐν κινήσει· καὶ τοῦτο πρῶτον κινεῖ—τοιοῦτον γὰρ τὸ
τέλος—τὸ δὲ πρῶτον κινῆσαν οὐκ ἔστιν ἐν τοῖς ἀκινήτοις)· ὅλως
δ' ἀπορίαν ἔχει πότερόν ποτε περὶ τὰς αἰσθητὰς οὐσίας ἐστὶν
ἡ ζητουμένη νῦν ἐπιστήμη ἢ οὔ, περὶ δέ τινας ἑτέρας. εἰ γὰρ 1059ᵇ
περὶ ἄλλας, ἢ περὶ τὰ εἴδη εἴη ἂν ἢ περὶ τὰ μαθηματικά.
τὰ μὲν οὖν εἴδη ὅτι οὐκ ἔστι, δῆλον (ὅμως δὲ ἀπορίαν ἔχει,
κἂν εἶναί τις αὐτὰ θῇ, διὰ τί ποτ' οὐχ ὥσπερ ἐπὶ τῶν μαθη-
ματικῶν, οὕτως ἔχει καὶ ἐπὶ τῶν ἄλλων ὧν ἔστιν εἴδη· 5
λέγω δ' ὅτι τὰ μαθηματικὰ μὲν μεταξύ τε τῶν εἰδῶν τι-
θέασι καὶ τῶν αἰσθητῶν οἷον τρίτα τινὰ παρὰ τὰ εἴδη τε
καὶ τὰ δεῦρο, τρίτος δ' ἄνθρωπος οὐκ ἔστιν οὐδ' ἵππος παρ'
αὐτόν τε καὶ τοὺς καθ' ἕκαστον· εἰ δ' αὖ μὴ ἔστιν ὡς λέγουσι,
περὶ ποῖα θετέον πραγματεύεσθαι τὸν μαθηματικόν; οὐ γὰρ 10
δὴ περὶ τὰ δεῦρο· τούτων γὰρ οὐθέν ἐστιν οἷον αἱ μαθηματι-
καὶ ζητοῦσι τῶν ἐπιστημῶν)· οὐδὲ μὴν περὶ τὰ μαθηματικὰ
ἡ ζητουμένη νῦν ἐστιν ἐπιστήμη (χωριστὸν γὰρ αὐτῶν οὐθέν)·
ἀλλ' οὐδὲ τῶν αἰσθητῶν οὐσιῶν· φθαρταὶ γάρ. ὅλως δ' ἀπο-
ρήσειέ τις ἂν ποίας ἐστὶν ἐπιστήμης τὸ διαπορῆσαι περὶ τῆς 15

1059ᵃ 2y–34, cf. 997ᵃ 25–34   34–38, cf. 996ᵃ 21 – ᵇ 1   38 –
ᵇ 14, cf. 997ᵃ 34 — 998ᵃ 19

ᵃ 28 αὐτὴν in marg. E   30 ἀπόδειξίς ἐστιν EJΓ Al. : om. Aᵇ
γε om. EJ   32 ἢ Luthe (cf. 996ᵇ 10) : ἡ codd. ΓAl.   σοφία
incl. Christ   33 ἡ om Aᵇ Al.   ἢ Luthe : ἡ codd. ΓAl.
34 ἀλλ' ... 38 ἀκινήτοις susp. Bonitz   35 ἐπιζητουμένην Aᵇ Al. :
ζητουμένην EJ   οὔτε codd. Al. : οὐδὲ ci. Bonitz   τὸ οὗ ἕνεκεν]
τοῦ ἕνεκέν τινος Aᵇ : τὸ ἕνεκά τινος Al. : τὸ ἕνεκεν τινος Eucken
36 πρακτικοῖς Aᵇ   37 καὶ ... κινεῖ in marg. J   ᵇ 1 οὔ, καὶ
περὶ Γ   2 εἴη ἂν ἡ ... 3 εἴδη om. J, ἢ ἂν ἡ ... εἴδη in marg. habet :
ἢ εἰ ὡς περὶ τὰ μαθηματικά· τὰ μὲν γὰρ εἴδη Γ   3 διότι Aᵇ   ὅλως
Aᵇ   6 τε om. EJ   9 ἕκαστα E²   11–12 ζητοῦσιν αἱ
μαθηματικαὶ Aᵇ   15 ἂν om. E¹

τῶν μαθηματικῶν ὕλης. οὔτε γὰρ τῆς φυσικῆς, διὰ τὸ περὶ
τὰ ἔχοντα ἐν αὐτοῖς ἀρχὴν κινήσεως καὶ στάσεως τὴν τοῦ
φυσικοῦ πᾶσαν εἶναι πραγματείαν, οὐδὲ μὴν τῆς σκοπούσης
περὶ ἀποδείξεώς τε καὶ ἐπιστήμης· περὶ γὰρ αὐτὸ τοῦτο τὸ
20 γένος τὴν ζήτησιν ποιεῖται. λείπεται τοίνυν τὴν προκειμένην
φιλοσοφίαν περὶ αὐτῶν τὴν σκέψιν ποιεῖσθαι. διαπορήσειε
δ᾽ ἄν τις εἰ δεῖ θεῖναι τὴν ζητουμένην ἐπιστήμην περὶ τὰς
ἀρχάς, τὰ καλούμενα ὑπό τινων στοιχεῖα· ταῦτα δὲ πάντες
ἐνυπάρχοντα τοῖς συνθέτοις τιθέασιν. μᾶλλον δ᾽ ἂν δόξειε
25 τῶν καθόλου δεῖν εἶναι τὴν ζητουμένην ἐπιστήμην· πᾶς γὰρ
λόγος καὶ πᾶσα ἐπιστήμη τῶν καθόλου καὶ οὐ τῶν ἐσχάτων,
ὥστ᾽ εἴη ἂν οὕτω τῶν πρώτων γενῶν. ταῦτα δὲ γίγνοιτ᾽ ἂν
τό τε ὂν καὶ τὸ ἕν· ταῦτα γὰρ μάλιστ᾽ ἂν ὑποληφθείη
περιέχειν τὰ ὄντα πάντα καὶ μάλιστα ἀρχαῖς ἐοικέναι διὰ
30 τὸ εἶναι πρῶτα τῇ φύσει· φθαρέντων γὰρ αὐτῶν συναναι-
ρεῖται καὶ τὰ λοιπά· πᾶν γὰρ ὂν καὶ ἕν. ᾗ δὲ τὰς δια-
φορὰς αὐτῶν ἀνάγκη μετέχειν εἰ θήσει τις αὐτὰ γένη,
διαφορὰ δ᾽ οὐδεμία τοῦ γένους μετέχει, ταύτῃ δ᾽ οὐκ ἂν δό-
ξειε δεῖν αὐτὰ τιθέναι γένη οὐδ᾽ ἀρχάς. ἔτι δ᾽ εἰ μᾶλλον
35 ἀρχὴ τὸ ἁπλούστερον τοῦ ἧττον τοιούτου, τὰ δ᾽ ἔσχατα τῶν
ἐκ τοῦ γένους ἁπλούστερα τῶν γενῶν (ἄτομα γάρ, τὰ γένη
δ᾽ εἰς εἴδη πλείω καὶ διαφέροντα διαιρεῖται), μᾶλλον ἂν
ἀρχὴ δόξειεν εἶναι τὰ εἴδη τῶν γενῶν. ᾗ δὲ συναναιρεῖται
τοῖς γένεσι τὰ εἴδη, τὰ γένη ταῖς ἀρχαῖς ἔοικε μᾶλλον·
1060ᵃ ἀρχὴ γὰρ τὸ συναναιροῦν. τὰ μὲν οὖν τὴν ἀπορίαν ἔχοντα
ταῦτα καὶ τοιαῦτ᾽ ἐστὶν ἕτερα.

Ἔτι πότερον δεῖ τιθέναι τι παρὰ τὰ καθ᾽ ἕκαστα ἢ οὔ, 2
ἀλλὰ τούτων ἡ ζητουμένη ἐπιστήμη; ἀλλὰ ταῦτα ἄπειρα·
5 τά γε μὴν παρὰ τὰ καθ᾽ ἕκαστα γένη ἢ εἴδη ἐστίν, ἀλλ᾽
οὐδετέρου τούτων ἡ ζητουμένη νῦν ἐπιστήμη. διότι γὰρ ἀδύ-
νατον τοῦτο, εἴρηται. καὶ γὰρ ὅλως ἀπορίαν ἔχει πότερον

1059ᵇ 21 — 1060ᵃ 1, cf. 998ᵃ 20 — 999ᵃ 23   1060ᵃ 3-27, cf. 999ᵃ
24 – ᵇ 24

ᵇ 17 αὐτοῖς Γ   23 τὰς καλουμένας Ε²   27 γίγνοιντ᾽ Ε
29 ἀρχὰς Γ   31 πᾶν Αᵇ et ut vid. Al.: πάντα ΕJΓ   32 εἰ ...
33 μετέχει bis Ε   33 γ᾽ οὐκ ci. Christ   37 εἴδη om. Ε   38 συναι-
ρεῖται Αᵇ: συναναιρεῖ τι J   1060ᵃ 4 ἄπειρα] φθαρτά Al.   6 διότι
Αᵇ Al.ᵒ: διὰ τί Γ: δι᾽ ὃ ΕJ

δεῖ τινὰ ὑπολαβεῖν οὐσίαν εἶναι χωριστὴν παρὰ τὰς αἰσθητὰς
οὐσίας καὶ τὰς δεῦρο, ἢ οὔ, ἀλλὰ ταῦτ' εἶναι τὰ ὄντα καὶ
περὶ ταῦτα τὴν σοφίαν ὑπάρχειν. ζητεῖν μὲν γὰρ ἐοίκαμεν 10
ἄλλην τινά, καὶ τὸ προκείμενον τοῦτ' ἔστιν ἡμῖν, λέγω δὲ
τὸ ἰδεῖν εἴ τι χωριστὸν καθ' αὑτὸ καὶ μηδενὶ τῶν αἰσθητῶν
ὑπάρχον. ἔτι δ' εἰ παρὰ τὰς αἰσθητὰς οὐσίας ἔστι τις ἑτέρα
οὐσία, παρὰ ποίας τῶν αἰσθητῶν δεῖ τιθέναι ταύτην εἶναι;
τί γὰρ μᾶλλον παρὰ τοὺς ἀνθρώπους ἢ τοὺς ἵππους ἢ τῶν 15
ἄλλων ζῴων θήσει τις αὐτὴν ἢ καὶ τῶν ἀψύχων ὅλως; τό
γε μὴν ἴσας ταῖς αἰσθηταῖς καὶ φθαρταῖς οὐσίαις ἀϊδίους
ἑτέρας κατασκευάζειν ἐκτὸς τῶν εὐλόγων δόξειεν ἂν πίπτειν.
εἰ δὲ μὴ χωριστὴ τῶν σωμάτων ἡ ζητουμένη νῦν ἀρχή,
τίνα ἄν τις ἄλλην θείη μᾶλλον τῆς ὕλης; αὕτη γε μὴν 20
ἐνεργείᾳ μὲν οὐκ ἔστι, δυνάμει δ' ἔστιν. μᾶλλόν τ' ἂν ἀρχὴ
κυριωτέρα ταύτης δόξειεν εἶναι τὸ εἶδος καὶ ἡ μορφή· τοῦτο
δὲ φθαρτόν, ὥσθ' ὅλως οὐκ ἔστιν ἀΐδιος οὐσία χωριστὴ καὶ
καθ' αὑτήν. ἀλλ' ἄτοπον· ἔοικε γὰρ καὶ ζητεῖται σχεδὸν
ὑπὸ τῶν χαριεστάτων ὡς οὖσά τις ἀρχὴ καὶ οὐσία τοιαύτη· 25
πῶς γὰρ ἔσται τάξις μή τινος ὄντος ἀϊδίου καὶ χωριστοῦ καὶ
μένοντος; ἔτι δ' εἴπερ ἔστι τις οὐσία καὶ ἀρχὴ τοιαύτη τὴν
φύσιν οἵαν νῦν ζητοῦμεν, καὶ αὕτη μία πάντων καὶ ἡ αὐτὴ
τῶν ἀϊδίων τε καὶ φθαρτῶν, ἀπορίαν ἔχει διὰ τί ποτε τῆς
αὐτῆς ἀρχῆς οὔσης τὰ μέν ἐστιν ἀΐδια τῶν ὑπὸ τὴν ἀρχὴν 30
τὰ δ' οὐκ ἀΐδια (τοῦτο γὰρ ἄτοπον)· εἰ δ' ἄλλη μέν ἐστιν
ἀρχὴ τῶν φθαρτῶν ἄλλη δὲ τῶν ἀϊδίων, εἰ μὲν ἀΐδιος καὶ
ἡ τῶν φθαρτῶν, ὁμοίως ἀπορήσομεν (διὰ τί γὰρ οὐκ ἀϊδίου
τῆς ἀρχῆς οὔσης καὶ τὰ ὑπὸ τὴν ἀρχὴν ἀΐδια;)· φθαρτῆς δ'
οὔσης ἄλλη τις ἀρχὴ γίγνεται ταύτης κἀκείνης ἑτέρα, καὶ 35
τοῦτ' εἰς ἄπειρον πρόεισιν. εἰ δ' αὖ τις τὰς δοκούσας μάλιστ'
ἀρχὰς ἀκινήτους εἶναι, τό τε ὂν καὶ τὸ ἕν, θήσει, πρῶτον
μὲν εἰ μὴ τόδε τι καὶ οὐσίαν ἑκάτερον αὐτῶν σημαίνει, πῶς 1060ᵇ
ἔσονται χωρισταὶ καὶ καθ' αὑτάς; τοιαύτας δὲ ζητοῦμεν τὰς

1060ᵃ 27-36, cf. 1000ᵃ 5 — 1001ᵃ 3   36 - ᵇ 19, cf. 1001ᵃ 4 —
1002ᵇ 11

ᵃ 12 δεῖν Aᵇ   17 οὐσίας Christ   19 νῦν ἐστιν ἀρχή EJΓ
20 ἄλλην τις AᵇΓ   μᾶλλον θείη Aᵇ   26 καὶ alt. om. E   28 ἡ
αὐτὴ] αὕτη Aᵇ   31 οὐκ ἀΐδια] οὔ. καὶ Aᵇ   33 ἀΐδια Aᵇ
34 ἀρχὴν ἀΐδια JΓ: ἀρχὴν οὐκ ἀΐδια E : ἀΐδιον Aᵇ

ἀϊδίους τε καὶ πρώτας ἀρχάς. εἴ γε μὴν τόδε τι καὶ οὐσίαν
ἑκάτερον αὐτῶν δηλοῖ, πάντ᾽ ἐστὶν οὐσίαι τὰ ὄντα· κατὰ
5 πάντων γὰρ τὸ ὂν κατηγορεῖται (κατ᾽ ἐνίων δὲ καὶ τὸ ἕν).
οὐσίαν δ᾽ εἶναι πάντα τὰ ὄντα ψεῦδος. ἔτι δὲ τοῖς τὴν πρώ-
την ἀρχὴν τὸ ἓν λέγουσι καὶ τοῦτ᾽ οὐσίαν, ἐκ δὲ τοῦ ἑνὸς καὶ
τῆς ὕλης τὸν ἀριθμὸν γεννῶσι πρῶτον καὶ τοῦτον οὐσίαν
φάσκουσιν εἶναι, πῶς ἐνδέχεται τὸ λεγόμενον ἀληθὲς εἶναι;
10 τὴν γὰρ δυάδα καὶ τῶν λοιπῶν ἕκαστον ἀριθμῶν τῶν συν-
θέτων πῶς ἓν δεῖ νοῆσαι; περὶ τούτου γὰρ οὔτε λέγουσιν οὐδὲν
οὔτε ῥᾴδιον εἰπεῖν. εἴ γε μὴν γραμμὰς ἢ τὰ τούτων ἐχόμενα
(λέγω δὲ ἐπιφανείας τὰς πρώτας) θήσει τις ἀρχάς, ταῦτά
γ᾽ οὐκ εἰσὶν οὐσίαι χωρισταί, τομαὶ δὲ καὶ διαιρέσεις αἱ μὲν
15 ἐπιφανειῶν αἱ δὲ σωμάτων (αἱ δὲ στιγμαὶ γραμμῶν), ἔτι
δὲ πέρατα τῶν αὐτῶν τούτων· πάντα δὲ ταῦτα ἐν ἄλλοις
ὑπάρχει καὶ χωριστὸν οὐδέν ἐστιν. ἔτι πῶς οὐσίαν ὑπολαβεῖν
εἶναι δεῖ τοῦ ἑνὸς καὶ στιγμῆς; οὐσίας μὲν γὰρ πάσης γένεσις
ἔστι, στιγμῆς δ᾽ οὐκ ἔστιν· διαίρεσις γὰρ ἡ στιγμή. παρέχει
20 δ᾽ ἀπορίαν καὶ τὸ πᾶσαν μὲν ἐπιστήμην εἶναι τῶν καθόλου
καὶ τοῦ τοιουδί, τὴν δ᾽ οὐσίαν μὴ τῶν καθόλου εἶναι, μᾶλλον
δὲ τόδε τι καὶ χωριστόν, ὥστ᾽ εἰ περὶ τὰς ἀρχάς ἐστιν ἐπι-
στήμη, πῶς δεῖ τὴν ἀρχὴν ὑπολαβεῖν οὐσίαν εἶναι; ἔτι πό-
τερον ἔστι τι παρὰ τὸ σύνολον ἢ οὔ (λέγω δὲ τὴν ὕλην καὶ
25 τὸ μετὰ ταύτης); εἰ μὲν γὰρ μή, τά γε ἐν ὕλῃ φθαρτὰ
πάντα· εἰ δ᾽ ἔστι τι, τὸ εἶδος ἂν εἴη καὶ ἡ μορφή· τοῦτ᾽
οὖν ἐπὶ τίνων ἔστι καὶ ἐπὶ τίνων οὔ, χαλεπὸν ἀφορίσαι· ἐπ᾽
ἐνίων γὰρ δῆλον οὐκ ὂν χωριστὸν τὸ εἶδος, οἷον οἰκίας. ἔτι
πότερον αἱ ἀρχαὶ εἴδει ἢ ἀριθμῷ αἱ αὐταί; εἰ γὰρ ἀριθμῷ
30 ἕν, πάντ᾽ ἔσται ταὐτά.

Ἐπεὶ δ᾽ ἐστὶν ἡ τοῦ φιλοσόφου ἐπιστήμη τοῦ ὄντος ᾗ ὄν 3

1060ᵇ 19-23, cf. 1003ᵃ 5-17   23-28, cf. 999ᵃ 24-ᵇ 24
28-30, cf. 999ᵇ 24 — 1000ᵃ 4   Cap. 3, cf. Γ. 1, 2

ᵇ 3 τε om. Aᵇ   οὐσίαν καὶ τόδε τι Aᵇ   4 εἰσὶν Aᵇ : ἔσται ex Al.
ci. Bonitz   οὐσία JΓ   8 τῶν E¹   10 ἀριθμὸν E¹JΓ
14 γ᾽ γρ. J : δ᾽ EJΓ : γὰρ Aᵇ   μὲν γὰρ Aᵇ   16 ἅπαντα Aᵇ
21 τοιουδί AᵇAl. : τοιοῦδε J : τοιοῦ δέ E   δ᾽ om. Aᵇ   28 οὐκ
ὄν] κἂν Aᵇ   29 ἢ om. J   30 ἕν AᵇAl. : om. EJΓ   ταῦτα
Aᵇ : τοιαῦτα E : om. ut vid. Al.

καθόλου καὶ οὐ κατὰ μέρος, τὸ δ' ὂν πολλαχῶς καὶ οὐ
καθ' ἕνα λέγεται τρόπον· εἰ μὲν οὖν ὁμωνύμως κατὰ δὲ
κοινὸν μηδέν, οὐκ ἔστιν ὑπὸ μίαν ἐπιστήμην (οὐ γὰρ ἓν γένος
τῶν τοιούτων), εἰ δὲ κατά τι κοινόν, εἴη ἂν ὑπὸ μίαν ἐπιστή- 35
μην. ἔοικε δὴ τὸν εἰρημένον λέγεσθαι τρόπον καθάπερ τό
τε ἰατρικὸν καὶ ὑγιεινόν· καὶ γὰρ τούτων ἑκάτερον πολλα-
χῶς λέγομεν. λέγεται δὲ τοῦτον τὸν τρόπον ἕκαστον τῷ τὸ 1061ᵃ
μὲν πρὸς τὴν ἰατρικὴν ἐπιστήμην ἀνάγεσθαί πως τὸ δὲ πρὸς
ὑγίειαν τὸ δ' ἄλλως, πρὸς ταὐτὸ δ' ἕκαστον. ἰατρικὸς γὰρ
λόγος καὶ μαχαίριον λέγεται τῷ τὸ μὲν ἀπὸ τῆς ἰατρικῆς
ἐπιστήμης εἶναι τὸ δὲ ταύτῃ χρήσιμον. ὁμοίως δὲ καὶ 5
ὑγιεινόν· τὸ μὲν γὰρ ὅτι σημαντικὸν ὑγιείας τὸ δ' ὅτι ποιη-
τικόν. ὁ δ' αὐτὸς τρόπος καὶ ἐπὶ τῶν λοιπῶν. τὸν αὐτὸν
δὴ τρόπον καὶ τὸ ὂν ἅπαν λέγεται· τῷ γὰρ τοῦ ὄντος ᾗ ὂν
πάθος ἢ ἕξις ἢ διάθεσις ἢ κίνησις ἢ τῶν ἄλλων τι τῶν τοιού-
των εἶναι λέγεται ἕκαστον αὐτῶν ὄν. ἐπεὶ δὲ παντὸς τοῦ 10
ὄντος πρὸς ἕν τι καὶ κοινὸν ἡ ἀναγωγὴ γίγνεται, καὶ τῶν
ἐναντιώσεων ἑκάστη πρὸς τὰς πρώτας διαφορὰς καὶ ἐναντιώ-
σεις ἀναχθήσεται τοῦ ὄντος, εἴτε πλῆθος καὶ ἓν εἴθ' ὁμοιό-
της καὶ ἀνομοιότης αἱ πρῶται τοῦ ὄντος εἰσὶ διαφοραί, εἴτ'
ἄλλαι τινές· ἔστωσαν γὰρ αὗται τεθεωρημέναι. διαφέρει 15
δ' οὐδὲν τὴν τοῦ ὄντος ἀναγωγὴν πρὸς τὸ ὂν ἢ πρὸς τὸ ἓν γί-
γνεσθαι. καὶ γὰρ εἰ μὴ ταὐτὸν ἄλλο δ' ἐστίν, ἀντιστρέφει
γε· τό τε γὰρ ἓν καὶ ὂν πως, τό τε ὂν ἕν.—ἐπεὶ δ' ἐστὶ τὰ
ἐναντία πάντα τῆς αὐτῆς καὶ μιᾶς ἐπιστήμης θεωρῆσαι, λέ-
γεται δ' ἕκαστον αὐτῶν κατὰ στέρησιν—καίτοι γ' ἔνια ἀπο- 20
ρήσειέ τις ἂν πῶς λέγεται κατὰ στέρησιν, ὧν ἔστιν ἀνὰ μέ-
σον τι, καθάπερ ἀδίκου καὶ δικαίου—περὶ πάντα δὴ τὰ
τοιαῦτα τὴν στέρησιν δεῖ τιθέναι μὴ τοῦ ὅλου λόγου, τοῦ
τελευταίου δὲ εἴδους· οἷον εἰ ἔστιν ὁ δίκαιος καθ' ἕξιν τινὰ
πειθαρχικὸς τοῖς νόμοις, οὐ πάντως ὁ ἄδικος ἔσται τοῦ ὅλου 25
στερούμενος λόγου, περὶ δὲ τὸ πείθεσθαι τοῖς νόμοις ἐκλείπων

ᵇ 37 τε om. Aᵇ   καὶ pr.] καὶ τὸ Aᵇ   1061ᵃ 1 λεγόμενον Aᵇ :
om. Γ   δὴ Aᵇ   τούτων τῶν τρόπων Al. : τῶν τρόπων EJΓ
8 τῷ γὰρ τοῦ EJΓAl. : τοῦ γὰρ Aᵇ   10 λέγεται εἶναι Aᵇ
11 κοινὴ ἀναγωγὴ Aᵇ Al.¹   12 καὶ Aᵇ Al. : καὶ τὰς EJ   14 καὶ
ἀνομοιότης bis E   18 ἕν] καὶ ἓν E²   24 δὲ codd. Al.ᶜ : om. Al.
ὁ δίκαιος ὁ Al.   κατὰ μέθεξιν Aᵇ   25 τοῦ AᵇΓAl. : ὁ τοῦ EJ
26 στερόμενος J

πῃ, καὶ ταύτῃ ἡ στέρησις ὑπάρξει αὐτῷ· τὸν αὐτὸν δὲ τρό-
πον καὶ ἐπὶ τῶν ἄλλων.—καθάπερ δ' ὁ μαθηματικὸς περὶ
τὰ ἐξ ἀφαιρέσεως τὴν θεωρίαν ποιεῖται (περιελὼν γὰρ πάντα
30 τὰ αἰσθητὰ θεωρεῖ, οἷον βάρος καὶ κουφότητα καὶ σκλη-
ρότητα καὶ τοὐναντίον, ἔτι δὲ καὶ θερμότητα καὶ ψυχρότητα
καὶ τὰς ἄλλας αἰσθητὰς ἐναντιώσεις, μόνον δὲ κατα-
λείπει τὸ ποσὸν καὶ συνεχές, τῶν μὲν ἐφ' ἓν τῶν δ' ἐπὶ
δύο τῶν δ' ἐπὶ τρία, καὶ τὰ πάθη τὰ τούτων ᾗ ποσά ἐστι
35 καὶ συνεχῆ, καὶ οὐ καθ' ἕτερόν τι θεωρεῖ, καὶ τῶν μὲν τὰς
πρὸς ἄλληλα θέσεις σκοπεῖ καὶ τὰ ταύταις ὑπάρχοντα,
1061ᵇ τῶν δὲ τὰς συμμετρίας καὶ ἀσυμμετρίας, τῶν δὲ τοὺς λό-
γους, ἀλλ' ὅμως μίαν πάντων καὶ τὴν αὐτὴν τίθεμεν ἐπι-
στήμην τὴν γεωμετρικήν), τὸν αὐτὸν δὴ τρόπον ἔχει καὶ περὶ
τὸ ὄν. τὰ γὰρ τούτῳ συμβεβηκότα καθ' ὅσον ἐστὶν ὄν, καὶ
5 τὰς ἐναντιώσεις αὐτοῦ ᾗ ὄν, οὐκ ἄλλης ἐπιστήμης ἢ φιλοσο-
φίας θεωρῆσαι. τῇ φυσικῇ μὲν γὰρ οὐχ ᾗ ὄντα, μᾶλλον
δ' ᾗ κινήσεως μετέχει, τὴν θεωρίαν τις ἀπονείμειεν ἄν· ἡ
γε μὴν διαλεκτικὴ καὶ ἡ σοφιστικὴ τῶν συμβεβηκότων μέν
εἰσι τοῖς οὖσιν, οὐχ ᾗ δ' ὄντα οὐδὲ περὶ τὸ ὂν αὐτὸ καθ' ὅσον
10 ὄν ἐστιν· ὥστε λείπεται τὸν φιλόσοφον, καθ' ὅσον ὄντ' ἐστίν,
εἶναι περὶ τὰ λεχθέντα θεωρητικόν. ἐπεὶ δὲ τό τε ὂν ἅπαν
καθ' ἕν τι καὶ κοινὸν λέγεται πολλαχῶς λεγόμενον, καὶ
τἀναντία τὸν αὐτὸν τρόπον (εἰς τὰς πρώτας γὰρ ἐναντιώσεις
καὶ διαφορὰς τοῦ ὄντος ἀνάγεται), τὰ δὲ τοιαῦτα δυνατὸν
15 ὑπὸ μίαν ἐπιστήμην εἶναι, διαλύοιτ' ἂν ἡ κατ' ἀρχὰς ἀπο-
ρία λεχθεῖσα, λέγω δ' ἐν ᾗ διηπορεῖτο πῶς ἔσται πολλῶν
καὶ διαφόρων ὄντων τῷ γένει μία τις ἐπιστήμη.—ἐπεὶ δὲ καὶ 4
ὁ μαθηματικὸς χρῆται τοῖς κοινοῖς ἰδίως, καὶ τὰς τούτων
ἀρχὰς ἂν εἴη θεωρῆσαι τῆς πρώτης φιλοσοφίας. ὅτι γὰρ
20 ἀπὸ τῶν ἴσων ἴσων ἀφαιρεθέντων ἴσα τὰ λειπόμενα, κοινὸν

Cap. 4, cf. Γ. 1005ᵃ 19–ᵇ 2

ᵃ 27 ἤ EJ Al : om. Aᵇ   ὑπάρξει αὐτῷ EJ Al. : αὐτῷ ὑπάρξει Aᵇ :
ὑπάρχει αὐτῷ Γ   31 καὶ pr. om. EJΓ   32 ἄλλας] ἄλλας τὰς
EJ et ut vid. Al.   ᵇ 2 ὅλως Aᵇ   3 δὴ om. EJΓ   7 ἔχει
Aᵇ   ἀπονέμειεν Aᵇ   8 ἤ Aᵇ Al. : om. EJ   10 ὄν] ὄντως
γρ. E   ὄντ' E (duabus litteris post τ' erasis) ΓAl. : ὄντος J : οὗτος
Aᵇ   14 ἀνάγεται om. Γ   20 ἴσων alt. EJΓ Al. : om. Aᵇ

μέν ἐστιν ἐπὶ πάντων τῶν ποσῶν, ἡ μαθηματικὴ δ' ἀπο-
λαβοῦσα περί τι μέρος τῆς οἰκείας ὕλης ποιεῖται τὴν θεωρίαν,
οἷον περὶ γραμμὰς ἢ γωνίας ἢ ἀριθμοὺς ἢ τῶν λοιπῶν τι
ποσῶν, οὐχ ᾗ δ' ὄντα ἀλλ' ᾗ συνεχὲς αὐτῶν ἕκαστον ἐφ'
ἓν ἢ δύο ἢ τρία· ἡ δὲ φιλοσοφία περὶ τῶν ἐν μέρει μέν, ᾗ 25
τούτων ἑκάστῳ τι συμβέβηκεν, οὐ σκοπεῖ, περὶ τὸ ὂν δέ, ᾗ ὂν
τῶν τοιούτων ἕκαστον, θεωρεῖ. τὸν αὐτὸν δ' ἔχει τρόπον καὶ
περὶ τὴν φυσικὴν ἐπιστήμην τῇ μαθηματικῇ· τὰ συμβεβη-
κότα γὰρ ἡ φυσικὴ καὶ τὰς ἀρχὰς θεωρεῖ τὰς τῶν ὄντων
ᾗ κινούμενα καὶ οὐχ ᾗ ὄντα (τὴν δὲ πρώτην εἰρήκαμεν ἐπι- 30
στήμην τούτων εἶναι καθ' ὅσον ὄντα τὰ ὑποκείμενά ἐστιν,
ἀλλ' οὐχ ᾗ ἕτερόν τι)· διὸ καὶ ταύτην καὶ τὴν μαθηματικὴν
ἐπιστήμην μέρη τῆς σοφίας εἶναι θετέον.

5   Ἔστι δέ τις ἐν τοῖς οὖσιν ἀρχὴ περὶ ἣν οὐκ ἔστι διεψεῦ-
σθαι, τοὐναντίον δὲ ἀναγκαῖον ἀεὶ ποιεῖν, λέγω δὲ ἀληθεύειν, 35
οἷον ὅτι οὐκ ἐνδέχεται τὸ αὐτὸ καθ' ἕνα καὶ τὸν αὐτὸν χρό-
νον εἶναι καὶ μὴ εἶναι, καὶ τἆλλα τὰ τοῦτον αὐτοῖς ἀντι- 1062ᵃ
κείμενα τὸν τρόπον. καὶ περὶ τῶν τοιούτων ἁπλῶς μὲν οὐκ
ἔστιν ἀπόδειξις, πρὸς τόνδε δὲ ἔστιν· οὐ γὰρ ἔστιν ἐκ πιστοτέρας
ἀρχῆς αὐτοῦ τούτου ποιήσασθαι συλλογισμόν, δεῖ δέ γ'
εἴπερ ἔσται τὸ ἁπλῶς ἀποδεδεῖχθαι. πρὸς δὲ τὸν λέγοντα 5
τὰς ἀντικειμένας φάσεις τῷ δεικνύντι διότι ψεῦδος ληπτέον
τι τοιοῦτον ὃ ταὐτὸ μὲν ἔσται τῷ μὴ ἐνδέχεσθαι ταὐτὸ εἶναι
καὶ μὴ εἶναι καθ' ἕνα καὶ τὸν αὐτὸν χρόνον, μὴ δόξει δ'
εἶναι ταὐτόν· οὕτω γὰρ μόνως ἂν ἀποδειχθείη πρὸς τὸν
φάσκοντα ἐνδέχεσθαι τὰς ἀντικειμένας φάσεις ἀληθεύεσθαι 10
κατὰ τοῦ αὐτοῦ. τοὺς δὴ μέλλοντας ἀλλήλοις λόγου κοινω-
νήσειν δεῖ τι συνιέναι αὐτῶν· μὴ γιγνομένου γὰρ τούτου πῶς
ἔσται κοινωνία τούτοις πρὸς ἀλλήλους λόγου; δεῖ τοίνυν τῶν
ὀνομάτων ἕκαστον εἶναι γνώριμον καὶ δηλοῦν τι, καὶ μὴ

1061ᵇ 34 — 1062ᵃ 2, cf. 1005ᵇ 8–34   1062ᵃ 2–5, cf. 1006ᵃ 5 —
18   5–19, cf. 1006ᵃ 18 — 1007ᵃ 20

ᵇ 21 ἐπὶ om. Christ   τῶν ποσῶν fort. om. Al.   26 ἑκάστων Aᵇ
τι Γi Al. : τί codd.   31 τὰ om. Aᵇ   32 ᾗ om. E¹JΓ   ἕτεραι
τι γρ. J : ἕτερ' ἄττα γρ. E   34 ἔστι alt. EJΓ Al. : ἔσται Aᵇ
1062ᵃ 1 αὐτοῖς Brandis : αὐτοῖς EJAᵇΓ   4 συλλογισμόν Aᵇ Al.ᶜ :
τὸν συλλογισμόν EJ   5 ἔστι J   8 δόξῃ Aᵇ : δόξειε γρ. E
9 μόνος Aᵇ   12 αὐτῶν Al. i : αὐτῶν codd. Γ   13 ἔσται recc.
et ut vid. Al. : ἔστι EJAᵇΓ

G 2

¹⁵ πολλά, μόνον δὲ ἕν· ἂν δὲ πλείονα σημαίνῃ, φανερὸν ποιεῖν
ἐφ᾽ ὃ φέρει τοὔνομα τούτων. ὁ δὴ λέγων εἶναι τοῦτο καὶ μὴ
εἶναι, τοῦτο ὅ φησιν οὔ φησιν, ὥσθ᾽ ὃ σημαίνει τοὔνομα τοῦτ᾽
οὔ φησι σημαίνειν· τοῦτο δ᾽ ἀδύνατον. ὥστ᾽ εἴπερ σημαίνει τι
τὸ εἶναι τόδε, τὴν ἀντίφασιν ἀδύνατον ἀληθεύειν. ἔτι δ᾽ εἰ
²⁰ τι σημαίνει τοὔνομα καὶ τοῦτ᾽ ἀληθεύεται, δεῖ τοῦτ᾽ ἐξ ἀνάγκης
εἶναι· τὸ δ᾽ ἐξ ἀνάγκης ὂν οὐκ ἐνδέχεταί ποτε μὴ εἶναι·
τὰς ἀντικειμένας ἄρα οὐκ ἐνδέχεται φάσεις καὶ ἀποφάσεις
ἀληθεύειν κατὰ τοῦ αὐτοῦ. ἔτι δ᾽ εἰ μηθὲν μᾶλλον ἡ
φάσις ἢ ἡ ἀπόφασις ἀληθεύεται, ὁ λέγων ἄνθρωπον ἢ
²⁵ οὐκ ἄνθρωπον οὐθὲν μᾶλλον ἀληθεύσει· δόξειε δὲ κἂν οὐχ
ἵππον εἶναι φάσκων τὸν ἄνθρωπον ἢ μᾶλλον ἢ οὐχ ἧττον
ἀληθεύειν ἢ οὐκ ἄνθρωπον, ὥστε καὶ ἵππον φάσκων εἶναι
τὸν αὐτὸν ἀληθεύσει (τὰς γὰρ ἀντικειμένας ὁμοίως ἦν ἀλη-
θεύειν)· συμβαίνει τοίνυν τὸν αὐτὸν ἄνθρωπον εἶναι καὶ ἵππον
³⁰ ἢ τῶν ἄλλων τι ζῴων.—ἀπόδειξις μὲν οὖν οὐδεμία τούτων ἐστὶν
ἁπλῶς, πρὸς μέντοι τὸν ταῦτα τιθέμενον ἀπόδειξις. ταχέως
δ᾽ ἄν τις καὶ αὐτὸν τὸν Ἡράκλειτον τοῦτον ἐρωτῶν τὸν
τρόπον ἠνάγκασεν ὁμολογεῖν μηδέποτε τὰς ἀντικειμένας
φάσεις δυνατὸν εἶναι κατὰ τῶν αὐτῶν ἀληθεύεσθαι· νῦν δ᾽
³⁵ οὐ συνιεὶς ἑαυτοῦ τί ποτε λέγει, ταύτην ἔλαβε τὴν δόξαν.
ὅλως δ᾽ εἰ τὸ λεγόμενον ὑπ᾽ αὐτοῦ ἐστιν ἀληθές, οὐδ᾽ ἂν αὐτὸ
1062ᵇ τοῦτο εἴη ἀληθές, λέγω δὲ τὸ ἐνδέχεσθαι τὸ αὐτὸ καθ᾽ ἕνα
καὶ τὸν αὐτὸν χρόνον εἶναί τε καὶ μὴ εἶναι· καθάπερ γὰρ
καὶ διῃρημένων αὐτῶν οὐδὲν μᾶλλον ἡ κατάφασις ἢ ἡ ἀπό-
φασις ἀληθεύεται, τὸν αὐτὸν τρόπον καὶ τοῦ συναμφοτέρου
⁵ καὶ τοῦ συμπεπλεγμένου καθάπερ μιᾶς τινὸς καταφάσεως
οὔσης οὐθὲν μᾶλλον ⟨ἢ⟩ ἡ ἀπόφασις [ἢ] τὸ ὅλον ὡς ἐν καταφάσει

1062ᵃ 19-23, cf. 1006ᵇ 28-34   23-30, cf. 1007ᵇ 18 — 1008ᵃ 2
31-35, cf. 1005ᵇ 23-26   36-ᵇ 7, cf. 1008ᵃ 4-7

ᵃ 15 πλείω Aᵇ   16 ταὐτὸ Apelt   17 ὃ Aᵇ et ut vid. Al. :
ὃ ὅλως εἶναί EJΓ   17-18 τούτου φησὶν J   18 τούτου J
19 ἀδύνατον ἀληθεύειν] ἀληθεύειν ἀδύνατον κατὰ τοῦ αὐτοῦ EJΓ   20 δεῖ
Aᵇ et ut vid. Al. : δεῖ καὶ EJΓ   21 ποτε ... 22 ἐνδέχεται] τότε
... ἐνδέχεται bis E   22 καὶ ἀποφάσεις om. Aᵇ   26 ἢ pr.] καὶ
JΓ   27 ἢ om. E¹   32 ἐρωτῶν Aᵇ Al.: ἐρωτήσας EJ   35 συνιεὶς
Aᵇ γρ. E Al.ᶜ: συνιεὶς EJ   αὐτοῦ Aᵇ   ᵇ1 εἴη ἀληθές Aᵇ Al.¹: ἀληθὲς
εἴη EJΓ   3 ἢ ἡ] ἢ J   5 τινὸς μιᾶς Aᵇ   6 an οὐθὲν ἧττον
ἡ ἀπόφασις ἢ?   ἢ addidi   ἢ seclusi

τιθέμενον ἀληθεύσεται. ἔτι δ᾽ εἰ μηθὲν ἔστιν ἀληθῶς κατα-
φῆσαι, κἂν αὐτὸ τοῦτο ψεῦδος εἴη τὸ φάναι μηδεμίαν
ἀληθῆ κατάφασιν ὑπάρχειν. εἰ δ᾽ ἔστι τι, λύοιτ᾽ ἂν τὸ
λεγόμενον ὑπὸ τῶν τὰ τοιαῦτα ἐνισταμένων καὶ παντελῶς 10
ἀναιρούντων τὸ διαλέγεσθαι.

6 Παραπλήσιον δὲ τοῖς εἰρημένοις ἐστὶ καὶ τὸ λεχθὲν ὑπὸ
τοῦ Πρωταγόρου· καὶ γὰρ ἐκεῖνος ἔφη πάντων εἶναι χρη-
μάτων μέτρον ἄνθρωπον, οὐδὲν ἕτερον λέγων ἢ τὸ δοκοῦν ἑκάστῳ
τοῦτο καὶ εἶναι παγίως· τούτου δὲ γιγνομένου τὸ αὐτὸ συμ- 15
βαίνει καὶ εἶναι καὶ μὴ εἶναι, καὶ κακὸν καὶ ἀγαθὸν εἶναι,
καὶ τἆλλα τὰ κατὰ τὰς ἀντικειμένας λεγόμενα φάσεις,
διὰ τὸ πολλάκις τοισδὶ μὲν φαίνεσθαι τόδε εἶναι καλὸν
τοισδὶ δὲ τοὐναντίον, μέτρον δ᾽ εἶναι τὸ φαινόμενον ἑκάστῳ.
λύοιτο δ᾽ ἂν αὕτη ἡ ἀπορία θεωρήσασι πόθεν ἐλήλυθεν ἡ ἀρχὴ 20
τῆς ὑπολήψεως ταύτης· ἔοικε γὰρ ἐνίοις μὲν ἐκ τῆς τῶν
φυσιολόγων δόξης γεγενῆσθαι, τοῖς δ᾽ ἐκ τοῦ μὴ ταὐτὰ περὶ
τῶν αὐτῶν ἅπαντας γιγνώσκειν ἀλλὰ τοῖσδε μὲν ἡδὺ τόδε
φαίνεσθαι τοῖσδε δὲ τοὐναντίον. τὸ γὰρ μηδὲν ἐκ μὴ ὄντος
γίγνεσθαι, πᾶν δ᾽ ἐξ ὄντος, σχεδὸν ἁπάντων ἐστὶ κοινὸν δόγ- 25
μα τῶν περὶ φύσεως· ἐπεὶ οὖν οὐ λευκὸν γίγνεται λευκοῦ
τελέως ὄντος καὶ οὐδαμῇ μὴ λευκοῦ [νῦν δὲ γεγενημένον
μὴ λευκόν], γίγνοιτ᾽ ἂν ἐκ μὴ ὄντος λευκοῦ τὸ γιγνόμενον [μὴ]
λευκόν· ὥστε ἐκ μὴ ὄντος γίγνοιτ᾽ ἂν κατ᾽ ἐκείνους, εἰ μὴ
ὑπῆρχε λευκὸν τὸ αὐτὸ καὶ μὴ λευκόν. οὐ χαλεπὸν δὲ 30
διαλύειν τὴν ἀπορίαν ταύτην· εἴρηται γὰρ ἐν τοῖς φυσικοῖς
πῶς ἐκ τοῦ μὴ ὄντος γίγνεται τὰ γιγνόμενα καὶ πῶς ἐξ
ὄντος. τό γε μὴν ὁμοίως προσέχειν ταῖς δόξαις καὶ ταῖς
φαντασίαις τῶν πρὸς αὐτοὺς διαμφισβητούντων εὔηθες· δῆ-

1062ᵇ 7-9, cf. 1012ᵇ 13-18   12-24, cf. 1009ᵃ 6-16, 22-30
24-33, cf. 1009ᵃ 30-36   33 — 1063ᵃ 10, cf. 1010ᵇ 1-26, 1011ᵃ 31-34

ᵇ7 ἀληθὲς ἔσται EJΓ: ἀληθεύεται Al.ᵐ⁰   ἀληθὲς Al.ᶜ   13 ἔφα
Aᵇ   13-14 χρημάτων εἶναι Aᵇ   14 τὸν ἄνθρωπον E   17 φάσεις
λεγόμενα EJΓ   20 ἐλήλυθεν om. Aᵇ Al.ᵗ   23 ἅπαντα Aᵇ τοῖσδε
Aᵇ Al.: τοισδὶ EJ   24 τοῖς EJ : τοισδὶ recc.   25 κοινόν ἐστι
Aᵇ   27 τελέως Aᵇ Al.: τελείως EJ   νῦν ... 28 λευκόν et 28 μὴ
codd. Γ Al.: susp. Bonitz   28 λευκοῦ EJAᵇ Al.: μὴ λευκοῦ γρ.
EΓ   30 λευκόν ... καὶ μὴ Aᵇ Al.: μὴ λευκὸν ... καὶ EJΓ   33 ταῖς
pr. Aᵇ Al.: ἀμφοτέραις ταῖς EJΓ   34 αὐτοὺς Aᵇ   ἀμφισβητούντων
Aᵇ Al.

35 λον γὰρ ὅτι τοὺς ἑτέρους αὐτῶν ἀνάγκη διεψεῦσθαι. φανερὸν
δὲ τοῦτ' ἐκ τῶν γιγνομένων κατὰ τὴν αἴσθησιν· οὐδέποτε γὰρ
1063ᵃ τὸ αὐτὸ φαίνεται τοῖς μὲν γλυκὺ τοῖς δὲ τοὐναντίον, μὴ
διεφθαρμένων καὶ λελωβημένων τῶν ἑτέρων τὸ αἰσθητήριον
καὶ κριτήριον τῶν λεχθέντων χυμῶν. τούτου δ' ὄντος τοιούτου
τοὺς ἑτέρους μὲν ὑποληπτέον μέτρον εἶναι τοὺς δ' ἄλλους οὐχ
5 ὑποληπτέον. ὁμοίως δὲ τοῦτο λέγω καὶ ἐπὶ ἀγαθοῦ καὶ κακοῦ,
καὶ καλοῦ καὶ αἰσχροῦ, καὶ τῶν ἄλλων τῶν τοιούτων. οὐδὲν
γὰρ διαφέρει τοῦτ' ἀξιοῦν ἢ τὰ φαινόμενα τοῖς ὑπὸ τὴν ὄψιν
ὑποβάλλουσι τὸν δάκτυλον καὶ ποιοῦσιν ἐκ τοῦ ἑνὸς φαίνεσθαι
δύο, δύο δεῖν εἶναι διὰ τὸ φαίνεσθαι τοσαῦτα, καὶ πάλιν ἕν·
10 τοῖς γὰρ μὴ κινοῦσι τὴν ὄψιν ἓν φαίνεται τὸ ἕν. ὅλως δὲ
ἄτοπον ἐκ τοῦ φαίνεσθαι τὰ δεῦρο μεταβάλλοντα καὶ μηδέ-
ποτε διαμένοντα ἐν τοῖς αὐτοῖς, ἐκ τούτου περὶ τῆς ἀλη-
θείας τὴν κρίσιν ποιεῖσθαι· δεῖ γὰρ ἐκ τῶν ἀεὶ κατὰ ταὐτὰ
ἐχόντων καὶ μηδεμίαν μεταβολὴν ποιουμένων τἀληθὲς θη-
15 ρεύειν, τοιαῦτα δ' ἐστὶ τὰ κατὰ τὸν κόσμον· ταῦτα γὰρ
οὐχ ὁτὲ μὲν τοιαδὶ πάλιν δ' ἀλλοῖα φαίνεται, ταὐτὰ δ'
ἀεὶ καὶ μεταβολῆς οὐδεμιᾶς κοινωνοῦντα. ἔτι δ' εἰ κίνησις
ἔστι, καὶ κινούμενόν τι, κινεῖται δὲ πᾶν ἔκ τινος καὶ εἴς τι·
δεῖ ἄρα τὸ κινούμενον εἶναι ἐν ἐκείνῳ ἐξ οὗ κινήσεται καὶ οὐκ
20 εἶναι ἐν αὐτῷ, καὶ εἰς τοδὶ κινεῖσθαι καὶ γίγνεσθαι ἐν τούτῳ,
τὸ δὲ κατὰ τὴν ἀντίφασιν μὴ συναληθεύεσθαι κατ' αὐτούς.
καὶ εἰ κατὰ τὸ ποσὸν συνεχῶς τὰ δεῦρο ῥεῖ καὶ κινεῖται,
καί τις τοῦτο θείη καίπερ οὐκ ἀληθὲς ὄν, διὰ τί κατὰ τὸ ποιὸν
οὐ μενεῖ; φαίνονται γὰρ οὐχ ἥκιστα τὰ κατὰ τὰς ἀντιφά-
25 σεις ταὐτοῦ κατηγορεῖν ἐκ τοῦ τὸ ποσὸν ὑπειληφέναι μὴ μέ-
νειν ἐπὶ τῶν σωμάτων, διὸ καὶ εἶναι τετράπηχυ τὸ αὐτὸ
καὶ οὐκ εἶναι. ἡ δ' οὐσία κατὰ τὸ ποιόν, τοῦτο δὲ τῆς ὡρι-

1063ᵃ 10–17, cf. 1010ᵃ 25–32   17–21, cf. 1010ᵃ 35 – ᵇ1
22–28, cf. 1010ᵃ 22–25

1063ᵃ 1 μηδὲ Aᵇ   4 ἄλλους] ἑτέρους EJ   5 καὶ κακοῦ om.
Aᵇ   7 τοῦτ'] τοῦ Aᵇ   9 δύο semel JΓ   δεῖν JΓ : δ' E
Aᵇ : τ' i Bonitz: incl. Christ   ἕν om. Aᵇ   10 ὄψιν ἐμφαίνεται Aᵇ
14 ἐχόντων EJΓAl. : ὄντων Aᵇ   16 τοιάδε EJ   19 ἐν
Aᵇ Al.º et ut vid. Al. : ἔτι ἐν EJΓ   οὐκ] μὴ Aᵇ Al.   20 τόδε Aᵇ
21 συναληθεύεσθαι Aᵇ Al. : ἀληθεύεσθαι EJΓ Al.º   24 μενεῖ
Richards, legit ut vid. Al. : μένει codd.   φαίνεται J   25 ταὐτοῦ
EJΓAl. : αὐτοῦ Aᵇ   26 διὰ τὸ καὶ EJ   27 δὲ] γε J : γὰρ Aᵇ

σμένης φύσεως, τὸ δὲ ποσὸν τῆς ἀορίστου. ἔτι διὰ τί προσ-
τάττοντος τοῦ ἰατροῦ τοδὶ τὸ σιτίον προσενέγκασθαι προσφέ-
ρονται; τί γὰρ μᾶλλον τοῦτο ἄρτος ἐστὶν ἢ οὐκ ἔστιν; ὥστ' 30
οὐθὲν ἂν διέχοι φαγεῖν ἢ μὴ φαγεῖν· νῦν δ' ὡς ἀληθεύοντες
περὶ αὐτὸ καὶ ὄντος τοῦ προσταχθέντος σιτίου τούτου προσ-
φέρονται τοῦτο· καίτοι γ' οὐκ ἔδει μὴ διαμενούσης παγίως
μηδεμιᾶς φύσεως ἐν τοῖς αἰσθητοῖς ἀλλ' ἀεὶ πασῶν κινου-
μένων καὶ ῥεουσῶν. ἔτι δ' εἰ μὲν ἀλλοιούμεθα ἀεὶ καὶ μηδέ- 35
ποτε διαμένομεν οἱ αὐτοί, τί καὶ θαυμαστὸν εἰ μηδέποθ'
ἡμῖν ταὐτὰ φαίνεται καθάπερ τοῖς κάμνουσιν (καὶ γὰρ τού-
τοις διὰ τὸ μὴ ὁμοίως διακεῖσθαι τὴν ἕξιν καὶ ὅθ' ὑγίαινον, 1063ᵇ
οὐχ ὅμοια φαίνεται τὰ κατὰ τὰς αἰσθήσεις, αὐτὰ μὲν οὐδε-
μιᾶς διά γε τοῦτο μεταβολῆς κοινωνοῦντα τὰ αἰσθητά,
αἰσθήματα δ' ἕτερα ποιοῦντα τοῖς κάμνουσι καὶ μὴ τὰ αὐτά·
τὸν αὐτὸν δὴ τρόπον ἔχειν καὶ τῆς εἰρημένης μεταβολῆς 5
γιγνομένης ἴσως ἀναγκαῖόν ἐστιν)· εἰ δὲ μὴ μεταβάλλομεν
ἀλλ' οἱ αὐτοὶ διατελοῦμεν ὄντες, εἴη ἄν τι μένον.—πρὸς μὲν
οὖν τοὺς ἐκ λόγου τὰς εἰρημένας ἀπορίας ἔχοντας οὐ ῥᾴδιον δια-
λῦσαι μὴ τιθέντων τι καὶ τούτου μηκέτι λόγον ἀπαιτούντων·
οὕτω γὰρ πᾶς λόγος καὶ πᾶσα ἀπόδειξις γίγνεται· μηθὲν 10
γὰρ τιθέντες ἀναιροῦσι τὸ διαλέγεσθαι καὶ ὅλως λόγον,—ὥστε
πρὸς μὲν τοὺς τοιούτους οὐκ ἔστι λόγος, πρὸς δὲ τοὺς διαποροῦν-
τας ἐκ τῶν παραδεδομένων ἀποριῶν ῥᾴδιον ἀπαντᾶν καὶ δια-
λύειν τὰ ποιοῦντα τὴν ἀπορίαν ἐν αὐτοῖς· δῆλον δ' ἐκ τῶν
εἰρημένων. ὥστε φανερὸν ἐκ τούτων. ὅτι οὐκ ἐνδέχεται τὰς 15
ἀντικειμένας φάσεις περὶ τοῦ αὐτοῦ καθ' ἕνα χρόνον ἀληθεύειν,
οὐδὲ τὰ ἐναντία, διὰ τὸ λέγεσθαι κατὰ στέρησιν πᾶσαν ἐναν-
τιότητα· δῆλον δὲ τοῦτ' ἐπ' ἀρχὴν τοὺς λόγους ἀναλύουσι τοὺς
τῶν ἐναντίων. ὁμοίως δ' οὐδὲ τῶν ἀνὰ μέσον οὐδὲν οἷόν τε

1063ᵃ 28-35, cf. 1008ᵇ 12-27   35 – ᵇ7, cf. 1009ᵃ 38 – ᵇ 33
ᵇ 7-16, cf. 1009ᵃ 16-22, 1011ᵃ 3-16   17-19, cf. 1011ᵇ 17-22
19-24, cf. 1011ᵇ 23-1012ᵃ 24.

ᵃ 30 τοῦτο om. EJΓ   31 ἄν τι ἔχοι EJΓ   ἀληθεύοντος Aᵇ
33 γ' om. Aᵇ Al.°   35 ἀεὶ om. Aᵇ   36 διαμένομεν E   καὶ
om. Aᵇ   ᵇ 1 τὴν ἕξιν διακεῖσθαι Aᵇ   2 οὐδὲ μιᾶς EJ
3 διά γε in ras. E   ταῦτα J¹   4 καὶ μὴ τὰ αὐτά et 5 καὶ om. Aᵇ
6 γιγνομένης EJ Al.°: γενομένης Aᵇ   7 τι ἂν EJ   9 τούτων Γ
λόγον μηκέτι Aᵇ   17 πᾶσαν ἐναντιότητα EJΓ : τὰ ἐναντία Aᵇ et
fort. Al.   18 δ' ὅτ' ἐπ' Aᵇ   ἀναλύουσι Aᵇ Al.°: λύουσι EJ

20 κατηγορεῖσθαι καθ' ἑνὸς καὶ τοῦ αὐτοῦ· λευκοῦ γὰρ ὄντος τοῦ
ὑποκειμένου λέγοντες αὐτὸ εἶναι οὔτε μέλαν οὔτε λευκὸν ψευ-
σόμεθα· συμβαίνει γὰρ εἶναι λευκὸν αὐτὸ καὶ μὴ εἶναι·
θάτερον γὰρ τῶν συμπεπλεγμένων ἀληθεύσεται κατ' αὐτοῦ,
τοῦτο δ' ἐστὶν ἀντίφασις τοῦ λευκοῦ. οὔτε δὴ καθ' Ἡράκλειτον
25 ἐνδέχεται λέγοντας ἀληθεύειν, οὔτε κατ' Ἀναξαγόραν· εἰ
δὲ μή, συμβήσεται τἀναντία τοῦ αὐτοῦ κατηγορεῖν· ὅταν
γὰρ ἐν παντὶ φῇ παντὸς εἶναι μοῖραν, οὐδὲν μᾶλλον εἶναί
φησι γλυκὺ ἢ πικρὸν ἢ τῶν λοιπῶν ὁποιανοῦν ἐναντιώσεων,
εἴπερ ἐν ἅπαντι πᾶν ὑπάρχει μὴ δυνάμει μόνον ἀλλ' ἐνερ-
30 γείᾳ καὶ ἀποκεκριμένον. ὁμοίως δὲ οὐδὲ πάσας ψευδεῖς οὐδ'
ἀληθεῖς τὰς φάσεις δυνατὸν εἶναι, δι' ἄλλα τε πολλὰ τῶν
συναχθέντων ἂν δυσχερῶν διὰ ταύτην τὴν θέσιν, καὶ διότι
ψευδῶν μὲν οὐσῶν πασῶν οὐδ' αὐτὸ τοῦτό τις φάσκων ἀλη-
θεύσει, ἀληθῶν δὲ ψευδεῖς εἶναι πάσας λέγων οὐ ψεύ-
35 σεται.

Πᾶσα δ' ἐπιστήμη ζητεῖ τινὰς ἀρχὰς καὶ αἰτίας περὶ 7
ἕκαστον τῶν ὑφ' αὑτὴν ἐπιστητῶν, οἷον ἰατρικὴ καὶ γυμναστικὴ
1064ᵃ καὶ τῶν λοιπῶν ἑκάστη τῶν ποιητικῶν καὶ μαθηματικῶν.
ἑκάστη γὰρ τούτων περιγραψαμένη τι γένος αὑτῇ περὶ τοῦτο
πραγματεύεται ὡς ὑπάρχον καὶ ὄν, οὐχ ᾗ δὲ ὄν, ἀλλ' ἑτέρα
τις αὕτη παρὰ ταύτας τὰς ἐπιστήμας ἐστὶν ἐπιστήμη. τῶν δὲ
5 λεχθεισῶν ἐπιστημῶν ἑκάστη λαβοῦσά πως τὸ τί ἐστιν ἐν
ἑκάστῳ γένει πειρᾶται δεικνύναι τὰ λοιπὰ μαλακώτερον ἢ
ἀκριβέστερον. λαμβάνουσι δὲ τὸ τί ἐστιν αἱ μὲν δι'
αἰσθήσεως αἱ δ' ὑποτιθέμεναι· διὸ καὶ δῆλον ἐκ τῆς τοιαύ-
της ἐπαγωγῆς ὅτι τῆς οὐσίας καὶ τοῦ τί ἐστιν οὐκ ἔστιν ἀπό-
10 δειξις. ἐπεὶ δ' ἔστι τις ἡ περὶ φύσεως ἐπιστήμη, δῆλον ὅτι
καὶ πρακτικῆς ἑτέρα καὶ ποιητικῆς ἔσται. ποιητικῆς μὲν γὰρ
ἐν τῷ ποιοῦντι καὶ οὐ τῷ ποιουμένῳ τῆς κινήσεως ἡ ἀρχή,
καὶ τοῦτ' ἐστιν εἴτε τέχνη τις εἴτ' ἄλλη τις δύναμις· ὁμοίως
δὲ καὶ τῆς πρακτικῆς οὐκ ἐν τῷ πρακτῷ μᾶλλον δ' ἐν τοῖς

1063ᵇ 24-35, cf. Γ. 1012ᵃ 24 - ᵇ 18   Cap. 7, cf. E. 1

ᵇ 21 μέλαν οὔτε λευκὸν Aᵇ Al. : λευκὸν οὔτε μέλαν ΕJΓ   29 πᾶν
om. JΓ: πάντα Aᵇ   33 τις τοῦτο Aᵇ   37 ὑπ' αὐτὴν fort. Al.
1064ᵃ 2 αὐτῇ JΓ: αὐτῇ ΕᴵAᵇAl.ᶜ   7 δι' Aᵇ Al. : διὰ τῆς ΕJ
12 τῆς ποιήσεως Christ

πράττουσιν ἡ κίνησις. ἡ δὲ τοῦ φυσικοῦ περὶ τὰ ἔχοντ᾽ ἐν 15
ἑαυτοῖς κινήσεως ἀρχήν ἐστιν. ὅτι μὲν τοίνυν οὔτε πρακτικὴν
οὔτε ποιητικὴν ἀλλὰ θεωρητικὴν ἀναγκαῖον εἶναι τὴν φυσι-
κὴν ἐπιστήμην, δῆλον ἐκ τούτων (εἰς ἓν γάρ τι τούτων τῶν
γενῶν ἀνάγκη πίπτειν)· ἐπεὶ δὲ τὸ τί ἐστιν ἀναγκαῖον
ἑκάστῃ πως τῶν ἐπιστημῶν εἰδέναι καὶ τούτῳ χρῆσθαι ἀρχῇ, 20
δεῖ μὴ λανθάνειν πῶς ὁριστέον τῷ φυσικῷ καὶ πῶς ὁ τῆς
οὐσίας λόγος ληπτέος, πότερον ὡς τὸ σιμὸν ἢ μᾶλλον ὡς τὸ
κοῖλον. τούτων γὰρ ὁ μὲν τοῦ σιμοῦ λόγος μετὰ τῆς ὕλης
λέγεται τῆς τοῦ πράγματος, ὁ δὲ τοῦ κοίλου χωρὶς τῆς ὕλης·
ἡ γὰρ σιμότης ἐν ῥινὶ γίγνεται, διὸ καὶ ὁ λόγος αὐτῆς μετὰ 25
ταύτης θεωρεῖται· τὸ σιμὸν γάρ ἐστι ῥὶς κοίλη. φανερὸν οὖν
ὅτι καὶ σαρκὸς καὶ ὀφθαλμοῦ καὶ τῶν λοιπῶν μορίων μετὰ
τῆς ὕλης ἀεὶ τὸν λόγον ἀποδοτέον. ἐπεὶ δ᾽ ἔστι τις ἐπιστήμη
τοῦ ὄντος ᾗ ὂν καὶ χωριστόν, σκεπτέον πότερόν ποτε τῇ φυ-
σικῇ τὴν αὐτὴν θετέον εἶναι ταύτην ἢ μᾶλλον ἑτέραν. ἡ 30
μὲν οὖν φυσικὴ περὶ τὰ κινήσεως ἔχοντ᾽ ἀρχὴν ἐν αὑτοῖς
ἐστιν, ἡ δὲ μαθηματικὴ θεωρητικὴ μὲν καὶ περὶ μένοντά τις
αὕτη, ἀλλ᾽ οὐ χωριστά. περὶ τὸ χωριστὸν ἄρα ὂν καὶ ἀκί-
νητον ἑτέρα τούτων ἀμφοτέρων τῶν ἐπιστημῶν ἔστι τις, εἴπερ
ὑπάρχει τις οὐσία τοιαύτη, λέγω δὲ χωριστὴ καὶ ἀκίνητος, 35
ὅπερ πειρασόμεθα δεικνύναι. καὶ εἴπερ ἔστι τις τοιαύτη φύ-
σις ἐν τοῖς οὖσιν, ἐνταῦθ᾽ ἂν εἴη που καὶ τὸ θεῖον, καὶ αὕτη
ἂν εἴη πρώτη καὶ κυριωτάτη ἀρχή. δῆλον τοίνυν ὅτι τρία 1064ᵇ
γένη τῶν θεωρητικῶν ἐπιστημῶν ἔστι, φυσική, μαθηματική,
θεολογική. βέλτιστον μὲν οὖν τὸ τῶν θεωρητικῶν γένος,
τούτων δ᾽ αὐτῶν ἡ τελευταία λεχθεῖσα· περὶ τὸ τιμιώ-
τατον γάρ ἐστι τῶν ὄντων, βελτίων δὲ καὶ χείρων ἑκάστη 5
λέγεται κατὰ τὸ οἰκεῖον ἐπιστητόν. ἀπορήσειε δ᾽ ἄν τις πό-
τερόν ποτε τὴν τοῦ ὄντος ᾗ ὂν ἐπιστήμην καθόλου δεῖ θεῖναι ἢ
οὔ. τῶν μὲν γὰρ μαθηματικῶν ἑκάστη περὶ ἕν τι γένος ἀφω-
ρισμένον ἐστίν, ἡ δὲ καθόλου κοινὴ περὶ πάντων. εἰ μὲν οὖν
αἱ φυσικαὶ οὐσίαι πρῶται τῶν ὄντων εἰσί, κἂν ἡ φυσικὴ 10

ᵃ 19 πίπτειν] πίπτειν αὐτὴν EJΓ   26 θεωρεῖται Aᵇ γρ. E : εἴρηται
EJΓ   30 ταύτην εἶναι Aᵇ   33 καὶ Aᵇ et ut vid. Al. : καὶ τὸ
EJ   34 τις om. Aᵇ   ᵇ 1 ἂν om. Aᵇ   εἰ J : εἴη ἡ fort. Al.
3 μὲν om. Aᵇ   τὸ om. Aᵇ¹   γένος] ἐπιστημῶν γένος Aᵇ
4 τὸ κυριώτατον Aᵇ   8 μὲν om. Aᵇ   10 κἂν] κ(ι)ὶ γρ. E

πρώτη τῶν ἐπιστημῶν εἴη· εἰ δ' ἔστιν ἑτέρα φύσις καὶ οὐσία
χωριστὴ καὶ ἀκίνητος, ἑτέραν ἀνάγκη καὶ τὴν ἐπιστήμην
αὐτῆς εἶναι καὶ προτέραν τῆς φυσικῆς καὶ καθόλου τῷ
προτέραν.

15 Ἐπεὶ δὲ τὸ ἁπλῶς ὂν κατὰ πλείους λέγεται τρόπους, 8
ὧν εἷς ἐστιν ὁ κατὰ συμβεβηκὸς εἶναι λεγόμενος, σκεπτέον πρῶ-
τον περὶ τοῦ οὕτως ὄντος. ὅτι μὲν οὖν οὐδεμία τῶν παραδεδο-
μένων ἐπιστημῶν πραγματεύεται περὶ τὸ συμβεβηκός, δῆ-
λον (οὔτε γὰρ οἰκοδομικὴ σκοπεῖ τὸ συμβησόμενον τοῖς τῇ
20 οἰκίᾳ χρησομένοις, οἷον εἰ λυπηρῶς ἢ τοὐναντίον οἰκήσουσιν,
οὔθ' ὑφαντικὴ οὔτε σκυτοτομικὴ οὔτε ὀψοποιική, τὸ δὲ καθ'
αὑτὴν ἴδιον ἑκάστη τούτων σκοπεῖ τῶν ἐπιστημῶν μόνον, τοῦτο
δ' ἐστὶ τὸ οἰκεῖον τέλος· [οὐδὲ μουσικὸν καὶ γραμματικόν,] οὐδὲ
τὸν ὄντα μουσικὸν ὅτι γενόμενος γραμματικὸς ἅμα ἔσται τὰ
25 ἀμφότερα, πρότερον οὐκ ὤν, ὃ δὲ μὴ ἀεὶ ὂν ἔστιν, ἐγένετο
τοῦτο, ὥσθ' ἅμα μουσικὸς ἐγένετο καὶ γραμματικός,—τοῦτο δὲ
οὐδεμία ζητεῖ τῶν ὁμολογουμένως οὐσῶν ἐπιστημῶν πλὴν ἡ
σοφιστική· περὶ τὸ συμβεβηκὸς γὰρ αὕτη μόνη πραγμα-
τεύεται, διὸ Πλάτων οὐ κακῶς εἴρηκε φήσας τὸν σοφιστὴν
30 περὶ τὸ μὴ ὂν διατρίβειν)· ὅτι δ' οὐδ' ἐνδεχόμενόν ἐστιν εἶναι
τοῦ συμβεβηκότος ἐπιστήμην, φανερὸν ἔσται πειραθεῖσιν ἰδεῖν
τί ποτ' ἐστὶ τὸ συμβεβηκός. πᾶν δή φαμεν εἶναι τὸ μὲν
ἀεὶ καὶ ἐξ ἀνάγκης (ἀνάγκης δ' οὐ τῆς κατὰ τὸ βίαιον λεγο-
μένης ἀλλ' ᾗ χρώμεθα ἐν τοῖς κατὰ τὰς ἀποδείξεις),
35 τὸ δ' ὡς ἐπὶ τὸ πολύ, τὸ δ' οὔθ' ὡς ἐπὶ τὸ πολὺ οὔτ' ἀεὶ καὶ
ἐξ ἀνάγκης ἀλλ' ὅπως ἔτυχεν· οἷον ἐπὶ κυνὶ γένοιτ' ἂν ψῦ-
χος, ἀλλὰ τοῦτ' οὔτ' [ὡς] ἀεὶ καὶ ἐξ ἀνάγκης οὔθ' ὡς ἐπὶ τὸ
1065ᵃ πολὺ γίγνεται, συμβαίη δέ ποτ' ἄν. ἔστι δὴ τὸ συμβεβη-

1064ᵇ 15 —1065ᵃ 26, cf. Ε. 2-4

ᵇ 13 τῆς . . . 14 προτέραν in marg. J   τῷ ΕΙΓΑl. : om. Aᵇ
15 λέγεται ΕΙΓ Al.¹ : εἶναι λέγεται Aᵇ   16 εἶναι Aᵇ Al. : om. ΕΙΓ
17 οὕτως] ὄντος Ε   20 χρησαμένοις Aᵇ   εἰ] ἢ Ε   21 ὀψο-
ποιητική Aᵇ   23 οὐδὲ . . . γραμματικόν om. Al., susp. Bonitz post
οὐδὲ pr. ἢ ΙΓ et ut vid. Ε¹, εἰ ci. Bonitz, τὸ Christ, εἰ τὸ Bullinger
24–25 τὰ ἀμφότερα ἅμα ἔσται Aᵇ   25 ἐγένετο recc. Γ et fecit Ε :
ἐγίγνετο JAᵇ Al.ᶜ   26 ἐγένετο recc. Γ Al.ᶜ et fecit Ε : ἐγίγνετο JAᵇ
δὲ om. Al.ᶜ, incl. Bonitz : δὴ ci. Bonitz   30 οὐδ'] οὐκ fecit Ε
33 κατὰ βίαν AᵇΓ Al.ᶜ   35 δ' οὐδὲ Aᵇ   37 ὡς seclusi   καὶ
ΕΙΓ Al. : om. Aᵇ   ὡς om. ΕΙ

κὸς ὃ γίγνεται μέν, οὐκ ἀεὶ δ᾽ οὐδ᾽ ἐξ ἀνάγκης οὐδ᾽ ὡς ἐπὶ τὸ
πολύ. τί μὲν οὖν ἐστι τὸ συμβεβηκός, εἴρηται, διότι δ᾽ οὐκ ἔστιν
ἐπιστήμη τοῦ τοιούτου, δῆλον· ἐπιστήμη μὲν γὰρ πᾶσα τοῦ
ἀεὶ ὄντος ἢ ὡς ἐπὶ τὸ πολύ, τὸ δὲ συμβεβηκὸς ἐν οὐδετέρῳ 5
τούτων ἐστίν. ὅτι δὲ τοῦ κατὰ συμβεβηκὸς ὄντος οὐκ εἰσὶν
αἰτίαι καὶ ἀρχαὶ τοιαῦται οἷαίπερ τοῦ καθ᾽ αὑτὸ ὄντος, δῆ-
λον· ἔσται γὰρ ἅπαντ᾽ ἐξ ἀνάγκης. εἰ γὰρ τόδε μὲν ἔστι
τοῦδε ὄντος τόδε δὲ τοῦδε, τοῦτο δὲ μὴ ὅπως ἔτυχεν ἀλλ᾽ ἐξ
ἀνάγκης, ἐξ ἀνάγκης ἔσται καὶ οὗ τοῦτ᾽ ἦν αἴτιον ἕως τοῦ τε- 10
λευταίου λεγομένου αἰτιατοῦ (τοῦτο δ᾽ ἦν κατὰ συμβεβηκός),
ὥστ᾽ ἐξ ἀνάγκης ἅπαντ᾽ ἔσται, καὶ τὸ ὁποτέρως ἔτυχε καὶ
τὸ ἐνδέχεσθαι καὶ γενέσθαι καὶ μὴ παντελῶς ἐκ τῶν γι-
γνομένων ἀναιρεῖται. κἂν μὴ ὂν δὲ ἀλλὰ γιγνόμενον τὸ
αἴτιον ὑποτεθῇ, ταὐτὰ συμβήσεται· πᾶν γὰρ ἐξ ἀνάγκης 15
γενήσεται. ἡ γὰρ αὔριον ἔκλειψις γενήσεται ἂν τόδε γέ-
νηται, τοῦτο δ᾽ ἐὰν ἕτερόν τι, καὶ τοῦτ᾽ ἂν ἄλλο· καὶ τοῦτον δὴ
τὸν τρόπον ἀπὸ πεπερασμένου χρόνου τοῦ ἀπὸ τοῦ νῦν μέχρι
αὔριον ἀφαιρουμένου χρόνου ἥξει ποτὲ εἰς τὸ ὑπάρχον, ὥστ᾽
ἐπεὶ τοῦτ᾽ ἔστιν, ἅπαντ᾽ ἐξ ἀνάγκης τὰ μετὰ τοῦτο γενήσεται, 20
ὥστε πάντα ἐξ ἀνάγκης γίγνεσθαι. τὸ δ᾽ ὡς ἀληθὲς ὂν καὶ
κατὰ συμβεβηκὸς τὸ μέν ἐστιν ἐν συμπλοκῇ διανοίας
καὶ πάθος ἐν ταύτῃ (διὸ περὶ μὲν τὸ οὕτως ὂν οὐ ζη-
τοῦνται αἱ ἀρχαί, περὶ δὲ τὸ ἔξω ὂν καὶ χωριστόν)· τὸ δ᾽ οὐκ
ἀναγκαῖον ἀλλ᾽ ἀόριστον, λέγω δὲ τὸ κατὰ συμβεβηκός· 25
τοῦ τοιούτου δ᾽ ἄτακτα καὶ ἄπειρα τὰ αἴτια. — τὸ δὲ ἕνεκά του
ἐν τοῖς φύσει γιγνομένοις ἢ ἀπὸ διανοίας ἐστίν, τύχη δέ
ἐστιν ὅταν τι τούτων γένηται κατὰ συμβεβηκός· ὥσπερ γὰρ
καὶ ὄν ἐστι τὸ μὲν καθ᾽ αὑτὸ τὸ δὲ κατὰ συμβεβηκός, οὕτω
καὶ αἴτιον. ἡ τύχη δ᾽ αἰτία κατὰ συμβεβηκὸς ἐν τοῖς κατὰ 30
προαίρεσιν τῶν ἕνεκά του γιγνομένοις, διὸ περὶ ταὐτὰ τύχη
καὶ διάνοια· προαίρεσις γὰρ οὐ χωρὶς διανοίας. τὰ δ᾽ αἴτια

1065ᵃ 26–30, cf. *Phys.* ii. 196ᵇ 21–25   30–35, cf. 197ᵃ 5–14

1065ᵃ 2 δ᾽ et 5 ἐν om. Aᵇ   10 ἕως] ὡς Aᵇ   12 ὁπότερ᾽ Aᵇ
13 γίνεσθαι Aᵇ   14 δὲ om. EJΓ   15 ταῦτα E   16 ἢ] εἰ EJΓ
Al.   18 τοῦ ... 19 χρόνου om. Aᵇ   20 εἴπερ JΓ   21 ἀληθῶς
EJΓAl.   καὶ] καὶ μὴ Aᵇ γρ. E Al.: καὶ τὸ vel καὶ μὴ καὶ τὸ ci. Bonitz
22 τὸ μέν omittenda ci. Christ   διανοίας Aᵇ Al.: τῆς διανοίας EJ
30 αἰτία EJΦ: αἴτιον Aᵇ   31 ταῦτα J: ταὐτὸ AᵇΦ

ἀόριστα ἀφ' ὧν ἂν γένοιτο τὰ ἀπὸ τύχης, διὸ ἄδηλος ἀν-
θρωπίνῳ λογισμῷ καὶ αἴτιον κατὰ συμβεβηκός, ἁπλῶς δ'
35 οὐδενός. ἀγαθὴ δὲ τύχη καὶ κακὴ ὅταν ἀγαθὸν ἢ φαῦλον
1065ᵇ ἀποβῇ· εὐτυχία δὲ καὶ δυστυχία περὶ μέγεθος τούτων.
ἐπεὶ δ' οὐθὲν κατὰ συμβεβηκὸς πρότερον τῶν καθ' αὑτό,
οὐδ' ἄρ' αἴτια· εἰ ἄρα τύχη ἢ τὸ αὐτόματον αἴτιον τοῦ οὐρα-
νοῦ, πρότερον νοῦς αἴτιος καὶ φύσις.

5   Ἔστι δὲ τὸ μὲν ἐνεργείᾳ μόνον τὸ δὲ δυνάμει τὸ δὲ 9
δυνάμει καὶ ἐνεργείᾳ, τὸ μὲν ὂν τὸ δὲ ποσὸν τὸ δὲ τῶν
λοιπῶν. οὐκ ἔστι δέ τις κίνησις παρὰ τὰ πράγματα· μεταβάλ-
λει γὰρ ἀεὶ κατὰ τὰς τοῦ ὄντος κατηγορίας, κοινὸν δ' ἐπὶ
τούτων οὐδέν ἐστιν ὃ οὐδ' ἐν μιᾷ κατηγορίᾳ. ἕκαστον δὲ διχῶς
10 ὑπάρχει πᾶσιν (οἷον τὸ τόδε — τὸ μὲν γὰρ μορφὴ αὐτοῦ τὸ
δὲ στέρησις — καὶ κατὰ τὸ ποιὸν τὸ μὲν λευκὸν τὸ δὲ μέλαν,
καὶ κατὰ τὸ ποσὸν τὸ μὲν τέλειον τὸ δὲ ἀτελές, καὶ κατὰ
φορὰν τὸ μὲν ἄνω τὸ δὲ κάτω, ἢ κοῦφον καὶ βαρύ)· ὥστε
κινήσεως καὶ μεταβολῆς τοσαῦτ' εἴδη ὅσα τοῦ ὄντος. διῃρη-
15 μένου δὲ καθ' ἕκαστον γένος τοῦ μὲν δυνάμει τοῦ δ' ἐντελεχείᾳ,
τὴν τοῦ δυνάμει ᾗ τοιοῦτόν ἐστιν ἐνέργειαν λέγω κίνησιν. ὅτι
δ' ἀληθῆ λέγομεν, ἐνθένδε δῆλον· ὅταν γὰρ τὸ οἰκοδομητόν,
ᾗ τοιοῦτον αὐτὸ λέγομεν εἶναι, ἐνεργείᾳ ᾖ, οἰκοδομεῖται, καὶ
ἔστι τοῦτο οἰκοδόμησις· ὁμοίως μάθησις, ἰάτρευσις, βάδισις,
20 ἅλσις, γήρανσις, ἅδρυνσις. συμβαίνει δὲ κινεῖσθαι ὅταν ἡ
ἐντελέχεια ᾖ αὐτή, καὶ οὔτε πρότερον οὔθ' ὕστερον. ἡ δὴ
τοῦ δυνάμει ὄντος, ὅταν ἐντελεχείᾳ ὂν ἐνεργῇ, οὐχ ᾗ αὐτὸ
ἀλλ' ᾗ κινητόν, κίνησίς ἐστιν. λέγω δὲ τὸ ᾗ ὧδε. ἔστι

1065ᵃ 35 – ᵇ 1, cf. 197ᵃ 25–27   ᵇ 2–4, cf. 198ᵃ 5–13   5–7, cf.
Phys. iii. 2c0ᵇ 26–28   7–20, cf. 200ᵇ 32 — 201ᵃ 19   20–21, cf.
201ᵇ 6, 7   21 — 1066ᵃ 26, cf. 201ᵃ 27 — 202ᵃ 3

* 33 τὸ EJΓΦ   ᵇ 3 ἡ καὶ τὸ Aᵇ   4 αἴτιον J   5 τὸ δὲ
δυνάμει semel AᵇΦ   6 ὄν] τόδε τι Φ : τόδι τι ὂν Christ   7 τις
E Simpl.ˡᶜ : τι JΓ : om. Aᵇ   9 ὂ EJΓΦ : om. Aᵇ   13 καὶ]
τὸ δὲ EJΓΦ   15 τοῦ μὲν EJΓΦ : om. Aᵇ   18 ᾗ EJΓΦ : ἢ Aᵇ
ἐνέργειαν ἢ Γ   19 ἔστι τι τοῦτο E   βάδισις] καὶ κύλισις
AᵇΦ   20 πήρανσις JΓ   ἅδρυνσις om. Γ   ἡ . . . 21 ᾖ E¹Φ : ἡ . . .
ἡ E²JAᵇΓ   21 ἐντελεχείᾳ J : om. Γ   αὕτη Φ   ἡ δὴ EJ Al. :
ἤδη Aᵇ Γ : ἡ δὲ Φ   22 ὄντος codd. ΓΦ: ὄντος ἐντελέχεια ia ἐνεργῇ
Aᵇ   οὐχ . . . 23 ἀλλ' EJΓ Asp. γρ. Al. Phil. Them. : ἡ αὐτὸ ἢ
ἄλλο Aᵇ Al. Porph.   23 κινητόν] ἄλλο Phil. Them.   ἡ κίνησις E

γὰρ ὁ χαλκὸς δυνάμει ἀνδριάς· ἀλλ' ὅμως οὐχ ἡ τοῦ
χαλκοῦ ἐντελέχεια, ᾗ χαλκός, κίνησίς ἐστιν. οὐ γὰρ ταὐτὸν 25
χαλκῷ εἶναι καὶ δυνάμει τινί, ἐπεὶ εἰ ταὐτὸν ἦν ἁπλῶς
κατὰ τὸν λόγον, ἦν ἂν ἡ τοῦ χαλκοῦ ἐντελέχεια κίνησίς τις.
οὐκ ἔστι δὲ ταὐτό (δῆλον δ' ἐπὶ τῶν ἐναντίων· τὸ μὲν γὰρ
δύνασθαι ὑγιαίνειν καὶ δύνασθαι κάμνειν οὐ ταὐτόν — καὶ γὰρ
ἂν τὸ ὑγιαίνειν καὶ τὸ κάμνειν ταὐτὸν ἦν — τὸ δ' ὑποκείμε- 30
νον καὶ ὑγιαῖνον καὶ νοσοῦν, εἴθ' ὑγρότης εἴθ' αἷμα, ταὐτὸ
καὶ ἕν). ἐπεὶ δὲ οὐ τὸ αὐτό, ὥσπερ οὐδὲ χρῶμα ταὐτὸν καὶ
ὁρατόν, ἡ τοῦ δυνατοῦ καὶ ᾗ δυνατὸν ἐντελέχεια κίνησίς ἐστιν.
ὅτι μὲν οὖν ἐστιν αὕτη, καὶ ὅτι συμβαίνει τότε κινεῖσθαι ὅταν
ἡ ἐντελέχεια ᾖ αὐτή, καὶ οὔτε πρότερον οὔθ' ὕστερον, δῆλον 35
(ἐνδέχεται γὰρ ἕκαστον ὁτὲ μὲν ἐνεργεῖν ὁτὲ δὲ μή, οἷον τὸ 1066ᵃ
οἰκοδομητὸν ᾗ οἰκοδομητόν, καὶ ἡ τοῦ οἰκοδομητοῦ ἐνέργεια ᾗ
οἰκοδομητὸν οἰκοδόμησίς ἐστιν· ἢ γὰρ τοῦτό ἐστιν, ἡ οἰκοδόμη-
σις, ἡ ἐνέργεια, ἢ οἰκία· ἀλλ' ὅταν οἰκία ᾖ, οὐκέτι οἰκοδομη-
τόν, οἰκοδομεῖται δὲ τὸ οἰκοδομητόν· ἀνάγκη ἄρα οἰκοδόμησιν 5
τὴν ἐνέργειαν εἶναι, ἡ δ' οἰκοδόμησις κίνησίς τις, ὁ δ' αὐτὸς
λόγος καὶ ἐπὶ τῶν ἄλλων κινήσεων)· ὅτι δὲ καλῶς εἴρηται,
δῆλον ἐξ ὧν οἱ ἄλλοι λέγουσι περὶ αὐτῆς, καὶ ἐκ τοῦ μὴ
ῥᾴδιον εἶναι διορίσαι ἄλλως αὐτήν. οὔτε γὰρ ἐν ἄλλῳ
τις γένει δύναιτ' ἂν θεῖναι αὐτήν· δῆλον δ' ἐξ ὧν λέγουσιν· 10
οἱ μὲν γὰρ ἑτερότητα καὶ ἀνισότητα καὶ τὸ μὴ ὄν, ὧν
οὐδὲν ἀνάγκη κινεῖσθαι, ἀλλ' οὐδ' ἡ μεταβολὴ οὔτ' εἰς ταῦτα
οὔτ' ἐκ τούτων μᾶλλον ἢ τῶν ἀντικειμένων. αἴτιον δὲ τοῦ
εἰς ταῦτα τιθέναι ὅτι ἀόριστόν τι δοκεῖ εἶναι ἡ κίνησις, τῆς
δ' ἑτέρας συστοιχίας αἱ ἀρχαὶ διὰ τὸ στερητικαὶ εἶναι ἀόρι- 15
στοι· οὔτε γὰρ τόδε οὔτε τοιόνδε οὐδεμία αὐτῶν οὔτε τῶν λοι-
πῶν κατηγοριῶν. τοῦ δὲ δοκεῖν ἀόριστον εἶναι τὴν κίνησιν

ᵇ 25 ταὐτῷ J   27 ante κατά add. καὶ ΓΦFI Phil.ˡᵒ, ᾗ ΦΕ
28 τοῦτο Cannan   30 τὸ alt. AᵇΦ: om. EJ   33 καὶ om.
EJΓΦ   34 οὖν AᵇΦ: γάρ EJΓ   ὅτι EJΓΦ: ὅτε Aᵇ   35 ἡ
AᵇΦ: ᾗ EJΓ   ἐντελέχειαν AᵇΦ: ἐντελεχείαι EJ: ἐντελεχείᾳ Γ   αὐτή
Christ: αὕτη codd. Φ   1066ᵃ 3 ᾗ Aᵇ γρ. EJΓΦ: εἰ Ε   τοῦτό
codd. ΓΦFI et ut vid. Simpl.: τούτου ci. Bonitz: om. ΦΕ   ἐστιν
AᵇΦFI: οἰκία ἐστὶν EJ: om. ΦΕ   ᾗ J¹: ᾗ ᾗ J²: aut Γ: om. Φ
4 ᾗ om. Ε   ἡ οἰκία recc. ΦFI: τοῦ οἰκοδομητοῦ ᾗ ἡ οἰκία ΦΕ: om.
EJAᵇΓ   post οἰκοδομητόν add. ἔσται EJΓΦFI, ἔστιν ΦΕ   11 γὰρ
om. EJΓ   13 ᾗ EJ Simpl.ᶜ: ᾗ ἐκ AᵇΓ   17 εἶναι τὴν κίνησιν
EJΦ: τὴν κίνησιν εἶναι Aᵇ: om. Γ

αἴτιον ὅτι οὔτ' εἰς δύναμιν τῶν ὄντων οὔτ' εἰς ἐνέργειαν ἔστι
θεῖναι αὐτήν· οὔτε γὰρ τὸ δυνατὸν ποσὸν εἶναι κινεῖται ἐξ
20 ἀνάγκης, οὔτε τὸ ἐνεργείᾳ ποσόν, ἥ τε κίνησις ἐνέργεια μὲν
εἶναι δοκεῖ τις, ἀτελὴς δέ· αἴτιον δ' ὅτι ἀτελὲς τὸ δυνατὸν
οὗ ἐστὶν ἐνέργεια. καὶ διὰ τοῦτο χαλεπὸν αὐτὴν λαβεῖν τί
ἐστιν· ἢ γὰρ εἰς στέρησιν ἀνάγκη θεῖναι ἢ εἰς δύναμιν ἢ εἰς
ἐνέργειαν ἁπλῆν, τούτων δ' οὐδὲν φαίνεται ἐνδεχόμενον, ὥστε
25 λείπεται τὸ λεχθὲν εἶναι, καὶ ἐνέργειαν καὶ [μὴ] ἐνέργειαν
τὴν εἰρημένην, ἰδεῖν μὲν χαλεπὴν ἐνδεχομένην δ' εἶναι. καὶ
ὅτι ἐστὶν ἡ κίνησις ἐν τῷ κινητῷ, δῆλον· ἐντελέχεια γάρ
ἐστι τούτου ὑπὸ τοῦ κινητικοῦ. καὶ ἡ τοῦ κινητικοῦ ἐνέργεια οὐκ
ἄλλη ἐστίν. δεῖ μὲν γὰρ εἶναι ἐντελέχειαν ἀμφοῖν· κινητι-
30 κὸν μὲν γάρ ἐστι τῷ δύνασθαι, κινοῦν δὲ τῷ ἐνεργεῖν, ἀλλ'
ἔστιν ἐνεργητικὸν τοῦ κινητοῦ, ὥσθ' ὁμοίως μία ἡ ἀμφοῖν ἐνέρ-
γεια ὥσπερ τὸ αὐτὸ διάστημα ἓν πρὸς δύο καὶ δύο πρὸς
ἕν, καὶ τὸ ἄναντες καὶ τὸ κάταντες, ἀλλὰ τὸ εἶναι οὐχ ἕν·
ὁμοίως δὲ καὶ ἐπὶ τοῦ κινοῦντος καὶ κινουμένου.

35 Τὸ δ' ἄπειρον ἢ τὸ ἀδύνατον διελθεῖν τῷ μὴ πεφυκέ- 10
ναι διιέναι, καθάπερ ἡ φωνὴ ἀόρατος, ἢ τὸ διέξοδον ἔχον
ἀτελεύτητον, ἢ ὃ μόλις, ἢ ὃ πεφυκὸς ἔχειν μὴ ἔχει διέξοδον
1066ᵇ ἢ πέρας· ἔτι προσθέσει ἢ ἀφαιρέσει ἢ ἄμφω. χωριστὸν μὲν
δὴ αὐτό τι ὂν οὐχ οἷόν τ' εἶναι· εἰ γὰρ μήτε μέγεθος μήτε
πλῆθος, οὐσία δ' αὐτὸ τὸ ἄπειρον καὶ μὴ συμβεβηκός, ἀδιαί-
ρετον ἔσται (τὸ γὰρ διαιρετὸν ἢ μέγεθος ἢ πλῆθος), εἰ
5 δὲ ἀδιαίρετον, οὐκ ἄπειρον, εἰ μὴ καθάπερ ἡ φωνὴ ἀόρατος·
ἀλλ' οὐχ οὕτω λέγουσιν οὐδ' ἡμεῖς ζητοῦμεν, ἀλλ' ὡς
ἀδιέξοδον. ἔτι πῶς ἐνδέχεται καθ' αὑτὸ εἶναι ἄπειρον,
εἰ μὴ καὶ ἀριθμὸς καὶ μέγεθος, ὧν πάθος τὸ ἄπειρον; ἔτι
εἰ κατὰ συμβεβηκός, οὐκ ἂν εἴη στοιχεῖον τῶν ὄντων

1066ᵃ 26-34, cf. 202ᵃ 13-21   35 – ᵇ 7, cf. 204ᵃ 3-14   ᵇ 7-8, cf.
204ᵃ 17-19   8-11, cf. 204ᵃ 14-17

ᵃ 19 θεῖναι AᵇΦ: τιθέναι EJ   23 εἰ γὰρ E¹   25 καὶ μὴ
ἐνέργειαν om. Aᵇ: μὴ omittendum ci. Bonitz   31 ἡ EJΦ: om.
Aᵇ   32 αὐτὸ διάστημα EJΦ: διάστημα τὸ αὐτὸ Aᵇ   35 δ' om.
Aᵇ   ᵇ 2 αὐτό] τῶν αἰσθητῶν, αὐτό Φ   ὂν EΦ i: ὄν, αἰσθητὸν
δὲ JAᵇΓ: ὂν αἰσθητὸν τ' ci. Christ: an ὄν, αἰσθητὸν δ' οὔ?   2 μήτε
alt.] ἐστι μήτε EJΓΦ   3 αὐτὸ EJΓΦ: αὐτοῦ Aᵇ   6 οὔθ' ἡμεῖς EJ
9 εἰ sup. lin. J

ἢ ἄπειρον, ὥσπερ οὐδὲ τὸ ἀόρατον τῆς διαλέκτου, καίτοι ἡ ¹⁰
φωνὴ ἀόρατος. καὶ ὅτι οὐκ ἔστιν ἐνεργείᾳ εἶναι τὸ ἄπειρον,
δῆλον. ἔσται γὰρ ὁτιοῦν αὐτοῦ ἄπειρον μέρος τὸ λαμβανόμε-
νον (τὸ γὰρ ἀπείρῳ εἶναι καὶ ἄπειρον τὸ αὐτό, εἴπερ οὐσία τὸ
ἄπειρον καὶ μὴ καθ' ὑποκειμένου), ὥστε ἢ ἀδιαίρετον, ἢ εἰς
ἄπειρα διαιρετόν, εἰ μεριστόν· πολλὰ δ' εἶναι τὸ αὐτὸ ἀδύ- ¹⁵
νατον ἄπειρα (ὥσπερ γὰρ ἀέρος ἀὴρ μέρος, οὕτως ἄπειρον
ἀπείρου, εἰ ἔστιν οὐσία καὶ ἀρχή)· ἀμέριστον ἄρα καὶ ἀδιαίρε-
τον. ἀλλὰ ἀδύνατον τὸ ἐντελεχείᾳ ὂν ἄπειρον (ποσὸν γὰρ
εἶναι ἀνάγκη)· κατὰ συμβεβηκὸς ἄρα ὑπάρχει. ἀλλ' εἰ
οὕτως, εἴρηται ὅτι οὐκ ἐνδέχεται εἶναι ἀρχήν, ἀλλ' ἐκεῖνο ᾧ ²⁰
συμβέβηκε, τὸν ἀέρα ἢ τὸ ἄρτιον. — αὕτη μὲν οὖν ἡ ζήτησις
καθόλου, ὅτι δ' ἐν τοῖς αἰσθητοῖς οὐκ ἔστιν, ἐνθένδε δῆλον· εἰ
γὰρ σώματος λόγος τὸ ἐπιπέδοις ὡρισμένον, οὐκ εἴη ἂν
ἄπειρον σῶμα οὔτ' αἰσθητὸν οὔτε νοητόν, οὐδ' ἀριθμὸς ὡς
κεχωρισμένος καὶ ἄπειρος· ἀριθμητὸν γὰρ ὁ ἀριθμὸς ἢ τὸ ²⁵
ἔχον ἀριθμόν. φυσικῶς δὲ ἐκ τῶνδε δῆλον· οὔτε γὰρ σύν-
θετον οἷόν τ' εἶναι οὔθ' ἁπλοῦν. σύνθετον μὲν γὰρ οὐκ ἔσται
σῶμα, εἰ πεπέρανται τῷ πλήθει τὰ στοιχεῖα (δεῖ γὰρ ἰσάζειν
τὰ ἐναντία καὶ μὴ εἶναι ἐν αὐτῶν ἄπειρον· εἰ γὰρ ὁτῳοῦν
λείπεται ἡ θατέρου σώματος δύναμις, φθαρήσεται ὑπὸ τοῦ ³⁰
ἀπείρου τὸ πεπερασμένον· ἕκαστον δ' ἄπειρον εἶναι ἀδύνατον,
σῶμα γάρ ἐστι τὸ πάντῃ ἔχον διάστασιν, ἄπειρον δὲ τὸ
ἀπεράντως διεστηκός, ὥστ' εἰ τὸ ἄπειρον σῶμα, πάντῃ ἔσται
ἄπειρον)· οὐδὲ ἓν δὲ καὶ ἁπλοῦν ἐνδέχεται τὸ ἄπειρον εἶναι
σῶμα, οὔθ' ὡς λέγουσί τινες, παρὰ τὰ στοιχεῖα ἐξ οὗ γεννῶσι ³⁵
ταῦτα (οὐκ ἔστι γὰρ τοιοῦτο σῶμα παρὰ τὰ στοιχεῖα· ἅπαν

ᵇ 10 ἢ ΕΙΓΦ: ἡ Αᵇ   12 ὁτιοῦν αὐτοῦ ΕΙΓΦ: αὐτοῦ ὁτιοῦν Αᵇ
15 ἄπειρα ΕΙΓΦ: ἀεὶ διαιρετὰ Αʰ   16 γὰρ] δ' Christ   ἀέρος
ἀὴρ μέρος ΑᵇΓΦ Phil.ˡᵒ Simpl.ᶜ: μέρος ἀὴρ ἀέρος ΕΙ   19 εἰ ΕΙΓΦ:
om. Αᵇ   21 τὸ] τὸν Γ   22 δ' οὐδ' ἐν Αᵇ   24 οὐδ'] οὔτ' ΕΙ
27 οἷον νειέναι Ι   ἔσται ΕΙΓΦΕΙ: ἔστι ΦF Phil. Them.: ἔνι Αᵇ
28 εἰ ΕΙΓΦ: ἐπείπερ Αᵇ   29 ὁποσοῦν ΦΕ et ut vid. Simpl.:
ὁπωσοῦν ΑᵇΦFΙ Phil.ˡ   33 εἰ om. ΕΙΓΦ   34 δὲ om. Αᵇ
καὶ ΑᵇΓΦ: om. ΕΙ   τὸ Αᵇ Phil.: om. ΕΙ Simpl. Them.   36 γὰρ
ΕΙΦ: γὰρ τὸ Αᵇ   ἅπαν ΕΙΓ Simpl.: ἅπαντα Αᵇ

γάρ, ἐξ οὗ ἐστί, καὶ διαλύεται εἰς τοῦτο, οὐ φαίνεται δὲ τοῦτο
1067ᵃ παρὰ τὰ ἁπλᾶ σώματα), οὐδὲ πῦρ οὐδ' ἄλλο τῶν στοιχείων
οὐθέν· χωρὶς γὰρ τοῦ ἄπειρον εἶναί τι αὐτῶν, ἀδύνατον
τὸ ἅπαν, κἂν ᾖ πεπερασμένον, ἢ εἶναι ἢ γίγνεσθαί ἕν τι
αὐτῶν, ὥσπερ Ἡράκλειτός φησιν ἅπαντα γίγνεσθαί ποτε
5 πῦρ. ὁ δ' αὐτὸς λόγος καὶ ἐπὶ τοῦ ἑνὸς ὃ ποιοῦσι παρὰ
τὰ στοιχεῖα οἱ φυσικοί· πᾶν γὰρ μεταβάλλει ἐξ ἐναντίου,
οἷον ἐκ θερμοῦ εἰς ψυχρόν.—ἔτι τὸ αἰσθητὸν σῶμα πού,
καὶ ὁ αὐτὸς τόπος ὅλου καὶ μορίου, οἷον τῆς γῆς, ὥστ' εἰ
μὲν ὁμοειδές, ἀκίνητον ἔσται ἢ ἀεὶ οἰσθήσεται, τοῦτο δὲ
10 ἀδύνατον (τί γὰρ μᾶλλον κάτω ἢ ἄνω ἢ ὁπουοῦν; οἷον
εἰ βῶλος εἴη, ποῦ αὕτη κινήσεται ἢ μενεῖ; ὁ γὰρ τόπος
τοῦ συγγενοῦς αὐτῇ σώματος ἄπειρος· καθέξει οὖν τὸν
ὅλον τόπον; καὶ πῶς; τίς οὖν ἡ μονὴ καὶ ἡ κίνησις;
ἢ πανταχοῦ μενεῖ — οὐ κινηθήσεται ἄρα, ἢ πανταχοῦ κινη-
15 θήσεται — οὐκ ἄρα στήσεται)· εἰ δ' ἀνόμοιον τὸ πᾶν, ἀνόμοιοι
καὶ οἱ τόποι, καὶ πρῶτον μὲν οὐχ ἓν τὸ σῶμα τοῦ παντὸς ἀλλ'
ἢ τῷ ἅπτεσθαι, εἶτα ἢ πεπερασμένα ταῦτ' ἔσται ἢ ἄπειρα
εἴδει. πεπερασμένα μὲν οὖν οὐχ οἷόν τε (ἔσται γὰρ τὰ μὲν
ἄπειρα τὰ δ' οὔ, εἰ τὸ πᾶν ἄπειρον, οἷον πῦρ ἢ ὕδωρ·
20 φθορὰ δὲ τὸ τοιοῦτον τοῖς ἐναντίοις)· εἰ δ' ἄπειρα καὶ ἁπλᾶ,
καὶ οἱ τόποι ἄπειροι καὶ ἔσται ἄπειρα στοιχεῖα· εἰ δὲ
τοῦτ' ἀδύνατον καὶ οἱ τόποι πεπερασμένοι, καὶ τὸ πᾶν ἀνάγκη
πεπεράνθαι. ὅλως δ' ἀδύνατον ἄπειρον εἶναι σῶμα καὶ
τόπον τοῖς σώμασιν, εἰ πᾶν σῶμα αἰσθητὸν ἢ βάρος ἔχει
25 ἢ κουφότητα· ἢ γὰρ ἐπὶ τὸ μέσον ἢ ἄνω οἰσθήσεται, ἀδύ-
νατον δὲ τὸ ἄπειρον ἢ πᾶν ἢ τὸ ἥμισυ ὁποτερονοῦν πε-
πονθέναι· πῶς γὰρ διελεῖς; ἢ πῶς τοῦ ἀπείρου ἔσται τὸ

1067ᵃ 7–20, cf. 205ᵃ 10–25   20–23, cf. 205ᵃ 29–32   23–33, cf.
205ᵇ 24 — 206ᵃ 7

ᵇ 37 οὗ ... τοῖ᷑ο pr. EJΓΦ : ὧν ... ταῦτα Aᵇ   1067ᵃ 1 παρὰ AᵇΦ :
περὶ EJΓ   τῶν] τι τῶν EJΓ Phil.¹   12 τοῦ συγγενοῦς αὐτῇ
(αὐτῆς EPhil.ᶜ) Φ : αὐτῆς τοῦ συγγενοῦς codd. Γ   13 τρόπον E¹
ἢ EJ Phil.¹ : om. Aᵇ   ἢ EJΦ : om. Aᵇ   14 κινηθήσεται EJΦ :
κινήσεται Aᵇ   κινηθήσεται ΕΦ : om. JAᵇΓ   18 εἴδει om. γρ. E
πεπερασμένα EJΓ Phil¹ : καὶ πεπερασμένα Aᵇ   19 εἰ EJΓΦ : ἢ Aᵇ
21 ἄπειρα τὰ στοιχεῖα EJΦ   24 ἢ EJΓΦ : om. Aᵇ   26 ἥμισυ
EJΓΦ : ἥμισυ ἢ Aᵇ   27 διέλῃς Aᵇ   τὸ μὲν EJΓΦ : om. Aᵇ

μὲν κάτω τὸ δ' ἄνω, ἢ ἔσχατον καὶ μέσον; ἔτι πᾶν σῶμα
αἰσθητὸν ἐν τόπῳ, τόπου δὲ εἴδη ἕξ, ἀδύνατον δ' ἐν τῷ
ἀπείρῳ σώματι ταῦτ' εἶναι. ὅλως δ' εἰ ἀδύνατον τόπον 30
ἄπειρον εἶναι, καὶ σῶμα ἀδύνατον· τὸ γὰρ ἐν τόπῳ πού,
τοῦτο δὲ σημαίνει ἢ ἄνω ἢ κάτω ἢ τῶν λοιπῶν τι, τούτων
δ' ἕκαστον πέρας τι. τὸ δ' ἄπειρον οὐ ταὐτὸν ἐν μεγέθει
καὶ κινήσει καὶ χρόνῳ ὡς μία τις φύσις, ἀλλὰ τὸ ὕστε-
ρον λέγεται κατὰ τὸ πρότερον, οἷον κίνησις κατὰ τὸ μέγε- 35
θος ἐφ' οὗ κινεῖται ἢ ἀλλοιοῦται ἢ αὔξεται, χρόνος δὲ
διὰ τὴν κίνησιν.

11   Μεταβάλλει δὲ τὸ μεταβάλλον τὸ μὲν κατὰ συμ- 1067ᵇ
βεβηκός, ὡς τὸ μουσικὸν βαδίζει, τὸ δὲ τῷ τούτου τι μετα-
βάλλειν ἁπλῶς λέγεται μεταβάλλειν, οἷον ὅσα κατὰ
μέρη (ὑγιάζεται γὰρ τὸ σῶμα, ὅτι ὁ ὀφθαλμός), ἔστι δέ
τι ὃ καθ' αὑτὸ πρῶτον κινεῖται, καὶ τοῦτ' ἔστι τὸ καθ' αὑτὸ 5
κινητόν. ἔστι δέ [τι] καὶ ἐπὶ τοῦ κινοῦντος ὡσαύτως· κινεῖ γὰρ
κατὰ συμβεβηκὸς τὸ δὲ κατὰ μέρος τὸ δὲ καθ' αὑτό· ἔστι
δέ τι τὸ κινοῦν πρῶτον· ἔστι δέ τι τὸ κινούμενον, ἔτι ἐν ᾧ
χρόνῳ καὶ ἐξ οὗ καὶ εἰς ὅ. τὰ δ' εἴδη καὶ τὰ πάθη καὶ
ὁ τόπος, εἰς ἃ κινοῦνται τὰ κινούμενα, ἀκίνητά ἐστιν, οἷον 10
ἐπιστήμη καὶ θερμότης· ἔστι δ' οὐχ ἡ θερμότης κίνησις ἀλλ'
ἡ θέρμανσις. ἡ δὲ μὴ κατὰ συμβεβηκὸς μεταβολὴ οὐκ ἐν
ἅπασιν ὑπάρχει ἀλλ' ἐν τοῖς ἐναντίοις καὶ μεταξὺ καὶ
ἐν ἀντιφάσει· τούτου δὲ πίστις ἐκ τῆς ἐπαγωγῆς. μετα-
βάλλει δὲ τὸ μεταβάλλον ἢ ἐξ ὑποκειμένου εἰς ὑποκεί- 15
μενον, ἢ οὐκ ἐξ ὑποκειμένου εἰς οὐχ ὑποκείμενον, ἢ ἐξ ὑπο-
κειμένου εἰς οὐχ ὑποκείμενον, ἢ οὐκ ἐξ ὑποκειμένου εἰς ὑπο-
κείμενον (λέγω δὲ ὑποκείμενον τὸ καταφάσει δηλούμενον),

1067ᵃ 33–37, cf. 207ᵇ 21–25   ᵇ 1–9, cf. *Phys.* v. 224ᵃ 21 – ᵇ 1
9–12, cf. 224ᵇ 11–16   12–14, cf. 224ᵇ 28–30   14 — 1068ᵇ
15, cf. 225ᵃ 3 — 226ᵃ 16

ᵃ 28 σῶμα αἰσθητὸν AᵇΦ : αἰσθητὸν σῶμα EJΓ   32 δὲ EJΓΦ :
δὲ δὴ Aᵇ   35 τὸ alt. om. Aᵇ   36 χρόνῳ Γ   ᵇ 2 βαδίζειν
E¹JΓ   5 τι καὶ ὁ αὐτὸ πρῶτον EJΓ   6 τι om. iΦ   7 δὲ
pr. AᵇΦ : μὲν EJΓ   8 δέ alt. om. E   ἔτι ἐν ᾧ EJΓΦ : ἔν τινι Aᵇ
9 ὁ χρόνος iΦ : χρόνος Christ   τὰ alt. Aᵇ Simpl. Them. : om. EJ
16 ἢ οὐκ ... 18 δὲ ὑποκείμενον EJΓΦ : om. Aᵇ

H

ὥστ᾽ ἀνάγκη τρεῖς εἶναι μεταβολάς· ἡ γὰρ ἐξ οὐχ ὑποκει-
20 μένου εἰς μὴ ὑποκείμενον οὐκ ἔστι μεταβολή· οὔτε γὰρ ἐναν-
τία οὔτε ἀντίφασίς ἐστιν, ὅτι οὐκ ἀντίθεσις. ἡ μὲν οὖν οὐκ
ἐξ ὑποκειμένου εἰς ὑποκείμενον κατ᾽ ἀντίφασιν γένεσίς ἐστιν,
ἡ μὲν ἁπλῶς ἁπλῆ, ἡ δὲ τινὸς τίς· ἡ δ᾽ ἐξ ὑποκειμένου εἰς
μὴ ὑποκείμενον φθορά, ἡ μὲν ἁπλῶς ἁπλῆ, ἡ δὲ τινὸς
25 τίς. εἰ δὴ τὸ μὴ ὂν λέγεται πλεοναχῶς, καὶ μήτε τὸ
κατὰ σύνθεσιν ἢ διαίρεσιν ἐνδέχεται κινεῖσθαι μήτε τὸ
κατὰ δύναμιν τὸ τῷ ἁπλῶς ὄντι ἀντικείμενον (τὸ γὰρ μὴ
λευκὸν ἢ μὴ ἀγαθὸν ὅμως ἐνδέχεται κινεῖσθαι κατὰ συμ-
βεβηκός, εἴη γὰρ ἂν ἄνθρωπος τὸ μὴ λευκόν· τὸ δ᾽ ἁπλῶς
30 μὴ τόδε οὐδαμῶς), ἀδύνατον τὸ μὴ ὂν κινεῖσθαι (εἰ δὲ
τοῦτο, καὶ τὴν γένεσιν κίνησιν εἶναι· γίγνεται γὰρ τὸ
μὴ ὄν· εἰ γὰρ καὶ ὅτι μάλιστα κατὰ συμβεβηκὸς γίγνε-
ται, ἀλλ᾽ ὅμως ἀληθὲς εἰπεῖν ὅτι ὑπάρχει τὸ μὴ ὂν κατὰ
τοῦ γιγνομένου ἁπλῶς)· ὁμοίως δὲ καὶ τὸ ἠρεμεῖν. ταῦτά
35 τε δὴ συμβαίνει δυσχερῆ, καὶ εἰ πᾶν τὸ κινούμενον ἐν τόπῳ,
τὸ δὲ μὴ ὂν οὐκ ἔστιν ἐν τόπῳ· εἴη γὰρ ἂν πού. οὐδὲ δὴ ἡ
φθορὰ κίνησις· ἐναντίον γὰρ κινήσει κίνησις ἢ ἠρεμία,
1068ᵃ φθορὰ δὲ γενέσει. ἐπεὶ δὲ πᾶσα κίνησις μεταβολή τις,
μεταβολαὶ δὲ τρεῖς αἱ εἰρημέναι, τούτων δ᾽ αἱ κατὰ γένε-
σιν καὶ φθορὰν οὐ κινήσεις, αὗται δ᾽ εἰσὶν αἱ κατ᾽ ἀντίφα-
σιν, ἀνάγκη τὴν ἐξ ὑποκειμένου εἰς ὑποκείμενον κίνησιν εἶναι
5 μόνην. τὰ δ᾽ ὑποκείμενα ἢ ἐναντία ἢ μεταξύ (καὶ γὰρ ἡ
στέρησις κείσθω ἐναντίον), καὶ δηλοῦται καταφάσει, οἷον τὸ
γυμνὸν καὶ νωδὸν καὶ μέλαν.

Εἰ οὖν αἱ κατηγορίαι διῄρηνται οὐσίᾳ, ποιότητι, τόπῳ, 12
τῷ ποιεῖν ἢ πάσχειν, τῷ πρός τι, τῷ ποσῷ, ἀνάγκη τρεῖς
10 εἶναι κινήσεις, ποιοῦ ποσοῦ τόπου· κατ᾽ οὐσίαν δ᾽ οὔ, διὰ τὸ
μηθὲν εἶναι οὐσίᾳ ἐναντίον, οὐδὲ τοῦ πρός τι (ἔστι γὰρ θατέρου

ᵇ21 ὅτι οὐκ ἀντίθεσις ante οὔτε l. 20 ponenda ci. Bonitz   23 τινὸς
τίς recc. Gⁱ: τὶς τινός EJAᵇᶲ   24 ἡ μὲν ... 25 τίς om. Γ   ἁπλῆ
om. Aᵇ   24-25 τίς τινός Aᵇ   27 ὄντι EJΓᶲ: om. Aᵇ   29 ἂν
om. AᵇᶲΦ   30 τὸ JT Them. : γὰρ τὸ EAᵇΓᶲ   34 ταὐτὰ Jaeger
35 τε EJᶲFH : δὲ AᵇᶲE Jaeger: om. ΓΦΙ   36 ἡ Aᵇᶲ: om. EJ
1068ᵃ2 δ᾽ αἱ EJΓᶲ: δὲ μὴ Aᵇ   5 ἢ pr. EJΓᶲ: om. Aᵇ   7 γυμνὸν]
τυφλὸν i : ψυχρὸν ci. Bonitz   νωδὸν] λευκὸν Aᵇᶲ   καὶ τὸ μέλαν EJ
9 τῷ et ἢ EJΓᶲ: om. Aᵇ   τῷ tert. om. Aᵇ   11 τοῦ] τῷ ΦFHI
Phil. : om. EJΓᶲE Simpl.ⁱ

μεταβάλλοντος μὴ ἀληθεύεσθαι θάτερον μηδὲν μεταβάλλον,
ὥστε κατὰ συμβεβηκὸς ἡ κίνησις αὐτῶν), οὐδὲ ποιοῦντος
καὶ πάσχοντος, ἢ κινοῦντος καὶ κινουμένου, ὅτι οὐκ ἔστι
κινήσεως κίνησις οὐδὲ γενέσεως γένεσις, οὐδ' ὅλως μετα- 15
βολῆς μεταβολή. διχῶς γὰρ ἐνδέχεται κινήσεως εἶναι κί-
νησιν, ἢ ὡς ὑποκειμένου (οἷον ὁ ἄνθρωπος κινεῖται ὅτι ἐκ
λευκοῦ εἰς μέλαν μεταβάλλει, ὥστε οὕτω καὶ ἡ κίνησις ἢ
θερμαίνεται ἢ ψύχεται ἢ τόπον ἀλλάττει ἢ αὔξεται· τοῦτο
δὲ ἀδύνατον· οὐ γὰρ τῶν ὑποκειμένων τι ἡ μεταβολή), ἢ 20
τῷ ἕτερόν τι ὑποκείμενον ἐκ μεταβολῆς μεταβάλλειν εἰς
ἄλλο εἶδος, οἷον ἄνθρωπον ἐκ νόσου εἰς ὑγίειαν. ἀλλ' οὐδὲ
τοῦτο δυνατὸν πλὴν κατὰ συμβεβηκός. πᾶσα γὰρ κίνησις
ἐξ ἄλλου εἰς ἄλλο ἐστὶ μεταβολή, καὶ γένεσις καὶ φθορὰ
ὡσαύτως· πλὴν αἱ μὲν εἰς ἀντικείμενα ὡδί, ἡ δ' ὡδί, ἡ κίνησις. 25
ἅμα οὖν μεταβάλλει ἐξ ὑγιείας εἰς νόσον, καὶ ἐξ αὐτῆς
ταύτης τῆς μεταβολῆς εἰς ἄλλην. δῆλον δὴ ὅτι ἂν νοσήσῃ,
μεταβεβληκὸς ἔσται εἰς ὁποιανοῦν (ἐνδέχεται γὰρ ἠρεμεῖν)
καὶ ἔτι εἰς μὴ τὴν τυχοῦσαν ἀεί· κἀκείνη ἔκ τινος εἴς
τι ἄλλο ἔσται· ὥσθ' ἡ ἀντικειμένη ἔσται, ὑγίανσις, ἀλλὰ 30
τῷ συμβεβηκέναι, οἷον ἐξ ἀναμνήσεως εἰς λήθην μετα-
βάλλει ὅτι ᾧ ὑπάρχει ἐκεῖνο μεταβάλλει, ὁτὲ μὲν εἰς
ἐπιστήμην ὁτὲ δὲ εἰς ἄγνοιαν.—ἔτι εἰς ἄπειρον βαδιεῖται, εἰ
ἔσται μεταβολῆς μεταβολὴ καὶ γενέσεως γένεσις. ἀνάγκη
δὴ καὶ τὴν προτέραν, εἰ ἡ ὑστέρα· οἷον εἰ ἡ ἁπλῆ γένεσις 35
ἐγίγνετό ποτε, καὶ τὸ γιγνόμενον ἐγίγνετο· ὥστε οὔπω 1068ᵇ
ἦν τὸ γιγνόμενον ἁπλῶς, ἀλλά τι γιγνόμενον [ἢ] γιγνόμενον

ᵃ 12 μεταβάλλοντος μὴ ut vid. Al. Them., Schwegler : μεταβάλ-
λοντος μηδὲν Aᵇ : μηθὲν μεταβάλλοντος EJΓ : μεταβάλλοντος iΦ Simpl. :
μεταβάλλοντος μηκέτι ci. Christ   μηδὲν EJΓΦ : μηδὲ Aᵇ   14 καὶ
pr. EJΓΦ : ἢ Aᵇ   15 μεταβολῆς μεταβολή AᵇΓ Simpl.ᶜ : μεταβολὴ
μεταβολῆς EJΦ   16 εἶναι κίνησιν EJΓΦ : κίνησιν εἶναι Aᵇ
23 ἅπασι Aᵇ   γὰρ] γὰρ ἡ Eᵇ   25 ἐξ ἀντικειμένων JΓ   ἡ δ'
ὡδί Aᵇ Simpl. : ἡ ὡδί EJΓ Phil. ΦΕ² : om. ΦFHI   ἡ κίνησις AᵇΦΕ
Simpl. : ἡ δὲ κίνησις ΦΗ : ἡ δὲ κίνησις οὐχ ὁμοίως ΦFI : οὐ κινήσεις
EJΓ   27 δ' EJΓ   νοσῇ E¹   28 ἐν ὁποιαοῦν Γ   an οὐκ
ἐνδέχεται?   30 ἔσται alt. om. E¹J   33 ἄγνοιαν Smith,
legerunt ut vid. Phil. Simpl. : ὑγίειαν codd. ΓΦ   35 γένεσις ἐγίγ-
νετό EJΓΦ : γένετο Aᵇ   ᵇ 1 ἐγίγνετο EJΓΦ : ἁπλῶς ἐγίγνετο Aᵇ
2 τὸ ... 3 ἤδη] ἤδη Al. : ἤδη ἀλλὰ γινόμενον ἦν γιγνόμενον ἤδη γρ. Al. :
γινόμενον ἁπλῶς ἀλλά τι γινόμενον ἤδη ΦΗ γρ. Al. γρ. Simpl.
τὸ om. EJ   τι γιγνόμενον γιγνόμενον Bonitz : τι γιγνόμενον ἢ γενόμενον
Ε : τι γιγνόμενον ἁπλῶς ἢ γενόμενον JΓ : τι γιγνόμενον καὶ γιγνόμενον
ΦFI : γιγνόμενον τι ἢ γινόμενον Aᵇ : γιγνόμενον τὸ ΦΕ : γινόμενον ci. Asp.

H 2

ἤδη. καὶ τοῦτ' ἐγίγνετό ποτε, ὥστ' οὐκ ἦν πω τότε γιγνό-
μενον. ἐπεὶ δὲ τῶν ἀπείρων οὐκ ἔστι τι πρῶτον, οὐκ
5 ἔσται τὸ πρῶτον, ὥστ' οὐδὲ τὸ ἐχόμενον. οὔτε γίγνεσθαι οὖν
οὔτε κινεῖσθαι οἷόν τε οὔτε μεταβάλλειν οὐδέν. ἔτι τοῦ αὐτοῦ
κίνησις ἡ ἐναντία καὶ ἠρέμησις, καὶ γένεσις καὶ φθορά,
ὥστε τὸ γιγνόμενον, ὅταν γένηται γιγνόμενον, τότε φθείρε-
ται· οὔτε γὰρ εὐθὺς γιγνόμενον οὔθ' ὕστερον· εἶναι γὰρ δεῖ
10 τὸ φθειρόμενον. ἔτι δεῖ ὕλην ὑπεῖναι τῷ γιγνομένῳ καὶ
μεταβάλλοντι. τίς οὖν ἔσται ὥσπερ τὸ ἀλλοιωτὸν σῶμα ἢ
ψυχή — οὕτω τί τὸ γιγνόμενον κίνησις ἢ γένεσις; καὶ ἔτι τί
εἰς ὃ κινοῦνται; δεῖ γὰρ εἶναι τὴν τοῦδε ἐκ τοῦδε εἰς τόδε
κίνησιν ἢ γένεσιν. πῶς οὖν; οὐ γὰρ ἔσται μάθησις τῆς
15 μαθήσεως, ὥστ' οὐδὲ γένεσις γενέσεως. ἐπεὶ δ' οὔτ' οὐσίας οὔτε
τοῦ πρός τι οὔτε τοῦ ποιεῖν καὶ πάσχειν, λείπεται κατὰ τὸ
ποιὸν καὶ ποσὸν καὶ τόπον κίνησιν εἶναι (τούτων γὰρ ἑκά-
στῳ ἐναντίωσις ἔστιν), λέγω δὲ τὸ ποιὸν οὐ τὸ ἐν τῇ οὐσίᾳ
(καὶ γὰρ ἡ διαφορὰ ποιόν) ἀλλὰ τὸ παθητικόν, καθ' ὃ
20 λέγεται πάσχειν ἢ ἀπαθὲς εἶναι. τὸ δὲ ἀκίνητον τό τε
ὅλως ἀδύνατον κινηθῆναι καὶ τὸ μόλις ἐν χρόνῳ πολλῷ ἢ
βραδέως ἀρχόμενον, καὶ τὸ πεφυκὸς μὲν κινεῖσθαι καὶ
δυνάμενον (μὴ κινούμενον) δὲ ὅτε πέφυκε καὶ οὗ καὶ ὥς· ὃ
καλῶ ἠρεμεῖν τῶν ἀκινήτων μόνον· ἐναντίον γὰρ ἠρεμία
25 κινήσει, ὥστε στέρησις ἂν εἴη τοῦ δεκτικοῦ.

1068ᵇ 15–20, cf. 226ᵃ 23–29   20–25, cf. 226ᵇ 10–16

ᵇ 3 ἤδη Aᵇᴼ: εἰ δὴ EJΓ   τότε EJΓΦ: ποτε Aᵇ   an γιγνόμενον
γιγνόμενον?   4 τι om. EJ Simpl.   4–5 οὐκ ἔσται τὸ πρῶτον
EJΓΦ: om. Aᵇ Simpl.   5–6 οὖν αὗται οὔτε E²   7 γένεσις EJΓΦ:
ἡ γένεσις Aᵇ   9 γιγνόμενον EJΦ: γενόμενον AᵇΓ: an γιγνόμενον
γιγνόμενον?   12 οὕτω om. J   τί JAᵇΦF Simpl.: τι Γ: τι (sed
erasum) καὶ E: δὴ ΦΙ   κίνησις EJΓΦ: ἡ κίνησις Aᵇ   καὶ γένεσις JΓ
ἔτι om. EJΓ: πάλιν Φ   13 τὴν] τι τὴν EJΓΦ   14 ἢ γένεσιν ΦE²ΗΙ Αl.
Simpl.: μὴ κίνησιν codd. Γ γρ. ΑL.: καὶ μὴ κίνησιν ΦE¹: μὴ κίνησιν
ἢ γένεσιν ΦF: μὴ κίνησιν ἁπλῶς Lasson   τῆς μαθήσεως, ὥστ' οὐδὲν
γένεσις γρ. J: om. J   τῆς μαθήσεως] ἡ τῆς μαθήσεως γένεσις Aᵇᴼ
15 γενέσεως γένεσις ΦEFI Simpl.ᶜ Phil.: τῆς γενέσεως Aᵇ   17 καὶ
pr.] καὶ τὸ Aᵇ Simpl.   τὸ ποῦ JΓΦ   19 γὰρ JΓΦ: γὰρ καὶ E:
om. Aᵇ   ἡ διαφορὰ EJΓΦ: τῇ διαφορᾷ Aᵇ   καθ' ὃ Φ: καθὸ
codd.   21 μόγις Aᵇ   ἢ Aᵇ Simpl. Them.: om. EJΓ·   22 τὸ]
ὅ τι J   καὶ ... 23 δὲ Φ: μὴ δυνάμενον δὲ codd. Γ   23 πέφυκε
AᵇΦ: om. EJΓ

Ἅμα κατὰ τόπον ὅσα ἐν ἑνὶ τόπῳ πρώτῳ, καὶ χωρὶς
ὅσα ἐν ἄλλῳ· ἅπτεσθαι δὲ ὧν τὰ ἄκρα ἅμα· μεταξὺ δ᾽
εἰς ὃ πέφυκε πρότερον ἀφικνεῖσθαι τὸ μεταβάλλον ἢ εἰς
ὃ ἔσχατον μεταβάλλει κατὰ φύσιν τὸ συνεχῶς μετα-
βάλλον. ἐναντίον κατὰ τόπον τὸ κατ᾽ εὐθεῖαν ἀπέχον πλεῖ- 30
στον· ἑξῆς δὲ οὗ μετὰ τὴν ἀρχὴν ὄντος, θέσει ἢ εἴδει ἢ ἄλ-
λως πως ἀφορισθέντος, μηθὲν μεταξύ ἐστι τῶν ἐν ταὐτῷ
γένει καὶ οὗ ἐφεξῆς ἐστίν, οἷον γραμμαὶ γραμμῆς ἢ μονά-
δες μονάδος ἢ οἰκίας οἰκία (ἄλλο δ᾽ οὐθὲν κωλύει μεταξὺ
εἶναι). τὸ γὰρ ἑξῆς τινὸς ἐφεξῆς καὶ ὕστερόν τι· οὐ γὰρ τὸ 35
ἓν ἑξῆς τῶν δύο οὐδ᾽ ἡ νουμηνία τῆς δευτέρας. ἐχόμενον 1069ᵃ
δὲ ὃ ἂν ἑξῆς ὂν ἅπτηται. ἐπεὶ δὲ πᾶσα μεταβολὴ ἐν τοῖς
ἀντικειμένοις, ταῦτα δὲ τὰ ἐναντία καὶ ἀντίφασις, ἀντι-
φάσεως δ᾽ οὐδὲν ἀνὰ μέσον, δῆλον ὡς ἐν τοῖς ἐναντίοις τὸ
μεταξύ. τὸ δὲ συνεχὲς ὅπερ ἐχόμενόν τι. λέγω δὲ συνεχὲς 5
ὅταν ταὐτὸ γένηται καὶ ἓν τὸ ἑκατέρου πέρας οἷς ἅπτονται
καὶ συνέχονται, ὥστε δῆλον ὅτι τὸ συνεχὲς ἐν τούτοις
ἐξ ὧν ἕν τι πέφυκε γίγνεσθαι κατὰ τὴν σύναψιν. καὶ
ὅτι πρῶτον τὸ ἐφεξῆς, δῆλον (τὸ γὰρ ἐφεξῆς οὐχ ἅπτεται,
τοῦτο δ᾽ ἐφεξῆς· καὶ εἰ συνεχές, ἅπτεται, εἰ δ᾽ ἅπτεται, 10
οὔπω συνεχές· ἐν οἷς δὲ μὴ ἔστιν ἁφή, οὐκ ἔστι σύμφυσις
ἐν τούτοις)· ὥστ᾽ οὐκ ἔστι στιγμὴ μονάδι ταὐτόν· ταῖς μὲν
γὰρ ὑπάρχει τὸ ἅπτεσθαι, ταῖς δ᾽ οὔ, ἀλλὰ τὸ ἐφεξῆς· καὶ
τῶν μὲν μεταξύ τι τῶν δ᾽ οὔ.

15

Λ

Περὶ τῆς οὐσίας ἡ θεωρία· τῶν γὰρ οὐσιῶν αἱ ἀρχαὶ
καὶ τὰ αἴτια ζητοῦνται. καὶ γὰρ εἰ ὡς ὅλον τι τὸ πᾶν,
ἡ οὐσία πρῶτον μέρος· καὶ εἰ τῷ ἐφεξῆς, κἂν οὕτως πρῶτον 20

26-30, cf. 226ᵇ 21-25   30 — 1069ᵃ 14, cf. 226ᵇ 32 — 227ᵃ 31

ᵇ26 ἐν EJΓΦ: om. Aᵇ   πρώτῳ EJΓ Simpl.: πρῶτον Aᵇ   27 δὲ
EJΓΦ: om. Aᵇ   29 τὸ om. EJΦ   33 οὗ EJΓΦ: ὃ Aᵇ   ἐφεξῆς
AᵇΦ: ἐξῆς EJ   35 τινὸς] τινὶ AᵇΦ   1069ᵃ 2 ὂν ἅπτηται EJΓΦFI
Them.: ἀνάπτηται Aᵇ   ἐπεὶ... 5 μεταξύ ante μεταξύ 1068ᵇ 27
interp. Them., ante ἐναντίον 1068ᵇ 30 ponenda ci. Prantl   3 τὰ
E¹JΦE: τά τ᾽ E²ΦFHI: om. Aᵇ   5 τι. λέγω EJΓΦ: τι ἢ
ἀπτόμενον. λέγεται Aᵇ   9 ἐφεξῆς alt. et 10 ἐφεξῆς AᵇΦ: ἐξῆς
EJ   13 τὸ alt. Aᵇᵇ: πρὸς τὸ EJΓ   20 τῷ EJΓAl.ᶜ: τὸ Aᵇ
κἂν] καὶ EJ

ἡ οὐσία, εἶτα τὸ ποιόν, εἶτα τὸ ποσόν. ἅμα δὲ οὐδ' ὄντα
ὡς εἰπεῖν ἁπλῶς ταῦτα, ἀλλὰ ποιότητες καὶ κινήσεις, ἢ
καὶ τὸ οὐ λευκὸν καὶ τὸ οὐκ εὐθύ· λέγομεν γοῦν εἶναι καὶ
ταῦτα, οἷον ἔστιν οὐ λευκόν. ἔτι οὐδὲν τῶν ἄλλων χωριστόν.
25 μαρτυροῦσι δὲ καὶ οἱ ἀρχαῖοι ἔργῳ· τῆς γὰρ οὐσίας ἐζήτουν
ἀρχὰς καὶ στοιχεῖα καὶ αἴτια. οἱ μὲν οὖν νῦν τὰ καθόλου
οὐσίας μᾶλλον τιθέασιν (τὰ γὰρ γένη καθόλου, ἅ φασιν
ἀρχὰς καὶ οὐσίας εἶναι μᾶλλον διὰ τὸ λογικῶς ζητεῖν)· οἱ
δὲ πάλαι τὰ καθ' ἕκαστα, οἷον πῦρ καὶ γῆν, ἀλλ' οὐ τὸ
30 κοινόν, σῶμα. οὐσίαι δὲ τρεῖς, μία μὲν αἰσθητή — ἧς ἡ
μὲν ἀίδιος ἡ δὲ φθαρτή, ἣν πάντες ὁμολογοῦσιν, οἷον τὰ
φυτὰ καὶ τὰ ζῷα [ἡ δ' ἀίδιος]— ἧς ἀνάγκη τὰ στοιχεῖα
λαβεῖν, εἴτε ἓν εἴτε πολλά· ἄλλη δὲ ἀκίνητος, καὶ ταύ-
την φασί τινες εἶναι χωριστήν, οἱ μὲν εἰς δύο διαιροῦντες,
35 οἱ δὲ εἰς μίαν φύσιν τιθέντες τὰ εἴδη καὶ τὰ μαθηματικά,
οἱ δὲ τὰ μαθηματικὰ μόνον τούτων. ἐκεῖναι μὲν δὴ φυ-
1069ᵇ σικῆς (μετὰ κινήσεως γάρ), αὕτη δὲ ἑτέρας, εἰ μηδεμία
αὐτοῖς ἀρχὴ κοινή.

Ἡ δ' αἰσθητὴ οὐσία μεταβλητή. εἰ δ' ἡ μεταβολὴ
ἐκ τῶν ἀντικειμένων ἢ τῶν μεταξύ, ἀντικειμένων δὲ μὴ
5 πάντων (οὐ λευκὸν γὰρ ἡ φωνή) ἀλλ' ἐκ τοῦ ἐναντίου,
ἀνάγκη ὑπεῖναί τι τὸ μεταβάλλον εἰς τὴν ἐναντίωσιν· οὐ
γὰρ τὰ ἐναντία μεταβάλλει. ἔτι τὸ μὲν ὑπομένει, τὸ δ' 2
ἐναντίον οὐχ ὑπομένει· ἔστιν ἄρα τι τρίτον παρὰ τὰ ἐναν-
τία, ἡ ὕλη. εἰ δὴ αἱ μεταβολαὶ τέτταρες, ἢ κατὰ τὸ τί
10 ἢ κατὰ τὸ ποιὸν ἢ πόσον ἢ ποῦ, καὶ γένεσις μὲν ἡ ἁπλῆ
καὶ φθορὰ ἡ κατὰ ⟨τὸ⟩ τόδε, αὔξησις δὲ καὶ φθίσις ἡ κατὰ
τὸ ποσόν, ἀλλοίωσις δὲ ἡ κατὰ τὸ πάθος, φορὰ δὲ ἡ

ᵃ 21 εἶτα τὸ alt. Aᵇ Al. : ἢ EJΓ   22 ἁπλῶς εἰπεῖν AᵇΓ   ταῦτα
EJΓ Al.ᶜ: τἆλλα Aᵇ γρ. E Them.   ἀλλὰ codd. Γ et ut vid. Them. :
οἷον Al.   ἢ J Al.ᶜ : ἢ EAᵇΓ Them.   23 τὸ alt. Aᵇ Al. : om.
EJ   23–24 γοῦν καὶ ταῦτα εἶναι Aᵇ   29 ἕκαστα Aᵇ Al.ᶜ :
ἕκαστον EJ   30 ἧς ... 31 ὁμολογοῦσιν] ἣν πάντες ὁμολογοῦσιν, ἧς
ἡ μὲν φθαρτή Al. : ἣν πάντες ὁμολογοῦσιν, ἧς ἡ μὲν ἀίδιος ἡ δὲ φθαρτή
Them.   32 ἡ δ' ἀίδιος codd. ΓAl., γρ. Al. apud Averroem : om.
Them. Al. apud Averroem   33 καὶ Aᵇ Al. : om. EJΓ   34 τινες
εἶναί φασι Aᵇ   35 μαθηματικὰ οἱ δὲ τὰ AᵇΓ Al. : μαθηματικὰ οἱ δὲ
in marg. J : om. E   36 μαθηματικὰ J   ᵇ 3 δ' alt.] δὴ E²J¹²
5 γὰρ καὶ ἡ Essen   7 μεταβάλλειν E¹   9 τὸ sup. lin. E
11 ἡ om. EJ Al.ᶜ   τὸ adieci   12 τὸ pr. sup. lin. E   φθορὰ EJ¹

κατὰ τόπον, εἰς ἐναντιώσεις ἂν εἶεν τὰς καθ᾽ ἕκαστον αἱ
μεταβολαί. ἀνάγκη δὴ μεταβάλλειν τὴν ὕλην δυναμένην
ἄμφω· ἐπεὶ δὲ διττὸν τὸ ὄν, μεταβάλλει πᾶν ἐκ τοῦ δυ- 15
νάμει ὄντος εἰς τὸ ἐνεργείᾳ ὄν (οἷον ἐκ λευκοῦ δυνάμει εἰς
τὸ ἐνεργείᾳ λευκόν, ὁμοίως δὲ καὶ ἐπ᾽ αὐξήσεως καὶ φθί-
σεως), ὥστε οὐ μόνον κατὰ συμβεβηκὸς ἐνδέχεται γίγνεσθαι
ἐκ μὴ ὄντος, ἀλλὰ καὶ ἐξ ὄντος γίγνεται πάντα, δυνά-
μει μέντοι ὄντος, ἐκ μὴ ὄντος δὲ ἐνεργείᾳ. καὶ τοῦτ᾽ ἔστι 20
τὸ Ἀναξαγόρου ἕν· βέλτιον γὰρ ἢ "ὁμοῦ πάντα" — καὶ Ἐμ-
πεδοκλέους τὸ μῖγμα καὶ Ἀναξιμάνδρου, καὶ ὡς Δημό-
κριτός φησιν — "ἦν ὁμοῦ πάντα δυνάμει, ἐνεργείᾳ δ᾽ οὔ". ὥστε
τῆς ὕλης ἂν εἶεν ἡμμένοι· πάντα δ᾽ ὕλην ἔχει ὅσα μετα-
βάλλει, ἀλλ᾽ ἑτέραν· καὶ τῶν ἀϊδίων ὅσα μὴ γενητὰ 25
κινητὰ δὲ φορᾷ, ἀλλ᾽ οὐ γενητὴν ἀλλὰ ποθὲν ποί. ἀπο-
ρήσειε δ᾽ ἄν τις ἐκ ποίου μὴ ὄντος ἡ γένεσις· τριχῶς γὰρ
τὸ μὴ ὄν. εἰ δή τι ἔστι δυνάμει, ἀλλ᾽ ὅμως οὐ τοῦ τυχόν-
τος ἀλλ᾽ ἕτερον ἐξ ἑτέρου· οὐδ᾽ ἱκανὸν ὅτι ὁμοῦ πάντα
χρήματα· διαφέρει γὰρ τῇ ὕλῃ, ἐπεὶ διὰ τί ἄπειρα ἐγέ- 30
νετο ἀλλ᾽ οὐχ ἕν; ὁ γὰρ νοῦς εἷς, ὥστ᾽ εἰ καὶ ἡ ὕλη μία,
ἐκεῖνο ἐγένετο ἐνεργείᾳ οὗ ἡ ὕλη ἦν δυνάμει. τρία δὴ τὰ
αἴτια καὶ τρεῖς αἱ ἀρχαί, δύο μὲν ἡ ἐναντίωσις, ἧς τὸ
μὲν λόγος καὶ εἶδος τὸ δὲ στέρησις, τὸ δὲ τρίτον ἡ ὕλη.

3   Μετὰ ταῦτα ὅτι οὐ γίγνεται οὔτε ἡ ὕλη οὔτε τὸ εἶδος, 35
λέγω δὲ τὰ ἔσχατα. πᾶν γὰρ μεταβάλλει τὶ καὶ ὑπό
τινος καὶ εἴς τι· ὑφ᾽ οὗ μέν, τοῦ πρώτου κινοῦντος· ὃ δέ, ἡ 1070ᵃ
ὕλη· εἰς ὃ δέ, τὸ εἶδος. εἰς ἄπειρον οὖν εἶσιν, εἰ μὴ μόνον
ὁ χαλκὸς γίγνεται στρογγύλος ἀλλὰ καὶ τὸ στρογγύλον
ἢ ὁ χαλκός· ἀνάγκη δὴ στῆναι. — μετὰ ταῦτα ὅτι ἑκάστη
ἐκ συνωνύμου γίγνεται οὐσία (τὰ γὰρ φύσει οὐσίαι καὶ 5
τὰ ἄλλα). ἢ γὰρ τέχνῃ ἢ φύσει γίγνεται ἢ τύχῃ ἢ τῷ
αὐτομάτῳ. ἡ μὲν οὖν τέχνη ἀρχὴ ἐν ἄλλῳ, ἡ δὲ φύσις

ᵇ21 Ἀναξιμάνδρου Lütze   ὃν Jackson   βέλτιον . . . πάντα secl.
Karsten   γὰρ om. γρ. Ε   22 καὶ Ἀναξαγόρου Lütze: fort. om.
Al.   23 ὁμοῦ γρ. Ε : ἡμῖν ΕJΑᵇΓ   25 ἀλλ᾽ ἑτέραν post φορᾷ
l. 26, omisso ἀλλ᾽ l. 26, Goebel   ἕτερα ἑτέραν ci. Bonitz   γενητὰ Αᵇ
26 γεννητὴν Αᵇ   31 καὶ ΕJ Al. : om. ΑᵇΓ   32 οὗ] ὁ Schwegler
33 αἱ om. JΑᵇ   34 τὸ alt. . . . ὕλη om. J¹   1070ᵃ 1 τὶ] τι καὶ
ἐξ οὗ Αᵇ   ὃ] οὗ J   4 δὲ Goebel   5 οὐσία ΕJ Al. : ἡ οὐσία
Αᵇ

ἀρχὴ ἐν αὐτῷ (ἄνθρωπος γὰρ ἄνθρωπον γεννᾷ), αἱ δὲ
λοιπαὶ αἰτίαι στερήσεις τούτων. οὐσίαι δὲ τρεῖς, ἡ μὲν ὕλη
10 τόδε τι οὖσα τῷ φαίνεσθαι (ὅσα γὰρ ἀφῇ καὶ μὴ συμ-
φύσει, ὕλη καὶ ὑποκείμενον), ἡ δὲ φύσις τόδε τι καὶ
ἕξις τις εἰς ἥν· ἔτι τρίτη ἡ ἐκ τούτων ἡ καθ' ἕκαστα,
οἷον Σωκράτης ἢ Καλλίας. ἐπὶ μὲν οὖν τινῶν τὸ τόδε τι
οὐκ ἔστι παρὰ τὴν συνθετὴν οὐσίαν, οἷον οἰκίας τὸ εἶδος, εἰ
15 μὴ ἡ τέχνη (οὐδ' ἔστι γένεσις καὶ φθορὰ τούτων, ἀλλ' ἄλ-
λον τρόπον εἰσὶ καὶ οὐκ εἰσὶν οἰκία τε ἡ ἄνευ ὕλης καὶ
ὑγίεια καὶ πᾶν τὸ κατὰ τέχνην), ἀλλ' εἴπερ, ἐπὶ τῶν φύ-
σει· διὸ δὴ οὐ κακῶς Πλάτων ἔφη ὅτι εἴδη ἔστιν ὁπόσα
φύσει, εἴπερ ἔστιν εἴδη ἄλλα τούτων *οἷον πῦρ σὰρξ κεφαλή·
20 ἅπαντα γὰρ ὕλη ἐστί, καὶ τῆς μάλιστ' οὐσίας ἡ τελευταία*.
τὰ μὲν οὖν κινοῦντα αἴτια ὡς προγεγενημένα ὄντα, τὰ δ'
ὡς ὁ λόγος ἅμα. ὅτε γὰρ ὑγιαίνει ὁ ἄνθρωπος, τότε καὶ
ἡ ὑγίεια ἔστιν, καὶ τὸ σχῆμα τῆς χαλκῆς σφαίρας ἅμα καὶ
ἡ χαλκῆ σφαῖρα (εἰ δὲ καὶ ὕστερόν τι ὑπομένει, σκεπτέον·
25 ἐπ' ἐνίων γὰρ οὐδὲν κωλύει, οἷον εἰ ἡ ψυχὴ τοιοῦτον, μὴ
πᾶσα ἀλλ' ὁ νοῦς· πᾶσαν γὰρ ἀδύνατον ἴσως). φανερὸν
δὴ ὅτι οὐδὲν δεῖ διά γε ταῦτ' εἶναι τὰς ἰδέας· ἄνθρωπος
γὰρ ἄνθρωπον γεννᾷ, ὁ καθ' ἕκαστον τὸν τινά· ὁμοίως δὲ
καὶ ἐπὶ τῶν τεχνῶν· ἡ γὰρ ἰατρικὴ τέχνη ὁ λόγος τῆς ὑγιείας
30 ἐστίν.

Τὰ δ' αἴτια καὶ αἱ ἀρχαὶ ἄλλα ἄλλων ἔστιν ὥς, ἔστι 4
δ' ὥς, ἂν καθόλου λέγῃ τις καὶ κατ' ἀναλογίαν, ταὐτὰ
πάντων. ἀπορήσειε γὰρ ἄν τις πότερον ἕτεραι ἢ αἱ αὐταὶ
ἀρχαὶ καὶ στοιχεῖα τῶν οὐσιῶν καὶ τῶν πρός τι, καὶ καθ'

---

a 8 αὐτῷ recc. Γ: αὐτῷ EJ: ἑαυτῷ Aᵇ   ἄνθρωπος ... γεννᾷ ad
l. 5 pertinere censuit Al.: an ex ll. 27, 28 inserta?   10 οὐσία JΓ
γὰρ E¹J Al.ᶜ: γάρ ἐστιν E²AᵇΓ   11 φύσις καὶ τόδε Aᵇ   καὶ
... 12 ἥν i et fort. Al.: εἰς ἥν καὶ ἕξις τις codd. ΓAl.ᶜ: οὖσα καὶ ἕξις
τις Bullinger   12 ἡ alt.] ἡ καὶ Aᵇ   13 τι om. EJΓ   16 τε
om. EJ   18 δὴ om. Aᵇ   Πλάτων ἔφη EJAl.: ὁ Πλάτων ἔφη
Aᵇ: οἱ τὰ εἴδη τιθέμενοι ἔφασαν Al. apud Averroem et ut vid. Them.
19 ἄλλα Aᵇ²ΓAl.: ἀλλὰ EAᵇ¹Al. apud Averroem: ἄλλου J: ἀλλά γ'
οὐ Christ   οἷον ... 20 τελευταία post ὑποκείμενον l. 11 ponenda vidit
Al.   19-20 κεφαλή, ἅπαντα ὕλη Al. apud Averroem   23 et 25 ἡ
om. Aᵇ   28 καθέκαστος Aᵇ   29 ὁ om. AᵇAl.   30 ἐστίν
EJΓAl.: om. Aᵇ   31 τὰ δ'] ἔστι δὲ τὰ Aᵇ   ἄλλαι AᵇAl.¹   ἔστιν
ὥς om. Aᵇ   32 λέγοι Aᵇ   33 πάντων EJΓAl.: πάντα Aᵇ
γὰρ] δ' JΓ

ἑκάστην δὴ τῶν κατηγοριῶν ὁμοίως. ἀλλ' ἄτοπον εἰ ταὐτὰ 35
πάντων· ἐκ τῶν αὐτῶν γὰρ ἔσται τὰ πρός τι καὶ αἱ οὐσίαι.
τί οὖν τοῦτ' ἔσται; παρὰ γὰρ τὴν οὐσίαν καὶ τἆλλα τὰ κατη- 1070ᵇ
γορούμενα οὐδέν ἐστι κοινόν, πρότερον δὲ τὸ στοιχεῖον ἢ ὧν
στοιχεῖον· ἀλλὰ μὴν οὐδ' ἡ οὐσία στοιχεῖον τῶν πρός τι,
οὐδὲ τούτων οὐδὲν τῆς οὐσίας. ἔτι πῶς ἐνδέχεται πάντων
εἶναι ταὐτὰ στοιχεῖα; οὐδὲν γὰρ οἷόν τ' εἶναι τῶν στοιχείων 5
τῷ ἐκ στοιχείων συγκειμένῳ τὸ αὐτό, οἷον τῷ ΒΑ τὸ Β ἢ Α
(οὐδὲ δὴ τῶν νοητῶν στοιχεῖόν ἐστιν, οἷον τὸ ὂν ἢ τὸ ἕν·
ὑπάρχει γὰρ ταῦτα ἑκάστῳ καὶ τῶν συνθέτων). οὐδὲν ἄρ' ἔσται
αὐτῶν οὔτ' οὐσία οὔτε πρός τι· ἀλλ' ἀναγκαῖον. οὐκ ἔστιν ἄρα
πάντων ταὐτὰ στοιχεῖα.—ἢ ὥσπερ λέγομεν, ἔστι μὲν ὥς, ἔστι 10
δ' ὡς οὔ, οἷον ἴσως τῶν αἰσθητῶν σωμάτων ὡς μὲν εἶδος τὸ
θερμὸν καὶ ἄλλον τρόπον τὸ ψυχρὸν ἡ στέρησις, ὕλη δὲ τὸ
δυνάμει ταῦτα πρῶτον καθ' αὑτό, οὐσίαι δὲ ταῦτά τε καὶ
τὰ ἐκ τούτων, ὧν ἀρχαὶ ταῦτα, ἢ εἴ τι ἐκ θερμοῦ καὶ ψυχροῦ
γίγνεται ἕν, οἷον σὰρξ ἢ ὀστοῦν· ἕτερον γὰρ ἀνάγκη ἐκείνων 15
εἶναι τὸ γενόμενον. τούτων μὲν οὖν ταὐτὰ στοιχεῖα καὶ ἀρχαί
(ἄλλων δ' ἄλλα), πάντων δὲ οὕτω μὲν εἰπεῖν οὐκ ἔστιν, τῷ ἀνά-
λογον δέ, ὥσπερ εἴ τις εἴποι ὅτι ἀρχαὶ εἰσὶ τρεῖς, τὸ εἶδος
καὶ ἡ στέρησις καὶ ἡ ὕλη. ἀλλ' ἕκαστον τούτων ἕτερον περὶ
ἕκαστον γένος ἐστίν, οἷον ἐν χρώματι λευκὸν μέλαν ἐπι- 20
φάνεια· φῶς σκότος ἀήρ, ἐκ δὲ τούτων ἡμέρα καὶ νύξ.
ἐπεὶ δὲ οὐ μόνον τὰ ἐνυπάρχοντα αἴτια, ἀλλὰ καὶ τῶν
ἐκτὸς οἷον τὸ κινοῦν, δῆλον ὅτι ἕτερον ἀρχὴ καὶ στοιχεῖον,
αἴτια δ' ἄμφω, καὶ εἰς ταῦτα διαιρεῖται ἡ ἀρχή, τὸ δ'
ὡς κινοῦν ἢ ἱστὰν ἀρχή τις καὶ οὐσία, ὥστε στοιχεῖα μὲν 25
κατ' ἀναλογίαν τρία, αἰτίαι δὲ καὶ ἀρχαὶ τέτταρες· ἄλλο
δ' ἐν ἄλλῳ, καὶ τὸ πρῶτον αἴτιον ὡς κινοῦν ἄλλο ἄλλῳ.
ὑγίεια, νόσος, σῶμα· τὸ κινοῦν ἰατρική. εἶδος, ἀταξία

ᵃ35 δὴ κατηγορίαν Aᵇ   36 τὰ] τὸ Aᵇ   ἡ οὐσία AᵇΓ : οὐσίαι
E¹]   ᵇ2 ὧν] ὧν ἐστὶ τὸ ΕJΓ   6 ἐκ AᵇAl.ᵒ : ἐκ τῶν EJ
τῷ] τὸ J   A] ἄμφω J   7 an οὐδὲν?   στοιχείων EJΓAl.   ἐστιν
om. EJΓAl.¹   ἐν ἢ τὸ ὂν EJΓ : ὂν καὶ τὸ ἕν Al.¹   12 ὕλη AᵇAl. :
ἡ ὕλη EJ   13 οὐσία Γ   14 θερμοῦ καὶ ψυχροῦ EJΓAl. :
ψυχροῦ καὶ θερμοῦ Aᵇ   15 ἕτερον ... 16 γενόμενον post τι l. 9
ponenda ci. Al.   16 ταῦτα EΓ   17 τὸ Aᵇ   18 εἴποιεν
Aᵇ   20 χρώμασι Aᵇ   21 καὶ om. EJ   25 ἱστῶν AᵇAl.
καὶ οὐσία] οὖσα EJΓ : καὶ αἰτία ci. Bonitz   μὲν om. J   26 αἴτια
Aᵇ   27 πρῶτον] ποιητικὸν ci. Bonitz

τοιαδί, πλίνθοι· τὸ κινοῦν οἰκοδομική [καὶ εἰς ταῦτα διαι-
30 ρεῖται ἡ ἀρχή]. ἐπεὶ δὲ τὸ κινοῦν ἐν μὲν τοῖς φυσικοῖς
ἀνθρώπῳ ἄνθρωπος, ἐν δὲ τοῖς ἀπὸ διανοίας τὸ εἶδος ἢ τὸ
ἐναντίον, τρόπον τινὰ τρία αἴτια ἂν εἴη, ὡδὶ δὲ τέτταρα.
ὑγίεια γάρ πως ἡ ἰατρική, καὶ οἰκίας εἶδος ἡ οἰκοδομική,
καὶ ἄνθρωπος ἄνθρωπον γεννᾷ· ἔτι παρὰ ταῦτα τὸ ὡς
35 πρῶτον πάντων κινοῦν πάντα.
Ἐπεὶ δ᾽ ἐστὶ τὰ μὲν χωριστὰ τὰ δ᾽ οὐ χωριστά, οὐσίαι 5
1071ᵃ ἐκεῖνα. καὶ διὰ τοῦτο πάντων αἴτια ταῦτα, ὅτι τῶν οὐσιῶν
ἄνευ οὐκ ἔστι τὰ πάθη καὶ αἱ κινήσεις. ἔπειτα ἔσται ταῦτα
ψυχὴ ἴσως καὶ σῶμα, ἢ νοῦς καὶ ὄρεξις καὶ σῶμα. — ἔτι
δ᾽ ἄλλον τρόπον τῷ ἀνάλογον ἀρχαὶ αἱ αὐταί, οἷον ἐνέρ-
5 γεια καὶ δύναμις· ἀλλὰ καὶ ταῦτα ἄλλα τε ἄλλοις καὶ
ἄλλως. ἐν ἐνίοις μὲν γὰρ τὸ αὐτὸ ὁτὲ μὲν ἐνεργείᾳ ἔστιν
ὁτὲ δὲ δυνάμει, οἷον οἶνος ἢ σὰρξ ἢ ἄνθρωπος (πίπτει δὲ
καὶ ταῦτα εἰς τὰ εἰρημένα αἴτια· ἐνεργείᾳ μὲν γὰο τὸ
εἶδος, ἐὰν ᾖ χωριστόν, καὶ τὸ ἐξ ἀμφοῖν στέρησις δέ, οἷον
10 σκότος ἢ κάμνον, δυνάμει δὲ ἡ ὕλη· τοῦτο γάρ ἐστι τὸ
δυνάμενον γίγνεσθαι ἄμφω)· ἄλλως δ᾽ ἐνεργείᾳ καὶ δυ-
νάμει διαφέρει ὧν μὴ ἔστιν ἡ αὐτὴ ὕλη, ὧν ⟨ἐνίων⟩ οὐκ ἔστι τὸ
αὐτὸ εἶδος ἀλλ᾽ ἕτερον, ὥσπερ ἀνθρώπου αἴτιον τά τε στοι-
χεῖα, πῦρ καὶ γῆ ὡς ὕλη καὶ τὸ ἴδιον εἶδος, καὶ ἔτι τι
15 ἄλλο ἔξω οἷον ὁ πατήρ, καὶ παρὰ ταῦτα ὁ ἥλιος καὶ ὁ
λοξὸς κύκλος, οὔτε ὕλη ὄντα οὔτ᾽ εἶδος οὔτε στέρησις οὔτε
ὁμοειδὲς ἀλλὰ κινοῦντα. ἔτι δὲ ὁρᾶν δεῖ ὅτι τὰ μὲν κα-
θόλου ἔστιν εἰπεῖν, τὰ δ᾽ οὔ. πάντων δὴ πρῶται ἀρχαὶ τὸ

ᵇ 29 καὶ ... 30 ἀρχή om. Aᵇ Al.   καὶ δι᾽ εἰς J   31 ἀνθρώπῳ
ἄνθρωπος Zeller: ἀνθρώποις ἄνθρωπος E Al. : ἄνθρωπος ἄνθρωπος
et ἄνθρωπος ἄνθρωπον E marg. : ἄνθρωπος JAᵇΓ   32 δὲ
om. J¹   33 ὑγεία J   34 τὸ ὡς ci. Bonitz : ὡς τὸ codd.
36 οὐσία γρ. E   1071ᵃ 1 ἐκεῖνα E²Aᵇ Al.¹ : ἐκεῖναι E¹ΓΓ   καὶ
EJΓ Al. : om. Aᵇ   ταῦτά ci. Christ : ταῦτα codd. ΓAl.   2 ἔσται]
ἐστι Al.   3 ἢ ... σῶμα om. J¹ : ἢ ... σῶμα, ἢ ὄρεξις καὶ σῶμα
fort. Al.   4 αἱ om. E¹   ἐνέργεια ... 6 ἄλλως in marg. E¹
5 ἄλλοτε ἄλλοις Al. Them.   8 ἐνεργείᾳ E Al.ᶜ : ἐνέργεια JAᵇΓ Al.
9 ᾖ EJΓ Al.ᶜ : ᾖ τὸ Aᵇ   καὶ] ἡ γρ. E Them.   στέρησίς ... 10 κάμνον
damnavit Christ: στέρησις δέ om. Them.   11 δ᾽ codd. ΓAl. : δ᾽ ἡ
Trendelenburg   12 ὧν ἐνίων scripsi : ὧν codd. ΓAl. : καὶ ὧν γρ.
E Them. : ἢ ὧν Zeller   13 ὥσπερ ... 17 κινοῦντα post πάντα
1070ᵇ 35 ponenda ci. Christ   14 ἔτι] εἰ EJΓ   17 δὲ EJΓ Al.¹ :
om. Aᵇ   18 πάντων ... 19 δυνάμει post ἔστιν l. 20 ponenda ci.
Christ   δὲ Al.ᶜ

ἐνεργείᾳ πρῶτον τοδὶ καὶ ἄλλο ὁ δυνάμει. ἐκεῖνα μὲν
οὖν τὰ καθόλου οὐκ ἔστιν· ἀρχὴ γὰρ τὸ καθ᾽ ἕκαστον τῶν 20
καθ᾽ ἕκαστον· ἄνθρωπος μὲν γὰρ ἀνθρώπου καθόλου, ἀλλ᾽
οὐκ ἔστιν οὐδείς, ἀλλὰ Πηλεὺς Ἀχιλλέως σοῦ δὲ ὁ πατήρ,
καὶ τοδὶ τὸ Β τουδὶ τοῦ ΒΑ, ὅλως δὲ τὸ Β τοῦ ἁπλῶς
ΒΑ. ἔπειτα, εἰ δὴ τὰ τῶν οὐσιῶν, ἄλλα δὲ ἄλλων
αἴτια καὶ στοιχεῖα, ὥσπερ ἐλέχθη, τῶν μὴ ἐν ταὐτῷ γέ- 25
νει, χρωμάτων ψόφων οὐσιῶν ποσότητος, πλὴν τῷ ἀνά-
λογον· καὶ τῶν ἐν ταὐτῷ εἴδει ἕτερα, οὐκ εἴδει ἀλλ᾽ ὅτι
τῶν καθ᾽ ἕκαστον ἄλλο, ἥ τε σὴ ὕλη καὶ τὸ εἶδος καὶ τὸ κινῆ-
σαν καὶ ἡ ἐμή, τῷ καθόλου δὲ λόγῳ ταὐτά. τὸ δὲ ζητεῖν
τίνες ἀρχαὶ ἢ στοιχεῖα τῶν οὐσιῶν καὶ πρός τι καὶ ποιῶν, 30
πότερον αἱ αὐταὶ ἢ ἕτεραι, δῆλον ὅτι πολλαχῶς γε λεγο-
μένων ἔστιν ἑκάστου, διαιρεθέντων δὲ οὐ ταὐτὰ ἀλλ᾽ ἕτερα,
πλὴν ὡδὶ καὶ πάντων, ὡδὶ μὲν ταὐτὰ ἢ τὸ ἀνάλογον, ὅτι
ὕλη, εἶδος, στέρησις, τὸ κινοῦν, καὶ ὡδὶ τὰ τῶν οὐσιῶν
αἴτια ὡς αἴτια πάντων, ὅτι ἀναιρεῖται ἀναιρουμένων· ἔτι 35
τὸ πρῶτον ἐντελεχείᾳ· ὡδὶ δὲ ἕτερα πρῶτα ὅσα τὰ
ἐναντία ἃ μήτε ὡς γένη λέγεται μήτε πολλαχῶς λέγε-
ται· καὶ ἔτι αἱ ὗλαι. τίνες μὲν οὖν αἱ ἀρχαὶ τῶν αἰσθητῶν 1071ᵇ
καὶ πόσαι, καὶ πῶς αἱ αὐταὶ καὶ πῶς ἕτεραι, εἴρηται.

6   Ἐπεὶ δ᾽ ἦσαν τρεῖς οὐσίαι, δύο μὲν αἱ φυσικαὶ μία
δ᾽ ἡ ἀκίνητος, περὶ ταύτης λεκτέον ὅτι ἀνάγκη εἶναι ἀίδιόν
τινα οὐσίαν ἀκίνητον. αἵ τε γὰρ οὐσίαι πρῶται τῶν ὄντων, 5
καὶ εἰ πᾶσαι φθαρταί, πάντα φθαρτά· ἀλλ᾽ ἀδύνατον
κίνησιν ἢ γενέσθαι ἢ φθαρῆναι (ἀεὶ γὰρ ἦν), οὐδὲ χρόνον.
οὐ γὰρ οἷόν τε τὸ πρότερον καὶ ὕστερον εἶναι μὴ ὄντος χρό-
νου· καὶ ἡ κίνησις ἄρα οὕτω συνεχὴς ὥσπερ καὶ ὁ χρό-
νος· ἢ γὰρ τὸ αὐτὸ ἢ κινήσεώς τι πάθος. κίνησις δ᾽ οὐκ 10
ἔστι συνεχὴς ἀλλ᾽ ἢ ἡ κατὰ τόπον, καὶ ταύτης ἡ κύκλῳ.

ᵃ 19 τοδὶ EJΓAl. : τῷ εἴδει Aᵇ : τὸ εἴδει recc.   20 τὰ EJ Al. :
om. Aᵇ   20-21 τῶν καθ᾽ ἕκαστον EJ²Γ Al. : om. AᵇJ¹   23 τὸ
alt. om. EJ   24 εἰ δὴ Rolfes : εἴδη J²Aᵇ Al. : ἤδη EJ¹Γ : τὰ εἴδη
Christ   δὲ] an γε ?   28 τῶν] τω J² et fecit E : τὸ J¹   τὸ κινῆσαν
καὶ τὸ εἶδος Aᵇ   29 τὸ δὴ E Al.¹   31 γε Christ : τε codd.
33 μὲν] δὲ Aᵇ   ἢ om. Fᵇ Bonitz   τὸ scripsi : τῷ codd.   34 ὡδὶ]
ὅτι e Them. ci. Bonitz   ᵇ 1 αἱ alt. om. EJ   2 καὶ πόσαι bis
E   πῶς alt. om. Aᵇ   3-4 καὶ μία ἡ J¹Γ : καὶ μία δ᾽ ἡ J²
4-5 τινα ἀίδιον Aᵇ   9 ἄρα] γὰρ γρ. E   11 ἀλλ᾽ ἢ Γ recc. :
ἀλλ᾽ EJAᵇ : ἄλλη ἢ ut vid. Al.

Ἀλλὰ μὴν εἰ ἔστι κινητικὸν ἢ ποιητικόν, μὴ ἐνεργοῦν δέ
τι, οὐκ ἔσται κίνησις· ἐνδέχεται γὰρ τὸ δύναμιν ἔχον μὴ
ἐνεργεῖν. οὐθὲν ἄρα ὄφελος οὐδ᾽ ἐὰν οὐσίας ποιήσωμεν ἀϊ-
15 δίους, ὥσπερ οἱ τὰ εἴδη, εἰ μή τις δυναμένη ἐνέσται ἀρχὴ
μεταβάλλειν· οὐ τοίνυν οὐδ᾽ αὕτη ἱκανή, οὐδ᾽ ἄλλη οὐσία
παρὰ τὰ εἴδη· εἰ γὰρ μὴ ἐνεργήσει, οὐκ ἔσται κίνησις. ἔτι
οὐδ᾽ εἰ ἐνεργήσει, ἡ δ᾽ οὐσία αὐτῆς δύναμις· οὐ γὰρ ἔσται
κίνησις ἀΐδιος· ἐνδέχεται γὰρ τὸ δυνάμει ὂν μὴ εἶναι. δεῖ
20 ἄρα εἶναι ἀρχὴν τοιαύτην ἧς ἡ οὐσία ἐνέργεια. ἔτι τοίνυν
ταύτας δεῖ τὰς οὐσίας εἶναι ἄνευ ὕλης· ἀϊδίους γὰρ δεῖ,
εἴπερ γε καὶ ἄλλο τι ἀΐδιον. ἐνέργεια ἄρα. καίτοι ἀπο-
ρία· δοκεῖ γὰρ τὸ μὲν ἐνεργοῦν πᾶν δύνασθαι τὸ δὲ δυνά-
μενον οὐ πᾶν ἐνεργεῖν, ὥστε πρότερον εἶναι τὴν δύναμιν.
25 ἀλλὰ μὴν εἰ τοῦτο, οὐθὲν ἔσται τῶν ὄντων· ἐνδέχεται γὰρ
δύνασθαι μὲν εἶναι μήπω δ᾽ εἶναι. καίτοι εἰ ὡς λέγουσιν
οἱ θεολόγοι οἱ ἐκ νυκτὸς γεννῶντες, ἢ ὡς οἱ φυσικοὶ
ὁμοῦ πάντα χρήματά φασι, τὸ αὐτὸ ἀδύνατον. πῶς γὰρ
κινηθήσεται, εἰ μὴ ἔσται ἐνεργείᾳ τι αἴτιον; οὐ γὰρ ἥ γε
30 ὕλη κινήσει αὐτὴ ἑαυτήν, ἀλλὰ τεκτονική, οὐδὲ τὰ ἐπι-
μήνια οὐδ᾽ ἡ γῆ, ἀλλὰ τὰ σπέρματα καὶ ἡ γονή. διὸ
ἔνιοι ποιοῦσιν ἀεὶ ἐνέργειαν, οἷον Λεύκιππος καὶ Πλάτων·
ἀεὶ γὰρ εἶναί φασι κίνησιν. ἀλλὰ διὰ τί καὶ τίνα οὐ λέ-
γουσιν, οὐδ᾽, (εἰ) ὡδὶ (ἢ) ὡδί, τὴν αἰτίαν. οὐδὲν γὰρ ὡς
35 ἔτυχε κινεῖται, ἀλλὰ δεῖ τι ἀεὶ ὑπάρχειν, ὥσπερ νῦν φύσει μὲν
ὡδί, βίᾳ δὲ ἢ ὑπὸ νοῦ ἢ ἄλλου ὡδί. (εἶτα ποία πρώτη;
διαφέρει γὰρ ἀμήχανον ὅσον). ἀλλὰ μὴν οὐδὲ Πλάτωνί
1072ᵃ γε οἷόν τε λέγειν ἣν οἴεται ἐνίοτε ἀρχὴν εἶναι, τὸ αὐτὸ
ἑαυτὸ κινοῦν· ὕστερον γὰρ καὶ ἅμα τῷ οὐρανῷ ἡ ψυχή,
ὥς φησίν. τὸ μὲν δὴ δύναμιν οἴεσθαι ἐνεργείας πρότερον
ἔστι μὲν ὡς καλῶς ἔστι δ᾽ ὡς οὔ (εἴρηται δὲ πῶς)· ὅτι δ᾽

ᵇ 12 εἰ om. J¹   ἔστι Aᵇ Al.ᵒ : ἔσται JΓ et fecit E   ἢ ποιητικόν
om. J¹   13 ἔσται JΓAl. : ἔστι EAᵇ   16 αὐτὴ AᵇΓ   17 ἐνεργήσῃ
Aᵇ   ἔσται EJΓAl.ᵒ : ἔστι Aᵇ   18 εἰ et γὰρ om. Γ   21 τὰς
et 22 γε EJ Al.ᵒ : om. Aᵇ   22 ἐνέργεια Aᵇ Al. : ἐνεργείᾳ EΓ :
ἐνέργειαι γρ. EJ   27 ὡς Aᵇ γρ. EJ¹Γ : om. EJ¹   οἱ om. γρ. E
28 ὁμοῦ] ἦν ὁμοῦ J²AᵇΓ   ἀδύνατον] αἴτιον ut vid. Al.   29 μηθὲν
Aᵇ   τι om. Aᵇ   34 οὐδ᾽, εἰ ὡδὶ ἢ ὡδί, fort. Al., Diels : οὐδὲ
ὡδὶ οὐδὲ codd. Γ   35 τι ἀεὶ EJΓAl. : αἰεί τι Aᵇ : τὶ ἀεὶ αἴτιον
Usener : τι διὰ τί Jackson : an τιν᾽ ἀεί?   37 διαφέρειν Aᵇ
ὅσον om. Aᵇ   πλάτων εἰ Aᵇ   1072ᵃ 1 ἢν om. Aᵇ

ἐνέργεια πρότερον, μαρτυρεῖ Ἀναξαγόρας (ὁ γὰρ νοῦς ἐνέρ- 5
γεια) καὶ Ἐμπεδοκλῆς φιλίαν καὶ τὸ νεῖκος, καὶ οἱ ἀεὶ λέ-
γοντες κίνησιν εἶναι, ὥσπερ Λεύκιππος· ὥστ᾿ οὐκ ἦν ἄπειρον
χρόνον χάος ἢ νύξ, ἀλλὰ ταὐτὰ ἀεὶ ἢ περιόδῳ ἢ ἄλ-
λως, εἴπερ πρότερον ἐνέργεια δυνάμεως. εἰ δὴ τὸ αὐτὸ
ἀεὶ περιόδῳ, δεῖ τι ἀεὶ μένειν ὡσαύτως ἐνεργοῦν. εἰ δὲ 10
μέλλει γένεσις καὶ φθορὰ εἶναι, ἄλλο δεῖ εἶναι ἀεὶ ἐνερ-
γοῦν ἄλλως καὶ ἄλλως. ἀνάγκη ἄρα ὡδὶ μὲν καθ᾿ αὐτὸ
ἐνεργεῖν ὡδὶ δὲ κατ᾿ ἄλλο· ἤτοι ἄρα καθ᾿ ἕτερον ἢ κατὰ
τὸ πρῶτον. ἀνάγκη δὴ κατὰ τοῦτο· πάλιν γὰρ ἐκεῖνο
αὐτῷ τε αἴτιον κἀκείνῳ. οὐκοῦν βέλτιον τὸ πρῶτον· καὶ 15
γὰρ αἴτιον ἦν ἐκεῖνο τοῦ ἀεὶ ὡσαύτως· τοῦ δ᾿ ἄλλως ἕτερον,
τοῦ δ᾿ ἀεὶ ἄλλως ἄμφω δηλονότι. οὐκοῦν οὕτως καὶ ἔχουσιν
αἱ κινήσεις. τί οὖν ἄλλας δεῖ ζητεῖν ἀρχάς;

7   Ἐπεὶ δ᾿ οὕτω τ᾿ ἐνδέχεται, καὶ εἰ μὴ οὕτως, ἐκ νυ-
κτὸς ἔσται καὶ ὁμοῦ πάντων καὶ ἐκ μὴ ὄντος, λύοιτ᾿ ἂν 20
ταῦτα, καὶ ἔστι τι ἀεὶ κινούμενον κίνησιν ἄπαυστον, αὕτη
δ᾿ ἡ κύκλῳ (καὶ τοῦτο οὐ λόγῳ μόνον ἀλλ᾿ ἔργῳ δῆλον),
ὥστ᾿ ἀίδιος ἂν εἴη ὁ πρῶτος οὐρανός. ἔστι τοίνυν τι καὶ ὃ
κινεῖ. ἐπεὶ δὲ τὸ κινούμενον καὶ κινοῦν [καὶ] μέσον, †τοίνυν†
ἔστι τι ὃ οὐ κινούμενον κινεῖ, ἀίδιον καὶ οὐσία καὶ ἐνέργεια 25
οὖσα. κινεῖ δὲ ὧδε τὸ ὀρεκτὸν καὶ τὸ νοητόν· κινεῖ οὐ κινού-
μενα. τούτων τὰ πρῶτα τὰ αὐτά. ἐπιθυμητὸν μὲν γὰρ
τὸ φαινόμενον καλόν, βουλητὸν δὲ πρῶτον τὸ ὂν καλόν·
ὀρεγόμεθα δὲ διότι δοκεῖ μᾶλλον ἢ δοκεῖ διότι ὀρεγόμεθα·
ἀρχὴ γὰρ ἡ νόησις. νοῦς δὲ ὑπὸ τοῦ νοητοῦ κινεῖται, νοητὴ δὲ 30
ἡ ἑτέρα συστοιχία καθ᾿ αὐτήν· καὶ ταύτης ἡ οὐσία πρώτη,
καὶ ταύτης ἡ ἁπλῆ καὶ κατ᾿ ἐνέργειαν (ἔστι δὲ τὸ ἓν καὶ

ᵃ 5 ἐνέργεια alt. ΤΓ Al. : ἐνεργείᾳ EJA^b   6 τὸ om. A^b   νικος J
οἱ ἀεὶ] οἷα οἱ J   8 χρόνου A^b   10 δεῖ om. J¹   11 εἶναι ἀεὶ
ἐνεργοῦν] ἐνεργοῦν εἶναι EJΓ   15 αὐτῷ Γ Al. : αὑτῷ codd.   κἀκείνῳ
ἄλλο Lasson   16 τοῦ δ᾿] οὐδ᾿ A^b   17 οὐκοῦν εἰ οὕτως Γ
22 μόνον λόγῳ A^bΓ Al.   24 τὸ sup. lin. E   καὶ punctis notatum
in A^b, om. ia   μέσον] μή, ὂν fort. Them., Jackson   τοίνυν ἔστι
codd. Γ Al. : ἔστι τοίνυν ci. Bonitz : τρίτον ἔστι Case : an ἔστι, vel
κινοῦν ἔστι?   26 κινούμενα EJΓ Al. : κινούμενον A^b   27 μὲν γὰρ
EJΓ (μὲν sup. lin. J) : γὰρ μὲν A^b   29 διότι A^b γρ. E Al. : ὅτι
EJ   μᾶλλον A^b γρ. EJΓ : καλὸν fecit E   30 γὰρ EJΓ Al. : δὲ
A^b γρ. E   ἡ νόησις] νοίσεως Al.   κινεῖται EJΓ Al.° : om. A^b
31 ἡ alt. . . . 32 ταύτης in marg. J   ἡ om. A^b   32 ταύτης ἡ om. A^b

τὸ ἁπλοῦν οὐ τὸ αὐτό· τὸ μὲν γὰρ ἓν μέτρον σημαίνει, τὸ
δὲ ἁπλοῦν πῶς ἔχον αὐτό). ἀλλὰ μὴν καὶ τὸ καλὸν καὶ
35 τὸ δι' αὑτὸ αἱρετὸν ἐν τῇ αὐτῇ συστοιχίᾳ· καὶ ἔστιν ἄριστον
1072ᵇ ἀεὶ ἢ ἀνάλογον τὸ πρῶτον. ὅτι δ' ἔστι τὸ οὗ ἕνεκα ἐν τοῖς
ἀκινήτοις, ἡ διαίρεσις δηλοῖ· ἔστι γὰρ τινὶ τὸ οὗ ἕνεκα ⟨καὶ⟩
τινός, ὧν τὸ μὲν ἔστι τὸ δ' οὐκ ἔστι. κινεῖ δὴ ὡς ἐρώμενον,
κινούμενα δὲ τἆλλα κινεῖ. εἰ μὲν οὖν τι κινεῖται, ἐνδέχεται καὶ
5 ἄλλως ἔχειν, ὥστ' εἰ [ἡ] φορὰ πρώτη ἡ ἐνέργειά ἐστιν, ᾗ κι-
νεῖται ταύτῃ γε ἐνδέχεται ἄλλως ἔχειν, κατὰ τόπον, καὶ
εἰ μὴ κατ' οὐσίαν· ἐπεὶ δὲ ἔστι τι κινοῦν αὐτὸ ἀκίνητον ὄν,
ἐνεργείᾳ ὄν, τοῦτο οὐκ ἐνδέχεται ἄλλως ἔχειν οὐδαμῶς. φορὰ
γὰρ ἡ πρώτη τῶν μεταβολῶν, ταύτης δὲ ἡ κύκλῳ· ταύ-
10 την δὲ τοῦτο κινεῖ. ἐξ ἀνάγκης ἄρα ἐστὶν ὄν· καὶ ᾗ ἀνάγκη,
καλῶς, καὶ οὕτως ἀρχή. τὸ γὰρ ἀναγκαῖον τοσαυταχῶς,,
τὸ μὲν βίᾳ ὅτι παρὰ τὴν ὁρμήν, τὸ δὲ οὗ οὐκ ἄνευ τὸ εὖ,
τὸ δὲ μὴ ἐνδεχόμενον ἄλλως ἀλλ' ἁπλῶς. — ἐκ τοιαύτης
ἄρα ἀρχῆς ἤρτηται ὁ οὐρανὸς καὶ ἡ φύσις. διαγωγὴ δ'
15 ἐστὶν οἵα ἡ ἀρίστη μικρὸν χρόνον ἡμῖν (οὕτω γὰρ ἀεὶ ἐκεῖνο·
ἡμῖν μὲν γὰρ ἀδύνατον), ἐπεὶ καὶ ἡδονὴ ἡ ἐνέργεια τούτου
(καὶ διὰ τοῦτο ἐγρήγορσις αἴσθησις νόησις ἥδιστον, ἐλπίδες
δὲ καὶ μνῆμαι διὰ ταῦτα). ἡ δὲ νόησις ἡ καθ' αὑτὴν
τοῦ καθ' αὑτὸ ἀρίστου, καὶ ἡ μάλιστα τοῦ μάλιστα. αὑτὸν
20 δὲ νοεῖ ὁ νοῦς κατὰ μετάληψιν τοῦ νοητοῦ· νοητὸς γὰρ
γίγνεται θιγγάνων καὶ νοῶν, ὥστε ταὐτὸν νοῦς καὶ νοητόν.
τὸ γὰρ δεκτικὸν τοῦ νοητοῦ καὶ τῆς οὐσίας νοῦς, ἐνεργεῖ δὲ
ἔχων, ὥστ' ἐκείνου μᾶλλον τοῦτο ὃ δοκεῖ ὁ νοῦς θεῖον ἔχειν,

ᵃ 33 τὸ pr. om. EJ Al.ᶜ   γὰρ om. Aᵇ   34 πῶς scripsi : πῶς
codd. ΓAl.   35 αὐτὸ Aᵇ   τῆι τοιαύτηι E²   συστοιχίᾳ J :
συστοιχείᾳ Aᵇ   ᵇ 1 ἢ sup. lin. Aᵇ, in ras. J, om. γρ. E   2 καὶ
τινός Al.¹ apud Averroem, Christ : τινός Aᵇ : om. EJΓAl.   3 δὴ
Aᵇ Them.ᶜ : δὲ EJΓ   4 κινούμενα scripsi : κινουμένῳ Aᵇ¹ EJΓ :
κινούμενον Aᵇ² et fort. Al.   καὶ om. EJ et fort. Al.   5 εἰ
E²J²AᵇAl. : om. E¹J¹Γ   ἢ om. Al.ᶜ, secl. Bonitz   πρώτη Aᵇ γρ. E :
ἡ πρώτη EJΓAl.   ἡ ex Al. scripsi : καὶ E¹JAᵇΓAl.ᶜ : εἰ καὶ E² :
καὶ incl. Bonitz   6 ταύτῃ EJΓAl. : ταύτην Aᵇ   γε (vel δὴ) ci.
Bonitz : δὲ codd. Γ : incl. Bonitz   7 κίνητον E¹   14 δ' om.
E¹J   15 οἷα τε ἢ EJ   ἐκεῖνο] ἐκεῖνό ἐστιν EJΓ   16 ἢ μὲν μὲν E¹
ἡδονὴ ἢ γρ. E a Al. Them. : ἡ ἡδονὴ EJAᵇ   18 κνήμαι E   20 δὴ
ci. Bonitz   21 καὶ alt. om. Aᵇ   23 ὥστ' . . . τοῦτο ex Al.
scripsi : ὥστ' ἐκεῖνο μᾶλλον τοῦτου codd. ΓAl.¹ : ἐκεῖνο μᾶλλον, ὥστε
τούτου Rahilly

καὶ ἡ θεωρία τὸ ἥδιστον καὶ ἄριστον. εἰ οὖν οὕτως εὖ ἔχει,
ὡς ἡμεῖς ποτέ, ὁ θεὸς ἀεί, θαυμαστόν· εἰ δὲ μᾶλλον, ἔτι 25
θαυμασιώτερον. ἔχει δὲ ὧδε. καὶ ζωὴ δέ γε ὑπάρχει· ἡ
γὰρ νοῦ ἐνέργεια ζωή, ἐκεῖνος δὲ ἡ ἐνέργεια· ἐνέργεια δὲ ἡ
καθ' αὑτὴν ἐκείνου ζωὴ ἀρίστη καὶ ἀίδιος. φαμὲν δὴ τὸν
θεὸν εἶναι ζῷον ἀίδιον ἄριστον, ὥστε ζωὴ καὶ αἰὼν συνεχὴς
καὶ ἀίδιος ὑπάρχει τῷ θεῷ· τοῦτο γὰρ ὁ θεός. ὅσοι δὲ 30
ὑπολαμβάνουσιν, ὥσπερ οἱ Πυθαγόρειοι καὶ Σπεύσιππος
τὸ κάλλιστον καὶ ἄριστον μὴ ἐν ἀρχῇ εἶναι, διὰ τὸ καὶ
τῶν φυτῶν καὶ τῶν ζῴων τὰς ἀρχὰς αἴτια μὲν εἶναι τὸ
δὲ καλὸν καὶ τέλειον ἐν τοῖς ἐκ τούτων, οὐκ ὀρθῶς οἴονται.
τὸ γὰρ σπέρμα ἐξ ἑτέρων ἐστὶ προτέρων τελείων, καὶ τὸ 35
πρῶτον οὐ σπέρμα ἐστὶν ἀλλὰ τὸ τέλειον· οἷον πρότερον 1073ᵃ
ἄνθρωπον ἂν φαίη τις εἶναι τοῦ σπέρματος, οὐ τὸν ἐκ τούτου
γενόμενον ἀλλ' ἕτερον ἐξ οὗ τὸ σπέρμα. ὅτι μὲν οὖν ἔστιν
οὐσία τις ἀίδιος καὶ ἀκίνητος καὶ κεχωρισμένη τῶν αἰσθη-
τῶν, φανερὸν ἐκ τῶν εἰρημένων· δέδεικται δὲ καὶ ὅτι μέγε- 5
θος οὐδὲν ἔχειν ἐνδέχεται ταύτην τὴν οὐσίαν ἀλλ' ἀμερὴς
καὶ ἀδιαίρετός ἐστιν (κινεῖ γὰρ τὸν ἄπειρον χρόνον, οὐδὲν δ'
ἔχει δύναμιν ἄπειρον πεπερασμένον· ἐπεὶ δὲ πᾶν μέγεθος
ἢ ἄπειρον ἢ πεπερασμένον, πεπερασμένον μὲν διὰ τοῦτο οὐκ
ἂν ἔχοι μέγεθος, ἄπειρον δ' ὅτι ὅλως οὐκ ἔστιν οὐδὲν ἄπειρον 10
μέγεθος)· ἀλλὰ μὴν καὶ ὅτι ἀπαθὲς καὶ ἀναλλοίωτον·
πᾶσαι γὰρ αἱ ἄλλαι κινήσεις ὕστεραι τῆς κατὰ τόπον.
ταῦτα μὲν οὖν δῆλα διότι τοῦτον ἔχει τὸν τρόπον.

8 Πότερον δὲ μίαν θετέον τὴν τοιαύτην οὐσίαν ἢ πλείους,
καὶ πόσας, δεῖ μὴ λανθάνειν, ἀλλὰ μεμνῆσθαι καὶ τὰς 15
τῶν ἄλλων ἀποφάσεις, ὅτι περὶ πλήθους οὐθὲν εἰρήκασιν
ὅ τι καὶ σαφὲς εἰπεῖν. ἡ μὲν γὰρ περὶ τὰς ἰδέας ὑπό-
ληψις οὐδεμίαν ἔχει σκέψιν ἰδίαν (ἀριθμοὺς γὰρ λέγουσι τὰς
ἰδέας οἱ λέγοντες ἰδέας, περὶ δὲ τῶν ἀριθμῶν ὀτὲ μὲν ὡς
περὶ ἀπείρων λέγουσιν ὀτὲ δὲ ὡς μέχρι τῆς δεκάδος ὡρι- 20
σμένων· δι' ἣν δ' αἰτίαν τοσοῦτον τὸ πλῆθος τῶν ἀριθμῶν,

ᵇ 24 ἄριστον E   εὖ om. J¹   26 ὡδὶ ὧδε Aᵇ   27 ἐκεῖνο.
EJΓ Al.   28 δὴ Them.°, ci. Bonitz: δὲ codd. Γ   30 καὶ om.
E¹J   35 προτέρων ἐστὶ Aᵇ   1073ᵃ 1 οἷον] οἷόν τε J¹Aᵇ: ὡς οἷόν
τε J²   10 δ' οὐχ ὅτι ὅλως οὐθὲν ἔστιν Γ   19 οἱ λέγοντες ἰδέας
om. Γ

οὐδὲν λέγεται μετὰ σπουδῆς ἀποδεικτικῆς)· ἡμῖν δ᾿ ἐκ τῶν
ὑποκειμένων καὶ διωρισμένων λεκτέον. ἡ μὲν γὰρ ἀρχὴ καὶ
τὸ πρῶτον τῶν ὄντων ἀκίνητον καὶ καθ᾿ αὑτὸ καὶ κατὰ
25 συμβεβηκός, κινοῦν δὲ τὴν πρώτην ἀΐδιον καὶ μίαν κίνησιν·
ἐπεὶ δὲ τὸ κινούμενον ἀνάγκη ὑπό τινος κινεῖσθαι, καὶ τὸ
πρῶτον κινοῦν ἀκίνητον εἶναι καθ᾿ αὑτό, καὶ τὴν ἀΐδιον κί-
νησιν ὑπὸ ἀϊδίου κινεῖσθαι καὶ τὴν μίαν ὑφ᾿ ἑνός, ὁρῶμεν
δὲ παρὰ τὴν τοῦ παντὸς τὴν ἁπλῆν φοράν, ἣν κινεῖν φα-
30 μὲν τὴν πρώτην οὐσίαν καὶ ἀκίνητον, ἄλλας φορὰς οὔσας
τὰς τῶν πλανήτων ἀϊδίους (ἀΐδιον γὰρ καὶ ἄστατον τὸ κύκλῳ
σῶμα· δέδεικται δ᾿ ἐν τοῖς φυσικοῖς περὶ τούτων), ἀνάγκη
καὶ τούτων ἑκάστην τῶν φορῶν ὑπ᾿ ἀκινήτου τε κινεῖσθαι καθ᾿
αὑτὴν καὶ ἀϊδίου οὐσίας. ἥ τε γὰρ τῶν ἄστρων φύσις ἀΐδιος
35 οὐσία τις οὖσα, καὶ τὸ κινοῦν ἀΐδιον καὶ πρότερον τοῦ κινου-
μένου, καὶ τὸ πρότερον οὐσίας οὐσίαν ἀναγκαῖον εἶναι. φανε-
ρὸν τοίνυν ὅτι τοσαύτας τε οὐσίας ἀναγκαῖον εἶναι τήν τε
φύσιν ἀϊδίους καὶ ἀκινήτους καθ᾿ αὑτάς, καὶ ἄνευ μεγέθους
1073ᵇ διὰ τὴν εἰρημένην αἰτίαν πρότερον.—ὅτι μὲν οὖν εἰσὶν οὐσίαι,
καὶ τούτων τις πρώτη καὶ δευτέρα κατὰ τὴν αὐτὴν τάξιν
ταῖς φοραῖς τῶν ἄστρων, φανερόν· τὸ δὲ πλῆθος ἤδη τῶν
φορῶν ἐκ τῆς οἰκειοτάτης φιλοσοφίᾳ τῶν μαθηματικῶν
5 ἐπιστημῶν δεῖ σκοπεῖν, ἐκ τῆς ἀστρολογίας· αὕτη γὰρ περὶ
οὐσίας αἰσθητῆς μὲν ἀϊδίου δὲ ποιεῖται τὴν θεωρίαν, αἱ δ᾿
ἄλλαι περὶ οὐδεμιᾶς· οὐσίας, οἷον ἥ τε περὶ τοὺς ἀριθμοὺς καὶ
τὴν γεωμετρίαν. ὅτι μὲν οὖν πλείους τῶν φερομένων αἱ φο-
ραί, φανερὸν τοῖς καὶ μετρίως ἡμμένοις (πλείους γὰρ ἕκα-
10 στον φέρεται μιᾶς τῶν πλανωμένων ἄστρων)· πόσαι δ᾿ αὗται
τυγχάνουσιν οὖσαι, νῦν μὲν ἡμεῖς ἃ λέγουσι τῶν μαθηματι-
κῶν τινὲς ἐννοίας χάριν λέγομεν, ὅπως ᾖ τι τῇ διανοίᾳ
πλῆθος ὡρισμένον ὑπολαβεῖν· τὸ δὲ λοιπὸν τὰ μὲν ζητοῦν-
τας αὐτοὺς δεῖ τὰ δὲ πυνθανομένους παρὰ τῶν ζητούντων,
15 ἄν τι φαίνηται παρὰ τὰ νῦν εἰρημένα τοῖς ταῦτα πραγμα-
τευομένοις, φιλεῖν μὲν ἀμφοτέρους, πείθεσθαι δὲ τοῖς ἀκρι-

ᵃ 32 ἀνάγκη καὶ τούτων om. J¹   33 καθ᾿ JAᵇΓ γρ. Al. Simpl.:
καὶ καθ᾿ E Al.ᶜ   34 αὐτὴν E Al.ᶜ: αὐτὸ JAᵇ γρ. Al. Simpl.
καὶ ἀϊδίους J   ᵇ 2 τις ut vid. Al., Christ: τίς codd. Γ   4 σφαιρῶν
Al.   οἰκειότητος γρ. J   φιλοσοφίᾳ Al. Them. Bonitz: φιλοσοφίας
codd. Γ   14 τῶν ζητούντων bis E   16 δέ om. J¹

βεστέροις.—Εὔδοξος μὲν οὖν ἡλίου καὶ σελήνης ἑκατέρου τὴν
φορὰν ἐν τρισὶν ἐτίθετ᾽ εἶναι σφαίραις, ὧν τὴν μὲν πρώτην
τὴν τῶν ἀπλανῶν ἄστρων εἶναι, τὴν δὲ δευτέραν κατὰ τὸν
διὰ μέσων τῶν ζῳδίων, τὴν δὲ τρίτην κατὰ τὸν λελοξω- 20
μένον ἐν τῷ πλάτει τῶν ζῳδίων (ἐν μείζονι δὲ πλάτει λε-
λοξῶσθαι καθ᾽ ὃν ἡ σελήνη φέρεται ἢ καθ᾽ ὃν ὁ ἥλιος), τῶν
δὲ πλανωμένων ἄστρων ἐν τέτταρσιν ἑκάστου σφαίραις, καὶ
τούτων δὲ τὴν μὲν πρώτην καὶ δευτέραν τὴν αὐτὴν εἶναι
ἐκείναις (τήν τε γὰρ τῶν ἀπλανῶν τὴν ἁπάσας φέρουσαν 25
εἶναι, καὶ τὴν ὑπὸ ταύτῃ τεταγμένην καὶ κατὰ τὸν διὰ
μέσων τῶν ζῳδίων τὴν φορὰν ἔχουσαν κοινὴν ἁπασῶν εἶναι),
τῆς δὲ τρίτης ἁπάντων τοὺς πόλους ἐν τῷ διὰ μέσων τῶν
ζῳδίων εἶναι, τῆς δὲ τετάρτης τὴν φορὰν κατὰ τὸν λελο-
ξωμένον πρὸς τὸν μέσον ταύτης· εἶναι δὲ τῆς τρίτης σφαί- 30
ρας τοὺς πόλους τῶν μὲν ἄλλων ἰδίους, τοὺς δὲ τῆς Ἀφροδί-
της καὶ τοῦ Ἑρμοῦ τοὺς αὐτούς· Κάλλιππος δὲ τὴν μὲν θέσιν
τῶν σφαιρῶν τὴν αὐτὴν ἐτίθετο Εὐδόξῳ [τοῦτ᾽ ἔστι τῶν ἀπο-
στημάτων τὴν τάξιν], τὸ δὲ πλῆθος τῷ μὲν τοῦ Διὸς καὶ
τῷ τοῦ Κρόνου τὸ αὐτὸ ἐκείνῳ ἀπεδίδου, τῷ δ᾽ ἡλίῳ καὶ τῇ 35
σελήνῃ δύο ᾤετο ἔτι προσθετέας εἶναι σφαίρας, τὰ φαι-
νόμενα εἰ μέλλει τις ἀποδώσειν, τοῖς δὲ λοιποῖς τῶν πλα-
νήτων ἑκάστῳ μίαν. ἀναγκαῖον δέ, εἰ μέλλουσι συντεθεῖσαι
πᾶσαι τὰ φαινόμενα ἀποδώσειν, καθ᾽ ἕκαστον τῶν πλανω- 1074ᵃ
μένων ἑτέρας σφαίρας μιᾷ ἐλάττονας εἶναι τὰς ἀνελιττού-
σας καὶ εἰς τὸ αὐτὸ ἀποκαθιστάσας τῇ θέσει τὴν πρώτην
σφαῖραν ἀεὶ τοῦ ὑποκάτω τεταγμένου ἄστρου· οὕτω γὰρ μό-
νως ἐνδέχεται τὴν τῶν πλανήτων φορὰν ἅπαντα ποιεῖσθαι. 5
ἐπεὶ οὖν ἐν αἷς μὲν αὐτὰ φέρεται σφαίραις αἱ μὲν ὀκτὼ
αἱ δὲ πέντε καὶ εἴκοσίν εἰσιν, τούτων δὲ μόνας οὐ δεῖ ἀνε-
λιχθῆναι ἐν αἷς τὸ κατωτάτω τεταγμένον φέρεται, αἱ μὲν
τὰς τῶν πρώτων δύο ἀνελίττουσαι ἓξ ἔσονται, αἱ δὲ τὰς
τῶν ὕστερον τεττάρων ἑκκαίδεκα· ὁ δὴ ἁπασῶν ἀριθμὸς τῶν 10
τε φερουσῶν καὶ τῶν ἀνελιττουσῶν ταύτας πεντήκοντά τε

ᵇ26 εἶναι om. Them.ᶜ   ταύτην recc.   τὸ Aᵇ   31 τοῦ δὲ E
32 θέσιν] τάξιν Al.ᶜ   33 τοῦτ᾽ . . . 34 τάξιν om. E ; τοῦτ᾽ ἔστι τῶν
διαστημάτων Al.ᶜ   35 ἐκεῖνο Aᵇ   ἡλίου καὶ τῷ σελήνης recc.
36 ἔτι προσθετέας in marg. J   37 μέλλοι E² Simpl.   1074ᵃ 1 πᾶσαι
om. J¹   3 ἀποκαθιστώσας JAᵇ Simpl.   10 δέ fecit Aᵇ
2573·2   I

καὶ πέντε. εἰ δὲ τῇ σελήνῃ τε καὶ τῷ ἡλίῳ μὴ προστιθείη
τις ἃς εἴπομεν κινήσεις, αἱ πᾶσαι σφαῖραι ἔσονται ἑπτά
τε καὶ τεσσαράκοντα.—τὸ μὲν οὖν πλῆθος τῶν σφαιρῶν ἔστω
15 τοσοῦτον, ὥστε καὶ τὰς οὐσίας καὶ τὰς ἀρχὰς τὰς ἀκινήτους
[καὶ τὰς αἰσθητὰς] τοσαύτας εὔλογον ὑπολαβεῖν (τὸ γὰρ
ἀναγκαῖον ἀφείσθω τοῖς ἰσχυροτέροις λέγειν)· εἰ δὲ μηδε-
μίαν οἷόν τ' εἶναι φορὰν μὴ συντείνουσαν πρὸς ἄστρου φοράν,
ἔτι δὲ πᾶσαν φύσιν καὶ πᾶσαν οὐσίαν ἀπαθῆ καὶ καθ'
20 αὑτὴν τοῦ ἀρίστου τετυχηκυῖαν τέλος εἶναι δεῖ νομίζειν, οὐδε-
μία ἂν εἴη παρὰ ταύτας ἑτέρα φύσις, ἀλλὰ τοῦτον ἀνάγκη
τὸν ἀριθμὸν εἶναι τῶν οὐσιῶν. εἴτε γὰρ εἰσὶν ἕτεραι, κινοῖεν
ἂν ὡς τέλος οὖσαι φορᾶς· ἀλλὰ εἶναί γε ἄλλας φορὰς
ἀδύνατον παρὰ τὰς εἰρημένας. τοῦτο δὲ εὔλογον ἐκ τῶν
25 φερομένων ὑπολαβεῖν. εἰ γὰρ πᾶν τὸ φέρον τοῦ φερομένου
χάριν πέφυκε καὶ φορὰ πᾶσα φερομένου τινός ἐστιν, οὐδεμία
φορὰ αὑτῆς ἂν ἕνεκα εἴη οὐδ' ἄλλης φορᾶς, ἀλλὰ τῶν
ἄστρων ἕνεκα. εἰ γὰρ ἔσται φορὰ φορᾶς ἕνεκα, καὶ ἐκείνην
ἑτέρου δεήσει χάριν εἶναι· ὥστ' ἐπειδὴ οὐχ οἷόν τε εἰς ἄπει-
30 ρον, τέλος ἔσται πάσης φορᾶς τῶν φερομένων τι θείων σω-
μάτων κατὰ τὸν οὐρανόν. ὅτι δὲ εἷς οὐρανός, φανερόν. εἰ
γὰρ πλείους οὐρανοὶ ὥσπερ ἄνθρωποι, ἔσται εἴδει μία ἡ περὶ
ἕκαστον ἀρχή, ἀριθμῷ δέ γε πολλαί. ἀλλ' ὅσα ἀριθμῷ
πολλά, ὕλην ἔχει (εἷς γὰρ λόγος καὶ ὁ αὐτὸς πολλῶν,
35 οἷον ἀνθρώπου, Σωκράτης δὲ εἷς)· τὸ δὲ τί ἦν εἶναι οὐκ ἔχει
ὕλην τὸ πρῶτον· ἐντελέχεια γάρ. ἓν ἄρα καὶ λόγῳ καὶ
ἀριθμῷ τὸ πρῶτον κινοῦν ἀκίνητον ὄν· καὶ τὸ κινούμενον ἄρα
ἀεὶ καὶ συνεχῶς· εἷς ἄρα οὐρανὸς μόνος. παραδέδοται
1074b δὲ παρὰ τῶν ἀρχαίων καὶ παμπαλαίων ἐν μύθου σχή-
ματι καταλελειμμένα τοῖς ὕστερον ὅτι θεοί τέ εἰσιν
οὗτοι καὶ περιέχει τὸ θεῖον τὴν ὅλην φύσιν. τὰ δὲ λοιπὰ
μυθικῶς ἤδη προσῆκται πρὸς τὴν πειθὼ τῶν πολλῶν καὶ
5 πρὸς τὴν εἰς τοὺς νόμους καὶ τὸ συμφέρον χρῆσιν· ἀνθρω-

ᵃ 12 δὲ τῆς Aᵇˡ   13 ἑπτά] ἐννέα ci. Sosigenes   14 σφαιρῶν
codd. ΓAl.: φορῶν Simpl.ᶜ Them.ᶜ   16 καὶ τὰς αἰσθητὰς om. Al.,
secl. Goebel   ἀναισθήτους Γ   20 τέλος Γ γρ. E, fort. Al.:
τέλους codd.   22 εἴτε JAᵇΓ et fecit E : εἰ fort. Al.   27 αὑτῆς
Aᵇ   ἂν om. E   29 ἑτέρων Aᵇ   31 εἷς] εἷς ὁ E²   35 δὲ
οὐχ εἷς γρ. E   38 συνεχῶς] συνεχῶς ἐν μόνον ΕJΓ   ᵇ 4 προσῆ-
πται Bywater

ποειδεῖς τε γὰρ τούτους καὶ τῶν ἄλλων ζῴων ὁμοίους τισὶ
λέγουσι, καὶ τούτοις ἕτερα ἀκόλουθα καὶ παραπλήσια τοῖς
εἰρημένοις, ὧν εἴ τις χωρίσας αὐτὸ λάβοι μόνον τὸ πρῶ-
τον, ὅτι θεοὺς ᾤοντο τὰς πρώτας οὐσίας εἶναι, θείως ἂν εἰρῆ-
σθαι νομίσειεν, καὶ κατὰ τὸ εἰκὸς πολλάκις εὑρημένης εἰς 10
τὸ δυνατὸν ἑκάστης καὶ τέχνης καὶ φιλοσοφίας καὶ πάλιν
φθειρομένων καὶ ταύτας τὰς δόξας ἐκείνων οἷον λείψανα
περισεσῶσθαι μέχρι τοῦ νῦν. ἡ μὲν οὖν πάτριος δόξα καὶ
ἡ παρὰ τῶν πρώτων ἐπὶ τοσοῦτον ἡμῖν φανερὰ μόνον.

9   Τὰ δὲ περὶ τὸν νοῦν ἔχει τινὰς ἀπορίας· δοκεῖ μὲν 15
γὰρ εἶναι τῶν φαινομένων θειότατον, πῶς δ' ἔχων τοιοῦτος
ἂν εἴη, ἔχει τινὰς δυσκολίας. εἴτε γὰρ μηδὲν νοεῖ, τί ἂν
εἴη τὸ σεμνόν, ἀλλ' ἔχει ὥσπερ ἂν εἰ ὁ καθεύδων· εἴτε
νοεῖ, τούτου δ' ἄλλο κύριον, οὐ γάρ ἐστι τοῦτο ὅ ἐστιν αὐτοῦ ἡ
οὐσία νόησις, ἀλλὰ δύναμις, οὐκ ἂν ἡ ἀρίστη οὐσία εἴη· διὰ 20
γὰρ τοῦ νοεῖν τὸ τίμιον αὐτῷ ὑπάρχει. ἔτι δὲ εἴτε νοῦς ἡ
οὐσία αὐτοῦ εἴτε νόησίς ἐστι, τί νοεῖ; ἢ γὰρ αὐτὸς αὑτὸν ἢ
ἕτερόν τι· καὶ εἰ ἕτερόν τι, ἢ τὸ αὐτὸ ἀεὶ ἢ ἄλλο. πότε-
ρον οὖν διαφέρει τι ἢ οὐδὲν τὸ νοεῖν τὸ καλὸν ἢ τὸ τυχόν;
ἢ καὶ ἄτοπον τὸ διανοεῖσθαι περὶ ἐνίων; δῆλον τοίνυν ὅτι 25
τὸ θειότατον καὶ τιμιώτατον νοεῖ, καὶ οὐ μεταβάλλει· εἰς
χεῖρον γὰρ ἡ μεταβολή, καὶ κίνησίς τις ἤδη τὸ τοιοῦτον.
πρῶτον μὲν οὖν εἰ μὴ νόησίς ἐστιν ἀλλὰ δύναμις, εὔλογον
ἐπίπονον εἶναι τὸ συνεχὲς αὐτῷ τῆς νοήσεως· ἔπειτα δῆλον
ὅτι ἄλλο τι ἂν εἴη τὸ τιμιώτερον ἢ ὁ νοῦς, τὸ νοούμενον. 30
καὶ γὰρ τὸ νοεῖν καὶ ἡ νόησις ὑπάρξει καὶ τὸ χείριστον
νοοῦντι, ὥστ' εἰ φευκτὸν τοῦτο (καὶ γὰρ μὴ ὁρᾶν ἔνια κρεῖτ-
τον ἢ ὁρᾶν), οὐκ ἂν εἴη τὸ ἄριστον ἡ νόησις. αὑτὸν ἄρα
νοεῖ, εἴπερ ἐστὶ τὸ κράτιστον, καὶ ἔστιν ἡ νόησις νοήσεως νόη-
σις. φαίνεται δ' ἀεὶ ἄλλου ἡ ἐπιστήμη καὶ ἡ αἴσθησις καὶ 35
ἡ δόξα καὶ ἡ διάνοια, αὑτῆς δ' ἐν παρέργῳ. ἔτι εἰ ἄλλο
τὸ νοεῖν καὶ τὸ νοεῖσθαι, κατὰ πότερον αὐτῷ τὸ εὖ ὑπάρ-
χει; οὐδὲ γὰρ ταὐτὸ τὸ εἶναι νοήσει καὶ νοουμένῳ. ἢ ἐπ'
ἐνίων ἡ ἐπιστήμη τὸ πρᾶγμα, ἐπὶ μὲν τῶν ποιητικῶν ἄνευ 1075ᵃ

ᵇ 17 μηδ' ἐννοεῖ JAᵇ   19 ἐστι codd. ΓΑl.ᶜ Them.ᶜ : ἔσται i
Schwegler   20 οὐσία pr. om. Γ   22 αὐτὸς αὑτὸν Aᵇ   32 εἰ
E¹Aᵇ Al.ᶜ: om. ΙΓ: εἰ ἐστι E²   33 ἂν] si Γ   αὑτὸν Aᵇ   35 ἡ
alt. om. E   36 αὑτῆς J Al. : αὐτῆς EAᵇΓ

I 2

ὕλης ἡ οὐσία καὶ τὸ τί ἦν εἶναι, ἐπὶ δὲ τῶν θεωρητικῶν ὁ
λόγος τὸ πρᾶγμα καὶ ἡ νόησις; οὐχ ἑτέρου οὖν ὄντος τοῦ νοου-
μένου καὶ τοῦ νοῦ, ὅσα μὴ ὕλην ἔχει, τὸ αὐτὸ ἔσται, καὶ ἡ
5 νόησις τῷ νοουμένῳ μία. ἔτι δὴ λείπεται ἀπορία, εἰ σύνθετον
τὸ νοούμενον· μεταβάλλοι γὰρ ἂν ἐν τοῖς μέρεσι τοῦ ὅλου. ἢ
ἀδιαίρετον πᾶν τὸ μὴ ἔχον ὕλην—ὥσπερ ὁ ἀνθρώπινος νοῦς
ἢ ὅ γε τῶν συνθέτων ἔχει ἔν τινι χρόνῳ (οὐ γὰρ ἔχει τὸ εὖ
ἐν τῳδὶ ἢ ἐν τῳδί, ἀλλ' ἐν ὅλῳ τινὶ τὸ ἄριστον, ὂν ἄλλο τι)—
10 οὕτως δ' ἔχει αὐτὴ αὑτῆς ἡ νόησις τὸν ἅπαντα αἰῶνα;

Ἐπισκεπτέον δὲ καὶ ποτέρως ἔχει ἡ τοῦ ὅλου φύσις τὸ 10
ἀγαθὸν καὶ τὸ ἄριστον, πότερον κεχωρισμένον τι καὶ αὐτὸ
καθ' αὑτό, ἢ τὴν τάξιν. ἢ ἀμφοτέρως ὥσπερ στράτευμα;
καὶ γὰρ ἐν τῇ τάξει τὸ εὖ καὶ ὁ στρατηγός, καὶ μᾶλλον
15 οὗτος· οὐ γὰρ οὗτος διὰ τὴν τάξιν ἀλλ' ἐκείνη διὰ τοῦτόν ἐστιν.
πάντα δὲ συντέτακταί πως, ἀλλ' οὐχ ὁμοίως, καὶ πλωτὰ
καὶ πτηνὰ καὶ φυτά· καὶ οὐχ οὕτως ἔχει ὥστε μὴ εἶναι θα-
τέρῳ πρὸς θάτερον μηδέν, ἀλλ' ἔστι τι. πρὸς μὲν γὰρ ἓν
ἅπαντα συντέτακται, ἀλλ' ὥσπερ ἐν οἰκίᾳ τοῖς ἐλευθέροις
20 ἥκιστα ἔξεστιν ὅ τι ἔτυχε ποιεῖν, ἀλλὰ πάντα ἢ τὰ πλεῖστα
τέτακται, τοῖς δὲ ἀνδραπόδοις καὶ τοῖς θηρίοις μικρὸν τὸ εἰς
τὸ κοινόν, τὸ δὲ πολὺ ὅ τι ἔτυχεν· τοιαύτη γὰρ ἑκάστου
ἀρχὴ αὐτῶν ἡ φύσις ἐστίν. λέγω δ' οἷον εἴς γε τὸ διακρι-
θῆναι ἀνάγκη ἅπασιν ἐλθεῖν, καὶ ἄλλα οὕτως ἔστιν ὧν κοι-
25 νωνεῖ ἅπαντα εἰς τὸ ὅλον.—ὅσα δὲ ἀδύνατα συμβαίνει ἢ
ἄτοπα τοῖς ἄλλως λέγουσι, καὶ ποῖα οἱ χαριεστέρως λέγον-
τες, καὶ ἐπὶ ποίων ἐλάχισται ἀπορίαι, δεῖ μὴ λανθάνειν.
πάντες γὰρ ἐξ ἐναντίων ποιοῦσι πάντα. οὔτε δὲ τὸ πάντα οὔτε
τὸ ἐξ ἐναντίων ὀρθῶς, οὔτ' ἐν ὅσοις τὰ ἐναντία ὑπάρχει, πῶς
30 ἐκ τῶν ἐναντίων ἔσται, οὐ λέγουσιν· ἀπαθῆ γὰρ τὰ ἐναντία
ὑπ' ἀλλήλων. ἡμῖν δὲ λύεται τοῦτο εὐλόγως τῷ τρίτον τι
εἶναι. οἱ δὲ τὸ ἕτερον τῶν ἐναντίων ὕλην ποιοῦσιν, ὥσπερ οἱ
τὸ ἄνισον τῷ ἴσῳ ἢ τῷ ἑνὶ τὰ πολλά. λύεται δὲ καὶ τοῦτο

1075ᵃ 2 ἡ γὰρ οὐσία JΓ   3 τοῦ ... 5 νόησις in marg. J   4 καὶ
pr. ... 5 μία om. E¹   5 τῷ νοουμένῳ Al. Bonitz: τοῦ νοουμένου
codd. Γ   6 μεταβάλοι Al. et fecit Aᵇ   7 ὁ] γὰρ ὁ E² et fort
Al.   8 ἢ secl. Ravaisson   9 ὂν] νοῶν γρ. E   ὅλον τι
Rahilly   10 δὴ Bonitz   ἔχει ἡ αὐτὴ E²   αὑτῆς Aᵇ   20 ὅ τι
ἔτυχε Aᵇ γρ. EJΓ Al.°: ὁτιοῦν E   23 αὐτῶν ἡ φύσις ἀρχὴ Zeller

τὸν αὐτὸν τρόπον· ἡ γὰρ ὕλη ἡ μία οὐδενὶ ἐναντίον. ἔτι
ἅπαντα τοῦ φαύλου μεθέξει ἔξω τοῦ ἑνός· τὸ γὰρ κακὸν 35
αὐτὸ θάτερον τῶν στοιχείων. οἱ δ' ἄλλοι οὐδ' ἀρχὰς τὸ ἀγα-
θὸν καὶ τὸ κακόν· καίτοι ἐν ἅπασι μάλιστα τὸ ἀγαθὸν ἀρχή.
οἱ δὲ τοῦτο μὲν ὀρθῶς ὅτι ἀρχήν, ἀλλὰ πῶς τὸ ἀγαθὸν ἀρχὴ
οὐ λέγουσιν, πότερον ὡς τέλος ἢ ὡς κινῆσαν ἢ ὡς εἶδος. ἀτό- 1075ᵇ
πως δὲ καὶ Ἐμπεδοκλῆς· τὴν γὰρ φιλίαν ποιεῖ τὸ ἀγαθόν,
αὕτη δ' ἀρχὴ καὶ ὡς κινοῦσα (συνάγει γάρ) καὶ ὡς ὕλη·
μόριον γὰρ τοῦ μίγματος. εἰ δὴ καὶ τῷ αὐτῷ συμβέβηκεν
καὶ ὡς ὕλη ἀρχῇ εἶναι καὶ ὡς κινοῦντι, ἀλλὰ τό γ' εἶναι οὐ 5
ταὐτό. κατὰ πότερον οὖν φιλία; ἄτοπον δὲ καὶ τὸ ἄφθαρ-
τον εἶναι τὸ νεῖκος· τοῦτο δ' ἐστὶν αὐτῷ ἡ τοῦ κακοῦ φύσις.
Ἀναξαγόρας δὲ ὡς κινοῦν τὸ ἀγαθὸν ἀρχήν· ὁ γὰρ νοῦς κινεῖ.
ἀλλὰ κινεῖ ἕνεκά τινος, ὥστε ἕτερον, πλὴν ὡς ἡμεῖς λέγο-
μεν· ἡ γὰρ ἰατρική ἐστί πως ἡ ὑγίεια. ἄτοπον δὲ καὶ τὸ 10
ἐναντίον μὴ ποιῆσαι τῷ ἀγαθῷ καὶ τῷ νῷ. πάντες δ' οἱ
τἀναντία λέγοντες οὐ χρῶνται τοῖς ἐναντίοις, ἐὰν μὴ ῥυθμίσῃ
τις. καὶ διὰ τί τὰ μὲν φθαρτὰ τὰ δ' ἄφθαρτα, οὐδεὶς λέγει·
πάντα γὰρ τὰ ὄντα ποιοῦσιν ἐκ τῶν αὐτῶν ἀρχῶν. ἔτι οἱ
μὲν ἐκ τοῦ μὴ ὄντος ποιοῦσι τὰ ὄντα· οἱ δ' ἵνα μὴ τοῦτο 15
ἀναγκασθῶσιν, ἓν πάντα ποιοῦσιν.—ἔτι διὰ τί ἀεὶ ἔσται γένε-
σις καὶ τί αἴτιον γενέσεως, οὐδεὶς λέγει. καὶ τοῖς δύο ἀρχὰς
ποιοῦσιν ἄλλην ἀνάγκη ἀρχὴν κυριωτέραν εἶναι, καὶ τοῖς τὰ
εἴδη ἔτι ἄλλη ἀρχὴ κυριωτέρα· διὰ τί γὰρ μετέσχεν ἢ
μετέχει; καὶ τοῖς μὲν ἄλλοις ἀνάγκη τῇ σοφίᾳ καὶ τῇ τι- 20
μιωτάτῃ ἐπιστήμῃ εἶναί τι ἐναντίον, ἡμῖν δ' οὔ. οὐ γάρ ἐστιν
ἐναντίον τῷ πρώτῳ οὐδέν· πάντα γὰρ τὰ ἐναντία ὕλην ἔχει,
καὶ δυνάμει ταῦτα ἐστιν· ἡ δὲ ἐναντία ἄγνοια εἰς τὸ ἐναν-
τίον, τῷ δὲ πρώτῳ ἐναντίον οὐδέν. εἴ τε μὴ ἔσται παρὰ τὰ
αἰσθητὰ ἄλλα, οὐκ ἔσται ἀρχὴ καὶ τάξις καὶ γένεσις καὶ 25
τὰ οὐράνια, ἀλλ' ἀεὶ τῆς ἀρχῆς ἀρχή, ὥσπερ τοῖς θεολόγοις

ᵃ 34 ἡ γὰρ] καὶ γὰρ ἡ γρ. Al.   37 καλόν Robin   38 ἀρχήν]
ἀρχή EJΓ   ᵇ 5 καὶ ὡς ὕλη i Al. Bonitz: ὡς ὕλη καὶ codd. Γ
6 κατὰ om. Γ   7 αὐτῷ Shorey: αὐτὸ codd.   12 ῥαθυμήσῃ γρ.
E Al.   14 πάντα Aᵇ γρ. EJΓ: πάντες E   19 ἔτι . . . κυριωτέρα
fort. om. Al., secl. Christ ἔτι fort. Them., ci. Bonitz: ὅτι codd. Γ:
ἔσται ci. Bonitz   20 μετίσχει EJ   23 ταῦτα JΓ: ταὐτὰ EAᵇ
Them.   εἰς τὸ ἐναντίον] an ἐστὶν ἐναντίον?   24 εἴ τε Christ:
εἴτε vulgo: ἔτι εἰ Γ

καὶ τοῖς φυσικοῖς πᾶσιν. εἰ δ' ἔσται τὰ εἴδη· ἢ ⟨οἱ⟩ ἀριθμοί,
οὐδενὸς αἴτια· εἰ δὲ μή, οὔτι κινήσεώς γε. ἔτι πῶς ἔσται ἐξ
ἀμεγεθῶν μέγεθος καὶ συνεχές; ὁ γὰρ ἀριθμὸς οὐ ποιήσει
30 συνεχές, οὔτε ὡς κινοῦν οὔτε ὡς εἶδος. ἀλλὰ μὴν οὐδέν γ'
ἔσται τῶν ἐναντίων ὅπερ καὶ ποιητικὸν καὶ κινητικόν· ἐνδέ-
χοιτο γὰρ ἂν μὴ εἶναι. ἀλλὰ μὴν ὕστερόν γε τὸ ποιεῖν δυνά-
μεως. οὐκ ἄρα ἀΐδια τὰ ὄντα. ἀλλ' ἔστιν· ἀναιρετέον ἄρα
τούτων τι. τοῦτο δ' εἴρηται πῶς. ἔτι τίνι οἱ ἀριθμοὶ ἓν ἢ ἡ
35 ψυχὴ καὶ τὸ σῶμα καὶ ὅλως τὸ εἶδος καὶ τὸ πρᾶγμα,
οὐδὲν λέγει οὐδείς· οὐδ' ἐνδέχεται εἰπεῖν, ἐὰν μὴ ὡς ἡμεῖς εἴπῃ,
ὡς τὸ κινοῦν ποιεῖ. οἱ δὲ λέγοντες τὸν ἀριθμὸν πρῶτον τὸν
μαθηματικὸν καὶ οὕτως ἀεὶ ἄλλην ἐχομένην οὐσίαν καὶ ἀρχὰς
1076ᵃ ἑκάστης ἄλλας, ἐπεισοδιώδη τὴν τοῦ παντὸς οὐσίαν ποιοῦσιν
(οὐδὲν γὰρ ἡ ἑτέρα τῇ ἑτέρᾳ συμβάλλεται οὖσα ἢ μὴ οὖσα)
καὶ ἀρχὰς πολλάς· τὰ δὲ ὄντα οὐ βούλεται πολιτεύεσθαι
κακῶς. "οὐκ ἀγαθὸν πολυκοιρανίη· εἷς κοίρανος ἔστω."

5

Μ

Περὶ μὲν οὖν τῆς τῶν αἰσθητῶν οὐσίας εἴρηται τίς ἐστιν,
ἐν μὲν τῇ μεθόδῳ τῇ τῶν φυσικῶν περὶ τῆς ὕλης, ὕστερον
10 δὲ περὶ τῆς κατ' ἐνέργειαν· ἐπεὶ δ' ἡ σκέψις ἐστὶ πότερον
ἔστι τις παρὰ τὰς αἰσθητὰς οὐσίας ἀκίνητος καὶ ἀΐδιος ἢ οὐκ
ἔστι, καὶ εἰ ἔστι τίς ἐστι, πρῶτον τὰ παρὰ τῶν ἄλλων λεγό-
μενα θεωρητέον, ὅπως εἴτε τι μὴ καλῶς λέγουσι, μὴ τοῖς
αὐτοῖς ἔνοχοι ὦμεν, καὶ εἴ τι δόγμα κοινὸν ἡμῖν κἀκείνοις,
15 τοῦτ' ἰδίᾳ μὴ καθ' ἡμῶν δυσχεραίνωμεν· ἀγαπητὸν γὰρ εἴ
τις τὰ μὲν κάλλιον λέγοι τὰ δὲ μὴ χεῖρον. δύο δ' εἰσὶ
δόξαι περὶ τούτων· τά τε γὰρ μαθηματικά φασιν οὐσίας
εἶναί τινες, οἷον ἀριθμοὺς καὶ γραμμὰς καὶ τὰ συγγενῆ τού-
τοις, καὶ πάλιν τὰς ἰδέας. ἐπεὶ δὲ οἱ μὲν δύο ταῦτα γένη
20 ποιοῦσι, τάς τε ἰδέας καὶ τοὺς μαθηματικοὺς ἀριθμούς, οἱ δὲ
μίαν φύσιν ἀμφοτέρων, ἕτεροι δέ τινες τὰς μαθηματικὰς
μόνον οὐσίας εἶναί φασι, σκεπτέον πρῶτον μὲν περὶ τῶν

ᵇ 27 οἱ ex Al. add. Bonitz   28 οὔτε Aᵇ : οὗτοι Eucken   32 ἂν
om. E   34 πῶς Bonitz : ὡς codd. Γ : πως i   1076ᵃ 4 ἔστω
Eᵃ Asc.ᵒ Procl. : om. E¹JAᵇΓ et fort. Al.   8 τί E   14 τε Aᵇ
16 δ'] δὴ Bywater   19 γένη ταῦτα Aᵇ

μαθηματικῶν, μηδεμίαν προστιθέντας φύσιν ἄλλην αὐτοῖς,
οἷον πότερον ἰδέαι τυγχάνουσιν οὖσαι ἢ οὔ, καὶ πότερον ἀρχαὶ
καὶ οὐσίαι τῶν ὄντων ἢ οὔ, ἀλλ' ὡς περὶ μαθηματικῶν μόνον 25
εἴτ' εἰσὶν εἴτε μὴ εἰσί, καὶ εἰ εἰσὶ πῶς εἰσίν· ἔπειτα μετὰ
ταῦτα χωρὶς περὶ τῶν ἰδεῶν αὐτῶν ἁπλῶς καὶ ὅσον νόμου
χάριν· τεθρύληται γὰρ τὰ πολλὰ καὶ ὑπὸ τῶν ἐξωτερι-
κῶν λόγων, ἔτι δὲ πρὸς ἐκείνην δεῖ τὴν σκέψιν ἀπαντᾶν
τὸν πλείω λόγον, ὅταν ἐπισκοπῶμεν εἰ αἱ οὐσίαι καὶ αἱ 30
ἀρχαὶ τῶν ὄντων ἀριθμοὶ καὶ ἰδέαι εἰσίν· μετὰ γὰρ τὰς
ἰδέας αὕτη λείπεται τρίτη σκέψις.— ἀνάγκη δ', εἴπερ ἔστι
τὰ μαθηματικά, ἢ ἐν τοῖς αἰσθητοῖς εἶναι αὐτὰ καθάπερ
λέγουσί τινες, ἢ κεχωρισμένα τῶν αἰσθητῶν (λέγουσι δὲ καὶ
οὕτω τινές)· ἢ εἰ μηδετέρως, ἢ οὐκ εἰσὶν ἢ ἄλλον τρόπον εἰσίν· 35
ὥσθ' ἡ ἀμφισβήτησις ἡμῖν ἔσται οὐ περὶ τοῦ εἶναι ἀλλὰ περὶ
τοῦ τρόπου.

2   Ὅτι μὲν τοίνυν ἔν γε τοῖς αἰσθητοῖς ἀδύνατον εἶναι
καὶ ἅμα πλασματίας ὁ λόγος, εἴρηται μὲν καὶ ἐν τοῖς
διαπορήμασιν ὅτι δύο ἅμα στερεὰ εἶναι ἀδύνατον, ἔτι δὲ 1076ᵇ
καὶ ὅτι τοῦ αὐτοῦ λόγου καὶ τὰς ἄλλας δυνάμεις καὶ φύσεις
ἐν τοῖς αἰσθητοῖς εἶναι καὶ μηδεμίαν κεχωρισμένην.—ταῦτα
μὲν οὖν εἴρηται πρότερον, ἀλλὰ πρὸς τούτοις φανερὸν ὅτι
ἀδύνατον διαιρεθῆναι ὁτιοῦν σῶμα· κατ' ἐπίπεδον γὰρ διαι- 5
ρεθήσεται, καὶ τοῦτο κατὰ γραμμὴν καὶ αὕτη κατὰ στιγμήν,
ὥστ' εἰ τὴν στιγμὴν διελεῖν ἀδύνατον, καὶ τὴν γραμμήν, εἰ
δὲ ταύτην, καὶ τἆλλα. τί οὖν διαφέρει ἢ ταύτας εἶναι
τοιαύτας φύσεις, ἢ αὐτὰς μὲν μή, εἶναι δ' ἐν αὐταῖς τοιαύ-
τας φύσεις; τὸ αὐτὸ γὰρ συμβήσεται· διαιρουμένων γὰρ 10
τῶν αἰσθητῶν διαιρεθήσονται, ἢ οὐδὲ αἱ αἰσθηταί. ἀλλὰ μὴν
οὐδὲ κεχωρισμένας γ' εἶναι φύσεις τοιαύτας δυνατόν. εἰ γὰρ
ἔσται στερεὰ παρὰ τὰ αἰσθητὰ κεχωρισμένα τούτων ἕτερα καὶ
πρότερα τῶν αἰσθητῶν, δῆλον ὅτι καὶ παρὰ τὰ ἐπίπεδα
ἕτερα ἀναγκαῖον εἶναι ἐπίπεδα κεχωρισμένα καὶ στιγμὰς 15
καὶ γραμμάς (τοῦ γὰρ αὐτοῦ λόγου)· εἰ δὲ ταῦτα, πάλιν
παρὰ τὰ τοῦ στερεοῦ τοῦ μαθηματικοῦ ἐπίπεδα καὶ γραμμὰς
καὶ στιγμὰς ἕτερα κεχωρισμένα (πρότερα γὰρ τῶν συγκει-

ᵃ 24 ἰδέαι ... πότερον in marg. J   28 τεθρύληται Al.ᶜ:
τεθρύλληται codd.   32 an δή?   ᵇ 1 ἅμα δύο Aᵇ   2 αὐτοῦ
om. Aᵇ   18 καὶ στιγμὰς om. Jᴦ

μένων ἐστὶ τὰ ἀσύνθετα· καὶ εἴπερ τῶν αἰσθητῶν πρότερα
20 σώματα μὴ αἰσθητά, τῷ αὐτῷ λόγῳ καὶ τῶν ἐπιπέδων
τῶν ἐν τοῖς ἀκινήτοις στερεοῖς τὰ αὐτὰ καθ᾽ αὐτά, ὥστε
ἕτερα ταῦτα ἐπίπεδα καὶ γραμμαὶ τῶν ἅμα τοῖς στερεοῖς
τοῖς κεχωρισμένοις· τὰ μὲν γὰρ ἅμα τοῖς μαθηματικοῖς
στερεοῖς τὰ δὲ πρότερα τῶν μαθηματικῶν στερεῶν). πάλιν
25 τοίνυν τούτων τῶν ἐπιπέδων ἔσονται γραμμαί, ὧν πρότερον
δεήσει ἑτέρας γραμμὰς καὶ στιγμὰς εἶναι διὰ τὸν αὐτὸν
λόγον· καὶ τούτων ⟨τῶν⟩ ἐκ ταῖς προτέραις γραμμαῖς ἑτέρας
προτέρας στιγμάς, ὧν οὐκέτι πρότεραι ἕτεραι. ἄτοπός τε δὴ
γίγνεται ἡ σώρευσις (συμβαίνει γὰρ στερεὰ μὲν μοναχὰ
30 παρὰ τὰ αἰσθητά, ἐπίπεδα δὲ τριττὰ παρὰ τὰ αἰσθητά—
τά τε παρὰ τὰ αἰσθητὰ καὶ τὰ ἐν τοῖς μαθηματικοῖς στε-
ρεοῖς καὶ ⟨τὰ⟩ παρὰ τὰ ἐν τούτοις—γραμμαὶ δὲ τετραξαί, στιγμαὶ
δὲ πενταξαί· ὥστε περὶ ποῖα αἱ ἐπιστῆμαι ἔσονται αἱ μαθη-
ματικαὶ τούτων; οὐ γὰρ δὴ περὶ τὰ ἐν τῷ στερεῷ τῷ ἀκινήτῳ
35 ἐπίπεδα καὶ γραμμὰς καὶ στιγμάς· ἀεὶ γὰρ περὶ τὰ πρό-
τερα ἡ ἐπιστήμη)· ὁ δ᾽ αὐτὸς λόγος καὶ περὶ τῶν ἀριθμῶν·
παρ᾽ ἑκάστας γὰρ τὰς στιγμὰς ἕτεραι ἔσονται μονάδες, καὶ
παρ᾽ ἕκαστα τὰ ὄντα, ⟨τὰ⟩ αἰσθητά, εἶτα τὰ νοητά, ὥστ᾽ ἔσται
γένη τῶν μαθηματικῶν ἀριθμῶν. ἔτι ἅπερ καὶ ἐν τοῖς
1077ᵃ ἀπορήμασιν ἐπήλθομεν πῶς ἐνδέχεται λύειν; περὶ ἃ γὰρ
ἡ ἀστρολογία ἐστίν, ὁμοίως ἔσται παρὰ τὰ αἰσθητὰ καὶ
περὶ ἃ ἡ γεωμετρία· εἶναι δ᾽ οὐρανὸν καὶ τὰ μόρια αὐτοῦ
πῶς δυνατόν, ἢ ἄλλο ὁτιοῦν ἔχον κίνησιν; ὁμοίως δὲ καὶ τὰ
5 ὀπτικὰ καὶ τὰ ἁρμονικά· ἔσται γὰρ φωνή τε καὶ ὄψις
παρὰ τὰ αἰσθητὰ καὶ τὰ καθ᾽ ἕκαστα, ὥστε δῆλον ὅτι καὶ
αἱ ἄλλαι αἰσθήσεις καὶ τὰ ἄλλα αἰσθητά· τί γὰρ μᾶλλον
τάδε ἢ τάδε; εἰ δὲ ταῦτα, καὶ ζῷα ἔσονται, εἴπερ καὶ
αἰσθήσεις. ἔτι γράφεται ἔνια καθόλου ὑπὸ τῶν μαθηματι-
10 κῶν παρὰ ταύτας τὰς οὐσίας. ἔσται οὖν καὶ αὕτη τις ἄλλη
οὐσία μεταξὺ κεχωρισμένη τῶν τ᾽ ἰδεῶν καὶ τῶν μεταξύ, ἣ
οὔτε ἀριθμός ἐστιν οὔτε στιγμαὶ οὔτε μέγεθος οὔτε χρόνος. εἰ

ᵇ20 μὴ] τὰ μὴ Ε   27 τούτων τῶν ci. Christ: τούτων codd.: τῶν
Bonitz   28 γραμμάς JAᵇ   30 ἐπίπεδα ... αἰσθητά om. Ε
31 τὰ tert. EJΓ Al.: om. Aᵇ   32 τὰ i Al.: om. codd. Γ   στιγμαὶ
δὲ πενταξαί in marg. J   37 παρ᾽ ... 39 ἀριθμῶν om. Γ   38 τὰ
addidi   39 γένη ἄπειρα τῶν recc. ia et fort. Al.   1077ᵃ2 ἔσται
ut vid. Al., Bonitz: ἐστὶ codd. Γ   3 ⟨οὐρανὸν παρὰ τὸν αἰσθητὸν⟩
οὐρανὸν Jaeger   11 ἢ Aᵇ   12 στιγμὴ recc.

δὲ τοῦτο ἀδύνατον, δῆλον ὅτι κἀκεῖνα ἀδύνατον εἶναι κεχωρι-
σμένα τῶν αἰσθητῶν. ὅλως δὲ τοὐναντίον συμβαίνει καὶ τοῦ
ἀληθοῦς καὶ τοῦ εἰωθότος ὑπολαμβάνεσθαι, εἴ τις θήσει 15
οὕτως εἶναι τὰ μαθηματικὰ ὡς κεχωρισμένας τινὰς φύσεις.
ἀνάγκη γὰρ διὰ τὸ μὲν οὕτως εἶναι αὐτὰς προτέρας εἶναι
τῶν αἰσθητῶν μεγεθῶν, κατὰ τὸ ἀληθὲς δὲ ὑστέρας· τὸ
γὰρ ἀτελὲς μέγεθος γενέσει μὲν πρότερόν ἐστι, τῇ οὐσίᾳ δ'
ὕστερον, οἷον ἄψυχον ἐμψύχου. ἔτι τίνι καὶ πότ' ἔσται ἓν 20
τὰ μαθηματικὰ μεγέθη; τὰ μὲν γὰρ ἐνταῦθα ψυχῇ ἢ
μέρει ψυχῆς ἢ ἄλλῳ τινί, εὐλόγως (εἰ δὲ μή, πολλά, καὶ
διαλύεται), ἐκείνοις δὲ διαιρετοῖς καὶ ποσοῖς οὖσι τί αἴτιον
τοῦ ἓν εἶναι καὶ συμμένειν; ἔτι αἱ γενέσεις δηλοῦσιν. πρῶ-
τον μὲν γὰρ ἐπὶ μῆκος γίγνεται, εἶτα ἐπὶ πλάτος, τελευ- 25
ταῖον δ' εἰς βάθος, καὶ τέλος ἔσχεν. εἰ οὖν τὸ τῇ γενέσει
ὕστερον τῇ οὐσίᾳ πρότερον, τὸ σῶμα πρότερον ἂν εἴη ἐπιπέδου
καὶ μήκους· καὶ ταύτῃ καὶ τέλειον καὶ ὅλον μᾶλλον, ὅτι
ἔμψυχον γίγνεται· γραμμὴ δὲ ἔμψυχος ἢ ἐπίπεδον πῶς
ἂν εἴη; ὑπὲρ γὰρ τὰς αἰσθήσεις τὰς ἡμετέρας ἂν εἴη τὸ 30
ἀξίωμα. ἔτι τὸ μὲν σῶμα οὐσία τις (ἤδη γὰρ ἔχει πως
τὸ τέλειον), αἱ δὲ γραμμαὶ πῶς οὐσίαι; οὔτε γὰρ ὡς εἶδος
καὶ μορφή τις, οἷον εἰ ἄρα ἡ ψυχὴ τοιοῦτον, οὔτε ὡς ἡ
ὕλη, οἷον τὸ σῶμα· οὐθὲν γὰρ ἐκ γραμμῶν οὐδ' ἐπιπέδων
οὐδὲ στιγμῶν φαίνεται συνίστασθαι δυνάμενον, εἰ δ' ἦν οὐσία 35
τις ὑλική, τοῦτ' ἂν ἐφαίνετο δυνάμενα πάσχειν. τῷ μὲν
οὖν λόγῳ ἔστω πρότερα, ἀλλ' οὐ πάντα ὅσα τῷ λόγῳ πρό- 1077ᵇ
τερα καὶ τῇ οὐσίᾳ πρότερα. τῇ μὲν γὰρ οὐσίᾳ πρότερα ὅσα
χωριζόμενα τῷ εἶναι ὑπερβάλλει, τῷ λόγῳ δὲ ὅσων οἱ
λόγοι ἐκ τῶν λόγων· ταῦτα δὲ οὐχ ἅμα ὑπάρχει. εἰ γὰρ
μὴ ἔστι τὰ πάθη παρὰ τὰς οὐσίας, οἷον κινούμενόν τι ἢ λευ- 5
κόν, τοῦ λευκοῦ ἀνθρώπου τὸ λευκὸν πρότερον κατὰ τὸν λόγον
ἀλλ' οὐ κατὰ τὴν οὐσίαν· οὐ γὰρ ἐνδέχεται εἶναι κεχωρι-
σμένον ἀλλ' ἀεὶ ἅμα τῷ συνόλῳ ἐστίν (σύνολον δὲ λέγω
τὸν ἄνθρωπον τὸν λευκόν), ὥστε φανερὸν ὅτι οὔτε τὸ ἐξ

ᵃ 20 post ἔτι add. ἐν E et sup. lin. J   καί ποτ' Bonitz : καὶ πῶς Γ
22 εὐλόγως scripsi : εὐλόγῳ codd. Γ Al. : εὔλογον Jaeger   31 τις
Γ i Al. : τίς codd. ἔχει om. Aᵇ   33 ἡ alt. om. J   36 δυνά-
μενα om. Al.   ᵇ 4 ἐκ omittendum ci. Schwegler   ὑπάρχει ἀεί. εἰ
Bywater   5 τι om. ut vid. Al.   9 τὸν alt.] καὶ τὸ Al.ᶜ   τὸ om. AᵇΓ

10 ἀφαιρέσεως πρότερον οὔτε τὸ ἐκ προσθέσεως ὕστερον· ἐκ
προσθέσεως γὰρ τῷ λευκῷ ὁ λευκὸς ἄνθρωπος λέγεται.

Ὅτι μὲν οὖν οὔτε οὐσίαι μᾶλλον τῶν σωμάτων εἰσὶν οὔτε
πρότερα τῷ εἶναι τῶν αἰσθητῶν ἀλλὰ τῷ λόγῳ μόνον, οὔτε
κεχωρισμένα που εἶναι δυνατόν, εἴρηται ἱκανῶς· ἐπεὶ δ᾽ οὐδ᾽
15 ἐν τοῖς αἰσθητοῖς ἐνεδέχετο αὐτὰ εἶναι, φανερὸν ὅτι ἢ ὅλως
οὐκ ἔστιν ἢ τρόπον τινὰ ἔστι καὶ διὰ τοῦτο οὐχ ἁπλῶς ἔστιν·
πολλαχῶς γὰρ τὸ εἶναι λέγομεν. ὥσπερ γὰρ καὶ τὰ καθό- 3
λου ἐν τοῖς μαθήμασιν οὐ περὶ κεχωρισμένων ἐστὶ παρὰ
τὰ μεγέθη καὶ τοὺς ἀριθμοὺς ἀλλὰ περὶ τούτων μέν, οὐχ ᾗ
20 δὲ τοιαῦτα οἷα ἔχειν μέγεθος ἢ εἶναι διαιρετά, δῆλον ὅτι
ἐνδέχεται καὶ περὶ τῶν αἰσθητῶν μεγεθῶν εἶναι καὶ λόγους
καὶ ἀποδείξεις, μὴ ᾗ δὲ αἰσθητὰ ἀλλ᾽ ᾗ τοιαδί. ὥσπερ
γὰρ καὶ ᾗ κινούμενα μόνον πολλοὶ λόγοι εἰσί, χωρὶς τοῦ τί
ἕκαστόν ἐστι τῶν τοιούτων καὶ τῶν συμβεβηκότων αὐτοῖς,
25 καὶ οὐκ ἀνάγκη διὰ ταῦτα ἢ κεχωρισμένον τι εἶναι κινού-
μενον τῶν αἰσθητῶν ἢ ἐν τούτοις τινὰ φύσιν εἶναι ἀφω-
ρισμένην, οὕτω καὶ ἐπὶ τῶν κινουμένων ἔσονται λόγοι καὶ
ἐπιστῆμαι, οὐχ ᾗ κινούμενα δὲ ἀλλ᾽ ᾗ σώματα μόνον, καὶ
πάλιν ᾗ ἐπίπεδα μόνον καὶ ᾗ μήκη μόνον, καὶ ᾗ διαιρετὰ
30 καὶ ᾗ ἀδιαίρετα ἔχοντα δὲ θέσιν καὶ ᾗ ἀδιαίρετα μόνον,
ὥστ᾽ ἐπεὶ ἁπλῶς λέγειν ἀληθὲς μὴ μόνον τὰ χωριστὰ εἶναι
ἀλλὰ καὶ τὰ μὴ χωριστά (οἷον κινούμενα εἶναι), καὶ τὰ
μαθηματικὰ ὅτι ἔστιν ἁπλῶς ἀληθὲς εἰπεῖν, καὶ τοιαῦτά
γε οἷα λέγουσιν. καὶ ὥσπερ καὶ τὰς ἄλλας ἐπιστήμας ἁπλῶς
35 ἀληθὲς εἰπεῖν τούτου εἶναι, οὐχὶ τοῦ συμβεβηκότος (οἷον ὅτι
λευκοῦ, εἰ τὸ ὑγιεινὸν λευκόν, ἡ δ᾽ ἔστιν ὑγιεινοῦ) ἀλλ᾽ ἐκείνου
1078ᵃ οὗ ἐστὶν ἑκάστη, εἰ ⟨ᾗ⟩ ὑγιεινὸν ὑγιεινοῦ, εἰ δ᾽ ᾗ ἄνθρωπος
ἀνθρώπου, οὕτω καὶ τὴν γεωμετρίαν· οὐκ εἰ συμβέβηκεν αἰσθητὰ
εἶναι ὧν ἐστί, μὴ ἔστι δὲ ᾗ αἰσθητά, οὐ τῶν αἰσθητῶν ἔσονται αἱ
μαθηματικαὶ ἐπιστῆμαι, οὐ μέντοι οὐδὲ παρὰ ταῦτα ἄλλων
5 κεχωρισμένων. πολλὰ δὲ συμβέβηκε καθ᾽ αὑτὰ τοῖς πράγ-

ᵇ 10, 11 προθέσεως Aᵇ   11 τοῦ λευκοῦ ci. Bonitz   14–5 οὐδὲν
τοῖς JAᵇ   18 παρὰ Al.ᶜ Syr.¹¹ : περὶ EJAᵇΓ Syr.¹²   28 οὐχὶ
ᾗ E   30 δὲ om. AᵇΓ   32 οἷον] οἶον τὰ Syr.¹   36 τὸ ὑγιεινὸν
recc. Al. : ὑγιεινὸν τὸ EJAᵇ Syr.¹   ᾗ Bonitz : ᾗ codd. Al.   ὑγιεινοῦ
γρ. E Al. : ὑγιεινόν EJAᵇ Syr.¹   1078ᵃ 1 οὗ ἐστὶν ἑκάστη recc. Al. :
ᾗ ἐστὶν ἑκάστου EJAᵇ   εἰ J (sed in ras.) Γ Al. : om. EAᵇ Syr.¹
ᾗ add. Bonitz   ᾗ om. Al. : ἣν Rolfes

μασιν ᾗ ἕκαστον ὑπάρχει τῶν τοιούτων, ἐπεὶ καὶ ᾗ θῆλυ
τὸ ζῷον καὶ ᾗ ἄρρεν, ἴδια πάθη ἔστιν (καίτοι οὐκ ἔστι τι
θῆλυ οὐδ' ἄρρεν κεχωρισμένον τῶν ζῴων)· ὥστε καὶ ᾗ μήκη
μόνον καὶ ᾗ ἐπίπεδα. καὶ ὅσῳ δὴ ἂν περὶ προτέρων τῷ
λόγῳ καὶ ἁπλουστέρων, τοσούτῳ μᾶλλον ἔχει τὸ ἀκριβές (τοῦτο 10
δὲ τὸ ἁπλοῦν ἐστίν), ὥστε ἄνευ τε μεγέθους μᾶλλον ἢ μετὰ
μεγέθους, καὶ μάλιστα ἄνευ κινήσεως, ἐὰν δὲ κίνησιν, μά-
λιστα τὴν πρώτην· ἁπλουστάτη γάρ, καὶ ταύτης ἡ ὁμαλή.
ὁ δ' αὐτὸς λόγος καὶ περὶ ἁρμονικῆς καὶ ὀπτικῆς· οὐδετέρα
γὰρ ᾗ ὄψις ἢ ᾗ φωνὴ θεωρεῖ, ἀλλ' ᾗ γραμμαὶ καὶ ἀριθ- 15
μοί (οἰκεῖα μέντοι ταῦτα πάθη ἐκείνων), καὶ ἡ μηχανικὴ
δὲ ὡσαύτως, ὥστ' εἴ τις θέμενος κεχωρισμένα τῶν συμβε-
βηκότων σκοπεῖ τι περὶ τούτων ᾗ τοιαῦτα, οὐθὲν διὰ τοῦτο
ψεῦδος ψεύσεται, ὥσπερ οὐδ' ὅταν ἐν τῇ γῇ γράφῃ καὶ
ποδιαίαν φῇ τὴν μὴ ποδιαίαν· οὐ γὰρ ἐν ταῖς προτάσεσι 20
τὸ ψεῦδος. ἄριστα δ' ἂν οὕτω θεωρηθείη ἕκαστον, εἴ τις τὸ
μὴ κεχωρισμένον θείη χωρίσας, ὅπερ ὁ ἀριθμητικὸς ποιεῖ
καὶ ὁ γεωμέτρης. ἐν μὲν γὰρ καὶ ἀδιαίρετον ὁ ἄνθρωπος
ᾗ ἄνθρωπος· ὁ δ' ἔθετο ἓν ἀδιαίρετον, εἶτ' ἐθεώρησεν εἴ τι
τῷ ἀνθρώπῳ συμβέβηκεν ᾗ ἀδιαίρετος. ὁ δὲ γεωμέτρης 25
οὔθ' ᾗ ἄνθρωπος οὔθ' ᾗ ἀδιαίρετος ἀλλ' ᾗ στερεόν. ἃ γὰρ
κἂν εἰ μή που ἦν ἀδιαίρετος ὑπῆρχεν αὐτῷ, δῆλον ὅτι καὶ
ἄνευ τούτων ἐνδέχεται αὐτῷ ὑπάρχειν [τὸ δυνατόν], ὥστε διὰ
τοῦτο ὀρθῶς οἱ γεωμέτραι λέγουσι, καὶ περὶ ὄντων διαλέγον-
ται, καὶ ὄντα ἐστίν· διττὸν γὰρ τὸ ὄν, τὸ μὲν ἐντελεχείᾳ 30
τὸ δ' ὑλικῶς. ἐπεὶ δὲ τὸ ἀγαθὸν καὶ τὸ καλὸν ἕτερον (τὸ
μὲν γὰρ ἀεὶ ἐν πράξει, τὸ δὲ καλὸν καὶ ἐν τοῖς ἀκινήτοις),
οἱ φάσκοντες οὐδὲν λέγειν τὰς μαθηματικὰς ἐπιστήμας περὶ
καλοῦ ἢ ἀγαθοῦ ψεύδονται. λέγουσι γὰρ καὶ δεικνύουσι μά-
λιστα· οὐ γὰρ εἰ μὴ ὀνομάζουσι τὰ δ' ἔργα καὶ τοὺς λόγους 35
δεικνύουσιν, οὐ λέγουσι περὶ αὐτῶν. τοῦ δὲ καλοῦ μέγιστα εἴδη
τάξις καὶ συμμετρία καὶ τὸ ὡρισμένον, ἃ μάλιστα δει- 1078^b
κνύουσιν αἱ μαθηματικαὶ ἐπιστῆμαι. καὶ ἐπεί γε πολλῶν

ᵃ6 ἐπεὶ om. Γ   8 κεχωρισμένων Aᵇ   μήκη μόνον] μὴ κινού-
μενον Al.   11 τε] τοῦ JAᵇ   13 αὕτη Al.   ὁμαλῆς EJ Al.
Syr.¹   15 ᾗ ᾗ Aᵇ   18 ᾗ Aᵇ   20 ποδιαίαν φῇ τὴν i Al.
Bonitz: τὴν ποδιαίαν φῇ codd.   26 ᾗ pr.] ᾗ ὁ Aᵇ   28 τούτου
fort. Al.   τὸ δυνατόν codd. Al. : om. Γ

αἴτια φαίνεται ταῦτα (λέγω δ' οἷον ἡ τάξις καὶ τὸ ὡρισμένον), δῆλον ὅτι λέγοιεν ἂν καὶ τὴν τοιαύτην αἰτίαν τὴν
5 ὡς τὸ καλὸν αἴτιον τρόπον τινά. μᾶλλον δὲ γνωρίμως ἐν ἄλλοις περὶ αὐτῶν ἐροῦμεν.

Περὶ μὲν οὖν τῶν μαθηματικῶν, ὅτι τε ὄντα ἐστὶ καὶ 4 πῶς ὄντα, καὶ πῶς πρότερα καὶ πῶς οὐ πρότερα, τοσαῦτα εἰρήσθω· περὶ δὲ τῶν ἰδεῶν πρῶτον αὐτὴν τὴν κατὰ τὴν
10 ἰδέαν δόξαν ἐπισκεπτέον, μηθὲν συνάπτοντας πρὸς τὴν τῶν ἀριθμῶν φύσιν, ἀλλ' ὡς ὑπέλαβον ἐξ ἀρχῆς οἱ πρῶτοι τὰς ἰδέας φήσαντες εἶναι. συνέβη δ' ἡ περὶ τῶν εἰδῶν δόξα τοῖς εἰποῦσι διὰ τὸ πεισθῆναι περὶ τῆς ἀληθείας τοῖς Ἡρακλειτείοις λόγοις ὡς πάντων τῶν αἰσθητῶν ἀεὶ ῥεόν-
15 των, ὥστ' εἴπερ ἐπιστήμη τινὸς ἔσται καὶ φρόνησις, ἑτέρας δεῖν τινὰς φύσεις εἶναι παρὰ τὰς αἰσθητὰς μενούσας· οὐ γὰρ εἶναι τῶν ῥεόντων ἐπιστήμην. Σωκράτους δὲ περὶ τὰς ἠθικὰς ἀρετὰς πραγματευομένου καὶ περὶ τούτων ὁρίζεσθαι καθόλου ζητοῦντος πρώτου (τῶν μὲν γὰρ φυσικῶν ἐπὶ μικρὸν
20 Δημόκριτος ἥψατο μόνον καὶ ὡρίσατό πως τὸ θερμὸν καὶ τὸ ψυχρόν· οἱ δὲ Πυθαγόρειοι πρότερον περί τινων ὀλίγων, ὧν τοὺς λόγους εἰς τοὺς ἀριθμοὺς ἀνῆπτον, οἷον τί ἐστι καιρὸς ἢ τὸ δίκαιον ἢ γάμος· ἐκεῖνος δ' εὐλόγως ἐζήτει τὸ τί ἐστιν· συλλογίζεσθαι γὰρ ἐζήτει, ἀρχὴ δὲ τῶν συλλογισμῶν τὸ
25 τί ἐστιν· διαλεκτικὴ γὰρ ἰσχὺς οὔπω τότ' ἦν ὥστε δύνασθαι καὶ χωρὶς τοῦ τί ἐστι τἀναντία ἐπισκοπεῖν, καὶ τῶν ἐναντίων εἰ ἡ αὐτὴ ἐπιστήμη· δύο γάρ ἐστιν ἅ τις ἂν ἀποδοίη Σωκράτει δικαίως, τούς τ' ἐπακτικοὺς λόγους καὶ τὸ ὁρίζεσθαι καθόλου· ταῦτα γάρ ἐστιν ἄμφω περὶ ἀρχὴν ἐπιστή-
30 μης)·—ἀλλ' ὁ μὲν Σωκράτης τὰ καθόλου οὐ χωριστὰ ἐποίει οὐδὲ τοὺς ὁρισμούς· οἱ δ' ἐχώρισαν, καὶ τὰ τοιαῦτα τῶν ὄντων ἰδέας προσηγόρευσαν, ὥστε συνέβαινεν αὐτοῖς σχεδὸν τῷ αὐτῷ λόγῳ πάντων ἰδέας εἶναι τῶν καθόλου λεγομένων, καὶ παραπλήσιον ὥσπερ ἂν εἴ τις ἀριθμῆσαι βου-
35 λόμενος ἐλαττόνων μὲν ὄντων οἴοιτο μὴ δυνήσεσθαι, πλείω

1078^ب 34 — 1079^b 3 = Α. 990^b 2 – 991^a 8

^{b} 8 καὶ πῶς πρότερα om. Γ   καὶ πῶς οὐ πρότερα Ε²ΙΑ^{b}Γ : om. Ε¹ et ut vid. Al.   22 ἀνῆγον γρ. Ε Al.   23 δ' om. recc.   26 καὶ τῶν ... 27 ἐπιστήμη secl. Maier   27 εἰ] ἢ Α^b ἀποδῴη ΕΑ^b 35 δύνασθαι a

δὲ ποιήσας ἀριθμοίη· πλείω γάρ ἐστι τῶν καθ' ἕκαστα
αἰσθητῶν ὡς εἰπεῖν τὰ εἴδη, περὶ ὧν ζητοῦντες τὰς αἰτίας 1079ᵃ
ἐκ τούτων ἐκεῖ προῆλθον· καθ' ἕκαστόν τε γὰρ ὁμώνυμόν ⟨τι⟩
ἔστι καὶ παρὰ τὰς οὐσίας, τῶν τε ἄλλων ἓν ἔστιν ἐπὶ πολ-
λῶν, καὶ ἐπὶ τοῖσδε καὶ ἐπὶ τοῖς ἀιδίοις. ἔτι καθ' οὓς τρό-
πους δείκνυται ὅτι ἔστι τὰ εἴδη, κατ' οὐθένα φαίνεται τούτων 5
ἐξ ἐνίων μὲν γὰρ οὐκ ἀνάγκη γίγνεσθαι συλλογισμόν, ἐξ
ἐνίων δὲ καὶ οὐχ ὧν οἴονται τούτων εἴδη γίγνεται. κατά τε
γὰρ τοὺς λόγους τοὺς ἐκ τῶν ἐπιστημῶν ἔσται εἴδη πάντων
ὅσων ἐπιστῆμαι εἰσίν, καὶ κατὰ τὸ ἓν ἐπὶ πολλῶν καὶ τῶν
ἀποφάσεων, κατὰ δὲ τὸ νοεῖν τι φθαρέντος τῶν φθαρτῶν· 10
φάντασμα γάρ τι τούτων ἔστιν. ἔτι δὲ οἱ ἀκριβέστατοι τῶν
λόγων οἱ μὲν τῶν πρός τι ποιοῦσιν ἰδέας, ὧν οὔ φασιν
εἶναι καθ' αὑτὸ γένος, οἱ δὲ τὸν τρίτον ἄνθρωπον λέγουσιν.
ὅλως τε ἀναιροῦσιν οἱ περὶ τῶν εἰδῶν λόγοι ἃ μᾶλλον βού-
λονται εἶναι οἱ λέγοντες εἴδη τοῦ τὰς ἰδέας εἶναι· συμβαί- 15
νει γὰρ μὴ εἶναι πρῶτον τὴν δυάδα ἀλλὰ τὸν ἀριθμόν,
καὶ τούτου τὸ πρός τι καὶ τοῦτο τοῦ καθ' αὑτό, καὶ πάνθ'
ὅσα τινὲς ἀκολουθήσαντες ταῖς περὶ τῶν εἰδῶν δόξαις ἠναν-
τιώθησαν ταῖς ἀρχαῖς. ἔτι κατὰ μὲν τὴν ὑπόληψιν καθ'
ἥν φασιν εἶναι τὰς ἰδέας οὐ μόνον τῶν οὐσιῶν ἔσονται εἴδη 20
ἀλλὰ καὶ ἄλλων πολλῶν (τὸ γὰρ νόημα ἓν οὐ μόνον
περὶ τὰς οὐσίας ἀλλὰ καὶ κατὰ μὴ οὐσιῶν ἐστί, καὶ ἐπι-
στῆμαι οὐ μόνον τῆς οὐσίας εἰσί· συμβαίνει δὲ καὶ
ἄλλα μυρία τοιαῦτα)· κατὰ δὲ τὸ ἀναγκαῖον καὶ τὰς
δόξας τὰς περὶ αὐτῶν, εἰ ἔστι μεθεκτὰ τὰ εἴδη, τῶν οὐσιῶν 25
ἀναγκαῖον ἰδέας εἶναι μόνον· οὐ γὰρ κατὰ συμβεβηκὸς
μετέχονται ἀλλὰ δεῖ ταύτῃ ἑκάστου μετέχειν ᾗ μὴ καθ'
ὑποκειμένου λέγονται (λέγω δ' οἷον, εἴ τι αὐτοῦ διπλασίου

ᵇ 36 ἕκαστον E¹   1079ᵃ2 καθ'] παρ' Syr.   τε om. A : τι ci.
Rolfes τι adieci: cf. 990ᵇ6   3 τε codd. ΓΑ(Ε Al) : om. A (Aᵇ),
incl. Bonitz   ἄλλων codd. ΓΑ (ΕΓ Asc.) : ἄλλων ὧν A (Aᵇ Al.)
11 τι om. J   τούτων AᵇA : τοῦτ' EJ Syr.¹ : τοῦ τί Γ   17 καὶ
τοῦτο πρός τι καὶ καθ' αὐτό γρ. E   τούτου et καὶ alt. om. A   τοῦτο
τοῦ] τὸ τοῦ JΓ : τὸ Aᵇ : τοῦ A (ΕΓ·Al. Asc.), quod hic conicio   20
οὐ μόνον τῶν οὐσιῶν AᵇA : om. E¹JΓ : post εἴδη E²   21 ἀλλὰ E²
AᵇA et in marg. J : om. E¹Γ   καὶ E²AᵇΓA et in marg. J : om. E¹
ἄλλων] ἄλλων τε J : ἑτέρων AᵇA et in marg. J   πολλῶν] πολλῶν καὶ J
22 κατὰ] τὰ JΓ   ἐστί JAᵇΓA : ἔσται Syr. et fecit E   καὶ JA
(Ε Al.) : καὶ αἱ Ε Aᵇ Syr.¹ A (Aᵇ)   23 εἰσί A Bonitz ; cf. 990ᵇ26 :
ἔσονται codd.   24 τὸν J   27 δεῖ] δὴ J¹   ταύτῃ EJΓA : ταύτην
Aᵇ   28 λέγεται recc. A   αὐτοδιπλασίου γρ. EA

μετέχει, τοῦτο καὶ ἀϊδίου μετέχει, ἀλλὰ κατὰ συμβεβη-
30 κός· συμβέβηκε γὰρ τῷ διπλασίῳ ἀϊδίῳ εἶναι), ὥστε ἔσται
οὐσία τὰ εἴδη· ταὐτὰ δ' ἐνταῦθα οὐσίαν σημαίνει κἀκεῖ· ἢ
τί ἔσται τὸ εἶναι φάναι τι παρὰ ταῦτα, τὸ ἓν ἐπὶ πολ-
λῶν; καὶ εἰ μὲν ταὐτὸ εἶδος τῶν ἰδεῶν καὶ τῶν μετεχόν-
των, ἔσται τι κοινόν (τί γὰρ μᾶλλον ἐπὶ τῶν φθαρτῶν
35 δυάδων, καὶ τῶν δυάδων τῶν πολλῶν μὲν ἀϊδίων δέ, τὸ
δυὰς ἓν καὶ ταὐτόν, ἢ ἐπ' αὐτῆς καὶ τῆς τινός;)· εἰ δὲ μὴ
1079ᵇ τὸ αὐτὸ εἶδος, ὁμώνυμα ἂν εἴη, καὶ ὅμοιον ὥσπερ ἂν εἴ
τις καλοῖ ἄνθρωπον τόν τε Καλλίαν καὶ τὸ ξύλον, μηδε-
μίαν κοινωνίαν ἐπιβλέψας αὐτῶν. εἰ δὲ τὰ μὲν ἄλλα
τοὺς κοινοὺς λόγους ἐφαρμόττειν θήσομεν τοῖς εἴδεσιν, οἷον
5 ἐπ' αὐτὸν τὸν κύκλον σχῆμα ἐπίπεδον καὶ τὰ λοιπὰ μέρη
τοῦ λόγου, τὸ δ' ὃ ἔστι προστεθήσεται, σκοπεῖν δεῖ μὴ κενὸν
ᾖ τοῦτο παντελῶς. τίνι τε γὰρ προστεθήσεται; τῷ μέσῳ ἢ
τῷ ἐπιπέδῳ ἢ πᾶσιν; πάντα γὰρ τὰ ἐν τῇ οὐσίᾳ ἰδέαι,
οἷον τὸ ζῷον καὶ τὸ δίπουν. ἔτι δῆλον ὅτι ἀνάγκη αὐτὸ
10 εἶναί τι, ὥσπερ τὸ ἐπίπεδον, φύσιν τινὰ ἢ πᾶσιν ἐνυπάρξει
τοῖς εἴδεσιν ὡς γένος.

Πάντων δὲ μάλιστα διαπορήσειεν ἄν τις τί ποτε συμ- 5
βάλλονται τὰ εἴδη ἢ τοῖς ἀϊδίοις τῶν αἰσθητῶν ἢ τοῖς
γιγνομένοις καὶ [τοῖς] φθειρομένοις· οὔτε γὰρ κινήσεώς ἐστιν
15 οὔτε μεταβολῆς οὐδεμιᾶς αἴτια αὐτοῖς. ἀλλὰ μὴν οὔτε
πρὸς τὴν ἐπιστήμην οὐθὲν βοηθεῖ τὴν τῶν ἄλλων (οὐδὲ γὰρ
οὐσία ἐκεῖνα τούτων· ἐν τούτοις γὰρ ἂν ἦν), οὔτ' εἰς τὸ εἶναι,
μὴ ἐνυπάρχοντά γε τοῖς μετέχουσιν· οὕτω μὲν γὰρ ἴσως
αἴτια δόξειεν ἂν εἶναι ὡς τὸ λευκὸν μεμιγμένον τῷ λευκῷ,
20 ἀλλ' οὗτος μὲν ὁ λόγος λίαν εὐκίνητος, ὃν Ἀναξαγόρας
μὲν πρότερος Εὔδοξος δὲ ὕστερος ἔλεγε διαπορῶν καὶ ἕτεροί

1079ᵇ 12—1080ᵃ 8 = A. 991ᵃ 8—ᵇ 9

ᵃ 31 οὐσία codd. ΓΑ: οὐσίας vel οὐσιῶν ci. Bonitz   ταὐτὰ Al.
Bekker: ταῦτα ΙΑᵇΓΑ (codd.): ταυτα Ε   δ' ἐνταῦθα] γὰρ ἐνταῦθά
τε Al.ᶜ   36 ἐπὶ ταύτης Syr.¹ Α (codd.): ἐπί τ' αὐτῆς Bonitz
ᵇ 2 καλοίοι Αᵇ: καλοίη Α (Αᵇ Asc.ᶜ) Syr.¹   5 κύκλον] ὃ Αᵇ   6 ὃ
ἔστι Shorey: cf. 1086ᵇ27 : οὗ ἐστι codd. Al.ᶜ   7 τε om. Ε in loco
eraso   10 τι damnavit Christ   ⟨καὶ⟩ φύσιν Jaeger ἢ Αᵇ
ὑπάρξει Al.ᶜ et ut vid. Al.   14 τοῖς om. Syr.¹ Α (Αᵇ Al.)   15
αἰτία Ε   οὔτε Bonitz: οὐδὲ codd. Α   16 οὐδὲ Bonitz: οὔτε
codd. Α   19 αἰτία Γ   ἂν om. Αᵇ   ὡς recc. Α (Αᵇ Al.): om.
ΕΙΑᵇΓΑ (ΕΓ Asc.ᶜ)   21 ὕστερον] ΙΓΑ

τινες (ῥᾴδιον γὰρ πολλὰ συναγαγεῖν καὶ ἀδύνατα πρὸς
τὴν τοιαύτην δόξαν)· ἀλλὰ μὴν οὐδὲ ἐκ τῶν εἰδῶν ἐστὶ
τἆλλα κατ᾽ οὐθένα τρόπον τῶν εἰωθότων λέγεσθαι. τὸ
δὲ λέγειν παραδείγματα εἶναι καὶ μετέχειν αὐτῶν τὰ ἄλλα 25
κενολογεῖν ἐστὶ καὶ μεταφορὰς λέγειν ποιητικάς. τί γάρ
ἐστι τὸ ἐργαζόμενον πρὸς τὰς ἰδέας ἀποβλέπον; ἐνδέχεταί
τε καὶ εἶναι καὶ γίγνεσθαι ὁτιοῦν καὶ μὴ εἰκαζόμενον, ὥστε
καὶ ὄντος Σωκράτους καὶ μὴ ὄντος γένοιτ᾽ ἂν οἷος Σωκρά-
της· ὁμοίως δὲ δῆλον ὅτι κἂν εἰ ἦν ὁ Σωκράτης ἀΐδιος. 30
ἔσται τε πλείω παραδείγματα τοῦ αὐτοῦ, ὥστε καὶ εἴδη,
οἷον τοῦ ἀνθρώπου τὸ ζῷον καὶ τὸ δίπουν, ἅμα δὲ καὶ
αὐτοάνθρωπος. ἔτι οὐ μόνον τῶν αἰσθητῶν παραδείγματα
τὰ εἴδη ἀλλὰ καὶ αὐτῶν, οἷον τὸ γένος τῶν ὡς γένους
εἰδῶν· ὥστε τὸ αὐτὸ ἔσται παράδειγμα καὶ εἰκών. ἔτι δό- 35
ξειεν ἂν ἀδύνατον χωρὶς εἶναι τὴν οὐσίαν καὶ οὗ ἡ οὐσία·
ὥστε πῶς ἂν αἱ ἰδέαι οὐσίαι τῶν πραγμάτων οὖσαι χωρὶς 1080ᵃ
εἶεν; ἐν δὲ τῷ Φαίδωνι τοῦτον λέγεται τὸν τρόπον, ὡς καὶ
τοῦ εἶναι καὶ τοῦ γίγνεσθαι αἴτια τὰ εἴδη ἐστίν· καίτοι τῶν
εἰδῶν ὄντων ὅμως οὐ γίγνεται ἂν μὴ ᾖ τὸ κινῆσον, καὶ
πολλὰ γίγνεται ἕτερα, οἷον οἰκία καὶ δακτύλιος, ὧν οὔ 5
φασιν εἶναι εἴδη· ὥστε δῆλον ὅτι ἐνδέχεται κἀκεῖνα, ὧν
φασὶν ἰδέας εἶναι, καὶ εἶναι καὶ γίγνεσθαι διὰ τοιαύτας
αἰτίας οἵας καὶ τὰ ῥηθέντα νῦν, ἀλλ᾽ οὐ διὰ τὰ εἴδη.
ἀλλὰ περὶ μὲν τῶν ἰδεῶν καὶ τοῦτον τὸν τρόπον καὶ διὰ
λογικωτέρων καὶ ἀκριβεστέρων λόγων ἔστι πολλὰ συναγα- 10
γεῖν ὅμοια τοῖς τεθεωρημένοις.

6   Ἐπεὶ δὲ διώρισται περὶ τούτων, καλῶς ἔχει πάλιν
θεωρῆσαι τὰ περὶ τοὺς ἀριθμοὺς συμβαίνοντα τοῖς λέγουσιν
οὐσίας αὐτοὺς εἶναι χωριστὰς καὶ τῶν ὄντων αἰτίας πρώτας.
ἀνάγκη δ᾽, εἴπερ ἐστὶν ὁ ἀριθμὸς φύσις τις καὶ μὴ ἄλλη 15
τίς ἐστιν αὐτοῦ ἡ οὐσία ἀλλὰ τοῦτ᾽ αὐτό, ὥσπερ φασί τινες,
ἤτοι εἶναι τὸ μὲν πρῶτόν τι αὐτοῦ τὸ δ᾽ ἐχόμενον, ἕτερον
ὂν τῷ εἴδει ἕκαστον,—καὶ τοῦτο ἢ ἐπὶ τῶν μονάδων εὐθὺς
ὑπάρχει καὶ ἔστιν ἀσύμβλητος ὁποιαοῦν μονὰς ὁποιαοῦν

ᵇ 27 ἀποβλέπων Aᵇ   28 τε] γὰρ iA (ΕΓ Asc.ᶜ)   ὁτιοῦν] ὅμοιον
ὁτιοῦν A Bonitz   29 οἷος A (Aᵇ Al.) : οἷον codd. Γ   30 εἰ
ἦν iA : εἴη codd. Γ   ὁ om. E   1080ᵃ 9–10 καὶ διαλεκτικωτέρων
fecit E : om. Γ   14 αὐτοῖς E

20 μονάδι, ἢ εὐθὺς ἐφεξῆς πᾶσαι καὶ συμβληταὶ ὁποιαιοῦν
ὁποιαισοῦν, οἷον λέγουσιν εἶναι τὸν μαθηματικὸν ἀριθμόν
(ἐν γὰρ τῷ μαθηματικῷ οὐδὲν διαφέρει οὐδεμία μονὰς ἑτέρα
ἑτέρας)· ἢ τὰς μὲν συμβλητὰς τὰς δὲ μή (οἷον εἰ ἔστι
μετὰ τὸ ἐν πρώτη ἡ δυάς, ἔπειτα ἡ τριὰς καὶ οὕτω δὴ ὁ
25 ἄλλος ἀριθμός, εἰσὶ δὲ συμβληταὶ αἱ ἐν ἑκάστῳ ἀριθμῷ
μονάδες, οἷον αἱ ἐν τῇ δυάδι τῇ πρώτῃ αὑταῖς, καὶ αἱ ἐν τῇ
τριάδι τῇ πρώτῃ αὑταῖς, καὶ οὕτω δὴ ἐπὶ τῶν ἄλλων
ἀριθμῶν· αἱ δ' ἐν τῇ δυάδι αὐτῇ πρὸς τὰς ἐν τῇ τριάδι
αὐτῇ ἀσύμβλητοι, ὁμοίως δὲ καὶ ἐπὶ τῶν ἄλλων τῶν
30 ἐφεξῆς ἀριθμῶν· διὸ καὶ ὁ μὲν μαθηματικὸς ἀριθμεῖται
μετὰ τὸ ἐν δύο, πρὸς τῷ ἔμπροσθεν ἑνὶ ἄλλο ἕν, καὶ τὰ
τρία πρὸς τοῖς δυσὶ τούτοις ἄλλο ἕν, καὶ ὁ λοιπὸς δὲ
ὡσαύτως· οὗτος δὲ μετὰ τὸ ἐν δύο ἕτερα ἄνευ τοῦ ἑνὸς τοῦ
πρώτου, καὶ ἡ τριὰς ἄνευ τῆς δυάδος, ὁμοίως δὲ καὶ ὁ
35 ἄλλος ἀριθμός)· ἢ τὸν μὲν εἶναι τῶν ἀριθμῶν οἷος ὁ πρῶ-
τος ἐλέχθη, τὸν δ' οἷον οἱ μαθηματικοὶ λέγουσι, τρίτον δὲ
τὸν ῥηθέντα τελευταῖον· ἔτι τούτους ἢ χωριστοὺς εἶναι τοὺς
1080ᵇ ἀριθμοὺς τῶν πραγμάτων, ἢ οὐ χωριστοὺς ἀλλ' ἐν τοῖς αἰσθη-
τοῖς (οὐχ οὕτως δ' ὡς τὸ πρῶτον ἐπεσκοπούμεν, ἀλλ' ὡς ἐκ
τῶν ἀριθμῶν ἐνυπαρχόντων ὄντα τὰ αἰσθητά) ἢ τὸν μὲν
αὐτῶν εἶναι τὸν δὲ μή, ἢ πάντας εἶναι.—οἱ μὲν οὖν τρόποι
5 καθ' οὓς ἐνδέχεται αὐτοὺς εἶναι οὗτοί εἰσιν ἐξ ἀνάγκης μόνοι,
σχεδὸν δὲ καὶ οἱ λέγοντες τὸ ἐν ἀρχὴν εἶναι καὶ οὐσίαν
καὶ στοιχεῖον πάντων, καὶ ἐκ τούτου καὶ ἄλλου τινὸς εἶναι
τὸν ἀριθμόν, ἕκαστος τούτων τινὰ τῶν τρόπων εἴρηκε, πλὴν
τοῦ πάσας τὰς μονάδας εἶναι ἀσυμβλήτους. καὶ τοῦτο συμ-
10 βέβηκεν εὐλόγως· οὐ γὰρ ἐνδέχεται ἔτι ἄλλον τρόπον εἶναι
παρὰ τοὺς εἰρημένους. οἱ μὲν οὖν ἀμφοτέρους φασὶν εἶναι τοὺς
ἀριθμούς, τὸν μὲν ἔχοντα τὸ πρότερον καὶ ὕστερον τὰς ἰδέας,
τὸν δὲ μαθηματικὸν παρὰ τὰς ἰδέας καὶ τὰ αἰσθητά, καὶ
χωριστοὺς ἀμφοτέρους τῶν αἰσθητῶν· οἱ δὲ τὸν μαθηματικὸν

ᵃ 20 ὁποῖαι E¹Aᵇ: ὁποία J: ὁποιαοῦν Γ   21 ὁποιαιοῦν JΓ
25 αἱ om. Aᵇ   26 μονάδες] αἱ μονάδες Aᵇ   αὑταῖς fecit Aᵇ
αἱ om. EJ Al. Syr.¹   27 αὑταῖς fecit Aᵇ   36 οἱ om. Aᵇ
ᵇ 2 ἐπεσκοπούμεν EJΓAl.: ἐπεσκόπουν Aᵇ   3 ἢ τῶν J   4 αὐτὸν E
ἢ πάντας om. Syr.¹, secl. Bonitz: ἢ πάντας εἶναι ἢ πάντας· μὴ fort. Al.
9 εἶναι om. EJΓ Syr.¹

μόνον ἀριθμὸν εἶναι, τὸν πρῶτον τῶν ὄντων, κεχωρισμένον 15
τῶν αἰσθητῶν. καὶ οἱ Πυθαγόρειοι δ' ἕνα, τὸν μαθηματι-
κόν, πλὴν οὐ κεχωρισμένον ἀλλ' ἐκ τούτου τὰς αἰσθητὰς
οὐσίας συνεστάναι φασίν· τὸν γὰρ ὅλον οὐρανὸν κατασκευά-
ζουσιν ἐξ ἀριθμῶν, πλὴν οὐ μοναδικῶν, ἀλλὰ τὰς μονά-
δας ὑπολαμβάνουσιν ἔχειν μέγεθος· ὅπως δὲ τὸ πρῶτον ἓν 20
συνέστη ἔχον μέγεθος, ἀπορεῖν ἐοίκασιν. ἄλλος δέ τις τὸν
πρῶτον ἀριθμὸν τὸν τῶν εἰδῶν ἕνα εἶναι, ἔνιοι δὲ καὶ τὸν
μαθηματικὸν τὸν αὐτὸν τοῦτον εἶναι. ὁμοίως δὲ καὶ περὶ
τὰ μήκη καὶ περὶ τὰ ἐπίπεδα καὶ περὶ τὰ στερεά. οἱ μὲν
γὰρ ἕτερα τὰ μαθηματικὰ καὶ τὰ μετὰ τὰς ἰδέας· τῶν 25
δὲ ἄλλως λεγόντων οἱ μὲν τὰ μαθηματικὰ καὶ μαθημα-
τικῶς λέγουσιν, ὅσοι μὴ ποιοῦσι τὰς ἰδέας ἀριθμοὺς μηδὲ
εἶναί φασιν ἰδέας, οἱ δὲ τὰ μαθηματικά, οὐ μαθηματικῶς
δέ· οὐ γὰρ τέμνεσθαι οὔτε μέγεθος πᾶν εἰς μεγέθη, οὔθ'
ὁποιασοῦν μονάδας δυάδα εἶναι. μοναδικοὺς δὲ τοὺς ἀριθμοὺς 30
εἶναι πάντες τιθέασι, πλὴν τῶν Πυθαγορείων, ὅσοι τὸ ἓν
στοιχεῖον καὶ ἀρχήν φασιν εἶναι τῶν ὄντων· ἐκεῖνοι δ'
ἔχοντας μέγεθος, καθάπερ εἴρηται πρότερον. ὁσαχῶς μὲν
οὖν ἐνδέχεται λεχθῆναι περὶ αὐτῶν, καὶ ὅτι πάντες εἰσὶν
εἰρημένοι οἱ τρόποι, φανερὸν ἐκ τούτων· ἔστι δὲ πάντα μὲν 35
ἀδύνατα, μᾶλλον δ' ἴσως θάτερα τῶν ἑτέρων.

7   Πρῶτον μὲν οὖν σκεπτέον εἰ συμβληταὶ αἱ μονάδες ἢ
ἀσύμβλητοι, καὶ εἰ ἀσύμβλητοι, ποτέρως ὧνπερ διείλομεν. 1081ᵃ
ἔστι μὲν γὰρ ὁποιανοῦν εἶναι ὁποιαοῦν μονάδι ἀσύμβλητον,
ἔστι δὲ τὰς ἐν αὐτῇ τῇ δυάδι πρὸς τὰς ἐν αὐτῇ τῇ τριάδι,
καὶ οὕτως δὴ ἀσυμβλήτους εἶναι τὰς ἐν ἑκάστῳ τῷ πρώτῳ
ἀριθμῷ πρὸς ἀλλήλας. εἰ μὲν οὖν πᾶσαι συμβληταὶ καὶ 5
ἀδιάφοροι αἱ μονάδες, ὁ μαθηματικὸς γίγνεται ἀριθμὸς καὶ
εἷς μόνος, καὶ τὰς ἰδέας οὐκ ἐνδέχεται εἶναι τοὺς ἀριθμούς
(ποῖος γὰρ ἔσται ἀριθμὸς αὐτὸ ἄνθρωπος ἢ ζῷον ἢ ἄλλο
ὁτιοῦν τῶν εἰδῶν; ἰδέα μὲν γὰρ μία ἑκάστου, οἷον αὐτοῦ ἀν-
θρώπου μία καὶ αὐτοῦ ζῴου ἄλλη μία· οἱ δ' ὅμοιοι καὶ 10

ᵇ 15 τὸν ex τῶν fecit Aᵇ¹: an omittendum (cf. 1083ᵃ 23)? κεχω-
ρισμένον E²Γ Al.: κεχωρισμένων E¹JAᵇ   22 ἕνα ... ἔνιοι] ἕνα,
εἶναι Jaeger, secluso εἶναι l. 23   23 τούτον] τοῦ τούτον Aᵇ   33
ἔχοντας E (ς sup. lin.) Syr.: ἔχοντα JAᵇΓ Syr.¹: ἔχον ut vid. Al.
1081ᵃ 1 ὧνπερ Joseph et ut vid. Al.: ὥσπερ codd.   6 μαθητικὸς Aᵇ
7 τοὺς omittendum ci. Bonitz   9 ὁτιοῦν] τι οὖν E¹   αὐτοανθρώ-
που et 10 αὐτοζωΐου E²

ἀδιάφοροι ἄπειροι, ὥστ᾽ οὐθὲν μᾶλλον ἥδε ἡ τριὰς αὐτοάν-
θρωπος ἢ ὁποιαοῦν), εἰ δὲ μὴ εἰσὶν ἀριθμοὶ αἱ ἰδέαι, οὐδ᾽
ὅλως οἷόν τε αὐτὰς εἶναι (ἐκ τίνων γὰρ ἔσονται ἀρχῶν αἱ
ἰδέαι; ὁ γὰρ ἀριθμός ἐστιν ἐκ τοῦ ἑνὸς καὶ τῆς δυάδος τῆς
15 ἀορίστου, καὶ αἱ ἀρχαὶ καὶ τὰ στοιχεῖα λέγονται τοῦ ἀριθμοῦ
εἶναι, τάξαι τε οὔτε προτέρας ἐνδέχεται τῶν ἀριθμῶν αὐτὰς
οὔθ᾽ ὑστέρας)· εἰ δ᾽ ἀσύμβλητοι αἱ μονάδες, καὶ οὕτως ἀσύμ-
βλητοι ὥστε ἡτισοῦν ᾑτινιοῦν, οὔτε τὸν μαθηματικὸν ἐνδέχεται
εἶναι τοῦτον τὸν ἀριθμόν (ὁ μὲν γὰρ μαθηματικὸς ἐξ ἀδια-
20 φόρων, καὶ τὰ δεικνύμενα κατ᾽ αὐτοῦ ὡς ἐπὶ τοιούτου ἁρ-
μόττει) οὔτε τὸν τῶν εἰδῶν. οὐ γὰρ ἔσται ἡ δυὰς πρώτη ἐκ
τοῦ ἑνὸς καὶ τῆς ἀορίστου δυάδος, ἔπειτα οἱ ἑξῆς ἀριθμοί, ὡς
λέγεται δυάς, τριάς, τετράς—ἅμα γὰρ αἱ ἐν τῇ δυάδι τῇ
πρώτῃ μονάδες γεννῶνται, εἴτε ὥσπερ ὁ πρῶτος εἰπὼν ἐξ
25 ἀνίσων (ἰσασθέντων γὰρ ἐγένοντο) εἴτε ἄλλως—, ἐπεὶ εἰ
ἔσται ἡ ἑτέρα μονὰς τῆς ἑτέρας προτέρα, καὶ τῆς δυάδος
τῆς ἐκ τούτων ἔσται προτέρα· ὅταν γὰρ ᾖ τι τὸ μὲν πρότε-
ρον τὸ δὲ ὕστερον, καὶ τὸ ἐκ τούτων τοῦ μὲν ἔσται πρότερον
τοῦ δ᾽ ὕστερον. ἔτι ἐπειδὴ ἔστι πρῶτον μὲν αὐτὸ τὸ ἕν,
30 ἔπειτα τῶν ἄλλων ἔστι τι πρῶτον ἓν δεύτερον δὲ μετ᾽
ἐκεῖνο, καὶ πάλιν τρίτον τὸ δεύτερον μὲν μετὰ τὸ δεύτερον
τρίτον δὲ μετὰ τὸ πρῶτον ἕν,—ὥστε πρότεραι ἂν εἶεν αἱ
μονάδες ἢ οἱ ἀριθμοὶ ἐξ ὧν λέγονται, οἷον ἐν τῇ δυάδι
τρίτη μονὰς ἔσται πρὶν τὰ τρία εἶναι, καὶ ἐν τῇ τριάδι τε-
35 τάρτη καὶ [ἢ] πέμπτη πρὶν τοὺς ἀριθμοὺς τούτους. οὐδεὶς μὲν οὖν
τὸν τρόπον τοῦτον εἴρηκεν αὐτῶν τὰς μονάδας ἀσυμβλήτους,
ἔστι δὲ κατὰ μὲν τὰς ἐκείνων ἀρχὰς εὔλογον καὶ οὕτως,
1081ᵇ κατὰ μέντοι τὴν ἀλήθειαν ἀδύνατον. τάς τε γὰρ μονάδας
προτέρας καὶ ὑστέρας εἶναι εὔλογον, εἴπερ καὶ πρώτη τις
ἔστι μονὰς καὶ ἓν πρῶτον, ὁμοίως δὲ καὶ δυάδας, εἴπερ
καὶ δυὰς πρώτη ἔστιν· μετὰ γὰρ τὸ πρῶτον εὔλογον καὶ
5 ἀναγκαῖον δεύτερόν τι εἶναι, καὶ εἰ δεύτερον, τρίτον, καὶ
οὕτω δὴ τὰ ἄλλα ἐφεξῆς (ἅμα δ᾽ ἀμφότερα λέγειν, μο-
νάδα τε μετὰ τὸ ἓν πρώτην εἶναι καὶ δευτέραν, καὶ δυάδα

ᵃ 21 τὸν om. J   25 ἐπεὶ scripsi : ἔπειτα codd. Γ   29 τὸ om. J
30 τι EJΓ Al.¹ : om. Aᵇ   33 πλέκονται J²AᵇΓ Al.   34 τριάδι
⟨καὶ τετράδι⟩ Jaeger   35 ἡ secl. Jaeger   ᵇ 3 καὶ δυάδας
δὲ ὁμοίως Aᵇ

πρώτην, ἀδύνατον). οἱ δὲ ποιοῦσι μονάδα μὲν καὶ ἓν πρῶ-
τον, δεύτερον δὲ καὶ τρίτον οὐκέτι, καὶ δυάδα πρώτην, δευ-
τέραν δὲ καὶ τρίτην οὐκέτι. φανερὸν δὲ καὶ ὅτι οὐκ ἐνδέχε- 10
ται, εἰ ἀσύμβλητοι πᾶσαι αἱ μονάδες, δυάδα εἶναι αὐτὴν
καὶ τριάδα καὶ οὕτω τοὺς ἄλλους ἀριθμούς. ἄν τε γὰρ ὦσιν
ἀδιάφοροι αἱ μονάδες ἄν τε διαφέρουσαι ἑκάστη ἑκάστης,
ἀνάγκη ἀριθμεῖσθαι τὸν ἀριθμὸν κατὰ πρόσθεσιν, οἷον τὴν
δυάδα πρὸς τῷ ἑνὶ ἄλλου ἑνὸς προστεθέντος, καὶ τὴν τριάδα 15
ἄλλου ἑνὸς πρὸς τοῖς δυσὶ προστεθέντος, καὶ τὴν τετράδα
ὡσαύτως· τούτων δὲ ὄντων ἀδύνατον τὴν γένεσιν εἶναι τῶν
ἀριθμῶν ὡς γεννῶσιν ἐκ τῆς δυάδος καὶ τοῦ ἑνός. μόριον
γὰρ γίγνεται ἡ δυὰς τῆς τριάδος καὶ αὕτη τῆς τετράδος,
τὸν αὐτὸν δὲ τρόπον συμβαίνει καὶ ἐπὶ τῶν ἐχομένων. 20
ἀλλ' ἐκ τῆς δυάδος τῆς πρώτης καὶ τῆς ἀορίστου δυάδος
ἐγίγνετο ἡ τετράς, δύο δυάδες παρ' αὐτὴν τὴν δυάδα· εἰ
δὲ μή, μόριον ἔσται αὐτὴ ἡ δυάς, ἑτέρα δὲ προσέσται μία
δυάς. καὶ ἡ δυὰς ἔσται ἐκ τοῦ ἑνὸς αὐτοῦ καὶ ἄλλου ἑνός·
εἰ δὲ τοῦτο, οὐχ οἷόν τ' εἶναι τὸ ἕτερον στοιχεῖον δυάδα ἀόρι- 25
στον· μονάδα γὰρ μίαν γεννᾷ ἀλλ' οὐ δυάδα ὡρισμένην.
ἔτι παρ' αὐτὴν τὴν τριάδα καὶ αὐτὴν τὴν δυάδα πῶς ἔσον-
ται ἄλλαι τριάδες καὶ δυάδες; καὶ τίνα τρόπον ἐκ προ-
τέρων μονάδων καὶ ὑστέρων σύγκεινται; πάντα γὰρ ταῦτ'
(ἄτοπά) ἐστι καὶ πλασματώδη, καὶ ἀδύνατον εἶναι πρώτην δυά- 30
δα, εἶτ' αὐτὴν τριάδα. ἀνάγκη δ', ἐπείπερ ἔσται τὸ ἓν καὶ
ἡ ἀόριστος δυὰς στοιχεῖα. εἰ δ' ἀδύνατα τὰ συμβαίνοντα,
καὶ τὰς ἀρχὰς εἶναι ταύτας ἀδύνατον.—εἰ μὲν οὖν διάφο-
ροι αἱ μονάδες ὁποιαιοῦν ὁποιαισοῦν, ταῦτα καὶ τοιαῦθ'
ἕτερα συμβαίνει ἐξ ἀνάγκης· εἰ δ' αἱ μὲν ἐν ἄλλῳ διά- 35
φοροι αἱ δ' ἐν τῷ αὐτῷ ἀριθμῷ ἀδιάφοροι ἀλλήλαις
μόναι, καὶ οὕτως οὐθὲν ἐλάττω συμβαίνει τὰ δυσχερῆ.
οἷον γὰρ ἐν τῇ δεκάδι αὐτῇ ἔνεισι δέκα μονάδες, σύγκει- 1082ᵃ
ται δὲ καὶ ἐκ τούτων καὶ ἐκ δύο πεντάδων ἡ δεκάς. ἐπεὶ
δ' οὐχ ὁ τυχὼν ἀριθμὸς αὐτὴ ἡ δεκὰς οὐδὲ σύγκειται ἐκ
τῶν τυχουσῶν πεντάδων, ὥσπερ οὐδὲ μονάδων, ἀνάγκη δια-
φέρειν τὰς μονάδας τὰς ἐν τῇ δεκάδι ταύτῃ. ἂν γὰρ μὴ 5

ᵇ 14 πρόθεσιν Aᵇ   15, 16 προτεθέντος Aʰ   21 ἐκ codd. Γ
Al. : εἰ ἐκ Jaeger   23 αὐτὴ Γi Al. Syr. : αὕτη EJ Al.ᶜ : αὐτῆ Aᵇ
30 ἄτοπα add. Jaeger : ἀδύνατα fort. Al. Syr.   ἐστι] εἰσι Aᵇ
1082ᵃ 1 οἷον] οἱ Aᵇ   3 αὐτὴ JAᵇΓAl. : αὕτη E   5 τὰς alt. om. JAᵇ
K 2

διαφέρωσιν, οὐδ᾽ αἱ πεντάδες διοίσουσιν ἐξ ὧν ἐστὶν ἡ δεκάς·
ἐπεὶ δὲ διαφέρουσι, καὶ αἱ μονάδες διοίσουσιν. εἰ δὲ διαφέ-
ρουσι, πότερον οὐκ ἐνέσονται πεντάδες ἄλλαι ἀλλὰ μόνον
αὗται αἱ δύο, ἢ ἔσονται; εἴτε δὲ μὴ ἐνέσονται, ἄτοπον·
10 εἴτ᾽ ἐνέσονται, ποία ἔσται δεκὰς ἐξ ἐκείνων; οὐ γὰρ ἔστιν
ἑτέρα δεκὰς ἐν τῇ δεκάδι παρ᾽ αὐτήν. ἀλλὰ μὴν καὶ
ἀνάγκη γε μὴ ἐκ τῶν τυχουσῶν δυάδων τὴν τετράδα
συγκεῖσθαι· ἡ γὰρ ἀόριστος δυάς, ὥς φασι, λαβοῦσα τὴν
ὡρισμένην δυάδα δύο δυάδας ἐποίησεν· τοῦ γὰρ ληφθέντος
15 ἦν δυοποιός.—ἔτι τὸ εἶναι παρὰ τὰς δύο μονάδας τὴν δυάδα
φύσιν τινά, καὶ τὴν τριάδα παρὰ τὰς τρεῖς μονάδας, πῶς
ἐνδέχεται; ἢ γὰρ μεθέξει θατέρου θατέρου, ὥσπερ λευκὸς
ἄνθρωπος παρὰ λευκὸν καὶ ἄνθρωπον (μετέχει γὰρ τούτων),
ἢ ὅταν ᾖ θατέρου θάτερον διαφορά τις, ὥσπερ ὁ ἄνθρωπος
20 παρὰ ζῷον καὶ δίπουν. ἔτι τὰ μὲν ἁφῇ ἐστὶν ἐν τὰ δὲ
μίξει τὰ δὲ θέσει· ὧν οὐδὲν ἐνδέχεται ὑπάρχειν ταῖς μο-
νάσιν ἐξ ὧν ἡ δυὰς καὶ ἡ τριάς· ἀλλ᾽ ὥσπερ οἱ δύο ἄν-
θρωποι οὐχ ἕν τι παρ᾽ ἀμφοτέρους, οὕτως ἀνάγκη καὶ τὰς
μονάδας. καὶ οὐχ ὅτι ἀδιαίρετοι, διοίσουσι διὰ τοῦτο· καὶ
25 γὰρ αἱ στιγμαὶ ἀδιαίρετοι, ἀλλ᾽ ὅμως παρὰ τὰς δύο οὐθὲν
ἕτερον ἡ δυὰς αὐτῶν.—ἀλλὰ μὴν οὐδὲ τοῦτο δεῖ λανθάνειν,
ὅτι συμβαίνει προτέρας καὶ ὑστέρας εἶναι δυάδας, ὁμοίως
δὲ καὶ τοὺς ἄλλους ἀριθμούς· αἱ μὲν γὰρ ἐν τῇ τετράδι
δυάδες ἔστωσαν ἀλλήλαις ἅμα· ἀλλ᾽ αὗται τῶν ἐν τῇ
30 ὀκτάδι πρότεραί εἰσι, καὶ ἐγέννησαν, ὥσπερ ἡ δυὰς ταύ-
τας, αὗται τὰς τετράδας τὰς ἐν τῇ ὀκτάδι αὐτῇ, ὥστε εἰ
καὶ ἡ πρώτη δυὰς ἰδέα, καὶ αὗται ἰδέαι τινὲς ἔσονται. ὁ
δ᾽ αὐτὸς λόγος καὶ ἐπὶ τῶν μονάδων· αἱ γὰρ ἐν τῇ δυάδι
τῇ πρώτῃ μονάδες γεννῶσι τὰς τέτταρας τὰς ἐν τῇ τετράδι,
35 ὥστε πᾶσαι αἱ μονάδες ἰδέαι γίγνονται καὶ συγκείσεται
ἰδέα ἐξ ἰδεῶν· ὥστε δῆλον ὅτι κἀκεῖνα ὧν ἰδέαι αὗται
τυγχάνουσιν οὖσαι συγκείμενα ἔσται, οἷον εἰ τὰ ζῷα φαίη

ᵃ6 πεντάδες Aᵇ Al.: πεμπάδες EJ   8, 9 (post μὴ), 10 ἐνέσονται
EJAᵇΓ : ἔσονται recc. i Al.ᶜ et fort. Al.   8 πεντάδες Al. et fecit
Aᵇ : πεμπάδες J : πεμπάδες fecit E   9 αἱ om. EJ Syr.¹   ἢ ἔσονται]
ἐνέσονται Eª   δὲ] δὴ AᵇΓ Syr.¹   17 θατέρου alt. ci. Christ :
θάτερον codd. Γ   25 ἀδιαίρετον Aᵇ   31 εἰ (ἡ πρώτη τετρὰς)
Jaeger   32 ἡ E²J : om. E¹Aᵇ   ἰδέα] ἰδέαι E¹JAᵇΓ Jaeger

τις συγκεῖσθαι ἐκ ζῴων, εἰ τούτων ἰδέαι εἰσίν.—ὅλως δὲ τὸ 1082ᵇ
ποιεῖν τὰς μονάδας διαφόρους ὁπωσοῦν ἄτοπον καὶ πλα-
σματῶδες (λέγω δὲ πλασματῶδες τὸ πρὸς ὑπόθεσιν βε-
βιασμένον)· οὔτε γὰρ κατὰ τὸ ποσὸν οὔτε κατὰ τὸ ποιὸν
ὁρῶμεν διαφέρουσαν μονάδα μονάδος, ἀνάγκη τε ἢ ἴσον ἢ 5
ἄνισον εἶναι ἀριθμόν, πάντα μὲν ἀλλὰ μάλιστα τὸν μονα-
δικόν, ὥστ' εἰ μήτε πλείων μήτ' ἐλάττων, ἴσος· τὰ δὲ
ἴσα καὶ ὅλως ἀδιάφορα ταῦτα ὑπολαμβάνομεν ἐν τοῖς
ἀριθμοῖς. εἰ δὲ μή, οὐδ' αἱ ἐν αὐτῇ τῇ δεκάδι δυάδες
ἀδιάφοροι ἔσονται ἴσαι οὖσαι· τίνα γὰρ αἰτίαν ἕξει λέγειν 10
ὁ φάσκων ἀδιαφόρους εἶναι; ἔτι εἰ ἅπασα μονὰς καὶ μο-
νὰς ἄλλη δύο, ἡ ἐκ τῆς δυάδος αὐτῆς μονὰς καὶ ἡ ἐκ
τῆς τριάδος αὐτῆς δυὰς ἔσται ἐκ διαφερουσῶν τε, καὶ
πότερον προτέρα τῆς τριάδος ἢ ὑστέρα; μᾶλλον γὰρ ἔοικε
προτέραν ἀναγκαῖον εἶναι· ἡ μὲν γὰρ ἅμα τῇ τριάδι ἡ 15
δ' ἅμα τῇ δυάδι τῶν μονάδων. καὶ ἡμεῖς μὲν ὑπολαμ-
βάνομεν ὅλως ἓν καὶ ἕν, καὶ ἐὰν ᾖ ἴσα ἢ ἄνισα, δύο
εἶναι, οἷον τὸ ἀγαθὸν καὶ τὸ κακόν, καὶ ἄνθρωπον καὶ ἵπ-
πον· οἱ δ' οὕτως λέγοντες οὐδὲ τὰς μονάδας. εἴτε δὲ μὴ
ἔστι πλείων ἀριθμὸς ὁ τῆς τριάδος αὐτῆς ἢ ὁ τῆς δυάδος, 20
θαυμαστόν· εἴτε ἐστὶ πλείων, δῆλον ὅτι καὶ ἴσος ἔνεστι τῇ
δυάδι, ὥστε οὗτος ἀδιάφορος αὐτῇ τῇ δυάδι. ἀλλ' οὐκ ἐν-
δέχεται, εἰ πρῶτός τις ἔστιν ἀριθμὸς καὶ δεύτερος. οὐδὲ
ἔσονται αἱ ἰδέαι ἀριθμοί. τοῦτο μὲν γὰρ αὐτὸ ὀρθῶς λέγου-
σιν οἱ διαφόρους τὰς μονάδας ἀξιοῦντες εἶναι, εἴπερ ἰδέαι 25
ἔσονται, ὥσπερ εἴρηται πρότερον· ἐν γὰρ τὸ εἶδος, αἱ δὲ
μονάδες εἰ ἀδιάφοροι, καὶ αἱ δυάδες καὶ αἱ τριάδες ἔσον-
ται ἀδιάφοροι. διὸ καὶ τὸ ἀριθμεῖσθαι οὕτως, ἓν δύο, μὴ
προσλαμβανομένου πρὸς τῷ ὑπάρχοντι ἀναγκαῖον αὐτοῖς
λέγειν (οὔτε γὰρ ἡ γένεσις ἔσται ἐκ τῆς ἀορίστου δυάδος, οὔτ' 30
ἰδέαν ἐνδέχεται εἶναι· ἐνυπάρξει γὰρ ἑτέρα ἰδέα ἐν ἑτέρᾳ,
καὶ πάντα τὰ εἴδη ἑνὸς μέρη)· διὸ πρὸς μὲν τὴν ὑπόθεσιν
ὀρθῶς λέγουσιν, ὅλως δ' οὐκ ὀρθῶς· πολλὰ γὰρ ἀναιροῦσιν,

ᵇ 1 ἐκ ζῴων εἰ τούτων E Al. : εἰ τούτων ἐκ ζῴων Jᴦ : ἐκ ζῴων εἰ τούτων
ἐκ ζῴων Aᵇ Syr.¹ αἱ ἰδέαι fort. Al. 5 μονάδα om. Aᵇ 7 ἴσως
τάδε J 8 ταῦτα Aᵇ 9 αὐτῇ ut vid. Al., Schwegler : ταύτῃ
codd. ᴦ 12 ἤ pr. Aᵇ et ut vid. Al. : ἢ δ' EJᴦ 21 πλείωι
recc. ᴦ Al. : πλείω EJAᵇ

ἐπεὶ τοῦτό γ᾽ αὐτὸ ἔχειν τινὰ φήσουσιν ἀπορίαν, πότερον,
35 ὅταν ἀριθμῶμεν καὶ εἴπωμεν ἓν δύο τρία, προσλαμβάνοντες
ἀριθμοῦμεν ἢ κατὰ μερίδας. ποιοῦμεν δὲ ἀμφοτέρως· διὸ
γελοῖον ταύτην εἰς τηλικαύτην τῆς οὐσίας ἀνάγειν διαφοράν.—
1083ᵃ πάντων δὲ πρῶτον καλῶς ἔχει διορίσασθαι τίς ἀριθμοῦ 8
διαφορά, καὶ μονάδος, εἰ ἔστιν. ἀνάγκη δ᾽ ἢ κατὰ τὸ πο-
σὸν ἢ κατὰ τὸ ποιὸν διαφέρειν· τούτων δ᾽ οὐδέτερον φαίνεται
ἐνδέχεσθαι ὑπάρχειν. ἀλλ᾽ ἢ ἀριθμός, κατὰ τὸ ποσόν. εἰ
5 δὲ δὴ καὶ αἱ μονάδες τῷ ποσῷ διέφερον, κἂν ἀριθμὸς
ἀριθμοῦ διέφερεν ὁ ἴσος τῷ πλήθει τῶν μονάδων. ἔτι πό-
τερον αἱ πρῶται μείζους ἢ ἐλάττους, καὶ αἱ ὕστερον ἐπι-
διδόασιν ἢ τοὐναντίον; πάντα γὰρ ταῦτα ἄλογα. ἀλλὰ
μὴν οὐδὲ κατὰ τὸ ποιὸν διαφέρειν ἐνδέχεται. οὐθὲν γὰρ
10 αὐταῖς οἷόν τε ὑπάρχειν πάθος· ὕστερον γὰρ καὶ τοῖς
ἀριθμοῖς φασιν ὑπάρχειν τὸ ποιὸν τοῦ ποσοῦ. ἔτι οὔτ᾽ ἂν
ἀπὸ τοῦ ἑνὸς τοῦτ᾽ αὐταῖς γένοιτο οὔτ᾽ ἂν ἀπὸ τῆς δυάδος·
τὸ μὲν γὰρ οὐ ποιὸν ἡ δὲ ποσοποιόν· τοῦ γὰρ πολλὰ
τὰ ὄντα εἶναι αἰτία αὕτη ἡ φύσις. εἰ δ᾽ ἄρα ἔχει πως
15 ἄλλως, λεκτέον ἐν ἀρχῇ μάλιστα τοῦτο καὶ διοριστέον περὶ
μονάδος διαφορᾶς, μάλιστα μὲν καὶ διότι ἀνάγκη ὑπάρ-
χειν· εἰ δὲ μή, τίνα λέγουσιν;—ὅτι μὲν οὖν, εἴπερ εἰσὶν
ἀριθμοὶ αἱ ἰδέαι, οὔτε συμβλητὰς τὰς μονάδας ἁπάσας
ἐνδέχεται εἶναι, φανερόν, οὔτε ἀσυμβλήτους ἀλλήλαις οὐδέ-
20 τερον τῶν τρόπων· ἀλλὰ μὴν οὐδ᾽ ὡς ἕτεροί τινες λέγουσι
περὶ τῶν ἀριθμῶν λέγεται καλῶς. εἰσὶ δ᾽ οὗτοι ὅσοι ἰδέας
μὲν οὐκ οἴονται εἶναι οὔτε ἁπλῶς οὔτε ὡς ἀριθμούς τινας οὔσας,
τὰ δὲ μαθηματικὰ εἶναι καὶ τοὺς ἀριθμοὺς πρώτους τῶν ὄν-
των, καὶ ἀρχὴν αὐτῶν εἶναι αὐτὸ τὸ ἕν. ἄτοπον γὰρ τὸ
25 ἓν μὲν εἶναί τι πρῶτον τῶν ἑνῶν, ὥσπερ ἐκεῖνοί φασι, δυάδα
δὲ τῶν δυάδων μή, μηδὲ τριάδα τῶν τριάδων· τοῦ γὰρ
αὐτοῦ λόγου πάντα ἐστίν. εἰ μὲν οὖν οὕτως ἔχει τὰ περὶ τὸν
ἀριθμὸν καὶ θήσει τις εἶναι τὸν μαθηματικὸν μόνον, οὐκ ἔστι
τὸ ἓν ἀρχή (ἀνάγκη γὰρ διαφέρειν τὸ ἓν τὸ τοιοῦτο τῶν

ᵇ 36 plura in textu habuisse vid. Al. Syr.   1083ᵃ 1 δὲ EJ¹Γ et
ut vid. Al. : τε J²Aᵇ   2 δ᾽] δὴ recc.   4 ὑπάρχειν scripsi, fort.
legit Al. : ὑπάρχον codd. Γ   τὸ Aᵇ Al. : om. EJ Syr.¹   7 αἱ alt.
om. JΓ Al.   12 τοῦ ταύταις J   13 ποσοποιόν E² Syr. : ποσὸν
ποιόν E¹JAᵇΓ Al.   14 αὐτῆς EJΓ   20 τὸν E   23 μαθη-
τικὰ Aᵇ

ἄλλων μονάδων· εἰ δὲ τοῦτο, καὶ δυάδα τινὰ πρώτην τῶν 30
δυάδων, ὁμοίως δὲ καὶ τοὺς ἄλλους ἀριθμοὺς τοὺς ἐφεξῆς)· εἰ
δέ ἐστι τὸ ἓν ἀρχή, ἀνάγκη μᾶλλον ὥσπερ Πλάτων ἔλε-
γεν ἔχειν τὰ περὶ τοὺς ἀριθμούς, καὶ εἶναι δυάδα πρώτην
καὶ τριάδα, καὶ οὐ συμβλητοὺς εἶναι τοὺς ἀριθμοὺς πρὸς
ἀλλήλους. ἂν δ' αὖ πάλιν τις τιθῇ ταῦτα, εἴρηται ὅτι 35
ἀδύνατα πολλὰ συμβαίνει. ἀλλὰ μὴν ἀνάγκη γε ἢ
οὕτως ἢ ἐκείνως ἔχειν, ὥστ' εἰ μηδετέρως, οὐκ ἂν ἐνδέχοιτο
εἶναι τὸν ἀριθμὸν χωριστόν.—φανερὸν δ' ἐκ τούτων καὶ ὅτι 1083ᵇ
χείριστα λέγεται ὁ τρίτος τρόπος, τὸ εἶναι τὸν αὐτὸν ἀριθ-
μὸν τὸν τῶν εἰδῶν καὶ τὸν μαθηματικόν. ἀνάγκη γὰρ εἰς
μίαν δόξαν συμβαίνειν δύο ἁμαρτίας· οὔτε γὰρ μαθημα-
τικὸν ἀριθμὸν ἐνδέχεται τοῦτον εἶναι τὸν τρόπον, ἀλλ' ἰδίας 5
ὑποθέσεις ὑποθέμενον ἀνάγκη μηκύνειν, ὅσα τε τοῖς ὡς
εἴδη τὸν ἀριθμὸν λέγουσι συμβαίνει, καὶ ταῦτα ἀναγκαῖον
λέγειν.—ὁ δὲ τῶν Πυθαγορείων τρόπος τῇ μὲν ἐλάττους
ἔχει δυσχερείας τῶν πρότερον εἰρημένων, τῇ δὲ ἰδίας ἑτέ-
ρας. τὸ μὲν γὰρ μὴ χωριστὸν ποιεῖν τὸν ἀριθμὸν ἀφαι- 10
ρεῖται πολλὰ τῶν ἀδυνάτων· τὸ δὲ τὰ σώματα ἐξ ἀριθ-
μῶν εἶναι συγκείμενα, καὶ τὸν ἀριθμὸν τοῦτον εἶναι μαθη-
ματικόν, ἀδύνατόν ἐστιν. οὔτε γὰρ ἄτομα μεγέθη λέγειν
ἀληθές, εἴ θ' ὅτι μάλιστα τοῦτον ἔχει τὸν τρόπον, οὐχ αἵ γε
μονάδες μέγεθος ἔχουσιν· μέγεθος δὲ ἐξ ἀδιαιρέτων συγκεί- 15
σθαι πῶς δυνατόν; ἀλλὰ μὴν ὅ γ' ἀριθμητικὸς ἀριθμὸς
μοναδικός ἐστιν. ἐκεῖνοι δὲ τὸν ἀριθμὸν τὰ ὄντα λέγουσιν·
τὰ γοῦν θεωρήματα προσάπτουσι τοῖς σώμασιν ὡς ἐξ ἐκεί-
νων ὄντων τῶν ἀριθμῶν.—εἰ τοίνυν ἀνάγκη μέν, εἴπερ ἐστὶν
ἀριθμὸς τῶν ὄντων τι καθ' αὑτό, τούτων εἶναί τινα τῶν 20
εἰρημένων τρόπων, οὐθένα δὲ τούτων ἐνδέχεται, φανερὸν ὡς
οὐκ ἔστιν ἀριθμοῦ τις τοιαύτη φύσις οἵαν κατασκευάζουσιν οἱ
χωριστὸν ποιοῦντες αὐτόν.—ἔτι πότερον ἑκάστη μονὰς ἐκ τοῦ
μεγάλου καὶ μικροῦ ἰσασθέντων ἐστίν, ἢ ἡ μὲν ἐκ τοῦ μικροῦ
ἡ δ' ἐκ τοῦ μεγάλου; εἰ μὲν δὴ οὕτως, οὔτε ἐκ πάντων τῶν 25
στοιχείων ἕκαστον οὔτε ἀδιάφοροι αἱ μονάδες (ἐν τῇ μὲν
γὰρ τὸ μέγα ἐν τῇ δὲ τὸ μικρὸν ὑπάρχει, ἐναντίον τῇ
φύσει ὄν)· ἔτι αἱ ἐν τῇ τριάδι αὐτῇ πῶς; μία γὰρ πε-

33 δυάδα Aᵇ Al.ᶜ : τινα δυάδα E : τὴν δυάδα J   ᵇ 2 χείριστα
EJΓAl.¹: χείριστος fort. Aᵇ   15 ἕξουσιν Al.ᶜ et fort. Al.   25 τῶν
om. E

ριττή· ἀλλὰ διὰ τοῦτο ἴσως αὐτὸ τὸ ἓν ποιοῦσιν ἐν τῷ
30 περιττῷ μέσον. εἰ δ᾽ ἑκατέρα τῶν μονάδων ἐξ ἀμφοτέρων
ἐστὶν ἰσασθέντων, ἡ δυὰς πῶς ἔσται μία τις οὖσα φύσις ἐκ
τοῦ μεγάλου καὶ μικροῦ; ἢ τί διοίσει τῆς μονάδος; ἔτι προ-
τέρα ἡ μονὰς τῆς δυάδος (ἀναιρουμένης γὰρ ἀναιρεῖται ἡ
δυάς)· ἰδέαν οὖν ἰδέας ἀναγκαῖον αὐτὴν εἶναι, προτέραν γ᾽
35 οὖσαν ἰδέας, καὶ γεγονέναι προτέραν. ἐκ τίνος οὖν; ἡ γὰρ
ἀόριστος δυὰς δυοποιὸς ἦν.—ἔτι ἀνάγκη ἤτοι ἄπειρον τὸν
ἀριθμὸν εἶναι ἢ πεπερασμένον· χωριστὸν γὰρ ποιοῦσι τὸν
1084ᵃ ἀριθμόν, ὥστε οὐχ οἷόν τε μὴ οὐχὶ τούτων θάτερον ὑπάρχειν.
ὅτι μὲν τοίνυν ἄπειρον οὐκ ἐνδέχεται, δῆλον (οὔτε γὰρ πε-
ριττὸς ὁ ἄπειρός ἐστιν οὔτ᾽ ἄρτιος, ἡ δὲ γένεσις τῶν ἀριθμῶν
ἢ περιττοῦ ἀριθμοῦ ἢ ἀρτίου ἀεί ἐστιν· ὡδὶ μὲν τοῦ ἑνὸς εἰς
5 τὸν ἄρτιον πίπτοντος περιττός, ὡδὶ δὲ τῆς μὲν δυάδος ἐμ-
πιπτούσης ὁ ἀφ᾽ ἑνὸς διπλασιαζόμενος, ὡδὶ δὲ τῶν περιτ-
τῶν ὁ ἄλλος ἄρτιος· ἔτι εἰ πᾶσα ἰδέα τινός οἱ δὲ ἀριθμοὶ
ἰδέαι, καὶ ὁ ἄπειρος ἔσται ἰδέα τινός, ἢ τῶν αἰσθητῶν ἢ
ἄλλου τινός· καίτοι οὔτε κατὰ τὴν θέσιν ἐνδέχεται οὔτε κατὰ
10 λόγον, τάττουσί γ᾽ οὕτω τὰς ἰδέας)· εἰ δὲ πεπερασμένος,
μέχρι πόσου; τοῦτο γὰρ δεῖ λέγεσθαι οὐ μόνον ὅτι ἀλλὰ
καὶ διότι. ἀλλὰ μὴν εἰ μέχρι τῆς δεκάδος ὁ ἀριθμός,
ὥσπερ τινές φασιν, πρῶτον μὲν ταχὺ ἐπιλείψει τὰ εἴδη
—οἷον εἰ ἔστιν ἡ τριὰς αὐτοάνθρωπος, τίς ἔσται ἀριθμὸς αὐτό-
15 ἵππος; αὐτὸ γὰρ ἕκαστος ἀριθμὸς μέχρι δεκάδος· ἀνάγκη
δὴ τῶν ἐν τούτοις ἀριθμῶν τινα εἶναι (οὐσίαι γὰρ καὶ ἰδέαι
οὗτοι)· ἀλλ᾽ ὅμως ἐπιλείψει (τὰ τοῦ ζῴου γὰρ εἴδη ὑπερέξει)—.
ἅμα δὲ δῆλον ὅτι εἰ οὕτως ἡ τριὰς αὐτοάνθρωπος, καὶ αἱ
ἄλλαι τριάδες (ὅμοιαι γὰρ αἱ ἐν τοῖς αὐτοῖς ἀριθμοῖς),
20 ὥστ᾽ ἄπειροι ἔσονται ἄνθρωποι, εἰ μὲν ἰδέα ἑκάστη τριάς,
αὐτὸ ἕκαστος ἄνθρωπος, εἰ δὲ μή, ἀλλ᾽ ἄνθρωποί γε. καὶ
εἰ μέρος ὁ ἐλάττων τοῦ μείζονος, ὁ ἐκ τῶν συμβλητῶν
μονάδων τῶν ἐν τῷ αὐτῷ ἀριθμῷ, εἰ δὴ ἡ τετρὰς αὐτὴ
ἰδέα τινός ἐστιν, οἷον ἵππου ἢ λευκοῦ, ὁ ἄνθρωπος ἔσται μέρος

ᵇ 35 τίνος Aᵇ Al. Syr.: τινος EJΓ   1084ᵃ 8 ἰδέα EJΓ Al.: εἰ
ἰδέα Aᵇ   10 γ᾽ Schwegler: δ᾽ codd. Γ   14 εἰ EJΓ Al.: om.
Aᵇ   16 ἐν τούτοις] ἐντὸς τούτων γρ. Ε   τινὰ Al. Bonitz: τινὰς
codd. Γ   21 αὐτὸ ἕκαστος JiAl.: αὐτοέκαστος EAᵇΓ   ἄνθρωπος]
ἀν ἄνθρωπος EJ   23 δὴ Bonitz: δ᾽ codd. Γ   αὐτὴ Ti Al.: αὕτη
EJAᵇΓ Syr.¹

ἵππου, εἰ δυὰς ὁ ἄνθρωπος. ἄτοπον δὲ καὶ τὸ τῆς μὲν δε- 25
κάδος εἶναι ἰδέαν ἐνδεκάδος δὲ μή, μηδὲ τῶν ἐχομένων
ἀριθμῶν. ἔτι δὲ καὶ ἔστι καὶ γίγνεται ἔνια καὶ ὧν εἴδη οὐκ
ἔστιν, ὥστε διὰ τί οὐ κἀκείνων εἴδη ἔστιν; οὐκ ἄρα αἴτια τὰ
εἴδη ἐστίν. ἔτι ἄτοπον εἰ ὁ ἀριθμὸς ὁ μέχρι τῆς δεκάδος
μᾶλλόν τι ὂν καὶ εἶδος αὐτῆς τῆς δεκάδος, καίτοι τοῦ μὲν 30
οὐκ ἔστι γένεσις ὡς ἑνός, τῆς δ' ἔστιν. πειρῶνται δ' ὡς τοῦ
μέχρι τῆς δεκάδος τελείου ὄντος ἀριθμοῦ. γεννῶσι γοῦν τὰ
ἑπόμενα, οἷον τὸ κενόν, ἀναλογίαν, τὸ περιττόν, τὰ ἄλλα
τὰ τοιαῦτα, ἐντὸς τῆς δεκάδος· τὰ μὲν γὰρ ταῖς ἀρχαῖς
ἀποδιδόασιν, οἷον κίνησιν στάσιν, ἀγαθὸν κακόν, τὰ δ' 35
ἄλλα τοῖς ἀριθμοῖς· διὸ τὸ ἓν τὸ περιττόν· εἰ γὰρ ἐν τῇ
τριάδι, πῶς ἡ πεντὰς περιττόν; ἔτι τὰ μεγέθη καὶ ὅσα
τοιαῦτα μέχρι ποσοῦ, οἷον ἡ πρώτη γραμμή, ⟨ἡ⟩ ἄτομος, εἶτα 1084^b
δυάς, εἶτα καὶ ταῦτα μέχρι δεκάδος.—ἔτι εἰ ἔστι χωριστὸς
ὁ ἀριθμός, ἀπορήσειεν ἄν τις πότερον πρότερον τὸ ἓν ἢ ἡ
τριὰς καὶ ἡ δυάς. ᾗ μὲν δὴ σύνθετος ὁ ἀριθμός, τὸ ἕν,
ᾗ δὲ τὸ καθόλου πρότερον καὶ τὸ εἶδος, ὁ ἀριθμός· ἑκάστη 5
γὰρ τῶν μονάδων μόριον τοῦ ἀριθμοῦ ὡς ὕλη, ὁ δ' ὡς εἶδος.
καὶ ἔστι μὲν ὡς ἡ ὀρθὴ προτέρα τῆς ὀξείας, ὅτι ὥρισται καὶ
τῷ λόγῳ· ἔστι δ' ὡς ἡ ὀξεῖα, ὅτι μέρος καὶ εἰς ταύτην
διαιρεῖται. ὡς μὲν δὴ ὕλη ἡ ὀξεῖα καὶ τὸ στοιχεῖον καὶ
ἡ μονὰς πρότερον, ὡς δὲ κατὰ τὸ εἶδος καὶ τὴν οὐσίαν τὴν 10
κατὰ τὸν λόγον ἡ ὀρθὴ καὶ τὸ ὅλον τὸ ἐκ τῆς ὕλης καὶ
τοῦ εἴδους· ἐγγύτερον γὰρ τοῦ εἴδους καὶ οὗ ὁ λόγος τὸ ἄμφω,
γενέσει δ' ὕστερον. πῶς οὖν ἀρχὴ τὸ ἕν; ὅτι οὐ διαιρετόν,
φασίν· ἀλλ' ἀδιαίρετον καὶ τὸ καθόλου καὶ τὸ ἐπὶ μέρους
καὶ τὸ στοιχεῖον. ἀλλὰ τρόπον ἄλλον, τὸ μὲν κατὰ λόγον 15
τὸ δὲ κατὰ χρόνον. ποτέρως οὖν τὸ ἓν ἀρχή; ὥσπερ γὰρ
εἴρηται, καὶ ἡ ὀρθὴ τῆς ὀξείας καὶ αὕτη ἐκείνης δοκεῖ προτέ-
ρα εἶναι, καὶ ἑκατέρα μία. ἀμφοτέρως δὴ ποιοῦσι τὸ ἓν
ἀρχήν. ἔστι δὲ ἀδύνατον· τὸ μὲν γὰρ ὡς εἶδος καὶ ἡ οὐσία
τὸ δ' ὡς μέρος καὶ ὡς ὕλη. ἔστι γάρ πως ἓν ἑκάτερον—τῇ 20

ᵃ 25 δὲ] γὰρ γρ. E   28 οὐκ . . . 29 ἐστίν in marg. J   29 ὁ alt.
om. Al. Syr.   οὐ μέχρι τῆς ἐνδεκάδος fort. Syr.   30 ὂν] ὂν τὸ
ἓν ci. Bonitz   καίτοι] καὶ fort. Al.   37 μεγέθη] μετὰ πάθη Aᵇ:
πάθη J¹   ᵇ 1 ποσοῦ Al. Bonitz: πόσου codd.   ἡ damnavit
Schwegler   ἡ addidi   15 καὶ τὸ στοιχεῖον om. ut vid. Al.
16 τὸ pr.] an τὰ?   19 ἔτι δὲ recc.   20 καὶ om. EJ Syr.ˡ

μὲν ἀληθείᾳ δυνάμει (εἴ γε ὁ ἀριθμὸς ἕν τι καὶ μὴ ὡς
σωρὸς ἀλλ᾽ ἕτερος ἐξ ἑτέρων μονάδων, ὥσπερ φασίν), ἐν-
τελεχείᾳ δ᾽ οὔ, ἔστι μονὰς ἑκατέρα· αἴτιον δὲ τῆς συμ-
βαινούσης ἁμαρτίας ὅτι ἅμα ἐκ τῶν μαθημάτων ἐθήρευον
25 καὶ ἐκ τῶν λόγων τῶν καθόλου, ὥστ᾽ ἐξ ἐκείνων μὲν ὡς
στιγμὴν τὸ ἓν καὶ τὴν ἀρχὴν ἔθηκαν (ἡ γὰρ μονὰς στιγμὴ
ἄθετός ἐστιν· καθάπερ οὖν καὶ ἕτεροί τινες ἐκ τοῦ ἐλαχίστου
τὰ ὄντα συνετίθεσαν, καὶ οὗτοι, ὥστε γίγνεται ἡ μονὰς ὕλη
τῶν ἀριθμῶν, καὶ ἅμα προτέρα τῆς δυάδος, πάλιν δ᾽ ὑστέρα
30 ὡς ὅλου τινὸς καὶ ἑνὸς καὶ εἴδους τῆς δυάδος οὔσης)· διὰ δὲ
τὸ καθόλου ζητεῖν τὸ κατηγορούμενον ἓν καὶ οὕτως ὡς μέρος
ἔλεγον. ταῦτα δ᾽ ἅμα τῷ αὐτῷ ἀδύνατον ὑπάρχειν. εἰ
δὲ τὸ ἓν αὐτὸ δεῖ †μόνον ἄθετον† εἶναι (οὐθενὶ γὰρ διαφέρει
ἢ ὅτι ἀρχή), καὶ ἡ μὲν δυὰς διαιρετὴ ἡ δὲ μονὰς οὔ, ὁμοιο-
35 τέρα ἂν εἴη τῷ ἑνὶ αὐτῷ ἡ μονάς. εἰ δ᾽ ἡ μονάς, κἀκεῖνο
τῇ μονάδι ἢ τῇ δυάδι· ὥστε προτέρα ἂν εἴη ἑκατέρα ἡ
μονὰς τῆς δυάδος. οὔ φασι δέ· γεννῶσι γοῦν τὴν δυάδα
1085ᵃ πρῶτον. ἔτι εἰ ἔστιν ἡ δυὰς ἕν τι αὐτὴ καὶ ἡ τριὰς αὐτή,
ἄμφω δυάς. ἐκ τίνος οὖν αὕτη ἡ δυάς;

Ἀπορήσειε δ᾽ ἄν τις καὶ ἐπεὶ ἁφὴ μὲν οὐκ ἔστιν ἐν τοῖς 9
ἀριθμοῖς, τὸ δ᾽ ἐφεξῆς, ὅσων μὴ ἔστι μεταξὺ μονάδων (οἷον
5 τῶν ἐν τῇ δυάδι ἢ τῇ τριάδι), πότερον ἐφεξῆς τῷ ἑνὶ αὐτῷ
ἢ οὔ, καὶ πότερον ἡ δυὰς προτέρα τῶν ἐφεξῆς ἢ τῶν μονά-
δων ὁποτεραοῦν.—ὁμοίως δὲ καὶ περὶ τῶν ὕστερον γενῶν τοῦ
ἀριθμοῦ συμβαίνει τὰ δυσχερῆ, γραμμῆς τε καὶ ἐπιπέδου
καὶ σώματος. οἱ μὲν γὰρ ἐκ τῶν εἰδῶν τοῦ μεγάλου καὶ
10 τοῦ μικροῦ ποιοῦσιν, οἷον ἐκ μακροῦ μὲν καὶ βραχέος τὰ μήκη,
πλατέος δὲ καὶ στενοῦ τὰ ἐπίπεδα, ἐκ βαθέος δὲ καὶ ταπει-
νοῦ τοὺς ὄγκους· ταῦτα δέ ἐστιν εἴδη τοῦ μεγάλου καὶ μικροῦ.
τὴν δὲ κατὰ τὸ ἓν ἀρχὴν ἄλλοι ἄλλως τιθέασι τῶν τοιού-
των. καὶ ἐν τούτοις δὲ μυρία φαίνεται τά τε ἀδύνατα .καὶ
15 τὰ πλασματώδη καὶ τὰ ὑπεναντία πᾶσι τοῖς εὐλόγοις.
ἀπολελυμένα τε γὰρ ἀλλήλων συμβαίνει, εἰ μὴ συνακο-

ᵇ23 οὔ scripsi: οὐκ codd.   31 τὸ pr. codd. Al.ᶜ: an τὸ τὸ?
33 μόνον ἄθετον] ἄθετον fort. Al.: μόνον ἀσύνθετον ci. Bywater: an
μοναδικόν?   37 post μονας add. ἡ ἐν τῇ δυάδι J marg., Γ   1085ᵃ 1
πρώτην E   τι αὕτη JΓ   2 αὐτῇ E   5 τὸν E   τῷ ἑνὶ] τὸ J
αὐτᾷ . . . 6 ἐφεξῆς in marg. J   6 τῶν pr. codd. Γ: τᾷ Al.ᶜ Bonitz
7 ὁποτεραοῦν ia

λονθοῦσι καὶ αἱ ἀρχαὶ ὥστ' εἶναι τὸ πλατὺ καὶ στενὸν καὶ
μακρὸν καὶ βραχύ (εἰ δὲ τοῦτο, ἔσται τὸ ἐπίπεδον γραμμὴ
καὶ τὸ στερεὸν ἐπίπεδον· ἔτι δὲ γωνίαι καὶ σχήματα καὶ
τὰ τοιαῦτα πῶς ἀποδοθήσεται;), ταὐτό τε συμβαίνει τοῖς 20
περὶ τὸν ἀριθμόν· ταῦτα γὰρ πάθη μεγέθους ἐστίν, ἀλλ'
οὐκ ἐκ τούτων τὸ μέγεθος, ὥσπερ οὐδ' ἐξ εὐθέος καὶ καμπύ-
λου τὸ μῆκος οὐδ' ἐκ λείου καὶ τραχέος τὰ στερεά.—πάν-
των δὲ κοινὸν τούτων ὅπερ ἐπὶ τῶν εἰδῶν τῶν ὡς γένους
συμβαίνει διαπορεῖν, ὅταν τις θῇ τὰ καθόλου, πότερον τὸ 25
ζῷον αὐτὸ ἐν τῷ ζῴῳ ἢ ἕτερον αὐτοῦ ζῴον. τοῦτο γὰρ μὴ
χωριστοῦ μὲν ὄντος οὐδεμίαν ποιήσει ἀπορίαν· χωριστοῦ δέ,
ὥσπερ οἱ ταῦτα λέγοντές φασι, τοῦ ἑνὸς καὶ τῶν ἀριθμῶν οὐ
ῥᾴδιον λῦσαι, εἰ μὴ ῥᾴδιον δεῖ λέγειν τὸ ἀδύνατον. ὅταν
γὰρ νοῇ τις ἐν τῇ δυάδι τὸ ἓν καὶ ὅλως ἐν ἀριθμῷ, πότε- 30
ρον αὐτὸ νοεῖ τι ἢ ἕτερον;—οἱ μὲν οὖν τὰ μεγέθη γεννῶσιν ἐκ
τοιαύτης ὕλης, ἕτεροι δὲ ἐκ τῆς στιγμῆς (ἡ δὲ στιγμὴ αὐτοῖς
δοκεῖ εἶναι οὐχ ἓν ἀλλ' οἷον τὸ ἕν) καὶ ἄλλης ὕλης οἵας τὸ
πλῆθος, ἀλλ' οὐ πλήθους· περὶ ὧν οὐδὲν ἧττον συμβαίνει τὰ
αὐτὰ ἀπορεῖν. εἰ μὲν γὰρ μία ἡ ὕλη, ταὐτὸ γραμμὴ καὶ 35
ἐπίπεδον καὶ στερεόν (ἐκ γὰρ τῶν αὐτῶν τὸ αὐτὸ καὶ ἓν
ἔσται)· εἰ δὲ πλείους αἱ ὕλαι καὶ ἑτέρα μὲν γραμμῆς ἑτέρα 1085ᵇ
δὲ τοῦ ἐπιπέδου καὶ ἄλλη τοῦ στερεοῦ, ἤτοι ἀκολουθοῦσιν ἀλ-
λήλαις ἢ οὔ, ὥστε ταὐτὰ συμβήσεται καὶ οὕτως· ἢ γὰρ οὐχ
ἕξει τὸ ἐπίπεδον γραμμὴν ἢ ἔσται γραμμή.—ἔτι πῶς μὲν
ἐνδέχεται εἶναι ἐκ τοῦ ἑνὸς καὶ πλήθους τὸν ἀριθμὸν οὐθὲν 5
ἐπιχειρεῖται· ὅπως δ' οὖν λέγουσι ταὐτὰ συμβαίνει δυσχερῆ
ἅπερ καὶ τοῖς ἐκ τοῦ ἑνὸς καὶ ἐκ τῆς δυάδος τῆς ἀορίστου. ὁ
μὲν γὰρ ἐκ τοῦ κατηγορουμένου καθόλου γεννᾷ τὸν ἀριθμὸν
καὶ οὐ τινὸς πλήθους, ὁ δ' ἐκ τινὸς πλήθους, τοῦ πρώτου δέ
(τὴν γὰρ δυάδα πρῶτόν τι εἶναι πλῆθος), ὥστε διαφέρει οὐθὲν 10
ὡς εἰπεῖν, ἀλλ' αἱ ἀπορίαι αἱ αὐταὶ ἀκολουθήσουσι, μῖξις ἢ
θέσις ἢ κρᾶσις ἢ γένεσις καὶ ὅσα ἄλλα τοιαῦτα. μάλιστα
δ' ἄν τις ἐπιζητήσειεν, εἰ μία ἑκάστη μονάς, ἐκ τίνος ἐστίν·

ᵃ 25 ἐκθῇ Schwegler : θῇ χωριστὰ Jaeger   26 ζῴου]
ζῷον Jaeger   31 τι omittendum ci. Bonitz   ᵇ 3 ταῦτα
Aᵇ Syr.ˡˡ   9 ὁ δ'] οὐδ' E   11 αἱ αὐταὶ Γ Syr.ˡ et ut
vid. Al. : αὐται J, αἱ sup. lin. ante αὐται scripto : αὐται EAᵇ. αὐταὶ
Christ   12 σύνθεσις Bywater   ἢ κρᾶσις in marg. J : om. Γ
13 εἰ] ἢ J

οὐ γὰρ δὴ αὐτό γε τὸ ἐν ἑκάστῃ. ἀνάγκη δὴ ἐκ τοῦ ἑνὸς
15 αὐτοῦ εἶναι καὶ πλήθους ἢ μορίου τοῦ πλήθους. τὸ μὲν οὖν
πλῆθός τι εἶναι φάναι τὴν μονάδα ἀδύνατον, ἀδιαίρετόν γ᾽
οὖσαν· τὸ δ᾽ ἐκ μορίου ἄλλας ἔχει πολλὰς δυσχερείας·
ἀδιαίρετόν τε γὰρ ἕκαστον ἀναγκαῖον εἶναι τῶν μορίων (ἢ
πλῆθος εἶναι καὶ τὴν μονάδα διαιρετήν) καὶ μὴ στοιχεῖον
20 εἶναι τὸ ἐν καὶ τὸ πλῆθος (ἡ γὰρ μονὰς ἑκάστη οὐκ ἐκ πλή-
θους καὶ ἑνός)· ἔτι οὐθὲν ἄλλο ποιεῖ ὁ τοῦτο λέγων ἀλλ᾽ ἢ
ἀριθμὸν ἕτερον· τὸ γὰρ πλῆθος ἀδιαιρέτων ἐστὶν ἀριθμός.
ἔτι ζητητέον καὶ περὶ τοὺς οὕτω λέγοντας πότερον ἄπειρος
ὁ ἀριθμὸς ἢ πεπερασμένος. ὑπῆρχε γάρ, ὡς ἔοικε, καὶ πε-
25 περασμένον πλῆθος, ἐξ οὗ αἱ πεπερασμέναι μονάδες καὶ τοῦ
ἑνός· ἔστι τε ἕτερον αὐτὸ πλῆθος καὶ πλῆθος ἄπειρον· ποῖον
οὖν πλῆθος στοιχεῖόν ἐστι καὶ τὸ ἕν; ὁμοίως δὲ καὶ περὶ στιγ-
μῆς ἄν τις ζητήσειε καὶ τοῦ στοιχείου ἐξ οὗ ποιοῦσι τὰ με-
γέθη. οὐ γὰρ μία γε μόνον στιγμή ἐστιν αὕτη· τῶν γοῦν
30 ἄλλων στιγμῶν ἑκάστη ἐκ τίνος; οὐ γὰρ δὴ ἔκ γε διαστήμα-
τός τινος καὶ αὐτῆς στιγμῆς. ἀλλὰ μὴν οὐδὲ μόρια ἀδιαί-
ρετα ἐνδέχεται τοῦ διαστήματος εἶναι [μόρια], ὥσπερ τοῦ πλή-
θους ἐξ ὧν αἱ μονάδες· ὁ μὲν γὰρ ἀριθμὸς ἐξ ἀδιαιρέτων
σύγκειται τὰ δὲ μεγέθη οὔ.—πάντα δὴ ταῦτα καὶ ἄλλα
35 τοιαῦτα φανερὸν ποιεῖ ὅτι ἀδύνατον εἶναι τὸν ἀριθμὸν καὶ
τὰ μεγέθη χωριστά, ἔτι δὲ τὸ διαφωνεῖν τοὺς τρόπους περὶ
1086a τῶν ἀριθμῶν σημεῖον ὅτι τὰ πράγματα αὐτὰ οὐκ ὄντα
ἀληθῆ παρέχει τὴν ταραχὴν αὐτοῖς. οἱ μὲν γὰρ τὰ μαθη-
ματικὰ μόνον ποιοῦντες παρὰ τὰ αἰσθητά, ὁρῶντες τὴν
περὶ τὰ εἴδη δυσχέρειαν καὶ πλάσιν, ἀπέστησαν ἀπὸ τοῦ
5 εἰδητικοῦ ἀριθμοῦ καὶ τὸν μαθηματικὸν ἐποίησαν· οἱ δὲ τὰ
εἴδη βουλόμενοι ἅμα καὶ ἀριθμοὺς ποιεῖν, οὐχ ὁρῶντες δέ,
εἰ τὰς ἀρχάς τις ταύτας θήσεται, πῶς ἔσται ὁ μαθηματι-
κὸς ἀριθμὸς παρὰ τὸν εἰδητικόν, τὸν αὐτὸν εἰδητικὸν καὶ
μαθηματικὸν ἐποίησαν ἀριθμὸν τῷ λόγῳ, ἐπεὶ ἔργῳ γε

b 14 δ᾽ ἢ ἐκ AbΓ Syr.ll   16 ἀδιόριστόν γ᾽ E   21 ἔτι ...
22 ἀριθμός om. Syr.l et fort. Al.   23 περὶ Al.l: παρὰ EJAbΓ: om.
fort. Al.   26 αὐτὸ fort. ⊖m. vel τὸ legit Al.   32 μόρια
om. ut vid. Al., secl. Jaeger   36 τρόπους EJΓ γρ. Al. :
πρώτους Ab Al. : τόπους Syr.l   1086a 1 ταῦτα JAb Syr.l
7 εἰ] εἰς Syr.l et fecit E   τὰς om. Al., secl. Jaeger   an τις τὰς
αὐτὰς ?   8 τὸν αὐτὸν εἰδητικὸν in marg. J

ἀνήρηται ὁ μαθηματικός (ἰδίας γὰρ καὶ οὐ μαθηματικὰς 10
ὑποθέσεις λέγουσιν)· ὁ δὲ πρῶτος θέμενος τὰ εἴδη εἶναι
καὶ ἀριθμοὺς τὰ εἴδη καὶ τὰ μαθηματικὰ εἶναι εὐλόγως
ἐχώρισεν· ὥστε πάντας συμβαίνει κατὰ μέν τι λέγειν ὀρθῶς,
ὅλως δ' οὐκ ὀρθῶς. καὶ αὐτοὶ δὲ ὁμολογοῦσιν οὐ ταὐτὰ λέγον-
τες ἀλλὰ τὰ ἐναντία. αἴτιον δ' ὅτι αἱ ὑποθέσεις καὶ αἱ ἀρχαὶ 15
ψευδεῖς. χαλεπὸν δ' ἐκ μὴ καλῶς ἐχόντων λέγειν καλῶς,
κατ' Ἐπίχαρμον· ἀρτίως τε γὰρ λέλεκται, καὶ εὐθέως φαί-
νεται οὐ καλῶς ἔχον.—ἀλλὰ περὶ μὲν τῶν ἀριθμῶν ἱκανὰ τὰ
διηπορημένα καὶ διωρισμένα (μᾶλλον γὰρ ἐκ πλειόνων ἂν
ἔτι πεισθείη τις πεπεισμένος, πρὸς δὲ τὸ πεισθῆναι μὴ πε- 20
πεισμένος οὐθὲν μᾶλλον)· περὶ δὲ τῶν πρώτων ἀρχῶν καὶ
τῶν πρώτων αἰτίων καὶ στοιχείων ὅσα μὲν λέγουσιν οἱ περὶ
μόνης τῆς αἰσθητῆς οὐσίας διορίζοντες, τὰ μὲν ἐν τοῖς περὶ
φύσεως εἴρηται, τὰ δ' οὐκ ἔστι τῆς μεθόδου τῆς νῦν· ὅσα δὲ
οἱ φάσκοντες εἶναι παρὰ τὰς αἰσθητὰς ἑτέρας οὐσίας, ἐχό- 25
μενόν ἐστι θεωρῆσαι τῶν εἰρημένων. ἐπεὶ οὖν λέγουσί τινες
τοιαύτας εἶναι τὰς ἰδέας καὶ τοὺς ἀριθμούς, καὶ τὰ τούτων
στοιχεῖα τῶν ὄντων εἶναι στοιχεῖα καὶ ἀρχάς, σκεπτέον περὶ
τούτων τί λέγουσι καὶ πῶς λέγουσιν. οἱ μὲν οὖν ἀριθμοὺς
ποιοῦντες μόνον καὶ τούτους μαθηματικοὺς ὕστερον ἐπισκεπτέοι· 30
τῶν δὲ τὰς ἰδέας λεγόντων ἅμα τόν τε τρόπον θεάσαιτ' ἄν
τις καὶ τὴν ἀπορίαν τὴν περὶ αὐτῶν. ἅμα γὰρ καθόλου
τε [ὡς οὐσίας] ποιοῦσι τὰς ἰδέας καὶ πάλιν ὡς χωριστὰς καὶ
τῶν καθ' ἕκαστον. ταῦτα δ' ὅτι οὐκ ἐνδέχεται διηπόρηται
πρότερον. αἴτιον δὲ τοῦ συνάψαι ταῦτα εἰς ταὐτὸν τοῖς λέ- 35
γουσι τὰς οὐσίας καθόλου, ὅτι τοῖς αἰσθητοῖς οὐ τὰς αὐτὰς
[οὐσίας] ἐποίουν· τὰ μὲν οὖν ἐν τοῖς αἰσθητοῖς καθ' ἕκαστα ῥεῖν
ἐνόμιζον καὶ μένειν οὐθὲν αὐτῶν, τὸ δὲ καθόλου παρὰ ταῦτα 1086^b
εἶναί τε καὶ ἕτερόν τι εἶναι. τοῦτο δ', ὥσπερ ἐν τοῖς ἔμπρο-
σθεν ἐλέγομεν, ἐκίνησε μὲν Σωκράτης διὰ τοὺς ὁρισμούς, οὐ
μὴν ἐχώρισέ γε τῶν καθ' ἕκαστον· καὶ τοῦτο ὀρθῶς ἐνόησεν

ᵃ 10 ἰδέας E Syr.¹ καὶ EJΓ Al.ᶜ: om. Aᵇ 11 τὰ] τά τε recc.
Syr.¹ 12 εἶναι damnavit Christ, post ἀριθμοὺς ponendum ci.
Wilson 20 πεπεισμένος alt.] πεπεισμένον vel πεπεισμένους ci. Bonitz
21 post μᾶλλον lacunam susp. Jaeger ᵃ περὶ librum N incipere
nonnullis placuisse testatur Syr. 33 τε ὡς recc. Al.: τέως EJAᵇ
ὡς οὐσίας secl. Jaeger 35 τοῦ] τὸ E¹JΓ 36 οὐσίας Jaeger:
ἰδέας codd. ΓAl. 37 οὐσίας secl. Jaeger

5 οὐ χωρίσας. δηλοῖ δὲ ἐκ τῶν ἔργων· ἄνευ μὲν γὰρ τοῦ καθό-
λου οὐκ ἔστιν ἐπιστήμην λαβεῖν, τὸ δὲ χωρίζειν αἴτιον τῶν
συμβαινόντων δυσχερῶν περὶ τὰς ἰδέας ἐστίν. οἱ δ' ὡς ἀναγ-
καῖον, εἴπερ ἔσονταί τινες οὐσίαι παρὰ τὰς αἰσθητὰς καὶ
ῥεούσας, χωριστὰς εἶναι, ἄλλας μὲν οὐκ εἶχον ταύτας δὲ
10 τὰς καθόλου λεγομένας ἐξέθεσαν, ὥστε συμβαίνειν σχεδὸν
τὰς αὐτὰς φύσεις εἶναι τὰς καθόλου καὶ τὰς καθ' ἕκαστον.
αὕτη μὲν οὖν αὐτὴ καθ' αὑτὴν εἴη τις ἂν δυσχέρεια τῶν
εἰρημένων.

Ὃ δὲ καὶ τοῖς λέγουσι τὰς ἰδέας ἔχει τινὰ ἀπορίαν 10
15 καὶ τοῖς μὴ λέγουσιν, καὶ κατ' ἀρχὰς ἐν τοῖς διαπορήμα-
σιν ἐλέχθη πρότερον, λέγωμεν νῦν. εἰ μὲν γάρ τις μὴ θή-
σει τὰς οὐσίας εἶναι κεχωρισμένας, καὶ τὸν τρόπον τοῦτον
ὡς λέγεται τὰ καθ' ἕκαστα τῶν ὄντων, ἀναιρήσει τὴν οὐσίαν
ὡς βουλόμεθα λέγειν· ἂν δέ τις θῇ τὰς οὐσίας χωριστάς,
20 πῶς θήσει τὰ στοιχεῖα καὶ τὰς ἀρχὰς αὐτῶν; εἰ μὲν γὰρ
καθ' ἕκαστον καὶ μὴ καθόλου, τοσαῦτ' ἔσται τὰ ὄντα ὅσαπερ
τὰ στοιχεῖα, καὶ οὐκ ἐπιστητὰ τὰ στοιχεῖα (ἔστωσαν γὰρ αἱ
μὲν ἐν τῇ φωνῇ συλλαβαὶ οὐσίαι τὰ δὲ στοιχεῖα αὐτῶν
στοιχεῖα τῶν οὐσιῶν· ἀνάγκη δὴ τὸ ΒΑ ἓν εἶναι καὶ ἑκάστην
25 τῶν συλλαβῶν μίαν, εἴπερ μὴ καθόλου καὶ τῷ εἴδει αἱ
αὐταὶ ἀλλὰ μία ἑκάστη τῷ ἀριθμῷ καὶ τόδε τι - καὶ μὴ
ὁμώνυμον· ἔτι δ' αὐτὸ ὃ ἔστιν ἓν ἕκαστον τιθέασιν· εἰ δ' αἱ
συλλαβαί, οὕτω καὶ ἐξ ὧν εἰσίν· οὐκ ἔσται ἄρα πλείω ἄλφα
ἑνός, οὐδὲ τῶν ἄλλων στοιχείων οὐθὲν κατὰ τὸν αὐτὸν λόγον
30 ὅνπερ οὐδὲ τῶν [ἄλλων] συλλαβῶν ἡ αὐτὴ ἄλλη καὶ ἄλλη·
ἀλλὰ μὴν εἰ τοῦτο, οὐκ ἔσται παρὰ τὰ στοιχεῖα ἕτερα ὄντα,
ἀλλὰ μόνον τὰ στοιχεῖα· ἔτι δὲ οὐδ' ἐπιστητὰ τὰ στοιχεῖα·
οὐ γὰρ καθόλου, ἡ δ' ἐπιστήμη τῶν καθόλου· δῆλον δ' ἐκ
τῶν ἀποδείξεων καὶ τῶν ὁρισμῶν, οὐ γὰρ γίγνεται συλ-
35 λογισμὸς ὅτι τόδε τὸ τρίγωνον δύο ὀρθαῖς, εἰ μὴ πᾶν τρί-
γωνον δύο ὀρθαί, οὐδ' ὅτι ὁδὶ ὁ ἄνθρωπος ζῷον, εἰ μὴ πᾶς
ἄνθρωπος ζῷον)· ἀλλὰ μὴν εἴγε καθόλου αἱ ἀρχαί, ἢ καὶ αἱ
1087ᵃ ἐκ τούτων οὐσίαι καθόλου ⟨ἢ⟩ ἔσται μὴ οὐσία πρότερον οὐσίας·

ᵇ 16 λέγομεν E²   19 θῇ Aᵇ Al.: τιθῇ EJ Syr.¹   24 δὴ EJΓ
et ut vid. Al.: δὲ Aᵇ   ἐν om. Aᵇ   27 ὃ om. JΓ   30 ἄλλων
seclusi: om. Al.   33 ἐκ] ἔκ τε E   35 τρίγωνον alt. om. Aᵇ
36 ὀρθαῖς J   37 ἢ . . . 1087ᵃ 1 καθόλου secl. Jaeger   αἱ om.
EJΓ Syr.¹   1087ᵃ 1 καθόλου ἢ scripsi, leg. ut vid. Syr.: ἢ καθόλου
T: καθόλου EJAᵇΓ Al.

τὸ μὲν γὰρ καθόλου οὐκ οὐσία, τὸ δὲ στοιχεῖον καὶ ἡ ἀρχὴ
καθόλου, πρότερον δὲ τὸ στοιχεῖον καὶ ἡ ἀρχὴ ὧν ἀρχὴ
καὶ στοιχεῖόν ἐστιν. ταῦτά τε δὴ πάντα συμβαίνει εὐλόγως,
ὅταν ἐκ στοιχείων τε ποιῶσι τὰς ἰδέας καὶ παρὰ τὰς τὸ 5
αὐτὸ εἶδος ἐχούσας οὐσίας [καὶ ἰδέας] ἕν τι ἀξιῶσιν εἶναι κα-
χωρισμένον· εἰ δὲ μηθὲν κωλύει ὥσπερ ἐπὶ τῶν τῆς φωνῆς
στοιχείων πολλὰ εἶναι τὰ ἄλφα καὶ τὰ βῆτα καὶ μηθὲν
εἶναι παρὰ τὰ πολλὰ αὐτὸ ἄλφα καὶ αὐτὸ βῆτα, ἔσονται
ἕνεκά γε τούτου ἄπειροι αἱ ὅμοιαι συλλαβαί. τὸ δὲ τὴν 10
ἐπιστήμην εἶναι καθόλου πᾶσαν, ὥστε ἀναγκαῖον εἶναι καὶ
τὰς τῶν ὄντων ἀρχὰς καθόλου εἶναι καὶ μὴ οὐσίας κεχω-
ρισμένας, ἔχει μὲν μάλιστ᾽ ἀπορίαν τῶν λεχθέντων, οὐ μὴν
ἀλλὰ ἔστι μὲν ὡς ἀληθὲς τὸ λεγόμενον, ἔστι δ᾽ ὡς οὐκ ἀλη-
θές. ἡ γὰρ ἐπιστήμη, ὥσπερ καὶ τὸ ἐπίστασθαι, διττόν, ὧν 15
τὸ μὲν δυνάμει τὸ δὲ ἐνεργείᾳ. ἡ μὲν οὖν δύναμις ὡς ὕλη
[τοῦ] καθόλου οὖσα καὶ ἀόριστος τοῦ καθόλου καὶ ἀορίστου ἐστίν,
ἡ δ᾽ ἐνέργεια ὡρισμένη καὶ ὡρισμένου, τόδε τι οὖσα τοῦδέ τινος,
ἀλλὰ κατὰ συμβεβηκὸς ἡ ὄψις τὸ καθόλου χρῶμα ὁρᾷ
ὅτι τόδε τὸ χρῶμα ὃ ὁρᾷ χρῶμά ἐστιν, καὶ ὃ θεωρεῖ ὁ γραμ- 20
ματικός, τόδε τὸ ἄλφα ἄλφα· ἐπεὶ εἰ ἀνάγκη τὰς ἀρχὰς
καθόλου εἶναι, ἀνάγκη καὶ τὰ ἐκ τούτων καθόλου, ὥσπερ
ἐπὶ τῶν ἀποδείξεων· εἰ δὲ τοῦτο, οὐκ ἔσται χωριστὸν οὐθὲν οὐδ᾽
οὐσία. ἀλλὰ δῆλον ὅτι ἔστι μὲν ὡς ἡ ἐπιστήμη καθόλου, ἔστι
δ᾽ ὡς οὔ.   25

N

Περὶ μὲν οὖν τῆς οὐσίας ταύτης εἰρήσθω τοσαῦτα, πάν-
τες δὲ ποιοῦσι τὰς ἀρχὰς ἐναντίας, ὥσπερ ἐν τοῖς φυσικοῖς, 30
καὶ περὶ τὰς ἀκινήτους οὐσίας ὁμοίως. εἰ δὲ τῆς τῶν ἀπάν-
των ἀρχῆς μὴ ἐνδέχεται πρότερόν τι εἶναι, ἀδύνατον ἂν εἴη
τὴν ἀρχὴν ἕτερόν τι οὖσαν εἶναι ἀρχήν, οἷον εἴ τις λέγοι τὸ
λευκὸν ἀρχὴν εἶναι οὐχ ᾗ ἕτερον ἀλλ᾽ ᾗ λευκόν, εἶναι μέν-

ᵃ 6 αὐτοεῖδος Al.   καὶ ἰδέας codd. Γ Al. : omittenda ci. Bonitz
12 μὴ οὔσας Aᵇ : οὔσας Al.   13 μὲν EJΓAl.ᶜ: om. Aᵇ   14 δ᾽
ὡς κἀληθές J   16 δυνάμει] δύναμις J Syr.ˡ   17 τοῦ secl.
Bonitz   18 ἐνεργείᾳ Al.   24 ᾗ om. EJ   29 τῆς
ἀπορίας ci. Bonitz   33 τὸ om. JAᵇ

35 τοι καθ᾽ ὑποκειμένου καὶ ἕτερόν τι ὂν λευκὸν εἶναι· ἐκεῖνο
γὰρ πρότερον ἔσται. ἀλλὰ μὴν γίγνεται πάντα ἐξ ἐναντίων
ὡς ὑποκειμένου τινός· ἀνάγκη ἄρα μάλιστα τοῖς ἐναντίοις
1087ᵇ τοῦθ᾽ ὑπάρχειν. ἀεὶ ἄρα πάντα τὰ ἐναντία καθ᾽ ὑποκειμένου
καὶ οὐθὲν χωριστόν, ἀλλ᾽ ὥσπερ καὶ φαίνεται οὐθὲν οὐσίᾳ
ἐναντίον, καὶ ὁ λόγος μαρτυρεῖ. οὐθὲν ἄρα τῶν ἐναντίων
κυρίως ἀρχὴ πάντων ἀλλ᾽ ἑτέρα.—οἱ δὲ τὸ ἕτερον τῶν ἐναν-
5 τίων ὕλην ποιοῦσιν, οἱ μὲν τῷ ἑνὶ [τῷ ἴσῳ] τὸ ἄνισον, ὡς
τοῦτο τὴν τοῦ πλήθους οὖσαν φύσιν, οἱ δὲ τῷ ἑνὶ τὸ πλῆθος
(γεννῶνται γὰρ οἱ ἀριθμοὶ τοῖς μὲν ἐκ τῆς τοῦ ἀνίσου δυάδος,
τοῦ μεγάλου καὶ μικροῦ, τῷ δ᾽ ἐκ τοῦ πλήθους, ὑπὸ τῆς τοῦ
ἑνὸς δὲ οὐσίας ἀμφοῖν)· καὶ γὰρ ὁ τὸ ἄνισον καὶ ἓν λέγων
10 τὰ στοιχεῖα, τὸ δ᾽ ἄνισον ἐκ μεγάλου καὶ μικροῦ δυάδα,
ὡς ἓν ὄντα τὸ ἄνισον καὶ τὸ μέγα καὶ τὸ μικρὸν λέγει,
καὶ οὐ διορίζει ὅτι λόγῳ ἀριθμῷ δ᾽ οὔ. ἀλλὰ μὴν καὶ τὰς
ἀρχὰς ἃς στοιχεῖα καλοῦσιν οὐ καλῶς ἀποδιδόασιν, οἱ μὲν
τὸ μέγα καὶ τὸ μικρὸν λέγοντες μετὰ τοῦ ἑνός, τρία ταῦτα
15 στοιχεῖα τῶν ἀριθμῶν, τὰ μὲν δύο ὕλην τὸ δ᾽ ἓν τὴν μορ-
φήν, οἱ δὲ τὸ πολὺ καὶ ὀλίγον, ὅτι τὸ μέγα καὶ τὸ μι-
κρὸν μεγέθους οἰκειότερα τὴν φύσιν, οἱ δὲ τὸ καθόλου μᾶλ-
λον ἐπὶ τούτων, τὸ ὑπερέχον καὶ τὸ ὑπερεχόμενον. διαφέρει
δὲ τούτων οὐθὲν ὡς εἰπεῖν πρὸς ἔνια τῶν συμβαινόντων, ἀλλὰ
20 πρὸς τὰς λογικὰς μόνον δυσχερείας, ἃς φυλάττονται διὰ
τὸ καὶ αὐτοὶ λογικὰς φέρειν τὰς ἀποδείξεις. πλὴν τοῦ
αὐτοῦ γε λόγου ἐστὶ τὸ ὑπερέχον καὶ ὑπερεχόμενον εἶναι
ἀρχὰς ἀλλὰ μὴ τὸ μέγα καὶ τὸ μικρόν, καὶ τὸν ἀριθμὸν
πρότερον τῆς δυάδος ἐκ τῶν στοιχείων· καθόλου γὰρ ἀμ-
25 φότερα μᾶλλόν ἐστι. νῦν δὲ τὸ μὲν λέγουσι τὸ δ᾽ οὐ λέγου-
σιν. οἱ δὲ τὸ ἕτερον καὶ τὸ ἄλλο πρὸς τὸ ἓν ἀντιτιθέασιν,
οἱ δὲ πλῆθος καὶ τὸ ἕν. εἰ δέ ἐστιν, ὥσπερ βούλονται, τὰ
ὄντα ἐξ ἐναντίων, τῷ δὲ ἑνὶ ἢ οὐθὲν ἐναντίον ἢ εἴπερ ἄρα
μέλλει, τὸ πλῆθος, τὸ δ᾽ ἄνισον τῷ ἴσῳ καὶ τὸ ἕτερον τῷ
30 ταὐτῷ καὶ τὸ ἄλλο αὐτῷ, μάλιστα μὲν οἱ τὸ ἓν τῷ πλή-
θει ἀντιτιθέντες ἔχονταί τινος δόξης, οὐ μὴν οὐδ᾽ οὗτοι ἱκανῶς·

ᵃ 37 τοῖς μάλιστα Al.   ᵇ 5 τῷ ἴσῳ secl Jaeger: καὶ τῷ ἴσῳ J²
6 οἱ AᵇΓ Al.: ὁ EJ   τὸ] ὁ J¹   12 ἀριθμῷ λόγῳ Al.   14 τοῦ
ἑνὸς μέτα Aᵇ   22 καὶ] καὶ τὸ Syr.¹   28–29 εἴπερ ἀμέλει JAᵇΓ
30 ταὐτῷ EAᵇ Al.: αὐτῷ J   ἄλλῳ Aᵇ   αὐτῷ EJ Al. Syr.¹: τῷ αὐτῷ
Al.ᶜ: πρὸς τὸ αὐτῷ Aᵇ

ἔσται γὰρ τὸ ἓν ὀλίγον· πλῆθος μὲν γὰρ ὀλιγότητι τὸ δὲ
πολὺ τῷ ὀλίγῳ ἀντίκειται.—τὸ δ' ἓν ὅτι μέτρον σημαίνει,
φανερόν. καὶ ἐν παντὶ ἔστι τι ἕτερον ὑποκείμενον, οἷον ἐν
ἁρμονίᾳ δίεσις, ἐν δὲ μεγέθει δάκτυλος ἢ ποὺς ἤ τι τοιοῦτον, 35
ἐν δὲ ῥυθμοῖς βάσις ἢ συλλαβή· ὁμοίως δὲ καὶ ἐν βάρει
σταθμός τις ὡρισμένος ἐστίν· καὶ κατὰ πάντων δὲ τὸν αὐτὸν
τρόπον, ἐν μὲν τοῖς ποιοῖς ποιόν τι, ἐν δὲ τοῖς ποσοῖς πο-   1088ᵃ
σόν τι, καὶ ἀδιαίρετον τὸ μέτρον, τὸ μὲν κατὰ τὸ εἶδος τὸ
δὲ πρὸς τὴν αἴσθησιν, ὡς οὐκ ὄντος τινὸς τοῦ ἑνὸς καθ' αὑτὸ
οὐσίας. καὶ τοῦτο κατὰ λόγον· σημαίνει γὰρ τὸ ἓν ὅτι μέ-
τρον πλήθους τινός, καὶ ὁ ἀριθμὸς ὅτι πλῆθος μεμετρημένον 5
καὶ πλῆθος μέτρων (διὸ καὶ εὐλόγως οὐκ ἔστι τὸ ἓν ἀριθμός·
οὐδὲ γὰρ τὸ μέτρον μέτρα, ἀλλ' ἀρχὴ καὶ τὸ μέτρον καὶ
τὸ ἕν). δεῖ δὲ ἀεὶ τὸ αὐτό τι ὑπάρχειν πᾶσι τὸ μέτρον, οἷον
εἰ ἵπποι, τὸ μέτρον ἵππος, καὶ εἰ ἄνθρωποι, ἄνθρωπος.
εἰ δ' ἄνθρωπος καὶ ἵππος καὶ θεός, ζῷον ἴσως, καὶ ὁ ἀρι-   10
θμὸς αὐτῶν ἔσται ζῷα. εἰ δ' ἄνθρωπος καὶ λευκὸν καὶ βα-
δίζον, ἥκιστα μὲν ἀριθμὸς τούτων διὰ τὸ ταὐτῷ πάντα
ὑπάρχειν καὶ ἑνὶ κατὰ ἀριθμόν, ὅμως δὲ γενῶν ἔσται ὁ
ἀριθμὸς ὁ τούτων, ἤ τινος ἄλλης τοιαύτης προσηγορίας.

Οἱ δὲ τὸ ἄνισον ὡς ἕν τι, τὴν δυάδα δὲ ἀόριστον ποιοῦντες 15
μεγάλου καὶ μικροῦ, πόρρω λίαν τῶν δοκούντων καὶ δυνατῶν
λέγουσιν· πάθη τε γὰρ ταῦτα καὶ συμβεβηκότα μᾶλλον
ἢ ὑποκείμενα τοῖς ἀριθμοῖς καὶ τοῖς μεγέθεσίν ἐστι, τὸ πολὺ
καὶ ὀλίγον ἀριθμοῦ, καὶ μέγα καὶ μικρὸν μεγέθους, ὥσπερ
ἄρτιον καὶ περιττόν, καὶ λεῖον καὶ τραχύ, καὶ εὐθὺ καὶ 20
καμπύλον· ἔτι δὲ πρὸς ταύτῃ τῇ ἁμαρτίᾳ καὶ πρός τι
ἀνάγκη εἶναι τὸ μέγα καὶ τὸ μικρὸν καὶ ὅσα τοιαῦτα· τὸ
δὲ πρός τι πάντων ἥκιστα φύσις τις ἢ οὐσία [τῶν κατηγοριῶν]
ἐστι, καὶ ὑστέρα τοῦ ποιοῦ καὶ ποσοῦ· καὶ πάθος τι τοῦ ποσοῦ
τὸ πρός τι, ὥσπερ ἐλέχθη, ἀλλ' οὐχ ὕλη, εἴ τι ἕτερον καὶ 25
τῷ ὅλως κοινῷ πρός τι καὶ τοῖς μέρεσιν αὐτοῦ καὶ εἴδεσιν.

ᵇ 37 ἐστίν JAᵇΓ Syr.¹: om. E   1088ᵃ 2 καὶ om. JΓ   5 ὁ
om. EJ   8 τὸ μέτρον secl. Bywater   9 ἵπποι . . . ἄνθρωπος
fort. Al., ci. Bonitz : ἵππος τὸ μέτρον, ἵππους, καὶ εἰ ἄνθρωπος, ἀνθρώπους
codd. Γ   13 κατὰ] κατὰ τὸν recc.   15 τι om. E   16 ἐκ
μεγάλου fort. Al.   21 αὐτῇ Jl· et ut vid. E¹   23 τῶν κατηγοριῶν
seclusi   24 καὶ alt.] καὶ τοῦ Aᵇ   25 εἴ] ἢ Al. Syr.¹

2573·2   L

οὐθὲν γάρ ἐστιν οὔτε μέγα οὔτε μικρόν, οὔτε πολὺ οὔτε ὀλίγον,
οὔτε ὅλως πρός τι, ὃ οὐχ ἕτερόν τι ὂν πολὺ ἢ ὀλίγον ἢ
μέγα ἢ μικρὸν ἢ πρός τί ἐστιν. σημεῖον δ' ὅτι ἥκιστα οὐσία
30 τις καὶ ὄν τι τὸ πρός τι τὸ μόνου μὴ εἶναι γένεσιν αὐτοῦ
μηδὲ φθορὰν μηδὲ κίνησιν ὥσπερ κατὰ τὸ ποσὸν αὔξησις
καὶ φθίσις, κατὰ τὸ ποιὸν ἀλλοίωσις, κατὰ τόπον φορά,
κατὰ τὴν οὐσίαν ἡ ἁπλῆ γένεσις καὶ φθορά,—ἀλλ' οὐ κατὰ
τὸ πρός τι· ἄνευ γὰρ τοῦ κινηθῆναι ὁτὲ μὲν μεῖζον ὁτὲ δὲ
35 ἔλαττον ἢ ἴσον ἔσται θατέρου κινηθέντος κατὰ τὸ ποσόν.
1088b ἀνάγκη τε ἑκάστου ὕλην εἶναι τὸ δυνάμει τοιοῦτον, ὥστε καὶ
οὐσίας· τὸ δὲ πρός τι οὔτε δυνάμει οὐσία οὔτε ἐνεργείᾳ. ἄτοπον
οὖν, μᾶλλον δὲ ἀδύνατον, τὸ οὐσίας μὴ οὐσίαν ποιεῖν στοιχεῖον
καὶ πρότερον· ὕστερον γὰρ πᾶσαι αἱ κατηγορίαι. ἔτι δὲ τὰ
5 στοιχεῖα οὐ κατηγορεῖται καθ' ὧν στοιχεῖα, τὸ δὲ πολὺ καὶ
ὀλίγον καὶ χωρὶς καὶ ἅμα κατηγορεῖται ἀριθμοῦ, καὶ τὸ
μακρὸν καὶ τὸ βραχὺ γραμμῆς, καὶ ἐπίπεδόν ἐστι καὶ
πλατὺ καὶ στενόν. εἰ δὲ δὴ καὶ ἔστι τι πλῆθος οὗ τὸ μὲν
ἀεί, ⟨τὸ⟩ ὀλίγον, οἷον ἡ δυάς (εἰ γὰρ πολύ, τὸ ἓν ἂν ὀλίγον εἴη),
10 κἂν πολὺ ἁπλῶς εἴη, οἷον ἡ δεκὰς πολύ, [καὶ] εἰ ταύτης
μή ἐστι πλεῖον, ἢ τὰ μύρια. πῶς οὖν ἔσται οὕτως ἐξ ὀλίγου
καὶ πολλοῦ ὁ ἀριθμός; ἢ γὰρ ἄμφω ἔδει κατηγορεῖσθαι ἢ
μηδέτερον· νῦν δὲ τὸ ἕτερον μόνον κατηγορεῖται.

Ἁπλῶς δὲ δεῖ σκοπεῖν, ἆρα δυνατὸν τὰ ἀΐδια ἐκ 2
15 στοιχείων συγκεῖσθαι; ὕλην γὰρ ἕξει· σύνθετον γὰρ πᾶν
τὸ ἐκ στοιχείων. εἰ τοίνυν ἀνάγκη, ἐξ οὗ ἐστιν, εἰ καὶ ἀεὶ
ἔστι, κἄν, εἰ ἐγένετο, ἐκ τούτου γίγνεσθαι, γίγνεται δὲ πᾶν
ἐκ τοῦ δυνάμει ὄντος τοῦτο ὃ γίγνεται (οὐ γὰρ ἂν ἐγένετο
ἐκ τοῦ ἀδυνάτου οὐδὲ ἦν), τὸ δὲ δυνατὸν ἐνδέχεται καὶ ἐνερ-
20 γεῖν καὶ μή, εἰ καὶ ὅτι μάλιστα ἀεί ἐστιν ὁ ἀριθμὸς ἢ ὁτιοῦν
ἄλλο ὕλην ἔχον, ἐνδέχοιτ' ἂν μὴ εἶναι, ὥσπερ καὶ τὸ μίαν

ᵃ 29 ἢ alt.] ἆ E   30 μόνου E Syr.¹ : μόνον J²AᵇΓ : μόνουν J¹
35 ἔλαττον recc. : ἔλασσον EJAᵇ   ἔσται Aᵇ Al.ᶜ : ἐστὶν EJΓ Syr.¹
ᵇ 2 δυνάμει om. J   ἐνέργεια J   6 ἀριθμοῦ EJΓ Syr.¹ et ut vid.
Al. : ἀριθμῶν Aᵇ   8 οὗ . . . 9 ὀλίγον pr.] an ὃ λέγομεν ἀεὶ ὀλίγον?
οὗ] οὐ E² : ὧν Syr.¹   9 τὸ addidi, fort. legit Al.   10 καὶ
secl. Bonitz   11 πλεῖον, ἢ] πλεῖον μηδὲ ut vid. Al.   οὕτως Aᵇ
Al. : οὗτος EJΓ Syr.¹   12 ἢ alt. om. Aᵇ   16 εἰ τοίνυν E Al. :
ἔτι νῦν JF : οὐ τοίνυν Aᵇ   18 ἐκ EJΓ Al. : εἰς Aᵇ¹ : τὸ sup. lin. add.
Aᵇ²   τούτου ὃ ut vid. Al., fort. recte   ἂν ἐγίνετο E   20 ὁτιοῦν]
ὅτι JΓ   21 ἄλλου JAᵇΓ

ἡμέραν ἔχον καὶ τὸ ὁποσαοῦν ἔτη· εἰ δ' οὕτω, καὶ τὸ τοσοῦτον
χρόνον οὗ μὴ ἔστι πέρας. οὐκ ἂν τοίνυν εἴη ἀΐδια, εἴπερ μὴ
ἀΐδιον τὸ ἐνδεχόμενον μὴ εἶναι, καθάπερ ἐν ἄλλοις λόγοις
συνέβη πραγματευθῆναι. εἰ δέ ἐστι τὸ λεγόμενον νῦν ἀλη- 25
θὲς καθόλου, ὅτι οὐδεμία ἐστὶν ἀΐδιος οὐσία ἐὰν μὴ ᾖ ἐνέργεια,
τὰ δὲ στοιχεῖα ὕλη τῆς οὐσίας, οὐδεμιᾶς ἂν εἴη ἀϊδίου οὐσίας
στοιχεῖα ἐξ ὧν ἔστιν ἐνυπαρχόντων. εἰσὶ δέ τινες οἳ δυάδα
μὲν ἀόριστον ποιοῦσι τὸ μετὰ τοῦ ἑνὸς στοιχεῖον, τὸ δ' ἄνισον
δυσχεραίνουσιν εὐλόγως διὰ τὰ συμβαίνοντα ἀδύνατα· οἷς 30
τοσαῦτα μόνον ἀφῄρηται τῶν δυσχερῶν ὅσα διὰ τὸ ποιεῖν
τὸ ἄνισον καὶ τὸ πρός τι στοιχεῖον ἀναγκαῖα συμβαίνει τοῖς
λέγουσιν· ὅσα δὲ χωρὶς ταύτης τῆς δόξης, ταῦτα κἀκείνοις
ὑπάρχειν ἀναγκαῖον, ἐάν τε τὸν εἰδητικὸν ἀριθμὸν ἐξ αὐτῶν
ποιῶσιν ἐάν τε τὸν μαθηματικόν.—πολλὰ μὲν οὖν τὰ αἴτια 35
τῆς ἐπὶ ταύτας τὰς αἰτίας ἐκτροπῆς, μάλιστα δὲ τὸ ἀπορῆ- 1089ᵃ
σαι ἀρχαϊκῶς. ἔδοξε γὰρ αὐτοῖς πάντ' ἔσεσθαι ἓν τὰ ὄντα,
αὐτὸ τὸ ὄν, εἰ μή τις λύσει καὶ ὁμόσε βαδιεῖται τῷ Παρ-
μενίδου λόγῳ "οὐ γὰρ μήποτε τοῦτο δαμῇ, εἶναι μὴ ἐόντα,"
ἀλλ' ἀνάγκη εἶναι τὸ μὴ ὂν δεῖξαι ὅτι ἔστιν· οὕτω γάρ, ἐκ 5
τοῦ ὄντος καὶ ἄλλου τινός, τὰ ὄντα ἔσεσθαι, εἰ πολλά ἐστιν.
καίτοι πρῶτον μέν, εἰ τὸ ὂν πολλαχῶς (τὸ μὲν γὰρ [ὅτι]
οὐσίαν σημαίνει, τὸ δ' ὅτι ποιόν, τὸ δ' ὅτι ποσόν, καὶ τὰς
ἄλλας δὴ κατηγορίας), ποῖον οὖν τὰ ὄντα πάντα ἕν, εἰ μὴ
τὸ μὴ ὂν ἔσται; πότερον αἱ οὐσίαι, ἢ τὰ πάθη καὶ τὰ ἄλλα 10
δὴ ὁμοίως, ἢ πάντα, καὶ ἔσται ἓν τὸ τόδε καὶ τὸ τοιόνδε καὶ
τὸ τοσόνδε καὶ τὰ ἄλλα ὅσα ἕν τι σημαίνει; ἀλλ' ἄτοπον,
μᾶλλον δὲ ἀδύνατον, τὸ μίαν φύσιν τινὰ γενομένην αἰτίαν
εἶναι τοῦ τοῦ ὄντος τὸ μὲν τόδε εἶναι τὸ δὲ τοιόνδε τὸ δὲ
τοσόνδε τὸ δὲ πού. ἔπειτα ἐκ ποίου μὴ ὄντος καὶ ὄντος τὰ 15
ὄντα; πολλαχῶς γὰρ καὶ τὸ μὴ ὄν, ἐπειδὴ καὶ τὸ ὄν· καὶ

ᵇ 22 τὸ alt. om. Aᵇ   24 λόγοις om. E Al.ᶜ   26 ἐνέργεια EJ
Aᵇ Al. : ἐνεργείᾳ recc. Γ   32 τὸ alt. om. Aᵇ   ἀναγκαῖον συμ-
βαίνειν ci. Bonitz   34 εἰδικὸν Aᵇ²   1089ᵃ 4 τοῦτο δαμῇ EJ
Simpl. : τοῦτ' οὐδαμῇ AʰΓ Syr.¹ Plato : τοῦτο μηδαμῇ Al. : τοῦτο δαῃς
recc.   ἐόντα Aᵇ²   6 ἔστιν codd. Γ Al. : ἔσται ci. Bonitz   7 ὅτι
οὐσίαν] ὅτι secl. Maier : ὅτι οὐσία ci. Maier   9 ποῖον codd. Γ Al. :
ποῖα Bonitz   11 ἢ πάντα JΓ : ἅπαντα EAᵇ : πάντα Al. Syr.¹
12 ἕν] ὄν Bonitz   14 τοῦ τοῦ EJ² Al. : τοῦ J¹Γ : καὶ τούτου καὶ ὄντος
εἶναι τοῦ Aᵇ   τὸ δὲ τοιόνδε EJΓ Al. : om. Aᵇ
L 2

τὸ μὲν μὴ ἄνθρωπον ⟨εἶναι⟩ σημαίνει τὸ μὴ εἶναι τοδί, τὸ δὲ
μὴ εὐθὺ τὸ μὴ εἶναι τοιονδί, τὸ δὲ μὴ τρίπηχυ τὸ μὴ εἶναι
τοσονδί. ἐκ ποίου οὖν ὄντος καὶ μὴ ὄντος πολλὰ τὰ ὄντα;
20 βούλεται μὲν δὴ τὸ ψεῦδος καὶ ταύτην τὴν φύσιν λέγειν
τὸ οὐκ ὄν, ἐξ οὗ καὶ τοῦ ὄντος πολλὰ τὰ ὄντα, διὸ καὶ ἐλέ-
γετο ὅτι δεῖ ψεῦδός τι ὑποθέσθαι, ὥσπερ καὶ οἱ γεωμέτραι
τὸ ποδιαίαν εἶναι τὴν μὴ ποδιαίαν· ἀδύνατον δὲ ταῦθ᾽ οὕτως
ἔχειν, οὔτε γὰρ οἱ γεωμέτραι ψεῦδος οὐθὲν ὑποτίθενται (οὐ γὰρ
25 ἐν τῷ συλλογισμῷ ἡ πρότασις), οὔτε ἐκ τοῦ οὕτω μὴ ὄντος τὰ
ὄντα γίγνεται οὐδὲ φθείρεται. ἀλλ᾽ ἐπειδὴ τὸ μὲν κατὰ τὰς
πτώσεις μὴ ὂν ἰσαχῶς ταῖς κατηγορίαις λέγεται, παρὰ τοῦτο
δὲ τὸ ὡς ψεῦδος λέγεται [τὸ] μὴ ὂν καὶ τὸ κατὰ δύναμιν, ἐκ
τούτου ἡ γένεσίς ἐστιν, ἐκ τοῦ μὴ ἀνθρώπου δυνάμει δὲ ἀνθρώπου
30 ἄνθρωπος, καὶ ἐκ τοῦ μὴ λευκοῦ δυνάμει δὲ λευκοῦ λευκόν,
ὁμοίως ἐάν τε ἕν τι γίγνηται ἐάν τε πολλά.—φαίνεται δὲ
ἡ ζήτησις πῶς πολλὰ τὸ ὂν τὸ κατὰ τὰς οὐσίας λεγόμενον·
ἀριθμοὶ γὰρ καὶ μήκη καὶ σώματα τὰ γεννώμενά ἐστιν.
ἄτοπον δὴ τὸ ὅπως μὲν πολλὰ τὸ ὂν τὸ τί ἐστι ζητῆσαι,
35 πῶς δὲ ἢ ποιὰ ἢ ποσά, μή. οὐ γὰρ δὴ ἡ δυὰς ἡ ἀόριστος
αἰτία οὐδὲ τὸ μέγα καὶ τὸ μικρὸν τοῦ δύο λευκὰ ἢ πολλὰ
1089b εἶναι χρώματα ἢ χυμοὺς ἢ σχήματα· ἀριθμοὶ γὰρ ἂν καὶ
ταῦτα ἦσαν καὶ μονάδες. ἀλλὰ μὴν εἴ γε ταῦτ᾽ ἐπῆλθον,
εἶδον ἂν τὸ αἴτιον καὶ τὸ ἐν ἐκείνοις· τὸ γὰρ αὐτὸ καὶ τὸ
ἀνάλογον αἴτιον. αὕτη γὰρ ἡ παρέκβασις αἰτία καὶ τοῦ τὸ
5 ἀντικείμενον ζητοῦντας τῷ ὄντι καὶ τῷ ἑνί, ἐξ οὗ καὶ τούτων
τὰ ὄντα, τὸ πρός τι καὶ τὸ ἄνισον ὑποθεῖναι, ὃ οὔτ᾽ ἐναντίον
οὔτ᾽ ἀπόφασις ἐκείνων, μία τε φύσις τῶν ὄντων ὥσπερ καὶ
τὸ τί καὶ τὸ ποῖον. καὶ ζητεῖν ἔδει καὶ τοῦτο, πῶς πολλὰ
τὰ πρός τι ἀλλ᾽ οὐχ ἕν· νῦν δὲ πῶς μὲν πολλαὶ μονάδες
10 παρὰ τὸ πρῶτον ἐν ζητεῖται, πῶς δὲ πολλὰ ἄνισα παρὰ
τὸ ἄνισον οὐκέτι. καίτοι χρῶνται καὶ λέγουσι μέγα μικρόν,
πολὺ ὀλίγον, ἐξ ὧν οἱ ἀριθμοί, μακρὸν βραχύ, ἐξ ὧν τὸ
μῆκος, πλατὺ στενόν, ἐξ ὧν τὸ ἐπίπεδον, βαθὺ ταπεινόν,

ᵃ 17 ἄνθρωπος Schwegler   εἶναι add. Jaeger   20 λέγειν codd.
Γ: λέγει Al. Bonitz   22 δεῖ om. E   28 τὸ om. T Al.ᵒ
35 ἡ alt. om. J   ᵇ 2 ἐπῆλθεν E Al.   3 εἶδεν Al.   4 αὕτη
E'JΓ   τοῦ Aᵇ Al.: τὸ E et sup. lin. J: om. Γ   5 ζητοῦντας
AᵇΓ Al.: ζητοῦντα E   9 τὰ EJ Al. Syr.¹: τὸ Aᵇ

ἐξ ὧν οἱ ὄγκοι· καὶ ἔτι δὴ πλείω εἴδη λέγουσι τοῦ πρός τι·
τούτοις δὴ τί αἴτιον τοῦ πολλὰ εἶναι;—ἀνάγκη μὲν οὖν, ὥσπερ 15
λέγομεν, ὑποθεῖναι τὸ δυνάμει ὂν ἑκάστῳ (τοῦτο δὲ προσαπε-
φήνατο ὁ ταῦτα λέγων, τί τὸ δυνάμει τόδε καὶ οὐσία, μὴ
ὂν δὲ καθ᾽ αὑτό, ὅτι τὸ πρός τι, ὥσπερ εἰ εἶπε τὸ ποιόν, ὃ
οὔτε δυνάμει ἐστὶ τὸ ἓν ἢ τὸ ὂν οὔτε ἀπόφασις τοῦ ἑνὸς οὐδὲ
τοῦ ὄντος ἀλλ᾽ ἕν τι τῶν ὄντων), πολύ τε μᾶλλον, ὥσπερ 20
ἐλέχθη, εἰ ἐζήτει πῶς πολλὰ τὰ ὄντα, μὴ τὰ ἐν τῇ αὐτῇ
κατηγορίᾳ ζητεῖν, πῶς πολλαὶ οὐσίαι ἢ πολλὰ ποιά, ἀλλὰ
πῶς πολλὰ τὰ ὄντα· τὰ μὲν γὰρ οὐσίαι τὰ δὲ πάθη τὰ
δὲ πρός τι. ἐπὶ μὲν οὖν τῶν ἄλλων κατηγοριῶν ἔχει τινὰ
καὶ ἄλλην ἐπίστασιν πῶς πολλά (διὰ γὰρ τὸ μὴ χωριστὰ 25
εἶναι τῷ τὸ ὑποκείμενον πολλὰ γίγνεσθαι καὶ εἶναι ποιά
τε πολλὰ [εἶναι] καὶ ποσά· καίτοι δεῖ γέ τινα εἶναι ὕλην
ἑκάστῳ γένει, πλὴν χωριστὴν ἀδύνατον τῶν οὐσιῶν)· ἀλλ᾽
ἐπὶ τῶν τόδε τι ἔχει τινὰ λόγον πῶς πολλὰ τὸ τόδε τι,
εἰ μή τι ἔσται καὶ τόδε τι καὶ φύσις τις τοιαύτη· αὕτη δέ 30
ἐστιν ἐκεῖθεν μᾶλλον ἡ ἀπορία, πῶς πολλαὶ ἐνεργείᾳ οὐσίαι
ἀλλ᾽ οὐ μία. ἀλλὰ μὴν καὶ εἰ μὴ ταὐτόν ἐστι τὸ τόδε καὶ
τὸ ποσόν, οὐ λέγεται πῶς καὶ διὰ τί πολλὰ τὰ ὄντα, ἀλλὰ
πῶς ποσὰ πολλά. ὁ γὰρ ἀριθμὸς πᾶς ποσόν τι σημαίνει,
καὶ ἡ μονάς, εἰ μὴ μέτρον καὶ τὸ κατὰ τὸ ποσὸν ἀδιαί- 35
ρετον. εἰ μὲν οὖν ἕτερον τὸ ποσὸν καὶ τὸ τί ἐστιν, οὐ λέγεται
τὸ τί ἐστιν ἐκ τίνος οὐδὲ πῶς πολλά· εἰ δὲ ταὐτό, πολλὰς 1090ᵃ
ὑπομένει ὁ λέγων ἐναντιώσεις.—ἐπιστήσειε δ᾽ ἄν τις τὴν
σκέψιν καὶ περὶ τῶν ἀριθμῶν πόθεν δεῖ λαβεῖν τὴν πίστιν ὡς
εἰσίν. τῷ μὲν γὰρ ἰδέας τιθεμένῳ παρέχονταί τιν᾽ αἰτίαν
τοῖς οὖσιν, εἴπερ ἕκαστος τῶν ἀριθμῶν ἰδέα τις ἡ δ᾽ ἰδέα 5
τοῖς ἄλλοις αἰτία τοῦ εἶναι ὂν δή ποτε τρόπον (ἔστω γὰρ
ὑποκείμενον αὐτοῖς τοῦτο)· τῷ δὲ τοῦτον μὲν τὸν τρόπον οὐκ
οἰομένῳ διὰ τὸ τὰς ἐνούσας δυσχερείας ὁρᾶν περὶ τὰς ἰδέας
ὥστε διά γε ταῦτα μὴ ποιεῖν ἀριθμούς, ποιοῦντι δὲ ἀριθμὸν
τὸν μαθηματικόν, πόθεν τε χρὴ πιστεῦσαι ὡς ἔστι τοιοῦτος 10
ἀριθμός, καὶ τί τοῖς ἄλλοις χρήσιμος; οὐθενὸς γὰρ οὔτε φη-

ᵇ 17 οὐσία E¹JAᵇAl.: οὐσία E²   18 εἰ om. Jᴦ   19 οὐδὲ
Bekker: οὔτε codd.   20 κάλλιον fort. Al.   21 ἐζήτει JAᵇᴦ
Al. Syr.ˡˡ: ἐζητεῖτο E Syr.ˡ²   27 εἶναι inclusi: εἴη ἂν Apelt
31 οὖσαι E   35 καὶ alt. ex Al. Syr. scripsi: ὅτι codd. ᴦ

σὶν ὁ λέγων αὐτὸν εἶναι, ἀλλ᾽ ὡς αὐτήν τινα λέγει καθ᾽
αὑτὴν φύσιν οὖσαν, οὔτε φαίνεται ὧν αἴτιος· τὰ γὰρ θεωρή-
ματα τῶν ἀριθμητικῶν πάντα καὶ κατὰ τῶν αἰσθητῶν
15 ὑπάρξει, καθάπερ ἐλέχθη.

Οἱ μὲν οὖν τιθέμενοι τὰς ἰδέας εἶναι, καὶ ἀριθμοὺς αὐτὰς 3
εἶναι, ⟨τῷ⟩ κατὰ τὴν ἔκθεσιν ἑκάστου παρὰ τὰ πολλὰ λαμβά-
νειν [τὸ] ἕν τι ἕκαστον πειρῶνταί γε λέγειν πως διὰ τί
ἔστιν, οὐ μὴν ἀλλὰ ἐπεὶ οὔτε ἀναγκαῖα οὔτε δυνατὰ ταῦτα,
20 οὐδὲ τὸν ἀριθμὸν διά γε ταῦτα εἶναι λεκτέον· οἱ δὲ Πυθα-
γόρειοι διὰ τὸ ὁρᾶν πολλὰ τῶν ἀριθμῶν πάθη ὑπάρχοντα
τοῖς αἰσθητοῖς σώμασιν, εἶναι μὲν ἀριθμοὺς ἐποίησαν τὰ
ὄντα, οὐ χωριστοὺς δέ, ἀλλ᾽ ἐξ ἀριθμῶν τὰ ὄντα· διὰ τί δέ;
ὅτι τὰ πάθη τὰ τῶν ἀριθμῶν ἐν ἁρμονίᾳ ὑπάρχει καὶ ἐν
25 τῷ οὐρανῷ καὶ ἐν πολλοῖς ἄλλοις. τοῖς δὲ τὸν μαθηματικὸν
μόνον λέγουσιν εἶναι ἀριθμὸν οὐθὲν τοιοῦτον ἐνδέχεται λέγειν
κατὰ τὰς ὑποθέσεις, ἀλλ᾽ ὅτι οὐκ ἔσονται αὐτῶν αἱ ἐπιστῆ-
μαι ἐλέγετο. ἡμεῖς δέ φαμεν εἶναι, καθάπερ εἴπομεν πρό-
τερον. καὶ δῆλον ὅτι οὐ κεχώρισται τὰ μαθηματικά· οὐ γὰρ
30 ἂν κεχωρισμένων τὰ πάθη ὑπῆρχεν ἐν τοῖς σώμασιν. οἱ
μὲν οὖν Πυθαγόρειοι κατὰ μὲν τὸ τοιοῦτον οὐθενὶ ἔνοχοί εἰσιν,
κατὰ μέντοι τὸ ποιεῖν ἐξ ἀριθμῶν τὰ φυσικὰ σώματα, ἐκ
μὴ ἐχόντων βάρος μηδὲ κουφότητα ἔχοντα κουφότητα καὶ
βάρος, ἐοίκασι περὶ ἄλλου οὐρανοῦ λέγειν καὶ σωμάτων ἀλλ᾽
35 οὐ τῶν αἰσθητῶν· οἱ δὲ χωριστὸν ποιοῦντες, ὅτι ἐπὶ τῶν αἰσθη-
τῶν οὐκ ἔσται τὰ ἀξιώματα, ἀληθῆ δὲ τὰ λεγόμενα καὶ
σαίνει τὴν ψυχήν, εἶναί τε ὑπολαμβάνουσι καὶ χωριστὰ
1090ᵇ εἶναι· ὁμοίως δὲ καὶ τὰ μεγέθη τὰ μαθηματικά. δῆλον οὖν
ὅτι καὶ ὁ ἐναντιούμενος λόγος τἀναντία ἐρεῖ, καὶ ὃ ἄρτι
ἠπορήθη λυτέον τοῖς οὕτω λέγουσι, διὰ τί οὐδαμῶς ἐν τοῖς
αἰσθητοῖς ὑπαρχόντων τὰ πάθη ὑπάρχει αὐτῶν ἐν τοῖς αἰ-
5 σθητοῖς. εἰσὶ δέ τινες οἳ ἐκ τοῦ πέρατα εἶναι καὶ ἔσχατα
τὴν στιγμὴν μὲν γραμμῆς, ταύτην δ᾽ ἐπιπέδου, τοῦτο δὲ τοῦ

1090ᵃ 12 αὐτὸν (αἴτιον) Jaeger   ὡς om. E   17 τῷ ... 18 ἕν] τῷ
κατὰ τὴν ἔκθεσιν ἕκαστον παρὰ τὰ πολλὰ λαμβάνειν, ἕν Joachim   τῷ ex
i addidi : τὸ add. Maier   τὴν] τὸ ci. Bonitz   17–18 λαμβάνοντες
ἕν Bullinger   18 τὸ secl. Maier, om. fort. Al.   πως Al. Bullinger :
πῶς EJAᵇΓ : πῶς καὶ recc.   24 ἐν ἁρμονίᾳ E Al. : ἐναρμόνια JAᵇΓ
33 οὐδὲ E Syr.¹   τὰ ἔχοντα Bywater   37 χωριστὰ codd. Γ Al. :
χωριστὸν ci. Bonitz   ᵇ 3 λύεται JAᵇΓ Syr.ᵘ

στερεοῦ, οἴονται εἶναι ἀνάγκην τοιαύτας φύσεις εἶναι. δεῖ δὴ
καὶ τοῦτον ὁρᾶν τὸν λόγον, μὴ λίαν ᾖ μαλακός. οὔτε γὰρ
οὐσίαι εἰσὶ τὰ ἔσχατα ἀλλὰ μᾶλλον πάντα ταῦτα πέρατα
(ἐπεὶ καὶ τῆς βαδίσεως καὶ ὅλως κινήσεως ἔστι τι πέρας· 10
τοῦτ' οὖν ἔσται τόδε τι καὶ οὐσία τις· ἀλλ' ἄτοπον)·—οὐ μὴν
ἀλλὰ εἰ καὶ εἰσί, τῶνδε τῶν αἰσθητῶν ἔσονται πάντα (ἐπὶ
τούτων γὰρ ὁ λόγος εἴρηκεν)· διὰ τί οὖν χωριστὰ ἔσται;—ἔτι
δὲ ἐπιζητήσειεν ἄν τις μὴ λίαν εὐχερὴς ὢν περὶ μὲν τοῦ ἀρι-
θμοῦ παντὸς καὶ τῶν μαθηματικῶν τὸ μηθὲν συμβάλλεσθαι 15
ἀλλήλοις τὰ πρότερα τοῖς ὕστερον (μὴ ὄντος γὰρ τοῦ ἀριθμοῦ
οὐθὲν ἧττον τὰ μεγέθη ἔσται τοῖς τὰ μαθηματικὰ μόνον εἶναι
φαμένοις, καὶ τούτων μὴ ὄντων ἡ ψυχὴ καὶ τὰ σώματα
τὰ αἰσθητά· οὐκ ἔοικε δ' ἡ φύσις ἐπεισοδιώδης οὖσα ἐκ τῶν
φαινομένων, ὥσπερ μοχθηρὰ τραγῳδία)· τοῖς δὲ τὰς ἰδέας 20
τιθεμένοις τοῦτο μὲν ἐκφεύγει—ποιοῦσι γὰρ τὰ μεγέθη ἐκ
τῆς ὕλης καὶ ἀριθμοῦ, ἐκ μὲν τῆς δυάδος τὰ μήκη, ἐκ
τριάδος δ' ἴσως τὰ ἐπίπεδα, ἐκ δὲ τῆς τετράδος τὰ στερεὰ
ἢ καὶ ἐξ ἄλλων ἀριθμῶν· διαφέρει γὰρ οὐθέν—, ἀλλὰ ταῦτά
γε πότερον ἰδέαι ἔσονται, ἢ τίς ὁ τρόπος αὐτῶν, καὶ τί συμ- 25
βάλλονται τοῖς οὖσιν; οὐθὲν γάρ, ὥσπερ οὐδὲ τὰ μαθηματικά,
οὐδὲ ταῦτα συμβάλλεται. ἀλλὰ μὴν οὐδ' ὑπάρχει γε κατ'
αὐτῶν οὐθὲν θεώρημα, ἐὰν μή τις βούληται κινεῖν τὰ μαθη-
ματικὰ καὶ ποιεῖν ἰδίας τινὰς δόξας. ἔστι δ' οὐ χαλεπὸν
ὁποιασοῦν ὑποθέσεις λαμβάνοντας μακροποιεῖν καὶ συνείρειν. 30
οὗτοι μὲν οὖν ταύτῃ προσγλιχόμενοι ταῖς ἰδέαις τὰ μαθημα-
τικὰ διαμαρτάνουσιν· οἱ δὲ πρῶτοι δύο τοὺς ἀριθμοὺς ποιή-
σαντες, τόν τε τῶν εἰδῶν καὶ τὸν μαθηματικόν, οὔτ' εἰρή-
κασιν οὔτ' ἔχοιεν ἂν εἰπεῖν πῶς καὶ ἐκ τίνος ἔσται ὁ
μαθηματικός. ποιοῦσι γὰρ αὐτὸν μεταξὺ τοῦ εἰδητικοῦ καὶ 35
τοῦ αἰσθητοῦ. εἰ μὲν γὰρ ἐκ τοῦ μεγάλου καὶ μικροῦ, ὁ
αὐτὸς ἐκείνῳ ἔσται τῷ τῶν ἰδεῶν (ἐξ ἄλλου δέ τινος μικροῦ
καὶ μεγάλου τὰ [γὰρ] μεγέθη ποιεῖ)· εἰ δ' ἕτερόν τι ἐρεῖ, 1091ᵃ

ᵇ 9 ἔσχατα ⟨οὔτε χωριστὰ⟩ Jaeger   ταῦτα πάντα Aᵇ   11 ἔσται Aᵇ
Al. Syr.¹²: ἐστὶ EJΓ Syr.¹¹   12 ἀλλ' ἀεὶ E¹J   13 ἔσται JAᵇΓ Syr.¹:
ἔστιν E Al.   17 μόνον⟩ καὶ μόνον J   19 τὰ om. E   27–28 γε
τούτων οὐδὲν E Al.   30 μακρὸν ποιεῖν E   33 ἰδεῶν E   μαθη-
ματικόν i Al. Syr.¹¹ : μαθηματικῶν Aᵇ Syr.¹² : μαθηματικὸν ἄλλον EJΓ
34 οὔτ'] οὐδαμῶς οὔτ' JΓ   35 εἰδητικοῦ EJ Al. : εἰδικοῦ fecit Aᵇ
37 an τίνος, retento γὰρ 1091ᵃ 1 ?   1091ᵃ 1 μεγάλου οὔ· τὰ γὰρ
ci. Cnrist   γὰρ om. i et fort. Al. : γε ci. Bonitz

πλείω τὰ στοιχεῖα ἐρεῖ· καὶ εἰ ἕν τι ἑκατέρου ἡ ἀρχή, κοι-
νόν τι ἐπὶ τούτων ἔσται τὸ ἕν, ζητητέον τε πῶς καὶ ταῦτα
πολλὰ τὸ ἓν καὶ ἅμα τὸν ἀριθμὸν γενέσθαι ἄλλως ἢ ἐξ
5 ἑνὸς καὶ δυάδος ἀορίστου ἀδύνατον κατ᾿ ἐκεῖνον. πάντα δὴ
ταῦτα ἄλογα, καὶ μάχεται καὶ αὐτὰ ἑαυτοῖς καὶ τοῖς
εὐλόγοις, καὶ ἔοικεν ἐν αὐτοῖς εἶναι ὁ Σιμωνίδου μακρὸς
λόγος· γίγνεται γὰρ ὁ μακρὸς λόγος ὥσπερ ὁ τῶν δούλων
ὅταν μηθὲν ὑγιὲς λέγωσιν. φαίνεται δὲ καὶ αὐτὰ τὰ στοι-
10 χεῖα τὸ μέγα καὶ τὸ μικρὸν βοᾶν ὡς ἑλκόμενα· οὐ δύνα-
ται γὰρ οὐδαμῶς γεννῆσαι τὸν ἀριθμὸν ἀλλ᾿ ἢ τὸν ἀφ᾿ ἑνὸς
διπλασιαζόμενον.—ἄτοπον δὲ καὶ γένεσιν ποιεῖν ἀϊδίων ὄν-
των, μᾶλλον δ᾿ ἕν τι τῶν ἀδυνάτων. οἱ μὲν οὖν Πυθαγό-
ρειοι πότερον οὐ ποιοῦσιν ἢ ποιοῦσι γένεσιν οὐδὲν δεῖ διστάζειν·
15 φανερῶς γὰρ λέγουσιν ὡς τοῦ ἑνὸς συσταθέντος, εἴτ᾿ ἐξ ἐπι-
πέδων εἴτ᾿ ἐκ χροιᾶς εἴτ᾿ ἐκ σπέρματος εἴτ᾿ ἐξ ὧν ἀποροῦσιν
εἰπεῖν, εὐθὺς τὸ ἔγγιστα τοῦ ἀπείρου ὅτι εἵλκετο καὶ ἐπε-
ραίνετο ὑπὸ τοῦ πέρατος. ἀλλ᾿ ἐπειδὴ κοσμοποιοῦσι καὶ φυ-
σικῶς βούλονται λέγειν, δίκαιον αὐτοὺς ἐξετάζειν τι περὶ
20 φύσεως, ἐκ δὲ τῆς νῦν ἀφεῖναι μεθόδου· τὰς γὰρ ἐν τοῖς
ἀκινήτοις ζητοῦμεν ἀρχάς, ὥστε καὶ τῶν ἀριθμῶν τῶν τοιού-
των ἐπισκεπτέον τὴν γένεσιν.

Τοῦ μὲν οὖν περιττοῦ γένεσιν οὔ φασιν, ὡς δηλονότι τοῦ 4
ἀρτίου οὔσης γενέσεως· τὸν δ᾿ ἄρτιον πρῶτον ἐξ ἀνίσων τινὲς
25 κατασκευάζουσι τοῦ μεγάλου καὶ μικροῦ ἰσασθέντων. ἀνάγκη
οὖν πρότερον ὑπάρχειν τὴν ἀνισότητα αὐτοῖς τοῦ ἰσασθῆναι·
εἰ δ᾿ ἀεὶ ἦσαν ἰσασμένα, οὐκ ἂν ἦσαν ἄνισα πρότερον (τοῦ
γὰρ ἀεὶ οὐκ ἔστι πρότερον οὐθέν), ὥστε φανερὸν ὅτι οὐ τοῦ
θεωρῆσαι ἕνεκεν ποιοῦσι τὴν γένεσιν τῶν ἀριθμῶν.—ἔχει δ᾿
30 ἀπορίαν καὶ εὐπορήσαντι ἐπιτίμησιν πῶς ἔχει πρὸς τὸ ἀγαθὸν
καὶ τὸ καλὸν τὰ στοιχεῖα καὶ αἱ ἀρχαί· ἀπορίαν μὲν ταύ-
την, πότερόν ἐστί τι ἐκείνων οἷον βουλόμεθα λέγειν αὐτὸ τὸ
ἀγαθὸν καὶ τὸ ἄριστον, ἢ οὔ, ἀλλ᾿ ὑστερογενῆ. παρὰ μὲν
γὰρ τῶν θεολόγων ἔοικεν ὁμολογεῖσθαι τῶν νῦν τισίν, οἳ οὔ
35 φασιν, ἀλλὰ προελθούσης τῆς τῶν ὄντων φύσεως καὶ τὸ
ἀγαθὸν καὶ τὸ καλὸν ἐμφαίνεσθαι (τοῦτο δὲ ποιοῦσιν εὐλα-

βούμενοι ἀληθινὴν δυσχέρειαν ἢ συμβαίνει τοῖς λέγουσιν,
ὥσπερ ἔνιοι, τὸ ἐν ἀρχήν· ἔστι δ᾽ ἡ δυσχέρεια οὐ διὰ τὸ τῇ 1091ᵇ
ἀρχῇ τὸ εὖ ἀποδιδόναι ὡς ὑπάρχον, ἀλλὰ διὰ τὸ τὸ ἐν
ἀρχὴν καὶ ἀρχὴν ὡς στοιχεῖον καὶ τὸν ἀριθμὸν ἐκ τοῦ ἑνός),—
οἱ δὲ ποιηταὶ οἱ ἀρχαῖοι ταύτῃ ὁμοίως, ᾗ βασιλεύειν καὶ
ἄρχειν φασὶν οὐ τοὺς πρώτους, οἷον νύκτα καὶ οὐρανὸν ἢ 5
χάος ἢ ὠκεανόν, ἀλλὰ τὸν Δία· οὐ μὴν ἀλλὰ τούτοις
μὲν διὰ τὸ μεταβάλλειν τοὺς ἄρχοντας τῶν ὄντων συμβαί-
νει τοιαῦτα λέγειν, ἐπεὶ οἵ γε μεμιγμένοι αὐτῶν [καὶ] τῷ
μὴ μυθικῶς πάντα λέγειν, οἷον Φερεκύδης καὶ ἕτεροί τινες,
τὸ γεννῆσαν πρῶτον ἄριστον τιθέασι, καὶ οἱ Μάγοι, καὶ τῶν 10
ὑστέρων δὲ σοφῶν οἷον Ἐμπεδοκλῆς τε καὶ Ἀναξαγόρας,
ὁ μὲν τὴν φιλίαν στοιχεῖον ὁ δὲ τὸν νοῦν ἀρχὴν ποιήσας.
τῶν δὲ τὰς ἀκινήτους οὐσίας εἶναι λεγόντων οἱ μέν φασιν
αὐτὸ τὸ ἐν τὸ ἀγαθὸν αὐτὸ εἶναι· οὐσίαν μέντοι τὸ ἐν αὐτοῦ
ᾤοντο εἶναι μάλιστα.—ἡ μὲν οὖν ἀπορία αὕτη, ποτέρως δεῖ 15
λέγειν· θαυμαστὸν δ᾽ εἰ τῷ πρώτῳ καὶ ἀϊδίῳ καὶ αὐταρ-
κεστάτῳ τοῦτ᾽ αὐτὸ πρῶτον οὐχ ὡς ἀγαθὸν ὑπάρχει, τὸ
αὔταρκες καὶ ἡ σωτηρία. ἀλλὰ μὴν οὐ δι᾽ ἄλλο τι ἄφθαρ-
τον ἢ διότι εὖ ἔχει, οὐδ᾽ αὔταρκες, ὥστε τὸ μὲν φάναι τὴν
ἀρχὴν τοιαύτην εἶναι εὔλογον ἀληθὲς εἶναι, τὸ μέντοι ταύ- 20
την εἶναι τὸ ἔν, ἢ εἰ μὴ τοῦτο, στοιχεῖόν γε καὶ στοιχεῖον
ἀριθμῶν, ἀδύνατον. συμβαίνει γὰρ πολλὴ δυσχέρεια—ἣν
ἔνιοι φεύγοντες ἀπειρήκασιν, οἱ τὸ ἐν μὲν ὁμολογοῦντες ἀρ-
χὴν εἶναι πρώτην καὶ στοιχεῖον, τοῦ ἀριθμοῦ δὲ τοῦ μαθημα-
τικοῦ—ἅπασαι γὰρ αἱ μονάδες γίγνονται ὅπερ ἀγαθόν τι, 25
καὶ πολλή τις εὐπορία ἀγαθῶν. ἔτι εἰ τὰ εἴδη ἀριθμοί, τὰ
εἴδη πάντα ὅπερ ἀγαθόν τι· ἀλλὰ μὴν ὅτου βούλεται τιθέτω
τις εἶναι ἰδέας· εἰ μὲν γὰρ τῶν ἀγαθῶν μόνον, οὐκ ἔσονται
οὐσίαι αἱ ἰδέαι, εἰ δὲ καὶ τῶν οὐσιῶν, πάντα τὰ ζῷα καὶ
τὰ φυτὰ ἀγαθὰ καὶ τὰ μετέχοντα. ταῦτά τε δὴ συμβαί- 30
νει ἄτοπα, καὶ τὸ ἐναντίον στοιχεῖον, εἴτε πλῆθος ὂν εἴτε τὸ
ἄνισον καὶ μέγα καὶ μικρόν, τὸ κακὸν αὐτό (διόπερ ὁ μὲν
ἔφευγε τὸ ἀγαθὸν προσάπτειν τῷ ἑνὶ ὡς ἀναγκαῖον ὄν, ἐπει-
δὴ ἐξ ἐναντίων ἡ γένεσις, τὸ κακὸν τὴν τοῦ πλήθους φύσιν

ᵇ 2 εὖ JAᵇΓ Al.: ἐν E   4 βασιλεύον E   8 καὶ omittendum
ci. Bonitz   9 ἅπαντα recc.   11 ὕστερον E   21 γε J
Syr.¹: τε EAᵇ   26 εἰ EJΓ Al.: om. Aᵇ

35 εἶναι· οἱ δὲ λέγουσι τὸ ἄνισον τὴν τοῦ κακοῦ φύσιν)· συμ-
βαίνει δὴ πάντα τὰ ὄντα μετέχειν τοῦ κακοῦ ἔξω ἑνὸς αὐτοῦ
τοῦ ἑνός, καὶ μᾶλλον ἀκράτου μετέχειν τοὺς ἀριθμοὺς ἢ τὰ
1092ᵃ μεγέθη, καὶ τὸ κακὸν τοῦ ἀγαθοῦ χώραν εἶναι, καὶ μετέ-
χειν καὶ ὀρέγεσθαι τοῦ φθαρτικοῦ· φθαρτικὸν γὰρ τοῦ
ἐναντίου τὸ ἐναντίον. καὶ εἰ ὥσπερ ἐλέγομεν ὅτι ἡ ὕλη
ἐστὶ τὸ δυνάμει ἕκαστον, οἷον πυρὸς τοῦ ἐνεργείᾳ τὸ δυ-
5 νάμει πῦρ, τὸ κακὸν ἔσται αὐτὸ τὸ δυνάμει ἀγαθόν. ταῦτα
δὴ πάντα συμβαίνει, τὸ μὲν ὅτι ἀρχὴν πᾶσαν στοιχεῖον
ποιοῦσι, τὸ δ᾽ ὅτι τἀναντία ἀρχάς, τὸ δ᾽ ὅτι τὸ ἓν ἀρχήν, τὸ
δ᾽ ὅτι τοὺς ἀριθμοὺς τὰς πρώτας οὐσίας καὶ χωριστὰ καὶ εἴδη.
εἰ οὖν καὶ τὸ μὴ τιθέναι τὸ ἀγαθὸν ἐν ταῖς ἀρχαῖς καὶ 5
10 τὸ τιθέναι οὕτως ἀδύνατον, δῆλον ὅτι αἱ ἀρχαὶ οὐκ ὀρθῶς
ἀποδίδονται οὐδὲ αἱ πρῶται οὐσίαι. οὐκ ὀρθῶς δ᾽ ὑπολαμ-
βάνει οὐδ᾽ εἴ τις παρεικάζει τὰς τοῦ ὅλου ἀρχὰς τῇ τῶν
ζῴων καὶ φυτῶν, ὅτι ἐξ ἀορίστων ἀτελῶν τε ἀεὶ τὰ τελειό-
τερα, διὸ καὶ ἐπὶ τῶν πρώτων οὕτως ἔχειν φησίν, ὥστε μηδὲ
15 ὄν τι εἶναι τὸ ἓν αὐτό. εἰσὶ γὰρ καὶ ἐνταῦθα τέλειαι αἱ
ἀρχαὶ ἐξ ὧν ταῦτα· ἄνθρωπος γὰρ ἄνθρωπον γεννᾷ, καὶ
οὐκ ἔστι τὸ σπέρμα πρῶτον. ἄτοπον δὲ καὶ τὸ τόπον ἅμα
τοῖς στερεοῖς τοῖς μαθηματικοῖς ποιῆσαι (ὁ μὲν γὰρ τό-
πος τῶν καθ᾽ ἕκαστον ἴδιος, διὸ χωριστὰ τόπῳ, τὰ δὲ μαθη-
20 ματικὰ οὐ πού), καὶ τὸ εἰπεῖν μὲν ὅτι πού ἔσται, τί δέ ἐστιν
ὁ τόπος μή.—ἔδει δὲ τοὺς λέγοντας ἐκ στοιχείων εἶναι τὰ
ὄντα καὶ τῶν ὄντων τὰ πρῶτα τοὺς ἀριθμούς, διελομένους
πῶς ἄλλο ἐξ ἄλλου ἐστίν, οὕτω λέγειν τίνα τρόπον ὁ ἀρι-
θμός ἐστιν ἐκ τῶν ἀρχῶν. πότερον μίξει; ἀλλ᾽ οὔτε πᾶν
25 μικτόν, τό τε γιγνόμενον ἕτερον, οὐκ ἔσται τε χωριστὸν τὸ
ἓν οὐδ᾽ ἑτέρα φύσις· οἱ δὲ βούλονται. ἀλλὰ συνθέσει, ὥσπερ
συλλαβή; ἀλλὰ θέσιν τε ἀνάγκη ὑπάρχειν, καὶ χωρὶς ὁ
νοῶν νοήσει τὸ ἓν καὶ τὸ πλῆθος. τοῦτ᾽ οὖν ἔσται ὁ ἀριθμός,
μονὰς καὶ πλῆθος, ἢ τὸ ἓν καὶ ἄνισον. καὶ ἐπεὶ τὸ ἐκ τι-

1092ᵃ 8 χωριστὰ EJΓ Syr.¹: χωριστὰς Aᵇ   11 αἱ om. E   12 τῇ]
τι E   13 τε Ravaisson: δὲ codd. Γ   17 τὸ alt. AᵇΓ Al.¹:
τὸν EJ Al.   18 τοῖς alt. JAᵇΓ Al. Syr.: καὶ τοῖς E Al.¹   20 τίς
Al.   25 γεννόμενον E   26 οὐδ᾽] οὐδ᾽ ἡ Robin   27 συλ-
λαβή E Al.: συλλαβήν JAᵇΓ Syr.¹²   τε om. E   28 ἔσται οὖν Aᵇ
Syr.¹

νῶν εἶναι ἔστι μὲν ὡς ἐνυπαρχόντων ἔστι δὲ ὡς οὔ, ποτέρως 30
ὁ ἀριθμός; οὕτως γὰρ ὡς ἐνυπαρχόντων οὐκ ἔστιν ἀλλ' ἢ
ὧν γένεσις ἔστιν. ἀλλ' ὡς ἀπὸ σπέρματος; ἀλλ' οὐχ οἷόν
τε τοῦ ἀδιαιρέτου τι ἀπελθεῖν. ἀλλ' ὡς ἐκ τοῦ ἐναντίου μὴ
ὑπομένοντος; ἀλλ' ὅσα οὕτως ἔστι, καὶ ἐξ ἄλλου τινός ἐστιν
ὑπομένοντος. ἐπεὶ τοίνυν τὸ ἓν ὁ μὲν τῷ πλήθει ὡς ἐναντίον 35
τίθησιν, ὁ δὲ τῷ ἀνίσῳ, ὡς ἴσῳ τῷ ἑνὶ χρώμενος, ὡς ἐξ 1092ᵇ
ἐναντίων εἴη ἂν ὁ ἀριθμός· ἔστιν ἄρα τι ἕτερον ἐξ οὗ ὑπο-
μένοντος καὶ θατέρου ἐστὶν ἢ γέγονεν. ἔτι τί δή ποτε τὰ μὲν
ἄλλ' ὅσα ἐξ ἐναντίων ἢ οἷς ἔστιν ἐναντία φθείρεται κἂν ἐκ
παντὸς ᾖ, ὁ δὲ ἀριθμὸς οὔ; περὶ τούτου γὰρ οὐθὲν λέγεται. 5
καίτοι καὶ ἐνυπάρχον καὶ μὴ ἐνυπάρχον φθείρει τὸ ἐναντίον,
οἷον τὸ νεῖκος τὸ μῖγμα (καίτοι γε οὐκ ἔδει· οὐ γὰρ ἐκείνῳ
γε ἐναντίον).—οὐθὲν δὲ διώρισται οὐδὲ ὁποτέρως οἱ ἀριθμοὶ
αἴτιοι τῶν οὐσιῶν καὶ τοῦ εἶναι, πότερον ὡς ὅροι (οἷον αἱ
στιγμαὶ τῶν μεγεθῶν, καὶ ὡς Εὔρυτος ἔταττε τίς ἀριθμὸς 10
τίνος, οἷον ὁδὶ μὲν ἀνθρώπου ὁδὶ δὲ ἵππου, ὥσπερ οἱ τοὺς
ἀριθμοὺς ἄγοντες εἰς τὰ σχήματα τρίγωνον καὶ τετράγωνον,
οὕτως ἀφομοιῶν ταῖς ψήφοις τὰς μορφὰς τῶν φυτῶν), ἢ
ὅτι [ὁ] λόγος ἡ συμφωνία ἀριθμῶν, ὁμοίως δὲ καὶ ἄνθρωπος
καὶ τῶν ἄλλων ἕκαστον; τὰ δὲ δὴ πάθη πῶς ἀριθμοί, τὸ 15
λευκὸν καὶ γλυκὺ καὶ τὸ θερμόν; ὅτι δὲ οὐχ οἱ ἀριθμοὶ
οὐσία οὐδὲ τῆς μορφῆς αἴτιοι, δῆλον· ὁ γὰρ λόγος ἡ οὐσία,
ὁ δ' ἀριθμὸς ὕλη. οἷον σαρκὸς ἢ ὀστοῦ ἀριθμὸς ἡ οὐσία
οὕτω, τρία πυρὸς γῆς δὲ δύο· καὶ ἀεὶ ὁ ἀριθμὸς ὃς ἂν ᾖ
τινῶν ἐστιν, ἢ πύρινος ἢ γήϊνος ἢ μοναδικός, ἀλλ' ἡ οὐσία 20
τὸ τοσόνδ' εἶναι πρὸς τοσόνδε κατὰ τὴν μῖξιν· τοῦτο δ' οὐκέτι
ἀριθμὸς ἀλλὰ λόγος μίξεως ἀριθμῶν σωματικῶν ἢ ὁποιων-
οῦν. οὔτε οὖν τῷ ποιῆσαι αἴτιος ὁ ἀριθμός, οὔτε ὅλως ὁ
ἀριθμὸς οὔτε ὁ μοναδικός, οὔτε ὕλη οὔτε λόγος καὶ εἶδος
τῶν πραγμάτων. ἀλλὰ μὴν οὐδ' ὡς τὸ οὗ ἕνεκα. 25

6   Ἀπορήσειε δ' ἄν τις καὶ τί τὸ εὖ ἐστὶ τὸ ἀπὸ τῶν

ᵇ2 ἔσται Schwegler   5 ἢ om. JΓ: μὴ ἢ Robin   6 καὶ μὴ
ἐνυπάρχον om. EJ¹   7 γε om. recc.   ἐκεῖνο E   9 ὅρος E
αἱ om. JAᵇ   10 μεγεθῶν] γραμμῶν fort. Al. Syr.: μηκῶν ci. Bonitz
13 τῶν φυτῶν] τούτων Zeller, τῶν ζώων καὶ φυτῶν ex Al. ci. Christ
14 ὁ codd. Al.: secl. Bonitz   ἢ E Al.: ἢ JAᵇΓ Syr.¹   17 οὐσίαι
οὐδὲ recc.   18 ὕλης Schwegler   ἢ JΓ: ἢ Aᵇ Syr.¹: ἢ δ' E
21 οὐκέτι] οὐκ ἔστιν ΓAl.¹   23 ὁ alt. om. Aᵇ

ἀριθμῶν τῷ ἐν ἀριθμῷ εἶναι τὴν μῖξιν, ἢ ἐν εὐλογίστῳ ἢ
ἐν περιττῷ. νυνὶ γὰρ οὐθὲν ὑγιεινότερον τρὶς τρία ἂν ᾖ τὸ
μελίκρατον κεκραμένον, ἀλλὰ μᾶλλον ὠφελήσειεν ἂν ἐν
30 οὐθενὶ λόγῳ ὂν ὑδαρὲς δὲ ἢ ἐν ἀριθμῷ ἄκρατον ὄν. ἔτι οἱ
λόγοι ἐν προσθέσει ἀριθμῶν εἰσὶν οἱ τῶν μίξεων, οὐκ ἐν
ἀριθμοῖς, οἷον τρία πρὸς δύο ἀλλ' οὐ τρὶς δύο. τὸ γὰρ
αὐτὸ δεῖ γένος εἶναι ἐν ταῖς πολλαπλασιώσεσιν, ὥστε δεῖ
μετρεῖσθαι τῷ τε Α τὸν στοῖχον ἐφ' οὗ ΑΒΓ καὶ τῷ Δ τὸν
35 ΔΕΖ· ὥστε τῷ αὐτῷ πάντα. οὔκουν ἔσται πυρὸς ΒΕΓΖ
1093ⁿ καὶ ὕδατος ἀριθμὸς δὶς τρία.—εἰ δ' ἀνάγκη πάντα ἀριθμοῦ
κοινωνεῖν, ἀνάγκη πολλὰ συμβαίνειν τὰ αὐτά, καὶ ἀριθμὸν
τὸν αὐτὸν τῷδε καὶ ἄλλῳ. ἆρ' οὖν τοῦτ' αἴτιον καὶ διὰ
τοῦτό ἐστι τὸ πρᾶγμα, ἢ ἄδηλον; οἷον ἔστι τις τῶν τοῦ ἡλίου
5 φορῶν ἀριθμός, καὶ πάλιν τῶν τῆς σελήνης, καὶ τῶν ζῴων
γε ἑκάστου τοῦ βίου καὶ ἡλικίας· τί οὖν κωλύει ἐνίους μὲν τού-
των τετραγώνους εἶναι ἐνίους δὲ κύβους, καὶ ἴσους τοὺς
δὲ διπλασίους; οὐθὲν γὰρ κωλύει, ἀλλ' ἀνάγκη ἐν τούτοις
στρέφεσθαι, εἰ ἀριθμοῦ πάντα ἐκοινώνει. ἐνεδέχετό τε τὰ
10 διαφέροντα ὑπὸ τὸν αὐτὸν ἀριθμὸν πίπτειν· ὥστ' εἴ τισιν ὁ
αὐτὸς ἀριθμὸς συνεβεβήκει, ταὐτὰ ἂν ἦν ἀλλήλοις ἐκεῖνα
τὸ αὐτὸ εἶδος ἀριθμοῦ ἔχοντα, οἷον ἥλιος καὶ σελήνη τὰ
αὐτά. ἀλλὰ διὰ τί αἴτια ταῦτα; ἑπτὰ μὲν φωνήεντα,
ἑπτὰ δὲ χορδαὶ ἡ ἁρμονία, ἑπτὰ δὲ αἱ πλειάδες, ἐν ἑπτὰ
15 δὲ ὀδόντας βάλλει (ἔνιά γε, ἔνια δ' οὔ), ἑπτὰ δὲ οἱ ἐπὶ
Θήβας. ἆρ' οὖν ὅτι τοιοσδὶ ὁ ἀριθμὸς πέφυκεν, διὰ τοῦτο
ἢ ἐκεῖνοι ἐγένοντο ἑπτὰ ἢ ἡ πλειὰς ἑπτὰ ἀστέρων ἐστίν; ἢ
οἱ μὲν διὰ τὰς πύλας ἢ ἄλλην τινὰ αἰτίαν, τὴν δὲ ἡμεῖς
οὕτως ἀριθμοῦμεν, τὴν δὲ ἄρκτον γε δώδεκα, οἱ δὲ πλείους·
20 ἐπεὶ καὶ τὸ ΞΨΖ συμφωνίας φασὶν εἶναι, καὶ ὅτι ἐκεῖναι
τρεῖς, καὶ ταῦτα τρία· ὅτι δὲ μυρία ἂν εἴη τοιαῦτα, οὐθὲν
μέλει (τῷ γὰρ Γ καὶ Ρ εἴη ἂν ἐν σημεῖον)· εἰ δ' ὅτι διπλά-
σιον τῶν ἄλλων ἕκαστον, ἄλλο δ' οὔ, αἴτιον δ' ὅτι τριῶν

ᵇ27 τῷ ἐν ἀριθμῷ om. JΓ   τῷ Al.: τὸ ΕΑᵇ   εὐλογιστῶν J
ἢ ΑᵇΓ Al.: ἡ Ε: om. J   33 πολλαπλασιάσεσιν Al. Syr.
35 οὔκουν ci. Bonitz: οὐκοῦν codd.: οὐκοῦν εἰ Γ `   1093ᵃ1 καὶ] ἢ
ci. Diels   11 ταῦτα Αᵇ   14 ἡ ἁρμονία Ε Al.¹: ἡ ἁρμονίαι
JΑᵇΓ Al.   15 δὲ] δὲ ἔτεσιν Roscher   ἔνιά γε om. Ε   22 μέλλει
Ε   τὸ Al. Syr.¹   23 δ' alt.] δὴ Diels

ὄντων τόπων ἐν ἐφ' ἑκάστου ἐπιφέρεται τῷ σίγμα, διὰ τοῦτο
τρία μόνον ἐστὶν ἀλλ' οὐχ ὅτι αἱ συμφωνίαι τρεῖς, ἐπεὶ 25
πλείους γε αἱ συμφωνίαι, ἐνταῦθα δ' οὐκέτι δύναται. ὅμοιοι
δὴ καὶ οὗτοι τοῖς ἀρχαίοις Ὁμηρικοῖς, οἳ μικρὰς ὁμοιότη-
τας ὁρῶσι μεγάλας δὲ παρορῶσιν. λέγουσι δέ τινες ὅτι
πολλὰ τοιαῦτα, οἷον αἵ τε μέσαι ἡ μὲν ἐννέα ἡ δὲ ὀκτώ,
καὶ τὸ ἔπος δεκαεπτά, ἰσάριθμον τούτοις, βαίνεται δ' ἐν 30
μὲν τῷ δεξιῷ ἐννέα συλλαβαῖς, ἐν δὲ τῷ ἀριστερῷ ὀκτώ· 1093ᵇ
καὶ ὅτι ἴσον τὸ διάστημα ἔν τε τοῖς γράμμασιν ἀπὸ τοῦ Α
πρὸς τὸ Ω, καὶ ἀπὸ τοῦ βόμβυκος ἐπὶ τὴν ὀξυτάτην [νεά-
την] ἐν αὐλοῖς, ἧς ὁ ἀριθμὸς ἴσος τῇ οὐλομελείᾳ τοῦ οὐρανοῦ.
ὁρᾶν δὲ δεῖ μὴ τοιαῦτα οὐθεὶς ἂν ἀπορήσειεν οὔτε λέγειν 5
οὔθ' εὑρίσκειν ἐν τοῖς ἀϊδίοις, ἐπεὶ καὶ ἐν τοῖς φθαρτοῖς.
ἀλλ' αἱ ἐν τοῖς ἀριθμοῖς φύσεις αἱ ἐπαινούμεναι καὶ τὰ
τούτοις ἐναντία καὶ ὅλως τὰ ἐν τοῖς μαθήμασιν, ὡς μὲν
λέγουσί τινες καὶ αἴτια ποιοῦσι τῆς φύσεως, ἔοικεν οὑτωσί
γε σκοπουμένοις διαφεύγειν (κατ' οὐδένα γὰρ τρόπον τῶν 10
διωρισμένων περὶ τὰς ἀρχὰς οὐδὲν αὐτῶν αἴτιον)· ἔστιν ὡς
μέντοι ποιοῦσι φανερὸν ὅτι τὸ εὖ ὑπάρχει καὶ τῆς συστοι-
χίας ἐστὶ τῆς τοῦ καλοῦ τὸ περιττόν, τὸ εὐθύ, τὸ ἰσάκις ἴσον,
αἱ δυνάμεις ἐνίων ἀριθμῶν· ἅμα γὰρ ὧραι καὶ ἀριθμὸς τοιοσδί·
καὶ τὰ ἄλλα δὴ ὅσα συνάγουσιν ἐκ τῶν μαθηματικῶν θεω- 15
ρημάτων πάντα ταύτην ἔχει τὴν δύναμιν. διὸ καὶ ἔοικε
συμπτώμασιν· ἔστι γὰρ συμβεβηκότα μέν, ἀλλ' οἰκεῖα
ἀλλήλοις πάντα, ἐν δὲ τῷ ἀνάλογον· ἐν ἑκάστῃ γὰρ τοῦ
ὄντος κατηγορίᾳ ἐστὶ τὸ ἀνάλογον, ὡς εὐθὺ ἐν μήκει οὕτως
ἐν πλάτει τὸ ὁμαλόν, ἴσως ἐν ἀριθμῷ τὸ περιττόν, ἐν δὲ 20
χροιᾷ τὸ λευκόν.—ἔτι οὐχ οἱ ἐν τοῖς εἴδεσιν ἀριθμοὶ αἴτιοι
τῶν ἁρμονικῶν καὶ τῶν τοιούτων (διαφέρουσι γὰρ ἐκεῖνοι

ᵃ 24 ἑνὶ Diels   ἀφ' Ε   τὸ σίγμα Al. Diels : om. Γ   25 ὅτι αἱ]
ὅθ' αἱ Aᵇ : ὅταν J   28 ἔτι ci. Bonitz   ᵇ 1 συλλαβαί ΕΓ Syr.¹
2 πράγμασιν Ε   3 νεάτην om. fort. Al., secl. Diels   4 ἧς]
οἷς ci. Diels   ἴσος recc. Γ: ἰσότης ΕJAᵇ   τοῦ] τε τοῦ EJ   5 δεῖ]
δὴ Ε : δὴ δεῖ J   10 σκοπουμένους Diels   11 οὐδὲν] ἕν Aᵇ
αἴτιον... 12 φανερὸν sic interpunxit Diels : αἴτιόν ἐστι. ὡς μέντοι ποιοῦ-
σι, φανερὸν Al.   ὡς Aᵇ Al. : ἐκεῖνο Jᵀ Syr.¹ : om. Ε   12 εὖ
codd. Γ Syr. : ἐν Al.   καὶ et συστοιχίας om. Ε   13 ἰσάκις ἴσον
Al.ᶜ Syr.¹ Γ et fecit J : J²Γ Syr.¹ ἰσάριθμον Ε : ἴσον Aᵇ   14 αἱ ... ἀριθμῶν
secl. Diels   καὶ αἱ J²Γ Syr.¹   ὧρᾳ J   τοιόσδε J   18 τῷ]
τὸ fecit Aᵇ   21 χρόᾳ Ε   22 ἁρμονιῶν fort. Al.

ἀλλήλων οἱ ἴσοι εἴδει· καὶ γὰρ αἱ μονάδες)· ὥστε διά γε
ταῦτα εἴδη οὐ ποιητέον. τὰ μὲν οὖν συμβαίνοντα ταὐτά
25 τε κἂν ἔτι πλείω συναχθείη· ἔοικε δὲ τεκμήριον εἶναι τὸ
πολλὰ κακοπαθεῖν περὶ τὴν γένεσιν αὐτῶν καὶ μηδένα τρό-
πον δύνασθαι συνεῖραι τοῦ μὴ χωριστὰ εἶναι τὰ μαθημα-
τικὰ τῶν αἰσθητῶν, ὡς ἔνιοι λέγουσι, μηδὲ ταύτας εἶναι
τὰς ἀρχάς.

ᵇ23 διά om. E   24 ταὐτὰ εἴδη E   26 τόπον J : λλοιπὸν E :
firmum Γ   27 συνεῖραι] σνιδεῖν E

BOOK Z

What ' is' in the primary sense is substance (ch. 1).

1028ª 10. While 'is' has the various senses distinguished in Δ. 7, what 'is' in the primary sense is substance (i. e. 'what a thing is '— e.g. man, god, as opposed to 'good', 'three cubits high'—or a ' this ').

18. Other things are said to ' be' by virtue of being quantities, &c., of this.

20. Hence one might doubt whether ' walking' and the like are existent; no such thing can exist apart from substance.

24. 'That which walks' more truly is, because it has an individual substance as substratum.

30. Substance is primary in definition, in knowledge, and in time; in time because it alone among the categories can exist apart ; in definition because the definition of a substance is involved in the definition of anything else ; in knowledge because we know a thing better when we know ' what it is' than when we know its quality, &c.; we know even a quantity or a quality only when we know what it is.

ᵇ 2. The eternal question 'what is being' really means ' what is substance' (it is substance that was said by various thinkers to be one or many, and if many, finite or infinite in number), and so this is our chief and first and practically our only subject.

1028ª 10. καθάπερ διειλόμεθα πρότερον, Δ. 7.

11. τί ἐστι καὶ τόδε τι. The two phrases indicate the two sides there are to Aristotle's doctrine of substance. A τί ἐστι is the τί ἐστι of something, the answer to the question ' what is it ?'; and whether this something be an individual or a universal, its essence can only be stated as a universal or a combination of universals. τί ἐστι in fact points to the distinction between essential and accidental predication. A τόδε τι on the other hand is not the τόδε τι of anything ; it is simply an individual; the term τόδε τι points not to the distinction of essential from acccidental but to that of substance from attribute. The fact is that οὐσία means initially for Aristotle nothing more definite than ' that which most truly or fully is '. He sometimes thinks of it as that

in things which most truly is—τί ἐστι or essence; and sometimes as that which most truly is because it is not in anything but exists by itself—τόδε τι or the individual. The same ambiguity occurs in the *Categories*, where πρώτη οὐσία answers to τόδε τι and δευτέρα οὐσία to τί ἐστι.

16. Aristotle's object being to distinguish quality from substance, not from the other categories, τρίπηχυ ἤ is irrelevant, and was suspected by Bz. It was, however, read by Alexander, and apparently by Asclepius, and Aristotle is not incapable of such irrelevancies, especially in a clause which like the μέν clause here is unemphasized. Cf. Θ. 1047ᵃ 10 n.

19. I have restored from Aᵇ Al. the grammatically correct ποσότητες, ποιότητες, instead of the accusatives.

21. Aᵇ's reading σημαίνει seems to be required, instead of ἤ μὴ ὄν, to explain the grammar of ἕκαστον αὐτῶν. 'Whether the words "to walk", &c., imply that each of these things is existent' Cf. L. and S. σημαίνω III. 1.

24. Aristotle does not mean that τὸ βαδίζον unlike τὸ βαδίζειν can exist apart from substance, but that τὸ βαδίζον, since it is a substance (though referred to only as the possessor of an activity), can exist apart, while τὸ βαδίζειν, since it is only an activity (though it implies a substance as the possessor of the activity), cannot exist apart.

26-27. διότι . . . ὡρισμένον. I.e., when we say τὸ βαδίζον, we think of some definite man or animal that is walking; when we say τὸ βαδίζειν we imply that there is a subject but do not think of any definite one.

28. ἐμφαίνεται . . . τοιαύτῃ, 'is plainly implied in the use of such a designation'.

30. τὸ πρώτως ὄν καὶ οὐ τὶ ὄν ἀλλ' ὄν ἁπλῶς, 'that which is primarily, i.e. not in a qualified sense, but without qualification'.

32. καὶ λόγῳ καὶ γνώσει καὶ χρόνῳ. Alexander takes τῶν . . μόνη ll. 33, 34 to be explanatory of χρόνῳ. Substance is prior to the attributes it successively possesses, as a jar is prior to the wines that successively fill it. What Aristotle says, however, is 'for none of the other categories can exist apart; substance alone can'. Priority in this sense is elsewhere distinguished from priority in time (*Cat.* 14ᵃ 26-35, *Phys.* 260ᵇ 18) and is described in distinction from it as priority κατὰ φύσιν καὶ οὐσίαν (Δ. 1018ᵇ 14, 1019ᵃ 2). The reading of the lemma in Asc. (καὶ φύσει καὶ λόγῳ καὶ χρόνῳ καὶ γνώσει) and that of Bessarion and the Aldine edition (καὶ λόγῳ καὶ γνώσει καὶ χρόνῳ καὶ φύσει) are no doubt corrections designed to meet this difficulty, and do not mend matters, since they leave χρόνῳ unexplained. Aristotle is by no means careful to preserve the same appellations for the various senses of 'prior'; thus 'prior in φύσις' in *Cat.* 14ᵇ 5, *Phys.* 261ᵃ 14, 265ᵃ 22, *P. A.* 646ᵃ 26, A. 989ᵃ 16, 'prior in οὐσία' in *Phys.* 260ᵇ 19, 261ᵃ 19, *G. A.* 742ᵃ 22, Θ. 1050ᵃ 4, M. 1077ᵃ 19, *Rhet.* 1392ᵃ 20 are used in a different sense from that which they bear in the passages already mentioned. It seems best to suppose with Alexander that the next words (ll. 33 f.) are meant to explain χρόνῳ. That which can exist without other things while they cannot exist without it may naturally be said to exist before other things.

Priority λόγῳ and priority γνώσει are not elsewhere distinguished. In 1038^b 27 we have priority λόγῳ, χρόνῳ, γενέσει ; in Θ. 1049^b 11 λόγῳ, οὐσίᾳ, χρόνῳ ; in *Phys.* 265^a 22 φύσει, λόγῳ, χρόνῳ. In Δ. 1018^b 31 priority κατὰ τὸν λόγον is one form of priority τῇ γνώσει ; in Θ. 1049^b 16 f. the two are identified. But here they seem to be distinguished from each other ; as καί before χρόνῳ means 'and', it is difficult to suppose that καί before γνώσει means 'i.e.' Alexander is probably right in supposing that ll. 34–36 refer to λόγῳ and ll. 36–^b 2 to γνώσει.

34. Aristotle here says that substance is πρῶτον λόγῳ as compared with the other categories. In M. 1077^b 6 he says τὸ λευκόν is prior in λόγος to ὁ λευκὸς ἄνθρωπος (cf. Δ. 1018^b 34). The two statements are quite compatible. 'White' is prior to 'white man' because you can define white without including the definition of white man, and cannot define white man without including the definition of white. But body is prior to white because you can define it without including the definition of white, and cannot define white without including the definition of surface nor surface without including the definition of body. All attributes involve in the end substances and cannot be defined without including their definition. The passages are to be reconciled, then, not as Bz. seems to hold by interpreting λόγος differently, but by observing that white man is posterior to white simply because man is not the substance to which white belongs *per se*.

36–^b 2. Bz. points out that it is not substance as distinct from attributes, but the essence of a thing as distinct from its other attributes, that is here shown to be primary in γνῶσις. The fact is that in the notion of the first category these two notions are somewhat unsatisfactorily blended. This has been already noticed in l. 11 n., and becomes increasingly apparent throughout the book. In ^b 1, 2 Aristotle points out that even things in categories other than substance have a τί ἐστι, a quasi-substance, which is to them as the substance of man is to man. This notion is developed in 1030^a 17–27.

^b **4.** οἱ μὲν ἕν, the schools of Miletus and Elea.

5. οἱ μὲν πεπερασμένα, the Pythagoreans, and Empedocles and his followers ; οἱ δὲ ἄπειρα, Anaxagoras and the atomists.

Various opinions as to the denotation of substance (ch. 2).

1028^b 8. (1) Substance is thought to belong most evidently to bodies—animals and plants and their parts, the elements and their parts and what is composed of them, e. g. the physical universe and the stars.

16. (2) Some think the limits of body—surface, line, point, and unit—are more truly substances.

19. (3) Some think there are eternal things more numerous and more real than the sensibles, e. g. (*a*) Plato thinks Forms and mathematical objects are two other kinds of substance.

21. (*b*) Speusippus thinks there are many kinds of substance, each with its own first principles—numbers, spatial magnitudes, soul, &c.

24. (*c*) Some think that Forms and numbers are of the same kind, but that there are other kinds dependent on this—lines, planes, &c., ending with the class of sensibles.

27. These views we must examine, after first outlining the nature of substance.

1028ᵇ 11. καὶ τῶν τοιούτων ἕκαστον. For the probable meaning cf. H. 1042ᵃ 8 n.

12–13. ἢ μορίων . . . αὐτοῦ. The physical universe (for this sense of οὐρανός cf. Bz. *Index* 541ᵇ 56—542ᵃ 17) is composed of the totality of natural bodies or elements (*De Caelo* 278ᵇ 21); its parts are composed of parts of this totality.

Bz. conjectures τινῶν or ἐνίων for μορίων. But this suggestion is not, as he supposes, supported by Alexander, who evidently read μορίων (462. 6).

14. I have inserted here, from T, ἢ τούτων τινὲς ἢ καὶ ἄλλαι. EJ Asc. have ἢ τούτων τινὲς ἢ καὶ ἄλλων, Aᵇ ἢ τούτων τινὲς καὶ ἄλλων, where ἄλλων (sc. τινές) would be difficult to defend. With ἢ καὶ ἄλλαι ἢ τούτων τινὲς ἢ καὶ ἄλλαι ἢ τούτων before them, it is natural that the writers of the inferior manuscripts should have passed from the first ἄλλαι to the second, instead of the first, ἢ τούτων. The possibilities stated by Aristotle are that the complete list of substances should include—

(1) only those already named,
(2) those and others,
(3) only some of those already named,
(4) some of those already named and some others (ἢ καὶ ἄλλαι),
(5) only certain others.

16. τισι, sc. Pythagoreans. The Platonic view is given as distinct from this in l. 19. The Pythagorean belief that planes, lines, points, and units are substances contained in bodies is distinguished from the Platonic view that there are substances apart from bodies. For the former view cf. B. 1002ᵃ 4.

18. οἱ μέν, the pre-Socratics, cf. B. 1002ᵃ 8.

19. οἱ δὲ . . . ἀΐδια. πλείω may mean (1) more numerous than sensible substances (cf. A. 990ᵇ 4) or (2) of more than one kind. Again we may translate (1) ' eternal entities more in number and more

real ', or (2), with a comma after μᾶλλον, ' entities more in number and more truly substances, being eternal '. The first alternative in each case seems preferable. μᾶλλον must not be taken with ἀίδια, for eternality is not a matter of degree.

21. Speusippus' doctrine is referred to in M. 1076ᵃ 21, 1080ᵇ 14, 1085ᵃ 31, N. 1091ᵃ 34. It is this doctrine that makes the nature of things ' episodic, like a bad tragedy ' (Λ. 1076ᵃ 1, N. 1090ᵇ 19). The ἀρχαί of numbers were unity and plurality (M. 1085ᵇ 5, 1087ᵇ 6, 8, 27, 30, N. 1091ᵇ 31, 1092ᵃ 35); the ἀρχαί of magnitudes were the point and ' a matter akin to plurality but distinct from it ' (M. 1085ᵃ 32). E. Frank, in *Plato u. d. sogenannten Pythagoreer*, 245–251, holds that Speusippus recognized ten stages in the structure of the universe, viz. (1) absolute unity, (2) absolute plurality, (3) number, (4) spatial magnitudes, (5) perceptible bodies, (6) the soul, (7) reason, (8) desire, (9) movement, (10) the good. This view is, however, largely conjectural.

24. ἔνιοι δέ. This is the school of Xenocrates (so Asc.); for the evidence of this cf. M. 1076ᵃ 20 n. Other references to the view are found in Λ. 1069ᵃ 35, M. 1080ᵇ 22, 28, 1086ᵃ 5, N. 1090ᵇ 28, 31 ; it is in M. 1083ᵇ 2 called the worst of the Platonic views about numbers.

26–27. μέχρι . . . αἰσθητά. Theophr. fr. xii. 12 gives Xenocrates credit for carrying out his explanation of the universe more thoroughly than Plato and Speusippus ; οὗτος γὰρ ἄπαντά πως περιτίθησι περὶ τὸν κόσμον, ὁμοίως αἰσθητὰ καὶ νοητὰ καὶ μαθηματικὰ καὶ ἔτι δὴ τὰ θεῖα. According to Sextus Empiricus (*Adv. Math.* vii. 147) he distinguished τὴν αἰσθητὴν οὐσίαν (τὴν ἐντὸς οὐρανοῦ), τὴν νοητήν (τῶν ἐκτὸς οὐρανοῦ), τὴν σύνθετον καὶ δοξαστήν (τὴν αὐτοῦ τοῦ οὐρανοῦ).

28–31. The question whether there are any substances παρὰ τὰς αἰσθητάς is distinguished from the question whether there is a χωριστὴ οὐσία παρὰ τὰς αἰσθητάς. The first is the question whether there are any substances besides sensible substances—e. g. forms of sensible substances ; the second is the question whether there is any substance *capable of separate existence* besides the sensible substances, i. e. any pure substantial form.

SUBSTANCE AS SUBSTRATUM (ch. 3).

1028ᵇ 33. At least four things are said to be substance :

(A) essence,
(B) the universal,
(C) the genus,
(D) the substratum.

36. (D) The substratum is that which is subject of everything else, never predicate; it is thought to be, most of all things, substance.

1029ᵃ 2. In one sense matter, in another sense form, in another sense their compound, is said to be the substratum.

5. If form is prior to matter, it is prior to their compound.

7. Our account of substance as that which is always subject is inadequate; for it would follow that matter is substance, since it is what persists when all attributes are taken away.

20. By matter I mean that which in itself is not any particular thing nor of any quantity nor otherwise determined. The other attributes are predicated of substance, and substance of matter.

27. But substance must be capable of separate existence and be a 'this', so that form, and the compound of form and matter, are more truly substance than matter is.

30. The compound we defer, as posterior in nature and familiar; we will study form, the most difficult of the three. We look for it first in certain generally recognized sensible substances.

ᵇ3. For the order of learning is from the less intelligible by nature and more intelligible to us to the more intelligible by nature.

--**28ᵇ 34-36.** τὸ τί ἦν εἶναι is examined in chs. 4-6, 10-12; τὸ καθόλου in chs. 13, 14; τὸ ὑποκείμενον in ch. 3. τὸ γένος is nowhere separately examined in Z. At the beginning of ch. 13 Aristotle says that, as he has examined the essence and the substratum, it remains to examine the claim of the universal to be substance. From this it appears that the genus has dropped out of view. But in fact chs. 13, 14 serve as an examination of genus as well as of the universal. Every genus is a universal (though the converse is not true, differentiae and properties being also included among universals), and if the universal cannot be substance, genus cannot be so.

1029ᵃ 1-28. The two characteristics of substance here signalized as primary—that of being ultimate subject of predication and that of having separate individual existence—are the same two that are mentioned in Δ. 1017ᵇ 23-26.

2. The treatment of τὸ ὑποκείμενον as ambiguous, meaning (1) matter and (2) the concrete unity of matter and form, is natural, and common enough in Aristotle (matter underlies actuality or form, the concrete individual underlies its affections or accidents, l. 23, cf. 1038ᵇ 5); but it is surprising to find (3) form put forward as one of its meanings. The same suggestion, however, occurs in H. 1042ᵃ 28. Aristotle's meaning is that the form or essence, instead of the concrete individual, may be thought to be what underlies properties and accidents; cf. the description of the soul as the ὑποκείμενον of life, Δ. 1022ᵃ 32. The reference to form, then, is not as Bz. suggests a slip due to the constant association of matter, form, and the unity of the two, in Aristotle's thought. Nor is the fact that form is discussed under the head of τί ἦν εἶναι, not of ὑποκείμενον (Bz. 301) a real objection to its

presence here. Substratum and essence present themselves with the
universal and genus as rival candidates for the position of substance.
If essence turns out to be a kind of substratum, the original division
into four turns out to be a cross-division ; but we already know from
the case of τὸ καθόλου and τὸ γένος that that is so. The original four-
fold division is merely a *prima facie* one.

3. ἡ μορφή. μορφή is often identified with εἶδος and τί ἦν εἶναι,
but means primarily sensible shape ; cf. τὸ σχῆμα τῆς ἰδέας l. 4, τὴν ἐν
τῷ αἰσθητῷ μορφήν 1033ᵇ 6.

6. καὶ τοῦ ἐξ ἀμφοῖν. The evidence is pretty equally divided
between τοῦ and τό, but the former gives a better sense. If A is prior
to B it is clear that it is prior to A + B, but it is not so clear that A + B
is prior to B, which is what τό would imply. Further, while it is true
that in l. 29 Aristotle says the concrete unity is substance more truly
than matter, he says nothing of its logical priority ; but in l. 31 he
says that form is prior to the concrete unity ; this again confirms τοῦ.

10. αὐτὸ . . . τοῦτο, i. e. the vague statement (τύπῳ εἴρηται) in l. 8 f.

12–16. Aristotle divides the process of 'stripping off' (περιαιρουμένων)
into two stages. τὰ ἄλλα, the elements in the nature of a sensible
thing other than length, breadth, and depth (i. e. the secondary
qualities), are mere affections, actions, and powers of bodies. But
secondly, length, breadth, and depth are themselves not substances but
qualities and may be 'stripped away' in thought.

22–23. ᾧ τὸ εἶναι . . . ἑκάστῃ. The being of matter is different
from that of any of the categories, because, while matter is not pre-
dicated of anything, substance is predicated of matter and the other
categories are predicated of substance. It is noteworthy that even
in working out the line of thought from which it might be inferred
that matter is substance, Aristotle implies (in αὕτη δὲ τῆς ὕλης) that
substance is something other than matter, something not entirely
stripped of attributes but including certain attributes.

25. οὐδὲ δὴ αἱ ἀποφάσεις, ' nor will the ultimate subject *per se* be the
negations of these ', i. e. οὐ τί, οὐ ποσόν, &c. This is difficult ; one
would suppose that it was just the essence of matter, as Aristotle
conceives it, to be not τί, not ποσόν, &c. But he seems here to feel
that to say even this of it is to assign it a character, while its character
is to have no character.

27. Aristotle does not criticize the line of thought according to
which matter is substance, precisely in the way which might seem
most natural, by pointing out that the effort to find the truest reality
in that of which attributes are predicated has left us with that of which
nothing can be predicated. He puts the case differently. Matter lacks
two of the characteristic marks of substance. It is not capable of
separate existence, and it is not individual. It fails in both respects,
we may say, because it is characterless.

29. In what sense are separate existence and individuality more
characteristic of form than of matter (that they are more characteristic
of the concrete individual than of matter is intelligible enough)?

A similar remark about form occurs in Δ. 1017ᵇ 25, and the note on that passage may be referred to.

31. ὑστέρα, cf. l. 6 n.

32. δήλη, 'obvious to sense'.

φανερὰ δέ πως καὶ ἡ ὕλη, i. e. τῇ ἀναλογίᾳ φανερά, as Alexander says. Cf. *Phys.* 191ᵃ 7–11 ἡ δ᾽ ὑποκειμένη φύσις ἐπιστητὴ κατ᾽ ἀναλογίαν. ὡς γὰρ πρὸς ἀνδριάντα χαλκός . . . οὕτως αὕτη πρὸς οὐσίαν ἔχει.

33-34. Bonitz translates 'Es wird nun aber allgemein anerkannt, dass es gewisse Wesenheiten der sinnlichen Dinge giebt'. But it seems more likely that οὐσιῶν should be understood with τῶν αἰσθη-τῶν, to account for the feminine τινές, and that οὐσίαι is predicate.

ᵇ 3-12. Bz. has pointed out that (1) ll. 1, 2 do not naturally lead up to ll. 3–12, since the τί ἦν εἶναι is far from being γνώριμον ἡμῖν, and (2) ll. 3–12 do not naturally lead up to ll. 13 ff., since then there is nothing in what immediately precedes καὶ πρῶτον κτλ. l. 13 for αὐτοῦ to refer to. It plainly refers to the τί ἦν εἶναι, which has not been mentioned since l. 2. His suggestion that 3 πρὸ ἔργου . . . 12 αὐτῶν should be placed after ᵃ 34 πρῶτον meets both these difficulties. This section is meant to justify the treatment of form as it exists in sensible things (ᵃ 34) before passing to pure self-existent form. Jaeger suggests with much probability (*Arist.* 205 n.) that the whole section, with the preceding sentence, was a note added later by Aristotle; the first sentence of the note was written between the lines of Aristotle's manuscript and therefore appears in its proper place, but the remainder of the note had to be written on a separate sheet and has therefore been misplaced. Jaeger holds that the section belongs to a later period, when Aristotle first began to view the discussion of sensible substance in Z as preliminary to the discussion of insensible substance in Λ. Cf. 1037ᵃ 10–20 n.

5. ὥσπερ ἐν ταῖς πράξεσι. The passage is to some extent explained by *E. N.* 1129ᵇ 5, where we learn that we should choose what is good for us (i. e. what aids *us* towards the good life) and pray that what is good in itself (i. e. external goods) may be good for us. Here he simply says 'make' instead of 'pray'. Originally, owing to some defect in us, what is good in itself may not be good for us; but we must (starting by choosing the things that *are* good for us) transform ourselves till this is no longer so. So too what is intelligible in itself is originally not intelligible to us; but we must clarify our minds until it *is* intelligible to us, by starting with the apprehension of what is already intelligible to us.

SUBSTANCE AS ESSENCE (chs. 4–6).

What things have essence? (ch. 4).

1029ᵇ 1. (A) We proceed to study essence,

13. (1) in the abstract. The essence of a thing is what it is said to be *per se* (e. g. (*a*) your essence is not to-be-musical).

16. But not all of this ; e. g. (*b*) the essence of surface is not white-ness ; nor (*c*) to be a white surface, for here ' surface' itself is added improperly in the definition. The account of the essence of a thing is the account that states its nature but does not use its name.

22. (*d*) There are compounds of substance and another category; is there an account of the essence of each such compound? Have they an essence?

27. E. g. has ' white man ' an essence? It might be objected that ' essence of white man ' is not a thing that exists *per se*. But a proposed definition can be ' not *per se* ' to its subject only (i) because of an improper addition (thus whiteness must not be defined by giving the account of ' white man '),

33. or (ii) because the subject has a qualification which is omitted in the definition (e. g. ' white man ' must not be defined by giving the account of whiteness).

1030ᵃ 2. But is ' being a white man ' an essence at all? No, for an essence is ' just what something is ', but where one thing is asserted of another, as in ' white man ', this is not ' just what something is ', since it is not a substance. Only those things have an essence whose account is a definition.

7. It is not a definition if we merely have an account which means the same as a name (for then all accounts would be definitions, since any might have a name put to it), but only if it is the account of a primary real, i. e. of one which does not imply the assertion of something about something else.

11. Thus only a species has an *essence* or *definition* (for in a species, and only in a species, one element does not belong to the other by mere participation or by accident) ; but there can be an *account* of the meaning of *any* name (saying that ' this belongs to that '), or an accurate account can be given instead of a vague one.

17. Or perhaps definition has more than one sense, just as ' what a thing is ' means now substance, now one of the other categories. ' What a thing is ', like ' is ' itself, belongs primarily to substance, secondarily to the others.

23. For we may ask even of a quality what it is ; just as not-being is, in so far as it is not-being, so quality is in a sense a ' what it is '.

27. (2) Since the proper way of using the term essence is now clear, we may say that in fact essence belongs (*a*) primarily to substance, (*b*) secondarily to the other categories, being in their case ' the essence of a quality ', &c.

32. The other categories are said to ' be ' by an equivocation or with a qualification ; or rather, they ' are ' neither in the same sense as substance nor in a merely equivocal sense, but just as various things are ' medical ' by virtue of relation to a single end.

^b 4. Definition and essence, then, are primarily of substance, secondly of the other categories.

7. But there is definition only if there is a name meaning the same as an account which is one in one of the senses of ' one ' answering to the senses of 'being ', viz. to the categories.

12. Hence (c) there is a definition of ' white man ', but in a different sense of definition from that in which there is one of ' white ' or of a substance.

1029^b 1. ἐν ἀρχῇ, 1028^b 33.

13. λογικῶς suggests plausibility rather than truth (*Top.* 162^b 27), dialectic or sophistic as opposed to science (*An. Post.* 93^a 15, and cf. Γ. 1005^b 22, N. 1087^b 20 with *De Int.* 17^a 36), a reference to abstract considerations (λόγοι) rather than to the precise nature of the facts in question [ )(φυσικῶς, ἀναλυτικῶς, ἐκ τῶν οἰκείων ἀρχῶν, *Phys.* 204^b 4, 10, *De Gen. et Corr.* 316^a 11, *G. A.* 747^b 28, 748^a 8, and cf. Λ. 1069^a 28 with ἐν τοῖς λόγοις A. 987^b 31, Θ. 1050^b 35]. Usually its sense is depreciatory, but where abstract arguments are those that are required λογικός may = ἀκριβής, M. 1080^a 10. It probably always refers to linguistic inquiries or considerations, cf. λογικῶς here and in 1030^a 25 with 1030^a 27–28 n. It is in 1030^a 28 that the real as opposed to the verbal inquiry begins.

14. There is no other case in Aristotle of the accusative with τί ἦν εἶναι (in Δ. 1016^a 34 τί ἦν εἶναι is probably a gloss, cf. n. *ad loc.*), so that the manuscript reading ἕκαστον ὃ λέγεται will not stand (unless, which is unlikely, the meaning is ' the τί ἦν εἶναι is each thing, viz. what it is said *per se* to be ', or ' the τί ἦν εἶναι is what each thing is said *per se* to be '). ἑκάστου ὃ λέγεται is palaeographically better than Bz.'s ἑκάστῳ ὃ λέγεται. For the genitive cf. 1032^a 3, ^b 2.

16. οὐδὲ δὴ τοῦτο πᾶν. Aristotle rules out, as not the τί ἐστι of A, a term B which is καθ' αὑτό to A in the *second* sense recognized in *An. Post.* (73^a 37), viz. that (1) it ἐνυπάρχει in A, is an attribute of A, and (2) A ἐνυπάρχει in the definition of it. For this sense and the instance cf. Δ. 1022^a 30. He thus in effect implies that the τί ἦν εἶναι of A is that which is καθ' αὑτό to it in the *first* sense (73^a 34), viz. that it is present in the τί ἐστι and definition of A.

19. ὅτι πρόσεστιν αὐτό, i.e. such a statement of the essence of surface as 'to be a white surface' is wrong because it is tautologous.

21–22. ὥστ' εἰ ... ἕν, ' so that if to be a white surface is to be a smooth surface, then, though we are not told the essence of *surface*, it is implied that " to be white " and " to be smooth " are identical '. Aristotle is thinking of Democritus, who identified them (*De Sensu* 442^b 11, Theophr. *De Sensu* 13, cf. *De Gen. et Corr.* 316^a 1).

22–23. ἐπεὶ δ' ἔστι ... σύνθετα. There are σύνθετα or σύνολα, not
only within the category of substance (ᵃ 5, Δ. 1023ᵃ 31) but also
corresponding to the other categories, i.e. not only combinations of
matter and form but also (more complicated) combinations of
substance and accidental attribute. In fact every term in any
category other than substance presupposes an underlying substance in
which it inheres.

25. τῇ κινήσει. The mention of this among the categories is
unusual, but cf. *E. E.* 1217ᵇ 29, where κινεῖσθαι, κινεῖν occur as
categories. κίνησις is a synonym for ποιεῖν and πάσχειν (cf. *Top.* 120ᵇ
26); it occurs in less formal lists of categories in I. 1054ᵃ 6, Λ. 1071ᵃ
2. More strictly, κίνησις is said to occur in the categories of
substance, quality, quantity, place (*Phys.* 261ᵃ 27–36, *De Gen. et Corr.*
315ᵃ 28 sqq.).

27. The omission of εἶναι with τί ἦν is unparalleled in Aristotle, and
it is probable that the bracketed words are a gloss.

28. For a similar use of ἱμάτιον cf. H. 1045ᵃ 26, *De Int.* 18ᵃ 19.
ἀλλὰ μὴν οὐδὲ τῶν καθ' αὑτὸ λεγομένων οὐδὲ τοῦτο. Aristotle here
,anticipates an objection. Some one may say 'it is no use asking what
τὸ ἱματίῳ εἶναι is. The thing denoted is not καθ' αὑτὸ λεγόμενον—white
is not καθ' αὑτό to man—and therefore cannot be the essence of
'white man'. The objection assumes, arbitrarily enough, that only
what is internally καθ' αὑτό can be a καθ' αὑτό predicate to something
else. But Aristotle takes it seriously and shows that 'white man'
may have something said of it which is not οὐ καθ' αὑτό in either
of the senses in which a definition should not be οὐ καθ' αὑτό to its
subject.

30. τὸ δὲ οὔ. 'The other errs not by addition', which is idiomati-
cally equivalent to saying that it errs by omission; cf. Bz. *Index* 539ᵃ
14–47.

31–33. τῷ αὑτὸ ἄλλῳ προσκεῖσθαι ... τῷ ἄλλο αὑτῷ. The anti-
thesis is misleadingly stated. Really the error arises in one case
because in the definition the definiendum is added to something else;
in the other because in the definiendum something else is conjoined with
what is stated in the definition. προσκεῖσθαι in l. 31 refers, as
προσθέσεως does in l. 30, to the addition in *thought* of a qualification;
the προσκεῖσθαι which has to be understood in l. 33 refers to the
conjunction of a qualification in *fact*. Alexander's understanding of
δεῖν προσκεῖσθαι in this line, which would remove the ambiguity, is
indefensible.

34. To define is not ὁρίζειν but ὁρίζεσθαι (Bz. *Index* 524ᵇ 8). JAᵇ's
reading ὁρίζοιτο ἱμάτιον must therefore be right. Alexander (470. 18)
read either this or ὁρίζοιτο τὸ ἱμάτιον (so E²).

1030ᵃ 1–2. It seems necessary to insert τό before τί ἦν εἶναι. 'But
its essence is not to be white'. For the omission of τό before λευκῷ
εἶναι cf. Δ. 1014ᵇ 6 n., *An. Pr.* 67ᵇ 12, 13, Pl. *Crat.* 385 B 2, 10,
408 Λ 5, *Theaet.* 176 B 3.

2. In pointing out the relevant senses of οὐ καθ' αὑτό Aristotle has shown that the essence of 'white man' is not 'to be white'. But is being white man an essence at all, he now asks, and answers that it is not, though for a different reason from that suggested in 1029ᵇ 28 and subsequently set aside. An essence is ὅπερ τι, 'just what a particular thing is', and a term like 'white man', in which an attribute is assigned to a subject distinct from itself (ὅταν ἄλλο κατ᾽ ἄλλου λέγηται), is not ὅπερ τόδε τι (= ὅπερ τι), since thisness belongs only to substance and 'white man' is not a substance but a substance + an accidental attribute.

The editions before Bz. place the full stop after the second instead of the first εἶναι in this line ; the sense makes the change quite necessary.

3. ὅπερ γάρ τί, the reading of Aᵇ γρ. E, gives a good sense, and it is not necessary to read with Bz. ὅπερ γὰρ ⟨τόδε⟩ τι. For τι = τόδε τι cf. 1029ᵃ 20, 24.

ὅταν δ᾽ ἄλλο κατ᾽ ἄλλου λέγηται.   It might be said that a term like 'man', of which Aristotle thinks there is an essence, implies the predication of one term of another ('rational' of 'animal').   Aristotle would reply that these are not ἄλλα to one another since 'rational' exists only as an attribute of 'animal' and has no separate existence. Cf. Z. 12, H. 6.   On the other hand a man need not be white, nor a white thing a man.

6. ὅσων ὁ λόγος ἐστὶν ὁρισμός.   Any ὄνομα (like ἱμάτιον) can have a λόγος or combination of words, and any λόγος (like 'white man') can have a λόγος ἀκριβέστερος, which means the same as it ; but that λόγος is not a definition, unless that which is thus explained is a πρῶτον, a primary or simple real which is not the union of a subject with an irrelevant attribute.

9. Aᵇ and apparently Alexander (471. 28, 29) have λόγῳ where our other authorities have λόγῳ ταὐτόν.   The shorter reading is supported by An. Post. 92ᵇ 31 εἴη γὰρ ἂν ὄνομα θέσθαι ὁποιῳοῦν λόγῳ.

ὥστε καὶ ἡ Ἰλιὰς ὁρισμὸς ἔσται, i. e. the poem, being a combination of words, would be a definition of the word 'Iliad'.   The Iliad is a typical instance of the things that are only συνδέσμῳ ἕν, Z. 1030ᵇ 9, H. 1045ᵃ 13, An. Post. 93ᵇ 36, Poet. 1457ᵃ 29.

11–14. Only γένους εἴδη have an essence, i. e. genuine species as opposed both to Platonic εἴδη (cf. A. 991ᵃ 31 n.) and to collocations of substance + accident like 'white man'.   Platonic Forms κατὰ μετοχὴν λέγεται—'participation' is one of Plato's favourite ways of expressing the relation of particulars to the Form.   Again, the Platonic Form need not express the innermost nature of its particulars, but is any universal under which they happen to fall, and may be a mere πάθος or συμβεβηκός of them.   In 'white man' the relation between the two elements is of the same external and accidental character.   On the other hand, the genus which is implied in the name of a species does not 'share' in the differentia ; the differentia is not a mere 'affection' or 'concomitant' of it, but is its proper differentia.   That κατὰ μετοχήν is to be interpreted as above seems to be shown by 1037ᵇ 18, where

also Aristotle is speaking of the unity of a species as opposed to
a term like 'white man', and says ἐνταῦθα δ' (in the species) οὐ μετέχει
θατέρου θάτερον· τὸ γὰρ γένος οὐ δοκεῖ μετέχειν τῶν διαφορῶν. No im-
portant distinction seems to be intended here between κατὰ μετοχήν,
κατὰ πάθος, and ὡς συμβεβηκός.

22. τῷ μέν, to substance.

25. λογικῶς, i.e. that which is not cannot be said to 'be' in the plain
sense of that word, but speaking λογικῶς, with reference to linguistic
usage (οἱ λόγοι—cf. πῶς δεῖ λέγειν, l. 27), we may say that it is, since
we can say it *is* non-existent. Cf. Λ. 1069ᵃ 21. For λογικῶς cf.
1029ᵇ 13 n. So too a qualitative term is never the answer to the
question τί ἐστι in its primary sense, i.e. what is such and such
a thing, but is an answer to the question what is such and such
a quality. 'A colour' is the answer to the question 'what is white?'.
Cf. 1028ᵇ 1, B. 996ᵇ 18-22, *Top.* 103ᵇ 27 ff.

26. τινες is perhaps a reference to Plato; cf. *Soph.* 237, 256 ff.

27-28. δεῖ μὲν . . . ἔχει, i.e. such linguistic inquiries as Aristotle
has been conducting since 1029ᵇ 13 (λογικῶς) and has referred to in
l. 25 are important enough, but it is still more important to study the
facts themselves. The mode of using the term τί ἦν εἶναι being now
plain, Aristotle proceeds to draw the conclusion about the facts with
regard to the τί ἦν εἶναι, viz. that non-substances have in a qualified
sense a τί ἦν εἶναι, not an essence simply, but 'the essence of a quality',
&c. (l. 31).

29. ὁμοίως is explained by ὥσπερ καὶ τὸ τί ἐστιν, l. 30. The
distinction between τί ἐστι and τί ἦν εἶναι is that while the former may
stand for either a partial or a complete answer to the question 'what
is so and so?', i.e. either for the genus or for the genus + the differentia,
the latter always means the complete answer. Thus, while every τί ἦν
εἶναι is a τί ἐστι, the converse is not true. τί ἐστι is sometimes
distinguished from τί ἦν εἶναι (*An. Post.* 82ᵇ 31, 92ᵃ 7, *De An.* 430ᵇ 28),
sometimes used in the same sense (*An. Post.* 91ᵃ 1, 93ᵇ 29, A. 987ᵃ
20, 988ᵇ 29). Cf. Bz. *Index* 763ᵇ 47—764ᵃ 16.

32-34. δεῖ γὰρ . . . ἐπιστητόν. We must say that substance and
non-substance 'are' in different senses of that term, or we must add
a qualification in the latter case, saying that non-substance 'is' in a
qualified sense (as we say the unknowable can be known—to be un-
knowable, cf. *Rhet.* 1402ᵃ 6), and remove the qualification in the
former, saying that substance 'is' simply. So Alexander. But it is
equally likely that προστιθέντας and ἀφαιροῦντας *both* refer to the
things which are not ὄντα in the full sense. If we say that they are
ὄντα we add a qualification to, and deduct from the full meaning
of, ὄν.

35. ὡσαύτως = συνωνύμως, 'in the same sense'.

πρὸς τὸ αὐτὸ . . . καὶ ἕν, i.e. to the surgical art (πρὸς ἰατρικήν,
Γ. 1003ᵇ 1).

Terms which are neither ὁμώνυμα nor συνώνυμα are, as here, said to
be πρὸς ἕν in Γ. 1003ᵃ 33, Κ. 1061ᵃ 11. In *E. N.* 1096ᵇ 27 Aristotle

offers ἀφ' ἑνός and κατ' ἀναλογίαν as alternatives to πρὸς ἕν, and seems to prefer, at least in the case of the various *goods*, κατ' ἀναλογίαν.

ᵇ 4. ὁποτέρως, i.e. whether we say that various categories 'are' in the same sense but with qualifications or deductions (ᵃ 33) or that they 'are', not in the same sense (καθ' ἕν) but πρὸς ἕν (ᵃ 35–ᵇ 3). ὁποτέρως can hardly refer to the alternatives stated in ᵃ 32, 33, for Aristotle would not regard it as immaterial whether ὄν is a mere ὁμώνυμον, applied to the various 'beings' by a mere play upon words.

8–10. τοῦτο δὲ . . . ἕν, 'i.e. with a λόγος which·is the λόγος of something that is one, not by continuity . . ., but in one· of the senses of "one" which answer to the essential senses of "being"'. ὁσαχῶς λέγεται τὸ ἕν is to be interpreted in the light of ll. 10–12. For the correspondence of the senses of 'one' to the categories cf. Γ. 1003ᵇ 33, Δ. 1018ᵃ 35, I. 1053ᵇ 25, *De An.* 412ᵇ 8.

12. Since unity in some sense can be found in any of the categories, 'white man' (which is a union of terms from two categories) has a certain unity and can have a definition, though not in the same sense in which 'white' has one, while this again has a definition in a different sense from that in which a substance has one.

It is clear that the chapter does not do what it set out to do, viz. to discover whether essence is substance. It only tells us that it is substances alone that in the primary sense *have* essence. But this may be found to be a step towards the answering of the original question.

Have coupled terms an essence or definition ? (ch. 5).

1030ᵇ 14. With regard to (*d*) a coupled term like 'snubness', which *per se* belongs to the nose, not as 'white' belongs to Callias or to man but as 'male' belongs to animal, (i) how can such a term be defined, if definition must not involve an improper addition ?

23. *Per se* attributes are those in whose definition the account or the name of the subject must be present. If they have an essence, it must be in a sense different from the strict sense.

28. (ii) There is another difficulty about these. If snub nose = hollow nose, snub = hollow; but if this cannot be so because we cannot say 'snub' without implying the nose, 'snub nose' is tautological, being = 'hollow nose nose'. Thus, if such terms had an essence, an infinite regress would be involved.

1031ᵃ 1. Only substance, then, is definable, for definition of anything else would involve an improper addition; 'odd' cannot be defined apart from number.

5. Therefore (*e*) if the terms are coupled, as in 'odd number',

such combinations cannot be defined, any more than terms like 'odd', or can be defined only in another sense of 'definition'.

11. Substance, then, is the only or the primary subject of definition.

In this chapter Aristotle raises two problems about τὰ οὐχ ἁπλᾶ ἀλλὰ συνδεδυασμένα, terms which stand for an attribute which is coupled with a subject (τόδε ἐν τῷδε l. 18) not accidentally but in virtue of the very nature of the attribute; the attribute being καθ' αὑτό to the subject in the sense that it cannot be defined without either naming or defining the subject (l. 23), i. e. in the second of the senses recognized in the *Posterior Analytics* (73ª 37-^b 3). τὰ συνδεδυασμένα are in fact propria (e. g. snub) or unions of subject and proprium (e. g. snub nose), which are initially distinguished from (*a*) substances, (*b*) terms in other categories, and (*c*) combinations of substance and accident (e. g. white man), all of which have been shown in ch. 4 to be definable, though (*a*) are definable in a more proper sense than (*b*), and (*b*) than (*c*). But ultimately all terms in categories other than substance are shown to be in principle of the same type as 'snub', in that the 'definition' of them must be ἐκ προσθέσεως, must involve a reference to the substance to which they belong (1031ª 2-5). The question whether 'the snub' has a definition is significant for Aristotle because πάντα τὰ φυσικὰ ὁμοίως τῷ σιμῷ λέγονται (E. 1025^b 34). But there is an important difference between τὸ σιμόν and natural substances; cf. n. *ad loc.* The conclusion drawn from the first problem (1030^b 14-28) is that such terms cannot be defined, or can be defined only in a secondary sense, καθάπερ εἰρήκαμεν. The reference here is to ª 17-^b 13, but Aristotle does not mean that he has already mentioned this particular sense (for the συνδεδυασμένα are a different class of terms—cf. ^b 20—from terms like 'white man', which he was there referring to), but that he has said there *are* secondary kinds of definition.

There cannot be a proper definition of τὰ συνδεδυασμένα because the account of them must be ἐκ προσθέσεως, and this prevents it from being a proper definition (1029^b 30). The συνδεδυασμένον is a quality; yet you cannot give an account of it without mentioning its subject as well as it. 'The equal' is 'a quantity which is equal'; 'the male' is 'an animal which is male'. Thus you define X as XY and break the rule against πρόσθεσις.

The second problem of the chapter is stated in 1030^b 28—1031ª 1:

If 'snub nose' = 'hollow nose', 'snub' = 'hollow'.

But 'snub' is not = 'hollow', since 'snub' implies a reference to the nose while 'hollow' does not.

∴ 'Snub nose' is not = 'hollow nose'.

∴ If we say 'snub nose' at all, we are saying what is = not to 'hollow nose' but rather to 'nose which is a nose-which-is-hollow'.

Such terms cannot have an essence, since this would involve an infinite regress; 'nose which is a nose-which-is-snub' will involve 'nose' once more.

By 'such terms' (1030ᵇ 34) Aristotle seems to mean such terms as 'snub', since this is the class of terms which he is throughout the earlier part of the chapter trying to prove indefinable (he advances to 'snub nose' only in 1031ᵃ 5). But he is evidently assuming that 'snub' is equivalent to 'snub nose' (which is what is implied in saying that the account of it must be ἐκ προσθέσεως); for it is only by applying this equation that he reaches the term 'snub nose nose' in l. 35. He had previously (l. 33) reduced 'snub nose' to '*hollow* nose nose', which leads to no infinite regress, but now, substituting for 'snub' its equivalent 'snub nose', he gets the form '*snub* nose nose', and has no difficulty in showing that if the same substitution be repeated we are landed in an infinite regress.

I take εἰ δὲ μή l. 35 as = εἰ δέ τις λέγει ὅτι ἔσται καὶ ἐν τούτοις τὸ τί ἦν εἶναι καὶ ὁρισμός (Al. 478. 15). Alternatively, we might treat διὸ . . . εἶναι ll. 34, 35 as parenthetical, and interpret 'otherwise—i.e. if it be denied that the snub-nose is a hollow-nose-nose—we shall be committed to a process *ad infinitum*. For ⟨since the *snub* is the *nose that is snub*, the *snub nose* will be the *snub-nose nose*: and⟩ the *snub-nose nose* will contain yet another *nose* ⟨and so on *ad infinitum*⟩'. This may well be right. In any case Bz. is wrong in supposing that the introduction of ῥὶς ῥὶς σιμή in l. 35 is a mere slip.

To this 'infinite regress' argument for the indefinability of 'snub' Aristotle himself in effect supplies the answer in *Soph. El.* 182ᵃ 4. 'The snub' = 'a snub nose', but it does not follow that in 'snub nose' we can substitute 'snub nose' for 'snub', and so *ad infinitum*. For in 'snub nose' 'snub' does not mean 'the snub', i.e. 'that which is snub', but a quality of the nose (ῥινὸς τοδί, οἷον πάθος), so that 'snub nose' is analysed not into 'snub nose nose' but into 'nose having the kind of hollowness proper to a nose', in which no infinite regress is involved (ὥστ' οὐδὲν ἄτοπον, εἰ ἡ ῥὶς ἡ σιμὴ ῥίς ἐστιν ἔχουσα κοιλότητα ῥινός). I. e. the *Sophistici Elenchi* draws the distinction which Aristotle fails to draw here between τὸ σιμόν in the sense of 'snub' and τὸ σιμόν in the sense of 'that which is snub'. The corresponding distinction between the two senses of τὸ λευκόν is drawn in 1031ᵇ 23. The main upshot of the discussion of both problems is that τὸ σιμόν is not strictly definable because the account of it must be ἐκ προσθέσεως. The two problems bring out the two aspects in the notion of ἐκ προσθέσεως. The first shows that the account of such a term must introduce something other than the term, viz. the underlying substance (1030ᵇ 23–26); the second, that it must involve a tautology (1031ᵃ 4).

1030ᵇ 24. οὗ = τούτου οὗ.

27. καθάπερ εἰρήκαμεν, ᵃ 17–ᵇ 13.

1031ᵃ 1. Aristotle now concludes that in general only substance is definable. If there be a non-substance X, there is always a subject Y which it presupposes, and it could only be defined as XY, i. e. ἐκ προσθέσεως. Therefore it cannot be defined at all. To this also the *Sophistici Elenchi* evidently provides the answer.

3. ποιοῦ can hardly be right, but neither Bz.'s ἀρτίου nor Goebel's πολλοῦ is convincing.

8-9. ἤτοι . . . τὸ τί ἦν εἶναι. I. e. either such terms can be properly defined in some way which does not involve the addition of the subject (which Aristotle does not admit that they can), or we must distinguish improper from proper definition and say they can only be defined in an improper sense of 'define'.

8-9. καθάπερ . . . τὸ τί ἦν εἶναι. The construction is due to a fusion of two possible constructions, καθάπερ ἐλέχθη, λεκτέον ἐστὶ πολλαχῶς λέγεσθαι τὸν ὁρισμόν, &c., and καθάπερ ἐλέχθη πολλαχῶς λέγεσθαι ὁ ὁρισμός, &c., οὕτω νῦν λεκτέον. For similar fusions cf. *De An.* 414ᵃ 22, *H. A.* 498ᵇ 17, 600ᵇ 25, *P. A.* 656ᵃ 15, *E. N.* 1135ᵇ 29, *Rhet.* 1356ᵃ 10, 1405ᵇ 9. Cf. also B. 1000ᵃ 1 n.

καθάπερ ἐλέχθη, 1030ᵃ 17–ᵇ 13.

Is a thing the same as its essence ? (ch. 6).

1031ᵃ 15. Is a thing the same as its essence ? This bears on the study of substance, for a thing seems to be = its substance, and its substance to be = its essence.

19. (1) An accidental unity like 'white man' would seem not to be = its own essence. For else essence of man = essence of white man, since man = white man.

24. But perhaps it does not follow from white man being = essence of white man that the essence of accidental unities is the same as that of the simple terms (essence of white man = essence of man); for the extreme terms of the syllogism are not identical in the same way with the middle term. It might, however, seem at least to follow that the accidental extremes (e. g. essence of white and essence of musical) are the same ; but they are not.

28. (2) Is a *per se* term necessarily the same as its essence ? Take (*a*) primary terms like the Ideas ? If the Good Itself is to be different from the essence of good, (i) there will be substances prior to the Ideas, if essence is substance.

ᵇ 3. (ii) If the Ideas are separated from their essences, (α) they will not be known, and (β) the essences will not be existent. For (α) we know a thing only when we know its essence, and

7. (β) if the essence of good is not good, the essence of being will not be, and since all essences are on the same footing, no essence will be.

11. (iii) That to which ' being good' will not attach (*sc.* the Good Itself) will not be good.

Therefore all terms (whether Ideas or not) which are self-subsistent must be the same as their essences.

(**15.** If the Ideas are such as the Platonists suppose, it will not be substratum that is substance, since they are substances which do not imply a substratum.)

18. (*b*) That a thing is the same as its essence is also clear from this, that to know a thing is to know its essence.

(**22.** If we consider an accidental term like ' the white ', the essence of white will not be the same as that which is white (the white man), but it will be the same as the quality white.)

28. (*c*) The absurdity of separating a thing and its essence is further seen if we put a name to each essence, for then it will have another essence of its own ; it is better to recognize at once that some things = their essences.

32. The definition of a thing, also, = the definition of its essence ; for it is not *per accidens* that e. g. unity and its essence are one. To separate them would produce an infinite regress.

1032ᵃ 4. Each simple *per se* term, then, is the same as its essence.

6. The sophistical objections are to be met in the same way as the question whether Socrates = being Socrates.

Aristotle's doctrine in this chapter is that τὰ λεγόμενα κατὰ συμβε-βηκός (i. e. terms denoting a union of a subject with an accident) are not, and τὰ καθ' αὑτὰ λεγόμενα (terms denoting a self-subsistent unity, i. e. either a *summum genus* or a species, either in the category of substance or in some other, 1031ᵇ 27, 28) are, identical with their essence. E. g. ' to be a man ' sums up the whole substantial, permanent nature of each individual man and is identical with each and every man ; ' to be a sitting man ' does not express the permanent nature of any man, and ' to be a white man ' expresses the permanent nature of some men but not of others.

Aristotle first discusses accidental terms (1031ᵃ 19–28) and puts forward a proof of their non-identity with their essences. If

(1) a white man = the essence of white man,

then, since (2) a man = a white man,

∴ a man = the essence of white man.

Now, if (1) is true, similarly (3) the essence of man = a man,

∴ the essence of man = the essence of white man.

But this is evidently not true. Therefore a white man is not = the essence of white man.

This *reductio ad absurdum*, however, Aristotle points out in l. 24, fails. It does not follow that the essence of accidental combinations

is identical, *sc.* with that of the corresponding simple terms. For the
extremes are not identical in the same way, *sc.* with the middle term.
In the first syllogism the major term is absolutely identified with the
middle, while the minor is identical with the middle only *per accidens* ;
in the second syllogism the converse is true.

Aristotle next puts forward (l. 25 ἀλλ' ἴσως κτλ.) an alternative
reductio ad absurdum. If the fallacy of the above *reductio* be detected,
it might at any rate seem to follow from the identification of an acci-
dental term with its essence that the accidental extremes, essence of
white and essence of musical, are identical. But evidently they are not.
Therefore accidental terms are not identical with their essences. The
argument here implied is :

The musical man = the essence of musical man.

The man = the musical man.

The white man = the man.

The essence of white man = the white man.

∴. The essence of white man = the essence of musical man.

∴. The essence of white = the essence of musical.

This conclusion might seem to follow, because here musical man
and white man are both identical with the middle term man in the
same way, i. e. *per accidens*. The argument is, of course, unsound ;
but Aristotle does not commit himself to its accuracy—he merely says
δόξειεν ἂν συμβαίνειν.

1031^a 29. It is not obvious why Aristotle should have chosen as his
illustration of the identity of a καθ' αὑτό term with its essence a class of
καθ' αὑτό terms which he does not believe in, the Ideas. The reason
doubtless is that the argument in ^{a} 29–^{b} 11 conveys a covert criticism
of the ideal theory. Plato, so Aristotle thinks, believes in a separate
good which is neither a particular good thing nor ' being good ' (or
the essence of good). But the separation of the good itself from the
essence of good leads to insuperable difficulties and is therefore con-
demned. Instead of Ideas we should believe simply in essences or
universals.

32. ζῷον, *sc.* αὐτὸ τὸ ζῷον. τὸ ὄν, *sc.* αὐτὸ τὸ ὄν.

^{b} **3–11.** These arguments only show that the Idea and the essence
must not be thought of as existing independently of one another
(ἀπολελυμέναι, l. 3). But Aristotle uses them to show that Idea and
essence are identical and cannot even be logically distinguished. One
might hold that they are distinguishable but not independent, as is the
case with any pair of correlatives. μέν in εἰ μέν (l. 3) looks as if
Aristotle had noticed this point and meant to add another argument
to show that if they are thus distinguished, but not treated as ἀπολε-
λυμέναι, other difficulties follow. But if this was his intention, he has
not carried it out.

3. τῶν μέν, the Ideas. That they will not be knowable is proved in
ll. 6, 7.

4. τὰ δ', the essences. That they will not exist is proved in ll. 7–10.

10. Bz. objects that Aristotle has no right to say that if the essence of being is not, no other essence will be. The corresponding result for the other essences would be that the essence of good is not good, and so on. But the argument seems sound enough. The reason for believing in essences holds of all terms alike. If the essence of being does not exist, there is no reason for supposing that any other essence exists.

11. To his two main arguments against the separation of the Ideas from their essences (ll. 1–10) Aristotle now adds a third, that if the essence does not belong to the Idea or thing-itself, the 'good-itself' will not be good, which is absurd. Alexander takes this sentence as proving that the *essence* of good is not good. But this has already been stated in ll. 6, 8, so that ἔτι would be unexplained. Besides, it would be tautologous to say 'that to which being good does not belong is not good'. There is more point in saying 'that to which being-good (the essence of good) does not belong is not good'. Aristotle has already said (l. 5) that being-good will not belong to the Good-itself'; he now draws the inference that the Good-itself will not be good. ἀγαθῷ εἶναι is used = τὸ ἀγαθῷ εἶναι, cf. 1030ᵃ 1–2 n.

13. The question Aristotle stated in ᵃ 28 was the general one whether self-subsistent entities are identical with their essences. He has discussed it in connexion with one class of alleged self-subsistent entities, the Ideas, but he now applies his conclusion to all self-subsistent or primary entities. These include not only substances (like horse, l. 30) but also terms like 'white' (l. 27) and 'one' (1032ᵃ 2), in fact presumably all terms except compounds of terms in two categories (1029ᵇ 23) like 'white man' (1031ᵃ 20). Things are identical with their essences if they are self-subsistent, even if they are not Ideas, or rather (Aristotle contemptuously adds), even if they are Ideas.

15–18. The reference to Ideas suggests to Aristotle a parenthetical remark about them. 'If the Ideas are separate entities, it will not be substratum that is substance; for they are substances which involve no substratum, since if they were predicable of a substratum they would exist merely by being participated in by the substratum.'

16. οὐκ ἔσται τὸ ὑποκείμενον οὐσία. Thus the belief in Ideas conflicts with a well-founded view about the nature of substance (1029ᵃ 1).

18. κατὰ μέθεξιν seems to mean not 'in the sense that they participate in the substratum', but 'in the sense that they are participated in by the substratum', i. e. immanent in it; so Al. 483. 37. For the passive sense of κατὰ μέθεξιν cf. *Top.* 132ᵇ 35—133ᵃ 11. The Ideas according to Plato are participated in by the particulars, but he would not admit that they exist only by being participated in.

21. ὥστε καὶ κατὰ τὴν ἔκθεσιν ἀνάγκη ἕν τι εἶναι ἄμφω. On the meaning of ἔκθεσις, ἐκτιθέναι, ἐκτίθεσθαι cf. A. 992ᵇ 10 n. Bz. interprets here *si quis seorsim ponere susceperit rem et eius τηε, is intelliget, ut possit omnino esse scientia, utrumque potius idem debere esse.* But κατὰ τὴν ἔκθεσιν would be a rather odd way of expressing the meaning here indicated. Schwegler translates *der gegebenen Entwicklung zufolge,*

which clearly will not do. In his commentary he suggests alternatively
that καὶ κατὰ τὴν ἔκθεσιν may mean 'even from the standpoint of the
Platonic separation of the Idea from particulars'. What Aristotle says,
however, is : 'that each thing and its essence are *per se* one and the
same follows both from these arguments (those directed above against
the Platonists), and from the fact that to know each thing is to know
its essence, so that according to ἡ ἔκθεσις, also, both are necessarily
identical'. ἔκθεσις seems therefore to be a way of proving, without
reference to the ideal theory, that a thing and its essence are one.
Alexander paraphrases ἔκθεσις here by ἐπαγωγή, and this seems to be
substantially right. ἔκθεσις here is ἔκθεσις in the first of the technical
senses explained in the note on A. 992ᵇ 10—proof by means of
instances. Take anything you please, and you will find that to know
it is to know its essence.

27. 'The essence of white is not identical with the man (*sc.* who is
white) or with the white man, but it is identical with the quality white.'
The reading τῷ μὲν . . . καὶ τῷ clearly gives a better sense than
Alexander's and Bz.'s τὸ μὲν . . . καὶ τό.

30. Bz.'s excision of the second ἵππῳ seems necessary.

31. καίτοι τί κωλύει κτλ. 'Why should we not, to avoid such
a duplication of essences, identify some things straight off with their
essences?'

1032ᵃ 4. ἐπ' ἐκείνων, 'in the case of terms like "essence of unity"'.
As we got one of the original terms by asking what was the essence of
the other, we shall get a third by asking what is the essence of that
essence, and so on. καὶ ἐπ' ἐκείνων might be taken to mean 'in the
case of unity and essence of unity, as in the case of horse and essence of
horse' (1031ᵇ 28–30). But then we should expect τούτων, not ἐκείνων.

7. θέσιν is used not in the technical sense defined in *An. Post.*
72ᵃ 15, but = thesis. Cp. Bz. *Index* 327ᵇ 29–41.

8. The sophistical difficulties about Socrates and 'being Socrates'
were probably, as Alexander says, of the following type : If Socrates
and being Socrates are different, Socrates will be different from him-
self. If they are the same, and Socrates is white, being Socrates will be
the same as being white Socrates, a substance the same as its accident.
The fact that Aristotle treats the question whether Socrates and
being Socrates are the same, as different from, though allied to, the
question he has been discussing throughout the chapter, indicates that
the latter is a question about universals. Regarding universals we
should agree that they should not be distinguished from essences, but
if Aristotle means that we should answer that Socrates and being
Socrates are the same, as the universal of a group of substances is the
same as their essence, it seems that he is either using Socrates in the
sense of the form or soul of Socrates, or including matter in the essence
of Socrates. He would answer the question about Socrates by saying
(cf. 1037ᵃ 7) that if by Socrates you mean his soul, that is the same as
his essence ; if you mean the union of soul and body, that is not.

9–10. οὐδὲν . . . ἐπιτύχοι, i.e. the basis of both problems is a confusion between substance and accident ; the basis of the answer to both is the clearing up of the confusion.

THE IMPLICATIONS OF BECOMING (chs. 7–9).

Conditions of the various kinds of becoming (ch. 7).

1032ª 12. Things that come to be do so (1) by nature, (2) by art, or (3) spontaneously. Genesis is by something, from something, of something ; the 'things' may be in any category

15. (1) Natural genesis is that in which the agent and the resultant are natural beings such as man or plant ; the 'from which', here as in artistic production, is matter, i. e. the power of being or not being.

22. That from which and that according to which natural genesis takes place are both nature ; so is that by which it is produced, viz. the specifically identical nature in the parent.

26. (2) All other genesis is called making ; it proceeds from art, faculty, or thought. Some artificial products, like some natural products, can also be produced spontaneously.

32. Artistic production presupposes the presence of the form of the product in the soul of the artist. Contraries have in a sense the same form ; disease is just the absence of health, and health is the definition in the physician's soul and is the art of medicine.

ᵇ6. Health is produced (*a*) by thinking of the conditions of health and the conditions of those conditions, till we come to something that it is in our power to produce. (*b*) When the thought is complete, the making begins.

11. Thus in a sense health comes from health, house from house (the material from the immaterial) ; for medical science is the form of health.

15. The genesis, then, has two stages, thinking and making. Each intermediate stage in the production is produced similarly.

21. While the agent in artistic production is the form in the soul, the agent in (3) spontaneous production is that which starts the *making* in artistic production, e. g. the heat in the body, which is either a part or followed by a part of health. This, viz. that which produces a part of health, is the minimum necessary basis of health, as stones are of a house.

30. Thus some part of the product must pre-exist, viz. the matter. Is matter also an element in the definition of the thing? Yes ; in defining a bronze circle we state both its matter and its form.

1033ᵃ 5. Some things are described by a name derived from the name of that from which they come, like 'wooden';[1] but a healthy man is not so described. The reason is that while genesis presupposes both a privation and a substratum, it is said to proceed from the privation, 'sick', rather than from the substratum, 'man' (so that the healthy are not said to be sick but to be men);

13. but when the privation has no name, e. g. the privation-of-the-shape-of-a-house in wood, the house is thought to come from the wood as the healthy was said to come from the sick, so that as the healthy man was not said to be sick, the house is not said to be wood, but wooden;

19. though strictly it does not come from wood, since the 'from which' must change and not persist.

1032ᵃ 12. Aristotle's object, says Alexander, is to prove that form is not generated. This will help him to show whether natural forms can exist without matter, as Plato maintained that they could. To show that form is not generated Aristotle shows that generation always pre-supposes a given substratum, whether it takes place (1) by nature, (2) by art, or (3) spontaneously. From this it follows that if form were generated, it would be generated from a substratum, and an infinite regress would be involved. The summaries in 11. 1037ᵃ 21–ᵇ 7 and in H. 1. 1042ᵃ 4–22 contain no reference to chs. 7–9, and confirm the view which the chapters themselves suggest, that they originally formed a separate treatise. They are, however, referred to in 15. 1039ᵇ 26. Natorp considers that Z. is a combination of two treatises, viz. (1) chs. 1–6, 10–14 (with the addition of 16. 1041ᵃ 3–5, which refers to 13. 1038ᵇ 8, 35, 1039ᵃ 3, 16).

(2) Chs. 17, 7–9, 15, 16.

Ch. 17, he thinks, contains the transition from the first to the second treatise; cf. the first words of the chapter, in which Aristotle speaks of starting the inquiry from a fresh standpoint. The transition is from discussing the cause of being to discussing the cause of becoming (cf. 17. 1041ᵃ 31). Chs. 15, 16 conclude the whole inquiry by saying what substance is not.

Natorp is right in regarding chs. 1–6, 10–12 as forming a continuous treatise which is interrupted by chs. 7–9. But chs. 15, 16 (though the former refers to the doctrine of chs. 7–9), in the main continues the line of thought of chs. 13, 14 (cf. 1041ᵃ 3–5 with 1039ᵃ 15–17); nor does ch. 17 form a natural transition from the main thought of the book to the doctrine of γένεσις in chs. 7–9. Rather the new attempt in ch. 17 to say what substance is follows naturally on the statement in chs. 13–16 of what it is not.

---

[1] I use this instance instead of translating λίθινος, because we cannot speak of a 'stony statue'. The instance of wood occurs below, ll. 15-20.

12–13. τὰ μὲν . . . ταὐτομάτου. The triple division φύσις, τέχνη, ταὐτό-
ματον recurs only in Λ. 1070ᵃ 6, but cf. ταὐτόματον, τύχη, νοῦς, φύσις
Phys. 198ᵃ 10, K. 1065ᵇ 3.

14. καθ᾽ ἑκάστην κατηγορίαν. This is not exact. Change takes
place, according to Aristotle, in respect of the four categories here
named, and cannot take place with respect to any other (*Phys.* 225ᵇ 10—
226ᵃ 26). Sometimes all four kinds of change are included under
κίνησις (*Phys.* 261ᵃ 27–36, *De Gen. et Corr.* 315ᵃ 28); sometimes only
three are included under κίνησις, and change κατ᾽ οὐσίαν is called
γένεσις in distinction from them (*Phys.* 192ᵇ 14, 225ᵃ 26, 32, ᵇ 7,
226 ᵃ 24, 243ᵃ 6, 260ᵃ 26, *De Caelo* 310ᵃ 23, K. 1067ᵇ 31, 36, 1068ᵃ 9,
ᵇ 16). All are included under μεταβολή (Λ. 1069ᵇ 9, H. 1042ᵃ 32, *De
Gen. et Corr.* 319ᵇ 31); or else all except γένεσις (*Meteor.* 465ᵇ 30).

16. αἱ μέν is resumed by οὕτω μὲν οὖν in l. 25, and the antithesis to
it comes in l. 26.

20. The ἐξ οὗ of natural generation having been said in l. 17 to be
matter, Aristotle here breaks off to say that the ἐξ οὗ of *all* generation
is matter. In l. 22 he returns to his main point, and sums up what he
has said in ll. 17–19 by saying that in natural generation ἐξ οὗ, καθ᾽ ὅ,
and ὑφ᾽ οὗ are alike nature.

22. For the description of the ἐξ οὗ or matter as φύσις cf. Δ. 1014
ᵇ 26–35, Bz. *Index* 839ᵃ 1-12.

καὶ καθ᾽ ὃ φύσις. καθ᾽ ὅ corresponds to τί in ll. 14, 18, i. e. that
which a thing becomes is identified with the form which it acquires
and *in virtue of which* it is what it is after the change. For this sense
of καθ᾽ ὅ cf. Δ. 1022ᵃ 14.

23. τὸ γὰρ . . . φύσιν, 'for that which comes to be has a nature',
sc. in virtue of which it is what it is.

24. The ὑφ᾽ οὗ of change is strictly not the parent considered as ·
a unity of form and matter, but its nature in the sense of its form,
which is the same in species with the form acquired by the offspring,
for it is only a man that can beget a man. Aristotle holds that the
form comes from the father, the matter from the mother, *G. A.* 730ᵇ 1, 10.

27–28. ἢ ἀπὸ τέχνης . . . διανοίας, cf. E. 1025ᵇ 22 n.

29. καὶ ἀπὸ ταὐτομάτου καὶ ἀπὸ τύχης. The first καί means 'also',
so that the distinction between τὸ αὐτόματον and τύχη is not stressed.
The former includes the latter (*Phys.* 197ᵃ 36). Only those beings
can act ἀπὸ τύχης which can act deliberately (i. e. adult human beings,
197ᵇ 7); τύχη is αἰτία κατὰ συμβεβηκὸς ἐν τοῖς κατὰ προαίρεσιν τῶν
ἕνεκά του (197ᵃ 5). I. e. chance is found when an action incidentally
and exceptionally produces a result which might naturally have been
the object of deliberate action. Since one such result may be produced
incidentally by a variety of actions, chance is of the nature of the
indefinite (197ᵃ 9), and since the result could not have been foreseen,
chance is 'a cause obscure to human thought' (196ᵇ 6). τὸ αὐτόμα-
τον, on the other hand, occurs 'in events that normally happen for an
end, whenever something whose cause is *external* happens not for the
sake of the result which actually follows' (197ᵇ 18), e. g. when a horse

(*sc.* being pursued by thieves) is saved by going to a certain place, but did not go in order to be saved (197ᵇ 15), or when a stone (*sc.* being pushed) falls and hits some one without having been meant to do so (197ᵇ 30). But besides the cases in which something moved by an *external* force achieves an unintended result, τὸ αὐτόματον also occurs when an *internal* cause, i. e. nature, produces an exceptional result (197ᵇ 33), e. g. when an illness cures itself (*H. A.* 604ᵇ 9). A specially important instance of the latter kind of spontaneity is ‘ spontaneous generation ’ of plants or animals from rotting earth, dew, mud, excrements, wood, &c., for which cf. Bz. *Index* 124ᵇ 3–30. In general, then, chance simulates the action of art or, more generally, of thought, while in spontaneity (the more general term) (1) the action of thought is simulated, or (2) the normal action of nature is simulated by nature producing in an exceptional way (e. g. ἄνευ σπέρματος, 1032ᵃ 31) what it normally produces otherwise (e. g. ἐκ σπέρματος). Thus chance is more appropriate to τούτων τινές, ‘ makings ’, and spontaneity to τὰ ἀπὸ φύσεως γιγνόμενα.

30–31. ἔνια γὰρ . . . ἄνευ σπέρματος, e. g. eels (*H. A.* 570ᵃ 7), fishes (569ᵃ 11), testaceans (547ᵇ 18, *G. A.* 761ᵇ 23), insects (539ᵃ 24, *G. A.* 732ᵇ 12).

32. τούτων, i. e. τῶν ἀπὸ ταὐτομάτου καὶ ἀπὸ τύχης.

ὕστερον ἐπισκεπτέον, cf. ᵇ 23–30, 1034ᵃ 9–21, ᵇ 4–7.

ᵇ 2. τὴν πρώτην οὐσίαν, i. e. the οὐσία ἄνευ ὕλης (l. 14), matter being only in a secondary way part of the substance of the concrete product.

2–4. καὶ γὰρ . . . νόσου. Aristotle has said that ‘ by art are produced those things whose form is in the soul ’. But, he reflects, disease can be produced by medical art no less than health, yet the doctor has not in his soul the form of disease ; disease has no form but is merely a privation. To meet this objection he now adds that the form is in a sense the form of the privation (only ‘ in a sense , because it is not by its presence but by its absence that it produces the privation). Thus if the doctor knows the form of health, he can produce either health or disease.

4. For ἐκείνης γὰρ ἀπουσία ἡ νόσος, the reading of Aᵇ, cf. Γ. 1004ᵃ 14.

6–10. This account of production may be compared with the account of moral deliberation and action, in which τὸ ἔσχατον ἐν τῇ ἀναλύσει is said πρῶτον εἶναι ἐν τῇ γενέσει (*E. N.* 1112ᵇ 23). Still nearer is *E. E.* 1227ᵇ 28–33.

7. οἷον ὁμαλότητα, εἰ δὲ τοῦτο, θερμότητα. Heat produces πέψις, by which different elements in the body (i. e. portions with unequal temperature or unequal humidity) are chemically changed into a homogeneous whole (πέψις ἐστὶ τελείωσις ὑπὸ τοῦ φυσικοῦ καὶ οἰκείου θερμοῦ ἐκ τῶν ἀντικειμένων παθητικῶν, *Meteor.* 379ᵇ 18, cf. 381ᵃ 20).

14. λέγω δὲ . . . εἶναι, ‘ when I speak of substance without matter (l. 12) I mean the essence ’.

15. There is much probability in Bywater’s conjecture of τῶν δή for τῶν δέ. δή would naturally introduce the summing up of the account given in ll. 6–14.

17. τῶν ἄλλων τῶν μεταξύ, i. e. the things that have to be done before the final object is achieved.

24. τοῦ ποιεῖν is emphatic, being opposed to τὸ νοεῖν; cf. l. 15. For ἄρχει cf. 1034ᵃ 11.

26. The heat in the body is (1) an element in health, or (2) is followed (a) directly, or (b) indirectly (διὰ πλειόνων) by an element in health. Thus, if once heat is present, health may be produced without the action of a doctor just as it is produced *by* his action. The ' making' is the same; only the thought is missing.

27. τι . . . τοιοῦτον, something of the same kind, e. g. uniformity (ll. 7, 19).

28–30. I follow here the reading of Aᵇ, which seems to have been that of Alexander, with the unimportant exception that Alexander may not have read the ἐστι after ἔσχατον. Alexander's words are (492. 11) τὸ δὲ τοῦτο δ᾽ ἔσχατον τὸ ποιοῦν (add. τὸ μέρος τῆς ὑγιείας LF) τοιοῦτον ἂν εἴη, ὅτι ἡ τρίψις ἡ ποιοῦσα τὸ μέρος τῆς ὑγιείας ἐσχάτη ἐστὶ καὶ τῆς θερμότητος καὶ τῆς ὁμαλότητος καὶ τῶν λοιπῶν. Aristotle's meaning is ' and this, viz. that which produces the part of health, is the limiting point, or minimal necessary basis, and there is similarly a necessary basis for a house (*sc.* the stones) and for every other product'. It would be also possible (1) to put a comma after μέρος and make τῆς ὑγιείας depend on ἔσχατον; and (2 a) to read καὶ τὸ οὕτως μέρος for τὸ μέρος (following EJ except that ἐστί is omitted) and translate ' that which produces health and is in that sense a part of it '; or (2 b) to read τὸ ποιοῦν τὸ μέρος καὶ τὸ οὕτως μέρος, ' that which produces the part of health and in that sense *is* a part of it '.

καὶ τῆς οἰκίας (οἷον οἱ λίθοι) καὶ τῶν ἄλλων is tacked on very loosely, like καὶ τὸ πῦρ in 1034ᵃ 17.

It is difficult, however, to regard the relation of heat (or rubbing) to health as analogous to that of stones to the house that is made of them. In the generalization which follows, Aristotle regards himself as having shown that the matter of that which is produced must exist before the production takes place (l. 31); and stones evidently are the matter of a house. But the heat in the body is naturally conceived not as the material but as the efficient cause of health, and so it seems to be conceived in l. 21. Aristotle has got into difficulties through taking as parallel two things that are not parallel—health and a house (l. 11). That which is to the doctor as a house is to the builder is not health but a healthy body. Having stated the product abstractly Aristotle also states the cause abstractly, not as ' a body having heat ' but as ' heat in the body '; and thus he gets something not really parallel to the stones—which are the material cause of a house—and not really a material cause. There is, however, in his view a. real difference between the two cases (1034ᵃ 9). Stones are inert, at least so far as grouping themselves into a house is concerned, and are therefore simply ὕλη. But a body with heat in it has an innate power of transforming itself into a healthy state. It is thus both a material and an efficient cause; it is ἡ ὕλη ἡ ἄρχουσα τῆς γενέσεως (1034ᵃ 11). So, too, here it is first spoken of as an efficient (l. 21) and then as a material cause (l. 32).

Shute suggests that heat is the material cause of health as the genus is the material of its species (Δ. 1024ᵇ 8, Z. 1038ᵃ 6), since heat has to be specifically qualified in order to become health. But even so its relation to health is not a very close analogue to the relation of the stones to the house.

30. καθάπερ λέγεται, ' as we (in general) maintain ', not referring to any particular passage. Cf., however, Λ. 1069ᵇ 6, *Phys.* i. 6–10.

32. φανερόν· ἡ γὰρ ὕλη μέρος. It has been expressly remarked with regard to natural generation that it presupposes a pre-existing matter (ᵃ 17), and the same has been implied in the account of artistic and fortuitous production.

1033ᵃ 1. γίγνεται, not 'comes into being' but ' comes to be something '.

1–5. It is most natural to take ἀλλ' ἄρα κτλ. as answering to ὅτι μὲν οὖν κτλ. The whole section will then mean ' It is evident then that a part of the product must necessarily pre-exist; for the matter is a part, since it is already present in the thing and undergoes genesis. But does some element in the definition also pre-exist? Well, we state in two ways what bronze circles are, naming both their matter—bronze, and their form—such and such a shape; and shape is the proximate genus in which the circle is placed. The bronze circle therefore has its material (or generic) element in its definition (as well as matter in the more ordinary sense—viz. sensible matter, bronze—in its concrete wholeness. And this must pre-exist as well as the sensible matter; the bronze which is given a circular figure must already have figure of some kind) '.

The section, on this view, refers to the doctrine that genus is related to differentia as matter to form, and thus is in a sense matter (Δ. 1024ᵇ 8).

The objections to this interpretation are: (1) the ellipticalness of the expression. The section concludes not, as would be expected on this interpretation, by saying ' thus part of the form must pre-exist, as well as of the matter ', but by saying ' the bronze circle, then, has its matter in its definition '. (2) The question of the pre-existence of form is raised in the next chapter as a *new* question, while the pre-existence of matter is assumed to have been proved in ch. 7. (3) In the discussion of the pre-existence of form, Aristotle expressly sets aside the notion that part of the form pre-exists while the rest supervenes (ᵇ 11–16).

For these reasons I am inclined to think that Alexander and Bz. are wrong in finding here a reference to the doctrine that genus is ὕλη. What answers to ὅτι μὲν οὖν, then, is not ἀλλ' ἄρα but ἐξ οὗ δέ κτλ. l. 5. The words to be supplied with ἀλλ' ἄρα καὶ τῶν ἐν τῷ λόγῳ; are ἡ ὕλη μέρος (from 1032ᵇ 32), as is shown by the conclusion ὁ δὴ χαλκοῦς κύκλος ἔχει ἐν τῷ λόγῳ τὴν ὕλην. The passage simply points out that the bronze circle is a λόγος ἔνυλος (*De An.* 403ᵃ 25), that bronze is present not only in its concrete wholeness but in its definition.

The main difficulty for this interpretation is καὶ τοῦτό ἐστι τὸ γένος εἰς ὃ πρῶτον τίθεται, which becomes pointless. These words are perhaps a gloss due to some one who thought there was a reference to the doctrine that genus is ὕλη. For glosses of similar form cf. Γ. 1009ᵃ 26, Λ. 1073ᵇ 33, and possibly A. 984ᵇ 1, Z. 1041ᵃ 28, ᵇ 8.

ἀλλ' ἄρα καὶ τῶν ἐν τῷ λόγῳ; The form ἀλλ' ἄρα is a regular Aristotelian one, while ἀλλ' ἆρα is not. I have therefore, with Asclepius and Bessarion, read ἆρα and treated the sentence as a question. Bz. recommends this in *Index* 90ᵇ 28.

2. I have followed Bullinger's suggestion and written δή for δέ. 'Particula δή inserta enunciationi, quae pro fundamento ponitur proximae argumentationis, eam vel ex communi omnium opinione vel ex argumentis alibi allatis firmam et evidentem esse significat.' Bz. *Index* 172ᵃ 58. This seems better than Bessarion's γε.

5-23. Aristotle passes from the implication of the previous existence of something ἐξ οὗ τὸ γιγνόμενον γίγνεται, to mention, rather irrelevantly, his favourite linguistic point about the use of such words as λίθινος (cf. Θ. 1049ᵃ 18, *Phys.* 190ᵃ 25, 245ᵇ 9). The connexion is that this usage arises out of an ambiguity in the meaning of ἐξ οὗ.

7. ἐκείνινον. For this Aristotelian coinage cf. Θ. 1049ᵃ 19, 21.

8. ἐκεῖνο ἐξ οὗ, i.e. κάμνων (cf. l. 12). This, however, as Aristotle proceeds to point out, is not really analogous to 'stone', which the statue is 'not said to be'. Stone is the *matter* of the statue; disease is the *privation* of health. Where the privation is clearly apprehended and has a name, we say the result comes from the privation rather than from the matter (since that from which a thing comes is properly something that ceases to be, not something that persists, l. 21); and what comes from X cannot be said to be X. Where the privation is not clearly recognized and named, we say, less properly (ll. 19-22), that the thing comes from its matter, and, since here too we feel the difficulty of saying that a thing is what it comes from, we say not that the statue is wood but that it is 'wooden'. This is the origin of such words (διὰ μὲν οὖν τοῦτο οὕτως λέγεται, l. 22).

8-11. γίγνεται ... ὑγιής is concessive; μᾶλλον μέντοι κτλ. is in sense the principal clause.

15. τούτων, *sc.* bronze, bricks, timbers.

δοκεῖ. Schwegler and Bz. are wrong in their suspicion that Alexander read, as Bessarion did, οὐ δοκεῖ. Cf. Al. 493. 17.

Form does not come to be, any more than matter, but only the combination of the two (ch. 8).

1033ᵃ 24. What comes to be comes to be by something and from something (let us take this to be not the privation, but the matter) and comes to be something, e.g. a sphere. The sphere is not made, any

more than the bronze, which is the matter ; save *per accidens*, since the
bronze sphere is a sphere and is made.

31. For to make a 'this' is to make it out of the substratum, in the
full sense (i. e. out of a given form as well as a given matter). If the
substratum were made, it would be made out of something else, and so
ad infinitum.

ᵇ 5. Evidently, then, the form is not made; the concrete thing
is made by putting the form into the matter; if the form were made it
would have to be divisible into matter and form.

19. Is there a sphere apart from the particular spheres, a house
apart from the bricks? Surely there would never have come into
being a 'this' at all if that were so. The form is a 'such', not a 'this';
in making, a 'this such' is made out of a 'this'. The whole 'this',
e.g. Callias, is analogous to 'this bronze sphere', man to 'bronze
sphere'.

26. The Forms, if there are any Forms apart from particulars, do
nothing to explain becomings or substances, and are not, on that
account at least, to be viewed as self-subsistent substances.

29. In some cases it is obvious that the producer is something one
in kind with the product, i. e. in natural generation, except in abnormal
cases such as the production of a mule by a horse, and even there the
class that comprises both parents presumably has the characteristics of
both, and is something like a mule.

1034ᵃ 2. Thus we need not posit a Platonic Form as pattern, for
living things are what are most truly substances, and there would
be a Form here if anywhere. The begetter is adequate to the putting
of the form into the matter. The individual is 'such a form in
this matter', matter being what differentiates individuals identical in
form.

1033ᵃ26. ἤδη γὰρ διώρισται, in 1032ᵃ 17.

31. ἐκ τοῦ ὅλως ὑποκειμένου, 'from the substratum in the full sense
of the word', including form as well as matter (1029ᵃ 2). So Al.
495. 9.

32. For the absence of the article before τὸν χαλκὸν στρογγύλον
ποιεῖν cf. Δ. 1014ᵇ 6 n., Kuhner ii. 2. § 472 A. A good example is
found in Pl. *Rep.* 493 C ὁ τὴν τῶν πολλῶν . . . ὀργὴν καὶ ἡδονὰς κατα-
νενοηκέναι σοφίαν ἡγούμενος.

34. It is doubtful whether we should not insert a comma after τοῦτο
and translate 'but is to make one of two different elements—e.g. this
form, viz. sphericity—in another'. This is attractive, but the com-
bination ἕτερόν τι ἐν ἄλλῳ does not seem very likely ; we should expect
τόδε ἐν τῷδε or τὶ ἐν τινί.

ᵇ 1. τοῦτο γὰρ ὑπέκειτο, 'for this was assumed' (ᵃ 25).

3. τοῦτο seems to refer to τοῦ ὅλως ὑποκειμένου ᵃ 31, the intervening passage being parenthetical.

5–6. οὐδὲ τὸ εἶδος . . . γίγνεται. Aristotle does not necessarily mean that form is eternal. Sometimes he says that it comes into being and passes out of being instantaneously. Cf. 1039ᵇ 26, H. 1044ᵇ 21. In one passage (H. 1043ᵇ 14) he gives both alternatives—ἢ ἀΐδιον εἶναι ἢ φθαρτὴν ἄνευ τοῦ φθείρεσθαι καὶ γεγονέναι ἄνευ τοῦ γίγνεσθαι. He apparently means these two alternatives to apply to different kinds of form. Pure forms which exist untrammelled by any conjunction with matter—God, the intelligences that move the spheres, the human reason—are eternal. Among the forms the acquisition of which by matter constitutes becoming or change, a distinction must be drawn. Where what is produced is a new substance, its form must have pre-existed in another individual; where what is produced is a substance with a new quality, quantity, &c., the quality, quantity, &c., need not have pre-existed actually; it may have existed only potentially (1034ᵇ 18). ἄνθρωπος ἄνθρωπον γεννᾷ, but there is no corresponding principle λευκὸν λευκὸν γεννᾷ. I. e. in the former case the form is eternal; in the latter it comes into being instantaneously; it supervenes in a moment on a change which has taken time.

6. For the superfluous οὐ cf. ᵃ 16, 21.

7. οὐδὲ τὸ τί ἦν εἶναι. In these words Aristotle simply brings out another aspect of what has already been called τὸ εἶδος and ἡ ἐν τῷ αἰσθητῷ μορφή, viz. that it is what is stated in a definition.

8. φύσις as opposed to τέχνη and δύναμις is ἀρχὴ ἐν αὐτῷ as against ἐν ἄλλῳ (Λ. 1070ᵃ 7, De Caelo 301ᵇ 17). For the difference between τέχνη and δύναμις cf. E. 1025ᵇ 22 n.

14–15. τὸ μέν, the genus, which is to the differentia as ὕλη to εἶδος (cf. Δ. 1024ᵇ 3, 8). τὸ δ', the differentia. τὸ δέ, the specific form.

16. οἷον here introduces not an example but a comparison. The specific form, as composed of genus and differentia, answers to the concrete thing, as composed of matter and form. For this use of οἷον cf. Bz. *Index* 501ᵇ 55–60.

17. It is possible that the manuscript reading σύνοδος might mean ' the coalescence of matter and form '. But such a meaning for the word would be without parallel in Aristotle or, as far as I know, elsewhere, and Jaeger is almost certainly right in reading σύνολος. For ἡ σύνολος (= ἡ σύνολος οὐσία) cf. 1037ᵃ 26, 30. The same confusion has occurred in manuscripts in both those passages; Δ and Λ are easily interchanged.

19. γεννωμένῳ, the reading of EJ, is supported by γεννᾷ, l. 23 (cf. l. 30). τόδε . . . τόδε, sc. ὕλη . . . εἶδος, cf. l. 13.

πότερον κτλ. Aristotle passes now to consider a doctrine which might seem to follow from his denial of the creation of form, viz. the Platonic doctrine that Forms exist eternally and independently. To this Aristotle answers that form is never a substance, always a characteristic; never a τόδε, always a τοιόνδε. Before it existed as the form of the offspring it existed as the form of the parent.

21. ἢ οὐδ' ἄν . . . τι. Since one substance cannot contain another actually existing substance (1039ᵃ 3), it follows that if the form were a substance there could never come into being an individual substance containing it as an element. So Al. Bz. But quite probably we should omit the comma after ἦν, and translate ' Perhaps the answer is that if the form were an individual subsistent in this manner, coming-to-be would never take place at all '.

24. Καλλίας, cf. A. 981ᵃ 8 n.

26. ἡ τῶν εἰδῶν αἰτία, ' the cause which consists of the Forms '.

28. πρός γε τὰς γενέσεις, the reading of Aᵇ, is clearly an improvement on the vulgate πρός τε τὰς γενέσεις.

33. Aristotle's account is that the form of the mule is not the same as that of its sire, the horse, since this has failed to master the opposition offered by the material element coming from the dam, the ass; but it is identical with the generic form of the sire, since this is also the generic form of the dam and thus has no opposition to conquer. Thus the mule is a sort of abstract universal, with the generic qualities common to horse and ass but without (or at least not having all) the specific qualities of either.

1034ᵃ 1. οὐκ ὠνόμασται. Aristotle himself uses the word λόφουρον, ' bushy-tailed creature' (e. g. in *H. A.* 491ᵃ 1).

3. τούτοις, *sc.* τὰ φυσικά (1033ᵇ 32), living things.

The conditions of spontaneous production answering (a) *to artistic* (b) *to natural production. The conditions of production in categories other than substance* (ch. 9).

1034ᵃ 9. (1) (*a*) Why are some things (e. g. health) produced spontaneously as well as by art, and others not (e. g. a house)? The reason is that in some cases the matter which begins the production is such as to be moved by itself, in some not; sometimes again it can move itself in the particular way required, sometimes not.

18. Accordingly the product will or will not need the artist for its production; in the latter case it can be set in motion by what has not the art but can be moved either by something else that has not the art or by a movement starting from an already existing part of the product.

21. Thus all *artefacta* are produced from something else with the same name as themselves, as living things are produced, or from a part which is of the same name (e. g. a house from a house, since the art of building is identical with the formal element in a house) or from what contains a part—unless the production be merely incidental.

25. For the cause of direct *per se* production is a part of the product; the heat in the rubbing produces heat in the body, which is or is followed by health or a part of health; whence it is said to produce health, since it produces that on which health follows.

30. Thus production, like syllogism, starts from the substance or essence.

33. (*b*) Natural production is like artificial; (i) the seed operates like the things which work by art; the source of the seed is something which has the same name, in a sense, as the offspring (only in a sense, for *woman* is produced from *man*)—unless the offspring is an abnormality (which is why the parent of a mule is not a mule).

b4. (ii) Spontaneous production, as before, occurs when the matter can give itself the movement which normally the seed gives to it; when it cannot, generation by parents is necessary.

7. (2) As the form of a substance is not produced, so too with other categories.

14. It is not the quality or quantity but the wood of that quality or quantity that is produced; but another individual of the same kind need not pre-exist actually as in the case of substance; it is enough if the quality, &c., pre-exist potentially.

In ᵃ9–32 Aristotle discusses the conditions under which spontaneity mimics art, in ᵃ33–ᵇ7 those under which it mimics nature. In ᵇ7–19 he discusses the genesis of qualities, quantities, &c., as distinct from that of substances.

1034ᵃ 11–13. τῶν μὲν ἡ ὕλη ... ἡ μὲν τοιαύτη. As Bz. observes, the insertion of the explanatory words ἡ ἄρχουσα, &c., has caused Aristotle to forget the original structure of the sentence. The anacolouthon is a natural one.

11. ἡ ὕλη ἡ ἄρχουσα τῆς γενέσεως. The phrase might seem peculiar, in view of the passivity commonly ascribed to matter by Aristotle. The explanation is that it is only prime matter that is entirely passive; other matter has some quality of its own and can thus initiate movement. Cf. 1032ᵇ 28–30 n.

12. τι μέρος τοῦ πράγματος. The notion that a part of the result must be pre-existent has been already expounded in 1032ᵇ 26—1033ᵃ 1.

13–18. Aristotle divides matter thus:

(1) some matter can initiate motion, (2) some cannot.

Of (1), (*a*) some can initiate motion of the particular sort required to produce a certain result; (*b*) some can initiate motion of some kind but not of the kind required; e. g. stones of themselves can fall but cannot arrange themselves into a house, fire can rise but cannot move so as to heat bronze.

Two mistakes seem to be involved in this classification. (i) Aristotle assumes wrongly that the elements have a natural motion in certain directions, earth downwards, fire upwards. (ii) This once assumed, it is hard to see what is the matter he describes as having *no* power of starting motion on its own account. Apelt suggests that great masses of rock may be meant, and this is possible, though, as he says, *inkonsequent genug*.

17. For ὡδὶ μέντοι ναί cf. *Top.* 171ª 20 ἔστι μὲν ὡς οὔ, ἔστι δ' ὡς ναί.

18–19. τὰ μέν, those products whose matter is of type (1 *b*) (e. g. a house), τὰ δέ, those whose matter is of type (1 *a*) (e. g. health).

19. It seems clear that κινηθήσεται is used in a peculiar sense. The subject of the sentence is 'the products which can come into existence without the agency of an artist', and κινηθήσεται must mean 'the motion which produces them will be started', very much as if we had had γενήσεται (cf. ἄμφω κινήσει, Θ. 1046ᵇ 21). The sentence then means 'the motion leading to such products will be originated by these things (the things which have some power of originating the required motion, cf. l. 14), which have not the art in question but can themselves be moved either by other things which have not the art, or with a motion that starts from a part of the product which already exists in the things themselves'. Thus Aristotle recognizes three modes of production of, e. g., health; it may be produced

(1) purposely, by the physician,

(2) spontaneously, (*a*) by some action of a non-physician (or a material object) on the sick body, (*b*) by a motion starting from some element of health (e. g. heat) present in the sick body.

20–21. κινεῖσθαι ... τέχνην. There is no trace of these words in Alexander (498. 29), and they are decidedly suspicious; the μέν of EJ in l. 20 looks like a piece of patchwork inserted in view of an intrusive δέ clause following. Christ conjectured very reasonably (*Studia*, 45) that κινεῖσθαι δυναμένων αὐτῶν (loosely used for κινεῖσθαι δυνάμενα αὐτά) was a gloss on κινηθήσεται, and ὑπ' ἄλλων οὐκ ἐχόντων τὴν τέχνην a variant of ὑπὸ τούτων τῶν οὐκ ἐχόντων τὴν τέχνην.

21. ἐκ μέρους is difficult, but a comparison with 1032ᵇ 26—1033ª 1, 1034ª 12, 24–30 shows what is meant. Asc. gives a good instance of Aristotle's meaning, τοῦ ἐμφύτου θερμοῦ πλεονάσαντος καὶ κατασβέσαντος τὴν ψυχρὰν δυσκρασίαν (407. 6). Not improbably, however, ἢ ἐκ μέρους has been wrongly inserted here, as in l. 24, from the margin.

21–26. The section ª 9–32 is concerned with the conditions under which products normally produced by art are occasionally produced spontaneously. It is not till ª 33 that Aristotle passes to consider natural products and the conditions under which spontaneity mimics the work of nature. πάντα, then, means 'all *artefacta*', i.e. things of the type of *artefacta*, whether actually produced by art or spontaneously. The reference to natural products (ὥσπερ τὰ φύσει) is by way of comparison—just as *artefacta* are referred to by way of comparison in the account of natural products (ª 34, ᵇ 4). 'All *artefacta* are produced from a thing having the same name as themselves, as are natural products, or (more exactly) from an element in themselves

which has the same name as themselves (e. g. a house is produced from
a house, inasmuch as it is produced by reason, for the art of building
is identical with the formal element in a house), or from something
involving an element in them (and having the same name as it)'.

One is tempted to punctuate so as to take ἐξ οἰκίας, ἐκ μέρους
(sc. ὁμωνύμου) ἢ ἔχοντός τι μέρος as stating for the case of the house
the alternatives stated generally as ἐξ ὁμωνύμου, ἐκ μέρους ὁμωνύμου.
But a house cannot be produced ἐκ μέρους in the sense in which
ἐκ μέρους is used in l. 21 and presumably therefore in l. 24. For ἐκ
μέρους is used in l. 21 to indicate the way in which spontaneous
production takes place, and a house is never produced spontaneously
(l. 10).
The sentence is evidently corrupt; the repetition ἢ ἐκ μέρους
ὁμωνύμου . . . ἢ ἐκ μέρους can hardly stand.   Bonitz detected corrup-
tion but offered no cure.   Christ bracketed ἢ ἐκ μέρους ὁμωνύμου in
l. 23 and read ἢ ἐκ μέρους ὁμωνύμου in l. 24, assuming that Alexander
read ἢ ἐκ μέρους συνωνύμου (or ὁμωνύμου) there (Al. 499. 20).   But
Alexander seems to have had this phrase in l. 23 (499. 12), and per-
haps only there; and the same is true of Asclepius (410. 3).   It
seems probable that ἢ ἐκ μέρους, having at some early date been dis-
placed from l. 23, was added in the margin and later inserted in l. 24.
Cf. previous note.

22. ἐξ ὁμωνύμου.   τὰ φύσει are actually produced ἐκ συνωνύμου
(Λ. 1070ᵃ 5), from that which shares their nature as well as their
name, but Aristotle occasionally ignores the distinction between
ὁμώνυμον and συνώνυμον, which did not exist in ordinary Greek usage;
cf. A. 987ᵇ 9 n., De Gen. et Corr. 328ᵇ 21.

24. ἢ ὑπὸ νοῦ.   This emendation, which had occurred to me
independently, has been proposed by L. Robin in Archiv f. Gesch. d.
Phil. xxiii. 3.   The manuscript reading ἢ ὑπὸ νοῦ is not impossible,
but a justification of ἐξ οἰκίας rather than an alternative to it seems to
be required.   ᾗ would easily be corrupted into ἢ by the influence of the
other ἢ in the sentence.

ἢ ἔχοντός τι μέρος.   For the absence of the article with ἔχοντος cf.
Δ. 1022ᵃ 6.

25-26. ἐὰν . . . μέρος.   Aristotle notes here that what he has said in
ll. 21-25 of the implications of production applies only to production
which is not merely incidental.   That by virtue of which A produces
B directly per se is a part of B.   τοῦ ποιεῖν πρῶτον καθ᾽ αὑτό, 'of its
producing the result directly per se'.   Incidental production may be
illustrated by the case of the builder's producing not a house simply
(which he produces directly) but a house which is agreeable or injurious
to its inmates (E. 1026ᵇ 6–10).

28. ἢ ἀκολουθεῖ.   Jaeger supposes ᾗ to have been corrupted into ἢ as
in l. 24.   But Alexander read ᾗ (499. 27, 30, 35); cf. also 1032ᵇ 27.

29-30. διὸ . . . [θερμότης].   The manuscript reading if kept would
have to be translated 'that is why the rubbing (cf. 1032ᵇ 26) is said to
produce health, because that of which health is a consequence produces

health, viz. heat'. But a far better sense is got by treating (with Jaeger) τὴν ὑγίειαν and θερμότης as glosses on διὸ καὶ λέγεται ποιεῖν and ὅτι ἐκεῖνο ποιεῖ respectively. The sense then is 'and this is why the heat in the rubbing is said to produce health, viz. because it produces that on which health follows'. Alexander understood the passage rightly (499. 36—500. 6), though Al.ᶜ has ποιεῖ τὴν ὑγίειαν.

30–32. In syllogism, i.e. in the scientific syllogism, a property is shown to belong to a subject in virtue of the subject's essence or definition (*An. Post.* 90ᵇ 31). So too in generation the product springs from its own essence. This applies to all three kinds of production described in ll. 21–30. (1) In natural production it is the specific essence of the father (which is identical with that of the offspring) that produces the offspring. (2) In artistic production the essence of the product, conceived by the artist, is the cause. (3) In spontaneous production heat, for example, which is the cause of the production of health, is the inner essence of which health is the manifestation.

33–34. τὸ μὲν γὰρ σπέρμα . . . τέχνης, 'for the seed is productive in the same way as the things that work by art'.

ᵇ **3–4.** ἐὰν . . . ἡμιόνου. These clauses as traditionally arranged can be made intelligible only by reading ἀλλ' ἐάν and punctuating as follows : οὐ γὰρ πάντα οὕτω δεῖ ζητεῖν ὡς ἐξ ἀνθρώπου ἄνθρωπος—καὶ γὰρ γυνὴ ἐξ ἀνδρός· διὸ ἡμίονος οὐκ ἐξ ἡμιόνου—ἀλλ' ἐὰν μὴ πήρωμα ᾖ. But this is excessively awkward. διὸ . . . ἡμιόνου does not follow naturally on the previous clause. Alexander (500. 13, 35) and Asclepius (411. 7) as well as Aᵇ read ἐάν simply, and ἀλλά is pretty evidently a piece of later patchwork ; and not a successful one, since ἀλλ' ἐὰν . . . ᾖ has to be taken rather unnaturally as = 'but only if it is not a πήρωμα'. Alexander interprets ἐὰν . . . ᾖ as coming *before* διὸ . . . ἡμιόνου, and may have had the clauses before him in that order. The sense gained by the transposition is quite satisfactory ; οὐ γὰρ . . . ἀνδρός is interposed parenthetically to explain the cautious πως in l. 1, and then the exception to ἐστί πως ὁμώνυμον is stated in ἐὰν μὴ πήρωμα ᾖ (cf. the position of ἐὰν μὴ κατὰ συμβεβηκὸς γίγνηται in ᵃ25), and illustrated. Cf. ἂν μή τι παρὰ φύσιν γένηται, οἷον ἵππος ἡμίονον 1033ᵇ 33.

4. ὥσπερ ἐκεῖ, i.e. in the field of nature as in the already (ᵃ 9–32) discussed field of art. For 'spontaneous generation' cf. Bz. *Index* 124ᵇ 3–26.

7–19. Christ thinks this passage belongs properly to ch. 8. It is, more exactly, an appendix to the whole subject discussed in chs. 7–9.

7. ἐξ αὐτῶν, 'from the parent animals themselves'. Cf. Schwegler, *Excursus III*, on the pregnant use of αὐτός.

9. τῶν πρώτων. For this as a name for the categories cf. τὰ κοινὰ πρῶτα *An. Post.* 96ᵇ 20, τὰ πρῶτα τῶν γενῶν B. 998ᵇ 15.

11. καὶ ἐπὶ χαλκοῦ, εἰ γίγνεται, 'and as bronze, if it is generated, implies a form and a matter that are not generated at the same time as it'.

13. The coming into being of a bronze sphere is the imposition of a new shape (which is a kind of *quality, Cat.* 10ᵃ 11) on an existing

substance; the coming into being of bronze is the generation of a new
substance. Aristotle now generalizes and says ' so is it, *sc.* generally,
both in the case of substance and in that of quality ', &c.

16-19. Cf. 1033^b 5-6 n.

ESSENCE AND DEFINITION (chs. 10-12).

(1) *Should the account of a whole contain that of the parts?*   (2) *What
parts are prior to the whole?* (ch. 10).

1034^b 20. (1) Must the definition of a whole contain that of the
parts? The definition of the circle does not contain that of the
segments, but the definition of the syllable contains that of the letters;
why is this?

28. (2) If the parts are prior to the whole, the acute angle should
be prior to the right angle, the finger to the man. Yet the wholes are
prior both in definition and in power of independent existence.

32. (1) Really 'part' is equivocal. The parts of substance are
matter and form, but in a sense only the elements of the form are parts
of the thing.

1035^a 4. E. g. flesh is a part of snubness but not of hollowness;
bronze is a part of the whole statue but not of it as form (a name, like
'statue', may be applied to the form or to the thing as having form,
but never to the bare matter).

9. This is why the case of the circle differs from that of the syllable
(cf. 1034^b 24). The letters are parts of the form of the syllable; the
segments of the circle are matter on which form supervenes, though
nearer the form than the bronze in a bronze circle is.

14. In a sense not all the letters are present in the definition of the
syllable; the letters in wax or in the air are only the sensible matter of
the syllable. For the parts into which a whole is dissolved may be
parts of the concrete whole but not of the form, and therefore not
present in the definition.

25. Hence things which are composed of form and matter (e. g. the
snub, the bronze circle) can be dissolved into their material parts;
immaterial things cannot be so dissolved.

31. Thus the clay statue is dissolved into clay, and even the circle
into its segments—i. e. the individual circle, not the circle in the
abstract.

^{b} **3.** (2) To restate the matter, (*a*) parts which are parts of the
definition and into which the definition is analysed are, at any rate
some of them, prior to the whole definition; but the definition of the

right angle is not analysed into that of the acute but *vice versa*, for the acute angle is defined as ' less than a right angle '.

9. So too with the circle and the semicircle, the man and his finger. The parts which are matter are posterior to the whole; the parts of the substance as defined are prior, at least some of them.

14. (*a*) Since the soul is the substance as defined (or form) of such and such a body (at least no part of the body can be properly defined apart from its function, which involves perception), so that (*b*) the parts of the soul are (all or some) prior to the concrete animal, while the body and its parts are posterior to the soul and are the constituents not of it but of the concrete whole,

22. therefore (*c*), while the bodily parts are prior in a sense to the concrete whole, in a sense they are not (for the finger in the proper sense cannot exist apart from the animal); while some bodily parts are neither prior nor posterior, viz. the supreme parts in which the essence immediately resides, e. g. the heart or the brain.

27. Things which are predicated universally of particulars (e. g. man) are not substance but a compound of this definition and this matter taken universally, while the individual comprises an ultimate individual portion of matter.

31. (1) (Return to the first problem.) There are parts of the form, parts of the concrete thing, and parts of the matter; only the first are parts of the definition, which is of the universal.

1036^a 2. The concrete individual, whether sensible like a bronze circle or intelligible like a mathematical circle, is not definable but knowable by the aid of intuition or perception; when the circles have passed from actuality, it is not clear whether they exist or not, but they are described by the universal definition.

8. Their matter itself is unknowable. Matter is sensible and changeable, or else intelligible—viz. the matter which exists in sensibles not *qua* sensible, i. e. mathematical figures.

12. We have now treated of whole and part, priority and posteriority; we must next answer question (2) (return to the second problem), whether the right angle, the circle, the animal, or their parts are prior. We answer by a distinction :

16. If ' animal' may mean the soul, 'the circle ' circularity, the right angle ' right-angleness, then while the whole in a sense is posterior to the parts in a sense, i. e. the bronze right angle or the right angle formed by particular lines is posterior to the parts in the definition and to the parts of the particular right angle, the immaterial right angle is posterior to the parts in the definition but prior to those of the particular ;

24. but if the soul cannot be said to be the animal, even so some wholes are prior to their parts, others not, as has been said

In this chapter Aristotle returns from the digression on generation which has occupied chs. 7–9, to continue, in effect, the discussion of essence which occupied chs. 4–6. The chapter raises two main questions:

(1) Should the definition of a whole contain the definitions of the parts (1034[b] 20–28)?

(2) Are the parts prior to the whole ([b] 28–32)?

The treatment of the two questions is interwoven: (1) is discussed in [b] 32—1035[b] 3, 1035[b] 31—1036[a] 12, (2) in 1035[b] 3–31, 1036 [a] 13–25.

1034[b] 20. πᾶς δὲ λόγος μέρη ἔχει. A λόγος must contain at least two words (*De Int.* 16[b] 26); it must mention a genus and at least one differentia.

31. The subject of λέγονται is 'the parts', though in the next clause 'the wholes' are again the subject. Schwegler's proposal to read οὐ δοκεῖ in l. 30 does not mend matters, since then there is a change of subject in καὶ τῷ εἶναι δὲ ἄνευ ἀλλήλων πρότερα, and further ἐκείνων will not refer to the same things as ἐκεῖνα. (Schwegler is wrong in thinking that Alexander read οὐ δοκεῖ. At 502. 16 Alexander is paraphrasing the sense.) For a similar construction cf. M. 1077[b] 3 n.

καὶ τῷ εἶναι δὲ ἄνευ ἀλλήλων πρότερα. What Aristotle says is true enough of the finger; the body can exist without it, while it cannot exist without the body—it ceases to be a finger, except in name. But he is careless in assuming that the position of the acute angle is similar; it is not true that the right angle can exist without the acute angle and not the acute angle without the right angle. Take a finger away from a living body and you leave it still a living body; take an acute angle away from a right angle and it ceases to be a right angle. Aristotle distinguishes the two cases clearly enough in Δ. 27. His other point, that the definition of the acute angle presupposes that of the right angle and not *vice versa*, is of course correct.

33. εἰς μὲν . . . ποσόν. For this τρόπος cf. Δ. 1023[b] 15.

1035[a] 7. 'For the form or the thing as having form may be spoken of as the so-and-so (ἕκαστον), but the material element by itself should never be said to be the so-and-so.' This is probably intended by Aristotle to justify him in speaking (in ll. 6, 7) of the form alone (as well as the concrete whole) as 'the statue', while he refuses to call the matter alone a 'statue'.

11. Alexander is no doubt right in taking τοῦ λόγου as dependent on μέρη, not on στοιχεῖα (504. 5–8). For τοῦ λόγου τοῦ εἴδους cf. l. 4.

12. ἐφ' ἧς. With the manuscript reading ἐφ' οἷς, we have, very awkwardly, to suppose a comma after ὕλη. Jaeger is no doubt right in supposing οἷς to have come in by itacism (cf. *apparatus criticus* to Γ. 1004[a] 20, Δ. 1024[a] 23, Z. 1030[b] 35). ἐφ' ἧς is sufficiently confirmed by 1035[a] 5, 1036[a] 31, [b] 6.

13–14. ἐγγυτέρω . . . ἐγγένηται. In a bronze circle there are two grades of matter, one more essential than the other. Strip off the sensible matter (bronze) and you are still left with intelligible matter (the spatial parts of the circle). Aristotle's remark here anticipates the doctrine stated in 1036^a 9.

16. τὰ ἐν τῷ ἀέρι, letters spoken and propagated through the air; cf. *De Sensu* 446^b 6.

20. τὸ σύνολον is not to be identified either with the sensible or with the individual. It is applicable (1) to the intelligible individual (1036^a 3), (2) to the universal answering to a set of sensible individuals (1035^b 29), (3) to the sensible individual; in fact to anything that contains matter either universal or particular, either intelligible or sensible. One would suppose that, as the universal of a set of sensible individuals contains the universal of their sensible matters (1035^b 29), the universal of a set of intelligible individuals would contain the universal of their intelligible matters and would thus be a fourth kind of σύνολον. But Aristotle does not draw this inference, and treats 'the circle' not as corresponding to 'man' and differing from it only by containing intelligible instead of sensible matter, but rather as corresponding to 'soul', which he identifies with 'being a soul', i. e. with the pure form of vitality (1036^a 1). The main importance of the chapter lies in the recognition of (1) the intelligible individual, and (2) the materiate universal or λόγος ἔνυλος (*De An.* 403^a 25), as intermediates between the sensible individual and the pure form or, as we may call it, λόγος ἄυλος.

A consideration of, say, the circle leads to the recognition of five entities :

(*a*) the relation stated in the equation to the circle,

(*b*) this relation spatialized (the circle in general),

(*c*) this relation exemplified in a particular space—(1) above,

(*d*) this relation embodied in a certain type of matter—(2) above,

(*e*) this relation embodied in a particular portion of matter—(3) above.

Aristotle in effect here ignores (*b*) or identifies it with (*a*). And in 1036^b 7-20 he rejects the Platonic conception that the form of line is something non-spatial—the number 2. This goes with his insistence (in the *Posterior Analytics*) on a complete separation between arithmetic and geometry.

It is evident that Aristotle's intelligible individuals answer to τὰ μεταξύ of the Platonists (for which cf. A. 987^b 14 n.). He attacks these (A. 991^b 29, B. 997^b 14, K. 1059^b 6, M. 1077^a 1, N. 1090^b 36) without hinting that he himself held a similar doctrine. There is, however, an essential difference, in his opinion, between the two doctrines. He thinks, rightly or wrongly, that the Platonists regarded the intermediates as separately existing entities, while he himself thinks of them as existing in sensible things and separable only by definition (1036^a 11, M. 2, 3); his objection to τὰ μεταξύ is the same as his fundamental objection to the Ideas. But it is noteworthy that he also attacks a doctrine of intermediates which, like his own, conceived of them as existing *in* sensible things (B. 998^a 7). This doctrine too, he would doubtless say, regards the intermediates as substances, while he regards them merely as characters of substances.

21-23. Neither the text of EJ nor that of A^b in these lines can be accepted, and an early corruption is clearly indicated. The singular ἦ in l. 23 indicates that λόγος has been spoken of in the singular, and τῷ μὲν ... τῷ δ' was probably the original reading. This was corrupted into τῶν μὲν ... τῶν δ', and the reading of A^b implies an attempt to amend the whole reading thus produced.

23. ἂν μὴ ᾖ τοῦ συνειλημμένου. Jaeger (anticipated by Christ) thinks this a gloss, (1) because in his view, whether we understand these words as meaning ' unless the parts are parts of the concrete thing' or ' unless the definition is the definition of the concrete thing ', they destroy the sense, and (2) because he thinks τὸ συνειλημμένον could not be thus used without any explanation, not having occurred before in Z. The words occur, however, in all the manuscripts and in Alexander and are defensible, though not necessary. (1) They state the condition under which the parts should not be mentioned in the definition of the whole. ' But in another kind of definition the definition of such parts should not be present, viz. if the definition is not the definition of the concrete whole.' (2) συνειλημμένον μετὰ τῆς ὕλης has occurred already in E. 1025^b 32 ; further, συνειλημμένον is explained presently, in l. 25.

29. ἢ ὅλως ἢ οὗτοι οὕτω γε. Forms are not destroyed by dismemberment but are eternal or else cease instantaneously to be (H. 1043^b 14). For these two alternatives cf. 1033^b 5-6 n.

32. Bz.'s addition of χαλκῆ between ἡ and σφαῖρα is not necessary. The bronze circle has been mentioned already (1033^a 30 ff.), so that χαλκῆ can easily be supplied in thought.

33. ὁ Καλλίας, cf. A. 981^a 8 n.

^b **2.** ὁ καθ' ἕκαστα, cf. B. 999^a 26 n.

5. ἢ πάντα ἢ ἔνια. The last differentia of a species is logically neither prior nor posterior to it (1038^a 19) ; all the other elements in the species are prior to it.

7. The insertion of ὁ seems necessary.

14. ἢ πάντα ἢ ἔνια, cf. l. 5 n.

14-27. This is to be treated as one sentence, the apodosis beginning not with ὥστε (l. 18) but, as often in a long sentence, with μὲν οὖν (l. 22).

18. ὁ οὐχ ὑπάρξει ἄνευ αἰσθήσεως, sc. ' and therefore involves soul '.

19. ἢ πάντα ἢ ἔνια, cf. l. 5 n. The elements of the form other than the last differentia are prior to the materiate universal, as they are to the form ; the last differentia is ' simultaneous ' with both.

καὶ καθ' ἕκαστον δὴ ὁμοίως. Al. 508. 8 interprets this as meaning 'and as with animals, so with other concrete wholes '. Aristotle's way of expressing this would probably be ὁμοίως δὲ καὶ ἐπὶ τῶν ἄλλων. The meaning is ' and as the parts of the soul are prior to the concrete animal as such, the parts of Socrates' and Callias' souls are prior to Socrates and Callias, the concrete individuals '.

23. ἔστιν ὥς, ἔστι δ' ὡς οὔ. The parts of the body are prior to the concrete whole of form and matter as the element is prior to the compound, but not prior in the sense that they can exist apart from it. When they are separated from it they remain the same only in name.

25. ἔνια δὲ ἅμα. These supreme parts are of course prior to the concrete whole in the sense in which a finger is so (cf. previous note), but in the sense in which the finger is posterior to the concrete whole these are neither prior nor posterior to it; they cannot exist without it nor it without them. Cf. Δ. 1024ᵃ 23–28.

26. καρδία ἢ ἐγκέφαλος, cf. Δ. 1013ᵃ 5 n.

29. οὐκ ἔστιν οὐσία. This may be compared with the view of the *Categories* that these things are δεύτεραι οὐσίαι.

30. ὡς καθόλου goes, I think, with τηϲδὶ τῆς ὕλης, τηϲδὶ τῆς ὕλης ὡς καθόλου being opposed to τῆς ἐσχάτης ὕλης.

33. Bz.'s addition of a second καὶ τῆς ὕλης is required to account for αὐτῆς. But it is hard to see how Aristotle could distinguish parts of the matter from parts of the concrete thing; the third alternative is probably added simply for the sake of naming all the logical possibilities.

1036ᵃ 4. οἷον = 'i. e.'

τοὺς μαθηματικούς, i. e. the plurality of circles which many geometrical propositions imply, different on the one hand from 'the circle' or circularity, on the other from material approximate circles.

5. μετὰ νοήσεως ἢ αἰσθήσεως, not exclusively by rational intuition or by perception, but by discursive thought with the aid of them. Cf. Plato's description of sensibles as apprehended δόξῃ μετ' αἰσθήσεως (*Tim.* 52 A).

6. ἐκ τῆς ἐντελεχείας, the activity of intuition (νόησις) or of perception, according as the individuals in question are intuitable or perceptible.

8–9. ἡ δ' ὕλη . . . αὐτήν. Aristotle has pointed out that pure form is definable and that the concrete individual is grasped (*a*) in its individuality, with the aid of νόησις or αἴσθησις, and (*b*) so far as its universal nature goes, by definition. H now adds that substance in the third of the senses recognized in 1029ᵃ 2, 3, 1035ᵃ 2, viz. bare matter, is not knowable at all.

9–10. The phrase ὕλη νοητή occurs, in Aristotle's works, only here and in 1037ᵃ 4, H. 1045ᵃ 34, 36. *Prima facie* it has different meanings in the two books. In Z it is something which exists in individuals (1037ᵃ 1, 2)—in non-sensible individuals (1036ᵇ 35) or in sensible individuals not considered as sensible (1036ᵃ 11), and the only instances given of these individuals are mathematical figures (1036ᵃ 4, 12, 1037ᵃ 2). It seems to be equivalent to ἡ τῶν μαθηματικῶν ὕλη of K. 1059ᵇ 15. Alexander accordingly identifies it with extension (510. 3, 514. 27), and as far as Z goes this interpretation would be satisfactory. But in H it is the generic element in a definition, and therefore (1) is present in the nature of a species (there is no reference here to individuals), and (2) has no limitation to mathematical objects. It is not likely, however, that Aristotle would have used the phrase in two quite unconnected senses, and it is noteworthy that the instance of it given in H is a mathematical one ; 'plane figure' is the ὕλη νοητή of the circle. It would seem, then, that either the wider conception was already in his mind when he wrote Z, and extension is merely given as an instance of ὕλη νοητή, or (which seems more probable) he generalized the notion when he came to write H. If we are right in connecting the two uses, ὕλη νοητή in its widest conception is the thinkable generic element which is involved both in species and in individuals, and of which they are specifications and individualizations.

It is evident from l. 11 that in Aristotle's view everything that has sensible matter has intelligible matter, while the converse is not the case. Similarly everything that has ὕλη γεννητὴ καὶ φθαρτή has ὕλη τοπική and the matter involved in growth and in alteration (H. 1042ᵇ 3), whereas ὕλη τοπική, at any rate, can exist without ὕλη γεννητή (1042ᵇ 4, 1044ᵇ 7, Θ. 1050ᵇ 17, Λ. 1069ᵇ 25). So also can the matter involved in alteration (Θ. 1050ᵇ 17). It is further stated that ὕλη τοπική implies none of the others (H. 1044ᵇ 7, Θ. 1050ᵇ 21, *Phys.* 260ᵃ 28). Further, alteration presupposes local movement (260ᵇ 4), and growth presupposes alteration (260ᵃ 29)—and therefore local movement (H. 1042ᵇ 4 n.). *Cat.* 14, which asserts the independence of the different kinds of change, is probably not by Aristotle.

We thus get a scale of matters, each of which implies all that precede it:

(1) ὕλη νοητή,
(2) ὕλη αἰσθητή,
    (*a*) κινητή (τοπική),
    (*b*) ἀλλοιωτή,
    (*c*) αὐξητὴ καὶ φθιτή,
    (*d*) γεννητὴ καὶ φθαρτή, which is ὕλη μάλιστα καὶ κυρίως (*De Gen. et Corr.* 320ᵃ 2).

11. ἡ ἐν τοῖς αἰσθητοῖς ὑπάρχουσα μὴ ᾗ αἰσθητά. For Aristotle's view of the mode of existence of τὰ μαθηματικά cf. M. 2, 3.

16. ὅτι οὐχ ἁπλῶς, ' that neither can be said without qualification to be prior '.

17. ζῷον ἢ ἔμψυχον should be read, with the best manuscripts. ' If (not only the concrete whole, but) even the soul may be said to be the animal or (to put it more widely so as to include plants) the living thing.'

19-23. Aristotle's answer to the question of priority is as follows :

(1) Some wholes are posterior to some parts ; viz., the particular or materiate right angle (whether its matter be sensible or intelligible) is posterior (*a*) to the elements in the definition, and (*b*) to the parts of a particular right angle (whether sensible or intelligible).

But (2) the immateriate right angle, while (*a*) posterior to the parts of the definition, is (*b*) prior to the parts of the particular right angle.

According to this interpretation τῶν ἐν τῷ λόγῳ καὶ τινὸς ὀρθῆς answers to τινὸς in l. 19, and καὶ γὰρ ... ταῖς καθ᾽ ἕκαστα answers to τί. I take καὶ τινὸς ὀρθῆς as = καὶ τῶν τινὸς ὀρθῆς. But this is very doubtful Greek, and τῶν should perhaps be inserted.

ἡ μετὰ τῆς ὕλης, ἡ χαλκῆ ὀρθή is a perceptible right angle with perceptible matter (cf. ll. 4, 10) ; ἡ ἐν ταῖς γραμμαῖς ταῖς καθ' ἕκαστα is an intelligible right angle with intelligible matter (cf. ll. 3, 11).

Which parts are parts of the form, which of the concrete whole ? (ch. 11).

1036ª 26. Which parts are parts of the form, which only of the concrete thing ? Until we know this we cannot define anything, for definition is of the form.

31. When the form supervenes on specifically different materials (e. g. the circle on bronze, stone, wood), the materials are evidently no part of the form ; but when this is not so, it is hard to eliminate the matter in thought.

ᵇ 3. E. g. the form of man is always found in flesh, bone, &c. ; are these, then, parts of the form, or parts of the matter but difficult to eliminate because the form never supervenes on other materials?

7. Some have suggested that lines are to the circle as flesh to man ; they reduce all mathematical objects to numbers and say the definition of the line is the definition of ' two '.

13. Some Platonists say two is the line itself ; others say it is the Form of the line, holding that, while two is the same as its Form, the line is not the same as its Form.

17. It would follow that (1) there is one Form of many things which evidently have different forms ; (2) at this rate there may be one supreme Form, the others not being Forms at all ; but thus all things will be one.

21. We have stated the difficulty about definitions, and its reason. It follows that it is a mistake thus to eliminate matter ; some things are essentially ' this form in this matter ' or ' these things in this state '.

24. The comparison of ' animal ' to ' circle ' used by Socrates the younger is misleading ; it implies that man can exist without his parts as the circle can without bronze ; but the animal is a sensible object and cannot be defined apart from movement, i. e. apart from its parts, and these in a certain state ; for it is only the hand which can do its work, i. e. which is alive, that is a part of a man.

32. Why is not the definition of the semicircles included in that of the circle ? Not because they are sensible objects, for they are not. But in truth some non-sensible things have matter ; every individual thing has matter, intelligible if not sensible. The semicircles are not parts of the universal circle, though they are of particular circles.

1037ᵃ 5. Soul is the primary substance; the body is matter; man is the unity of the two taken universally. Socrates may perhaps be identified either with his soul or with the concrete unity; but if only with the latter, the particular (Socrates) answers to the universal (man).

10. Whether there is another matter apart from the matter of such substances, and another substance, must be considered later. It is with a view to this that we are examining sensible substances, which belong in a sense rather to physics, since physics must study the substance as defined, even more than it studies matter.

17. How the elements in the definition are parts of it, and what constitutes the unity of definition, must be examined later. The thing evidently is one, but what makes it so?

21. We have stated generally (1) what essence is and in what sense it is self-subsistent, (2) why the definition of some things contains the parts of the things while that of others does not,

24. (3) that the material parts are not present in the definition (for they are not parts of the substance as defined but of the concrete substance, which in its union with matter cannot be defined but can only be defined according to its primary substance, the indwelling form, e. g. hollowness as opposed to snubness); but in the concrete substance (e. g. the snub nose) there is matter;

33. (4) that primary substances (i. e. those which do not imply the presence of something in something else which is its substratum), e. g. crookedness, are the same as their essence, while concrete things involving matter, and unities of substance with an accident, e. g. Socrates + musical, are not the same as their essences.

1036ᵇ 3. ἀφελεῖν τοῦτον, cf. ἀφαιρεῖν τὴν ὕλην, l. 23.

8. ἀποροῦσί τινες. Pythagoreans, says Alexander; and Aristotle's expression ἀνάγουσι πάντα εἰς τοὺς ἀριθμούς (l. 12) (coupled with the distinction between these thinkers and the Platonists, l. 13) shows that he is right. Cf. Scholia on Euclid, p. 78. 19 Heiberg, οἱ δὲ Πυθαγόρειοι τὸ μὲν σημεῖον ἀνάλογον ἐλάμβανον μονάδι, δυάδι δὲ τὴν γραμμήν. The representation of the point by 1, of the line by 2, of the triangle by 3, and of the tetrahedron by 4, goes back to Philolaus (*Theol. Ar.* p. 62. 17–22). Alexander's note (512. 20—513. 3) preserves some information about the Pythagorean theory which he probably derived from Aristotle's lost work *On the Pythagoreans.* The number 2 was, according to them, τὸ πρῶτον διαστατόν, the first product of the diremption of the unit, and, quantity being no part of the essence of the line but the matter in which it is embodied, the line should be defined not as ποσὸν ἐφ' ἓν διαστατόν, quantity dirempted in one dimension, but as τὸ πρῶτον διαστατόν.

13-17. It seems clear that τὸ εἶδος τῆς γραμμῆς is opposed not (as Alexander, Asclepius, and Bz. take it) to τὴν δυάδα but to αὐτογραμμήν, and that ἔνια μὲν γάρ, &c., explains the position of those who said that 2 is the form of the line but not the 'line itself'. The distinction between αὐτογραμμή and τὸ εἶδος τῆς γραμμῆς is doubtless peculiar to one of the later forms of Platonism ; οἱ μέν probably includes Plato himself. The two views are put neatly in H. 1043ᵃ 33 ; the question is whether the line is δυὰς ἐν μήκει or δυάς.

18. ὅπερ καὶ τοῖς Πυθαγορείοις συνέβαινεν. Thus for instance they identified 4 both with friendship and with justice and with many other things. Cf. A. 987ᵃ 27.

19. Whether we print αὐτόειδος or αὐτὸ εἶδος, αὐτό probably goes with εἶδος in the sense of 'Form-itself' or supreme Form. πάντων = 'of all Forms'.

20. καίτοι οὕτως ἓν πάντα ἔσται, since the nature of things depends, for the Platonists, on their Form.

24. ἡ παραβολὴ ἡ ἐπὶ τοῦ ζῴου, i. e. the comparison of the relation of flesh and bones to humanity with that of bronze to circularity (ll. 5–7).

25. Σωκράτης ὁ νεώτερος, a Socratic and a contemporary of Theaetetus, mentioned in *Theaet.* 147 D, *Soph.* 218 B, *Epp.* 358 D. He is one of the interlocutors in the *Politicus*.

30. ἐχόντων πώς is really irrelevant. Aristotle is insisting that the definition of man must mention the parts of the body. This reminds him, however, that it is not enough to mention the parts of the body ; it must be specified that they are in a certain condition, i. e. alive. We must not forget the matter ; but we must equally not forget the form, ψυχή or vitality.

31. ἀλλ' ἤ. For the usage cf. 1038ᵃ 14 n.

32—1037ᵃ 5. Alexander thinks this section may have originally gone with the previous discussion on the difference between the relation of the circle to its semicircles and that of the syllable to its letters (1034ᵇ 24—1035ᵃ 17), and have been separated by Eudemus ; and Bz. also thinks it out of place. But it seems to be quite appropriately placed. Aristotle has just rejected the comparison of sensible things like 'the animal' to intelligible things like the circle (l. 24), and has insisted that in the definition of 'animal' its sensible materials must be mentioned, while in that of the circle its sensible materials (bronze, &c.) must not be mentioned, since they are accidental to it. This naturally leads to the further question about the circle, why are its parts in another sense, the semicircles, not mentioned in its definition. The reason is not that these are sensible materials and therefore irrelevant to the circle, which is an intelligible. They are not sensible. But they contain material none the less—intelligible material, and therefore are not parts of the universal 'circle'. From this Aristotle, naturally enough, returns to the case of 'the animal', in 1037ᵃ 5.

The reasoning, however, is inconsequent. If 'animal', though a universal, cannot be defined without the mention of its necessary material, the circle cannot be defined without the mention of *its* necessary material, though the material is in this case not sensible but intelligible. Aristotle is right in saying that the semicircles are not mentioned in defining the circle, but the reason is not that they are matter but that the definition would be circular. The circle cannot, in fact, be properly defined without referring to its 'material', viz. space.

35. ἔσται γὰρ ὕλη ἐνίων καὶ μὴ αἰσθητῶν. For ὕλη νοητή cf. ᵃ 9 n.

1037ᵃ 1–2. The fuller form given by Aᵇ runs rather more naturally than the shorter form given by the other manuscripts, and I have accordingly kept it, though it is quite possible that Aᵇ's reading may be, as Bz. suggests, merely derived from Alexander's interpretation.

7. Κορίσκος, cf. Δ. 1015ᵇ 17 n.

εἰ μὲν καὶ ἡ ψυχὴ Σωκράτης. The insertion of Σωκράτης, with Aᵇ, makes the meaning clearer. As Aristotle had suggested (1036ᵃ 17) that 'animal' may be identified with its form, soul, he here suggests that Socrates may perhaps be identified with his form, his soul. If he may be identified with his soul alone, as an alternative to being identified with his soul + his body, then 'Socrates' is διττόν, an ambiguous term. For the general sense cf. 1036ᵃ 16–25, H. 1043ᵇ 2–4.

9. It seems necessary to insert τό, which is read by the Aldine edition, though probably only *ex coniectura*.

ὥσπερ τὸ καθόλου [τε] καὶ τὸ καθ' ἕκαστον, 'as is the universal (man), so will be the individual', i. e. a unity of form and matter (cf. l. 6). There is some probability in Apelt's suggestion that τε has arisen from an abbreviation of οὕτω. The sentence would read rather more naturally with οὕτω, but cf. 1038ᵇ 2 f. τε in any case must be wrong. Christ is perhaps right in reading a comma after ἁπλῶς. ὥσπερ . . . ἕκαστον then means 'the individual corresponding to the universal'.

10–20. Jaeger regards this (*Arist.* 206 n.) as a section added later by Aristotle, when he began to view the discussion of sensible substance in Bk. Z as preliminary to the discussion of insensible substance in Λ. Cf. 1029ᵇ 3–12 n.

11. τις ἄλλη, i. e. a quasi-material principle (such as the great-and-small) present in incorporal things. It seems impossible to supply οὐσία, as one is tempted to do, as the substantive understood with τις ἄλλη.

12. σκεπτέον ὕστερον. The reference is to Bks. M N.

13–14. τούτου γὰρ . . . διορίζειν. For other indications that the treatment of sensible substance is preliminary to the true business of metaphysics cf. 1029ᵃ 33, ᵇ 3–12.

16. οὐ γὰρ μόνον περὶ τῆς ὕλης κτλ. Cf. *De An.* i. 1.

17. τῆς κατὰ τὸν λόγον, *sc.* οὐσίας.

ἐπί may be defended by a comparison with the passages referred to in Bz. *Index* 268. 31–44, but Brandis's conjecture ἔτι is very likely right.

20. σκεπτέον ὕστερον, H. 6.

21–22. τί . . . εἴρηται answers to ch. 4, **22–33.** διὰ τί . . . ὕλη to chs. 10, 11 (ll. 30–32 to ch. 5), **33.** ὅτι . . . ᵇ 7 to ch. 6. This summary contains no reference to chs. 7–9, and confirms the view that these belong originally to a distinct treatise. Cf. 1032ᵃ 12 n.

27. μετὰ μὲν γὰρ τῆς ὕλης οὐκ ἔστιν. Yet Aristotle has said (1036
^{b} 29) that the definition of man must mention his material parts. Of
course a definition must not mention prime matter, since that is
ἀόριστον, i. e. nothing definite can be said about it ; but in certain
cases the proximate matter must be mentioned.

31. δὶς γὰρ ἐν τούτοις ὑπάρξει ἡ ῥίς. These words appear quite
irrelevant in this context, and seem to be due to a copyist who had
1030^b 32 in his mind.

^{b} **5.** The simplest emendation of οὐδέ is οὐδ᾽ εἰ. ' Nor is a thing the
same as its essence if the thing be a compound of a subject with an
accidental attribute.' Cf. 1031^a 19-28.

What constitutes the unity of a subject of definition ? (ch. 12).

1037^b 8. Let us discuss definition in so far as it has not been dis-
cussed in the *Analytics*. The question there stated is of use to our
inquiries about substance, viz. the question why that, the account of
which is a definition, is one.

13. Why is ' two-footed animal' one and not two? 'Man' and
' white' are two when the one does not belong to the other, one when
it does ;

18. but in ' two-footed animal' one element does not share in the
other ; the genus does not share in the differentiae, else it would share
in contraries at the same time. Even if it does share in its differentiae,
the same difficulty occurs, since the differentiae of man are more than
one—possessed of feet, two-footed, wingless. Why are these one?
Not because they are present in one genus, for then *all* the differentiae
that belong to a genus will form a unity.

24. But the elements in definition *must* be one, since substance, the
subject of definition, is a unity, a ' this'.

27. Let us examine, first, definition reached by division. There
is nothing in definition but the first genus (e. g. animal) and the
differentiae ; the lower genera are the first genus + the differentiae
(e. g. two-footed animal).

33. The number of the elements of the definition makes no differ-
ence ; let us reduce them to the genus and one differentia.

1038^a 5. Now (1) the genus does not exist apart from the species,
or, if it does, exists only as matter ; therefore definition is the account
consisting of the differentiae.

9. But (2) we must at each stage divide by the differentia of the
previous differentia ; we must divide ' possessed of feet' into ' cloven-
footed' and ' whole-footed', not into ' winged' and ' wingless'.

15. We must proceed so till we come to the indivisible species. There will then be as many kinds of foot, and of footed animals, as there are differentiae. The last differentia will be the substance and definition of the thing.

20. If we mention the earlier differentiae as well, we shall repeat ourselves.

25. If, then, we take a differentia of a differentia, one differentia—the last—will be the form; but if each differentia is accidental to the previous one, there will be as many differentiae as there are steps in the division. Definition, then, properly consists of the last differentia.

30. If we change the order of the definition, putting 'two-footed' before 'possessed of feet', the latter is evidently superfluous; but there is no order in substance (therefore 'possessed of feet' must be superfluous even when it stands first). So much for definition by the method of division.

The unity of a definition, and of its subject, according to Aristotle, lies in the fact that the genus and the differentiae have no existence apart from one another, nor have the successive differentiae. The genus is merely the 'matter' of the definition, and each differentia the 'matter' of the next. He accordingly condemns definitions in which any of the differentiae are accidental to the genus or to one another. The discussion is carried further in H. 6.

1037ᵇ 8. For the discussion of definition in the *Analytics* cf. *An. Post.* ii. 3–10, 13.

9. ἐν ἐκείνοις, *An. Post.* 92ᵃ 29. The ἀπορία is there raised but not answered.

11. οὗ τὸν λόγον ὁρισμὸν εἶναί φαμεν. The distinction between λόγος and ὁρισμός has been drawn in 1030ᵃ 14.

14–21. The obvious intention of this argument is (1) to show how man and white form a unity, when they do so (ll. 14–18) and (2) to point out that genus and differentia cannot form a unity in this way (ll. 18–21). Bz. argues that the mode of unity referred to in the first section (κατὰ πάθος) is not the same as that referred to in the second (κατὰ μέθεξιν). He thinks therefore that Aristotle is arguing that genus and differentia are not one *either* κατὰ πάθος *or* κατὰ μέθεξιν, and that it is merely by carelessness that he frames the sentence in a way which suggests that these modes are the same. But in 1030ᵃ 13 μετοχή is used in this connexion as synonymous with πάθος. If μετέχειν be so used here, the argument can have its natural meaning. In 14–18 Aristotle describes a unity κατὰ μετοχὴν καὶ πάθος, and in 18–21 he shows that the definition is not a unity of that sort. It is true that in the *Topics* (121ᵃ 11 and elsewhere) τὸ μετέχειν is defined differently, but that account of it does not seem to be in Aristotle's mind here; he is using μετέχειν in the Platonic sense alluded to in H. 1045ᵃ 14–20, ᵇ 7–9. The argument of ll. 14–21 may be put thus. A unity κατὰ

μέθεξιν is one which may exist between A and B and between A and
not B, but not between both at once ; but the relation of genus A to
differentia B is one which A has at once to B and to not-B.   Therefore
genus and differentia do not form a unity κατὰ μέθεξιν.

21. εἰ δὲ καὶ μετέχει.   'Even if the genus could partake of the
differentia, this would not explain how a genus + *several* differentiae
form a unity.'

24. οὕτω μὲν γὰρ . . . ἕν.   'For at that rate a genus and *all* its differ-
entiae would form a unity.'

27-29. Aristotle says the question must first be considered with re-
gard to definitions by division (cf. 1038ᵃ 34), but he never gets to any
other kind.   The other kind is that ἐκ τῶν ἐνυπαρχόντων (B. 998ᵇ
13, H. 1043ᵃ 20).

1038ᵃ 5-9. Since the genus does not exist apart from the species
or exists only as their matter, it offers no obstacle to the unity of
the definition, and accordingly the definition may be considered as if
it consisted only of differentiae.   This is the first step in the explana-
tion of the unity of the definition.   The next step is to show that the
differentiae in a definition may be reduced to one.

5. τὰ ὡς γένους εἴδη, cf. A. 991ᵃ 31 n.

7. τὰ εἴδη καὶ τὰ στοιχεῖα, 'the species, i. e. the letters'.

9-10. τῇ . . . διαφορᾷ, Prof. Joachim's emendation of τὴν . . . δια-
φοράν, seems to be required by the sense.

14. ἀλλ' ἢ κτλ., '(and in general we can divide "animal with feet" into
nothing) except "with divided feet" and "with undivided feet" '.   ἀλλ'
ἢ in effect = 'but only'.   Cf. 1036ᵇ 31, Γ. 1005ᵃ 12, H. A. 563ᵇ 22,
580ᵃ 20, Pol. 1257ᵇ 21.   The idiom is explained by Cook Wilson in
Class. Quart. iii. 121–124.

17-18. τότε δ' . . . διαφοραῖς, i. e. there will be as many infimae
species of foot or of animal with feet as there are ultimate differentiae.

19. ἡ τελευταία διαφορὰ ἡ οὐσία τοῦ πράγματος ἔσται, since it will
presuppose all the previous differentiae and finally the genus.   From
another point of view Aristotle can say (*Top.* 139ᵃ 29, 142ᵇ 27, 143ᵃ 18)
that the *genus* is the element in the definition most expressive of the
essence ; it is so because all the other elements presuppose it.

30. κατά γε τὸ ὀρθόν, i. e. according to the method in which each
differentia is a differentia of the previous one.

33. τάξις δ' οὐκ ἔστιν ἐν τῇ οὐσίᾳ, sc. and therefore what is seen by a
μετάταξις to be superfluous must have been superfluous before.

35. τὴν πρώτην, 'at the first attempt', cf. 1037ᵇ 27 n.   For the
idiom (in which some such word as ὁδόν was originally understood)
cf. Ar. *Thesm.* 662, Dem. *Ol.* iii. 2, Hdt. iii. 134, i. 153 (the last
passage has τὴν πρώτην εἶναι).   *Pol.* 1286ᵃ 5 is not a parallel, for
ἀφείσθω τὴν πρώτην seems to mean ἀφείσθω τὴν πρώτην μοναρχίαν
ἐπισκοπεῖν.

No UNIVERSAL IS SUBSTANCE; NO SUBSTANCE CONSISTS OF
SUBSTANCES (chs. 13–16).

The universal is not substance (ch. 13).

1038ᵇ 1 (B) (cf. 1028ᵇ 33). We have discussed two things that are
held to be substance—the essence, and the substratum (which we
showed to 'underlie' in two ways, as the 'this' underlies the accidents,
and as the matter underlies the actuality).

6. We now proceed to discuss the universal, which some think to be
the truest cause. But it seems that no universal can be a substance,
for

9. (1) If it be suggested that the universal is the substance of
a thing, we answer: (*a*) The substance of a thing is that which is
peculiar to it, but the universal is common to many. It must be the
substance of all or of none. But it cannot be the substance of all;
and if it be the substance of one, this one will *be* the others, for things
whose substance or essence is one are one.

15. (*b*) It is that which is not predicated of a subject that is
substance, but the universal *is* predicated of a subject.

16. (2) If it be suggested that the universal is not substance in the
sense of essence, but is included in the essence, e. g. 'animal' in man,
then (*a*) evidently it is definable (and so there will be an infinite
regress).

19. But (*b*) even if not all elements in substance are definable, the
universal will be the substance of something; as 'man' is the sub-
stance of the man in whom it is present, 'animal' will be the substance
of that in which it is present and to which it is confined. (Thus
suggestion (2) turns into (1).)

23. Further, (*c*) a 'this' or substance, if it is composite, must con-
sist not of qualities but of substances. Otherwise non-substance will
be prior to substance; but this is impossible; for affections are not
prior to substance in definition, in time, or in generation, else they
would be capable of existing apart.

29. Further, (*d*) in Socrates a substance (animal) will be present as
an element, and will therefore be the substance of two things (the
class of animals and Socrates).

30. (*e*) In general, if infimae species are substances, none of the
elements in their definition is the substance of anything or can exist
apart from its particular instances or in anything else.

34. (3) No common predicate indicates a 'this', but only a 'such'.
Otherwise we get the 'third man' and other difficulties.

1039ᵃ 3. (4) A substance cannot consist of other substances existing actually; for what is actually two is not actually one (e. g. a line which is double another consists only potentially of two halves, for their actualization separates them).

9. Democritus puts our point well when he says that one cannot be produced out of two nor *vice versa*; he refers to atoms, which he regards as the only substances. Similarly, if number is, as some say, a synthesis of units, the number two is not one, or else contains no units actually.

14. Our result involves a difficulty. If no substance can consist of universals (because they indicate a ' such ', not a ' this '), nor of substances actually existing, all substance will be uncompounded and therefore indefinable.

19. But it is universally agreed that substance is the only or the chief object of definition. Either, then, all things are indefinable or they are definable in one sense though not in another. Our meaning will appear more clearly later.

Chs. 13–16 form a separate section of the inquiry into substance, the main upshot of which is summed up in 1041ᵃ 3–5: ' no universal is substance, and no substance contains substances as its parts '. The section begins (ch. 13) by discussing and rejecting the claim of the third claimant to the title of substance—the universal, and implicitly also that of the fourth claimant—the genus. From this follows (ch. 14) the rejection of the claim of the Ideas to be substance. Further it is argued (ch. 15) that the individual is indefinable. This is argued partly on the ground that the individual is subject to destruction and change; but the connecting link with ch. 13 lies in the other argument, that since the universal is never a substance, never a ' this ', always a ' such ' (13. 1039ᵃ 15, 16), definition, which is an enumeration of universal marks, can never adequately express the nature of an individual. Next a corollary is inferred from the principle which was made the basis of one of the proofs in ch. 13 (1039ᵃ 3, 16), viz. that substance cannot be composed of actual substances; it is argued that the material parts of substances are not actually substances (16. 1040ᵇ 5–16). And finally a further attack is made on the Platonic tendency to identify substance with the universal (1040ᵇ 16—1041ᵃ 5).

1038ᵇ 2, 3. This is a reminiscence of 1028ᵇ 34; genus, however, is now omitted (as coming under the universal), and τὸ ἐκ τούτων, the concrete individual, is added.

4. περὶ τοῦ τί ἦν εἶναι, chs. 4–6, 10–12; καὶ τοῦ ὑποκειμένου, ch. 3.

5. ὅτι διχῶς ὑπόκειται, cf. 1029ᵃ 2 n.

7. τισιν, the Platonists.

P

10. I have adopted here the reading which sense and idiom seem to require ; it accounts well for the various readings found in the manuscripts and the commentators.

13-15. The argument is not clear but may be interpreted as follows : ' What will the universal be substance of ? Either of all its particulars or of none ⟨for there is no reason why it should be substance of one any more than of the others⟩ ; but it cannot be substance of all ⟨since, as we have just seen, l. 10, the substance of a thing is something peculiar to it. It follows, then, that it is the substance of none of its particulars⟩. If we try to avoid this conclusion and treat it as the substance of one of them, then ⟨since ⟨the universal will be no less the substance of its other particulars, and⟩ things that have the same substance are identical⟩ this one will *be* the others ; which is absurd.'

18-23. In answer to the suggestion now put forward, that the universal is not the substance of things in the sense of essence, but is a substance because it is an element present in their essence, Aristotle replies that the universal can be defined, and seems to have meant to add that in that case it will itself contain a generic or universal element, and so substance will be contained in substance, *ad infinitum*. But, he observes, we need not make this assumption, that everything that is part of the substance of something can be defined. Quite apart from this assumption, the universal will be the substance of something, as ' man ' is of the man in whom it is present ; so that the new view that the universal is a substance *present in* the essence of its particulars turns into the old one which has already (9-16) been refuted, that the universal *is* essence. For the universal, e. g. animal, will be the substance, not indeed of man but of that in which it is present as something peculiar to it ; i. e. of the class including all animals. This interpretation enables us to treat ll. 19-23, 23-29, 29-30 as giving three distinct arguments (as ἔτι in ll. 23, 29 shows that they do), not (as Bz. does) as giving parts of one argument.

22. Bz.'s suspicions of οὐσία in this line are amply confirmed by its absence in A^b and in Asc.^c. The vulgate reading is due to the conflation of alternative readings, οὐσία ἐκείνου and ἐκείνου οὐσία.

23-29. The argument seems to be as follows : Universals having been shown not to be substances (ll. 9-16), they must not be regarded as constitutive elements of substance (as the view under consideration regards them, 16-18), since then non-substance would be prior to substance.

27-28. οὔτε λόγῳ γὰρ οὔτε χρόνῳ οὔτε γενέσει . . . πρότερα. Aristotle nowhere else distinguishes between χρόνῳ πρότερον and γενέσει πρότερον, nor is any possible distinction apparent. Prof. A. R. Lord has suggested γνώσει for γενέσει, and this derives some support from 1028^a 32. But (1) the Greek commentaries as well as the manuscripts read γενέσει, and (2) χρόνῳ would not be likely to be put between λόγῳ and γνώσει, which are at least very near one another in sense (in Θ. 1049^b 17 they seem to be identified). It is better therefore to keep γενέσει and to suppose that it is added as a synonym of χρόνῳ.

29. Alexander has τῷ Σωκράτει οὐσίᾳ ὄντι ἐνυπάρξει οὐσία. The meaning is: 'In Socrates there will be substance present in substance, and this will therefore be the substance of two things' (*sc.* of the class of animals and also of Socrates).

30 ὁ ἄνθρωπος, i.e. the individual man, Alexander thinks. But, as Bz. observes, we should in that case expect something like ὁ τὶς ἄνθρωπος; and we should expect in l. 33 τινα ἄνθρωπον παρὰ τοὺς τινάς. It seems, therefore, that Aristotle means the infima species, which according to one of his lines of thought he regards as substance; cf. *P.A.* 644ᵃ 23. It is the substantiality not of man but of animal that he has been attacking in ll. 16–30; the infima species is at any rate more substantial than the genus.

32. ἐν ἄλλῳ, not, as Alexander interprets it, 'in the Idea'. The words are quite general.

33. τὰ τινά, 'the particular species of animal'.

34. ἔκ τε . . . τούτων is answered by καὶ ὅτι ('and because').

1039ᵃ 2. ὁ τρίτος ἄνθρωπος, cf. A. 990ᵇ 17 n.

6. ἡ διπλασία, *sc.* γραμμή, says Asc., doubtless rightly. We may cf. ἡ εὐθεῖα, ἡ ποδιαία, and Δ. 1019ᵃ 8 n., Θ. 1048ᵃ 33 n.

8. The editions have a comma or colon after ἐνυπαρχουσῶν, but καὶ κατὰ τοῦτον τὸν τρόπον appears to go closely with ἐνυπαρχουσῶν and to mean καὶ ἐντελεχείᾳ ἐνυπαρχουσῶν. Possibly we should print a colon after τρόπον and read ὃ with T.

10–11. τὰ γὰρ . . . ποιεῖ, 'for he identifies substances with the atoms', from whose atomic nature it follows that one atom cannot contain two atoms. Cf. *De Caelo* 303ᵃ 6, *De Gen. et Corr.* 325ᵃ 35.

12. ὁ ἀριθμὸς σύνθεσις μονάδων. This is practically the same as the earliest recorded Greek definition of number, μονάδων σύστημα, which Thales is said to have borrowed from the Egyptians (Iambl. *in Nicom. Ar. Introd.* p. 10. 8). Cf. Δ. 1020ᵃ 13 n.

15–16. μήτε . . . σημαίνειν, cf. 1038ᵇ 23–29; **16–17.** μήτ' ἐξ οὐσιῶν . . . σύνθετον, cf. 1039ᵃ 3–11.

19. ἐλέχθη πάλαι, 1031ᵃ 12.

22. τῶν ὕστερον, Z. 15, H. 6. Aristotle is not very successful in solving the problem.

The Ideas are not substance (ch. 14).

1039ᵃ 24. Observe the consequences for those who say the Ideas are separately existing substances, and at the same time resolve the species into genus and differentiae. 'Animal' will be either the same or different in 'man' and in 'horse'—i.e. numerically; in definition it is clearly the same. If man is a separate 'this', animal must be so too.

33. (1) If 'animal' be supposed the same in horse and in man, (a) how can it be the same in things that exist apart? Will it not be divided from itself?

b 2. Further, (b) if it shares in 'two-footed' and in 'many-footed', it, though one individual, will have contrary attributes; if it does not, in what sense can it *be* two-footed? It is absurd to say 'by composition', i.e. by contact or by mixture.

7. (2) If 'animal' is different in each species, (a) there will be practically an infinity of things whose substance is 'animal'. Further, (b) each of several things will be 'animal itself'. For (i) the 'animal' in each species will be the *substance* of that species, for it is that and not anything else that each species is called after; otherwise that other would be the genus of man; and (ii) all the elements in the essence of man will be *Ideas*; and therefore, since what is the substance of one thing cannot be the Idea of another, the 'animal' in each species of animal will be 'animal itself'.

14. Further, (c) from what will the 'animal' in each species be derived? how can it be derived from 'animal itself'? How can the 'animal', whose essence is just to be animal, exist apart from 'animal itself'?

16. (3) These and even greater difficulties arise if we consider the relation of Ideas to *sensible things*. Evidently, then, there are not Forms of sensible things such as some suppose.

1039ᵃ 26–ᵇ 19 is very similar to Pl. *Parm.* 131 A–E, and in particular the language in ᵇ 1 recalls that in 131 B ἓν ἄρα ὂν κςὶ ταὐτὸν ἐν πολλοῖς καὶ χωρὶς οὖσιν ὅλον ἅμα ἐνέσται, καὶ οὕτως αὑτὸ αὑτοῦ χωρὶς ἂν εἴη. Siebeck thinks this confirms his notion that the *Parmenides* is directed against the *Metaphysics*, but more probably Aristotle is pressing the difficulties raised by Parmenides in the dialogue.

33. ὥστε καὶ τὸ ζῷον might easily have been dispensed with, but is read by Asclepius as well as by the manuscripts, and need not be excised as Christ proposed.

εἰ μὲν οὖν τὸ αὐτό. The other alternative comes in ᵇ 7.

ᵇ 1-2. καὶ διὰ τί ... τοῦτο; 'If the Idea is present in separate things, does not this amount to separating it from itself?'

7-8. οὐκοῦν ... ἄνθρωπος. The argument, as ἔτι in l. 9 indicates, is meant to be complete in itself. The conclusion ἄπειρα ὡς ἔπος εἰπεῖν ἔσται ὧν ἡ οὐσία ζῷον is absurd, because things whose substance is one are one (1038ᵇ 14).

ἄπειρα ὡς ἔπος εἰπεῖν is an exaggeration, since for Aristotle the number of species in a genus is limited.

9-14. The argument is very obscure, but may perhaps be expanded as follows : 'Further, each of several things will be the Idea of animal. For (i) the " animal" in each species of animal will be the *substance* of that species ; for it is after that and nothing else that the species is called (i. e. when we want to say what e. g. man essentially is, we say he is an animal, not an anything else); else that other would be the generic element in man.   And (ii) each element in man, and therefore among others the element "animal", is on the Platonic theory an *Idea*.   We may infer that the "animal" in man is not the *Idea* of one thing and the *substance* of another.   Therefore the "animal" in the various species of animal, which as we have seen is the *substance* of each of these species, will be the *Idea* of animal.'

For the force of κατ' ἄλλο λέγεται l. 10 cf. A. 987ᵇ 9.

14-16. ἔτι ... ζῷον ; 'Further, from what does this "animal" in each species spring ? How is it derived from animal-itself ? Or, if not derived from it, how can this "animal", whose very substance is animality, exist apart from animal-itself (the Idea of animal)?'

15. πῶς ἐξ αὐτοῦ ζῴου; seems to be correctly explained by Alexander, πῶς ἐκ τοῦ τοιούτου αὐτοζῴου ἔσται τὸ ἐν τῷ αὐτοανθρώπῳ αὐτοζῷον ;

The reading and punctuation suggested by Bz. and given in the text is a great improvement on the traditional form τὸ ζῷον ὃ οὐσία, τοῦτο αὐτὸ παρ' αὐτό, and derives some support from Al. 529. 17.

16, 17. The difficulties raised in ᵃ 26–ᵇ 16 have referred to the relation of genus to species ; Aristotle now says that even greater difficulties for the ideal theory attend the relation of species to sensible individuals.

Individuals, and therefore Ideas, are indefinable (ch. 15).

1039ᵇ 20. Concrete things are generable and therefore destructible; forms are never in course of being destroyed any more than of being created; they are or are not, without generation or destruction.

27. This is why (1) particular sensible substances are not subjects of definition or of demonstration, viz. because they have matter capable of being and of not being.   If knowledge can never become ignorance, there cannot be demonstration or definition of the contingent, but only opinion.

1040ᵃ 2. For perishable things are no longer known when they have passed out of our perception, and, though the formula in the soul remains the same, there is then no longer definition or demonstration ; thus it is always possible to overthrow a definition of a particular, for it cannot really be defined.

8. (2) Therefore an Idea, also, cannot be defined, for (*a*) it is said to be a separate particular. Its definition would have to consist of words, but new-coined words would not be understood, while old ones are common to all things of a class.

14. If it be said that, while the marks used in the definition separately belong to many things, together they may belong only to one, we answer (i) that they will also belong to both elements in the definition, e. g. 'two-footed animal' to 'animal' and to 'the two-footed' (where the elements are eternal, this *must* be so, since they are prior to the compound and, further, separately existent, because, if 'man' is to exist apart from its particulars, so must 'animal', and if 'animal', then also 'the two-footed'); further, (ii) that the elements are prior to the whole, and therefore are not removed when the whole is removed.

22. (*b*) Again, if the elements of Ideas are Ideas (as they must be, elements being simpler than the compounds), the elements, e. g. 'animal' and 'two-footed', will be predicable of many subjects. Otherwise how could they be recognized? All Ideas are thought to be shared in by a plurality of subjects.

27. In the case of eternal things, especially if they are unique, like the sun, people do not realize the impossibility of definition. Definition may err not only by adding irrelevant attributes such as 'going round the earth' (the sun would still be a sun if it did not do this, for 'sun' means a certain *substance*);

33. but also by naming attributes which can belong to another subject. Such a definition will be common, while the sun was supposed to be an individual.—Why does not some Platonist produce the definition of an Idea? The truth of our remarks would become apparent.

Bz. thinks that as in chs. 13, 14 Aristotle has proved that universals are not substances, he now proves that individuals are not substances. But (1) that is not Aristotle's view, and (2) Bz. can arrive at it only by piecing together the conclusion of this chapter, that individuals are indefinable, with the conclusion of ch. 4, that substances are the subject of definition. If Aristotle had meant his readers to draw Bz.'s conclusion, he could hardly have failed to call attention to it.

The interest of the chapter is simply in the problem of definition. Aristotle has asked in ch. 13 (1039^a 14–22) whether anything can be defined, and begins his answer here by pointing out that at any rate individuals cannot.

While chs. 10–14 have continued the line of thought of chs. 1–6 and contained no reference to chs. 7–9, ch. 15 has such a reference (1039^b 26). But it also continues the line of thought of chs. 1–6, 10–

14, and in particular the problem of the possibility of definition, which was raised in ch. 13.

1039ᵇ 22. ὁ λόγος ὅλως, 'the definition in its full extent', not bound up with any particular matter. Bz.'s suspicion of ὅλως seems unjustified; in the *Index* he quotes a phrase which is a good parallel, τὸ δὲ ἀδιαίρετον ὅλως (*De Gen. et Corr.* 326ᵃ 28). Cf. also 1029ᵇ 6, 1033ᵇ 26.

24. οὕτως ὥστε φθείρεσθαι, 'in the sense that it is ever in course of being destroyed'. Cf. 1033ᵇ 5–6 n., E. 1027ᵃ 29 n.

26 δέδεικται, in ch. 8.

28. τῶν καθ' ἕκαστα, cf. B. 999ᵃ 26 n.

οὔτε ἀπόδειξις ἔστιν, 'nor can there be demonstration *about* such substances', i. e. demonstration of their attributes.

30–31. διὸ φθαρτά . . . αὐτῶν. Aristotle shows no knowledge here of the distinction drawn in Λ. 1069ᵃ 30 between two kinds of sensible substance, the eternal (the heavenly bodies) and the perishable.

τὰ καθ' ἕκαστα, cf. B. 999ᵃ 26 n.

31. καὶ ὁ ὁρισμὸς ἐπιστημονικόν, *sc.* 'and therefore τῶν ἀναγκαίων'.

1040ᵃ 2–4. ἄδηλά τε γὰρ . . . ἀπέλθῃ, cf. 1036ᵃ 6.

6. Bz. interprets τῶν πρὸς ὅρον as meaning *quod ad definitionem attinet*. Parallels to such a use of τὰ πρὸς ὅρον may be found in *Top.* 102ᵇ 27, 120ᵇ 13 (ἔστι δὲ ταῦτα στοιχεῖα τῶν πρὸς τοὺς ὅρους), but the genitive is very difficult. It seems better to suppose with Alexander that the phrase means τῶν πρὸς ὅρον τινὸς πραγματευομένων. But corruption may be suspected.

8. τῶν . . . καθ' ἕκαστον ἡ ἰδέα, 'the Idea is an individual'.

11. πᾶσιν, 'to all the members of the class denoted by the name'.

14–15. εἰ δέ τις . . . ὑπάρχειν. The definition of an Idea might be defended against the attack just made, on the ground that, though each of the marks separately belongs to more than one subject, taken together they belong only to the Idea in question. Aristotle proceeds in l. 15 to object to this defence, but, as Bz. observes, he himself gives a similar account of definition in *An. Post.* 96ᵃ 33 ἕκαστον μὲν ἐπὶ πλεῖον ὑπάρξει, ἅπαντα δὲ μὴ ἐπὶ πλέον. The objection, then, must derive its force, if it has any, from the *peculiar* nature of the Ideas—from the fact that they are individuals and exist separately (l. 9).

The first objection is stated in ll. 15–17. 'Two-footed animal' will belong both to 'animal' and to 'the two-footed'. Bz. thinks that ὑπάρχειν is here used (by an illegitimate change of meaning) not in the sense of 'be predicable of', which it has in l. 15, but in the sense of 'be contained in the extension of'; but for this sense he offers no parallel. ὑπάρχειν has, in fact, its ordinary sense. Aristotle means that 'two-footed animal' is predicable (1) of 'animal' (not universally, but in certain cases), and (2) of 'the two-footed' (universally, since two-footedness belongs only to animals, as a differentia should belong only to its genus, *Top.* 143ᵃ 30). This objection would not apply to an ordinary definition, since that does not imply the existence of genus and differentia apart from the species. But according to the Platonists 'animal', 'the two-footed', and 'man' are separately existing Ideas; and 'two-footed animal' is predicable of all three, and therefore not a proper definition of man.

The difference between the Idea and the ordinary subject of definition is brought out in the next words (17–21). 'This applicability of the proposed definition to more subjects than that for which it is proposed *must* exist in the case of the eternal entities (the Ideas), since the genus and the differentia are prior to and parts of the compound, the species, and since further they exist separately. They must exist separately, if the species does; for the genus is described as existing apart from the species, and if the genus does so the differentia must do so too.'

18. πρότερά γ᾽ ὄντα καὶ μέρη is a loose accusative absolute, for which cf. Kühner ii. 2. § 487. 3^b.

21. Bz. objects to εἶθ᾽ (which purports to introduce a new argument) on the ground that the priority of genus and differentia to species has already been used in the previous argument (l. 18). But Alexander affords no support to Bz.'s suggestion διαφορὰ ἔσται, ὅτι, except that he seems not to have read εἶθ᾽. Bz.'s objection is removed if we treat καὶ τοῦτο ... διαφορά (17–21) as parenthetical, and εἶθ᾽ ὅτι, &c., as answering to πρῶτον μέν, l. 15. The second argument then is: Genus and differentia are prior in being to species, and what is prior to another is not destroyed by its destruction and therefore cannot be its definition.

22. ἀντανειρεῖται. Aristotle has ἀντανείρεσις in a somewhat similar sense (*Top.* 158^b 33), but his usual word for this relation is συναναιρεῖν (e. g. K. 1059^b 38).

Alexander had ἔτι instead of ἔπειτα (or ἔπειτα δέ) εἰ, and treats ἔτι ... ἐξ ὧν (l. 23) as a separate argument. But so taken it is excessively obscure, while, if we read εἰ, this clause offers a suitable protasis to what follows. 'Again, if the elements of Ideas are Ideas (as they must be, elements being simpler than their compounds), it will follow further that they must be predicable of more than one subject.' Asc. seems to imply such a connexion (ἀνάγκη οὖν κατηγορεῖσθαι κτλ., 443. 12). The history of Alexander's reading is doubtless as follows. The first part of ANTANAIPEITAIEΠ EITAEI was read as ANTANAIPEITAIETI, and the last part omitted by haplography.

23–27. The argument is: 'Genus and differentia must be predicable of more than one subject. (∴ They cannot form the definition of a single subject.)' How, Aristotle asks, can genus and differentia merely by combination with one another lose this character of 'commonness'?

25. πῶς γνωρισθήσεται; *sc.*, the Ideas being usually apprehended by generalization from several particulars. The Idea is for Plato what answers to a *common* name (*Rep.* 596 A 6).

27–^b2. ἐν τοῖς ἀιδίοις goes (as Asc. sees) not with ἀδύνατον ὁρίσασθαι but with λανθάνει. It is not impossible to define eternal individuals any more than other individuals, but the impossibility is less obvious, since the objection arising from the fact of perishability (1039^b 27—

1040ᵃ 7) is not present in their case. Again, τὰ μοναχά, things which are the only instances of their kinds, are not specially impossible to define, but the impossibility is specially hard to detect. Definitions may be (1) unduly narrow (29–33) or (2) unduly wide (33–ᵇ 2). (1) In the definition of A as BC, B or C may be irrelevant. If there are several instances of A, probably there will be some in which B or C is absent and the badness of the definition will be noticed. But where there is one instance only, the badness may easily escape notice (cf. 1036ᵇ 6). (2) If you define an individual A as BC, then if there are like individuals the definition will apply to them also and will be seen to be a bad definition of A. But if, like the sun, A is unique, and there *are* no other things to which BC is applicable, you may easily not realize that there *might be* other such things, and that you have defined not ' the sun ' but only ' sun '.

Definition of the individual is inevitably liable to both the errors here described. (1) You may be sure that certain attributes are not essential, but since you do not know the whole history of the individual you cannot be sure whether certain others are essential or not. (2) No series of marks will exhaust the nature of the individual, since every series of marks marks off not an individual but a kind. Thus the individual is indefinable, and if Ideas are individuals, they are indefinable.

27. ὥσπερ οὖν εἴρηται. Aristotle has not made the remark in question before, but he has treated the impossibility of definition as less obvious in the case of eternal entities, since he has given several arguments to prove it (8–27) over and above the general arguments against the definition of individuals (1039ᵇ 27—1040ᵃ 7). Cf. esp. 1040ᵃ 17.

31. νυκτικρυφές, apparently a coinage of Aristotle's on the analogy of Parmenides' νυκτιφαὲς φῶς for the moon (fr. 14).

32. ἢ φανῇ. ἀεί may very well be understood without being actually inserted. Asc. has it in his interpretation, but there is no reason to suppose that he read it.

ᵇ 1–2. ἀλλ' ἦν . . . Σωκράτης. I. e. the sun though unique is as much an individual member of a class of suns as Cleon is a member of the class of men.

2–3. ἐπεὶ διὰ τί . . . ἰδέας ; is tacked on loosely. ' If the definition of the individual (and therefore of the Idea) is not open to these objections, why do the Platonists never produce a definition of an Idea ? '

Two wrong views about substance (ch. 16).

1040ᵇ 5. (1) Most so-called substances are potentialities—the parts of animals (which do not exist separately, and even when separated are merely matter) and the elements; they are not unities but merely aggregates till they are fused into one.

10. One might suppose that the parts of living things and the corresponding parts of the soul are both, existing both actually and potentially, because living things have sources of movement in their joints so that some animals live when divided. Yet they exist only potentially when they are united by nature—not by force or by adhesion, which is a malformation.

16. (2) Since the meaning of 'one' answers to that of 'being', and the substance of what is one is one, and things whose substance is one are one, unity or being cannot be the substance of things, any more than being an element or principle can be so; we have still to ask *what* the principle is.

21. 'Being' and 'unity' are more substantial than 'principle' or 'element' or 'cause', but are not substance, because (*a*) they are common, while substance belongs only to itself and to that which has it. Further (*b*), one thing cannot be in many places at once, while what is common can. No universal, then, exists separately from particulars.

27. The believers in Forms are right in saying the Forms exist apart if they are substances, but wrong in saying that the one in many is a Form. Because they cannot say what the eternal substances are that exist apart from sensible particulars, they make them the same in kind as the perishable things which we do know, merely adding 'itself',—'the horse itself', &c.

34. But, even if we had never seen the stars, they would have been eternal substances apart from the things we knew; and so, even if we do not know what eternal substances there are, yet there must be some.

1041ᵃ 3. No universal, then, is a substance, and no substance is compounded out of substances.

In this chapter Aristotle abandons his own fourfold list of the things that might be considered to be substance (ch. 3 *ad init.*), and returns to criticize the popular views about substance expressed in ch. 2 according to which the parts of living things, and the four elements, are among the things that have the most obvious claim to be substances.

1040ᵇ 6. δυνάμεις εἰσί, are not actual substances but components capable of contributing to the life of the whole body.

6–8. 'For none of them is separately existent; and when they *are* separated from the living body, then too they are existent, all of them, only as matter.' The hand while it is in the body is not separately

existent, and therefore not a substance but simply a material con-
stituent, isolable in thought, of a substance. And when removed from
the body, then too it is not a substance, with an activity of its own, but
a mere collection of ὁμοιομερῆ, skin, bone, and flesh. Cf. 1035ᵇ 17,
G. A. 726ᵇ 22.

8. καὶ γῆ καὶ πῦρ καὶ ἀήρ. Alexander and Bz. take these words closely
with ὡς ὕλη, but a comparison with 1028ᵇ 9, 10 shows that they are
co-ordinate with τά τε μόρια τῶν ζῴων. Bz. has to suppose that τε is
answered by μάλιστα δ' (l. 10).

8–10. οὐδὲν γὰρ . . . ἕν, i. e. a part of an animal body, e. g. a hand, is
unified into a genuine whole only by the form of the living body
to which it belongs—otherwise it is simply a collection of diverse
materials, cf. *De Gen. et Corr.* 321ᵇ 31 διὸ καὶ τεθνεῶτος μᾶλλον ἂν
δόξειεν εἶναι ἔτι σὰρξ καὶ ὀστοῦν ἢ χεὶρ καὶ βραχίων.

9. σωρός, which is much better attested than ὁ ὀρρός, is Aristotle's
regular example of that which has not organic unity (1041ᵇ 12,
H. 1044ª 4, 1045ª 9, M. 1084ᵇ 22), while ὀρρός does not seem to be
used in this way. The latter reading is no doubt due to πεφθῇ, but
both the plural αὐτῶν and the usage of πρίν show that πρὶν ἢ κτλ. goes
with οὐδὲν γὰρ αὐτῶν ἕν ἐστιν, not with οἷον σωρός. πέττειν, a regular
Aristotelian term for maturing or working up (cf. Bz. *Index* 590ª 61—
591ª 1), is applicable both to the elements (cf. A. 989ª 16) and to the
parts of the body.

11. πάρεγγυς ἄμφω γίγνεσθαι. Alexander's interpretation μάλιστα
δὲ ὑπολάβοι ἄν τις τὰ τῶν ἐμψύχων μόρια, . . . ὁμοίως δὲ καὶ τῆς ψυχῆς,
πάρεγγυς τοῦ καὶ ἐνεργείᾳ μετὰ τοῦ ὅλου ὄντα οὐσίας αὐτὰ λέγειν καὶ
δυνάμει (535. 27), interprets πάρεγγυς in an impossible way. So does
Bz.'s γίγνεσθαι σχεδὸν ὄντα ἀμφοτέρως καὶ ἐντελεχείᾳ καὶ δυνάμει (the
comma being omitted). πάρεγγυς does not mean σχεδόν. Like
σύνεγγυς, it is used adjectivally rather than adverbially, and (where it
does not mean 'near' in place or time) means 'closely related'
(*Top.* 167ª 5, *G. A.* 769ᵇ 27, *Pol.* 1271ᵇ 20). Probably the best
translation is 'above all one might suppose the parts of animate things
and the parts of the soul nearly related to them to turn out to be both,
i. e. existent both actually and potentially'. An alternative translation
is: 'One might be specially tempted to suppose that the parts of the
animals come-to-be more or less on the same level of being (πάρεγγυς)
as the parts of the soul, thus possessing, both taken together, a being
which is actual as well as a being which is potential'.

12. ὄντα καὶ ἐντελεχείᾳ καὶ δυνάμει, i. e. existing actually, since they
can initiate movement by themselves, and potentially, since they
are absorbed in the life of the whole soul and the whole body.

12–13. τῷ ἀρχὰς . . . καμπαῖς. For the ball and socket joint as the
bodily instrument of motion cf. *De An.* 433ᵇ 19–27, *M. A.* 698ª 16–ᵇ 7.

13. διὸ ἔνια ζῷα διαιρούμενα ζῇ, i. e. some insects and many other
animals ὅσα μὴ ζωτικὰ λίαν εἰσί, e. g. tortoises, as well as some plants
(*De An.* 411ᵇ 19, 413ᵇ 16, *P. N.* 467ª 18, 468ª 25, 479ª 3, *P. A.*
682ª 5, ᵇ 30, *I. A.* 707ᵇ 2, *G. A.* 731ª 21).

15. συμφύσει. Aristotle's use of this word is rather puzzling. Sometimes it means complete normal organic union (*Phys.* 213ᵃ 9, 227ᵃ 23, Δ. 1014ᵇ 22, K. 1069ᵃ 12, Λ. 1070ᵃ 11); sometimes as here it is applied to abnormal unions (e. g. atresiae, *G. A.* 773ᵃ 14, 16, 25, 'Siamese twins', ib. 4, 8). Insects are one συμφύσει (*De Iuv.* 468ᵇ 9); the parts may be said to exist actually just because the whole is not fully one.

16. τὸ ἓν λέγεται ὥσπερ καὶ τὸ ὄν, i. e. these are the widest of all universals, common to all things whatsover, B. 998ᵇ 21. They cannot be the substance of things, for then all things would be one.

21-22. μᾶλλον μὲν οὖν . . . αἴτιον. One of the reasons which Alexander gives for this (536. 35) is doubtless what Aristotle had in mind—that being and unity belong to a thing in itself, while it is a principle, element, or cause only in relation to something else.

25-27. ἔτι τὸ ἓν . . . χωρίς. 'Further, that which is truly one cannot be in many places at once, while that which is common (like being or unity) is in many places at once. No universal, then, can be an individual existing apart from its particulars.'

33. ταύτας, as if Aristotle had said ταῖς φθαρταῖς in the previous clause.

34. ῥῆμα has here the wider sense of 'word' (cf. *Top.* 148ᵇ 36, *De Aud.* 804ᵇ 30, *M. M.* 1202ᵇ 18), not its regular Aristotelian sense of 'verb'.

1041ᵃ 1. ἂν . . . ἦσαν, 'they would have been'. Aristotle's argument is: There may be eternal entities of which we do not know. The Platonists, then, were wrong in saying 'there must be eternal substances (*sc.* to explain the sensible world and the fact of knowledge), but we cannot think of any save such as are akin to sensible substances; the eternal substances therefore are of this nature'.

Aristotle usually attacks the Ideas on the ground of their transcendence. Here he admits that there are eternal, non-sensible, transcendent substances, and objects that they should not be hastily identified with the universal characters in sensible things. But the two criticisms are not inconsistent. They are two ways of putting the same point, that the Ideas are held to combine characteristics that are incompatible, immanence and transcendence. There are immanent intelligibles—the universals in the particulars; and there are transcendent intelligibles—God and the beings that move the planetary spheres (Λ.1073ᵃ 33); but those that are immanent must not be confounded with those that are transcendent.

3. τίνες εἰσίν must mean 'what the non-sensible (1040ᵇ 31, 32) eternal entities (as distinct from the stars) are'.

3-5. ὅτι μὲν οὖν . . . οὐδὲν οὐσία sums up 1040ᵇ 16—1041ᵃ 3; **οὔτ' . . . οὐσιῶν** sums up 1040ᵇ 5-16. Schwegler tries to find a connexion between the two parts of the chapter in the fact that universals, like the parts of a substance, exist only δυνάμει (Θ. 1051ᵃ 2; cf. the conception of genus as ὕλη). But Aristotle would have pointed out this connexion if it had been in his mind.

At the same time these words sum up the general conclusions of chs. 13-16, which are evidently thought of as forming a single section of the inquiry into substance.   Cf. 13. 1039ᵃ 14-17.

The true view of substance ; substance is form (ch. 17).

1041ᵃ 6. Let us approach afresh the question of the nature of substance; we may thus learn about the substance that exists apart from sensible things. We start with the fact that substance is an originative source and cause.

10. ' Why ? ' always means ' Why does A belong to B ? ' ' Why is the musical man a musical man ? ' means either ' Why is the man musical ? ' or something different from this.

14. Now ' Why is a thing itself ? ' is meaningless ; for before we ask ' Why ? ', the *fact* must be evident, and the fact that a thing is itself already answers the question why the man is man or the musical musical—unless one prefers to answer ' because a thing is indivisible from itself' ; but this is a stock and concise answer to all such questions.

20. The real question is, Why is man an animal of such and such a kind ? i.e. Why is A true of B ? Why does it thunder ? = Why is noise produced in the clouds ?

27. Evidently we are seeking the cause, i. e. (speaking abstractly) the essence, which in some cases is an end (e. g. in the case of a house), in some a first mover. The latter is looked for only in cases of becoming and perishing, the former also in that of being.

32. The object of inquiry escapes notice most when subject and attribute are not distinguished, e. g. in the question ' What is man ? ' We must make the question articulate ; otherwise it is hardly a real question.

ᵇ 4. One really asks, ' Why is this material a certain thing ? ' ' Why are these things a house ? ' Because the essence of house is present in them. Thus we are looking for the cause by reason of which the matter is something, i. e. the form ; and this is substance. Evidently, then, the method of inquiry into *simple* entities is one different from that described above.

11. The syllable is not identical with its letters, nor flesh with fire and earth (for after the dissolution of the elements the whole will not exist though the elements will) ; they involve something else as well.

19. Now (1) if this is an element, flesh will consist of fire and earth and this element + something else, and so *ad infinitum* ; (2) if it is

a compound, it must have more than one element, and the same difficulty will arise as in the original case of flesh or the syllable.

25. Yet this 'other' is something, not an element, and is the reason why this is flesh and that is a syllable. This is the *substance* of things (for it is the primary cause of their being). Since all substances are held together according to nature and by nature, this 'nature', which is not a material element but a principle, seems to be substance; the *elements*, on the other hand, are the material constituents of things.

Of the four claimants to the title of substance (1028^b 33) Aristotle has now discussed substratum, and shown that it in its most obvious sense (viz. matter) is not substance (ch. 3). He has discussed essence from many points of view, but without reaching any very definite conclusion as to whether it is substance (chs. 4–12). He has discussed the universal (and implicitly the fourth claimant, the genus), and shown that it is not substance, and has shown further that substance cannot contain actual substances as its parts (chs. 13–16). He now makes a fresh start and essays to show that essence is substance, using as his guide the principle that substance must be causal, something that answers the question 'Why?'

1041^a **6.** τί . . . καὶ ὁποῖόν τι, 'what, i. e. what kind of thing'. The two expressions do not seem to stand here, as they sometimes do, for genus and differentia respectively.

11–24. This difficult passage may be paraphrased thus:—The question 'Why is the musical man a musical man?' is either (1) of the type just mentioned (l. 11), viz. 'Why is the man musical?', or (2) it is different from this. In this second case, it is of the type 'Why is a thing itself?' and it is no question at all. For when we ask *why* a thing is so, we must already know *that* it is so. But that a thing is itself is already sufficient answer to any question of the type 'Why is a man a man?'; in such a case the question 'Why?' is not really a further question at all. 'Because a thing is itself' is the only answer, unless one prefers to put it in the form 'because each thing is indivisible from itself, and this is what being one means' But this is an answer which meets all such cases and is a 'short and easy way' with them, and its existence does not show the *particular* question of the type 'Why is man man?' to be a sensible one. But the question 'Why is man such and such a kind of animal?' *is* one which may fairly be asked. It is of the type mentioned in l. 11; it asks 'Why does A belong to B?', and assumes that it does belong. I. e. of the two alternatives stated as to the meaning of the question 'Why is A A?' Aristotle rejects the second and adopts the first, that it really is of the form 'Why is B A?'

Christ treats δεῖ γὰρ (l. 15) . . . ὁ μουσικὸς μουσικός (l. 18) as parenthetical and connects πλὴν εἴ τις κτλ. with οὐδέν ἐστι ζητεῖν. But it can hardly be right to disconnect ὅτι ἀδιαίρετον πρὸς αὐτὸ ἕκαστον thus from αὐτὸ ὅτι αὐτό, for which it is an alternative and fuller

expression. The paraphrase above indicates sufficiently how πλήν
should be taken.

13. Bz. thought with Alexander that τὸ εἰρημένον ζητεῖν must be
τὸ ζητεῖν διὰ τί αὐτό ἐστιν αὐτό, and therefore proposed in this line διὰ
τί ὁ ἄνθρωπος μουσικὸς ἄνθρωπος μουσικός ἐστιν. But this is bad
grammar, and further τὸ εἰρημένον ζητεῖν means just the opposite
of what he supposes. It refers to l. 11, and means asking why B is A,
not why A is A. It is possible, however, that we should read with
Prof. Joachim διὰ τί ὁ μουσικὸς ἄνθρωπος μουσικὸς ἄνθρωπός ἐστιν,
in which case τὸ εἰρημένον refers to l. 12. The sentence then, as
Prof. Joachim admits, becomes rather pointless; but he cites *An. Post.*
93ᵃ 3-6 as a parallel.

15. δεῖ γὰρ τὸ ὅτι καὶ τὸ εἶναι ὑπάρχειν δῆλα ὄντα, sc. when the διὰ
τί is being inquired into. Cf. *An. Post.* ii. 1, 2.

24. Aristotle means that διὰ τί βροντᾷ; resolves itself into διὰ τι
ψόφος γίγνεται ἐν τοῖς νέφεσιν;

28. τοῦτο δ᾽ ἐστὶ τὸ τί ἦν εἶναι, ὡς εἰπεῖν λογικῶς. Alexander
believed these words to be spurious, and a premature anticipation
of the doctrine stated in ᵇ 6 ff. The suspicion is unnecessary. The
doctrine is that the cause of the inherence of a πάθος in a substratum
(e.g. of noise in clouds) or of a quality in certain materials (e.g. of the
shape characteristic of a house in bricks and timber) is always—to
state the matter abstractly (λογικῶς)—the τί ἦν εἶναι or definition of the
union of substratum and πάθος, or of materials and quality. But in
some cases this definition expresses the final cause—e.g. a house is
defined as a shelter for living things and goods (H. 1043ᵃ 16, 33); in
other cases the definition expresses the efficient cause—e.g. thunder is
a noise in clouds due to, i.e. produced by, the quenching of fire (*An.
Post.* 93ᵇ 8, 94ᵃ 3). In other words the formal cause is not a distinct
cause over and above the final or efficient, but is either of those when
considered as forming the definition of the thing in question. Similarly
in *An. Post.* ii. 11 the formal cause is identified with the efficient
(94ᵇ 18-21) and even with the material (there treated as = the sum of
the necessary conditions of a conclusion) (94ᵃ 34).

31-32. τὸ μὲν τοιοῦτον αἴτιον, the efficient cause; θάτερον δέ, the final.
It is when we are inquiring why has so-and-so come into being, or ceased
to be, that we look for the ἀρχὴ κινήσεως, the origin of the movement
which brought the thing into being or destroyed it. On the other
hand we may ask not only for what purpose has so-and-so come into
being or ceased to be, but also for what purpose it exists.

It would be possible to take τὸ μὲν τοιοῦτον αἴτιον to refer to
the final and efficient causes, θάτερον δέ to the formal, but the Greek
does not so naturally suggest this.

33. The vulgate reading is μὴ καταλλήλως. κατάλληλος, καταλλήλως
are not found in the genuine works of Aristotle, and when they occur
(in later Greek) they mean 'corresponding', 'correspondingly', which
does not suit the sense here. ἐν τοῖς μὴ κατ᾽ ἀλλήλων λεγομένοις gives
the right sense, 'where one term is not predicated of another'. For

κατ᾽ ἀλλήλων = ' one of another ', not ' of one another ', cf. ὑπ᾽ ἄλληλα, *Cat.* 1ᵇ 16.

b 1. The general line of thought in the chapter is as follows: Substance is a cause (ᵃ 9). Therefore, if we can find out what in general is the cause of things, the answer to the question ' Why ? ', we shall have found what substance is. Now ' Why ? ' always means ' Why is B A ? ' We have therefore only to find the general nature of the answer to *this* question. In general it is a statement of form or essence. Form or essence, then, is substance.

It has been thought, therefore, that a reference here to the question ' *What* is man ? ' is irrelevant. Alexander interprets τί in this line as meaning διὰ τί, which it cannot mean; Bz. with greater probability proposes to *read* διὰ τί, which occurs as a marginal reading in E (but has probably made its way there from Alexander's commentary). It seems, however, that Aristotle's meaning is as follows : The object of our search, the fact that it is the formal *cause* we are looking for, is concealed when we use a simple expression, unanalysed into subject and attribute, like ' man '. We then ask ' *What* is man ? ' But if we analyse our question, we find that it means, ' *By reason of what* is this combination of bones, sinews, &c., a man ? ' (διὰ τί τάδε τόδε). And the answer is, ' Because it is informed by the form of man, the human soul '. Until we have performed such an analysis, our question ' shares the character of a genuine and of a meaningless inquiry ' (ll. 3, 4); i. e. it is not yet clear whether we are asking a genuine question.

For the reduction of the question ' What ? ' to the question ' Why ? ' cf. *An. Post.* 89ᵇ 39—90ᵃ 1, 90ᵃ 14–21. But in that work it is only the definition of attributes that is reduced to the question ' Why do they occur ? ', whereas here the definition of man seems to be similarly reduced.

4. δεῖ ἔχειν, ' one must know '. Cf. Bz. *Index* 305ᵇ 46.

5. Christ's διὰ τί τί is a better emendation of διὰ τί than Bz.'s ταδὶ διὰ τί, and seems to answer better to Alexander's interpretation (541. 31). Cf. ᾧ τί ἐστιν, l. 8.

Prof. Joachim thinks the manuscript reading may be retained and translated ' why the matter is there—what it exists *for* '; and suggests alternatively διὰ τί ⟨τοδί⟩.

5-7. ' E. g. Why do these materials form a house ? Because what it was to be a house (the essence of house) is present in them. Similarly this matter, or rather this matter having this form, is a man.' It does not seem necessary to read ὡδὶ ἔχον with Bz. for τοδὶ ἔχον. The form of man is τόδε ἐν τῷδε (1030ᵇ 18), and the body can therefore be said ἔχειν τοδί, to contain the form (cf. Δ. 1023ᵃ 11–13, 23–25).

7, 8. What Aristotle has been illustrating in ll. 4–7 is not the cause of the matter but the reason why such and such matter constitutes such and such things. τὸ αἴτιον τῆς ὕλης must therefore not be taken alone, but with ᾧ τί ἐστιν, ' the cause whereby the matter is some definite thing '. To get this result it is not necessary, with Christ, to regard τοῦτο . . . εἶδος as spurious; it is enough to treat it as parenthetical.

9–10. φανερὸν . . . τοιούτων. Since 'Why?' always means 'Why is B A?', we cannot ask the question 'Why A is' if A is a pure form, not a complex of form and matter; such entities must be understood in some other way, *sc.* by that intuition which is 'like touching'. For this cf. Θ. 1051^b 17—1052^a 4 nn., *De An.* 430^a 26, ^b 26–31.

10. ἕτερος τρόπος τῆς ζητήσεως, 'another method of inquiry than that described above'.

11–27. In this sentence not even the clause beginning with ἐπεί is ever completed; the parenthesis ἡ δὲ συλλαβή κτλ. is so long that the original construction is quite forgotten.

17. For the description of the syllable as ἕτερόν τι apart from the etters cf. Pl. *Theaet.* 203 E.

19–25. εἰ τοίνυν . . . συλλαβῆς. 'Let us suppose that this principle of union must be either an element or a complex of elements. If it is the first, this leads to an infinite regress (ll. 20–22), and so too if it is the second (ll. 22–25). Therefore it is neither.'

22. For ἐκ στοιχείου (singular) cf. H. 1043^b 12.

23. ἢ ἐκεῖνο αὐτὸ ἔσται, 'or else (if it were composed of only one) that one would be the thing itself'. For ἤ = εἰ δὲ μή cf. *E. N.* 1170^b 17, Θ. 1050^a 14 (?).

29. ὅσαι οὐσίαι (εἰσί), κατὰ φύσιν καὶ φύσει συνεστήκασι. For Aristotle's tendency to restrict sensible substance to natural as opposed to artificial things cf. H. 1043^a 4, ^b 21. On the other side cf. Λ. 1070^a 5. The reason for the restriction is that art does not make new substances but merely imposes new qualities, quantities, &c., on substances. The statue retains the substantial or essential nature of wood, house, &c. And *qua* wooden it is a *natural* substance; it is only *qua* having such and such a shape that it is artificial, and in this respect it is not a substance.

30. [καὶ] αὕτη ἡ φύσις. A^b reads ὅτι, EJΓ τισι, both of which are impossible. Probably ὅτι is an emblema due to Alexander's paraphrase φανερὸν ὅτι, and τισι and καί are attempts to emend ὅτι.

30–31. αὕτη ἡ φύσις . . . ἤ ἐστιν οὐ στοιχεῖον ἀλλ' ἀρχή, i. e. the φύσις described not in Δ. 1014^b 27 but in ib. 36, that which is not matter but form. For the difference between στοιχεῖον and ἀρχή cf. Δ. 1, 3.

BOOK H

Sensible substances ; matter (ch. 1).

1042ᵃ 3. We proceed to sum up what has been said and to bring our inquiry to its conclusion. We have said that (1) the causes of substances are the object of our search.

6. (2) Some substances are generally recognized, i. e. the physical, viz. the elements, plants and animals and their parts, the physical universe and its parts ; while certain thinkers treat the Forms and the objects of mathematics as substances.

12. (3) Other substances are established by argument—the essence, the substratum, the genus, the universal ; with the two latter are connected the Ideas.

17. (4) Since the essence is substance, we had to discuss definition and therefore also what parts are parts of the substance, and whether these are also parts of the definition.

21. (5) Neither the universal nor the genus is substance ; the Ideas and the objects of mathematics must be considered later.

24. We must now discuss the acknowledged substances, viz. those that are sensible, all of which have matter. The substratum is substance, and this is (1) in one sense the matter (which is potentially a ' this '), (2) in another the definition or shape (which is a ' this ' and is separable in definition), (3) in another the union of these, which alone is subject to generation and destruction and is separable in the full sense (while only *some* of the substances in the sense of definable essences are separable).

32. Of these three, even (1) *matter* is substance, for in all change there is something that underlies the change, whether it be change of place, of size, of quality, or in respect of substance (generation and destruction).

ᵇ 3. The last kind of change involves all the others, but either one or two of the others do not involve it ; a thing need not have matter for generation and destruction if it has the matter or potentiality for local change.

The chapter opens with a summary of the contents of Book Z.
1042ᵃ 4–6 refers, roughly, to Z. 1,

,, 6–12	,,	,,	,, 2,
,, 12–15	,,	,,	,, 3. 1028ᵇ 33–36,
,, 17, 18	,,	,,	,, 4–6, 12, 15,
,, 18–21	,,	,,	,, 10, 11,
,, 21, 22	,,	,,	,, 13, 16. 1040ᵇ 16—1041ᵃ 5.

It is noteworthy that the summary makes no reference to Z. 7–9, which we have already seen reason to regard as not belonging to the original plan of Z. The doctrine of those chapters is, however, referred to below in l. 30.

1042ª 3. συλλογίσασθαι seems to have its original meaning of 'reckoning up'. 'We must reckon up the results of what has been said and compute the sum of them.' Cf. *E. N.* 1101ª 34 συλλογιστέον καὶ ταύτην τὴν διαφοράν.

8. τἆλλα τὰ ἁπλᾶ σώματα, cf. Δ. 1017ᵇ 11, Z. 1028ᵇ 11. What simple bodies other than the four elements can Aristotle mean? The answer is given by *De Caelo* 268ᵇ 27 λέγω δ' ἁπλᾶ ... οἷον πῦρ καὶ γῆν καὶ τὰ τούτων εἴδη καὶ τὰ συγγενῆ τούτοις. I. e. τἆλλα is the various species of fire, air, water, and earth (τὰ συγγενῆ τούτοις = air and water, cf. *Meteor.* 339ª 28).

10. ὁ οὐρανός, 'the physical universe', as in Z. 1028ᵇ 12.

21. Christ is right in dispensing with the comma after ταῦτα. ταῦτα = τὰ τῆς οὐσίας μέρη.

Christ's emendation of ἔτι to ἔστι is unnecessary. For ἔτι τοίνυν cf. Λ. 1071ᵇ 20.

23. ὕστερον σκεπτέον, in MN.

28. ἄλλως δ' ὁ λόγος καὶ ἡ μορφή, cf. Z. 1029ª 2 n.

29. For the description of form as τόδε τι cf. Δ. 1017ᵇ 25 n.

30. οὗ γένεσις μόνου καὶ φθορά ἐστι, cf. Z. 8.

31. αἱ μὲν αἱ δ' οὔ. The only form that is χωριστὸν ἁπλῶς is νοῦς. Cf. Λ. 7, 9, *De An.* 413ᵇ 24, 429ᵇ 5, 430ª 22. Reason exists in God, in the spirits of the spheres, and in man.

32–ᵇ 3. Aristotle's classification of change into four kinds is partly anticipated in *Theaet.* 181 D, where Plato distinguishes ἀλλοίωσις and φορά.

ᵇ 2–3. νῦν μὲν ... στέρησιν. νῦν μέν refers to the time when a substance is being destroyed, πάλιν δέ to the time when it is being produced. What underlies or undergoes destruction is matter qualified by a positive form, i. e. a τόδε τι; what underlies generation is matter qualified by a privation.

4. ἡ μιᾷ ἢ δυοῖν. Aristotle leaves it open whether ὕλη ἀλλοιωτή, as well as ὕλη τοπική, does not imply ὕλη γεννητή; in Θ. 1050ᵇ 17 he says definitely that it does not. His words here suggest that ὕλη αὐξητή implies ὕλη γεννητή, and this is confirmed by *De Gen. et Corr.* i. 5 (e. g. 322ᵃ 6, 7). On the relations between the various ὕλαι cf. Z. 1036ª 9 n.

5–6. οὐ γὰρ ... ἔχειν. The stars have ὕλη τοπική but not ὕλη γεννητή, 1044ᵇ 7, Λ. 1069ᵇ 26.

6. ὕλην ... τοπικήν. The phrase is a *hapax legomenon* in Aristotle, but cf. ὕλη κατὰ τόπον κινητή, 1044ᵇ 7, ὕλη ποθὲν ποί, Λ. 1069ᵇ 26.

ὕλην ... γεννητήν, not matter that can be generated (matter is eternal) but matter which can take on a new substantial form.

7. τὸ μὴ ἁπλῶς γίγνεσθαι is applicable to the three kinds of change other than generation or destruction, viz. φορά, αὔξησις, ἀλλοίωσις, in which a thing does not come to be, simply, but changes its place, size, or quality. The distinction in *De Gen. et Corr.* i. 3 between ἁπλῆ γένεσις and γένεσίς τις within the category of substance does not seem to be in Aristotle's mind here.

8. ἐν τοῖς φυσικοῖς εἴρηται, *Phys.* 225ᵃ 12–20, *De Gen. et Corr.* 317ᵃ 17–31. For the citation of other works than the *Physics* under the title τὰ φυσικά cf. Bz. *Index* 102ᵇ 9.

Form or Actuality (chs. 2, 3).

The various types of differentia or constitutive form (ch. 2).

1042ᵇ 9. Since substance as matter, i. e. the substance that is substance potentially, is generally recognized, we next (2) discuss the substance, as *actuality*, of sensible things. Democritus seems to think there are three differentiae—shape, position, order.

15. But there are many; things are characterized by composition (e. g. by being mixed), by being tied, glued, nailed; by position, time, place; by the sensible qualities such as hardness and softness, some by some, some by all of these, and in general by excess and defect.

25. 'Is' must therefore have just as many meanings; for a threshold 'being' means being so situated, for ice it means being so solidified; the being of some things, e. g. a hand, will be defined by all these characteristics.

31. We must grasp the kinds of differentia, for they will be principles of being; e. g. excess and defect, straightness and crookedness, mixture.

1043ᵃ 2. Since substance is the cause of a thing's being, it will depend on these differentiae what kind of being the thing in question has. None of them is substance even when coupled with matter, yet they are analogous to substance; as in the definition of substances what is predicated of the matter is the actuality, in other definitions it is what most resembles actuality.

7. E. g. to define 'threshold' we say 'wood or stone in such a position' (adding sometimes the final cause).

12. To different matter there answers a different actuality or definition—composition, mixture, &c. Those who define a house as 'stones, bricks, and timbers' are stating the potential house; those who say 'a covering for animals and goods' state the actuality; those who combine both statements give the concrete substance.

21. Of the last kind were the definitions approved by Archytas, e. g. ' still weather is absence of motion in a large extent of air '.

26. Sensible substance, then, is (1) matter, (2) form and actuality, (3) the union of the two.

1042ᵇ 11-15, cf. A. 985ᵇ 13-19 nn.

16. It is curious to find κρᾶσις treated as a kind of σύνθεσις. Elsewhere the two are opposed as one might oppose chemical combination to mechanical composition (*De Gen. et Corr.* 328ᵃ 8, N. 1092ᵃ 24, 26, and cf. 1042ᵇ 29 n. with 1043ᵃ 13). But cf. *De An.* 407ᵇ 30 τὴν ἁρμονίαν κρᾶσιν καὶ σύνθεσιν ἐναντίων εἶναι. σύνθεσις may in fact be used as the genus including κρᾶσις, though usually it means a species opposed to it.

24. τὰ μὲν ἐνίοις τούτων τὰ δὲ πᾶσι τούτοις. *All* physical bodies are characterized, according to Aristotle, by dryness or wetness (which form one of the πρῶται ἐναντιότητες), and presumably also by density or rarity. Every ὡρισμένον σῶμα, i. e. every *actual* sensible body as distinguished from the pure elements, is characterized as well by hardness or softness (*Meteor.* 382ᵃ 8).

καὶ ὅλως τὰ μὲν ὑπεροχῇ τὰ δὲ ἐλλείψει. This applies only to τὰ τοῖς τῶν αἰσθητῶν πάθεσιν (l. 21).

27. We should perhaps read κρυστάλλῳ with one manuscript of Alexander, but κρύσταλλον is not impossible.

29. τὰ μὲν μεμίχθαι, τὰ δὲ κεκρᾶσθαι. κρᾶσις is properly a kind of μῖξις, the μῖξις of liquids (*Top.* 122ᵇ 26-31). μῖξις is probably here used in a narrower sense = the chemical mixture of solids.

33. τὰ τῷ μᾶλλον, i. e. those that are characterized by degree, the πάθη τῶν αἰσθητῶν, cf. 21-25.

1043ᵃ 2. ἡ οὐσία αἰτία τοῦ εἶναι, cf. Z. 17.

4-5. οὐσία μὲν οὖν ... ἑκάστῳ. I. e. none of these differentiae is substance either (1) when taken by itself or (2) when coupled with matter; but it is what is analogous to substance in each case. The differentiae mentioned are in categories other than substances—in that of ἔχειν (σύνθεσις, δεσμός, κόλλη, γόμφος), of κεῖσθαι, of ποτέ, of πού, or of ποιόν (τὰ τῶν αἰσθητῶν πάθη). They indicate not the inmost nature of that to which they belong but a mode of arrangement or other characteristic which may be only temporary. Therefore the things characterized by them—(1) *artefacta*, (2) states of a substance (κρύσταλλον, and perhaps πνεῦμα, cf. *Meteor.* ii. 4), (3) parts of living things—are not substances but only analogous to substances in that they contain elements answering to matter and form. For the exclusion of (1) from the dignity of substance cf. ᵇ 21, Z. 1041ᵇ 29, and for the exclusion of (3) cf. Z. 1040ᵇ 6. The reason for the exclusion of (3) is stated there.

7. μάλιστα. I. e. it is more truly ἐνέργεια than anything else in such definitions is.

13-14. τῶν μὲν γὰρ ... εἰρημένων. Cf. 1042ᵇ 16 n., 29 n.

21. Archytas, one of the most famous members of the Pythagorean school, and a contemporary of Plato. We have· no further light than that which this passage offers on his doctrine of definition. The type of definition he approved is identical with Aristotle's nominal definition of attributes *per genus et subiectum*, the ὁρισμός which is συμπέρασμά τι ἀποδείξεως (*An. Post.* 75ᵇ 32, cf. 93ᵃ 22, 94ᵃ 7).

28. For the corruption of καί into ὅτι cf. N. 1089ᵇ 35 n.

Distinction between concrete substance and actuality or form. The former is generated and destroyed, the latter not. Analogy between form or definition and number (ch. 3).

1043ᵃ 29. Sometimes it is not clear whether a word means the concrete substance or the actuality, e. g. 'house', 'line', 'animal'

36. The two meanings have a common reference, if not a common definition. The question of the two meanings does not affect the investigation of sensible substance; for the essence plainly attaches to the *form*. For 'soul' and 'to be soul' are the same, while 'man' and 'to be man' are different, unless the soul can be called man.

ᵇ 4. The syllable does not consist of the letters + composition; for the composition is not derived from the things compounded. The position is not derived from the threshold, but *vice versa*.

10. Man is not animal + two-footed; if these are the matter of man, there must be something apart from these—neither an element nor a compound but the substance. Those who describe man as animal + two-footed are omitting this, and stating the matter. If, then, this is the cause of man's being, and that is the ·substance of man, they will not be stating man's very substance.

(14. This is either eternal, or perishable and generable without ever being in process of perishing or becoming. It is not the form but the concrete thing that is generated. Evidently the substances of *some* perishable things cannot exist separately, viz. those that cannot exist apart from the particular instances, e. g. house. Perhaps these, and indeed all things that are not formed by nature, are not substances; the nature in natural objects is the only substance in perishable things.)

23. Thus there is some point in Antisthenes' problem; he said you cannot define what a thing is (definition being simply circumlocution), but can teach what sort of thing it is (e. g. that silver is *like* tin),

28. so that composite substance, whether sensible or intelligible, can be defined, but its elements cannot, since definition predicates one thing (form) of another (matter).

32. If numbers are substances, it is in this way and not as assemblages of units; for (1) definition is a sort of number, being divisible, and divisible into indivisibles.

36. (2) Definition, like number, loses its identity if anything be subtracted from or added to it.

1044ª 2. (3) A number must be something by virtue of which it is one—else it is a mere aggregate; a definition also is one; but the principle of unity in both is commonly missed. This is natural, for substance has the sort of unity that a number, not a unit, has; it is an actuality and a definite nature.

9. (4) Formal substance, like number, does not admit of degree; if any substance does so, it is concrete substance.

We have shown, then, in what sense generation and destruction of so-called substances is possible, and have dealt with the reduction of substance to number.

This chapter is a collection of ill-connected remarks on various topics relating to essence and definition.

1043ª 29–ᵇ 4 is a note on the ambiguity of words like 'house', 'line', &c. At ᵇ 4 Aristotle returns to the main subject.

33. πότερον δυὰς ἐν μήκει ἢ [ὅτι] δυάς.   Cf. Z. 1036ᵇ 13–17 n.

34. ὅτι, as Bywater pointed out, is doubtless an emblema from ll. 31, 33.   For the intrusion of ὅτι cf. Z. 1041ᵇ 30 (Aᵇ), N. 1089ª 7, *Probl.* 962ª 2 and possibly Θ. 1050ª 14, 1051ª 30.

37. ὡς πρὸς ἕν, cf. Γ. 1003ª 33 n.

ᵇ 2. ψυχὴ μὲν γὰρ καὶ ψυχῇ εἶναι ταὐτόν.   Aristotle has tried to prove this in Z. 6.

4. τινὶ μὲν τινὶ δ' οὔ.   I. e. 'being man' will be the same as man in the sense of 'the human soul', but not as man in the sense of 'the complex of soul and body'.

4–8. The reasoning is inconsecutive.   'The syllable does not consist of the letters + their composition.   This is natural because the composition does not consist of the letters.'   The second sentence contains a suggestion which is quite different from that contained in the first, and γάρ is unjustifiable.   Aristotle rejects both suggestions; the form is οὔτε στοιχεῖον οὔτ' ἐκ στοιχείου (l. 12).   Bz. takes ἐκ τούτων (l. 7) to mean 'one of the things', but the use of ἐκ in two quite different senses is most improbable.

9. εἰ ὁ οὐδὸς θέσει, cf. 1042ᵇ 19.

9–10. οὐκ ἐκ τοῦ οὐδοῦ . . . ἐκείνης.   'The position is not made up out of the threshold' (i. e. out of the material parts of the threshold, cf. l. 7 ἐκ τούτων ὧν ἐστι σύνθεσις), 'but rather the threshold is constituted by the position'.

11. Usually the genus is described as matter, the differentia as form, cf. Δ. 1024ᵇ 8, Z. 1038ª 6, 19.   To treat genus and differentia as if they existed side by side like material elements and required a third thing to unite them is un-Aristotelian. Cf. Z. 12, H. 6, where Aristotle makes the unity of essence depend on the fact that genus has no existence apart from differentia. Dittenberger therefore would omit οὐδὲ . . . δίπουν as an interpolation due to a misunderstanding of ch. 6, and treat ὁμοίως . . . ἐκείνης (8–10) as parenthetical. He has, however, misunderstood what Aristotle says. 'Man is not ζῷον + δίπουν but ζῷον δίπουν (Z. 1037ᵇ 12–14). To describe him as ζῷον + δίπουν is to treat these as the materials of which he consists, and *if* these are mere materials, *then* there must be something else which is neither an element nor composed of elements but the substance; this they omit, and mention only the matter, if they describe man as ζῷον + δίπουν.'

12. ἐξαιροῦντες, according to Al. 553. 7, governs τὴν ὕλην. Cf. Z. 1036ᵇ 23 ἀφαιρεῖν τὴν ὕλην. 'Which people name when they eliminate the matter.' What people? Alexander suggests the Platonists. But a reference to them is out of place. Aristotle is dealing in this chapter with the common tendency to describe a whole as a sum of parts or materials, omitting the principle of unity; cf. 1044ᵃ 3, 6. Lines 10–14 form a much more consecutive piece of reasoning if ἐξαιροῦντες be taken to govern ὅ. Cf. (in a similar context) *De Gen. et Corr.* 335ᵇ 35 ἐξαιροῦσι γὰρ τὸ τί ἦν εἶναι καὶ τὴν μορφήν.

13. Bz.'s καὶ οὐσίας, τοῦτο αὐτήν κτλ., though it derives some support from Al. 553. 11, is not really needed. The reading of E¹JΓ gives a good argument:

The principle of union is the cause of being.

This (the cause of being) is substance (cf. ᵃ 2).

∴ In omitting the principle of union and naming only the matter they will not be naming the substance itself.

14. The omission of οὐ in Aᵇ Al. is due to the misunderstanding of ὃ ἐξαιροῦντες τὴν ὕλην λέγουσιν (l. 12).

14–16. ἡ ἀΐδιον . . . γίγνεσθαι. Cf. E. 1027ᵃ 29 n., Z. 1033ᵇ 5–6 n.. **16.** ἐν ἄλλοις, Z. 8.

17. ποιεῖται τόδε, γίγνεται δὲ τὸ ἐκ τούτων is pleonastic, and there is a good deal to be said for Bz.'s ποιεῖ εἰς τόδε. Cf. Z. 1033ᵇ 10.

18. τούτων, i. e. matter and form, cf. ll. 11, 12.

18–19. εἰ δ' εἰσὶ . . . δῆλον. In the long run it appears that for Aristotle reason is the only χωριστὸν εἶδος. Every other form is the form of a certain kind of matter and inseparable from it.

19–21. πλὴν . . . σκεῦος. Cf. Z. 1033ᵇ 19–21.

21–22. οὔτε τι . . . συνέστηκεν. Cf. ᵃ 4–5 n., Z. 1041ᵇ 29 n.

23–25. ὥστε ἡ ἀπορία . . . ἔχει τινὰ καιρόν. Aristotle has said (ll. 10–14) that if the genus and differentia are treated as the matter of the thing defined, the definition must miss the essence of the thing defined. 'Thus', he continues, 'there is a certain timeliness in the Antisthenean doctrine that definition is impossible, that any definition must miss the essence of its object.' Lines 14–23 must be regarded as a digression.

24. οἱ Ἀντισθένειοι καὶ οἱ οὕτως ἀπαίδευτοι, cf. Δ. 1024ᵇ 32–34 n. The view of the Antistheneans seems to be that which is referred to in Pl. *Theaet.* 201 E–202 C, viz. that simple entities cannot be defined but only named, and that complex entities can only be defined to the extent of naming their simple elements, i. e. by a definition which contains indefinables. Definition is an ὀνομάτων συμπλοκή. It explains its subject only by reference to elements themselves ἄλογα καὶ ἄγνωστα, and is thus but a λόγος μακρός, a diffuse and evasive answer to a question. (For λόγος μακρός cf. N. 1091^a 7 n.) Hence simple entities (of which silver is taken as an example) cannot be defined at all, but only described as *like* certain other simple entities.

29. τῆς συνθέτου, ἐάν τε αἰσθητὴ ἐάν τε νοητὴ ᾖ. What is definable must in any case be a universal. The definable *sensible* composite will be a term like ' man ', which is analysable into a certain form and a certain kind of sensible matter (Z. 1035^b 29). The definable *intelligible* composite will be a term like ' line ', which is analysable into the form ' two ' and the intelligible matter ' length ' (Z. 1036^b 13–17, cf. 1035^a 20 n.).

The analysis of ' man ' into ' two-footed ' and ' animal ', also, would be an analysis into form and ' intelligible matter ', in another sense of that term (1045^a 34).

ἐάν τε αἰσθητὴ ἐάν τε νοητὴ ᾖ. It is certain that Antisthenes, who was an out-and-out sensationalist, meant by a complex a thing which could be divided into *sensible* parts or elements. Cf. *Theaet.* 201 E τὰ πρῶτα οἰονπερεὶ στοιχεῖα, ἐξ ὧν ἡμεῖς τε συγκείμεθα καὶ τἆλλα. Aristotle interprets him in the light of his own doctrine of ὕλη νοητή.

31–32. τὸ μέν, the genus ; τὸ δέ, the differentia. Cf. Δ. 1024^b 8, Z. 1038^a 6, 19.

32—1044^a 14. This is a section, not closely connected with what precedes, in which Aristotle, while pointing out that substances are not numbers in the way in which he thinks the Platonists supposed them to be so, shows that there are certain analogies between substances and numbers. They are, he thinks, mere analogies, but they account for the attractiveness, to some minds, of the reduction of substance to number.

33. οὕτως εἰσί κτλ., i. e. they are not simply aggregates of units but have a principle of unity which keeps their parts together.

34. ὥς τινες λέγουσι, *sc.* the Pythagoreans and Platonists. Cf. M. 6, 7. Aristotle seems rather confused about the view he is attacking. He here describes it as the view that substance is like an aggregate of units ; in 1044^a 8 he describes it as the view that substance is a sort of unit (unless indeed he is there referring to the view of some other thinkers, perhaps a different set of Platonists).

It is rather hard on the Platonists to attack them for treating the essential substance of things as an aggregate, if (as seems to be the case) the doctrine of inaddible numbers was meant just to avoid this implication. But Aristotle does not seem to understand the ' inaddible numbers '. Cf. M. 6, 7 nn.

1044^a 2. καὶ τὸν ἀριθμὸν δεῖ εἶναί τι ᾧ εἷς. Bz. proposes τῷ ἀριθμῷ for τὸν ἀριθμόν, but Aristotle means not that number must *have*, but that it must *be*, a principle of unity, just as in general he identifies substance with the unifying principle.

8–9. ἀλλ' οὐχ . . . ἑκάστη. Cf. 1043ᵇ 34 n. Aristotle here opposes his view of essence as an 'actuality and nature' which holds together material parts to the view that it is a mere indivisible unit.

9–10. ὥσπερ οὐδὲ ὁ ἀριθμὸς . . . ἧττον. I. e. a number cannot be more or less a particular number; it either definitely is it or definitely is not it.

11. ἀλλ' εἴπερ, ἡ μετὰ τῆς ὕλης. In *Cat.* 3ᵇ 33—4ᵃ 9 Aristotle implies that not even ἡ μετὰ τῆς ὕλης, the concrete individual, can be more or less the substance it is.

11–13. περὶ μὲν οὖν γενέσεως . . . ἀδύνατον refers to 1043ᵇ 14–23, περὶ τῆς εἰς τὸν ἀριθμὸν ἀναγωγῆς to 1043ᵇ 32—1044ᵃ 11. These, then, are for Aristotle the main sections of the chapter.

The various causes of generable natural substances, eternal natural substances, and natural events (ch. 4).

1044ᵃ 15. Even if all things have the same ultimate matter, they have different proximate matter.

20. The same thing has more than one matter. Phlegm comes (1) (*a*) from what is fat, directly, (*b*) from the sweet, because the fat comes from the sweet, (2) from bile, by the resolution of bile into prime matter.

25. From the same matter different moving causes can sometimes produce different things; in other cases different things involve different matter. If the same thing can come from different matters, the moving cause must be the same.

32. When we look for the cause of a thing, we must state all the causes we can—material, efficient, formal, final (the last two being perhaps the same), taking care to get the proximate cause.

ᵇ 3. So much for generable natural substances. The case of eternal natural substances is different; some things presumably have no matter, or only the matter which qualifies things for spatial movement.

8. In natural things that are not substances there is no matter; the *substance* is their substratum. There is no matter of eclipse; the moon is what suffers it; the efficient cause is the earth; there is presumably no final cause. The formal cause is the definition, but this is obscure unless it states the efficient cause, as does the definition ' deprivation of light by the interposition of the earth '.

15. The importance of getting the *proximate* cause may be illustrated by the causes of sleep.

1044ᵃ 16. ἐκ τοῦ αὐτοῦ πάντα πρώτου, i. e. from prime matter; ἢ τῶν αὐτῶν ὡς πρώτων, i. e. from the four elements.

22. εἰ τὸ λιπαρὸν ἐκ τοῦ γλυκέος, cf. *De An.* 422ᵇ 12, *De Sensu* 442ᵃ 17, 23.

33–34. πάσας . . . τὰς ἐνδεχομένας αἰτίας, i. e. all the causes we can state.

35. ἆρα τὰ καταμήνια; Cf. *G. A.* 727ᵇ 31, 729ᵃ 30.
ἆρα τὸ σπέρμα; Cf. 729ᵃ 28.

ᵇ 1. ἴσως δὲ ταῦτα ἄμφω τὸ αὐτό. Cf. *De Gen. et Corr.* 335ᵇ 6.

6. τῶν φυσικῶν μὲν ἀϊδίων δὲ οὐσιῶν, i. e. the celestial spheres and the stars.

9. οὐκ ἔστι τούτοις ὕλη κτλ. What underlies an accident, as matter underlies substance, is not matter but substance. Cf. Z. 1038ᵇ 5.

12. τὸ δ' οὗ ἕνεκα ἴσως οὐκ ἔστιν. This is a serious admission, in view of Aristotle's identification in l. 1 of the formal with the final cause. His teleology is in fact not complete. There is not always a final cause. But where there is, it is the formal cause as well. In the absence of a final cause, the thing is defined by reference to its efficient cause, as in ll. 14, 15. Eclipse is for Aristotle an example of ταὐτόματον. The sun's motion is no doubt ἕνεκά του and so is that of the moon, but the two acting together may produce a result which is not ἕνεκά του.

16. ἀλλ' ὅτι τὸ ζῷον; ναί, ἀλλά κτλ. is very like l. 19 ὅτι ἀκινησία τοιαδί; ναί, ἀλλ' κτλ. The first ἀλλά is natural enough in introducing a suggested answer. Cf. L. and S. s.v. ΙΙ. 1, Kühner ii. 2. § 589. 9. The manuscript reading ἀλλ' ὅτι is therefore preferable to Bz.'s conjecture ἄλλο τι ('Is it anything other than the animal?'), a phrase which does not seem to occur in Aristotle.

17. καρδία. Sleep is a πάθος τοῦ κυρίου τῶν ἄλλων πάντων αἰσθητηρίου (*De Somno* 455ᵃ 20–26, 33, ᵇ 10, 458ᵃ 28), which is the heart (456ᵃ 4) or, in bloodless animals, what is analogous to it (456ᵃ 11). Elsewhere Aristotle connects sleep especially with the brain (*P. A.* 653ᵃ 10). A definition quoted thus by way of illustration is not necessarily his own; e. g. in similar contexts (*An. Post.* 93ᵇ 8, 94ᵃ 4) he cites Anaxagoras' definition of thunder, though his own was different (*Meteor.* 369ᵃ 10—370ᵃ 33). Cf. Θ. 1049ᵃ 2 n.

Only things subject to generation and change have matter. The relations between matter and its contrary states (ch. 5).

1044ᵇ 21. Since points, and in general forms, are and are not, without generation and destruction (for white does not come to be but wood comes to be white), not all contraries come to be out of one another (pale man from dark man but not pale from dark); nor have all things matter, but only the things liable to generation and reciprocal transformation.

29. How is matter related to its contrary states? Is a body potentially diseased as well as potentially healthy, water potentially vinegar as well as potentially wine? It is the matter of the one in virtue of a positive state or form, of the other in virtue of the privation of the form.

34. Again, why is not wine 'potentially vinegar', the living man 'potentially dead'? These corruptions are incidental; the matter of the living man is by force of corruption potentially a dead man, and water (the matter of wine) potentially vinegar. Where, as here, opposites change into one another, the negative (e. g. dead body, vinegar) must be resolved into its matter before it can change into its positive.

1044ᵇ 21. ἔνια ἄνευ γενέσεως καὶ φθορᾶς ἔστι καὶ οὐκ ἔστιν, cf. E. 1027ᵃ 29 n., Z. 1033ᵇ 5–6 n.

22. οἷον αἱ στιγμαί, cf. B. 1002ᵃ 32, *E. N.* 1174ᵇ 12.

εἴπερ εἰσί, 'if they may be said to exist'. The Pythagoreans and Platonists thought they existed as substances, but Aristotle insists that they are merely τομαί, διαιρέσεις, πέρατα of lines (K. 1060ᵇ 12 ff., N. 1090ᵇ 5 ff.).

25. ἀλλ' ἑτέρως κτλ. A black thing (1) can become a white thing, and (2) does so by a process, by one part after another becoming white (*Phys.* vi. 4). But (1) black does not become white—all that we can say is that there *was* black and there *is* white; and (2) white succeeds black instantaneously. When Aristotle says that contraries do not change into one another (Λ. 1069ᵇ 6), he is using ἐναντίον in only one (the more fundamental) of the two senses here referred to, i. e. of the contrary qualities, not of the things characterized by those qualities. In the work Περὶ ἐναντίων (fr. 119 Rose) he distinguished the two kinds of contraries as τὰ καθ' αὑτὰ ἐναντία and τὰ τῷ μετέχειν ἐναντίων ἐναντία. Cf. I. 1057ᵇ 6.

34. ἀπορία δέ τις ἔστι. Aristotle's answer to the question is that wine is not the matter of vinegar but the normal product of the same matter of which vinegar is the abnormal product. In such a case there is no direct transition from the normal to the abnormal product nor vice versa ; the given product must first be reduced to its constituent matter.

This is stated explicitly of the change from the abnormal to the normal product (1045ᵃ 4–6), and implied with regard to the converse change (1044ᵇ 34—1045ᵃ 2).

36. κατὰ συμβεβηκὸς αἱ φθοραί, i. e. the degeneration into vinegar does not attach to the wine directly, but to the water of which the wine is a particular form. Thus the chapter indicates three ways in which A may change into B :

(1) καθ' ἕξιν καὶ κατὰ τὸ εἶδος, as water into wine,
(2) κατὰ στέρησιν καὶ φθορὰν τὴν παρὰ φύσιν, as water into vinegar,

(3) κατὰ συμβεβηκός, as wine into vinegar, or vinegar into wine.
1045^a 3. ἐκ τούτων, *sc.* ἐκ ζῴου, ἐξ οἴνου. As wine and vinegar have a common matter, water, so day and night have a common substratum, air (Λ. 1070^b 21).

The unity of definition (ch. 6).

1045^a 7. We return to the question (cf. 1044^a 3) what makes a definition or a number one. All wholes as opposed to mere aggregates must have a cause of unity, which in bodies is contact, viscidity, &c.

12. A definition is one not by external union but by being the definition of one object. What, then, makes man one, not animal + two-footed? In particular, if there are Ideas of animal and two-footed, why do not men exist by participation in these two rather than in one Idea?

20. The usual modes of definition afford no answer to the question, but the distinction of form and matter does.

25. The difficulty is the same as that of the unity of 'round bronze', if this be the definition of some term. It is one simply because bronze is matter and round is form. There is no cause of the actual coming to be of what was potentially, save the efficient cause, in the case of things subject to becoming. It is the essence of the potential sphere to become actual, of the actual to have been potential.

33. Matter may be either sensible, or intelligible; in a definition there is always an element of matter as well as one of actuality (e. g. 'plane figure' in the definition of circle).

36. Things that have not matter of either kind, i. e. the categories, are directly and essentially some kind of one as they are some kind of being; hence their existence and their oneness are not stated in their definitions. Their essence is directly a one as it is an existent; hence there is no other cause of their unity or of their existence; for each is directly an existent and a one, though being and unity are not their genera and do not exist apart from the particular kinds of being and unity.

^{b} **7.** Some solve the problem of unity by 'participation', which they cannot explain or define; others by 'intercourse' (so Lycophron), 'composition', 'connexion'—formulae that can be applied to anything whatever.

16. Their mistake is that they look for a difference between, and a unifying formula for, potentiality and actuality, while really the proximate matter and the form are one, the first being potentially what the second is actually, so that there is no reason of their unity except that which causes the movement from potentiality to actuality; while immaterial things are without qualification and essentially unities.

1045ᵃ 7. τῆς εἰρημένης, Z. 12, H. 1044ᵃ 2–6.

8. καὶ περὶ τοὺς ἀριθμούς. The chapter in fact discusses only the unity of *definitions*.

25. ἔστι γὰρ αὕτη ἡ ἀπορία κτλ. The problem is that of the unity of genus or ὕλη νοητή with differentia. Aristotle illustrates it by the more familiar notion of the unity of form with ὕλη αἰσθητή in e. g. a bronze ball, and then in l. 33 returns to the case of genus and differentia, and points out that genus is to differentia as sensible matter to form and may therefore be called intelligible matter.

26. For ἱμάτιον taken thus arbitrarily cf. *De Int.* 18ᵃ 19, Z. 1029ᵇ 28.

33. ἑκατέρῳ may mean (1) 'for the potential ball and for the potential man' (l. 18)(this is Alexander's second interpretation, 562. 10); or (2) 'it was the essence of the potential ball to become an actual ball, and of the actual ball to be produced from a potential ball'. This is the more probable interpretation; the reference to the case of man occurs too far back to be referred to here as Alexander suggests.

34. ὕλη νοητή means here the generic element in a species. For this use of ὕλη (without the adjective) cf. l. 23, Δ. 1024ᵇ 9, Z. 1038ᵃ 6, I. 1058ᵃ 23. ὕλη νοητή occurs in (apparently) a different sense in Z. 1036ᵃ 9, where see note.

35. σχῆμα ἐπίπεδον. The interest here being in matter, Aristotle states only the material or generic element in the definition of circle.

36—ᵇ 7. Aristotle has shown that a species is unified by the fact that its genus exists only as the matter of its differentia, and its differentia only as the form of its genus. This explanation does not apply to *summa genera* (i. e. categories), which have no matter either intelligible or sensible. The unity of these, however, needs no explanation; they are by their own nature instances of unity (ὅπερ ἕν τι), as they are instances of being. Because unity and being are inevitably predicable of them, unity and being are not mentioned in their definitions (really, of course, they have no definitions but can merely be described, Alexander 563. 17).

The section contains a certain amount of repetition, but this is for the sake of emphasis. The rearrangements of the text by Alexander and Schwegler are not necessary and do not help matters; the justification of διό in ᵇ 2, which was the point that troubled them, lies in εὐθύς (ᵃ 36). Since any *summum genus* must from its very nature be a one and an existent, 'one' and 'existent' need not be inserted in the definition of any *summum genus*.

ᵇ 6–7. οὐχ ὡς ... παρὰ τὰ καθ' ἕκαστα is evidently directed against the Platonists.

6. οὐχ ὡς . . . ἑνί. Aristotle holds that being and unity are not genera, for reasons given in B. 998ᵇ 22 ff. Each of them is one τῷ ἀφ᾿ ἑνός or τῷ πρὸς ἕν or κατ᾿ ἀναλογίαν.

7. οὐδ᾿ ὡς χωριστῶν ὄντων, sc. τοῦ ὄντος καὶ τοῦ ἑνός. **τὰ καθ᾿ ἕκαστα** = the several categories.

8. οἱ μέν, Plato and his followers, A. 987ᵇ 13.

10. ψυχῆς is evidently an emblema from the next line.

Λυκόφρων, an orator and sophist of the school of Gorgias, mentioned several times by Aristotle (*Top.* 174ᵇ 32, *Phys.* 185ᵇ 28, *Pol.* 1280ᵇ 10, *Rhet.* 1405ᵇ 35, 1406ᵃ 7, 1410ᵃ 17). Cf. Zeller i.⁶ 1323, n. 3.

12–16. Evidently Aristotle means to refute these explanations by a *reductio ad absurdum.* The absurdity lies in the application of terms like σύνθεσις to things that never existed apart.

15. τὸ λευκὸν εἶναι. Bz.'s τὸ τὴν ἐπιφάνειαν λευκὸν εἶναι would be easier, but the subject of λευκὸν εἶναι may as well be omitted as that of ὑγιαίνειν (l. 13). A surface is the only thing that can *per se* be white.

18. ὥσπερ εἴρηται. Aristotle has not actually said this; he is referring loosely to ᵃ 23–33.

19. The ellipse of ὁ μέν, τὸ μέν before ὁ δέ, τὸ δέ is not uncommon in Aristotle. Cf. A. 981ᵇ 9, Δ. 1024ᵃ 33, I. 1057ᵃ 5, 15, Bz. *Index* 166ᵇ 55.

But the ellipse would be unusually harsh here, and Casaubon may be right in inserting τὸ μέν. In any case, it seems best to read ἕν with Aᵇ.

ὥστε ὅμοιον κτλ. 'So that it is like asking what in general is the cause of unity and of a thing's being one'—which is an obviously absurd question.

BOOK Θ

Potency (chs. 1–5).

Potency in the strict sense, i. e. power to produce motion (ch. 1).

1045ᵇ 27. We have treated of primary being, to which all the other categories imply a reference, viz. substance; since being is divided according as it means potency or complete reality as well as according to the categories, we must discuss potency and complete reality.

35. First we will discuss potency in the strict sense, which, however, is not the most suitable to our present purpose. Later, in our discussion of actuality, we will explain the other senses of potency.

1046ᵃ 4. We may set aside the potencies that are so called by equivocation (i. e. potencies or powers in geometry).

9. Potencies in the proper sense are originative sources, and are called potencies by reference to a primary kind (*a*), that which is a source of change in another thing or in the thing itself *qua* other. The derivative kinds are (*b*) the potency of being acted on, of being changed by another or by the thing itself *qua* other, and (*c*) insusceptibility to change for the worse by the agency of another thing or of the thing itself *qua* other.

16. Again, these are potencies of acting or being acted on simply, or of acting or being acted on well; the definition of the former is implied in that of the latter.

19. In a sense the potency of acting is one with that of being acted on; in a sense it is different. The one is in the patient (it is because even the matter is a motive principle that things can be acted on, different things by different things); the other is in the agent. Thus so far as a thing is an organic unity it cannot be acted on by itself, for it contains no distinction of agent and patient.

29. To every potency there answers a privation of potency, an incapacity to do that same thing in that same relation. We say a thing is 'deprived' of an attribute (1) when it has not it, (2) when it might naturally have it but has not it—has not it (*a*) at any time or (*b*) when it might have it, and again (*a*) has not it in a particular way (e. g. completely) or (*β*) has not it at all. Again, we sometimes mean that it is prevented by force from having what it would naturally have.

1045ᵇ 28. εἴρηται. The reference is to ZH in general.

32. εἴπομεν ἐν τοῖς πρώτοις λόγοις. The point has been made both in Γ. 1003ᵃ 33 and in Z. 1. As it is doubtful whether Γ was originally part of the same treatise as Θ, Z seems likely to be meant here.

32–34. ἐπεὶ δὲ . . . ἔργον. For the full list of meanings of ὄν cf. E. 1026ᵃ 33–ᵇ 2.

35—1046ᵃ 4. The two senses of δύναμις which Aristotle wants to distinguish may be indicated by the words 'power' and 'potentiality' respectively. He proposes to treat first of power, and then, in discussing actuality, to treat incidentally of potentiality (1046ᵃ 2–4). Power he explains as primarily a power in A to produce a change in B, or in A, considered in one respect, to produce change in itself in another respect (1046ᵃ 11). Potentiality on the other hand is a potentiality in A of passing into some new state or engaging in some new activity (1048ᵃ 32). This activity may be the production of a change in B but the notion of a B to be acted on is not necessarily implied in the

notion of potentiality, as it is in that of power.   The notion of power
is obscure enough, but it is certainly familiar and it is easily distin-
guished from that of potentiality.   But Aristotle proceeds to treat as
subsidiary to the notion of power as distinct from potentiality, of
ἡ κατὰ κίνησιν δύναμις (1046^a 2), (a) the power in A of being changed
by B and (b) the power in A of not being changed for the worse by B
(11–15).   In these 'powers' part of the distinctive nature of power
as against potentiality is still present—viz. the distinct implication
of two things A and B; but the other part of its distinctive nature
is gone—viz. the implication of positive force, for in (a) weakness
rather than force, and in (b) inertial resistance rather than force is
implied as being present in A.   That Aristotle does not successfully
preserve the distinction between power and potentiality is further
indicated by the facts noticed by Bz., that in the discussion of power
he introduces (1) a definition of δυνατόν which clearly refers to
potentiality rather than to power (1047^a 24), and (2) a lengthy section
which also refers to potentiality rather than to power (1047^b 3–30).

1046^a 2. εἰπόντες περὶ ταύτης, in chs. 1–5.

3. ἐν τοῖς περὶ τῆς ἐνεργείας διορισμοῖς, chs. 6–10.   The precise
reference is to 1048^a 27.

5. ἐν ἄλλοις, Δ. 12.

7. καθάπερ ἐν γεωμετρίᾳ.   Cf. Δ. 1019^b 33 n.

8. Schwegler puts a comma after γεωμετρίᾳ and takes καὶ δυνατά κτλ.
as referring to the senses of δυνατόν and ἀδύνατον expounded in Δ.
1019^b 21–33, but the run of the sentence forbids this.

13. ἀπαθείας τῆς ἐπὶ τὸ χεῖρον is used elliptically for ἀπαθείας μετα-
βολῆς τῆς ἐπὶ.τὸ χεῖρον, and φθορᾶς depends, like the 'understood'
μεταβολῆς, on ἀπαθείας.

17. τοῦ before παθεῖν seems pretty certainly to have been inserted by
a copyist who did not see the point.

19-20. ἔστι μὲν . . . πάσχειν.   In saying that the power of acting
and that of being acted on are in a sense one Aristotle does not, as
Bz. supposes, make use of an ambiguity in the phrase ἀρχὴ μεταβολῆς
ἐν ἄλλῳ (l. 11), by which ἐν ἄλλῳ can be taken either with ἀρχή or with
μεταβολῆς.   The whole context shows that ἐν ἄλλῳ goes only with
μεταβολῆς; it is in virtue of this that ἀρχὴ μεταβολῆς ἐν ἄλλῳ can be
opposed to ἀρχὴ μεταβολῆς ὑπ' ἄλλου (l. 12).   Rather the unity,
in some sense, of the active and the passive δύναμις is based on this,
that the single fact that A can change B leads us to ascribe both an
active power to A and a passive power to B.   The active and the
passive power are thus the complementary aspects of a single fact.   Cf.
De An. 425^b 25—426^a 30.

24. τὸ λιπαρὸν μὲν γὰρ καυστόν.   I. e. that which suffers burning
must have a matter which lends itself to burning ; it must be fat.

28. συμπέφυκεν, cf. Ζ. 1040^b 15 n.

31. ἡ δὲ στέρησις λέγεται πολλαχῶς, cf. Δ. 22.

Rational and non-rational potencies (ch. 2).

1046ᵃ 36. Some potencies are irrational, others rational; thus the arts are potencies.

ᵇ 4. Rational potencies are of contraries, irrational of one result only; the hot can only heat, but the medical art can cause either disease or health, because knowledge is a rational account and the same account explains both a thing and its privation;

9. but it explains the one essentially, the other incidentally by the absence of the first.

15. Thus the scientific man, starting from the single principle of movement which he has in his soul, can produce contrary results, linking both movements syllogistically with the same rational account.

24. The power of doing a thing well (or being acted on well) implies the power of doing it (or being acted on), but not vice versa.

1046ᵇ 3. αἱ ποιητικαὶ ἐπιστῆμαι = αἱ τέχναι. καί is explicative. Cf. Λ. 1075ᵃ 1.

4. αἱ μὲν μετὰ λόγου πᾶσαι τῶν ἐναντίων αἱ αὐταί. Aristotle is not asserting contingency in the sphere of rational powers—asserting that precisely the same cause can produce opposite results. Opposite results may supervene on the presence of a single λόγος, but it has not been their sole cause; διάνοια αὐτὴ οὐθὲν κινεῖ (*E. N.* 1139ᵃ 35); desire or choice turns the scale (1048ᵃ 10). The λόγος has been accompanied in the one case by the desire, say, to cure, in the other by the desire to kill, and this accounts for the difference in the result.

14. ἡ γὰρ στέρησις ἡ πρώτη τὸ ἐναντίον. ἐναντίωσις proper is στέρησις τελεία (I. 1055ᵃ 34); if a subject which might have a certain attribute completely fails to have it, this state is 'contrary' to the state of having the attribute completely.

15. ἐπεὶ δὲ τὰ ἐναντία οὐκ ἐγγίγνεται ἐν τῷ αὐτῷ. This gives the reason for τὸ μὲν ὑγιεινὸν . . . ψυχρότητα, while ἡ δ᾽ ἐπιστήμη . . . ἀρχήν gives the reason for ὁ δ᾽ ἐπιστήμων ἄμφω; and it is on ὁ δ᾽ ἐπιστήμων ἄμφω and the reason for it that the stress falls. 'While the wholesome produces only health because its power *qua* wholesome, being an irrational power, is a power only to produce health and the law of contradiction forbids its having also the contrary power, on the other hand since knowledge . . ., the man who has knowledge can produce both.'

20. λόγος γάρ . . . μέν. 'For it (the λόγος mentioned in l. 17) is a λόγος of both the contrary results.'

21. ἢ ἔχει. Jaeger prefers ᾗ ἔχει, but Alexander read ᾗ ἔχει (570. 6). The λόγος is not present in a soul in virtue of the soul's having an ἀρχή of movement, but is present in a soul which in fact has such an ἀρχή, and it is this coincidence that leads to action.

21-22. Alexander explains both τῆς αὐτῆς ἀρχῆς and ταὐτό as τὸ λογιστικόν.   That τῆς αὐτῆς ἀρχῆς means ὁ λόγος is shown by l. 24, and ταὐτό probably means this also.   The soul will initiate either of two contrary movements as a result of the same originative source, the account it has framed for itself of the object, and it will have linked both movements with the same thing, i. e. deduced them from this account as the movements necessary to bring the object into existence or to prevent its coming into existence.   For συνάπτειν used of syllogistic 'linking up' cf. *An. Pr.* 41ᵃ 1, 12, 19, 65ᵇ 33, 69ᵃ 18, 19.

22-24. A thing which has a rational power can produce the contraries of the two results which two things having irrational powers respectively produce.   Wholesome food produces only health, unwholesome food only disease ; a doctor can produce both.   τοῖς ἄνευ λόγου δυνατοῖς is, however, rather pointless, and may be a mistaken gloss on τἀναντία.

Potency defended against attack (ch. 3).

1046ᵇ 29. There are some who say, as the Megaric school does, that there is potency only when there is actuality.   This leads to manifest paradoxes :

33. (1) A man will not be a builder if he is not building, for to be a builder is to be able to build.   Now if one cannot have an art without having learnt it, or, later, be without it without having lost it (i. e. by forgetfulness, disease, or lapse of time, for the *object* of art cannot be destroyed), are we to suppose that the moment he stops building he has lost the art ; if, then, he starts building again immediately, how will he have recovered the art?

1047ᵃ 4. Again, nothing will be cold or hot when it is not being perceived (so that they are really maintaining the theory of Protagoras), nor will anything have perception if it is not perceiving ; people will be blind and deaf many times a day.

10. (2) That which is not happening will be incapable of happening, and then we must never say that it will be, so that change is done away with ; what stands will always stand, what sits will always sit.

17. To avoid these consequences we must distinguish potency and actuality.

24. A thing is 'capable' of something if there is nothing impossible in its having the actuality of that of which it is said to have the potency.

30. The word 'actuality', which we connect with 'complete reality', refers originally to movement ; hence we do not ascribe movement to non-existent things, though we assign to them predicates like 'thinkable' because they will sometime actually exist.

Chapter 3 defends the notion of the possible in distinction from the actual; chapter 4 defends the notion of the impossible.

1046ᵇ 29. οἷον οἱ Μεγαρικοί. Apart from this passage we have no information about Megaric views on possibility earlier than those of Diodorus Cronus (ob. 307 B. C.).

Diodorus in his famous κυριεύων λόγος used the principles that 'everything that is past is necessarily true ' (an Aristotelian dictum, *E. N.* 1139ᵇ 7–9, *Rhet.* 1418ᵃ 3–5) and that 'on what is possible nothing impossible follows' (the criterion of the possible stated in this chapter, 1047ᵃ 24–26) to disprove a third principle 'that may be possible which neither is nor will be true' and to prove instead that 'nothing is possible which neither is nor will be true'. In this he gives up (presumably in view of Aristotle's arguments in this chapter) the original Megarian position that 'nothing is possible which *is not* true'. Maier maintains (*Archiv f. Gesch. d. Phil.* xiii. 31) that Diodorus' own position is directed against Aristotle's statement (1047ᵇ 8) οὐθὲν κωλύει δυνατόν τι ὂν εἶναι ἢ γενέσθαι μὴ εἶναι μηδ' ἔσεσθαι. But this cannot be so. These words are not Aristotle's own statement but occur in his account of his adversary's position. His own statement is the direct opposite and is identical with that of Diodorus—οὐκ ἐνδέχεται ἀληθὲς εἶναι τὸ εἰπεῖν ὅτι δυνατὸν μὲν τοδί, οὐκ ἔσται δέ (1047ᵇ 4). Diodorus, with Aristotle, must have been attacking thinkers who interpreted the possible so widely that the impossible disappeared (1047ᵇ 5).

On Diodorus cf. also Ritter and Preller § 295, Zeller ii.⁴ 1. 269.

The Megarian paradox was probably reached by a very simple piece of reasoning, natural for followers of Parmenides, ' A thing is what it is, and therefore cannot be-what-it-is-not'. The answer is equally simple. A thing cannot be what it is not, but it can become what it is not now. ' Can' refers always to the future, and it is no contradiction to say that what a thing is not now it can be in the future. ' Can' means that some of the conditions of the event are now present, and that if certain others are added the event will take place.

Aristotle's answer, however, is more elaborate. His method is to point out the disastrous consequences of the Megarian doctrine.

34. For οὖτ' answered by ὁμοίως δέ cf. *De An.* 410ᵇ 18, 21.

1047ᵃ 2. τοῦ ... πράγματος must be the form which is the object of the art in question, not as Alexander thinks the matter of the art; e.g. the form of house, not the stones of which it is made.

3–4. ὅταν ... λαβών; The question is contained in πῶς λαβών; it is not necessary to supply πῶς before ὅταν as Bz. suggests.

6. τὸν Πρωταγόρου λόγον, cf. Γ. 5, 6.

9. καὶ ἔτι ὄν, which has been suspected, is undoubtedly right. Cf. *An. Post.* 74ᵇ 32 ἔτι εἴ τις μὴ οἶδε νῦν ἔχων τὸν λόγον καὶ σωζόμενος, σωζομένου τοῦ πράγματος, μὴ ἐπιλελησμένος, οὐδὲ πρότερον ᾔδει (a reminiscence of Pl. *Theaet.* 163 D).

10. καὶ κωφοί is, of course, an afterthought; the words need not be

suspected, as they are by Bz.   For a similar afterthought cf. Z. 1028ᵃ
16 n.

10-29. In this whole section Aristotle passes from the word δύνα-
σθαι to the more colourless word δυνατόν.   He is using the notion
of potentiality, not that of power, and thus confusing the two senses of
δύναμις which he proposed to keep distinct.   Cf. 1045ᵇ 35—1046ᵃ 4 n.

11. The reading of Aᵇ and Al., γιγνόμενον, accords better than the
vulgate γενόμενον with the principle ὅταν ἐνεργῇ μόνον δύνασθαι.

13. τοῦτο, that which neither is nor will be.

23-24. καὶ μὴ . . . βαδίζειν.   The manuscript reading must be wrong,
since it says the same as has already been said in δυνατὸν βαδίζειν ὃν
μὴ βαδίζειν.   The reading adopted is that proposed by Prof. Joachim.
The other emendations which involve less change are in themselves
less natural.   Once βαδίζειν got corrupted into βαδίζον, the corruption
of ὄν into εἶναι would naturally follow.

24-26. Considered as a definition of δυνατόν, this statement would
evidently be circular and therefore worthless.   But it does not claim to
be a definition.   It only amounts to saying that before you can pro-
nounce anything to be possible, you should satisfy yourself that none
of its consequences is impossible.   It is a criterion for the determina-
tion of possibility in doubtful cases.

26. δυνατὸν καθῆσθαι καὶ ἐνδέχεται καθῆσθαι.   Maier rightly points
out (*Syll. d. Ar.* i. 194) that Waitz's distinction between δυνατόν and
ἐνδεχόμενον as indicating respectively physical and logical possibility is
inconsistent with the objectivity of Aristotle's thought.   Aristotle gives
the same criterion of the ἐνδεχόμενον in *An. Pr.* 32ᵃ 18, *Phys.* 243ᵃ 1,
as he here gives for the δυνατόν, and in such passages as *An. Pr.* 19ᵃ
10, 13, 15, 21, *An. Post.* 74ᵇ 38 the two words are used as synonyms.
The only difference is that δυνατόν brings out more clearly than ἐνδεχό-
μενον that the possibility is rooted in a real δύναμις ; the passages cited
by Waitz as indicating a difference between the two notions (Θ. 1047ᵃ 20,
1049ᵇ 13, 1050ᵇ 13, N. 1088ᵇ 19, *An. Pr.* 31ᵇ 8, *De Caelo* 274ᵇ 13,
G. A. 736ᵇ 7) imply no more difference than this.

30. ἡ πρὸς τὴν ἐντελέχειαν συντιθεμένη.   From 1050ᵃ 22 τοὔνομα ἐνέρ-
γεια λέγεται κατὰ τὸ ἔργον καὶ συντείνει πρὸς τὴν ἐντελέχειαν, it appears
that strictly speaking ἐνέργεια means activity or actualization while ἐντε-
λέχεια means the resulting actuality or perfection ; Yet ἐνέργεια is not
a movement towards something other than itself ; this is the difference
between it and κίνησις.   For the most part Aristotle uses the words as
exact synonyms.   Cf. Bz. *Index* 253ᵇ 46—254ᵃ 12.   Yet in Λ. 6, 7,
where God is viewed as the prime mover of the universe, He is called
ἐνέργεια, activity, but in 8. 1074ᵃ 36, where the immateriality and per-
fection of His being is insisted on, He is described as ἐντελέχεια.

One would expect ἐντελέχεια to be derived from an adjective
ἐντελεχής, as νουνέχεια is from νουνεχής.   But the existence of the
word ἐντελεχής in the time of Aristotle is doubtful.   In Pl. *Legg.*
905 E 3 the manuscripts read ἐντελεχῶς, but Stobaeus gives ἐνδελεχῶς,
which suits the context much better.   In *De Gen. et Corr.* 336ᵃ 17,

ᵇ 32 ἐντελεχῶς, ἐντελεχῇ, though read by some manuscripts, give no
suitable sense. In Theophr. *C. P.* ii. 11. 10, v. 1. 10 ἐντελεχές is
unsuitable and Wimmer reads ἐνδελεχές. ἐντελεχής seems to occur
first in Philo 2. 587 Mangey. Hirzel, in *Rhein. Mus.* 1884. 169–
208, put forward the view that Aristotle in one of his dialogues
ascribed to the soul, as Plato had done, ἐνδελέχεια, continuous move-
ment, and that he later invented the word ἐντελέχεια by a modification
of ἐνδελέχεια in order to express the change in his view about
the soul. Diels, in *Zeitschr. für Vergl. Philol.* xlvii. 200–3, success-
fully controverts this view, and shows that ἐντελεχής is a correctly
formed equivalent to τὸ ἐντελὲς ἔχων, 'having perfection'. ἐντελής,
though not found at all in Plato, and only once in Aristotle, is not
uncommon in Greek of the period. It is not necessary to suppose, as
Diels seems to do, that the word ἐντελεχής existed in Aristotle's time; he
may have formed the abstract noun directly from τὸ ἐντελὲς ἔχον or
possibly from ἐντελῶς ἔχον. The only other compound of ἐντελής
seems to be ἐντελόμισθος, [Dem.] 1212. 12, 'receiving pay in full'.

31. συντιθεμένη. Diels feels a difficulty about the word, and pro-
poses συντεινομένη, citing 1050ᵃ 23 as a parallel. But it is only in the
active voice that Aristotle uses συντείνειν in this sense. συντιθεμένη
implies that Aristotle was in the habit of connecting the words ἐνέργεια
and ἐντελέχεια together in his lectures, and such phrases as εἰς ταὐτὸν
βασιλέα καὶ τύραννον συνέθεμεν (Pl. *Polit.* 276 ε, cf. 259 D) form
a close enough parallel.

καὶ ἐπὶ τὰ ἄλλα. The ἄλλα are not as Alexander says τὰ τεχνητά,
for ἐνέργεια has no original reference to natural as opposed to artistic
activities. In fact δύναμις, with which it is correlative, is ἀρχὴ μετα-
βολῆς ἐν ἄλλῳ ἢ ᾗ ἄλλο (1046ᵃ 11), which means art rather than
nature. ἐπὶ τὰ ἄλλα refers to the non-kinetic meaning of ἐνέρ-
γεια, which is best expressed in the sentence λέγεται ἐνεργείᾳ . . . τὰ
μὲν ὡς κίνησις πρὸς δύναμιν τὰ δ᾽ ὡς οὐσία πρός τινα ὕλην 1048ᵇ 6–9 ;
ἐνέργεια in this sense is not movement as opposed to the power to pro-
duce movement, but actuality as opposed to potentiality. Cf. *E. N.*
1154ᵇ 27 ἐνέργεια ἀκινησίας.

32. δοκεῖ, 'is commonly thought'. Aristotle's own view is that the
divine ἐνέργεια ἀκινησίας is ἐνέργεια in the truest sense.

34. κατηγορίας, 'predicates', not 'categories'.

35. τοῦτο δὲ . . . ἔσονται ἐνεργείᾳ. We refuse to say that they are
moved, because they do not exist actually ; we say that they are
objects of thought or desire, because they *will* exist actually.

Possibility further considered (ch. 4).

1047 ᵇ **3.** It cannot be true to say 'this is capable of being but
will not be' (this would imply that nothing is incapable of being).

9. For it follows from our definition that if we suppose that to

be which is not but is capable of being, nothing impossible is in-
volved. On the view we are attacking something impossible *is*
involved. The impossible is not the same as the false.

14. It is also clear that if, supposing A is, B must be, then if A
is possible, B must be possible ; for ctherwise there is nothing to
prevent its being impossible. Let A be possible. Then (we agreed)
nothing impossible is involved in supposing A actually to be ; but
if so, B must be. But (cf. l. 17) it was supposed impossible. Let it,
then, be impossible. If, then, B is impossible, A is impossible. But
B was supposed impossible, therefore A is so.

If A is possible, then, B must be possible, if they were so related
that if A is, B must be.

26. And if, supposing A is possible, B must be possible, then if
A is, B must be.

1047ᵇ 3. The traditional text εἰ δ' ἐστὶ τὸ εἰρημένον δυνατὸν ᾗ
ἀκολουθεῖ can only mean 'if what we have described is possible in
so far as the two things are conveitible' (with ᾗ ἀκολουθεῖ may be
compared ᾗ ἕπεται *An. Post.* 73ᵇ 22) ; it is quite impossible to under-
stand, as Alexander and Bz. do, τὸ ἐνεργῆσαι as the subject of ἀκολου-
θεῖ. There is much to be said for Zeller's εἰ δ' ἐστί, τὸ εἰρημένον, δυνατὸν
⟨ᾧ ἀδύνατον⟩ μὴ ἀκολουθεῖ. ᾧ ἀδύνατον μὴ ἀκολουθεῖ would be a good
summary of τὸ εἰρημένον, i. e. of the criterion of δυνατόν given in ᵃ 24.
(Alternatively we might omit Zeller's commas and interpret 'assuming
that the δυνατόν about which we have been speaking is that', &c.)
This reading deiives some support from the phrase in the Κυριεύων of
D odorus Cronus (cf. 1046ᵇ 29 n.) δυνατῷ ἀδύνατον μὴ ἀκολουθεῖν.
A comparison of 1047ᵇ 9 with the phrase in the Κυριεύων, δυνατὸν
εἶναι ὃ οὔτ' ἔστιν ἀληθὲς οὔτ' ἔσται suggests that Diodorus was borrow-
ing Aristotle's language.

There is, however, no absolute need to depart from the well-
attested reading given in the text, which derives some support from
An. Pr. 32ᵃ 24 ἤτοι ταὐτά ἐστιν ἢ ἀκολουθεῖ ἀλλήλοις.

5. ὥστε . . . διαφεύγειν. 'So that the things that are incapable of
being would on this showing escape us.' If we can truly say a thing
is possible but will never be, an)thing may at this rate be possible and
there will be nothing impossible.

7. ὁ μὴ λογιζόμενος τὸ ἀδύνατον εἶναι may mean either 'i. e. the so·t
of man who does not take account of that which is incapable of being'
(L. and S. s.v. λογίζομαι II. 1), or 'i. e. the sort of man who does not
consider the impossible to exist' (L. and S. II. 2). In either case
there is a reference to ὥστε τὰ ἀδύνατα εἶναι ταύτῃ διαφεύγειν. The
Greek would be somewhat more natural without ὁ, but the word
is well attested. In any case the clause is parenthetical, and ὅτι οὐθέν
κτλ. gives the reason for δυνατὸν . . . μετρηθήσεσθαι.

10. τῶν κειμένων, what we have laid down in ᵃ 24–26, ᵇ 3.

11. συμβήσεται δέ γε, sc. ἀδύνατόν τι.

14–26. The same point is proved in a not dissimilar way in *An. Pr.* 34ᵃ 5–12.

15. The reading of EJAᵇ, δυνατοῦ ὄντος εἶναι τοῦ A, clearly ought to be restored here.

19. τὸ δέ γε B ἀνάγκη εἶναι κτλ., 'but ex hypothesi (cf. ll. 14, 15) if A is, B must be. But it was assumed, on the view we are attacking, that though A was possible B might be impossible'.

21. ἀνάγκη is an emblema from l. 20.

καὶ τὸ A εἶναι, sc. ἀδύνατον.

24. οὕτως ἐχόντων τῶν A B, 'A and B being so related (as they have been shown to be) that if the reality of A implies the reality of B, the possibility of A implies the possibility of B'.

25. οὕτως, sc. if A is possible.

26. ὡς ἐτέθη, i.e. so related that the reality of A does imply the reality of B.

How potency is acquired, and actualized (ch. 5).

1047ᵇ 31. The potencies that come by practice or learning are acquired by previous exercise; those that are innate or are passive are not.

35. Irrational potencies must result in action and being acted on when the agent and the patient meet in the way appropriate to their potency.

1048ᵃ 7. Rational potencies need not so result; since they are potencies for contrary results, if they were actualized necessarily they would produce contrary results at the same time, which is impossible. There must be something else that determines which result is to take place; this will be desire or will. Whichever action the agent decisively desires, that it will do, when it meets the patient in the appropriate way.

15. Its potency is conditional on the patient's being present and in a certain state. (We need not add 'and on the absence of external hindrance'; that is implied by the positive conditions of the potency.)

21. The possibility of doing contraries at the same time is excluded, even if one simultaneously wants to do them both.

1047ᵇ 31. Aristotle begins the chapter with a threefold classification of δυνάμεις, into those that are inborn, those acquired by habit, and those acquired by learning. The latter two are then (l. 34) coupled together and opposed to the first. Aristotle then (1048ᵃ 2) reverts to the distinction stated in ch. 2 (chs. 3 and 4 on the Megarian heresy have been something of a digression) between rational and irrational powers. It is clear that he means to identify the inborn powers with the irrational and to include ὅσαι ἔθει as well as ὅσαι λόγῳ under the rational. This implies that ἔθος includes a certain amount of λόγος, or the possession of a plan of action, as indeed it does, whether it be a comparatively mechanical dexterity such as that of τὸ αὐλεῖν (l. 32) or a moral character (*E. N.* ii. 1) that is being acquired by habituation.

33. τὰς μὲν ἀνάγκη προενεργήσαντας ἔχειν. This apparent paradox is explained in *E. N.* 1105ª 17-ᵇ 18. (1) To become γραμματικός you must have done γραμματικόν τι, but you need not have done it γραμματικῶς, i. e. with knowledge. (2) In the moral sphere there is a still greater difference between the activity that precedes the ἕξις and that which flows from it. In the latter the agent must act (*a*) with knowledge, (*b*) choosing the action, and for its own sake, (*c*) being in a firm and unchangeable condition of mind. The activities which establish the ἕξις have not any of these characteristics. Aristotle does not, however, show how actions done in ignorance and not from the right motive can establish a ἕξις of acting with knowledge and from the right motive; he simply takes it from common experience that they do. A more abstract explanation of the paradox is given in 1049ᵇ 35—1050ª 2. It is characteristic of all γένεσις that of what is coming into being some part must have already come to be. Therefore he who is learning must already have some of the knowledge in question; knowledge expands out of given knowledge.

34. τὰς δὲ μὴ τοιαύτας καὶ τὰς ἐπὶ τοῦ πάσχειν. Alexander has τὰς δ᾽ ἄνευ λόγου δυνάμεις εἴτε τοῦ ἐνεργεῖν εἴτε καὶ τοῦ πάσχειν, and Bz. conjectures that Alexander had a different reading from that in our text. But his words seem to be a paraphrase. τὰς ἄνευ λόγου δυνάμεις τοῦ ἐνεργεῖν is a paraphrase of τὰς μὴ τοιαύτας and refers to inborn irrational active powers, like the senses, already referred to in l. 32. τὰς ἄνευ λόγου δυνάμεις τοῦ πάσχειν is a paraphrase of τὰς ἐπὶ τοῦ πάσχειν and refers to inborn irrational passive powers like (to take Alexander's example) the power of wood to be cut. καί is not, as might be supposed, epexegetic, for the senses are not, in Aristotle's view, purely passive.

35. τὰς ἐπὶ τοῦ πάσχειν. Cf. Δ. 1019ª 26 n.

1048ª 9. ὥστε ἅμα ποιήσει τὰ ἐναντία, *sc.* if the power must necessarily act whenever agent and patient meet.

16. ποιεῖν is clearly an emblema from l. 15.

16-21. τὸ γὰρ . . . ἔνια is parenthetical; διὸ οὐδ᾽ l. 21 connects with ὡς ἔχει l. 14.

20. It seems better to take ταῦτα (with Alexander) as object rather than (with Bz.) as subject of ἀφαιρεῖται. With the latter interpretation ἀφαιροῖτ᾽ ἄν would be rather more natural than ἀφαιρεῖται.

24. οὕτως, *sc.* ὡς ἔστι δύναμις.

ACTUALITY (chs. 6–9).

Actuality distinguished from potency and from motion (ch. 6).

1048ᵃ 25. We now pass from the potency relative to movement, to actuality ; we shall at the same time discover another kind of potency, which has really been the object of our search.

30. Actuality means the presence of a thing not potentially like that of the Hermes in the block of wood, or of the half-line in the whole, or of knowledge in the man who is not contemplating truth.

35. Our meaning can be seen by induction and analogy ; definition must not be always demanded. Actuality is to potency as the waking to the sleeping, &c.

ᵇ 6. It is related either as movement to potency or as substance to matter.

9. Potency and actuality are different in the case of the infinite, the void, and similar entities from what they are in the case of the seeing, the walking, &c. The infinite does not exist potentially in the sense that it will ever actually have separate existence ; it exists potentially only for knowledge. The fact that division does not cease implies that the activity of division exists potentially, but not that the infinite exists separately.

18. Since all actions which have a limit are means, not ends, they are not really actions, or not complete ones ; that in which the end is present is an action.

23. Thus at the same time one is seeing and has seen, is thinking and has thought, is knowing and has known, but it is not true that one at the same time is learning and has learnt, is being cured and has been cured.

28. The latter are movements, the former activities or actualities. Every movement is incomplete.

35. We have now explained the nature of actuality.

1048ᵃ 26. εἴρηται, *sc.* in chs. 1–5.

26–27. τί τέ ἐστιν . . . καὶ ποῖόν τι, cf. Z. 1041ᵃ 6 n.

29. ἢ ἁπλῶς ἢ τρόπον τινά, i. e. whether we admit all cases of movement or restrict power to cases of movement towards the better (Δ. 1019ᵃ 22) or of good or successful movement (1019ᵃ 23, 1046ᵃ 17).

33. τῇ ὅλῃ, *sc.* γραμμῇ, cf. Δ. 1019ᵃ 8 n. Alexander's τῇ διαμέτρῳ is probably his interpretation of τῇ ὅλῃ, not a variant reading.

35. τὸ δὲ ἐνεργείᾳ. This, the reading of most manuscripts, is a highly elliptical expression for ' the opposite implied in each of these cases (*sc.* the Hermes when carved out of the wood, the half-line when the whole has been bisected, the man of science when actually thinking) exists, we say, actually '. Editors have been, not unnaturally, offended by the ellipse, and various conjectures have been made. (1) Schwegler proposes to treat δῆλον . . . συνορᾶν as parenthetical and omit ὅτι in l. 37 with Aᵇ, so that the main clause runs τὸ δ' ἐνεργείᾳ ὡς τὸ οἰκοδομοῦν κτλ. (2) Bullinger agrees, except that he reads ὅ τι for ὅτι. The parenthesis beginning with δῆλον, however, is awkward, and so is (as Cook Wilson points out) the separation of τὸ ἀνάλογον from what is naturally the exegesis of it, viz. ὡς τὸ οἰκοδομοῦν κτλ. (3) Bz. proposes to read τὸ δ' ἐνεργείᾳ δῆλον continuously, omitting δέ after δῆλον. (4) It has occurred to me that possibly we might read θεωρῆσαι τόδε ἐνεργείᾳ with AᵇΓ Ald. Cf. ὃ θεωρεῖ ὁ γραμματικός, τόδε τὸ ἄλφα ἄλφα M. 1087ᵃ 20, ὁ δ' ἤδη θεωρῶν ἐντελεχείᾳ ὢν καὶ κυρίως ἐπιστάμενος τόδε τὸ A *De An.* 417ᵃ 28.

Finding none of these suggestions thoroughly convincing, I have preferred to keep the vulgate reading τὸ δὲ ἐνεργείᾳ, which by no means goes beyond the limits of Aristotle's love of compression. Cf. for example *De Gen. et Corr.* 319ᵇ 33 ὅταν δὲ μηδὲν ὑπομένῃ οὗ θάτερον πάθος ἢ συμβεβηκὸς ὅλως, γένεσις, τὸ δὲ φθορά.

36. οὐ δεῖ παντὸς ὅρον ζητεῖν. A science should at the outset define all its terms (*An. Post.* 76ᵃ 32), but the same is not true of philosophy. For definition must be by genus and differentia, but philosophy deals with terms that are not included within any one genus but are common to all being as such. Potency or actuality, like being, unity, and good, is one only κατ' ἀναλογίαν, and we must be content to grasp the analogy and see the nature of the universal term by studying the instances of it. It is beside the mark to criticize Aristotle for not succeeding in defining terms like potentiality and actuality, or for bringing out the nature of each by referring to the other.

ᵇ 7. ὡς τοῦτο ἐν τούτῳ answers to ὡς οὐσία πρός τινα ὕλην l. 9; ὡς τοῦτο . . . πρὸς τοῦτο to ὡς κίνησις πρὸς δύναμιν.

8. τὰ μὲν γὰρ ὡς κίνησις πρὸς δύναμιν. At one time Aristotle includes ἐνέργεια in κίνησις (*Rhet.* 1412ᵃ 9); at another he includes κίνησις in ἐνέργεια (*Phys.* 201ᵇ 31, *De An.* 431ᵃ 6, *E. N.* 1154ᵇ 27); at another he speaks of the two as mutually exclusive (1048ᵇ 28). κίνησις is said to be an ἐνέργεια but ἀτελής (*Phys.* 201ᵇ 31), or to differ from ἐνέργεια because it is ἀτελής (1048ᵇ 29). The variations of language need not disturb us. κίνησις and ἐνέργεια are species of something wider for which Aristotle has no name, and for which he uses now the name of one species, now that of the other. The difference is brought out as well in ll. 18–35 as anywhere in Aristotle. To the test of an ἐνέργεια as against a κίνησις which he there offers, viz. that of an activity we may say that we are doing it and have done it at the same time, he adds in the *Ethics* another, that we cannot be said ἐνεργεῖν quickly or slowly, though we may be quick or slow in passing into the state of ἐνέργεια (1173ᵇ 2). Cf. also K. 1065ᵇ 14—1066ᵃ 7, 1066ᵃ 17–26 and notes.

9-17. On the infinite cf. *Phys.* iii. 4–8, esp. 6–8, on the void *Phys.* iv. 6–9.

Aristotle's views about the infinite are briefly as follows: Extension is not infinite except in the sense that it is inexhaustible, and it is not inexhaustible except in the sense that it is inexhaustible by one particular method, that of division. If you take half of it, then a fourth, and so on, or in general $\frac{1}{n}$ of it, then $\frac{1}{n^2}$ of it, and so on, you will never exhaust it. But the same can be said of any finite part of space. If on the other hand you take $\frac{1}{n}$ of the whole of space, then $\frac{1}{n}$ again, and so on, you *will* exhaust it if you go on long enough. Space is thus ἄπειρον κατὰ διαίρεσιν but not κατὰ πρόσθεσιν, infinitely divisible but not infinite (206ᵇ 7–13). Number on the other hand is ἄπειρον κατὰ πρόσθεσιν—not in the sense that an infinite number exists actually, but in the sense that a number larger than any hitherto thought of can be thought of; but it is not ἄπειρον κατὰ διαίρεσιν, for in dividing it we come ultimately to the unit, which limits number in the downward direction. And its infinity does not persist but is always coming into being. Time is infinite both κατὰ διαίρεσιν and κατὰ πρόσθεσιν, both infinitely divisible and infinite. But its infinity, like that of number, does not persist but is always coming to be.

Aristotle does not in the *Physics* explicitly make out any parallelism between the infinite and the void. But his doctrine about the void (*Phys.* 217ᵃ 21–ᵇ 28) is akin to his doctrine about the infinite; it is that though we can suppose matter rarer than any assigned matter, there is no space in which there is no matter at all. Cf. his conception of the dense and rare as stated in *De Gen. et Corr.* 326ᵇ 31—327ᵃ 1 (taken with what precedes). There are no atoms and interspaces, no pores, only a stuff varying intensively. Aristotle's view of matter in this respect has been compared by Prof. Joachim (ed. of *De Gen. et Corr.* 124) to Kant's view of 'das Reale' in the 'Anticipations of Perception'.

9-12. ἄλλως . . . ὁρωμένῳ. The construction of the sentence is hardly possible as it stands in the manuscripts, and it may be that after δυνάμει καὶ ἐνεργείᾳ something like ἢ ὑπάρχει τὸ δυνάμει καὶ ἐνεργείᾳ may have dropped out ; perhaps, however, it is sufficient to insert ἢ and treat the following datives as ethical datives used loosely as in the instances quoted in Bz. *Index* 166ᵇ 26–38, viz. *An. Pr.* 43ᵇ 29, *An. Post.* 82ᵇ 21, *De Resp.* 476ᵃ 18, *G. A.* 755ᵇ 12. For a somewhat similar change of construction cf. Δ. 1024ᵃ 8, 9.

15-17. A comparison of this with the previous sentence would suggest that the subject is τὸ εἶναι δυνάμει ταύτην τὴν ἐνέργειαν. 'The infinite does not exist potentially in the sense that it will actually exist as an independent (or objective) entity, but in the sense that it exists potentially for knowledge. For the potential existence of this actuality ensures that the process of division never comes to an end, but not that the infinite exists independently.' τὸ μὴ ὑπολείπειν τὴν διαίρεσιν would then answer to γνώσει, τὸ εἶναι δυνάμει ταύτην τὴν ἐνέργειαν to τὸ ἄπειρον δυνάμει ἔστιν, τὸ χωρίζεσθαι to ὡς ἐνεργείᾳ ἐσόμενον χωριστόν. But a comparison with *Phys.* 203ᵇ 23–25 διὰ γὰρ τὸ ἐν τῇ νοήσει μὴ ὑπολείπειν καὶ ὁ ἀριθμὸς δοκεῖ ἄπειρος εἶναι καὶ τὰ μαθηματικὰ μεγέθη καὶ τὸ ἔξω τοῦ οὐρανοῦ shows that τὸ μὴ ὑπολείπειν τὴν διαίρεσιν is viewed as the given fact which yields one conclusion (ἀποδίδωσι) but not another. Alexander is therefore right in taking τὸ μὴ ὑπολείπειν τὴν διαίρεσιν as the subject of both clauses; apart from the previous sentence this gives rather a more natural meaning. In any case it seems better to read τὸ δὲ χωρίζεσθαι with Alexander than τῷ δὲ χωρίζεσθαι with the manuscripts. The sentence may be rendered thus: ' For the fact that the process of dividing never comes to an end ensures that this activity (the activity of dividing without end) always exists potentially, but not that the infinite exists as a finished given fact'.

18-35. This passage occurs in most of the manuscripts (including Aᵇ), and a paraphrase of it occurs in a good manuscript of Alexander (F). It is omitted by EJTΓ and Bessarion, and is very corrupt in the other manuscripts. But it contains sound Aristotelian doctrine and terminology, and is quite appropriate to the context, and there is no apparent motive for its introduction if it were spurious, so that on the whole it seems safe to treat it as genuine. The text has been vastly improved by Bz. On the distinction between κίνησις and ἐνέργεια proper cf. l. 8 n., K. 1065ᵇ 14—1066ᵃ 7 n.

18-21. ἐπεὶ δὲ τῶν πράξεων . . . οὐκ ἔστι ταῦτα πρᾶξις. πρᾶξις is first used in a general sense = κίνησις, then in its stricter sense of κίνησις τελεία.

18. ὧν ἔστι πέρας is best explained by ἔδει ἄν ποτε παύεσθαι, l. 26. Aristotle is speaking of actions which have a limit set to them by the fact that they aim at an end other than themselves, with the attainment of which they come to a stop.

19. οἷον τὸ ἰσχναίνειν ἢ ἰσχνασία. The manuscript reading οἷον τοῦ ἰσχναίνειν ἡ ἰσχνασία αὐτό cannot stand. αὐτό cannot be interpreted (as by Bz.) as τέλος. Nor is it enough to excise αὐτό (with Christ) as due to dittography; for ἰσχνασία is not the end of τὸ ἰσχναίνειν but the same thing. It is named among the κινήσεις ἀτελεῖς in l. 29. The end of τὸ ἰσχναίνειν is ἰσχνότης or, more remotely, ὑγίεια (Δ. 1013ʰ 1, *Phys.*194ʰ 36). I therefore follow Bywater's suggestion and read οἷον τὸ ἰσχναίνειν ἢ ἰσχνασία (*sc.* οὐ τέλος ἐστὶν ἀλλὰ τῶν περὶ τὸ τέλος).

20. αὐτὰ δὲ ὅταν ἰσχναίνῃ, 'the parts of the body themselves, when one is reducing their bulk'. αὐτά is curious, and some corruption may be suspected.

20-21. οὕτως . . . κίνησις, ' are in movement in this way, viz. not being already that for the sake of which the movement is '. The construction of ὑπάρχοντα is very awkward, and perhaps we should with Fonseca read ὑπαρχόντων. ων would drop out easily by homoioteleuton.

22, 23. Bz.'s emendation ἐκείνη ᾗ, and his omission of ἡ, are necessary.

23. Bz. has emended this line successfully by the aid of *De Sensu*

446ᵇ 2 καὶ εἰ ἅπαν ἅμα ἀκούει καὶ ἀκήκοε καὶ ὅλως αἰσθάνεται καὶ ἤσθηται, and *Soph. El.* 178ᵃ 9 ἆρ' ἐνδέχεται τὸ αὐτὸ ἅμα ποιεῖν τε καὶ πεποιηκέναι; οὔ. ἀλλὰ μὴν ὁρᾶν γέ τι ἅμα καὶ ἑωρακέναι τὸ αὐτὸ καὶ κατὰ ταὐτὸ ἐνδέχεται.

The manuscripts give ὁρᾷ ἀλλὰ καὶ φρονεῖ καὶ νοεῖ καὶ νενόηκεν. Bz. writes ὁρᾷ ἅμα καὶ ἑώρακε, καὶ φρονεῖ καὶ πεφρόνηκε, καὶ νοεῖ καὶ νενόηκεν. Fonseca had already conjectured ἑώρακε for φρονεῖ, but that is much less probable. Bywater, while accepting ἅμα, thinks that the one perfect tense νενόηκεν is enough and that the others are 'understood'. But in the rest of the section Aristotle is careful to supply all the perfects; and in so corrupt a passage we may allow a greater freedom of emendation than usual. I therefore follow Bz.

32, 33. It seems best to follow EJAᵇ in reading κινεῖται καὶ κεκίνηται . . . κινεῖ καὶ κεκίνηκεν, and to put a comma after ἕτερον. 'It is not the case that a thing at the same time is being moved and has been moved; that which has been moved is different from that which is being moved, and that which has moved from that which is moving.' ἕτερον is easily understood as the subject of κινεῖ καὶ κεκίνηκεν.

35. τί τέ ἐστι καὶ ποῖον, cf. Z. 1041ᵃ 6 n.

When is one thing the potency of another? (ch. 7).

1048ᵇ 37. When does a thing exist potentially? Earth is not potentially a man till it has become seed, and perhaps not then, just as not everything is capable of being healed, but only the potentially healthy.

1049ᵃ 5. (1) In artistic production one thing is said to be potentially another if (*a*) when the artist wishes, the actualization takes place if nothing external hinders, and if (*b*) nothing in the patient hinders; that is potentially a house, in which there is nothing to prevent its becoming a house, and which needs no addition, subtraction, or change; and so in all cases where the source of the actualization is external.

13. (2) Where the source of the actualization is internal, one thing is potentially another if when nothing external hinders, the actualization takes place by the thing's own nature. The seed is not yet potentially a man; for it must first fall into a certain material and be changed, as earth must become bronze in order to be potentially a statue.

18. When we say a thing is 'of' something else—as the casket is of wood or wooden, and the wood is earthen, and the earth is perhaps 'of' something else—that which it is 'of' is potentially (in the unqualified sense) it; thus wood, not earth, is potentially a casket, is the matter of a casket.

24. If there is something that is not 'of' anything else, it is prime matter, not being a 'this'. Subjects or substrata differ by being or not being 'thises';

29. (1) what underlies accidental attributes like 'musical' is a substance like 'man' (and he is called not music but musical, as the casket is called wooden);

34. but (2) where the predicate is a form or 'this', the ultimate substratum is matter.

36. It is natural that the 'of' or derivative form should be used with reference both to matter and to accidental attributes, for both are indefinite.

Bz. argues that the insistence in this chapter on the fact that that which is potentially X is the sum of the proximate, not of the remote conditions of X, marks a difference between δύναμις and ὕλη. ὕλη is primarily applicable to πρώτη ὕλη, the remote and absolutely unformed matter ; δύναμις to the proximate conditions. This distinction does not, however, seem to be intended by Aristotle, for in his discussion of matter he has similarly insisted on the importance of finding the proximate matter of a thing (H. 1044ᵇ 1). ὕλη and δύναμις are constantly used without any trace of such a distinction (e. g. 1049ᵃ 23, 1050ᵃ 15, ᵇ 27, Λ. 1071ᵃ 10, N. 1088ᵇ 1, 1092ᵃ 3).

1049ᵃ 2. ὅταν ἤδη γένηται σπέρμα. Aristotle is using σπέρμα in what is for him its proper sense, that of the spermatozoon or male element in question, as opposed to τὰ καταμήνια, the ova or female element; for l. 14 τὸ σπέρμα οὔπω (δεῖ γὰρ ἐν ἄλλῳ ⟨πεσεῖν⟩ καὶ μεταβάλλειν) must refer to the entrance of the male element into the womb. But he is not taking account of his own view that the σπέρμα forms no part of the matter of the offspring but is its formal and efficient cause ; he writes as if he accepted the popular view which treated the male and female elements as uniting to form the matter of the offspring. He is merely illustrating a general principle ; and in such cases he often writes from the point of view of a common theory not his own. Cf. H. 1044ᵇ 17 n.

οὐδὲ τότε ἴσως is explained in ll. 14, 15.

3–5. ὥσπερ οὖν . . . δυνάμει. It would be possible to treat this as the beginning of a long sentence, with the principal clause beginning (irregularly) with καὶ ὅσων δή in l. 13. Aristotle would then be illustrating natural production (ll. 1–3, 13–17) by artificial (ll. 3–12). But ὥσπερ οὖν occurs several times elliptically without any principal verb, a principal clause like οὕτως ἔχει καὶ ἐν τούτοις being understood. Cf. B. 1000ᵃ 1 n. It seems best to take it so here.

5–18. Aristotle first states the ὅρος in the case of artistic production, cf. l. 12 ὅσων ἔξωθεν ἡ ἀρχὴ τῆς γενέσεως. Then in l. 13 he passes to natural products, καὶ ὅσων δὴ ἐν αὐτῷ τῷ ἔχοντι (sc. τὴν γένεσιν), which are opposed to τὸ ἀπὸ διανοίας. The two types of production, natural and artificial, have already been indicated in ll. 1–3, 3–5. Aristotle is evidently trying to determine the conditions under which A may be said to be potentially B. In *artistic* production A, the matter, has to be acted on by C, the artist, before it can become B, the product. Thus the ὅρος in this case is as follows: A is potentially B when, if C wishes it and nothing external hinders, A becomes B, and when, further, nothing in A hinders (ll. 5–8). This he illustrates in detail in the case of the question 'What is potentially a house?' (ll. 8–11), and finishes by saying that the same formulation applies to all cases of artistic production (ll. 11, 12). In *natural* production there is no artist involved; nature is an ἀρχὴ κινήσεως ἐν αὐτῷ ᾗ αὐτό. Thus here the ὅρος is simply that A is potentially B when, if nothing external hinders, A will of itself become B (ll. 13, 14). Thus the male seed is not potentially a human being, for it has first to enter the womb and be transformed; but the κύημα thus produced is potentially a human being.

9. τούτῳ καὶ τῇ ὕλῃ. καί is clearly explicative.

10. For οὐδέ where μηδέ would be expected cf. I. 1053ᵇ 18 n.

13. καὶ ὅσων δὴ ἐν αὐτῷ τῷ ἔχοντι (*sc.* ταῦτα δυνάμει λέγεται εἶναι), ὅσα κτλ.

14–15. δεῖ γὰρ . . . μεταβάλλειν. Alexander says δεῖ γὰρ ἐν ἄλλῳ .. πεσεῖν καὶ μεταβάλλειν. πεσεῖν may be simply Alexander's interpretation, but it is difficult to suppose that some such verb can be 'understood' with ἐν ἄλλῳ, and accordingly πεσεῖν or some similar word should be inserted in the text. Cf. τῆς μήτρας πρὸς ὃ πίπτει τὸ σπέρμα, *H. A.* 583ᵃ 22.

Alexander takes τὸ σπέρμα to be the seed of plants, but from ll. 1–3 it appears that Aristotle has in view the male element in animal generation.

18–22. Aristotle now proceeds to give a linguistic test of the potential matter of a thing. If we say *y* is *x-en*, *x* is the proximate matter of *y*. The parenthetical example οἷον . . . ἐκείνινον disturbs the construction of the sentence, so that we get as subject ἐκεῖνο, which does not refer to the same thing as ὅ, and we have ἐστιν instead of εἶναι.

19. ἐκείνινον, cf. Z. 1033ᵃ 5–23.

20–21. πάλιν . . . ἐκείνινον. The construction is loose but intelligible. 'Again, earth will illustrate our point if it is similarly not something else but *of* something else (not *x* but *x-en*).'

24–27. This is the nearest approach in Aristotle to the use of πρώτη ὕλη in the sense of entirely formless matter. But even here it does not mean that, but matter with the minimum of form. If there is no material, *x*, out of which fire is made, so that it can be called *x-en*, then fire is first matter, but it will still have the definite character of fire. Cf. Δ. 1015ᵃ 8 n.

27. οὐ τόδε τι οὖσα. The sentence must be interpreted in the light of what follows in ll. 27–36. Aristotle there distinguishes the case in which the substratum is a 'this' from that in which it is not. The substratum of a πάθος is a 'this' or substance; the substratum of

a substance is matter. An opposition is therefore wanted between ὕλη and τόδε τι or οὐσία, and we should read οὐ τόδε τι οὖσα or οὐ τόδε τι καὶ οὐσία.

28. Apelt must be right in reading καθ' οὗ. Alexander, who reads καθόλου, has no reasonable explanation to give of it, and Bz. says 'τὸ καθόλου cur h. l. comparetur cum substrato, equidem non intelligo'. With καθ' οὗ we get a good sense—'the subject or substratum (καί explicative) differs in different cases by being or not being a this'. For διαφέρει in this sense with a singular subject cf. Δ. 1016ª 24, *Meteor.* 341ᵇ 24. καθόλου was probably introduced by a copyist who thought that 'the subject and the substratum differ' must mean that they differ from one another (which would be absurd). But Aristotle would almost certainly have expressed that by διαφέρει τοῦ ὑποκειμένου. I have found only two instances in Aristotle of the things which are said to differ being coupled by καί (*An. Pr.* 57ª 33, *An. Post.* 77ª 14). The distinction which is drawn in ll. 29–36 occurs also in Z. 1038ᵇ 5, H. 1044ᵇ 9, and is there expressed as a difference not between the substratum and something else but between two kinds of substratum. What precedes καὶ τὸ ὑποκείμενον, then, must be a synonym of τὸ ὑποκείμενον, and τὸ καθ' οὗ is exactly what we want. The same error has been made by the manuscripts in Γ. 1007ª 34 and in Sext. Emp. 721. 2 (Bekker).

The difference which Aristotle here points out is that between two levels at which the cleavage between substratum and attributes may be made. You may distinguish accidental attributes from their subject, and in this case the subject is a substratum containing certain essential characteristics; or again you may distinguish the essential characteristics from the substratum to which they belong, and in this case the substratum is bare unqualified matter.

35. For the description of the form as τόδε τι cf. Δ. 1017ᵇ 25 n.

36-ᵇ 2. καὶ ὀρθῶς ... ἀόριστα. Aristotle is struck by the fact that we not only (1), if A is the matter of B, describe B by an adjective derived from the name of A, but also (2), if C is an accidental attribute of D, describe D by an adjective derived (as he suggests) from the name of C. This coincidence is, he thinks, natural, because A, ὕλη, and C, πάθη, are both indefinite.

Aristotle often, as here, says that we describe things παρωνύμως by words derived from the names of qualities. Cf. *Cat.* 1ª 12, 6ᵇ 13, 10ª 28, *Top.* 111ª 33–ᵇ 4. He can hardly have thought that the word λευκόν was derived from the word λευκότης. What he means rather is that when we say a man is white we are not saying that he is a certain entity, but that he is qualified by the possession of a certain entity, whiteness. 'White', though linguistically simpler and earlier than 'whiteness', stands for a more complex meaning, viz. 'qualified by whiteness', just as 'wooden' stands for a more complex meaning than 'wood'.

ᵇ 1. What is the meaning of saying that both ὕλη and πάθη are indefinite? Matter is τὸ ἀόριστον πρὶν ὁρισθῆναι καὶ μετασχεῖν εἴδους τινός (A. 989ᵇ 18); it is indefinite in the sense that it has (relatively to that whose matter it is) no form or character. πάθη (such as whiteness) are indefinite not in the sense of having no character but in the sense of being 'floating universals', not in themselves fixed down to any one substance but capable of belonging to any one out of many. Now since substances on the one hand have a character and on the other hand are definite individuals, no substance can be said to *be* its matter (e. g. 'wood') or its πάθος (e. g. 'whiteness') but only to be made of its matter ('wooden') or characterized by its πάθος ('white').

Actuality prior to potency (ch. 8).

1049ᵇ 4. Actuality is prior to potency, not only to that which is a principle of change in another thing or in the thing itself *qua* other, but to any principle of change or rest. Nature is a principle of change, but in the thing itself *qua* itself.

10. Actuality is prior to any such principle in definition and in substance, and in a sense in time; (1) in definition, for what is 'capable' is so by being able to be active; thus knowledge of the potency presupposes knowledge of the actuality.

17. (2) In time an actual member of a species precedes any potential member, though the individual is potential before it is actual;

24. the potential is actualized by another individual which exists actually—man by man, musician by musician.

29. Hence it is thought that one cannot be a builder if one has built nothing, whence arises the sophistic objection that a learner without having an art has to do that which it is the business of the art to do.

35. The answer is that since, of that which is coming to be, something must have already come to be, the learner must already partially have the art.

1050ᵃ 4. (3) In substance actuality is prior, (*a*) because what is posterior in genesis is prior in substance, since it already possesses its form,

7. and because everything that comes to be moves towards an origin, i. e. an end, and activity is the end of potency; animals have sight in order that they may see, they do not see in order that they may have sight.

15. Further, matter exists potentially just because it can come to its form; when it exists actually it is in its form. The same is true where the end is a movement; teachers think they have attained their end when they exhibit their pupils at work; and so it is too with nature. The work is the end, and the actuality is the work; thus ἐνέργεια (actuality), which is derived from ἔργον (work), comes to mean much the same as ἐντελέχεια (complete reality).

23. In some cases the exercise is the ultimate thing (e. g. sight), while in others there is a separate result (e. g. a house as well as the act of building results from the building art); the actuality is in the first case the end, in the second at any rate more of an end than the potency.

30. Where there is a separate result, the actuality is in the thing made (the act of building is in the thing built); where there is not, it is in the agent (seeing is in the man who sees).

ᵇ 2. Thus substance or form is actuality, and therefore actuality is prior in substance to potency; and we have seen (1049ᵇ 17–29) that in time actuality presupposes actuality right back to that of the prime mover.

6. (*b*) Actuality is prior in substance in a stricter sense of 'prior in substance'. For eternal things are prior to perishable, and no eternal thing exists potentially. Everything that is capable of being is also capable of not being, and therefore perishable,

14. either absolutely in respect of its substance, or in some respect, i. e. capable of changing its place, quantity, or quality. What is not in the absolute sense perishable cannot 'exist potentially' in the absolute sense (though it may in a qualified sense).

20. Nor can eternal movement so exist, nor an eternal moved object, if there are such things. Thus there is no fear that the sun, stars, and heavens will ever come to rest, nor do they tire of movement; for it is only matter and the capacity for the opposite (i. e. for resting) that can make movement laborious.

28. Even the things which are in continual transformation, like earth and fire, imitate the imperishable things, for they have eternal movement by their own nature.

30. All other potencies are potencies for contradictories. Rational potencies are capable of opposite actualizations, and irrational potencies produce opposites according as they are present or absent.

34. It may be objected to the Ideas that since 'science itself' is a potency, there must be an actuality which is more scientific than it; and so in other cases.

1049ᵇ4. διώρισται, Δ. 11.

8. The false reading in EJ has arisen, as Bz. points out, from a dittography of ἐν ταὐτῷ γένει and a subsequent attempt to make sense of the result by emendation.

13. τὸ πρώτως δυνατόν, cf. δυνάμεως ἢ λέγεται μάλιστα κυρίως, 1045ᵇ 35. Aristotle means δύναμις in the sense not of potentiality but of power in relation to movement, the sense discussed in chs. 1–5.

18. τὸ τῷ εἴδει τὸ αὐτὸ ἐνεργοῦν πρότερον, 'the actual which is identical in species is prior'. I. e. prior to the potential member of a species (e. g. to a seed of corn) there must be an actual member of the species.

21. ἡ ὕλη answers to τοῦ ἀνθρώπου, τὸ σπέρμα to τοῦ σίτου, τὸ ὁρατι-κόν to τοῦ ὁρῶντος. σπέρμα is frequently used of the male element in animal generation, but that is not the matter or potentiality of the offspring, but its formal and efficient cause, so that σπέρμα here probably means (as it often does in Aristotle) the seed of a plant. In ᵃ 1–3, 14, 15 Aristotle writes without reference to his doctrine of the parts played by the male and female elements in generation, but he has it in view in ll. 24–26 below, and it is better to interpret here in accordance with it.

24–25. ἀεὶ γὰρ . . . ὄντος does not prove Aristotle's point. He has said that there must be an actual member of the species prior to the potential member of the species. This is not proved by pointing out that an actual member is needed in order to transform the potential member into an actual member. He would have proved his point (as regards animal generation) if he had referred not to the male parent which (on his theory) transforms the matter, but to the female parent which provides the matter. The internal logic of ll. 23–25 would be right if we could suppose τούτων in l. 23 to refer to ἄνθρωπος καὶ σῖτος καὶ ὁρῶν, but it must refer to ἡ ὕλη καὶ τὸ σπέρμα καὶ τὸ ὁρατικόν or it would not illustrate the main thesis that actuality is prior to potentiality.

25. οἷον ἄνθρωπος ἐξ ἀνθρώπου. ἐξ is used loosely, since what Aristotle means to exemplify is not ἐκ τοῦ δυνάμει ὄντος but ὑπὸ ἐνερ-γείᾳ ὄντος.

26. μουσικὸς ὑπὸ μουσικοῦ, i. e. the musical faculty in A can be actualized only by the teaching of B who is already a musician.

27. εἴρηται δὲ ἐν τοῖς περὶ τῆς οὐσίας λόγοις, Ζ. 7, 8.

29–1050ᵃ 3. Aristotle here passes to a second proof of the priority of actuality to potentiality in time. It must be prior because one cannot have the potentiality of building (for example) without having engaged in the actuality. This is said (l. 29) to be a corollary of the principle to which Aristotle has been referring in ll. 17–27, that a potential A can be made into an actual A only by a member of the same species. This principle might be applied in either of two ways; it might be said (1) that a potential builder can be transformed into an actual builder only by the teaching of another actual builder, or (2) that a potency of building can be transformed into an actuality of building only by another actuality of building, i. e. that by means of imperfect and inartistic acts of building (cf. what the *Ethics* calls, in a similar discussion, doing γραμματικόν τι but not γραμματικῶς, 1105ᵃ 24) the potentiality of building comes to be actualized in perfect and artistic acts of building. Now (1) is irrelevant to what Aristotle says in ᵇ 29–32, and even (2) does not exactly correspond to it. For (2) could only show that the potentiality needs, for its *actualization*, another actuality, whereas what Aristotle claims in ll. 29–32 is that it presupposes, as a condition of its *existence*, another actuality. At first sight it looks as if there were the same confusion as seems to exist at l. 24. But Aristotle's meaning is that though a bare δύναμις of building may exist in a man before he has done any building, such a man is not an οἰκοδόμος. Being an οἰκοδόμος is not a bare δύναμις but a ἕξις, and this presupposes ἐνέργεια.

35. ἀλλά introduces Aristotle's answer to the sophistical objection, and should, as Bz. saw, have a full stop before it.

36. ἐν τοῖς περὶ κινήσεως. For this as a mode of reference to the last half of the *Physics*, cf. *De Caelo* 272ᵃ 30, 275ᵇ 21, 299ᵃ 10, *De Gen. et Corr.* 318ᵃ 3, *De Sensu* 445ᵇ 19. The particular reference here is to vi. 6. The proof there is as follows: 'That which moves must move in every part of the time which is the immediate or proper time of the movement. For if it moved only in some part of the time, that part would be the immediate or proper time of the movement. Now if a thing has moved a certain distance in a certain time, a thing which began to move at the same time and moved at the same speed must have moved half the distance in half the time. Therefore the original thing must have moved half the distance in half the time. Therefore that which is moving must have moved. Further (an alternative proof, 237ᵃ 3–11) it must have moved in each part of the time during which it has been moving. Therefore, since time is infinitely divisible, everything that is changing must have undergone an infinite number of changes. Further (an alternative proof, 237ᵃ 11–17) that which changes continuously must either change or have changed ἐν ὁτῳοῦν (237ᵃ 14: one must not say 'in each part of the time', for the moment, which Aristotle proceeds to speak about, is not a part but a section (τομή) of the time). Now it cannot change in a moment. Therefore it must *have* changed at each moment, and must therefore have undergone an infinite number of changes, since there is an infinite number of moments in any time'. So far Aristotle has said that the thing which is moving must have moved, not, what he says in the present passage, that a part of it must have moved. But he goes on to draw this distinction in the case of γένεσις, though not of κίνησις generally (237ᵇ 11; the passage 237ᵃ 17–ᵇ 9 may be omitted). 'A house which is coming into being has not already come into being; but its foundations have.' The distinction drawn in the *Physics* seems to be due to an ambiguity in the word γέγονε. It would be absurd to say that what is coming into being must have come into being; and Aristotle therefore contents himself with saying that a part of it must have come into being. But what really answers to the phrase 'what is moving must have moved' is 'what is coming into being must have *been coming* into being' (for 'has *come* into being' implies a completion which 'has moved' does not), and here no distinction between part and whole need be introduced. Aristotle in the present passage unnecessarily introduces in the case of movement the distinction which in the *Physics* is drawn only in the case of becoming.

Aristotle's application here of the thesis established in the *Physics* is as follows: It will follow that if an ἐπιστήμη is coming into being, part of it must have already come into being. Thus the sophistical objection, that if the δυνάμεις μετὰ λόγου are acquired by ἐνέργεια a man who has not yet acquired an art must yet be supposed capable of acting artistically, is met by the answer that he has the art to some extent. In other words the faculty is not produced by actuality but transformed into actuality by it. This brings the fact in question under the general principle ἐκ τοῦ δυνάμει ὄντος γίγνεται τὸ ἐνεργείᾳ ὂν ὑπὸ ἐνεργείᾳ ὄντος (l. 24), but it really gives up what Aristotle is trying to prove, that actuality precedes potentiality in time. There is the same confusion which we have observed in the note on ll. 24–25.

1050ᵃ 4–ᵇ 2. What Aristotle tries to prove in this section is that actuality is prior to potentiality in substance, i. e. is more real or more substantial. The general principle on which he bases his proof is that what is posterior in generation is prior in form and reality. More definitely, actuality is prior in reality because the actually existent has reached its form while the potentially existent has not. The potentially existent or undeveloped has features unintelligible in themselves, which can be understood only as the prophecy of attributes which will be found in it when developed. It still lacks part of its nature; it is matter without form, and therefore not primary substance.

4. At first sight it seems inconsistent to maintain (1) that actuality is prior to potentiality in genesis (l. 3), (2) that it is prior in substance because it is posterior in genesis (l. 4). But with the qualifications with which Aristotle makes these statements (in the whole context) they are quite compatible.

7–10. The reasoning is somewhat complicated:

(1) The τέλος of a γιγνόμενον is its ἀρχή, its origin (that this is the underlying meaning of ἐπ᾽ ἀρχὴν βαδίζει . . . καὶ τέλος, 'moves to an ἀρχή which is its τέλος', is shown by the fact that Aristotle subjoins a proof that the τέλος is the ἀρχή, viz.:

The οὗ ἕνεκα is the ἀρχή.

The τέλος is the οὗ ἕνεκα).

(2) The ἐνέργεια is the τέλος.

Therefore (3) the ἐνέργεια is the ἀρχή, and therefore prior to the δύναμις.

14. ἢ ὅτι οὐδὲν δέονται θεωρεῖν is excessively difficult, and one would be tempted to regard it as a gloss (so Diels, according to the editor of Bz.'s translation), if one saw what the gloss meant. Alexander's interpretation implies that he had these words, except ὅτι, of which his interpretation (as distinct from the lemma) has no trace. This being so, it is possible (1) that we should omit ὅτι as an intruder which has come in from the next line, and take ἤ as equivalent to εἰ δὲ μή (cf. Z. 1041ᵇ 23, *E. N.* 1170ᵇ 17). For the intrusion of ὅτι cf. H. 1043ᵃ 34 n., *Probl.* 962ᵃ 2. 'They are not speculating, except in a qualified sense of that word' (speculating in the proper sense means speculating for the sake of doing so, or of reaching the truth (cf. *a.* 993ᵇ 20, *Pol.* 1325ᵇ 20)); 'otherwise (if they are speculating in the proper sense) they have no *need* to speculate' (*sc.* for the sake of acquiring θεωρητική, because in that case they must already have it). (2) Alternatively we might read with E οὐχ ᾗ (οὐχί has replaced οὐχ ᾗ in good manuscripts in *An. Post.* 84ᵇ 8, *E. N.* 1161ᵃ 1) and interpret 'and these are said to speculate in order to get the speculative faculty, not in so far as they speculate but only in so far as they do so in a particular way, or because they have no craving to speculate (for its own sake)'. Or (3) we might, besides reading οὐχ ᾗ, read ὅ τι or ὅτε for ὅτι. 'And these speculate in order to get the speculative faculty, not in so far as they speculate, but only in so far as they speculate in a particular way, or about subjects about which' (or 'at a time at which') 'they have no craving to speculate.'

Apelt's ἀλλ' ἤ ὡδί, ὅτι οὐ δύνανται θεωρεῖν is not very probable.

16–17. ὁμοίως δὲ ... τέλος. 'And so too in all other cases, even those in which the end is a movement'. Aristotle has said that matter exists potentially just because in certain circumstances it will proceed into its formed state (εἶδος). But, he now says, the principle that potentiality exists only in relation to a possible realization is equally true when there is no matter to be impressed with a form, no material object to be produced, but the end is a movement. The distinction between these two cases (ποίησις and πρᾶξις) runs through the whole passage ᵃ 15–ᵇ 2.

18. ἐνεργοῦντα, *sc.* τὸν μαθητήν.

19. καὶ ἡ φύσις ὁμοίως. Aristotle is thinking of such things as sight (l. 24). Nature is content not when it has produced creatures capable of sight but when it has exhibited them in full exercise of the activity.

ὁ Παύσωνος ἔσται Ἑρμῆς. Alexander tells us that Pauson made a Hermes about which it was hard to say whether it was carved in the ordinary way on the surface of a stone, or enclosed in a transparent substance. 'How could it be "without", when the surface looked perfectly smooth like that of a mirror, or "within", when the surface showed no trace of joinings?' This account is, however, certainly wrong. In the first place Pauson was not a sculptor but a painter, and in the second place the kind of sculpture Alexander mentions is not known and is most improbable. Pauson was apparently addicted to trick pictures. Cf. the story told by Ps.-Luc. (*Demosth. Encom.* 24), Aelian (*Var. Hist.* xiv. 15), and Plutarch (*de Pythiae Orac.* 5. 396 ᴇ) of his picture of a horse running, which by being turned upside down was made to represent a horse rolling on its back. Professor Percy Gardner suggests that the Hermes may have been a tricky painting, which deceived the eye somewhat in the manner of those in the Wiertz Gallery at Brussels, which stand out, apparently, in high relief from the canvas.

20. εἰ ἔσω ἢ ἔξω, i. e. whether the knowledge has been absorbed by the pupil or has remained 'outside' him.

22–23. διὸ... ἐντελέχειαν. Because the ἔργον is the τέλος (l. 21), the word ἐνέργεια, which is derived from ἔργον, tends to mean the same as ἐντελέχεια. Cf. 1047ᵃ 30 n.

27. ἔνθα μέν refers to cases like seeing, ἔνθα δέ to cases like building.

28–29. ἡ γὰρ οἰκοδόμησις... οἰκία gives the justification for ἔνθα δὲ μᾶλλον τέλος τῆς δυνάμεώς ἐστιν. The actuality is more of an end than the potentiality, for it resides in the ἔργον, and comes into being, and exists, simultaneously with the ἔργον, which is the end in the strict sense ; while the potentiality does not reside in the ἔργον, exists before the ἔργον, and can exist after the ἔργον has perished.

ἡ γὰρ οἰκοδόμησις ἐν τῷ οἰκοδομουμένῳ. The point of ἐν in this and the following lines is this: an activity like building, or like seeing, is evidently not a ὑποκείμενον, but ἐν ὑποκειμένῳ; it requires a substratum. Now a ποίησις like building is the actuality both of the builder and of the house (*Phys.* 202ᵃ 13–16), and resides, in a sense, in both. But that in which it most properly and directly resides is that which exactly answers to it, which comes into being with it and exists simultaneously with it. This is obviously the house rather than the builder. In the case of a πρᾶξις like seeing, on the other hand (l. 34), there is no separate ἔργον, and the actuality must be said to reside in the ἐνεργοῦν itself.

ᵇ**1.** The reference to εὐδαιμονία is a digression. Aristotle points out, as against a materialistic view, that happiness is in the soul, is an activity of it, and therefore does not depend primarily on the goods of the body, nor on external goods (cf. *E. N.* 1098ᵇ 12–22).

2–3. ὥστε φανερὸν ... ἐστιν. This follows not from what directly precedes but from the whole section ᵃ 4–ᵇ 2. For the language cf. ᵃ 15, 16.

4. ὥσπερ εἴπομεν, 1049ᵇ 17–29. That passage, however, contained no explicit reference to the *primum movens*. For the doctrine cf. Λ. 6, 7.

6. ἀλλὰ μὴν καὶ κυριωτέρως, sc. πρότερον τῇ οὐσίᾳ ἐνέργεια δυνάμεως (l. 3). The new argument is:—

The eternal is prior in substance to the perishable (assumed here, but cf. B. 999ᵇ 5, Z. 1032ᵇ 30, Λ. 6, 7).

Eternal things exist actually, perishable things potentially (proved in ll. 8–18; l. 18—1051ᵃ 2 state corollaries of this, which form a digression).

Therefore the actual is prior to the potential.

Therefore (on the principle that what belongs to the better is better than what belongs to the worse, *Top.* 116ᵇ 12) activity is prior to potentiality.

It is not obvious why this is priority τῇ οὐσίᾳ in a more proper sense (κυριωτέρως) than those already mentioned. But in Δ. 1019ª 11 Aristotle has said that all the senses of prior and posterior may be reduced to that which is stated in 1019ª 2; 'those things are prior in nature and substance which can exist without others while the others cannot exist without them'. Now the eternal can exist without the perishable and the perishable cannot exist without the eternal, and though Aristotle does not explicitly put the matter in this way (except incidentally in l. 19), it seems that this is the 'stricter' sense of 'prior in substance' which he has in mind.

7. ἔστι δ᾽ οὐθὲν δυνάμει ἀΐδιον. The most obvious rendering would be 'nothing is potentially eternal', but from l. 16 it appears that ἀΐδιον goes closely with οὐθέν, 'nothing eternal exists potentially'. So Al. 591. 20.

8. πᾶσα δύναμις ἅμα τῆς ἀντιφάσεώς ἐστιν. It is the peculiarity of rational faculties to be able to produce either of two *contraries* (1046ᵇ 5); a knowledge of medicine enables a man either to cure or to kill. But all potentialities are potentialities for either of two *contradictory* results. That which can under certain circumstances become or do something can also, if those circumstances be absent, not become or do it.

9–11. τὸ μὲν . . . οὐθενί is merely preparatory; τὸ δυνατὸν . . . ἐνεργεῖν is the emphatic clause.

11. On the difference between δυνατόν and ἐνδεχόμενον cf. 1047ª 26 n.

14. φθαρτόν, ἢ ἁπλῶς ἢ τοῦτο αὐτὸ ὃ λέγεται ἐνδέχεσθαι μὴ εἶναι. 'Perishable either in the unqualified sense or in that precise respect in which t is said to be capable of not being.' A thing is 'perishable' if it can lose its essence; 'locally perishable' if it can change its place; 'quantitatively perishable' if it can change its size; 'qualitatively perishable' if it can change its quality.

19. καίτοι ταῦτα πρῶτα is the minor premise of the syllogism:
Things existing of necessity do not exist potentially.
The primary things are the things that exist of necessity.
(Therefore the primary things do not exist potentially.)
Therefore actuality is prior to potentiality.)

21. οὐκ ἔστι . . . ποί. I. e. it is necessarily moved, but while moving from A to B it may be capable of moving from B to C.

23. ὃ φοβοῦνται οἱ περὶ φύσεως. Alexander says the reference is to Empedocles, and this is confirmed by *De Caelo* 284ª 24 οὔτε δὴ τοῦτον τὸν τρόπον ὑποληπτέον, οὔτε διὰ τὴν δίνησιν θάττονος τυγχάνοντα (τὸν οὐρανόν) φορᾶς τῆς οἰκείας ῥοπῆς ἔτι σώζεσθαι τοσοῦτον χρόνον, καθάπερ Ἐμπεδοκλῆς φησίν. Aristotle compares Empedocles' view to the traditional belief in the necessity of an Atlas to hold up the heavens. There is nothing about this in the remaining fragments of Empedocles.

30. καθ᾽ αὑτὰ . . . κίνησιν. It is doubtful whether this refers to the natural movement of fire upwards, and of earth downwards, or to the constant tendency of the elements to change into one another, by virtue of which Aristotle says (*De Gen. et Corr.* 337ᵃ 1–7) they imitate the circular movement of the heavenly bodies.

30–33. Aristotle repeats here the general statement (cf. l. 8) that all potentialities are potentialities for either of two contradictories. He then subdivides. (1) Things which in virtue of a λόγος can act in one way can also act in the contrary way (μὴ ὡδί = 'to move not thus', not 'not to move thus'). (2) Irrational potentialities are potentialities for either of two contradictories according as they are present or not.

Thus under (2) Aristotle is not referring to the sense explained above (ll. 8–12) in which potentialities are potentialities for either of two contradictories according as certain conditions are present or not (Alexander interprets it so, but the Greek will not bear this interpretation), but is saying that they are potentialities for either of two contradictory results according as they themselves are present or not. This at first sight seems pointless. But in *Phys.* 251ᵃ 31 Aristotle says that there is something in physical things akin to the contrary actualizations of a 'rational power', τὸ γὰρ ψυχρὸν θερμαίνει στραφέν πως καὶ ἀπελθόν. That which is cold is capable of becoming hot, and *then* of heating other things. This seems to be the meaning here.

30. αἱ δὲ ἄλλαι δυνάμεις, because Aristotle has been speaking of things which are in some respect tainted with δύναμις, e. g. in respect of their position in space (cf. ll. 17, 18), though in other respects existing in actuality.

31. ἐξ ὧν διώρισται. The statement is a general one about αἱ ἄλλαι δυνάμεις πᾶσαι, so that the reference is probably not to the distinction of rational from irrational powers as being τῶν ἐναντίων αἱ αὐταί (1046ᵇ 4, 1048ᵃ 8), but to the discussion of potentialities in 1050ᵇ 8–12.

35. οἱ ἐν τοῖς λόγοις, 'the people who occupy themselves with verbal discussions'. Cf. A. 987ᵇ 31 n.

36—1051ᵃ 2. αὐτὸ ἐπιστήμη is the faculty of knowledge itself, apart from particular manifestations, and as such inferior to the activity of knowledge.

1051ᵃ 3. καὶ δυνάμεως καὶ πάσης ἀρχῆς μεταβλητικῆς, cf. 1049ᵇ 6.

Miscellaneous remarks about potency and actuality (ch. 9).

1051ᵃ 4. A good actuality is better than the good potency. For capacity for one thing is always capacity for the opposite, and is so at the same time (though the opposites cannot exist at the same time), and therefore is both good and bad, or neither.

15. Similarly a bad actuality is worse than the potency, and posterior to it, and therefore evil cannot be an actual substance existing apart from bad things. Therefore among eternal things there is nothing evil.

21. Geometrical relations are discovered by actualization, i. e. by dividing the given figures by lines that before existed potentially. Cf. the proof that the angles of a triangle = two right angles, or that the angle in a semicircle is a right angle. What exists potentially is discovered by being actualized. The reason is that the geometer's thinking is an actuality. Thus potency comes from actuality (and therefore the knowledge comes by action), though the actuality is later in genesis than its own potency.

1051ᵃ 5. ὅσα γὰρ κατὰ τὸ δύνασθαι λέγεται, ταὐτόν ἐστι δυνατὸν τἀ-ναντία. Aristotle's strict doctrine seems to be that while rational δυνάμεις can produce contrary results, irrational δυνάμεις are only δυνάμεις of contradictories, (1) in the sense that they may either be actualized or not (1050ᵇ 8 n.), and (2) in the sense that their presence leads to one result and their absence to the contradictory result (1050ᵇ 33 and note on 1050ᵇ 30–33). He here says all δυνάμεις are δυνάμεις of *contraries*. The apparent contradiction between the present passage and 1046ᵇ 5, 1048ᵃ 8 is due to the fact that in the former passages he was thinking of δυνάμεις κατὰ τὴν κίνησιν, positive powers or forces, while here he is thinking of mere potentialities. For the difference cf. 1045ᵇ 35–1046ᵃ 4 n. That which can produce health (e. g. wholesome food) cannot produce sickness, but that which can be healthy can also be sick.

7. Bz.'s conjecture in the *Observationes*, καὶ τὸ νοσεῖν (sc. δύνασθαι λεγόμενον), is obviously better than his actual reading, καὶ νοσεῖν.

11, 12. 'But contraries cannot belong to a thing at the same time, and (therefore) the actualizations also cannot belong to it at the same time.'

13–15. ὥστ᾽ ἀνάγκη . . . βελτίων. The reasoning is not very clearly expressed but seems to be as follows: ' To be capable of A is to be also capable of its contrary B. Therefore, while what is good (in the sphere of a particular δύναμις and the corresponding ἐνέργειαι) must be one of the contrary ἐνέργειαι, the δύναμις must be said either to be both good and bad or to be neither ; therefore the good actuality must be better than the δύναμις'. τούτων θάτερον εἶναι τἀγαθόν is in sense subordinate ; τὸ δύνασθαι κτλ. is what follows from the protasis.

Bz. complains that Aristotle suggests that of any two contraries one must be good, and thus introduces good and evil into regions where they are inappropriate. But Aristotle does not make this mistake. He takes only the δυνάμεις which *would* be called good (l. 4), and shows that they are really neutral, and are called good only because we forget the bad actualizations of which they are capable ; and that

therefore the good actualization is better than the potentiality. His
only mistake is in calling one thing better than another when the other
is strictly speaking not good at all but neutral.

17–21. οὐδ' in l. 19 shows that Aristotle means to draw two dis-
tinct conclusions :—(1) that evil does not exist apart from individual
evil things, (2) that there is no evil among the original and eternal
principles of the universe. The former contention is directed against the
Platonic belief in an Idea of evil (*Rep.* 476 A, cf. 402 C, *Theaet.* 176 E).
The latter contention is directed against the Platonic belief that the first
principles of the universe, the one and the indefinite dyad, are good and
bad respectively (A. 988ª 14, Λ. 1075ª 35, N. 1091ᵇ 31); Aristotle
may have the bad world-soul of the *Laws* (896 E, 898 C) especially in
mind.

The reasoning implied in ll. 17–19 seems to be as follows:

What exists apart from its particular manifestations must exist
actually.

Actuality is prior in nature to potentiality.

Potentiality is prior to the bad.

Therefore what exists apart from its particular manifestations is
prior to the bad.

Therefore the bad does not exist apart from its particular manifesta-
tions.

From the fact that the bad is posterior to potentiality it also follows
(Aristotle adds in ll. 19–21) that there is nothing bad among the original
and eternal entities.   If we placed a full stop after πράγματα and a colon
after δυνάμεως we might suppose οὐκ ἄρα . . . διεφθαρμένον to be a
repetition in other words of δῆλον . . . πράγματα (which Bz. apparently
takes it to be); but this hardly does justice to οὐδέ.

The reasoning in ll. 17–19 involves, as Bz. shows, a fallacy of equi-
vocation.   For actuality is prior to potentiality, according to Aristotle's
view, in *reality* or substantiality (this was what was argued in 1050ª 4—
1051ª 3), while potentiality is prior to the bad in *worth* (this was what
was argued in 1051ª 15–17).   When the bad is shown to be posterior
to the potentiality (in worth), it is treated as one of the contrary
actualizations of the potentiality.   But then it must be prior to the
potentiality in reality, according to the argument of 1050ª 4 — 1051ª 3.

21–33. In the attempt to interpret this difficult passage I owe much
to the late Professor Cook Wilson, who discussed it with me.
The passage is evidently out of place.   It belongs in principle to
the argument for the temporal priority of actuality to potentiality
(1049ᵇ 17—1050ª 3).

22. διαγράμματα is taken by Bz. to mean 'geometrical proofs', and
the word sometimes occurs in this sense, cf. B. 998ª 25 n. But εἰ δ'
ἦν διῃρημένα, φανερὰ ἂν ἦν· νῦν δ' ἐνυπάρχει δυνάμει seems to show
that the word has its ordinary meaning of 'geometrical construc-
tions'.   (To make the construction intelligently, however, is to
see the proof, and Aristotle at once passes to this (δῆλον διὰ τί,
l. 26).)   What he says, then, is that 'geometrical constructions are dis-

covered by an activity; for we find them by dividing'. The activity
is later (l. 30) described as νόησις, and this may seem inconsistent with
the description of it as division. But it is not really so, for division
here does not mean the drawing of lines with chalk or pen but the
apprehension that the geometrical figures with which we are dealing
are divisible in certain ways. The geometer is dealing with figures
which are νοητά (Z. 1036ᵃ 3), and his essential activity is νόησις, not
the construction of anything αἰσθητόν; the latter is merely an aid to
the former.

24–26. The proposition is Euc. i. 32. The given figure is

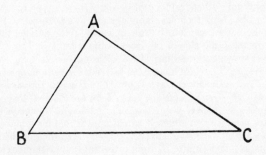

We have only to 'divide' (in this case to divide the space surrounding
the triangle) in order to see the reason why the interior angles of the
triangle must be equal to two right angles.

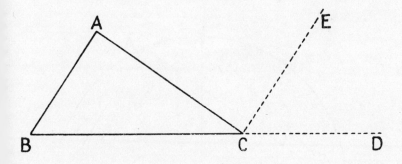

Produce BC to D and draw CE upwards (ἀνῆκτο) parallel to BA.
Then the angle $CAB = ACE$ and $ABC = ECD$ (Euc. i. 29).

Therefore $BCA + CAB + ABC = BCA + ACE + ECD$,
which $= BCA + ACD$,
which $=$ two right angles (i. 13).

Therefore the interior angles of the triangle $=$ two right angles.

Of the two supplementary lines which had to be drawn, Aristotle mentions only CE. In Euclid this theorem is the second part of a proposition of which the first part is that ' in every triangle, if one of the sides be produced, the external angle is equal to the two interior and opposite angles', so that CD is supposed to be already drawn ; and Aristotle probably knew the proposition in its Euclidean form.

25. εἰ οὖν ἀνῆκτο ἡ παρὰ τὴν πλευράν (*sc.* γραμμή). The use of ἀνάγειν for the drawing of a line is not recognized in L. and S., and Bz. gives only one other instance of it, viz. *Meteor.* 376ᵃ 1. Aristotle seems not to be using technical language (cf. ll. 27–29 n.). He uses ἀνάγειν in the natural sense of ' draw upwards ' ; the parallel line must be drawn on the same side of the base as the triangle.

26, 27. The vulgate reading is διὰ τί ἐν ἡμικυκλίῳ ὀρθὴ καθόλου ; διότι (ἐάν κτλ.). The best manuscripts read διὰ τί ἐν ἡμικυκλίῳ ὀρθὴ καθόλου διὰ τί. Alexander says (596. 21) πάλιν ἐρωτώμενοι ὅτι διὰ τί ἐν ἡμικυκλίῳ ὀρθή ἐστι καὶ καθόλου διὰ τί ὀρθή ἐστιν, ὡς εἰ ἔλεγεν ὅτι ἢ οὕτως ἐρωτηθείημεν " διὰ τί ἐν ἡμικυκλίῳ ὀρθή " ἢ οὕτω " καθόλου διὰ τί ἡ ἐν ἡμικυκλίῳ ὀρθή", from which it would appear that his text read διὰ τί ἐν ἡμικυκλίῳ ὀρθή ; καθόλου διὰ τί ; διότι, the reading of the inferior manuscripts in l. 27, cannot be right ; the angle in a semicircle is not right because it is clear to people who know certain facts that it is so. We should either read and punctuate as in the text, or follow Alexander's text. For διὰ τί at the end of the sentence cf. H. 1044ᵇ 17 ἀλλὰ τοῦτο κατὰ τί ; Bz.'s addition of ἡ to be unnecessary ; for the form of the proposition cf. *An. Post.* 94ᵃ 33 τὸ ἐν ἡμικυκλίῳ ὀρθὴν εἶναι.

27-29. The proposition is Euc. iii. 31. The construction contemplated seems to be as follows :

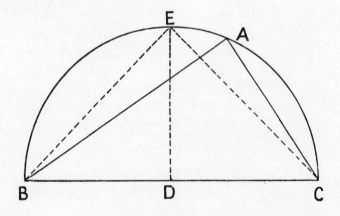

BAC is an angle in a semicircle. From the centre *D* draw *DE* perpendicular to *BC* (ἡ ἐκ μέσου ἐπισταθεῖσα ὀρθή) and meeting the semicircle at *E*. Join *BE, CE*.
Then *DE = DB*. Therefore the angle *DEB = DBE*.
DE = DC. Therefore *DEC = DCE*.
Therefore *DEB+DEC = DBE+DCE*, i.e. *BEC = CBE+ BCE*.
But *BEC+CBE+BCE* = two right angles (i. 32)
Therefore *BEC* is a right angle.
But *BAC = BEC* (iii. 21).
Therefore *BAC* is a right angle.

There are two difficulties here: (1) The triangle *BEC* is superfluous. If *AD* had been joined, *BAC* could have been proved to be a right angle just as *BEC* has been proved to be so. Euclid dispenses with *BEC*. (2) ὀρθή is commonly applied not to lines but to angles. Christ proposes to remedy these difficulties by reading ἐὰν . . . ἐπισταθεῖσα, ὀρθή ('the angle is a right angle')· ἰδόντι δὴ δῆλον κτλ. But this loses the correspondence with l. 26, where the apodosis is ἰδόντι ἂν ἦν εὐθὺς δῆλον διὰ τί. Mr. Cannan (reading in l. 27 καθόλου διὰ τί;) proposed ἐὰν . . . ἐπισταθεῖσα, ὀρθὴ διὰ τί; δῆλον, which would get over the difficulties; but the corruption is not a very probable one. If it be supposed to have occurred, it would seem better to punctuate ἐὰν . . . ἐπισταθεῖσα, ὀρθή. διὰ τί δῆλον (as in l. 26 δῆλον διὰ τί). Alexander has the traditional text, which is (I think) quite sound; as regards the difficulties stated above we may say that (1) it would be natural enough for Aristotle by an oversight to think that the angle could more easily be proved to be right in the symmetrical case in which it is the sum of two half right angles. In any case Aristotle's proof is not the same as Euclid's, for he dispenses with the production of *BA* ; that he does so is clear from *An. Post.* 71ᵃ 19, 94ᵃ 28–34. Similarly his proof of Euc. i 5 (*An. Pr.* 41ᵇ 13–22) is quite different from Euclid's. (2) Aristotle is not using technical language (cf. ἀνῆκτο l. 25); ὀρθή is used in its ordinary sense of 'upright'. The translation is 'the line set upright on the base from the middle of the base'.

28. ἰδόντι δῆλον τῷ ἐκεῖνο εἰδότι. 'The proof is evident, when he sees the figure, to him who knows the former proposition.' What is 'the former proposition'? (*a*) Alexander says it is 'that if the three straight lines are equal, the angle in the semicircle will be proved to be right'. But this would amount to saying 'if *L* is *M*, then that *N* is *P* is clear to him who knows that if *L* is *M*, *N* is *P*', which is an improbably clumsy way of stating a very simple thought. (*b*) ἐκεῖνο may be simply ὅτι ἴσαι τρεῖς, ἥ τε βάσις δύο καὶ ἡ ἐκ μέσου ἐπισταθεῖσα ὀρθή. But (*c*) ἐκεῖνο would naturally refer to something more remote. It refers in fact to the proposition stated in ll. 24–26, that the angles of a triangle = two right angles. Cf. *An. Post.* 71ᵃ 19 ὅτι μὲν γὰρ πᾶν τρίγωνον ἔχει δυσὶν ὀρθαῖς ἴσας, προῄδει· ὅτι δὲ τόδε τὸ ἐν τῷ ἡμικυκλίῳ τρίγωνόν ἐστιν, ἅμα ἐπαγόμενος ἐγνώρισεν.

29–33. The interpretation of this passage is complicated by two questions of reading. (1) In l. 30 EJ and apparently Alexander (ἄγων 597. 14, ἄγεται 597. 16) read ἀγόμενα where the other manuscripts have ἀναγόμενα. Now a *philosopher* might be said τὰ δυνάμει ὄντα εἰς ἐνέργειαν ἀνάγειν ('refer back') when he shows as Aristotle does here that the actuality is the *prius* of the potentiality. Cf. *E. N.* 1170ᵃ 16 τὸ δὲ ζῆν ὁρίζονται τοῖς ζῴοις δυνάμει αἰσθήσεως, ἀνθρώποις δ' αἰσθήσεως ἢ νοήσεως· ἡ δὲ δύναμις εἰς τὴν ἐνέργειαν ἀνάγεται, τὸ δὲ κύριον ἐν τῇ ἐνεργείᾳ· ἔοικε δὴ τὸ ζῆν εἶναι κυρίως τὸ αἰσθάνεσθαι ἢ νοεῖν. 1113ᵃ 5 παύεται γὰρ ἕκαστος ζητῶν πῶς πράξει, ὅταν εἰς αὐτὸν ἀναγάγῃ τὴν ἀρχήν. ᵇ 19 εἰ δὲ ταῦτα φαίνεται καὶ μὴ ἔχομεν εἰς ἄλλας ἀρχὰς ἀναγαγεῖν παρὰ τὰς ἐν ἡμῖν, ὧν καὶ αἱ ἀｒχαὶ ἐν ἡμῖν, καὶ αὐτὰ ἐφ' ἡμῖν καὶ ἑκούσια. But the operation here described is that of the *mathematician*; the sense required is 'the constructions which exist potentially are discovered by being actualized' (*perducta ad actum potentia*, Bz.), and this sense demands ἀγόμενα. Cf. *E. N.* 1153ᵃ 12 τῶν εἰς τὴν τελείωσιν ἀγομένων τῆς φύσεως.

(2) The manuscript reading αἴτιον δὲ ὅτι νόησις ἡ ἐνέργεια is difficult. 'The potentially existing constructions are discovered by being brought into actuality; the reason is that the actuality is an act of thought.' This identifies the actuality of the figure with the actuality of thought, while ll. 32, 33 seem to distinguish them. Aristotle has committed himself to the view that νόησις actualizes the figures, but it is doubtful whether he would identify the actuality of the figures with the νόησις. True, τὸ νοούμενον and ὁ νοῦς are identical in the case of ὅσα μὴ ὕλην ἔχει (Λ. 1075ᵃ 3, cf. *De An.* 430ᵃ 3). But mathematical objects *do* contain ὕλη, even if it be νοητὴ ὕλη (Z. 1036ᵃ 11, ᵇ 35, K. 1059ᵇ 15). They are not the pure forms which alone Aristotle identifies with the apprehension of them.

Nor does the manuscript reading seem to be that of Alexander, though it is impossible to say exactly what lies behind his words: φανερὸν ἄρα ὅτι δυνάμει ὄντα καὶ ἐνεργήσας περὶ αὐτὰ ὁ νοῦς εὑρίσκεται· αὐτὸς γάρ ἐστιν ὁ αἴτιος ὁ ἄγων αὐτὰ εἰς ἐνέργειαν. νόησις ἡ ἐνέργεια may have arisen from ἡ νόησις ἐνέργεια (cf. Λ. 1072ᵇ 16), which goes well with what precedes and what follows: 'the potentially existing constructions are discovered by being actualized; and the explanation is that the geometer's thinking is an actuality, so that the potentiality proceeds from an actuality, and therefore it is by doing that people come to know' (or 'by making constructions that people come to know them').

Aristotle, then, brings the case under his general rule ἐκ τοῦ δυνάμει ὄντος γίγνεται τὸ ἐνεργείᾳ ὂν ὑπὸ ἐνεργείᾳ ὄντος (1049ᵇ 24); the potential constructions are actualized by the actuality of thought. And as, before, Aristotle drew from the necessity of an actuality for the actualization of a potentiality the inference that actuality is prior to potentiality (1049ᵇ 23), so he does here in the words ὥστ' ἐξ ἐνεργείας ἡ δύναμις (unless αἴτιον ... ἐνέργεια is parenthetical and εὑρίσκεται, not γίγνεται, is to be understood with ἐξ ἐνεργείας ἡ δύναμις). αἴτιον δέ ἐστι νόησις ἡ ἐνεργείᾳ may also be suggested; this comes nearer to

Alexander's paraphrase. For confusion between ἐστί and ὅτι due to tachygraphy cf. Bast 810.

32–33. Aristotle has said that potentiality comes from actuality ; he now guards against misinterpretation. ' But it is only in a sense that actuality is prior to potentiality, for the individual actuality is posterior in generation to the corresponding individual potentiality.'   Cf. 1049ᵇ 19. In his view, the potentiality of the construction presupposes the activity of thought but precedes the actuality of the construction. For a similar elliptical use of γάρ cf. *Top.* 119ᵃ 7, 122ᵇ 39, *De An.* 407ᵃ 23, 409ᵃ 24. The emendation of l. 30 gives point to this clause, which Bz. found unintelligible.

We are now in a position to see the object of the whole passage ll. 21–33. Aristotle's purpose is to enforce his doctrine of the priority of actuality by two considerations with regard to τὰ μαθηματικά. (1) It is only by being actualized that they are known. In their case therefore, as in all others (1049ᵇ 17), actuality is prior to potentiality τῇ γνώσει. And (2), as in all other cases (1049ᵇ 17—1050ᵃ 3), though their potentiality precedes their actuality in time, it presupposes another actuality, that of apprehension.

The passage is of great importance because it emphasizes the significance of the intuition of the construction for the understanding of the proof (ἰδόντι δῆλον, ll. 26, 28). It thus corrects Aristotle's tendency in the *Organon* to treat mathematical proof as if it were simply a process of deducing conclusions syllogistically from definitions and ὑποθέσεις, and anticipates Kant's doctrine of the synthetic nature of mathematical procedure. But it cannot be said that Aristotle works this out clearly.

The nature of truth (ch. 10).

1051ᵃ 34. ' Being ' and ' not being ' are used with reference (1) to the categories, (2) to potency and actuality, (3) to truth and falsity. Truth means thinking that to be divided or united which is divided or united, respectively ; error means being in a state contrary to the facts.

ᵇ 5. When is truth present ? You are not white because we truly think you are, but *vice versa.*

9. (1) Some things are always united, others always divided, others may be either.   Being is being-united ; not being is not-being-united. About things which may be either united or divided the same opinion is at different times false and true ; not so with regard to things that must be as they are.

17. (2) In the case of incomposites what is being and truth ? For them, being is not being-united, and truth cannot be what it was in the case of composites.

22. (*a*) *Truth* in this case is contact and assertion (as distinct from affirmation). Ignorance can only mean in this case non-contact; error is not possible (except *per accidens*) regarding what a thing is or an incomposite substance. Such substances all exist actually, not potentially; otherwise they would have come into being and perished, but there is nothing out of which being itself can have come to be.

30. About all things that are essences and actualities, then, we cannot err; either we know them or we do not. But we may inquire what they are, whether they are such-and-such.

33. (*b*) The *being* which answers to truth does not in this case mean being united; if the thing exists at all it exists in a certain way. Truth means knowing such objects; no error about them is possible, but only ignorance—not, however, ignorance analogous to blindness, which would be a complete absence of the knowing faculty.

1052ᵃ 4. (Return to (1)). Regarding the unchangeable, if we believe it to be unchangeable, we cannot mistakenly suppose that it sometimes has a certain attribute and sometimes not; but we may suppose one member of a class to have an attribute and another not. About a single member we cannot make even this mistake; whether we are right or wrong, it is implied that the facts are eternal.

This chapter, dealing with truth and falsity, has little to do with the rest of book Θ, which treats of potency and actuality. Schwegler and Christ therefore treat it as the work of an editor. Bz. and Bullinger point out that in view of the enumeration of the senses of 'being' in Δ. 7 it is only natural that after discussing the chief category, substance, and the distinction of potency and actuality, Aristotle should go on to discuss truth and falsity; and that the chapter is specially in place here because ch. 8 has introduced us to the simple and eternal substances which are ἐνέργειαι ἄνευ δυνάμεως, and are now described as the objects with which one kind of truth is concerned (1051ᵇ 27). Jaeger thinks that the chapter is by Aristotle, but was inserted here simply because there was some room at the end of the roll on which Z–Θ. 9 was written. Between this view and that of Bz. it is difficult to decide; that the chapter is the work of Aristotle there is no reason to doubt; E. 1027ᵇ 28 has prepared us to find such a discussion in the *Metaphysics*.

1051ᵃ 34–ᵇ 2. For the classification cf. Δ. 7, E. 1026ᵃ 33–ᵇ 2.

35. τὸ δὲ κατὰ δύναμιν ἢ ἐνέργειαν τούτων ἢ τἀναντία, i. e. being or not-being may be divided not only according as it is the being (or not-being) of (1) a substance, (2) a quality, (3) a quantity, &c., but also may be further subdivided according as it is the being (or not-being) (*a*) potentially or (*b*) actually of a substance, quality, &c.

ᵇ 1. τὸ δὲ [κυριώτατα ὂν] ἀληθὲς ἢ ψεῦδος. Being as truth and not-

being as falsity are elsewhere treated as emphatically not the primary
or strictest senses of being and not-being (τὸ δ' οὕτως ὂν ἕτερον ὂν τῶν
κυρίως, E. 1027ᵇ 31), but as being due merely to τῆς διανοίας τι πάθος
(ib. 34) and presupposing being in its primary sense, that in which it
is subdivided into the categories (ἢ γὰρ τὸ τί ἐστιν ἢ ὅτι ποιὸν ἢ ὅτι
ποσὸν ἤ τι ἄλλο συνάπτει ἢ διαιρεῖ ἢ διάνοια, ib. 31). Jaeger suggests
that Aristotle may mean merely that the copulative ' is ' of the judge-
ment is the commonest usage of the verb ' to be ', but it is improbable
that κυριώτατα ὄν should mean this.   The words are probably a gloss,
or should go after μέν in ᵃ 34.   It will be seen that there is a good deal
of divergence among the manuscripts at this point.

If retained, κυριώτατα ὄν must go with ἀληθὲς ἢ ψεῦδος, ' that which
is true or false in the most proper sense of those terms ', in contrast
to truth and falsity περὶ τὰ ἀσύνθετα, which Aristotle treats of later
(l. 17—1052ᵃ 4).   But it is highly unnatural to sever κυριώτατα ὄν
from τὸ δέ.

2. τοῦτο δ' ἐπὶ τῶν πραγμάτων ἐστὶ τῷ συγκεῖσθαι ἢ διῃρῆσθαι, ' and
this depends, in the things' (i. e. so far as the objects are concerned),
' on their being united or divided '.   The implied opposition is between
τὰ πράγματα and ἡ δόξα (l. 14).

11–13. τὸ μὲν . . . εἶναι.   This passage makes no use of the distinc-
tion drawn at the beginning of the sentence between things always
united, things always divided, and things capable of being either united
or divided.   That distinction is first used in what follows, περὶ μὲν οὖν . . .
ψευδῆ (13–17). Bessarion and Christ therefore treat τὸ μὲν . . . εἶναι as
parenthetical, while Bz. (following what may have been Alexander's
reading) inserts καί before τὸ μέν.   It seems probable, however, that
grammatically τὸ μὲν . . . εἶναι is the apodosis, though logically it only
prepares the way for what follows.

17—1052ᵃ 4. There is much obscurity in Aristotle's references
to truth and falsity with regard to τὰ ἀσύνθετα, τὰ ἁπλᾶ, τὸ ἀδιαίρετον.
In E. 4 and *De An.* iii. 6, as well as here, it is contrasted with truth and
falsity with regard to composites, which is clearly truth and falsity of
propositions.   Aristotle seems to reason as follows.   What is true in
the ordinary sense is a judgement in which two things (a subject and
an attribute) are thought to be united which are united in reality, or
two things to be separated which are separated in reality.   But if we
think of two things as united, must we not first think of each thing
by itself, and in this thinking is there not a possibility of truth and
of error?   Aristotle's strict theory is that there is not (l. 2, E. 1027ᵇ 19,
Cat. 2ᵃ 8, *De An.* 430ᵃ 26); that the only alternatives are, to appre-
hend them or not to apprehend them.   He says in this chapter
clearly enough that there can be no falsity with regard to them (l. 25),
but he does not say as clearly as he might that there can be no truth
either.   That which could not possibly be false cannot without tauto-
logy, and therefore absurdity, be said to be true, just as ' true know-
ledge ' is an absurd expression because there could not be false
knowledge.   But instead of saying this he says that truth *in another*

than the ordinary sense is possible with regard to incomposites (l. 24). The fault, however, is only in the expression; the distinction is probably clear enough in his mind.

But what he means by ἀσύνθετα and the analogous expressions is not equally clear. In the *De Anima*, instead of discussing terms in general as distinct from propositions, he discusses three kinds of object which are ἀδιαίρετα in quite another sense. (1) τὸ κατὰ τὸ ποσὸν ἀδιαίρετον ἐνεργείᾳ (430ᵇ 7–14), i. e. things like lines, which though quantitatively divisible are not quantitatively divided. (2) τὸ τῷ εἴδει ἀδιαίρετον (ib. 14–20), the *infima species*. (3) τὸ κατὰ τὸ ποσὸν ἀδιαίρετον δυνάμει (430ᵇ 20–26), that which is quantitatively indivisible, like points (or, we might add, moments). Of these three only the second is relevant to the discussion of the present passage, and unfortunately the few lines devoted to it are so obscure and the text so doubtful that they need illumination rather than afford it.

In the present passage Aristotle seems for the most part to be reasoning from the bare notion of an ' incomposite ' as opposed to a ' composite ', without asking himself very definitely what he means by an ' incomposite '. From the very fact that it is simple, it follows that there cannot be truth or falsity about it of the same kind as truth or falsity about composites. His primary meaning seems to be that if you say A is B you must attach a definite meaning to your terms ; you must know about A, and about B, ' what it is ' (l. 25 f.). The alternative to knowing what it is is not having a false opinion about what it is, but simply not being ' in touch ' with it at all. But from this general position about the terms of any judgement Aristotle passes to a point which he distinguishes from this (ὁμοίως δὲ καί κτλ., l. 26). The terms of a judgement are, so far as their function in the judgement goes, simple, but they may be in themselves complex terms, and again they need not be substances, and if substances, they need not be simple substances. ' White ', ' incommensurate ', ' diagonal ' are not substances ; ' wood ' is a substance concrete of form and matter. What has been said of all terms with reference to their place in judgement may be said without qualification of ' incomposite substances ', the things which are free from any admixture of potentiality and therefore eternal, which are pure forms (' just what it is to be something ') (ll. 26–31), i. e. God and the intelligences which move the spheres.

20. Bywater proposed τὸ λευκὸν ⟨τὸ⟩ ξύλον , ' the proposition that the wood is white ', so as to get a phrase of the same form as τὸ ἀσύμμετρον τὴν διάμετρον, and the addition seems to be necessary.

23. τὸ μὲν ἀληθὲς ἢ ψεῦδος is answered by τὸ δὲ εἶναι in l. 33. Truth and falsity as states of mind are discussed in ll. 23–33 ; ' being in the sense of being true ' and ' not-being in the sense of being false ', i. e. the objective counterparts of truth and falsity as states of mind, are discussed in l. 33–1052ᵃ 1. τὸ ἀληθές is explained in ll. 24, 25 ; instead of explaining what τὸ ψεῦδος is in the case of incomposites,

Aristotle points out that there is no ψεῦδος or ἀπάτη with regard to them but only ἄγνοια (l. 25).

24. θιγεῖν. The metaphor of contact in the description of simple apprehension recurs in Λ. 1072ᵇ 21. Its implications are (1) the absence of any possibility of error, which characterizes the apprehension of the ἴδια αἰσθητά (cf. *De An.* 430ᵇ 29), (2) the apparent (though on Aristotle's view only apparent, *De An.* i. 11) absence of a medium in the case of touch. τὸ θιγεῖν means an apprehension which is infallible and direct.

φάναι does not seem to be used elsewhere by Aristotle as meaning anything other than καταφάναι, but φάσις in the sense of the term. as opposed to the proposition occurs in *De Int.* 16ᵇ 27, 17ᵃ 17.

25. ἀπατηθῆναι γὰρ περὶ τὸ τί ἐστιν οὐκ ἔστιν ἀλλ' ἢ κατὰ συμβεβη-κός. Alexander and Bz. interpret this as meaning that one cannot be deceived about the τί ἐστι unless by an abuse of the word ἀπάτη nescience be called ἀπατή. This does not seem a possible meaning for κατὰ συμβε-βηκός. The words must be interpreted in connexion with l. 32 ἀλλὰ τὸ τί ἐστι ζητεῖται περὶ αὐτῶν, εἰ τοιαῦτά ἐστιν ἢ μή. Both statements are ex-tremely difficult, but may be interpreted as follows:—Aristotle has, as we have seen, passed from the antithesis between terms and propositions to that between forms and complexes of form-and-matter. Now in our thought of a form considered as a term in a proposition there is no room for error, since error comes in only when we think two terms to be connected in a certain way. But the form or term, though ἀσύνθετον as compared with the proposition, is (unless it is a *summum genus*) not absolutely incomposite. It contains a genus and a differ-entia, and the attempt may be made to ascertain what they are (τὸ τί ἐστι ζητεῖται περὶ αὐτῶν—about the forms—whether they are such and such or not). Thus, while about the term considered as a simple term there can be no error, there can be error about it incidentally, viz. in view of the fact that it is not merely an element in the complex of the proposition, but also itself a complex of genus and differentia. Or, to put the matter otherwise, if some one says that A is B, we cannot properly attack his thought of A alone or of B alone, but only his thought that B is an attribute of A; but on the other hand if he tries to analyse the A he is thinking about he may say it is an X which is Y, and we may point out that all X's are Y or that no X's are Y, or that from other things which he says about A it is clear that the A he is thinking about is not an X which is Y. *De An.* 430ᵇ 16, 17 *may* be meant similarly to point to the fact that in one aspect τὸ ἀδιαίρετον τῷ εἴδει is (κατὰ συμβεβηκός) διαιρετόν, but the reading and the interpretation are very doubtful.

It might be thought that τὸ τί ἐστι ζητεῖται περὶ αὐτῶν, εἰ τοιαῦτά ἐστιν ἢ μή should be interpreted in the light of H. 1043ᵇ 23–28, where Aristotle refers to the theory of Antisthenes according to which one cannot define the τί ἐστι but only say ποῖόν τί ἐστιν, e.g. one can only say of silver that it is *like* tin. So here Aristotle might possibly mean that inquiry about the 'what' of simple entities takes the form of asking whether they are 'such-like' or not. But it is doubtful whether this can be read into τοιαῦτα.

Bz. conjectures that οὐκ should be added before εἰ τοιαῦτα, and Alexander (600. 34) may have read this. The meaning then would be ' but inquiry about the "what" of simple entities does not take the form of asking whether they are of such and such a nature or not'. This might be held to derive some support from Z. 1041^b 9–11. But it is difficult to see what other form the inquiry into their 'what' could take. If an οὐ is to be inserted, it would be better to insert it before ζητεῖται. But on the whole the traditional text seems to agree with the suggestion conveyed by ἀλλ' ἢ κατὰ συμβεβηκός, and should be kept.

29. τὸ ὂν αὐτό, i. e. the pure form.

οὐ γίγνεται οὐδὲ φθείρεται, cf. Z. 1033^b 17.

32-33. ἀλλὰ τὸ τί ἐστι . . . ἢ μή, cf. l. 25 n.

33. Aristotle has said (l. 22) that both truth and being (*truth* of apprehension, *being* of the object of apprehension) have a different meaning in the case of incomposites from that which they have in the case of composites. He has explained the different sense of truth, and now passes to the different sense of being which answers to the different sense of truth (τὸ εἶναι ὡς τὸ ἀληθές). But first (ll. 34, 35) he repeats in brief his account of the mode of being which answers to the *other* mode of truth. Being, for a composite, means being compounded; not-being, not being compounded.

34-35. For ἓν μέν . . . τὸ δὲ ἕν cf. *Pol.* 1285^b 38—1286^a 1 ἓν μὲν . . . ἓν δέ.

35-36. 'The other, if it is existent, exists so; if it does not exist so, it does not exist at all.' I. e. as on the subjective side the only alternatives here are apprehension and non-apprehension, so on the objective side the only alternatives are being and not-being. We have not now to do with the question whether A is thus, i. e. conjoined with B, or otherwise, but simply with the question whether A is (in which case it can only be A) or is not.

This interpretation is much to be preferred to that of Bz., who deletes the comma after ὄν in l. 35 and supposes the transition to incomposites not to occur till 1052^a 1 εἰ δὲ μὴ οὕτως. Christ's εἴπερ ὂν οὕτως, ἔστιν gives no good sense.

Aristotle's carelessness of language has made his meaning seem more obscure than it really is. In ll. 22, 23 he distinguishes the two modes of being (*sc.* of composites and of incomposites) from the corresponding two senses in which apprehension of them may be said to be true or false. He has treated the question of truth in ll. 23–33, and in 33—1052^a 4 he is treating the question of being. But instead of saying 'the being of the object which answers to the truth of the apprehension' he says (l. 33) 'the being in the sense of truth'; and instead of saying that the composite is, if it is compounded, and is not, if it is not compounded, he says (ll. 34, 35) that it is true if it is compounded and false if it is not, and then complicates matters still further by recurring in 1052ᵃ 1–4 to the question of the *apprehension* of incomposites, which has already been treated in 1051ᵇ 23–33. It would be easy to argue for a double recension, but Aristotle seems to be often so careless of form that that hypothesis is not necessary.

1052ᵃ 1–4. With regard to incomposites there is not error but only nescience, but Aristotle points out that it is not a nescience comparable to blindness, which necessarily shuts off the blind man from knowledge of a whole set of facts. What would answer to this would be a complete absence of the power of apprehending essences, but what we have to do with here is simply failure to apprehend certain particular essences.

4–11. From the treatment of ἀσύνθετα Aristotle now recurs to certain σύνθετα, viz. τὰ ἀκίνητα, the things which if they ever have an attribute have it always (i. e. those which ἀεὶ σύγκειται καὶ ἀδύνατα διαιρεθῆναι, 1051ᵇ 9). About τὰ ἀσύνθετα there can be no ἀπάτη; about those σύνθετα which are ἀκίνητα one form of ἀπάτη is impossible, provided that we realize that they are ἀκίνητα. If we realize that a triangle is ἀκίνητον we cannot err by supposing that it sometimes has and sometimes has not its angles = two right angles. It may, however, be the case that some members of a class of ἀκίνητα have a certain attribute and others have not, so that one might suppose either (wrongly) that no even number is prime, or (rightly) that one (the number two) is prime and the others are not. If we are thinking not of a class of ἀκίνητα but of a single ἀκίνητον even this source of error is removed ; whether we be right or wrong, we shall make our judgement on the understanding that the facts are *always* so.

9. ἀριθμῷ δὲ περὶ ἕνα = περὶ δ' ἀριθμὸν ἕνα ἀριθμῷ, ' about a single number '. It is not impossible, however, that ἕνα, τινά, τινά are neuter plural. For ἕνα plural cf. I. 1056ᵇ 21, M. 1083ᵃ 25, *Phys.* 207ᵇ 7.

10. οὐ γὰρ ἔτι τινὰ μὲν τινὰ δ' οὐ οἰήσεται. I have restored the emphatic οὔ from οὐ of Aᵇ γρ. E. Cf. L. and S. s. v. οὐ, B.

BOOK I

The meaning of unity (ch. 1).

1052ᵃ 15. There are four main senses of unity—excluding accidental unity. The ' one ' is (1) the continuous, especially what is continuous by nature, not by mere contact or colligation, and more especially that whose motion is indivisible and simple.

22. Unity belongs even more to (2) wholes which have a definite form, especially to natural wholes which have in themselves the cause of their continuity, i. e. which have a motion indivisible in place and time. Thus that which naturally moves with the primary kind of movement, i. e. circular locomotion, is a single magnitude in the primary sense.

29. Further, those things are one the definition or thought of which is one, i. e. which are indivisible (3) in number (viz. individuals) or (4) in form (i. e. for knowledge)—that which gives substances unity. Thus ‘ the one ’ means ‘ the naturally continuous ’, ‘ the whole ’, ‘ the individual ’, or ‘ the universal ’. All of these are one either because their motion is one or because the thought or definition of them is one.

b 1. The questions ‘ What sorts of things are said to be one ? ’ and ‘ What is it to be one ? ’ are different. Each of the things we have named is one, but to be one, while it sometimes means to be one of these things, sometimes means something else which is the more literal meaning, though these others express better the significance of the term.

7. Similarly we must distinguish the questions ‘ What is the ultimate physical element ? ’ and ‘ What is it to be an element ? ’

14. To be one is to be indivisible, being essentially a this and separate in place, in form, or in thought, or to be whole and indivisible, but above all to be the first measure of a class, and especially of quantity, from which it has been extended to the other cases.

20. A measure is that by which quantity is known ; this is either a unit or a number, and a number is known by means of a unit, so that all quantity is known by means of a unit ; hence the unit is the starting-point of number as number.

24. Hence in other cases also that by which a thing is primarily known is a measure, and the measure of everything is a unit—in length, breadth, depth, weight, speed (the last two terms applying to what is light or slow as well as to what is heavy or fast).

31. In all these cases there is a measure and starting-point which is something one and indivisible in quality or in quantity.

35. An accurate measure is one which cannot be taken from or added to ; hence the measure of number is most accurate, for the unit is in every way indivisible. In other cases, since a large quantity can be added to or taken from without detection, men choose as measure the first thing which cannot be added to or taken from without detection.

1053ᵃ 8. Motion is measured by the quickest simple motion (i. e., in

astronomy, the motion of the heavens); similarly the quarter-tone is
the measure in music, the letter in speech.

14. Sometimes there are more than one measure, e. g. in music, in
speech, in incommensurate magnitudes.

18. The one is the measure in the sense that we learn what the
essence of a thing consists of by dividing it either in quantity or in
kind. The unit is indivisible either in all respects (like the numerical
unit) or to sense (like the foot).

24. The measure is always akin to that which it measures ; e. g. the
measure of units is a unit; we must not say that the measure of
numbers is a number ; that would be like saying that the measure of
units is units, for a number is a plurality of units.

31. We call knowledge and sensation the measure of things because
we become acquainted with things by them, but really they are
measured rather than measure. It is as if we learned our height by
some one else measuring us. Protagoras says man is measure of all
things, meaning 'the man who knows' or 'the man who perceives';
there is nothing remarkable in what he says.

ᵇ **4.** Thus 'one', if we define it literally, means a measure, primarily
of quantity, secondly of quality ; i. e. what is indivisible in quantity or
in quality.

1052ᵃ 15. ἐν τοῖς περὶ τοῦ ποσαχῶς, Δ. 6. The classification of the
senses of 'one' there given is as follows :

(1) τὸ κατὰ συμβεβηκός, e. g. the unity of 'Coriscus and musical ',
&c.

(2) τὸ καθ' αὑτὸ ἕν,

    (a) τῷ συνεχὲς εἶναι (e. g. a bundle),

    (b) τῷ τὸ ὑποκείμενον τῷ εἴδει εἶναι ἀδιάφορον (e. g. all wine is one)
or ὧν τὸ γένος ἓν διαφέρον ταῖς ἀντικειμέναις διαφοραῖς (e. g. horse,
man, dog are all one),

    (c) ὅσων ὁ λόγος ὁ τὸ τί ἦν εἶναι λέγων ἀδιαίρετος πρὸς ἄλλον τὸν
δηλοῦντα [τί ἦν εἶναι] τὸ πρᾶγμα (e. g. that which increases and
diminishes is still one if its definition does not change).

(These three senses are summed up in 1016ᵇ 9 μία ἢ συνεχείᾳ
ἢ εἴδει ἢ λόγῳ, cf. 1017ᵃ 3–6).

    (d) The essence of 'one' is ἀρχῇ τινὶ ἀριθμοῦ εἶναι.

17. τέτταρες. These are given in l. 34—τὸ συνεχές, τὸ ὅλον, τὸ καθ'
ἕκαστον, τὸ καθόλου. The first answers to (2 a) above, the third to (2 c),
the fourth to (2 b). The second appears as a species of (2 a), the con-
tinuous which has a single form, e. g. a shoe as opposed to the same
materials when not arranged to serve a purpose (1016ᵇ 11–17). (1) is
expressly excluded in this chapter (1052ᵃ 18); (2 d) is introduced as
the primary meaning in 1052ᵇ 18.

27. εἴ τι . . . πρώτην. Grammar requires us to translate 'if anything by nature has a principle of movement which is the primary principle of the primary movement'. But it is hard to assign any definite meaning to 'the primary principle'. It seems clear that τῆς πρώτης is explained by φορᾶς and points to the fact that locomotion is the primary kind of movement, and that τὴν πρώτην is explained by κυκλοφορίαν and points to the fact that circular motion is the primary kind of *locomotion*. I. e. τῆς πρώτης and τὴν πρώτην are used in the sense which they would properly have if κίνησιν, not κινήσεως ἀρχήν, had preceded.

τῆς πρώτης. Locomotion is prior to the other kinds of change—change of size, of quality, of substance (generation and destruction), since a subject can have it without having the others (*Phys.* 260ᵃ 20–261ᵃ 26). Cf. Z. 1036ᵃ 9 n.

τὴν πρώτην. Circular motion is prior to other kinds of motion because (on Aristotle's view) it does not involve change of direction. This is equally true of motion in a straight line, but the latter is exposed to the objection that if it is to go on it ultimately requires infinite space (which Aristotle does not believe in); circular motion returns on itself and does not need infinite space (*Phys.* viii. 7).

28. τοῦτο πρῶτον μέγεθος ἕν, i. e. a celestial sphere is the best instance of what is one by continuity.

29. Just as the continuous and the whole are akin, so are the other two main kinds of unity, τὸ καθ' ἕκαστον and τὸ καθόλου; they are introduced as subdivisions of τὰ ὧν ἂν ὁ λόγος εἷς ᾖ. The first two are one because their movement is indivisible, the last two because the thought of them is indivisible (l. 36).

33. τὸ ταῖς οὐσίαις αἴτιον τοῦ ἑνός, i. e. the essence.

35. It is rather surprising to find the fourth kind of unity described as τὸ καθόλου; what Aristotle has said about it (l. 31) suggests only the infima species, the least universal of universals. A genus is one object of thought in the sense that it has a single definite nature; it is not one in the sense that it is logically indivisible, and Aristotle seems here rather to confuse the two things. But he is right in recognizing the unity of a universal, whether genus or species, as one kind of unity.

ᵇ **1.** Aristotle now introduces the distinction expressed in modern logic as that between extension and intension, or denotation and connotation. He has named four kinds of thing that are one; he now proposes to state the single connotation of the word 'one'. This is 'nearer to the word', while the others are 'nearer to its application' (l. 6). The connotation of 'one' is 'indivisible' (l. 16), or 'whole and indivisible' (l. 17), or 'first measure of a class, and primarily of quantity' (l. 18).

7. τῇ δυνάμει δ' ἐκεῖνα. Alexander takes this to mean 'but the others are only potentially one'. It seems clear, however, that μᾶλλον ἐγγύς is to be understood and that the meaning is 'while they are nearer to the force (or application) of the word'. For this meaning of δύναμις cf. Lys. 10. 7, Pl. *Crat.* 394 B 3.

10. τὸ ἄπειρον, Anaximander's ' indeterminate '.

27. κοινὸν ἐν τοῖς ἐναντίοις, i. e. each of the terms is common to each of two contraries.

1053ᵃ 12. δίεσις, cf. Δ. 1016ᵇ 22 n.

15. αἱ διέσεις δύο. There can be little doubt that this refers to the two distinguished by Aristotle's pupil Aristoxenus (i. 21), the enharmonic, which was a quarter-tone, and the chromatic, which was one-third of a tone. Aristotle ignores the hemiolian δίεσις, mentioned in Aristox. ii. 51, which was three-eighths of a tone.

Bz. thinks that the two διέσεις were the major semitone (ἀποτομή) and the minor semitone (λεῖμμα) recognized by Philolaus. But Philolaus seems to have used δίεσις simply in the sense of ' minor semitone ' (Boethius, *Inst. Mus.* iii. 5, 8, pp. 277, 278 Friedl.).

17. αἱ φωναὶ πλείους αἷς μετροῦμεν, i. e. there is no one letter which is the measure of speech more than the others. *A, e, i, o, u,* and again *b, c, d,* &c., are equally units of speech and not necessarily of equal length.

καὶ ἡ διάμετρος δυσὶ μετρεῖται καὶ ἡ πλευρά. It is difficult in view of the order of the words to translate this ' the diagonal and the side of the square are measured by two different measures '. It may be that the diagonal itself is said to be measured by two measures, i. e. that it is conceived as consisting of two parts, a part equal to the side, and a part which represents its excess over the side, and that these parts being incommensurate are said to be measured by different units. Cf. Δ. 1021ᵃ 3 τὸ δ' ὑπερέχον πρὸς τὸ ὑπερεχόμενον ὅλως ἀόριστον κατ' ἀριθμόν· ὁ γὰρ ἀριθμὸς σύμμετρος, κατὰ μὴ συμμέτρου δὲ ἀριθμὸς οὐ λέγεται, τὸ δὲ ὑπερέχον πρὸς τὸ ὑπερεχόμενον τοσοῦτόν τέ ἐστι καὶ ἔτι, τοῦτο δ' ἀόριστον. If this interpretation be right, καὶ ἡ πλευρά is the gloss of an over-zealous copyist.

18. καὶ τὰ μεγέθη πάντα. Bz. takes this to refer to quite a different point, that the areas of all plane figures are measured by multiplying together two numbers which express the length of the sides of a rectangle equal to the given figure. But (1) it is difficult to interpret τὰ μεγέθη πάντα as referring only to plane figures. μεγέθη covers all lines, surfaces, and solids. (2) The two factors of the area are not at all analogous to the two διέσεις, the various letters of the alphabet, the two different units required for the measurement of incommensurate lines. They are not two units used to measure different things ; both are used to measure any one plane figure.

No suitable meaning for τὰ μεγέθη πάντα presents itself, unless it be the rather vague one ' and in all kinds of spatial magnitudes similar incommensurabilities can be found '. There is something to be said for Aᵇ's reading ἡ διάμετρος . . . καὶ ἡ πλευρά, μεγέθη τινὰ ὄντα. δῆλον δή, which seems to have been read by Alexander (610. 6, 7). In that case ὅτι should be inserted after δή. But μεγέθη τινὰ ὄντα appears pointless. Goebel's καὶ μεγέθη τινὰ οἷον τὸ Δήλιον. οὕτω is more ingenious than convincing.

23. θετέον is Professor E. S. Forster's conjecture. For τιθέναι εἰς

' to class among ', cf. *Phys.* 201ᵇ 24, *E. N.* 1156ᵃ 30, &c.　Aᵇ's θέλει represents the first stage in the corruption.　This emendation gives a better sentence than Bz.'s εἶναι ἀδιαίρετον (for εἰς ἀδιαίρετα), in which the position of εἶναι is unnatural.

ὥσπερ εἴρηται ἤδη, l. 5.

30. ὁ δ' ἀριθμὸς πλῆθος μονάδων, cf. Z. 1039ᵃ 12 n.

32. ἐπεὶ μετροῦνται μᾶλλον ἢ μετροῦσιν, ' although really they are measured rather than measure '.　The scope and variety of reality is not measured by knowledge and perception, since there are real things which we do not know or perceive ; but the scope of our knowledge and perception is measured by the things we know or perceive, as, when something of known length (e. g. a cubit-rule) is affixed to our body, our body is measured by the cubit-rule and not the cubit-rule by our body.　On the priority of the object of knowledge (or perception) to knowledge (or perception) cf. 1057ᵃ 7–12, Γ. 1010ᵇ 30—1011ᵃ 2, Δ. 1021ᵃ 29–ᵇ 2, Θ. 1051ᵇ 6–9.

35. ἐπὶ τοσοῦτον.　It seems difficult to take this as = τοσαυτάκις as Alexander does, and probably the reading ἐπὶ τοσοῦτον ἡμῶν, ' over such and such a fraction of ourselves ', is preferable to Aᵇ Al.'s ἐπὶ τοσοῦτον ἡμῖν.

Unity not a substance but a predicate coextensive with being (ch. 2).

1053ᵇ 9. Is the one a substance, as the Pythagoreans and Plato say, or does some nature underlie it, e. g. (as the natural philosophers say) friendship, air, or the indefinite ?

16. (1) If, as we have said, no universal is a substance, and being is not an independent substance but a predicate merely, the same is true of the one ; being and unity are the most universal of all predicated terms.　Thus genera are not separately existing substances, and unity is not a genus, any more than being or substance is so.

24. (2) Since in qualities and in quantities ' one ' is the attribute of something that underlies it, we must similarly in all the categories ask what the one is ; it is never the whole nature of a thing to be or to be one.　In colour the one is a colour (e. g. white), so that if the world consisted of colours, it would be a number, indeed, but a number of colours, and the one would be one something.

34. So too if the world consisted of tunes, articulate sounds, or rectilinear figures, it would be a number of quarter-tones, letters, or figures, and the one would be the quarter-tone, the vowel, or the triangle.

1054ᵃ 4. If this is true of the other categories, it must be true of substance ; the one itself must be one substance.

13. That unity in a sense means the same as being is clear (1) because it is found in all the categories; (2) because it adds nothing to the meaning of a term, any more than 'existing' does; (3) because for a thing to be one is to be the particular thing it is.

1053ᵇ 10. ἐν τοῖς διαπορήμασιν, B. 1001ᵃ 4–ᵇ 25.

14. Bz. sees that the question πῶς δεῖ γνωριμωτέρως λεχθῆναι should not be answered at the same moment that it is asked, by the words καὶ μᾶλλον ὥσπερ κτλ. In view of this, and of Alexander's ἆρα ὥσπερ οἱ περὶ φύσεως, he proposes ἢ μᾶλλον (interrogative) for καὶ μᾶλλον. But this does not remove all difficulties: πῶς δεῖ γνωριμωτέρως λεχθῆναι remains a very curious phrase. The order is much against Schwegler's πως for πῶς. The best solution is to excise πῶς as an emblema from καὶ πῶς δεῖ, l. 11.

15–16. ὁ μέν τις, Empedocles; ὁ δ', Anaximenes; ὁ δέ, Anaximander.

17. ἐν τοῖς περὶ οὐσίας, Z. 13.

18. The traditional reading makes οὐδ' αὐτὸ τοῦτο κτλ. dependent on εἰ, and οὐδέ after εἰ is irregular. The irregularity may be removed by reading with Bywater ὅτι οὐδ', depending on εἴρηται. For omissions of ὅτι in the manuscripts cf. Θ. 1048ᵃ 37, *Top.* 122ᵇ 10, 156ᵇ 11, *Soph. El.* 182ᵃ 33. Alternatively the irregularity might be removed by punctuating after instead of before δῆλον ὡς in l. 20; for δῆλον ὡς at the end of a clause cf. δῆλον ὅτι in *De Caelo* 282ᵃ 12, *De Gen. et Corr.* 316ᵇ 11, *De An.* 411ᵃ 22, *Pol.* 1333ᵃ 26. But οὐδέ is not surprising in view of the facts that εἰ here = ἐπεί and that a clause has intervened. Cf. Θ. 1049ᵃ 9, 10, where there is not even an intervening clause, and Cope's ed. of *Rhet.* vol. i. 301–303.

αὐτὸ τοῦτο refers to τὸ ὄν (περὶ τοῦ ὄντος, l. 17). αὐτὸ τοῦτο is subject, οὐσίαν predicate; this is preferable to making αὐτὸ τοῦτο, οὐσίαν, subject, as Bz. does.

23. For the reason why being and unity cannot be genera cf. B. 998ᵇ 23.

24–28. 'The question whether unity is self-subsistent or requires a subject must be answered for all the categories alike. Now in the category of quality unity is the attribute of some subject or other (e g. a colour); therefore it must be so in all the categories.'

29. ἐστι τὸ ἓν χρῶμα. Alexander (613. 12) seems to have read ἐστί τι τὸ ἕν, and Bz. thinks the right reading is that of EJΓ, ἐστί τι τὸ ἓν χρῶμα, 'the one is some colour'. But the order is strange; either τι or χρῶμα is probably an excrescence, and it seems better to read χρῶμα with all the manuscripts and to omit τι with Aᵇ. τι has come in by dittography or by the influence of l. 26.

29. The true reading seems to have been preserved by JT, who have εἶτα. Al.'s commentary (613. 13) suggests εἶτα rather than εἰ, which has no doubt been produced by haplography.

31–32. τοῦτο . . . φωτός. Jaeger is probably right in treating this as a gloss; for glosses somewhat of this form cf. A. 984^b 11, Γ. 1009^a 26, Λ. 1073^a 33.

1054^a 13–19. For the argument cf. Γ. 1003^b 22–34; Z. 1030^b 10–12, K. 1061^a 18.

---

*Unity and plurality ; identity ; likeness ; otherness ; difference ;
contrariety* (ch. 3).

1054^a 20. *The one* and *the many* are opposed in several senses—in one of them as the indivisible or undivided to the divisible or divided. The opposition is that of contrariety (involving as it does privation), not of contradiction nor of relation.

26. Unity is explained by reference to plurality, the indivisible by reference to the divisible, because the latter are more manifest to sense.

29. To the one belong the terms same, like, equal; to plurality the terms other, unlike, unequal. *The same* means (1) the same in number, (2) one both in definition and in number (in this sense you are the same with yourself), (3) one in definition (in this sense equal straight lines are the same—here equality is unity).

^{b}**3.** Things are *like*, (1) if, not being absolutely the same (i.e. without difference in their composite substance), they are the same in form (e.g. the larger square is like the smaller), (2) if they have the same form and do not differ in degree, (3) if they have the same attribute in different degrees, (4) if they have more attributes, or more of the obvious attributes, the same than different.

13. *Other* and *unlike* have a similar variety of meaning. Other is (1) opposed to the same, so that everything is either the same as or other than everything else. It is used (2) if the matter and the definition are not both one, and (3) as in mathematics.

18. Other is not the contradictory of the same; things which *are not* are neither the same nor other, but simply 'not the same'; things that *are* are either the same or other.

23. *Difference* is different from otherness. The other need not be other in any particular respect, but the different must be different in some respect, so that there must be some identical thing in which the different things differ, i.e. either genus or species. Things differ in genus if they have not a common matter and do not pass into each other (i.e. things that belong to different categories); in species, if they belong to the same genus.

31. *Contraries* are different, and contrariety is a kind of difference.

All contraries differ; they are not only other but some are other in genus, while others are in the same category and therefore in the same genus. We have distinguished elsewhere which things are the same or other in genus.

1054ᵃ 23. αἱ ἀντιθέσεις τετραχῶς. The four kinds of opposite are ἀντίφασις, τἀναντία, τὰ πρός τι, στέρησις καὶ ἕξις (Δ. 1018ᵃ 20, cf. *Cat.* 11ᵇ 17).

24. Bz.'s adoption of οὔτε (Aᵇ) for τούτων gives an impossible sense, unless his suggested rearrangement of l. 25, οὔτε ὡς ἀντίφασις οὔτε ὡς τὰ πρός τι λεγόμενα, ἐναντία ἂν εἴη, be adopted also. Alexander says (615. 2) ἐπεὶ δὲ αἱ ἀντιθέσεις τετραχῶς, τὸ ἓν καὶ τὰ πολλὰ ὡς τὰ ἐναντία ἀντίκειται, καὶ οὔτε ὡς τὰ πρός τι οὔτε ὡς ἕξις καὶ στέρησις οὔτε ὡς κατάφασις καὶ ἀπόφασις. It is impossible to say exactly what he read; he may be merely interpreting freely.

It seems better to keep the reading τούτων, which gives a fair sense. 'Since one of the terms "divisible" and "indivisible" is privative, they must be contraries and not contradictory or relative terms.' Aristotle should have said, in accordance with his fourfold division of opposites, 'since they are not privative, nor contradictory, nor relative, they must be contrary'; but privation and contrariety are not mutually exclusive. Contrariety is the extreme form of privation, the form in which the attribute present in the one term is *entirely* absent in the other (1055ᵇ 14, 26, Γ. 1004ᵇ 27, 1011ᵇ 18). As Bz. remarks, a clause indicating that the privation is of the extreme type has to be supplied in sense after θάτερον.

26. λέγεται points to the fact that ἀδιαίρετον is derived from διαιρετόν. δηλοῦται points to the fact that the meaning of 'one' or 'indivisible' is explained by reference to 'many' or 'divisible'.

30. ἐν τῇ διαιρέσει τῶν ἐναντίων, cf. Γ. 1004ᵃ 2 n.

32. Other passages on the various senses of 'the same' are Δ. 9, *Top.* i. 7, v. 4. 133ᵇ 15 sqq.

33-34. ἕνα μὲν ... αὐτό. Since this is opposed to unity of both definition and number (absolute identity, ll. 34, 35) and to unity of definition (the unity of the members of a species, ll. 35–ᵇ 3), Alexander must be right in explaining this first kind of unity as accidental unity, which is expounded at length in Δ. 1015ᵇ 17-34.

ᵇ2. Bz. was right in omitting τά before ἰσογώνια; the word is actually omitted by Aᵇ as well as by Alexander.

τετράγωνα. This word in Aristotle usually means 'square' but here 'quadrilateral' (cf. *De An.* 414ᵇ 31 (?), Pl. *Tim.* 55 B, *Crit.* 118 c). Euclid distinguishes the two as τετράγωνον and τετράπλευρον respectively.

3-13. On the meanings of 'like' cf. Δ. 1018ᵃ 15-18.

13. ᾗ λευκόν. There is no trace in Alexander of the manuscript reading ᾗ χρυσῷ, which is in itself highly improbable. The balance of the sentence would lead one to expect something like ᾗ λευκόν, and

Alexander probably read this; his words are ὁ δὲ καττίτερος τῷ ἀργύρῳ κατὰ τὸ πρόχειρον, οἷον τὸ λευκόν. χρυσῷ doubtless came in by dittography.

14-22. On the meanings of ' other ' cf. Δ. 1018ᵃ 9–11.

14-18. Aristotle offers apparently three senses of ' other ', but really the first clause gives a quite general statement of its meaning, and the other two give varieties of this.

15. ἅπαν πρὸς ἅπαν ἢ ταὐτὸ ἢ ἄλλο. Aristotle's remarks in ll. 19–22 show that with this is to be understood the reservation ὅσα λέγεται ἕν καὶ ὄν. ' Other ' is the privative, not the contradictory, of ' the same ', and there are pairs of things (viz. μὴ ὄντα) of which neither is predicable.

17. ὡς τὰ ἐν τοῖς μαθηματικοῖς. This is to be understood as opposed to the sense of ' the same ' given in l. 1.

18. διὰ τοῦτο, i. e. because ' other ' is the opposite of ' the same ' (l. 15). Apelt (*Beiträge*, p. 220) thinks it refers forwards to l. 19 οὐ γὰρ ἀντίφασίς ἐστι τοῦ ταὐτοῦ, but this is less probable. Christ's view that διὰ τοῦτο is spurious is quite unjustified.

22. Something like Apelt's πέφυκε ὅσα (cf. l. 19) appears to be wanted instead of πεφυκός. I have printed the elided form, for which cf. Pl. *Phil.* 35 c 3 συμβέβηχ᾽ ἡμῖν, Dem. 21. 120 οὐδὲν ὡς ἔοικ᾽ ἀδικῶ, &c.

23-31. On the meanings of ' different' cf. Δ. 1018ᵃ 12–15.

26. ἀνάγκη ταὐτό τι εἶναι ᾧ διαφέρουσιν. Aristotle means that if A and B are different, there must be a single statable respect in which they differ. If A differs from B in genus, B also differs from A in genus; if in species, then in species. He does not mean that they must have an attribute in common; this is not true in the extreme case, ὅσων ἄλλο σχῆμα τῆς κατηγορίας.

28. The remark about γένος and γένεσις is an interesting indication of the influence of biology on Aristotle's logic. Cf. the account of γένος in Δ. 28.

29. οἷον ὅσων ἄλλο σχῆμα τῆς κατηγορίας. In view of l. 35 (note) it seems that οἷον = 'i. e.', not ' e. g.'. Aristotle seems in this context to restrict the name 'genus' to the categories. Cf. Δ. 1016ᵇ 33 n.

31-32. τὰ δ᾽ ἐναντία...τις. Bz. points out that these words are out of place, since Aristotle is dealing in this chapter only with διαφορά and comes to ἐναντιότης only in the next. The objection is sound, but with this sentence belongs the next. For πάντα γὰρ διαφέροντα (or διαφέροντά τε) φαίνεται is meaningless if the subject be τὰ διαφέροντα, but significant if it be τὰ ἐναντία. It seems better to treat 1054ᵇ 31— 1055ᵃ 2 as a discussion of contraries which ought to have been superseded by the fuller discussion in chapter 4 but was retained by the excessive zeal of the original editor. For the meanings of ' contrary ' cf. Δ. 1018ᵃ 25–35.

34. If we read τὰ διαφέροντα for διαφέροντα with Alexander, or διαφέροντα τὶ φαίνεται, only the one sentence τὰ δ᾽ ἐναντία κτλ. need be regarded as out of place. But it seems better to retain the manuscript

reading. Alexander's reading πάντα γὰρ τὰ διαφέροντα φαίνεται καὶ ταὐτά
is excluded by the fact that some things which are ' different ', viz. those
that are different in category, are in no respect ταὐτά. The point
which Aristotle makes above and in l. 35 is not that things that differ
must be the same in some respect, but that there must be some one thing
in which they differ. πάντα γὰρ διαφέροντα τὶ φαίνεται καὶ οὐ μόνον
ἕτερα ὄντα would be a preferable departure from the manuscripts (though
Aristotle would probably have said τινί rather than τί, cf. l. 26); but
no departure seems necessary.

35. ἐν τῇ αὐτῇ συστοιχίᾳ τῆς κατηγορίας, cf. A. 986ᵃ 23 n. Here
contraries (or differents) which are in the same ' line of predication '
are said to be in the same genus. In 1058ᵃ 13 (the only other pas-
sage in which συστοιχία τῆς κατηγορίας is found) contraries in the same
genus are said to be in the same ' line of predication '. Thus ' genus '
and ' line of predication ' are coextensive terms. Now it seems
natural to identify the ' line of predication ' here with the ' figure of
predication ' six lines earlier. It is surprising to find genus identified
with category, but the identification is vouched for by Δ. 1016ᵇ 33
(where see note), 1024ᵇ 12. Aristotle doubtless calls many classes
which are not categories genera, but in the strict sense the categories
are the only genera, since they are the only classes that are not species.

Thus Bz.'s suggestion that συστοιχία τῆς κατηγορίας means one of
the main divisions of a category, within which the same sort of predi-
cate is found (thus the various predicates of number might be thought
of as forming a ' column ' under the main predicates odd and even)
falls to the ground.

συστοιχία is used (*inter alia*) of a series of terms of which each is
wider than that which comes under it (*An. Post.* 66ᵇ 27, 35, 79ᵇ 7,
8, 80ᵇ 27, 81ᵃ 21, 87ᵇ 6, 14), and each category is one συστοιχία τῆς
κατηγορίας in the sense that it forms a ' Porphyry's tree ' of which the
apex is the name of the category.

1055ᵃ 2. ἐν ἄλλοις, Δ. 1024ᵇ 9–16.

Contrariety (ch. 4).

1055ᵃ 3. Contrariety is maximum difference. This is clear ; for,
while things that differ in *genus* cannot pass into each other at all, con-
traries are the starting-points and extremes in the passage into each
other of things differing in *species*, and have the greatest interval
between them. Now what is greatest in each class is complete (since
there is no going beyond it), so that contrariety is complete difference,
the meaning of ' complete ' varying with the meaning of ' contrary '.

19. One thing cannot have more than one contrary, since (1) nothing
can be more extreme than the extreme, nor can there be more than
two extremes to the same interval, (2) contrariety is a difference, and
difference is between two things.

23. The truth of the other definitions of contrariety follows : (1) the complete difference is the greatest difference, for (*a*) there is no difference between a thing and others *outside* its genus, and (*b*) the complete difference is the greatest difference between a thing and others *inside* its genus. (2) The things that differ most in the same genus are contraries ; so too are (3) the things that differ most in the same receptive material, and (4) the things falling under the same capacity that differ most.

33. Positive state and privation are the first contrariety—but only when the privation is complete. Other contraries are so called because they possess, produce, tend to produce, or are acquisitions or losses of these or of other contraries.

38. The kinds of opposition are contradiction, privation, contrariety, relation. (1) Contradiction is not the same as contrariety since it does not admit of a mean while contrariety does. (2) Privation is a kind of contradiction, an incapacity which is determinate or involves the same subject which is capable of having the positive state. Hence, while contradiction has no mean, privation sometimes has ; everything is equal or *not equal*, but only that which could be equal must be either equal or *unequal*.

b 11. Since generation is from contrary to contrary, and is either from form or from privation, all contrariety is privation, though not all privation is contrariety since there are various forms of privation ; contraries are the extremes from which change starts.

17. This can be proved by induction. Every contrariety has a privation as one of its terms, but there are various kinds of privation ; it sometimes means mere privation, sometimes privation at a particular time or in a particular part, or complete privation. Some of these kinds admit of a mean (a man need not be either good or bad), others do not (a number must be either odd or even). Again, some have a determinate subject, others have not.

26. Thus it is clear that one of two contraries is always privative. It is enough to show this of the *summa genera* of contraries, e. g. of one and many ; the rest are reducible to these.

1055ᵃ 17–19. πολλαχῶς δὲ . . . αὐτοῖς is explained by ll. 24–33. Contraries may be defined as τὰ πλεῖστον διαφέροντα, as τὰ ἐν ταὐτῷ γένει πλεῖστον διαφέροντα, as τὰ ἐν ταὐτῷ δεκτικῷ πλεῖστον διαφέροντα, or as τὰ ὑπὸ τὴν αὐτὴν δύναμιν πλεῖστον διαφέροντα, and 'complete difference' will mean the maximum difference possible in each of these cases.

23. Bz. takes this to be an instance of ὥστε *in apodosi*; but that is

rarely found unless the protasis has been so long that the structure of
the sentence has been to some extent forgotten. It is better to take
ὅλως τε εἰ ἔστιν κτλ. as subordinate to φανερόν (ἐστιν). 'And, to put
the matter generally, this (that one thing has not more than one con-
trary) is evident if contrariety is difference, and difference—and there-
fore complete difference—is between two things.'

23–33. The kinds of contrary mentioned in Δ. 1018ª 25–35 are :

    (1) τὰ μὴ δυνατὰ ἅμα τῷ αὐτῷ παρεῖναι τῶν διαφερόντων κατὰ γένος,

    (2) τὰ πλεῖστον διαφέροντα τῶν ἐν τῷ αὐτῷ γένει (= 1055ª 27),

    (3) τὰ πλεῖστον διαφέροντα τῶν ἐν ταὐτῷ δεκτικῷ (= 1055ª 29),

    (4) τὰ πλεῖστον διαφέροντα τῶν ὑπὸ τὴν αὐτὴν δύναμιν (= 1055ª
31).

I agrees with Δ in the last three kinds, but excludes the first
(1055ª 26). In I the genus is conceived as a *summum genus*
(1054ᵇ 29). Nothing can pass from one genus to another (1054ᵇ 29,
1057ª 26); naturally therefore there cannot be contrary genera or
contraries in different genera. In Δ and elsewhere genus is treated
more loosely, and virtue and vice can be treated as contrary genera
(*Top.* 123ᵇ 14–16).

26–27. δέδεικται γὰρ . . . μεγίστη. 'For it has been shown that in
relation to things outside its genus a thing has no difference, while
with regard to things within one genus the complete difference is the
greatest.' It is impossible to make consistent Aristotle's various
statements in these chapters about difference. In chapter 3 difference
in genus was freely recognized, and in its extremest form, viz. differ-
ence of category (1054ᵇ 29, 35). So too in this chapter (1055ª 6).
Yet here he says that there is no such thing as difference between a
thing and something else outside its genus. Two explanations might
be offered. (1) Aristotle may mean that if X and Y are in different
genera they should not be said to have a difference, but the genera
should. If this had been his meaning, however, he would probably
have taken the trouble to state it clearly. (2) It may be that while he
uses διαφέρειν, διάφορον in a sense almost (not quite, cf. 1054ᵇ 25) as
wide as their everyday sense, he uses διαφορά in the technical sense
which it bears in his logic, viz. = a differentiation of a genus. This
seems more likely.

It is not clear where the proof referred to in δέδεικται has been
given. Presumably in l. 6. Things in different genera may be called
διαφέροντα, but since there is no passage from one to the other there is
no definite measurable interval, no διαφορά, between them.

ᵇ **3.** Privation, we are told by Aristotle, is a kind of contradiction,
and contrariety is a kind of privation. Zeller objects that when the
conception of privation is cleared up it is seen to fall either under con-
tradiction or under contrariety. This objection I have dealt with in
notes on Δ. 1022ᵇ 22–24, 24–31. *An. Post.* 73ᵇ 21, to which he
refers, in no way proves his point; it rather suggests that contrariety
reduces itself either to privation or to contradiction. The general
position is this: Contradiction is the relation between two proposi-

tions of the type 'A is B', 'A is not B'.   Privation is the condition
of a subject capable of being B (let us call it A^b) when it in any
degree fails to be B.   Contrariety is the relation between two condi-
tions of A^b, that in which it is fully B and that in which it is not B at
all.   Thus contradiction includes privation as a particular case, and
privation includes contrariety as a particular case.

4. ἢ γὰρ τὸ ἀδύνατον ὅλως ἔχειν.   The application of a privative
term to a subject which is quite incapable of having the positive pre-
dicate is improper.   In such a case it is only the contradictory term
that should be applied.   Strictly therefore Aristotle should not have
included this as a case of privation (as he does both here and in
Δ. 1022^b 23), since privation is συνειλημμένη τῷ δεκτικῷ, i.e. implies
that the subject could have the positive predicate, and is διορισθεῖσα,
i.e. limited to such a subject.   Aristotle is here taking account of the
fact that terms like 'blind', though properly applicable only to animals,
are in ordinary language sometimes applied to other things.

7. ἐν ἄλλοις, Δ. 22.

9. στερήσεως δέ τινος ἔστιν, i.e. in the case of all proper privations,
as distinguished from the improper cases referred to in l. 4 (note).
For the possibility of an intermediate between ἕξις and στέρησις cf.
Cat. 13^a 3 (seeing and blind), K. 1061^a 21 (just and unjust).

22. ἢ τῷ κυρίῳ, 'or in the dominant part'.   Alexander aptly illus-
trates this by saying that a man might be called ἄχειρ if he had no
right hand.

25. Bz. argues that the fact that some positive terms (like odd and
even) have a determinate subject to which they are appropriate, while
others (like good and bad) have none but may be applied in any
category, is the reason why the former do not admit of a middle while
the latter do.   He therefore reads ὅτι for the manuscript ἔτι.   Alexander
gives the same general interpretation, and probably also read ὅτι (624.
12).   But it seems clear that this is not the reason why good and bad·
admit of a middle. Take Aristotle's favourite instance of privation,
'blind', which has a determinate subject, viz. animals; there are inter-
mediates between 'seeing' in the full sense and 'blind' in the full
sense.   Distinctions such as are suggested by ἢ ποτὲ ἢ ἔν τινι, οἷον ἂν
ἐν ἡλικίᾳ τινὶ ἢ τῷ κυρίῳ, ἢ πάντῃ are applicable to good and bad but
not to odd and even, and this is the reason why the former admit of
a middle and the latter do not.   ἔτι τὰ μέν κτλ. raises a fresh point, the
point of the proper application of privative terms, already mentioned
in l. 4.

The opposition of 'equal' to 'greater' and 'less' (ch. 5).

1055^b 30. If one thing has only one contrary, how is one opposed
to many, or equal to greater and smaller?   'Whether' always implies
opposition; we ask 'whether it is white or black', 'whether it is white

or not white ', but not ' whether it is a man or white '. When we state alternatives between which there is no apparent opposition, as in ' whether Cleon came, or Socrates', we imply that they are incompatible ; if they are compatible the question would be absurd and another opposition would take its place, ' whether both came, or only one of the two '.

1056^a 3. Now we ask ' whether it is greater, less, or equal'; what is the implied opposition of equal to the other terms? It is not *contrary* either to one or to both, for (1) it is not contrary to one any more than to the other ; (2) it is contrary to unequal, so that it would have more than one contrary. If unequal is equivalent to greater and smaller together, equal would be opposed to both, but it would still have two contraries, which is impossible. (3) Equal is between great and small, but a contrariety cannot be intermediate, or it would not be complete.

15. The opposition must therefore be either *contradiction* or *privation*. ' Equal' is not the contradiction or privation of either extreme more than of the other ; therefore it is the privative contradiction of both. Hence it is never stated as alternative to one of them alone.

20. It is not a necessary privation, for not everything that is neither greater nor less is equal, but only that which could be greater or less. It is the privative contradiction of both, and therefore intermediate between them.

24. What is neither good nor bad is opposed to both but has no name, since the terms are ambiguous and have no one appropriate subject-matter. Even what is neither white nor black has no one name, though the colours of which ' neither white nor black ' is predicated are limited.

30. Therefore it is not fair to object that if what is neither good nor bad is between the two, there will always be an intermediate between two terms, e. g. what is neither a shoe nor a hand will be between the two. The one is a joint contradiction of opposites between which there is an intermediate and an interval ; between the other two terms there is no difference since they belong to different genera.

1055^b 34. ἐξ ὑποθέσεως, i. e. on the assumption that the person who came must have been either Cleon or Socrates.

36. ἀλλ' οὐκ . . . γένει τοῦτο, i. e. this is not the necessary disjunction of any class.

ἀλλὰ καὶ τοῦτο ἐκεῖθεν ἐλήλυθεν, 'but even the use of " whether " in such a question as " whether Cleon or Socrates came " is derived from its proper use in which the alternatives stated are opposite '.

1056ᵃ 1-2. εἰ δέ . . . ἀντίθεσιν, 'but if they could be true together, even so the question falls none the less into an antithesis'.

8-11. 'If "the unequal" means the same as both (the greater and the less), then the equal would be opposed to both, but this means (in spite of the fact that we have now one word "unequal" to denote both) that one thing is contrary to two others, which is impossible.'

10. τοῖς φάσκουσι τὸ ἄνισον δυάδα εἶναι, the Platonists, cf. N. 1087ᵇ 7.

15. Having shown that the opposition is not that of contrariety, Aristotle infers that it is *either contradiction or privation* (the fourth kind of opposition, that of relation, it evidently cannot be, since the equal is in that sense opposed not to the unequal but to the equal). It is disconcerting to find him, immediately after, saying that it is *privative contradiction*. But in truth contradiction and privation are not mutually exclusive. Equal and greater-or-smaller are not strictly contradictory, for neither is true of non-quanta. But they are privatively contradictory, i. e. contradictory (so that both cannot be true and one must be true) when predicated of any subject in a certain genus, the genus of quanta. ἀπόφασις στερητική amounts to the same thing as στέρησις. Cf. 1055ᵇ 3 n.

26. πολλαχῶς γὰρ λέγεται ἑκάτερον, the good and the bad are found in every category, *E. N.* 1096ᵃ 19.

35. The best sense is got by translating 'for the one is a joint negation of opposites'. συναπόφασις is predicate, and ἡ is attracted to its gender.

ᵇ **1.** τῶν δ' οὐκ ἔστι διαφορά, according to the account of difference in 1054ᵇ 23—1055ᵃ 2.

The opposition of ' one' to ' many' (ch. 6).

1056ᵇ 3. A similar question may be asked about one and many. If many is opposed to one absolutely, difficulties follow: (1) One will be few, because many is opposed to few; (2) two will be many and therefore one will be few, since it can only be in opposition to one that two is many; (3) πολύ and ὀλίγον are in plurality what long and short are in length, and what is much is many and what is many is much (unless fluids are an exception), so that the few will be a plurality, and therefore one will be a plurality.

14. The truth is that the many are also called much, but the meaning of the two terms is different; water may be much but is not many. But many is applicable to all things that are discrete, and means (1) a plurality which is absolutely or relatively superior, as opposed to few, but also (2) number, as opposed to one. The opposition of one to many is like that of one to ones or of white thing to white things; each number is many because it consists of ones and is measured by one, and as opposed to one, not to few.

25. In this sense two is many; it is not many in the sense of being a plurality which is superior either relatively or absolutely. It is few absolutely, since it is the first inferior plurality (hence Anaxagoras was wrong in saying ' all things were together, infinite in multitude and in smallness—by which he meant fewness—, for they were not infinite in fewness), since fewness is constituted not by one but by two.

32. One and many in numbers are opposed, then, as measure to the measurable, and these are opposed as things that are *per accidens* relative. A may be relative to B (1) as being its contrary, or (2) because B is relative to A (in which indirect sense ' knowledge ' is relative to ' knowable ').

1057^a 1. One may be fewer than some other things; it does not follow that it is few.

2. Plurality is the genus of number; number is plurality measurable by one. One and number are opposed not as contraries but as some relative terms have been said to be opposed, viz. as measure to measurable; hence not everything that is one is a number.

7. Knowledge might be thought to be related to the knowable as measure to the measured, but in fact, while all knowledge is knowable, not everything knowable is knowledge; in a sense knowledge is measured by the knowable.

12. Plurality is contrary neither to few (many being contrary to few as superior to inferior plurality), nor in every way to one. In one way it is contrary to one, because it is divisible while the one is indivisible; in another it is merely relative to it, as knowledge is to the knowable, if many means number and one the measure of number.

1056^b 5. ὀλίγον ἤ ὀλίγα. This does not mean 'little or few'. ὀλίγον means 'few' as well as ὀλίγα, and is used only because of the awkwardness of using the plural as a predicate of τὸ ἕν. On the other hand πολύ and πολλά are used with a distinction of meaning, 'much' and 'many', l. 12.

11. καὶ ὃ ἂν ἦ πολὺ καὶ πολλά, καὶ τὰ πολλὰ πολύ. This clause is introduced to confirm the premise just stated, that πολύ and ὀλίγον are varieties of plurality; Aristotle confirms this by remarking that (apart from the case of fluids) what is πολύ is πολλά, in which the plural case shows that a plurality is in question.

12. εἰ μή τι . . . εὐορίστῳ, 'unless indeed there is a difference in an easily moulded continuum', viz. a fluid, to which ' much' but not ' many' is applicable. Alexander reads ἀορίστῳ, and takes this to refer to liquid; this is possible, since fluid is referred to in *De Gen. et*

Corr. 329^b 30 as τὸ ἀόριστον οἰκείῳ ὅρῳ, εὐόριστον ὄν (what has no definite boundary of its own, and readily takes the shape of its receptacle), but not probable, since fluid is often referred to as εὐόριστον *simpliciter* (*De Caelo* 313^b 8, *De Gen. et Corr.* 328^b 17, *Meteor.* 360^a 23, 381^b 29).

14. ἀλλ' ἴσως κτλ. Aristotle begins here his discussion of the difficulties stated in ll. 5-14. The vital point in his solution of the difficulties is the distinction (ll. 16-20) between two senses of 'many' —the sense of 'superior plurality', in which it is opposed to 'few', and the sense of 'number', in which it is opposed to 'one', and opposed not as its contrary but as its correlative. Thus (1) the first difficulty (ll. 5, 6) disappears. Though many is opposed to one and to few, it does not follow that one is few, for it is many in different senses that is opposed to one and to few. (2) The second difficulty (ll. 6-10) disappears. We cannot say 'two is many and therefore one is few', for two is not many in the sense in which many is opposed to few (i. e. in the sense that there is a plurality which is smaller and which may be called few), but only in the sense in which many is opposed to one. (3) The third difficulty (ll. 10-14) disappears. For one of the premises of the argument, viz. that one is few, has now been shown to be untrue.

21, 22. Jaeger is no doubt right in treating καὶ τὸ μετρητόν as a gloss on καὶ τὰ μεμετρημένα, suggested by μετρητός in l. 23. Besides this he reads a colon after λευκά, inserts ὥσπερ before τὰ μεμετρημένα, and a comma after μέτρον. This produces a neat sentence, but is (I think) an unnecessary departure from the evidence. It is just possible to retain καὶ τὸ μετρητόν if we abolish the full stop after it. 'For we say one or many as though one said one and ones or white thing and white things; and things measured—in relation to their measure—and the measurable and multiples are spoken of in the same way.'

25. πλῆθος ἔχον ὑπεροχὴν ἢ πρός τι ἢ ἁπλῶς, a plurality greater than *some* other, or than *any* other.

26. ἀλλὰ πρῶτον, sc. πλῆθός ἐστιν.

28. ἀπέστη, 'left the subject', cf. *Top.* 107^b 9, *Phys.* 191^b 10, *E. N.* 1165^a 35.

30. ἔδει ... "καὶ ὀλιγότητι" makes specific the criticism stated generally in the previous clause. 'Anaxagoras should not have been content to say "all things were together, infinite both in multitude and in smallness"; he ought to have said "and in fewness".' οὐ γὰρ ἄπειρα is then added somewhat elliptically. 'And thus the error of his view becomes apparent; for things cannot be infinite in fewness.' Aristotle thinks that when Anaxagoras said καὶ πλῆθος καὶ σμικρότητα (fr. 1) he meant to be mentioning opposites; and the opposite of multitude is not smallness but fewness. Anaxagoras meant, as a matter of fact, what he said, that things were infinitely many and infinitely small, in the sense that everything however small included yet smaller parts. If he had meant that they were infinitely few, Aristotle's objection

(οὐ γὰρ ἄπειρα) that things cannot be infinitely few, since there is an absolute few, viz., two, would have been sound. After οὐκ ὀρθῶς ἀπέστη we might have expected ἀλλ' ἔδει, but for similar instances of δέ cf. K. 1061ᵃ 23, *De An*. 409ᵇ 28, *Pol.* 1326ᵃ 12. ,
The meaning of the passage has been well brought out by Prof. A. A. Bowman in *Class. Rev.* xxx. 42–44.

31–32. ἐπεὶ τὸ ὀλίγον . . . δύο evidently refers back to l. 27 ὀλίγα δ' ἁπλῶς τὰ δύο κτλ. Christ is right in treating the intervening words as parenthetical, but his excision of οὐκ in l. 28 is indefensible.

35. ἐν ἄλλοις, Δ. 1021ᵃ 26–ᵇ 3. There, however, τὰ πρός τι, ὅσα μὴ καθ' αὑτὰ τῶν πρός τι are opposed not to τὰ πρός τι ὡς ἐναντία (for which cf. 1057ᵃ 37), but to the other kinds of πρός τι, (*a*) τὰ ὡς διπλάσιον πρὸς ἥμισυ, (*b*) τὰ ὡς τὸ θερμαντικὸν πρὸς τὸ θερμαντόν. These two kinds are here inaccurately summed up as τὰ πρός τι ὡς ἐναντία. The point of distinction is that while 'double', 'half', 'heating', 'heated' are all essentially relative terms, 'the measured', 'the known', 'the object of thought' are relative terms only because something else, 'the measure', 'knowledge', 'thought', is relative to *them*. The relativity is one-sided, not mutual as in the other two cases (1021ᵃ 31).

There is a further difficulty in the present passage. Knowledge is said (l. 36) to be relative to the known in the sense that something else (the known) is relative to *it*. But in Δ. 1020ᵇ 30–32 the known was said to be relative to knowledge in this sense; cf. 1057ᵃ 7–12. There the known, here knowledge, is made the term which is really absolute and only incidentally relative. The two statements are to be reconciled as follows : The term 'knowledge' is prior to the term 'knowable', since knowable = possible object of knowledge. But the thing which is knowable is prior to the knowledge of it, since there can be a knowable which is not known but there cannot be knowledge which is not of something knowable.

1057ᵃ 3. ἔστι γὰρ ἀριθμὸς πλῆθος ἑνὶ μετρητόν, cf. Δ. 1020ᵃ 13 n.

8. For ἀποδίδωσιν, 'turns out', cf. *An. Post.* 99ᵃ 30, *Meteor.* 363ᵃ 11, *H. A.* 585ᵇ 32, 586ᵃ 2, *G. A.* 722ᵃ 8.

9–12. The sentence is difficult; the alleged fact (συμβαίνει δέ) is surprising in itself, and does not stand in a proper antithesis to what 'one might suppose' (δόξειε μὲν γὰρ ἄν). The expression is loose, but the point (if the reading be right) seems to be this : Knowledge might be thought to be the measure of the knowable (a free rendering of Protagoras' maxim), but in point of fact, while all knowledge must be knowable, not all that is knowable is actually known or knowledge. The point is stated more accurately in *Cat.* 7ᵇ 22–35, where as here the relation of the knowable to knowledge is distinguished from the relation of a genuine πρός τι term to its correlative. Cf. 1053ᵃ 31–35. The doctrine of the identity of knowledge with its object (*De An.* 430ᵃ 4, &c.), to which Alexander and Bz. refer, does not seem to be relevant.

I suspect, however, that we should read ἐπιστήμην μὲν πᾶσαν ἐπιστητοῦ εἶναι τὸ δὲ ἐπιστητὸν μὴ πᾶν πρὸς ἐπιστήμην, 'that all knowledge is of a knowable, but not all the knowable is relative to actual knowledge '. This agrees better with *Cat.* 7ᵇ 29 ἐπιστητοῦ μὲν γὰρ μὴ ὄντος οὐκ ἔστιν ἐπιστήμη (οὐδενὸς γὰρ ἔσται ἐπιστήμη), ἐπιστήμης δὲ μὴ οὔσης οὐδὲν κωλύει ἐπιστητὸν εἶναι, οἷον καὶ ὁ τοῦ κύκλου τετραγωνισμὸς εἴγε ἔστιν ἐπιστητόν, ἐπιστήμη μὲν αὐτοῦ οὐκ ἔστιν οὐδέπω, αὐτὸς δὲ ἐπιστητόν ἐστιν.

14–17. From one point of view number is contrary to the one, because they have contrary attributes, being respectively divisible and indivisible; but from another point of view they are related not as contraries but with the sort of relation that knowledge has to the knowable, being respectively number (i.e. the measurable) and measure. The distinction drawn in 1056ᵇ 35 between ἐναντία and the other kind of πρός τι thus reappears in this sentence; the meaning is brought out better by deleting the comma after τι in l. 16. It seems clear that the subject of ᾗ (l. 16) is not as Alexander and Bz. suppose ἡ ἐπιστήμη but τὸ πλῆθος, and that τὸ δ' ἓν μέτρον, not τὸ δ' ἓν καὶ μέτρον, is to be read.

The nature of intermediates (ch. 7).

1057ᵃ 18. Intermediates must be compounded out of contraries; for (1) they are always in the same genus as the extremes, since (*a*) they are that into which things must change before they reach the extremes, and (*b*) it is not possible to change from one genus into another except *per accidens*, e. g. from a colour to a shape.

30. But (2) (*a*) all intermediates are between opposites (for it is only between these, *per se*, that change can take place); and (*b*), of opposites, (i) *contradictories* admit of no mean (contradiction being between opposites one of which must be true of every subject); while (ii) *relative* terms that are not contrary have no mean because they are not in the same genus. Intermediates must therefore be between *contraries*.

ᵇ 2. (3) They must therefore be composed of these contraries. For the contraries must either fall within one genus or not. (*a*) If they do, so that there is something prior to the contraries, the differentiae that make the contrary species will be prior contraries; for the species consist of the genus + the differentiae.

12. The intermediates will be composed of the genus + certain differentiae, which will not be the first contraries (otherwise every colour would be either white or black), but are intermediate between them.

19. Thus we have to consider first, of what are composed the intermediates between (*b*) contraries that are *not* in the same genus; for the things in the same genus must be composed of terms that do not involve the genus as an element in them, or else be incomposite. Contraries are not compounded of one another, and are therefore starting-points; of the intermediates *all* or *none* are compounded out of the contraries. Now from the contraries there arises *something* such that change reaches it before it reaches the contraries (for there must be something that is less than the one and more than the other). Therefore all the *other* intermediates also are composite; for that which has a quality in a higher degree than A and in a lower degree than B must be compounded of A and B.

29. But since there is nothing homogeneous with the contraries and prior to them, all intermediates must be compounded of the contraries, and therefore the lower terms, whether contraries or intermediates, will be compounded of the first contraries. Clearly, then, all intermediates are (1) in the same genus, (2) between contraries, and (3) compounded out of the contraries.

Chapters 7–10 are for some unknown reason not commented on by Alexander.

1057ᵃ 18. καὶ ἐνίων ἔστιν, i. e. in the great majority of cases; there are *some* contraries, however, like odd and even, straight and crooked, which admit of no mean (1055ᵇ 24).

19–ᵇ 34. That the intermediates are compounded out of contraries is proved (cf. ᵇ 2–4) by three premises, (1) that all intermediates are in the same genus as their extremes (l. 19) (which is itself proved by two premises, (*a*) that intermediates lie on the path of change between extremes (l. 21), (*b*) that change from one genus to another is impossible (l. 26)); (2) that all intermediates are between contraries (which is proved by two premises, (*a*) that intermediates are between opposites (l. 30), (*b*) that they cannot be between any kind of opposites except contraries (l. 33–ᵇ 1)). (3) Intermediates between contraries in the same genus, i. e. between contrary species, presuppose intermediates between contraries not in the same genus, i. e. between contrary differentiae (ᵇ 4–22); and since there is an intermediate differentia compounded out of the contrary differentiae, and if any of the intermediates is composite they all must be, all must be compounded out of the contraries (ᵇ 22–32).

27. κατὰ συμβεβηκός, οἷον ἐκ χρώματος εἰς σχῆμα. A red thing may become round, but it does so not *qua* red but *qua* having some figure other than the round.

33–ᵇ 1. Of the four kinds of opposites, viz. contradictories, relatives, privatives, contraries, Aristotle shows that the first two cannot have intermediates, and he infers that intermediates must be between contraries. He says nothing of privatives, for contrariety is the extreme form of privation (1055ᵃ 35, Θ. 1046ᵇ 14), so that any privation short of complete privation falls between contraries.

37. τῶν δὲ πρός τι ὅσα μὴ ἐναντία, cf. 1056ᵇ 35.

ᵇ 7. εἴδη ὡς γένους, i. e. εἴδη in the sense of species of a genus, not in the sense of Platonic Forms, cf. A. 991ᵃ 31 n.

8. τὸ μὲν διακριτικὸν χρῶμα, Plato's definition of white, *Tim.* 67 E τὸ μὲν διακριτικὸν τῆς ὄψεως λευκόν. Fine particles penetrate and dilate the visual stream, large particles compress it, and this produces white and black colour respectively (67 D).

II. ἀλλὰ μὴν τά γε ἐναντίως διαφέροντα μᾶλλον ἐναντία is very difficult. Bz. takes it to mean 'but the contrary differentiae must be more contrary than the contrary species', since they are what make the latter contrary (cf. a. 993ᵇ 24). But (1) τὰ ἐναντίως διαφέροντα is a strange way of expressing 'the contrary differentiae', and (2) this would be a mere repetition of the previous clause. τὰ ἐναντίως διαφέροντα would more naturally mean the species that differ by having contrary differentiae, and Aristotle's point may be that though the differentiae are in some sense prior contraries, the species are more properly called contraries. Cf. *Cat.* 6ᵃ 17 τὰ πλεῖστον ἀλλήλων διεστηκότα τῶν ἐν τῷ αὐτῷ γένει (we may illustrate this by white and black as opposed to διακριτικόν and συγκριτικόν, which are μὴ ἐν γένει, l. 20) ἐναντία ὁρίζονται, and *De Gen. et Corr.* 324ᵃ 2. Even this interpretation, however, is not very satisfactory.

12. τὰ λοιπὰ καὶ τὰ μεταξύ, 'the others, i.e. the intermediate species'.

20–22. 'For the contraries which are in the same genus must be compounded out of (the genus and) the differentiae which are not themselves compounded with the genus (i.e. in which the genus is not an element as it is in the species),—or else be uncompounded (which is incompatible with their nature as species).'

26. μεταξὺ ἄρα ἔσται καὶ τοῦτο τῶν ἐναντίων, 'wherefore this differentia also comes between the contrary differentiae, as the intermediate species come between the contrary species'.

31–32. ὥστε ... ἔσονται. This *seems* to say that each extreme species as well as each intermediate species is compounded out of both the extreme differentiae. E. g. white would have to be to some extent 'compressing' as well as 'dilating'. But this is not in itself a likely doctrine, and it can hardly be said to be proved in the present passage; the meaning probably is that each extreme species contains *one* of the extreme differentiae as a logical element (the other element being the genus), while each intermediate species contains both the differentiae.

Otherness in species (ch. 8).

1057ᵇ 35. That which is other in species is different from something *in something*, and this must belong to both the terms that are other than one another. They must therefore be in the same genus, for a genus is that which each of two things differing *per se* is said to be.

1058ᵃ 2. For not only must something common belong to both, but it must be different for each of them. The differentia must be an otherness of the genus; for a differentia of a genus is an otherness that makes the genus itself other.

8. This otherness must be contrariety. For all division is by opposites, and contraries are in the same genus, since contrariety is complete difference and difference in species is always difference from something in respect of *something* and this something is identical and is the genus that embraces both terms. Hence all contraries that differ in species and not in genus are in the same category, and have the utmost difference and are incompatible.

17. To be other in species, then, is to be in the same genus, contrary, and indivisible (and to be the same in species is to be indivisible and have no contrariety)—for there are also contrarieties in the intermediate stages of division before we come to the indivisibles.

21. Therefore no species is either the same in species as or other in species than its genus (for matter is made known by negation, and the genus is matter of its species), nor with things not in the same genus; it differs in genus from them, in species from things in the same genus. For the difference must be a contrariety to that from which the given species differs in species, and contrariety exists only within a genus.

1057ᵇ 35. From 1058ᵃ 12 it would seem that τί is 'accusative of respect'; 'other in some respect'. The same meaning is sometimes conveyed by the dative, cf. 1054ᵇ 25 τὸ δὲ διάφορον τινὸς τινὶ διάφορον.

38. μὴ κατὰ συμβεβηκὸς ἔχον διαφοράν. Cf. the rule that a genus must be divided according to its οἰκεία διαίρεσις (Z. 12, I. 1058ᵃ 37).

1058ᵃ 1. εἴτε ὡς ὕλη ὄν, cf. Δ. 1024ᵇ 8.

4. ἕτερον ἀλλήλων, 'different for one from what it is for the other'.

8. ἐναντίωσις τοίνυν ἔσται αὔ.η. That the differentiation of a genus must be by contraries is by no means proved by what has gone before; nor does what follows bear any resemblance to an ἐπαγωγή. It seems better therefore to take δῆλον δὲ καὶ ἐκ τῆς ἐπαγωγῆς as parenthetical (cf. *Phys.* 185ᵃ 13, 224ᵇ 30, *De Caelo* 276ᵃ 14), and what follows as justifying ἐναντίωσις τοίνυν ἔσται αὐτη. Even so the justification is far from complete. Aristotle merely points out that all division is by opposites, and that contraries are in the same genus. He does not show that they are the *only* opposites which are in the same genus (which alone would prove that all differentiation is by contraries). Yet he could almost prove this. For contradictories are not in the same genus, since they together embrace the whole universe; nor are relative terms necessarily in the same genus (1057ᵃ 38). Privatives and contraries alone remain, and these are very closely bound up together (1057ᵃ 33ᵇ 1 n.).

Though Aristotle says that differentiation is by contraries, he does not in practice confine himself to division by dichotomy; e. g. in *Cat.* 14ᵇ 37 he divides animals into πτηνόν, πεζόν, ἔνυδρον.

11. δέδεικται, ch. 4.

ἦν, 1055ᵃ 16.

ἡ δὲ διαφορὰ ἡ εἴδει πᾶσα τινὸς τί, 'specific difference is always from something in something'.

13–14. τῇ αὐτῇ συστοιχίᾳ . . . τῆς κατηγορίας, cf. 1054ᵇ 35 n., Δ. 1016ᵇ 33 n.

17–19. Both indivisible species and individuals may be called ἄτομα (Bz. *Index* 120ᵃ 58, 48). But the ἄτομα which are said to be the same in species must be individuals, since two species are not the same in species. If, then, there is to be a proper opposition between the definitions of ἕτερα τῷ εἴδει and ταὐτὰ τῷ εἴδει, ἄτομα in l. 18 as in l. 19 must refer to individuals. But since in ll. 21–26, it is species that are described as different in species from other species, ἄτομα in l. 18 probably refers to indivisible species as well as individuals.

18–19. ταὐτὰ . . . ὄντα is parenthetical. The next words justify the insertion of the previous ἄτομα ὄντα; in dividing a genus, we find contrarieties even in the previous stages (καὶ ἐν τοῖς μεταξύ), i. e. between classes higher than the infimae species, but these constitute otherness in genus rather than in species; it is only between ἄτομα εἴδη that there is otherness in *species*.

21. τὸ καλούμενον γένος, cf. Δ. 1014ᵇ 9 τὰ καλούμενα γένη. The technical meaning of γένος and εἶδος is not quite familiar, and καλούμενον introduces it with some diffidence. In chapter 10 we shall find γένος and εἶδος used quite untechnically. Bz.'s conjectural emendations here are unnecessary.

22. ὡς γένους, cf. A. 991ᵃ 31 n.

Christ was right in reading προσηκόντως. It is the reading of Aᵇ as well as of E.

24. μὴ ὡς τὸ τῶν Ἡρακλειδῶν, cf. Δ. 1024ᵃ 32.

ἀλλ' ὡς τὸ ἐν τῇ φύσει, 'but in the sense of the genus which is an element in the nature of a thing'. Cf. Δ. 1024ᵇ 4 ὃ λέγεται ἐν τῷ τί ἐστι, τοῦτο γένος.

27. οὗ διαφέρει = πρὸς τοῦτο οὗ διαφέρει τι.

What contrarieties constitute otherness in species (ch. 9).

1058ᵃ 29. Why does not the female differ from the male in species, when female and male are contrary and the differentia is a differentia of animal as such?

34. This is much the same as the question why one contrariety (e. g. possession of feet and of wings) makes things other in species, and another (e. g. whiteness and blackness) does not. The reason is that

only the former are affections proper to the genus. Contrarieties in
the definition make a difference in species, those in the concrete
whole do not.

ᵇ 3. Hence whiteness does not make a differentiation of man ; for
colour belongs to man on his material side, and matter does not make
a differentia. Individual men are not species of man, though their
flesh and bones are different ; the concrete whole is other, but not other
in species because there is no contrariety in the definition. Man is the
last, indivisible species ; Callias is definition + matter, and so too is
' the white man ', since ' the man ' is only white *per accidens* because
Callias is white.

12. Hence a bronze and a wooden circle are not other in species ;
and a bronze triangle and a wooden circle are other in species not
because of their matter but because there is a contrariety in their
definition.

15. But perhaps where the matter is other in a particular way it
makes the things other in species in a sense. Why is this horse
other in species than this man, though their definitions involve matter ?
Because there is a contrariety in their definitions. A white man and
a black horse are other in species not *qua* white and black, for they
would have been so even if they had both been white.

21. Male and female are affections proper to animal, but not in
virtue of its essence but in its matter (and hence the same seed
can become male or female).

This chapter implies a division into three kinds of the attri-
butes which belong to some members of a genus and not to others.
There are (1) οἰκεῖα πάθη τοῦ γένους (ᵃ 37, ᵇ 22), which belong to the
genus καθ' αὑτό (ᵃ 32), i.e. are peculiar to it. These are subdivided into
(*a*) those which are ἐν τῷ λόγῳ (ᵇ 1), which belong to the essential
nature of the genus, i.e. *differentiae* like 'footed' and 'winged' in
the genus 'animal' (ᵃ 36), and (*b*) those which are ἐν τῷ συνειλημ-
μένῳ τῇ ὕλῃ (ᵇ 2), which arise from the association of the essential
nature with two or more kinds of matter. Thus a male animal
is produced by the association of the σπέρμα or male element, in
which the form of the species is transmitted, with one female or
material element, and a female animal is produced by its associa-
tion with a different female element (ᵇ 23). The attributes under
this head are *properties* of the genus ; every animal must be male-
or-female, and nothing but an animal can be either. There are (2)
attributes which are not οἰκεῖα πάθη τοῦ γένους (ᵃ 37), like white and
black, which belong to animals not *qua* animals but *qua* having
surfaces. These attributes are *accidents*.

1058ᵇ 2. τῷ συνειλημμένῳ τῇ ὕλῃ. cf. E. 1025ᵇ 32.

5. ὡς ὕλη γὰρ ὁ ἄνθρωπος, 'for when we distinguish the white man from the black man we are considering man on his material side'.

9. τοῦτο δ' ἐστὶ τὸ ἔσχατον ἄτομον, 'and this—that in whose definition no contrarieties are included—is the ultimate indivisible species'. For *ἄτομον* cf. ᵃ 17–19 n.

11–12. καὶ ὁ λευκὸς ... ἄνθρωπος. 'The white man, then, is also definition + matter, for it is the individual Callias that is white; man, then, is white only incidentally (or *per accidens*).'

13. The substitution of a colon for a comma before οὐδέ does away with any need for Bz.'s emendation, ξύλινον τρίγωνον for ξύλινος. 'The bronze circle and the wooden circle, then, do not differ in kind; nor do the bronze triangle and the wooden circle differ in kind because of their matter, but because of the contrariety in their definitions', i. e. between triangle and circle.

17. τονδὶ ἀνθρώπου would (I think) be unparalleled in Aristotle, and the addition of τοῦ is necessary.

The perishable and the imperishable differ in kind (ch. 10).

1058ᵇ 26. Contraries are other in form, and the perishable and the imperishable are contraries. They must therefore be other in kind. But so far we have spoken only of the universal terms, so that it would not follow that every imperishable thing is different in kind from every perishable, any more than every white thing is from every black. The same thing may be both white and black, and, if it is a universal, may be both at the same time.

36. But while some contraries such as white and black belong to certain subjects *per accidens*, perishable and imperishable do not. Nothing is perishable *per accidens*; if it could be so, the same thing might be both perishable and imperishable. Perishableness is either the essence, or included in the essence, of all perishables. So too with imperishableness. Therefore the essential natures in virtue of which things are perishable and imperishable are opposed, and therefore are other in kind.

1059ᵃ 10. Therefore there cannot be Forms such as some thinkers maintain, for if there were there would be a perishable and an imperishable man. The Forms are said to be the *same* in species as the particulars, but things other in genus are further apart even than things *other* in species.

1058ᵇ 27. στέρησις γὰρ ἀδυναμία διωρισμένη. 'Perishable' and imperishable' are contraries, not contradictories, for a privative term like 'imperishable' is not applicable to any and every thing that does not perish, but is limited to the class of things that might conceivably perish (cf. 1055ᵇ 8).

28. γένει. The premises only warrant the conclusion that the perishable and the imperishable are different in species, and therefore Bz. reads εἴδει. But this does not remove the difficulty, for in 1059ᵃ 10 it is again stated, without any fresh grounds, that they differ γένει. It seems plain that εἴδει and γένει are not here used in their technical sense. They may be translated 'form' and 'kind'. In 1059ᵃ 14 on the other hand the technical distinction is found, and it seems probable that while the rest of the chapter was written before Aristotle had begun to use the words in their technical sense, ll. 10–14 were added later under the supposition that generic as opposed to specific difference between the perishable and the imperishable had been proved. These lines have the air of an afterthought; they use for the purpose of anti-Platonic polemic a result which in the rest of the chapter was established without any polemical motive.

For other instances of the non-technical use of the words cf. Λ. 1071ᵃ 25 with 27, *Cat.* 8ᵇ 27 with 9ᵃ 14, *An. Post.* 97ᵇ 24 with 34, *H. A.* 490ᵇ 16 with 17, 31 with 34, 557ᵃ 4 with 24, *Pol.* 1290ᵇ 33 with 36. In Plato the words are often used indifferently.

1059ᵃ 12. ὁ μέν, the sensible individual; **ὁ δ',** man-himself or the Idea of man.

BOOK K

Book K consists of two very different parts, (1) 1059ᵃ 18—1065ᵃ 26, a shorter version of the contents of ΒΓΕ, (2) 1065ᵃ 26—1069ᵃ 4, a series of extracts from *Phys.* II, III, V. The two parts are ingeniously connected together by a transition from a discussion of the accidental to a discussion of chance. Jaeger has given (*Arist.* 216 ff.) strong reasons for holding that the first part is earlier than ΒΓΕ, and was written when Aristotle was still much under the influence of Platonic presuppositions.

(1) While E has a section pointing forward to the discussion of substance and activity in ΖΗΘ (1026ᵃ 33–ᵇ 2), this is lacking in K (1064ᵇ 15). I.e., while E has been worked up into a form which served to connect the original introduction ΑΒΓΕ. 1 with the later discussion of substance, ΖΗΘ, there is no trace of this in K.

(2) In K. 1059ᵃ 39 Aristotle asks whether 'the science we are looking for' is concerned with sensible substances *or* with others. In the corresponding passage, B. 997ᵃ 34, he asks whether we must maintain the existence of sensible substances only *or also* of others.

Jaeger argues (unsuccessfully, I think) that K here represents a more Platonic point of view.

(3) In K. 1060ª 7–13 the object of inquiry is said to be εἴ τι χωριστὸν καθ' αὑτὸ καὶ μηδενὶ τῶν αἰσθητῶν ὑπάρχον. In B. 999ª 24–32 the language is much less strongly Platonic. K. 1060ª 21–27, ᵇ 1–3 reveal the same search for a transcendent object of knowledge.

(4) In K. 1063ª 10–17 Aristotle appeals from the changeableness of terrestrial things to the permanence of the celestial; in Γ. 1010ª 15 ff., the appeal is to the permanent elements in the terrestrial world, and only incidentally (ib. 25–32) to the constancy of the heavens.

(5) The problem about the ὕλη τῶν μαθηματικῶν is peculiar to K. 1059ᵇ 14–21. It is discussed in N. 1088ᵇ 14 ff., and N can on other grounds be shown to belong to the earliest draft of the *Metaphysics*. The problem springs naturally out of Plato's doctrine of the great-and-small.

(6) The one problem which is found in B (1002ᵇ 32—1003ª 5) and not in K is the question whether the elements exist potentially or actually—a question closely related to the contents of ZHΘ.

(7) K. 1059ᵇ 3 presupposes the refutation of the ideal theory in A. 9; B. 997ᵇ 3 does not do this, and evidently belongs to the later period in which the attack on the ideal theory was removed from A and relegated to M. 4, 5.

Recapitulation of the problems stated in B. 2, 3 (ch. 1).

1059ª 18. That wisdom is a science of first principles is clear from our examination of earlier thinkers, but the following questions arise :

20. (1) Is wisdom one science or more than one? If one, it should be of contraries, but the first principles are not contrary ; if more than one, which are these sciences ?

23. (2) Is it the business of one science to study the axioms? If of one, why of this more than of any other ; if of more than one, which are these sciences ?

26 (3) Does it study all substances? If not all, then which; if all, how can one science study more than one subject?

29. (4) Does it study attributes as well as substances? If it is a demonstration of attributes, it is not about substances ; if a different science studies attributes, what is each and which is wisdom? *Qua* demonstrative, the science of attributes would be wisdom; *qua* about primaries, the science of substances.

34. The science we are looking for does not deal with the four causes ; it cannot deal with the final cause, i. e. the good, which is the first mover and is not presupposed by unmovable things.

38. (5) Generally, is this science concerned with sensible substances or with others? If with others, then either with Forms or with mathematical objects. (*a*) The Forms do not exist; but, if we suppose them to exist, why is there not a third man, &c., just as mathematical objects are a *tertium quid* between Forms and sensible things ; on the other hand, if this *tertium quid* does not exist, what is mathematics about? Not about sensible things, which have not the required properties.

ᵇ **12.** (*b*) Nor is the science we are looking for about mathematical objects, which have no separate existence, nor (*c*) about sensibles, which are perishable.

14. Which science should investigate the matter of mathematical objects? Not physics, which is occupied with things having a principle of motion and of rest in themselves ; nor logic, which is absorbed in the study of knowledge. This must therefore be a task for metaphysics.

ᵇ **21.** (6) Does metaphysics study the elements present in composite objects? It might seem to be rather concerned with universals (since all knowledge is of universals) and therefore with the *summa genera*, being and unity. These might seem most like first principles because if they are destroyed everything else perishes with them ; everything is existent and one.

31. On the other hand, it would seem that these cannot be genera or first principles, because the differentiae must share in them, but no differentia shares in its genus. Further, what is simpler is more of a first principle than the less simple, and *infimae species* are simpler than their genera, being indivisible. But inasmuch as the destruction of the genus involves the destruction of its species, the genera are more like first principles.

K. 1, 2 covers the whole ground of B except the ἀπορία stated in 996ᵃ 10, 11 and discussed in 1002ᵇ 32—1003ᵃ 5.

1059ᵃ 19–20. ἐκ τῶν πρώτων ... περὶ τῶν ἀρχῶν, i. e. A. 3–10.

20–23. This ἀπορία is that which is stated in B. 995ᵇ 5, 6 and discussed in 996ᵃ 18–ᵇ 26. The objection here urged against saying there is a single science of the ἀρχαί is the objection stated *first* in B (996ᵃ 20, 21). The question here stated to arise if there be said to be *more* than one science of ἀρχαί is different from that stated in B. 996ᵇ 1–24. The *second* objection stated in B (996ᵃ 21–ᵇ 1) against the first alternative is omitted here. The same point is made in 1059ᵃ 34–38, but in a different connexion.

22. αἱ δ᾽ ἀρχαὶ οὐκ ἐναντίαι. By the ἀρχαί are meant, as is evident from B. 996ᵃ 21–ᵇ 1, the four causes, which are evidently not contraries.

23. μία. We should perhaps follow Γ in reading μίαν, which gives the proper correspondence with εἰ μὲν γὰρ μίαν, l. 21.

X 2

ποίας δεῖ θεῖναι ταύτας; 'what sort of sciences is it that must be held to make up σοφία?'

23-26. This problem answers to the problem stated in B. 995ᵇ 6–10 and discussed in 996ᵇ 26—997ᵃ 15, but is not identical with it. The question there was whether the science which studies the ἀρχαί of substance should also study the ἀρχαί of demonstration; here it is whether it is one or more than one science that studies the ἀρχαί of demonstration. The objection here stated to the first alternative answers, *mutatis mutandis*, to that in 996ᵇ 33—997ᵃ 2. That to the second alternative answers to that in 997ᵃ 14, 15. The second argument against the first alternative (997ᵃ 2–11) and the first against the second alternative (997ᵃ 11–13) are here omitted.

25. τί μᾶλλον ταύτης ἢ ὁποιασοῦν; i. e. since the demonstrative ἀρχαί are the ἀρχαί of all the sciences, how can it be the business of one and only one science to study them? The argument is purely dialectical.

26-29 answers to the problem stated in B. 995ᵇ 10–13 and discussed in 997ᵃ 15–25.

26. ἔτι πότερον πασῶν τῶν οὐσιῶν ἢ οὔ; sc. ὑπολαβεῖν εἶναι δεῖ τὴν σοφίαν ἐπιστήμην (l. 21).

29-34 answers to the problem stated in 995ᵇ 18–27 and discussed in 997ᵃ 25–34.

30. A comparison with the corresponding passage in B shows that ἀπόδειξίς ἐστιν is an intrusion from the next line. The question is whether σοφία is concerned with substances only or also with attributes; the reference to demonstration comes in only by way of showing the difficulty of supposing that it is concerned with both.

32-33. Christ has rightly found ἡ ἀποδεικτικὴ σοφία impossible, and therefore brackets σοφία, but Luthe's ᾗ μὲν ... ᾗ δέ for ἡ μὲν ... ἡ δέ is manifestly a better alteration of the text. *Qua* demonstrative, the knowledge of properties might be thought to be σοφία (since knowledge is often identified with demonstration); but *qua* dealing with τὰ πρῶτα, the knowledge of substances might seem to be so. Luthe's reading is established by the parallel in 996ᵇ 9–14 τίνα χρὴ καλεῖν τῶν ἐπιστημῶν σοφίαν ἔχει λόγον ἑκάστην προσαγορεύειν· ᾗ μὲν γὰρ ἀρχικωτάτη ... ἡ τοῦ τέλους καὶ τἀγαθοῦ τοιαύτη ..., ᾗ δὲ τῶν πρώτων αἰτίων ... ἡ τῆς οὐσίας ἂν εἴη τοιαύτη.

34-38. This passage differs from the rest of the chapter in not propounding a problem but simply stating a fact about σοφία. In a sense the passage connects with the first problem stated above, in ll. 20–23, viz. whether one science can study all the ἀρχαί; and the corresponding passage in B (996ᵃ 21–ᵇ 1) occurs in the discussion of the first problem. On the other hand it seems impossible to remove the passage from its present position, for οὔτε γάρ l. 35 is taken up by ὅλως δ' l. 38, and the passage thus connected with the following problem. We may suppose that the notes on which this passage is based were in some confusion and have not been properly sorted out.

34. τὰς ἐν τοῖς φυσικοῖς εἰρημένας αἰτίας, the four causes, *Phys.* ii. 3.

35. οὔτε. Bz. conjectures οὐδέ, but it seems more likely that οὔτε is resumed irregularly (as often) by ὅλως δ᾽ in l. 38.

38. τὸ δὲ . . . ἀκινήτοις, 'but a something that moved them first does not exist in the case of unchangeable things'.

38-^b 14 answers to the problem stated in 995^b 13–18 and discussed in 997^a 34—998^a 19. The question, however, is not the same. There it is whether there are substances other than the sensible ; here it is whether it is the business of σοφία to discuss the sensible substances or some others.

^b 3. δῆλον, *sc.* from A. 9.

8. It is to be noted that ' third man ' has not here the technical sense in which it occurs in A. 990^b 17, Z. 1039^a 2, M. 1079^a 13 ; the absence of the definite article in the present passage is significant. The phrase seems to have become a catchword which was used in various senses other than the original one. Cf. A. 990^b 17 n.

14-21. This discussion of the question what science studies the matter of mathematical objects has no parallel in B. The question is not, what science studies mathematical objects (the answer to which is obviously ' mathematics '), but what science studies the ὕλη that underlies mathematical objects. Thus the conclusion (l. 20) that metaphysics is the study in question does not contradict the statement in l. 12 that metaphysics does not study mathematical objects.

15. τῆς τῶν μαθηματικῶν ὕλης practically = space. It is the ὕλη νοητή of which Aristotle has spoken in Z. 1036^a 9, where cf. n.

19. αὐτὸ τοῦτο τὸ γένος, i. e. ἀπόδειξις and ἐπιστήμη.

21—1060^a 1. Aristotle begins with the query raised in 995^b 27–29 and discussed in 998^a 20–^b 14, whether the constituent elements or the universals are the ἀρχαί studied by metaphysics, but he soon (l. 27) passes to the query raised in 995^b 29–31 and discussed in 998^b 14—999^a 23, whether *summa genera* or *infimae species* are the ἀρχαί.

23. τὰ καλούμενα ὑπό τινων στοιχεῖα. Diels, *Elementum*, 17 ff., shows that the word is found (not before 370) in a tentatively metaphorical sense in Isocrates, Xenophon, and Plato (*Theaet., Soph., Tim.*).

ταῦτα δὲ πάντες ἐνυπάρχοντα τοῖς συνθέτοις τιθέασιν, *sc.* while σοφία deals with immaterial entities (l. 14).

30, 38. For the notion of the συναναιροῦν cf. *Top.* iv. 2, vi. 4.

33. διαφορὰ δ᾽ οὐδεμία τοῦ γένους μετέχει. The genus is predicated not of the differentia but of the species, *Top.* 144^a 32.

ταύτῃ δ᾽. Christ conjectures γ᾽ for δ᾽, but δ᾽ is sufficiently confirmed by the passages cited in Bz. *Index* 167^a 7–12. Cf. B. 999^a 27 n.

35. τὰ δ᾽ ἔσχατα τῶν ἐκ τοῦ γένους, i. e. the *infimae species* (as l. 38 shows), not the individuals. For ἄτομα used of *infimae species* cf. I. 1058^a 18.

Recapitulation of the problems stated in B. 4–6 (ch. 2).

1060ᵃ 3. (7) Is there anything apart from individual things? These are infinite in number, but on the other hand the knowledge we are looking for cannot be of genera or species, which are the things that might be supposed to exist apart from individuals. Yet we seem to be looking for something independent which is not an attribute of any sensible thing.

13. If there is such a substance, which sensible substances does it exist alongside of? Why of some more than others? Yet it would be absurd to suppose eternal substances as numerous as the sensible and perishable.

19. But if the principle we are looking for is *not* apart from bodies, matter might seem to have a strong claim; yet it exists only potentially. Form has a stronger claim, but it is perishable, so that apparently there is *no* eternal independent substance. Yet the best minds have always sought such a principle; indeed, without it how could there be any order?

27. (8) If there is such a principle *common* to eternal and perishable things, why are some eternal and others not? If the principles are *different*, then (*a*) if the principle of perishables is eternal, why are they not eternal? (*b*) if it is perishable, it presupposes another principle, and so *ad infinitum*.

36. (9) If we posit the principles that seem most unchangeable, being and unity, (*a*) if they are *not* individual substances, how can they exist apart, as first principles must; if they *are*, all things will be substances, since being is predicable of all; but plainly not all things are substances.

ᵇ 6. (*b*) Those who make unity the first principle and a substance, and generate number from it and from matter and make number a substance, cannot be right; for how can you think of two or any number as one?

12. (*c*) Lines, planes, &c., cannot be first principles, since they are mere divisions and limits and therefore cannot exist apart.

17. (*d*) The unit or the point cannot be a substance, since there is no generation of it.

19. (10) All knowledge is of universals, but substance is not universal but individual; if there is knowledge of the first principles, how can substance be the first principle?

23. (11) If there is nothing apart from the concrete whole, such wholes are all perishable; if there is something, it must be form; now in which cases will this exist apart? In some cases, e. g. that of a house, it evidently cannot.

28. (12) Are the first principles the same in form or in number? if in number, all things will be the same.

1060ᵃ 3–27 states the problem raised in B. 995ᵇ 31–36 and discussed in 999ᵃ 24–ᵇ 24. There is first the question whether there is anything apart from individual things (3–13, 999ᵃ 24–32); then the question *which* sensible substances have a corresponding separate substance (13–18, 999ᵃ 32–ᵇ 5, ᵇ 17–20); the question whether, if the ἀρχή we are in search of is not separate, matter or form is more truly the ἀρχή (19–24) is peculiar to K, and the arguments in 999ᵇ 5–16 are peculiar to B.

3. τὰ καθ' ἕκαστα, cf. B. 999ᵃ 26 n.

7. εἴρηται. The reference seems to be to 1059ᵇ 31–38.

15–16. The change of construction is awkward though natural. 'Why should one suppose this other substance *apart from* men or horses any more than a substance distinct from the other animals', &c.

22. τοῦτο δὲ φθαρτόν. Aristotle believes that an ἔνυλον εἶδος (like the soul of an animal, or of a man in so far as he is irrational) is φθαρτόν, though indeed it is φθαρτὸν ἄνευ τοῦ φθείρεσθαι (H. 1043ᵇ 15 n., cf. 1044ᵇ 22, Λ. 1070ᵃ 15). Cf. the distinction in *De Caelo* i. 9 between pure form and εἶδος ὕλῃ μεμιγμένον; and Z. 1039ᵇ 20–23.

25. For οἱ χαριέστατοι = 'the most cultivated, refined people', cf. Λ. 1075ᵃ 26, *De Resp.* 480ᵇ 29, &c.

27–36 states the problem raised in 996ᵃ 2–4 and discussed in 1000ᵃ 5—1001ᵃ 3. K omits the historical discussion contained in 1000ᵃ 9–ᵇ 20.

36–ᵇ 19 states the two problems raised in 996ᵃ 4–9, 12–15, and discussed in 1001ᵃ 4–ᵇ 25, ᵇ 26—1002ᵇ 11; the two problems are connected together by 1060ᵇ 6–12.

ᵇ 4. Bz.'s conjecture ἔσται is not necessary but is probable enough, and is confirmed by Al. 639. 37, 640. 1.

5. κατ' ἐνίων δὲ καὶ τὸ ἕν. Really *everything* that is is one (1061ᵃ 18); ἐνίων is used by way of caution. Alexander explains ἐνίων as meaning all things but numbers, but this is unlikely.

6–9. τοῖς ... φάσκουσιν εἶναι, the Pythagoreans (A. 987ᵃ 18, B. 1001ᵃ 10) and Plato (A. 987ᵇ 21, 992ᵃ 9, B. 1001ᵃ 9).

8. τὸν ἀριθμὸν γεννῶσι πρῶτον, *sc.* and subsequently τὰ γεωμετρικά. Cf. l. 12, B. 1001ᵇ 17–25.

10. τῶν ... ἀριθμῶν τῶν συνθέτων, not in the ordinary sense of composite as opposed to prime numbers. The other numbers made out of the One and matter are meant.

13. ἐπιφανείας τὰς πρώτας, i. e. intelligible as opposed to sensible surfaces. For the sense of πρῶτος cf. *De An.* 404ᵇ 20.

ταὐτά γ'. J records the variant γ', which was conjectured independently by Bz. δ' and γάρ seem to be both corruptions of this.

18. οὐσίας μὲν γὰρ πάσης γένεσις ἔστι, στιγμῆς δ' οὐκ ἔστιν. It cannot be meant that all substances are subject to generation; for what then of God? The meaning is given better in B. 1002ᵃ 28–ᵇ 11. If a substance at one time is not and later is, it comes into being by a process of generation, while points, lines, and planes come into being instantaneously by the division of lines, planes, and solids.

19-23 states the problem raised in 996ᵃ 9, 10 and discussed in 1003ᵃ 5–17, especially in ll. 13–17.

23-28 recurs to the problem discussed in ᵃ 3–27.

27-28. ἐπ' ἐνίων γὰρ . . . οἰκίας. The meaning is that there are evidently no separate universals of negations (A. 990ᵇ 13), of relations (990ᵇ 16), or of manufactured objects (991ᵇ 6, Λ. 1070ᵃ 14).

28-30 states the problem raised in 996ᵃ 1, 2 and discussed in 999ᵇ 24—1000ᵃ 4.

The subject of philosophical study (ch. 3).

1060ᵇ 31. Philosophy is concerned with being as such universally, but being has more than one meaning. If it is merely ambiguous it cannot be dealt with by one science; if there is some common meaning, it can.

36. It is like the terms 'medical' and 'healthy', all of whose meanings have some reference to the medical art and to health respectively. So too everything that is is an affection, state, disposition, motion, &c., of being as such.

1061ᵃ 10. Since all that is is referable to some one thing, all contrarieties are referable to the primary differences of being—plurality and unity, likeness and unlikeness, &c. It matters not whether the reduction be to being or to unity, for the two are at any rate convertible.

18. All contraries are objects of the same science, and each of them implies privation. (How can terms admitting of a mean, like just and unjust, involve privation? The privation must be said to be not of the whole definition but of the *infima species*. If the just man is 'one who by virtue of a state of will is obedient to the laws', the unjust man need not be the very reverse of this but may be 'one who is in some respect deficient in obedience to the laws'; in this respect he suffers from a privation of justice.)

28. The mathematician abstracts from all sensible qualities and studies simply what is quantitative and continuous in one, two, or three dimensions, and its essential attributes.

ᵇ 3. Similarly the study of the properties and contrarieties of being as such is the task of no science but philosophy; not of physics, which studies things not *qua* being but *qua* sharing in motion, nor of dialectic or sophistic, which study the attributes of things that are, but not *qua* being.

11. Since all that is is so called by virtue of some one common character, and things so related can fall under one science, we have solved our problem, how there can be one science of many things which differ in genus.

This chapter answers to Γ. 1, 2, the substance of which it states in a much briefer form.   In the first part of the chapter, 1060ᵇ 31—1061ᵃ 28, the question raised in 1059ᵃ 20-23 is incidentally answered, and in the second part, 1061ᵃ 28—ᵇ 11, that raised in 1059ᵃ 29-34, though at the end (1061ᵇ 15) it is only claimed that the first of the two problems has been solved.

1061ᵃ 15. ἔστωσαν γὰρ αὗται τεθεωρημέναι, cf. Γ. 1004ᵃ 2 n. Alexander here again refers to the *De Bono*.

20-28. The question is how contraries that admit of a middle λέγεται κατὰ στέρησιν.   If contraries are related as ἕξις and στέρησις, it might seem that they are the only possible conditions of the δεκτικόν.   The answer is that the intermediate in such a case lacks not every element in the definition of the positive term but only the final differentia. Besides just men, who conform to the whole definition of 'just', and unjust men, of whom no part of it is true, there are men who in some respect fail to conform to it, e. g. who obey the laws but not from the right ἕξις.   Such men are said to exhibit the privation of the τελευταῖον εἶδος (l. 23); i. e. they do not belong to the *infima species* 'just man'; they are lacking in the final differentia, though they may belong to some wider class (e. g. that of men obedient to the laws) which includes also just men.

22. τὰ τοιαῦτα, i. e. τὰ ἀνὰ μέσον.

23. τοῦ τελευταίου δὲ εἴδους.   Alexander explains this as 'the extreme form', but τελευταῖος is used regularly of the *infima species* or *differentia* (B. 995ᵇ 30, Δ. 1018ᵇ 5, Z. 1038ᵃ 19, *P. A.* 643ᵃ 22, ᵇ 35, 644ᵃ 3); and further τοῦ ὅλου λόγου suggests the splitting up of the definition into genus and differentiae.

24. εἰ ἔστιν ὁ δίκαιος καθ' ἕξιν τινὰ πειθαρχικὸς τοῖς νόμοις.   This is the just man in the wider sense of justice, explained in *E. N.* 1129ᵇ 11—1130ᵃ 13.

25. ὁ ἄδικος is here used of the person who is in any degree unjust, i. e. of ὁ ἀνὰ μέσον, though in l. 22 τοῦ ἀδίκου meant the completely unjust man.

33. τῶν μὲν ἐφ' ἕν, i. e. τῶν μὲν τὸ ἐφ' ἓν συνεχές.

ᵇ 5. τὰς ἐναντιώσεις αὐτοῦ, cf. B. 995ᵇ 20-27 n.

φιλοσοφίας.   φιλοσοφία in the sense of πρώτη φιλοσοφία is rare, but φιλόσοφος occurs in the corresponding sense in 1003ᵇ 19, 1004ᵃ 34,

$^{\rm b}$ 16, 1005$^{\rm a}$ 21, $^{\rm b}$ 6, 11, and the same narrowing down of the scope of φιλοσοφία is implied in the distinction drawn between it and mathematics in A. 992$^{\rm a}$ 33, Λ. 1073$^{\rm b}$ 4.

Philosophy distinguished from mathematics and physics (ch. 4).

1061$^{\rm b}$ 17. Since even the mathematician uses the axioms only in a special form, it is the task of first philosophy to study them. That if equals be taken from equals equals remain is common to all quantities, but mathematics studies the several parts of its subject-matter (lines, angles, numbers, &c.), not *qua* being but *qua* continuous; while philosophy studies particular things only in so far as they have being.

27. Physics is like mathematics; it studies the properties and principles of things *qua* moving, not *qua* being, while the first science studies the attributes of being as being. Hence physics and mathematics are only parts of wisdom.

This chapter corresponds to Γ. 1005$^{\rm a}$ 19–$^{\rm b}$ 2, and answers the question raised in 1059$^{\rm a}$ 23–26.

1061$^{\rm b}$ 18. τοῖς κοινοῖς, i. e. the ἀξιώματα, cf. B. 997$^{\rm a}$ 10. τούτων, i. e. τῶν μαθηματικῶν.

20. κοινὸν μέν ἐστιν ἐπὶ πάντων τῶν ποσῶν, i. e. this proposition is neither a common principle of all sciences nor peculiar to one; it is common to all the sciences *of quantity*. It thus belongs to a type not recognized in Aristotle's classification of ἀρχαί, *An. Post.* 76$^{\rm a}$ 38. This axiom is similarly treated as a κοινόν, though really common only to the sciences of quantity, in *An. Post.* 77$^{\rm a}$ 30, 31.

21. ἀπολαβοῦσα, 'cutting a part off for separate consideration'. Cf. *Poet.* 1459$^{\rm a}$ 35 and the use of ἀποτέμνεσθαι, Γ. 1003$^{\rm a}$ 24.

25. ἡ δὲ φιλοσοφία, cf. l. 5 n.

26-27. περὶ τὸ ὄν . . . θεωρεῖ. The construction seems to be, ' but speculates about that which is, in so far as each particular thing is ' (ᾗ ὄν τῶν τοιούτων ἕκαστον is opposed to ᾗ συνεχὲς αὐτῶν ἕκαστον, l. 24)—which is a brachylogy for 'but speculates about that which is, and about particular things only in so far as each of them is '.

32. ταύτην apparently refers to ἡ φυσική; the clause answers to Γ. 1005$^{\rm b}$ 1 ἔστι δὲ σοφία τις καὶ ἡ φυσική. τὴν δὲ πρώτην . . . ἕτερόν τι must therefore be treated as parenthetical. The point of connexion between διό, &c., and what precedes is not very clear. Alexander supplies a reason for the conclusion that physics and mathematics are branches of wisdom, viz. ἐπειδὴ ἀποδεικνύουσι καὶ ὁ μαθηματικὸς καὶ ὁ φυσικός, καὶ οὐδέποτε ψεύδονται, but this cannot properly be read into the text. It seems more likely that μέρη is to be stressed. Because mathematics and physics do not study their objects *qua* being but *qua* continuous or *qua* moving, they are merely branches of wisdom; wisdom proper is the more comprehensive science which studies being as such. This answers to the corresponding statement in Γ. 1005^b 1 ἔστι δὲ σοφία τις καὶ ἡ φυσική, ἀλλ᾽ οὐ πρώτη.

33. For this wide sense of σοφία in which it includes mathematics and physics as well as philosophy cf. A. 981^a 27, Γ. 1005^b 1, and *E. N.* vi. 7, where it includes the study of ἐξ ὧν ὁ κόσμος συνέστηκεν, the constituents of the physical universe (1141^b 1).

Defence of the law of contradiction (ch. 5).

1061^b 34. There is a principle about which it is impossible to be deceived—that the same thing cannot at the same time be and not be. Such truths cannot be proved absolutely because there is no more certain premise from which they can be inferred.

1062^a 5. But they can be proved to a particular person, viz. to any-one who makes contradictory assertions; the method is to assume something that is identical with the truth in question but does not seem so to our opponent.

11. People who are to discuss together must to some extent under-stand each other; therefore each of their words must mean something, and if it is ambiguous the intended meaning must be indicated. Now (1) he who says 'A is and is not B' is saying that the word B does not mean what it does mean, and since this is impossible the law of contradiction is proved.

19. (2) If the word means something and this meaning is truly asserted of a subject, the subject must necessarily have this character, and therefore can never not have it; so that the opposite statements cannot be true of the same subject.

23. (3) If the affirmation is no more true than the negation, 'A is a man' is no truer than 'A is not a man', and therefore *a fortiori* no truer than 'A is not a horse', and therefore (if contradictions are both true) no truer than 'A is a horse'; so that the same object is a man, a horse, &c.

31. If one had argued thus with Heraclitus he might have abandoned his view; he adopted it without realizing what he was saying. If his dictum were true, even it itself would not be true. For if 'A is B' is no truer than 'A is not B', 'A is both B and not B' is no truer than 'A is neither B nor not B'.

^{b} 7. Further, if nothing can be truly affirmed it is false to say that no affirmation is true; while if something can be truly affirmed the dictum of these destroyers of all discussion is upset.

The chapter covers the ground of Γ. 3. 1005ᵇ 8–end and of Γ. 4, with the exception of

(1) the argument that if the law of contradiction be denied, substance is denied and everything reduced to accident (1007ᵃ 20–ᵇ 18),

(2) the group of arguments in 1008ᵃ 7–ᵇ 12,

(3) the argument that the opponents of the law of contradiction themselves act upon it (1008ᵇ 12—1009ᵃ 5). For this cf. Κ. 1063ᵃ 28–35.

1061ᵇ 34—1062ᵃ 2 answers to 1005ᵇ 8–34.

36—1062ᵃ 2. Two kinds of contradictory proposition are here referred to, (1) ' A is ' and ' A is not ', (2) ' A is B ' and ' A is not B ' (τἆλλα τὰ τούτων αὐτοῖς ἀντικείμενα τὸν τρόπον). Of these the second is the more general, since the first may be exhibited as a species of it, ' A is existent ' and ' A is not existent '.

1062ᵃ 2–5 answers to 1006ᵃ 5–18.

5–19 answers to 1006ᵃ 18—1007ᵃ 20.

6. διότι ψεῦδος. As Bz. points out, an *argumentum ad hominem* does not point out the reason of the opponent's mistake but only its existence. Thus διότι must be used in the sense of ' that '. Cf. *Index* 200ᵇ 39–45.

12. αὐτῶν = ἀλλήλων. Cf. L. and S. s. v. III.

16–19. In view of 1061ᵇ 36—1062ᵃ 2 (where see n.) the meaning seems to be ' He, then, who says that A is B and that it is not B denies what he asserts, so that what the word B means he says it does not mean; but this is impossible, so that if " being B " means something ' (or ' if any word means " being something " '), ' the contradictory of it cannot be truly asserted of the same subject '.

17. τοὔνομα, *sc.* τὸ εἶναι, says Bz., but the reference is to *any* predicate, cf. τῶν ὀνομάτων ἕκαστον, l. 13. In 1006ᵃ 30, to which Bz. refers, it is not clear whether τὸ εἶναι ἢ μὴ εἶναι is as he supposes explicative of τὸ ὄνομα, or τὸ εἶναι ἢ μὴ εἶναι τοδί is the object of σημαίνει, so that τὸ ὄνομα would be quite general.

18. εἴπερ σημαίνει τι τὸ εἶναι τόδε. τι may be either subject or object of σημαίνει.

19–23 answers to 1006ᵇ 28–34. The meaning is expressed more clearly in Γ. ἀνάγκη τοίνυν, εἴ τι ἔστιν ἀληθὲς εἰπεῖν ὅτι ἄνθρωπος, ζῷον εἶναι δίπουν (τοῦτο γὰρ ἦν ὃ ἐσήμαινε τὸ ἄνθρωπος)· εἰ δ᾽ ἀνάγκη τοῦτο, οὐκ ἐνδέχεται μὴ εἶναι ⟨τότε⟩ τὸ αὐτὸ ζῷον δίπουν.

23–30 answers to 1007ᵇ 18—1008ᵃ 2.

31–35 answers to 1005ᵇ 23–26.

36–ᵇ 7 answers to 1008ᵃ 4–7. The point is, however, different. Aristotle is there showing that if the law of contradiction is denied, the law of excluded middle must be denied too (οὐκ ἀνάγκη ἢ φάναι ἢ ἀποφάναι). If it is true that A is a man and not a man, it will (or may) also be true that he is neither a man nor not a man. Here the point which is proved is that if the law of contradiction is denied, the denial of it must be denied too. If it is true that A is a man and not a man, then this proposition itself is no more true than its opposite.

^{b} **6.** οὐθὲν μᾶλλον ἡ ἀπόφασις ἢ τὸ ὅλον ὡς ἐν καταφάσει τιθέμενον ἀληθεύσεται gives just the opposite of the right sense. The simplest emendation is to transpose ἤ to before ἡ, where it would easily have dropped out. A less probable alternative is to read ἧττον for μᾶλλον.

7-9 answers to 1012^b 13-18.

Inadequacy of the grounds for denying the law of contradiction (ch. 6).

1062^b 12. Protagoras' saying, 'man is measure of all things', is similar to the views we have been discussing. He means that what seems to each man is so; then since things seem different to different people, the same thing will be and not be.

20. The problem will be solved if we consider the origin of this belief. (1) With some, it arose from the doctrine of the physicists; (2) with others, from observing that people have different impressions about the same thing.

24. (1) That nothing can come into being from not-being but everything from being is a view common to most of the physicists. Therefore, since a thing does not become white if it was perfectly white, the white must come from what is not white; so that according to them it must come from not-being, unless the same thing was white and not white. The difficulty is easily removed; we have stated in the *Physics* in what sense things come to be from being and in what sense from not-being.

33. (2) (*a*) It is foolish to attend equally to opposite opinions. The same thing never seems sweet and sour to two people unless the sense-organ of the one has been injured; in that case only the other man is a measure. So too with good and bad, &c. We might just as well claim that the object which seems to be two when you press your eye must *be* two.

1063^a 10. (*b*) We ought to judge of the nature of things not from the changes in the things around us but from the changelessness of the heavenly bodies.

17. (*c*) Again, if there is motion, there is a moving thing, which moves from something and into something; and when it is in the one it is not in the other.

22. (*d*) Even if things in this world were always changing in quantity—and the observation of such changes is one of the chief motives of the theory—they need not be always changing in quality, and essence depends on quality, which is determinate, not on quantity, which is indeterminate.

28. (*e*) Again, the fact that people act on the doctor's orders shows that they think things have a determinate nature which is not always changing.

35. (*f*) If we are always changing, the changes in our perceptions do not show the objects to be changing; if we are *not* changing, then there is *something* that is at rest.

^b **7.** It is not easy to meet those who feel these difficulties on dialectical grounds, for if they will not posit something and no longer demand a reason for it, they make discussion impossible; those, on the other hand, who are puzzled by the traditional difficulties may be answered as we have shown.

15. Contradictory statements, then, cannot both be true; nor can contraries, because contrariety involves privation, as may be seen by analysing the definitions of contraries.

19. Nor can an intermediate be predicated of the same subject of which one of the extremes is asserted. If A is white we cannot truly say it is neither black nor white, for we shall be saying that it is both white and not white.

24. Therefore neither the view of Heraclitus is right, nor that of Anaxagoras that there is a portion of everything in everything; if everything is present *actually* in everything, contraries are true of the same thing.

30. Similarly all statements cannot be false, nor all true—for this reason in addition to others, that if all are false this statement itself is false, and if all are true it will be true that all are false.

This chapter covers almost the whole ground covered in Γ. 5–8, the main sections omitted being (1) the references to earlier views in 1009ᵃ 38—1010ᵃ 22, (2) the arguments in 1010ᵇ 26—1011ᵃ 2, 1011ᵃ 17–ᵇ 12.

1062ᵇ **12–24** answers to 1009ᵃ 6–16, 22–30.

21–24. Of the two reasons for the Protagorean theory, the first is discussed in 24–33, the second in 33—1063ᵇ 7.

24–33 answers to 1009ᵃ 30–36, though not closely.

26–30. 'Since, then, white does not come to be if the perfectly white and in no wise not white existed before, that which becomes white must come from that which is not white; so that it will come from what is not, according to them, unless the same thing was white and not white.' In the first clause the general sense shows that οὐ goes with γίγνεται, not with λευκόν, and the use of οὐ, not μή, confirms this interpretation. νῦν δὲ γεγενημένον μὴ λευκόν is not only unmeaning in itself, but spoils the structure of the sentence, since the apodosis should begin with γίγνοιτ' ἄν. ὥστε but rarely introduces an apodosis except after a parenthesis. Bz. is therefore right in suggesting that νῦν . . .

λευκόν should be excised. These words look like a gloss by a copyist who took οὐ λευκόν together in l. 26. Bz. is also right in suggesting the excision of μή after γιγνόμενον. An alternative would be to insert μή before λευκοῦ, where it is read by E (in marg.) Γ; but there seems to be no reason why the case of the not-white coming from the not-not-white should be substituted for the simpler case of the white coming from the not-white.

The argument then is :

Nothing can come to be from what is not.

The white comes to be from the not-white.

Therefore the not-white must also have been white.

31. ἐν τοῖς φυσικοῖς, *Phys.* i. 7–9, *De Gen. et Corr.* 317ᵇ 14—319ʰ 5. Aristotle's answer is that an A which is B comes out of an A which is but is not B, or which is B potentially but not actually.

33—1063ₐ 10 answers to 1010ᵇ 1–26, 1011ₐ 31–34.

1063ₐ 6–10. The illusion referred to is produced by pressing the finger against the under part of the eyeball, when a single object is seen as two. The same illusion is referred to in *De Somn.* 461ᵇ 30, *Probl.* 958ₐ 24. 'To expect this is just like expecting the things which appear to people who put their finger under their eye and make the things appear two instead of one, to be both two because they appear to be two, and again one.'

9. The unintelligible vulgate reading δύο δ' εἶναι has been produced by haplography from the correct δύο δεῖν εἶναι preserved in JΓ. τὰ φαινόμενα . . . δύο δεῖν εἶναι is the object of ἀξιοῦν understood.

10. κινοῦσι refers not to movement of the eye but to interference with it.

10–17 answers to 1010ₐ 25–32.

15. τὰ κατὰ τὸν κόσμον, the heavenly bodies.

17–21 answers to 1010ₐ 35–ᵇ 1, though only in a very general way.

17–19. There seems to be no parallel in Aristotle for ἄρα *in apodosi* except after a long protasis (all the instances quoted by Bz., *De Int.* 19ₐ 18, *De Gen. et Corr.* 333ʰ 29, 337ₐ 24, *De An.* 425ₐ 9, *P. A.* 642ₐ 13, *E. N.* 1134ᵇ 6 are of this kind); so that Christ is right in putting a comma after ἔστι l. 18 and treating καὶ κινούμενόν τι as apodosis.

19, 20. Bz. thinks that Aristotle could not have said 'the moving thing must be in that out of which it is to move, and not be in it', without indicating that it is at different times that it will be in it and not in it. He therefore supposes αὐτῷ to mean that *into* which the moving thing moves. It seems impossible, however, to suppose that αὐτῷ refers to anything different from what ἐκείνῳ refers to ; and Bz.'s difficulty is an unreal one. The passage means, as a whole, that motion implies that contradictory predicates can be asserted of the changing thing at different times, but not at the same time. συναληθεύεσθαι (l. 21), the reading of Aʰ Al., brings out the point better than the common reading ἀληθεύεσθαι.

21. τὸ . . . κατὰ τὴν ἀντίφασιν = τὰς ἀντικειμένας φάσεις.

22-28 answers to 1010ᵃ 22-25.

23 καίπερ οὐκ ἀληθὲς ὄν. Aristotle tries to show in *Phys.* 253ᵇ 13–23 that growth or diminution cannot go on continuously but proceeds by jumps.

27. ἡ δ' οὐσία κατὰ τὸ ποιόν, in the sense of ποιόν explained in Δ. 1020ᵃ 33.

28. τὸ δὲ ποσὸν τῆς ἀορίστου, the size of things is not definite and unchangeable as some of their qualities are.

28-35 answers to 1008ᵇ 12-27.

32. Christ's reading τοῦ προσαχθέντος, which in a note he describes as spurious, is a misprint.

35-ᵇ 7 answers to 1009ᵃ 38-ᵇ 33, but with the references to other philosophers omitted.

ᵇ 7-16 answers to 1009ᵃ 16-22, 1011ᵃ 3-16.

8. ἐκ λόγου, ' on dialectical grounds '. Cf. 1009ᵃ 20 ὅσοι λόγου χάριν λέγουσι, 1011ᵃ 4 τῶν τοὺς λόγους τούτους μόνον λεγόντων, ib. 15 οἱ ἐν τῷ λόγῳ τὴν βίαν μόνον ζητοῦντες.

14. ἐκ τῶν εἰρημένων, sc. in 1062ᵇ 20—1063ᵇ 7.

17-19 answers to 1011ᵇ 17-22.

19-24 answers, though not closely, to Γ. 7. 1011ᵇ 23—1012ᵃ 24. That chapter proves that there cannot be a middle between contradictories ; here the point is that a middle between contraries cannot be asserted of one and the same thing (l. 20), sc. of which one of the contraries is asserted. The proof is : If the same thing is white and neither white nor black, it is white and not white ; which breaks the law of contradiction. This is a point not made in Γ, though there is a general correspondence with Γ. 7.

24-35 answers to 1012ᵃ 24-ᵇ 18.

24-25. καθ' Ἡράκλειτον . . . λέγοντας is to be understood by reference to 1062ᵃ 31-ᵇ 2 (cf. 1012ᵃ 25, 35).

25. κατ' Ἀναξαγόραν. The view referred to is indicated in ll. 26-30 (cf. 1012ᵃ 27).

Distinction of theology from mathematics and physics (ch. 7).

1063ᵇ 36. Every science marks out some genus for itself and studies this, but not *qua* being ; they leave that for another science. These sciences get the essence of their subject by perception or by hypothesis, and try to prove the attributes ; it is evident from a review of them that there is no proof of the essence.

1064ᵃ 10. The science of nature is not a *productive* science, for in such a science the principle of motion is in the producer and not in the product, being an art or other faculty ; nor a *practical* science, since here the motion is in the doer, not in what is done, while physics is concerned with things that have a principle of motion in themselves. It is *theoretical*, therefore.

19. Since each science must know the essence of its subjects, we must note how the physicist should define. Should he define as one defines ' snub' or as one defines ' hollow ', i. e. with or without reference to matter? Flesh, eye, &c., must be defined with reference to their matter.

28. Is the science of being as being and as capable of separate existence the same as physics? Physics studies things having a principle of change in themselves; mathematics studies things unchanging but without separate existence. If, then, as we shall try to show, there is a separate unchanging substance, the science of it is different from physics and mathematics. If there is such a substance, here is the divine, and the first and most authoritative principle.

ᵇ 1. There are, then, three kinds of theoretical science, physics, mathematics, theology. Theoretical science is the best kind of science, and of its species the last-named is best, being about the best object.

6. Is the science of being as such universal? There is a universal mathematics as well as the various branches. If physical substances are the primary entities, physics is the first science ; but if there is a substance which is separate and unchangeable, the knowledge of it is prior to physics, and universal because prior.

This chapter answers to E. 1 much more closely than the preceding chapters answer to B and Γ. It answers the question raised in 1059ᵃ 26–29.

1064ᵃ **7.** αἱ μὲν δι' αἰσθήσεως αἱ δ' ὑποτιθέμεναι, cf. E. 1025ᵇ 11 n.

36. ὅπερ πειρασόμεθα δεικνύναι, cf. Λ. 6, 7. But see vol. I, xxvii. f.

ᵇ **9.** ἡ δὲ καθόλου κοινὴ περὶ πάντων, cf. E. 1026ᵃ 25 n.

13. καθόλου τῷ προτέραν, cf. E. 1026ᵃ 23–32 n.

———

Accidental being and being as truth ; chance (ch. 8).

1064ᵇ **15.** (1) Let us first examine being in one of its senses—the accidental. The accidental is not studied by any of the traditional sciences ; the builder does not ask what will happen to the people who use his house, but studies his own proper end.

23. Nor does any science reason that ' the musical man who becomes grammatical will be both at the same time, not having been so before : but what is, without always having been, must have come to be ; so that he must have become at the same time musical and gram-

matical'. It is only sophistic that studies this ; it is the only science
of the accidental, and Plato was not far wrong in saying that the
sophist spends his time on not-being.

30. That a science of the accidental is not even possible will be
clear if we ask what the accidental is. Everything that is is either always
and of necessity (logical necessity, not compulsion), or for the most
part, or ' as it happens ' (e.g. cold in the dog-days). The accidental
is what happens, but not always nor for the most part, and for that
reason there can be no knowledge of it.

1065ᵃ 6. There are no causes of the accidental such as there are of
the essential ; for then everything would be of necessity. If A is
when B is, and B is when C is, and C is of necessity, all the effects
down to the last will be necessary, and contingency will have been
abolished.

14. Similarly, if the cause be not a being but an event, all events
will be necessary ; to-morrow's eclipse will follow necessarily from
something now existent.

21. (2) Being as truth depends on a combination in thought, and there-
fore we pass it by and fix our attention on independently existing
being ; being as accident is indeterminate and has indeterminate
causes.

26. (3) Teleology is found in things happening by nature or as
a result of thought. It is chance when some such event happens by
accident ; chance is an accidental cause of teleological events of the
purposive kind. Hence chance and thought are concerned with the
same objects ; for purpose implies thought. The causes of chance
events are indeterminate, and therefore chance is obscure to human
reasoning and is a cause only *per accidens.* It is good luck or bad luck
when it turns out well or ill ; prosperity and adversity are good
and bad luck on a large scale. Since nothing accidental is prior to the
essential, if chance is a cause of the universe reason and nature are
prior causes.

1064ᵇ 15—1065ᵃ 26 answers roughly to E. 2–4, omitting
 (1) the account of the various senses of ' being ' in E. 1026ᵃ 34–ᵇ 2,
 (2) the statement that accidents are neither generated nor destroyed,
1026ᵇ 22–24,
 (3) the examples given in 1026ᵇ 35—1027ᵃ 5, 1027ᵃ 23–26,
 (4) the reference of the cause of accidents to matter, 1027ᵃ 13–15,
 (5) the discussion of being as truth in E. 4 (just touched on in
1c65ᵃ 21–24).

23. It seems best to excise οὐδὲ μουσικὸν καὶ γραμματικόν, which is omitted in Alexander and was probably inserted by a reader who wished to indicate briefly the sophistical question mentioned in the corresponding passage of E—πότερον ἕτερον ἢ ταὐτὸν μουσικὸν καὶ γραμματικόν (E. 1026ᵇ 16, where see n.). οὐδὲ μουσικὸν καὶ γραμματικόν will not stand by itself, and if these words be retained we must introduce after οὐδέ either εἰ with Bz., τό with Christ, or (best) εἰ τό with Bullinger.

23-26. οὐδὲ τὸν ὄντα... γραμματικός. The sophistical argument here given is somewhat different from that in E. 1026ᵇ 18-20. The argument is :

A man who being musical becomes grammatical will be both at once, not having been so before.

But that which is, but has not always been, must have come to be.

Therefore such a man at the same time came to be musical and grammatical,—which *ex hypothesi* he did not.

The fallacy evidently lies in the supposition that because he must have come to be simultaneously ' musical and grammatical', he must have simultaneously come to be musical and come to be grammatical; ἅμα is ' conjoined' with a word to which it does not really belong. The compiler has thus replaced the fallacy in E. 1026ᵇ 18-20 by an instance of the familiar fallacy of σύνθεσις (*Soph. El.* 166ᵃ 23-32).

26. Bz. brackets δέ, and as an alternative suggests δή. But δέ is justified by the passages quoted in Bz. *Index* 167ᵃ 24-34.

29-30. Πλάτων... διατρίβειν, *Soph.* 237 A, 254 A.

34. ᾗ χρώμεθα ἐν τοῖς κατὰ τὰς ἀποδείξεις, i.e. ἣν λέγομεν τῷ μὴ ἐνδέχεσθαι ἄλλως, E. 1026ᵇ 29.

1065ᵃ 21. τὸ δ' ὡς ἀληθὲς ὂν καὶ κατὰ συμβεβηκός. The insertion of μή after καί in most of the manuscripts and Alexander is doubtless due to the previous corruption of ἀληθές into ἀληθῶς. μὴ κατὰ συμβεβηκός would be a proper synonym for the latter. Strict grammar would require τὸ κατὰ συμβεβηκός, but for the omission of the article cf. *Pol.* 1280ᵇ 15, *Poet.* 1459ᵇ 2, 37, &c. There is no reason to suspect, with Bz., that the true reading is τὸ δ' ὡς ἀληθὲς ὂν καὶ μή, καὶ τὸ κατὰ συμβεβηκός.

24. ἔξω. Cf. E. 1028ᵃ 2 n.

26-ᵇ 4. The excerptor now supplements the account of the accidental in the preceding part of the chapter by an account of chance derived from *Phys.* ii. 5, 6.

28. τούτων, i. e. τῶν ἕνεκά του. It is hard to see how something that is for a purpose can happen by accident or incidentally. The context in the *Physics* shows that Aristotle means by something ἕνεκά του something that might naturally result from the unconsciously teleological action of nature or from the consciously teleological action of man (ἔστι δ' ἕνεκά του ὅσα τε ἀπὸ διανοίας ἂν πραχθείη καὶ ὅσα ἀπὸ φύσεως, 196ᵇ 21); i. e. something that fulfils an actual or possible purpose, whether it happens for a purpose or not. Cf. τοῦ κομίσασθαι

COMMENTARY

ἕνεκα in 196ᵇ 35, where actual purpose is expressly excluded, and the use of τέλος in 197ᵃ 1 of what *would naturally* be an end of action. Where a result is produced accidentally that would normally be produced by purposive action, it is said to be ἀπὸ τύχης ; where a result is produced accidentally that would normally be produced by nature, it is said to be ἀπὸ ταὐτομάτου. To say that A produces B κατὰ συμβεβηκός means (1) that A has a concomitant C which produces B, or (2) that A produces C which has a concomitant B. But κατὰ συμβεβηκός must be understood also in the light of the explanation of it given above in l. 1 ; to say that A produces B accidentally is to imply that it produces it rarely.

Torstrik (*Hermes* ix. 425–470) has tried to show that Aristotle represents chance results not as those which might naturally be produced by purposive action, but as those which are actually though incidentally so produced. But the evidence to the contrary in the *Physics* is too strong. Cf. 196ᵇ 22 ἂν πραχθείη (cf. 197ᵃ 35, 198ᵃ 6), 196ᵇ 33— 197ᵃ 5, 197ᵇ 21 (where τῶν προαιρετῶν must mean 'natural objects of choice', not 'things acquired as the result of choice '), ᵇ 30–32. Torstrik has to have recourse to emendation to prove his point ; he has to read πραχθῇ in 196ᵇ 22 and to excise τοῦ κομίσασθαι ἕνεκα ib. 35.

31–32. διὸ ... διάνοια. This serves to distinguish τύχη from ταὐτόματον. τύχη is to purposive thought as ταὐτόματον is to the unconscious purposiveness of nature.

ᵇ **2–4. ἐπεὶ δ' ... φύσις.** τὸ κατὰ συμβεβηκός is always an indirect relation of A to B which implies direct relations of A to C and of C to B. τύχη is just the production, by reason, of effects concomitant with its intended effects, and ταὐτόματον is the production, by nature, of effects concomitant with those which it constantly tends to produce. Thus τύχη presupposes reason, and ταὐτόματον presupposes nature. Aristotle's attack here appears to be directed mainly against the Atomists. Cf. *Phys.* 196ᵃ 24, Simpl. 331. 16.

Torstrik has grammatical correctness on his side in inserting τῶν after οὐθέν. But probably κατὰ συμβεβηκός is used practically as an adjective.

3. εἰ ἄρα τύχη ἢ τὸ αὐτόματον αἴτιον τοῦ οὐρανοῦ. This is a clear indication that the latter part of K is an excerpt from the *Physics*, not notes preliminary to it. The excerptor is plainly referring to a previous passage of the *Physics* which does not occur in K, viz. εἰσὶ δέ τινες οἳ καὶ τοῦρανοῦ τοῦδε καὶ τῶν κόσμων πάντων αἰτιῶνται τὸ αὐτόματον κτλ. (196ᵃ 24–35). The reference is apparently to Democritus.

Potency, actualization, movement (ch. 9).

1065ᵇ 5. A thing may be, either actually or potentially or both actually and potentially, a substance, a quantity, or in one of the other categories.

7. There is no motion apart from things; for it is with respect to the categories that change occurs, and there is nothing common over these. In substance there are form and privation, in quality white and black, in quantity complete and incomplete, in place up and down, so that there are as many kinds of change as of being.

14. The distinction of potentiality and actualization exists in each class of things, and motion is the actualization of the potential as such ; e.g. when the buildable as such actually exists, it is being built, and this is the process of building. Motion takes place when the actualization itself exists, and neither before nor after.

21. Thus the actualization of that which is potentially, when it exists actually, not as itself but *as movable*, is motion. The bronze is potentially a statue, but the actualization of the bronze *as bronze* is not motion, for it is not the same thing to be bronze and to be a certain potentiality.

28. This can be seen from the case of contraries ; to be capable of health and of disease is not the same thing (if it were, health and disease would be the same thing), but the substratum of health and of disease is the same.

32. Motion, then, is the actualization of the potential *qua* potential. That motion is what we have defined it as being, and exists only when the actualization itself exists, is clear. For the actualization of the buildable as such must be either the act of building or the house ; but when the *house* exists it is no longer buildable ; on the other hand it *is* the buildable that is the object of the *act of building*. Therefore the actualization of the buildable is the act of building ; and this is a movement.

1066ᵃ 7. That we are right is shown by what others say about motion, and by the difficulty of defining it otherwise. It cannot be placed in any other genus ; others say it is otherness, inequality, or not-being, but none of these need be moved, nor are they the terminus or starting-point of motion any more than their opposites.

13. These thinkers define motion thus because it is thought to be indeterminate and the principles in one of the two columns are indeterminate because they are privative ; none of them is in any one of the categories.

17. Motion is thought to be indeterminate because it cannot be classed either with potentiality or with actualization, since neither that which can be, nor that which is, of a certain size need be moved. Motion is thought to be actualization, but incomplete, because that whose actualization it is is incomplete. It is difficult to grasp the nature of motion because it cannot be classed either as privation, as

potentiality, or as unqualified actualization. It must, then, be actualization, and the actualization we have defined; it is difficult to grasp but capable of existing.

26. Clearly motion is in the movable; for it is the actualization of this by that which has the capacity to set in motion. And the actualization of the latter is none other; it must be the complete reality of both. The mover is movent by virtue of its capacity, but moves by virtue of its activity, and it is on the movable that it has the power of acting, so that the actualization of both is one, as the interval from one to two and that from two to one, or the uphill and the downhill slope, are one, their being not being one.

The excerptor now passes to the discussion of movement, and gives extracts on it from *Phys.* iii. 1-3.

Aristotle begins his account of movement by referring (1065^b 5-7) to the distinction of potentiality and actuality, which is implied in the definition of movement he is about to give. After pointing out (ll. 7-14) that movement is always in respect of one or other of four categories—substance, quality, quantity, or place—and is movement between the opposite poles, so to say, which exist in the several categories, he formulates (l. 16) his definition—movement is the actuality or actualization of that which exists potentially, in so far as it exists potentially. I. e. movement is not the actualization of the whole character of that which is moved. Building is not the actualization of the buildable *qua* bricks and stones; the buildable is actually bricks and stones before the building process begins. Building is the actualization of the buildable *qua* buildable, and in general of the movable *qua* movable. I. e. part of the character of the bricks and stones is their capacity of being arranged into the form of a house, and the process or movement of building is the actualization of this capacity (ll. 23-33). That it is so is confirmed (ll. 20-21, 34—1066^a 7) by the fact that the building process exists just when the actualization exists. Prima facie either the building process or the house might be regarded as the actualization of the buildable. But when the house has come into being, the buildable has ceased to be; on the other hand the buildable exists throughout the building process, since this implies at each moment that there is still something buildable and not yet built, some material that has not yet received the last touch from the builder's hand. The process, therefore, rather than the product, is the actualization of the buildable, and what is true in this case is true in all cases. Movement is always the actualization of a latent capacity (1066^a 2-7).

1065^b 5. τὸ μὲν ἐνεργείᾳ μόνον, i. e. pure intelligences; τὸ δὲ δυνάμει, i. e. such things as the infinite and the void, cf. Θ. 1048^b 9; τὸ δὲ δυνάμει καὶ ἐνεργείᾳ, i. e. physical objects comprising both matter and form;

qua having form they are already actually something, *qua* having matter they are potentially something which they are not yet.

6. τὸ μὲν ὄν. For ὄν in the sense of substance cf. *Phys.* 191ᵃ 12, *De Gen. et Corr.* 317ᵇ 28.

7. μεταβάλλει γὰρ ἀεὶ κατὰ τὰς τοῦ ὄντος κατηγορίας, i. e. change is κατ' οὐσίαν, the generation or destruction of a substance; κατὰ ποσόν, growth or diminution; κατὰ ποιόν, alteration; or κατὰ τόπον, locomotion.

14. τοσαῦτ' εἴδη ὅσα τοῦ ὄντος. This is not strictly true, since there is (according to Aristotle) μεταβολή in respect of only four categories (substance, quality, quantity, place) and κίνησις in respect of only three (quality, quantity, place); cf. 1068ᵃ 9.

14—1066ᵃ 7. An aggregate of bricks, stones, &c., may be regarded (1) as so many bricks, stones, &c., (2) as potentially a house, (3) as potentially being in course of being fashioned into a house. The movement of building is the realization not (1) of the materials as those materials (they are, previously to the building, already actually these materials), nor yet (2) of their potentiality of being a house (the *house* is the realization of that), but (3) of their potentiality of being fashioned into a house (ᾗ οἰκοδομητόν). Similarly every movement is a realization-of-a-potentiality which implies a further potentiality and only exists while the further potentiality is not yet realized. Hence it is ἀτελής (1066ᵃ 21) and, though in a sense an ἐνέργεια, is distinct from an ἐνέργεια in the narrower sense in which ἐνέργεια implies that no element of δύναμις is present at all.

16. ᾗ τοιοῦτόν ἐστιν, i. e. 'in that respect in which it exists potentially'. Cf. ἡ τοῦ δυνατοῦ καὶ ᾗ δυνατὸν ἐντελέχεια, l. 33.

19. καὶ κύλισις (Aᵇ) is awkward, the other words in the list not being joined by καί. These two words, which are not found in EJΓ, seem to be a late importation from the *Physics*, where καί occurs throughout the list.

22. It seems quite possible to understand ἐντελέχεια after ὄντος, and we therefore need not read it (with Bz.), against all the manuscripts both of the *Physics* and of the *Metaphysics*.

22. Of the variant readings, ἢ αὐτὸ ἢ ἄλλο introduces an irrelevant distinction, that between self-moving things and things which move others. That the true reading is οὐχ ᾗ αὐτὸ ἀλλ' ᾗ κινητόν is shown by the explanation of ᾗ which follows in ll. 23–33.

28–32. The distinction between the substratum (e.g. bronze) and the capacity (e. g. the capacity for being shaped into a statue) is here brought out by pointing to the fact that a single substratum combines opposite capacities in itself. The capacity for health is obviously not the same as the capacity for disease, but one and the same substratum has both.

31. εἴθ' ὑγρότης εἴθ' αἷμα. The first view is that of Hippocrates, the founder of the humour-pathology, and of Plato in the *Timaeus* (81 E—86 A), the second probably that of Empedocles (cf. Diels³ i. 205. 9, 222. 38).

32. ὥσπερ οὐδὲ χρῶμα ταὐτὸν καὶ ὁρατόν. Cf. *De An.* 418ᵇ 2 διόπερ οὐχ ὁρατὸν ἄνευ φωτός, ἀλλὰ πᾶν τὸ ἑκάστου χρῶμα ἐν φωτὶ ὁρατόν. It is χρῶμα that is visible, but it needs a further condition, viz. light, before it becomes visible. I. e. visibility is a συμβεβηκός which under a certain condition belongs to the subject colour.

34. ὅτι μέν is answered by ὅτι δέ, 1066ᵃ 7.

1066ᵃ 3. Simplicius interprets τοῦτο as τὸ οἰκοδομητόν, i. e. the raw materials of a house, but this is plainly wrong. The alternatives, as the following lines show, are the act of building and the house. The most probable reading is that given in the text. ' The actuality is either this which has just been mentioned, viz. the act of building, or the house.' Bz.'s τούτου for τοῦτο is improbable.

8. περὶ αὐτῆς, i. e. about movement, referring back to 1065ᵇ 33.

9. There seems to be no clause responding to οὔτε γὰρ κτλ. Neither ἥ τε κίνησις κτλ., l. 20, nor καὶ διὰ τοῦτο κτλ., l. 22, will quite serve the purpose. The parenthesis proving that movement cannot be classed as anything but an ἐνέργεια seems to have made Aristotle forget what the second main member of the sentence was to have been. What logic would require as the second member would be ' nor, if movement is an ἐνέργεια, can it be any ἐνέργεια other than that of the δυνατόν as such'.

11. οἱ μὲν γὰρ . . . τὸ μὴ ὄν. τῆς δ' ἑτέρας συστοιχίας κτλ., l. 14, indicates that the Pythagoreans are referred to; cf. A. 986ᵃ 25, where movement occurs in the συστοιχία of the indefinite. But the reference to the other, the unequal, the non-existent suggests rather the Platonic view. We may compare such passages as *Soph.* 256 D, *Tim.* 57 E ff. Simplicius is doubtless right in supposing that both the Pythagoreans and Plato are referred to.

11-13. If movement be identified with otherness, inequality, or not-being, this can only (Aristotle argues) be a loose way of saying either that these are the subjects of movement or that they are the termini of movement. But (1) it would be untrue (or rather it would be nonsense) to say that they are necessarily moved, and (2) if they are termini of movement, then since movement is between contraries, their contraries are equally termini of movement, and have as much claim to be mentioned in the definition of movement.

19-20. οὔτε γὰρ . . . ποσόν. That which has the potentiality of attaining a certain size does not necessarily undergo the change to that size, so that κίνησις cannot be identified with δύναμις. Nor, again, does that which actually has a certain size change to that size, so that κίνησις cannot be identified with ἐνέργεια.

20. ἥ τε κίνησις ἐνέργεια μὲν εἶναι δοκεῖ τις, ἀτελὴς δέ, cf. Θ. 1048ᵇ 18-36.

25. The reading καὶ ἐνέργειαν καὶ ἐνέργειαν τὴν εἰρημένην, ' both an actuality and the kind of actuality we have described ', answers to the text of the *Physics* (202ᵃ 1), ἐνέργειαν μέν τινα εἶναι, τοιαύτην δ' ἐνέργειαν οἵαν εἴπομεν. EJΓ read καὶ μὴ ἐνέργειαν in place of the second καὶ ἐνέργειαν; but movement has been described not as μὴ ἐνέργεια but as ἐνέργεια ἀτελής, and further the reading we have adopted accounts better for A^b's reading simply καὶ ἐνέργειαν τὴν εἰρημένην.

27. ἐν τῷ κινητῷ, *sc.* οὐκ ἐν τῷ κινητικῷ.

28. ἡ τοῦ κινητικοῦ ἐνέργεια οὐκ ἄλλη ἐστίν, i. e. the actual moving of the one thing and the actual being moved of the other are inseparable aspects of the same event, as the same interval looked at in one way is the interval from 1 to 2 and looked at in another way the interval from 2 to 1.

29. δεῖ μὲν γὰρ εἶναι ἐντελέχειαν ἀμφοῖν, ‘for it must be the complete reality of both’. The κινητικόν must have an actuality, viz. τὸ κινεῖν, and in this very act it actualizes the κινητόν, so that one and the same event is on the one hand the actualization of the κινητικόν and on the other the actualization of the κινητόν.

μέν in δεῖ μὲν γάρ κτλ. seems to point forward to ἔχει δ’ ἀπορίαν, which follows in the *Physics* (202^a 21) but not in the *Metaphysics*— another indication that this part of K is not notes preparatory to the *Physics* but excerpts from it.

31–34. ὁμοίως . . . ὥσπερ . . . ὁμοίως is a good instance of Riddell's ‘binary structure’ (*Apology of Plato*, 198, § 209). Cf. A. 983^b 16 n.

Non-existence of an actual infinite (ch. 10).

1066^a 35. The infinite is either that which cannot be traversed because it is not its nature to be traversed, or that which is traversed with difficulty, or that which cannot be traversed though it is its nature to be traversed; again, it is infinite by addition or by subtraction or in both ways.   (*A*) A separate entity it cannot be; for (1) if it is neither a magnitude nor a multitude but infinity is its whole nature, it is indivisible, and if so it is not infinite except in the sense in which the voice is invisible, which is not the sense in question.

^b7. (2) How can infinity exist *per se* if number and spatial magnitude, whose attribute it is, do not so exist?

8. (3) If on the other hand it exists *per accidens*, it is not *qua* infinite an element in things, any more than the invisible is of speech, though the voice is invisible.

11. (4) That it cannot exist actually is clear.   For any part of it must be infinite (since the infinite and infiniteness are the same thing, if the infinite is a substance), so that it must be either indivisible or divisible into infinites; but the same thing cannot be many infinites, so that it must be indivisible.   But that which is actually infinite cannot be indivisible, for it must have a certain quantity.   The infinite must therefore exist only *per accidens*, and therefore not it but that of which it is an attribute will be the first principle.

21. The above discussion is general; (*B*) that the infinite does not exist *in sensible things* follows from the facts (1) that if the definition of body is 'that which is limited by planes', there can be no infinite body whether sensible or intelligible, and (2) that since number is numerable, there can be no separately existing infinite number.

26. The same fact is clear from the following physical considerations: (3) the infinite cannot (*a*) be composite, since the elements are limited in number; for *one* of the elements cannot be infinite, the other finite, else the former would destroy the latter, and *all* cannot be infinite, since an infinite body must be infinite in all directions.

34. Nor (*b*) can the infinite be a simple body, either (i) as something distinct from the elements from which the physicists generate the world (for there is no such body apart from the elements; if there were such an element in things, they would be seen to be dissolved into it); or (ii) as one of the elements; for apart from the difficulty of supposing one of them infinite, the universe, even if it is finite, cannot be or become any one of the elements. The same argument applies as in case (i); everything actually changes from contrary into contrary.

1067ᵃ 7. (4) The sensible body is somewhere, and whole and part have the same proper place, so that if (*a*) the infinite body is homogeneous, it will be unmoving or else always moving, but this is impossible; for why should it rest or move in one place rather than another? Where will any part of it move or rest? The place of the cognate body is infinite; will it, then, occupy the whole place? How could it? It will either rest everywhere and nowhere be in motion, or move everywhere and nowhere be at rest.

15. If on the other hand (*b*) the all is not like throughout, the places will be unlike and (i) the body of the all will not be one save by contact; (ii) the parts will be either finite or infinite in the number of their kinds.

18. (*a*) Finite they cannot be, for if the all is infinite, some parts will be infinite in size and will destroy the finite parts; while (β) if they are infinite and simple, the places will be infinite and there will be an infinite number of elements. If this is impossible and the places must be finite, the all also must be finite.

23. (5) In general, it is impossible that there should be an infinite body and at the same time a place for bodies; for if every sensible body is either heavy or light it will move either towards the centre or upwards, but neither the whole nor the half of an infinite body can behave thus; for how can you divide it?

28. (6) Every sensible body is in a place, and there are six varieties of place; but these cannot exist in an infinite body. And generally, if there cannot be an infinite place there cannot be an infinite body; for what is in place is up or down, &c., and each of these is a boundary.

33. The infinite is not the same thing in magnitude, motion, and time; motion, if it is infinite, is infinite in virtue of the distance traversed, and time is infinite in virtue of the motion that occupies it.

This chapter consists of extracts from *Phys.* iii. 4, 5, 7 on the infinite.

1066ᵃ 35–ᵇ 1. τὸ δ' ἄπειρον ... πέρας. On the various meanings of α privative cf. Δ. 1022ᵇ 32.

ᵇ 1. ἔτι προσθέσει ἢ ἀφαιρέσει ἢ ἄμφω. The infinite may be infinite in the sense that it may be added to indefinitely (the sense in which number is infinite, according to Aristotle), or in the sense that it can be subtracted from (or divided—διαίρεσις is more usual than ἀφαίρεσις in this connexion, cf. *Phys.* 204ᵃ 7) indefinitely (the sense in which space is infinite, on Aristotle's view), or in both senses (as time is, according to Aristotle).

ἄμφω, i.e. προσθέσει τε ἄπειρον καὶ ἀφαιρέσει ἄπειρον.

χωριστὸν μὲν δὴ αὐτό τι ὄν. Aristotle considers first the view of the infinite held by the Pythagoreans and Plato (cf. *Phys.* 203ᵃ 4). In the vulgate reading, χωριστὸν μὲν δὴ αὐτό τι ὄν, αἰσθητὸν δ' οὐχ οἷόν τ' εἶναι, the words αἰσθητὸν δ' are irrelevant to the argument, since the question whether the infinite can exist as an object of perception is not discussed until l. 22. Christ's emendation αἰσθητόν τ' does not remove this difficulty, and it seems better to regard the words as an unintelligent gloss. The alternative is to read αἰσθητὸν δ' οὔ, which would be a fair enough paraphrase of the reading of the *Physics* χωριστὸν τῶν αἰσθητῶν. 'That the infinite should exist as a thing separate and existent by itself but not perceptible, is impossible.' The sort of infinite treated of in the argument in ll. 2–21, which is μήτε μέγεθος μήτε πλῆθος, is in fact an insensible infinite.

8. That number and extension do not exist apart from actual concrete things has already been argued in A. 991ᵇ 9 ff.

18. ἀλλὰ ἀδύνατον τὸ ἐντελεχείᾳ ὂν ἄπειρον, sc. ἀμέριστον καὶ ἀδιαίρετον εἶναι.

20. εἴρηται, l. 9.

21. τὸν ἀέρα. The allusion is to Anaximenes and to Diogenes of Apollonia. τὸ ἄρτιον alludes to the Pythagoreans (cf. 203ᵃ 10).

25–26. ἀριθμητὸν γὰρ ... ἀριθμόν. 'For number, or that which has number, is numerable'—and therefore not infinite.

26. φυσικῶς, i.e. taking account of the physical nature of the infinite body, viz. the question whether it is simple or compound, as opposed to the purely abstract consideration in ll. 22–26.

28. εἰ πεπέρανται τῷ πλήθει τὰ στοιχεῖα. This has been proved in *Phys.* i. 6.

33. πάντῃ ἔσται ἄπειρον, *sc.* and therefore there can be no second body alongside of it.

34. For οὐδὲ ἓν δέ cf. *De An.* 427ᵇ 11, *E. N.* 1120ᵃ 31.

35. ὡς λέγουσί τινες. The reference is to Anaximander.

37—1067ᵃ 1. οὐ φαίνεται . . . σώματα, 'we do not see things resolved into anything beyond, more ultimate than, the four elements'.

1067ᵃ 2–4. ἀδύνατον τὸ ἅπαν . . . ἢ εἶναι ἢ γίγνεσθαι ἔν τι αὐτῶν. The reason seems to be given in l. 6 πᾶν γὰρ μεταβάλλει ἐξ ἐναντίου. It is said to follow from this that there cannot be (1) an ultimate element other than the four, or (2) an ultimate element which is one of the four. Aristotle takes it as self-evident that (1) an element like that of Anaximander cannot be contrary to all the four ἁπλᾶ σώματα, and (2) that none of these can be contrary to the other three. Further, any one who represents *x* as the element of all things, without drawing Aristotle's distinction between matter and privation, thinks confusedly of *x* as something that persists in the compounds (which is implied in calling it their element) and yet as something that is left behind when they come into existence.

4. ἅπαντα γίγνεσθαί ποτε πῦρ. Cf. Heraclitus, frr. 30, 64, 66, 90. Zeller i.⁶ 867 translates this 'all things will sometime become fire', and uses it as indicating Heraclitus' belief in a series of universal conflagrations. Professor Burnet corrects the mistranslation (*E. G. P.* § 78) and shows that Aristotle refers only to the Heraclitean doctrine of 'the upward and downward path'. The evidence for a Heraclitean doctrine of a general conflagration is late and untrustworthy; cf. Burnet, §§ 77, 78. Aristotle does not say that there is a time at which all things together become fire, but that there is nothing which does not sometime become fire.

5–6. ὁ δ' αὐτὸς . . . φυσικοί, 'the same argument applies to this one *of* the four elements which is the element of all the others, as applied to the one *apart from* the four elements which the physicists (Anaximander) posited'—for which cf. 1066ᵇ 35—1067ᵃ 1.

8. ὁ αὐτὸς τόπος ὅλου καὶ μορίου. Aristotle does not mean that the place (i.e. τὸ τοῦ περιέχοντος πέρας, the inner limit of that which contains the thing, *Phys.* 212ᵃ 20) of a whole is identically the same as that of any of its parts, but that the region of the universe proper to a whole is also the region proper to each of its parts. A clod of earth tends to fall towards the region proper to the earth, i.e. the part of the universe next the centre.

The argument against an infinite body based on difficulties about its place discusses it under two alternative hypotheses, (*a*) that it is homogeneous throughout (ll. 9–15), (*b*) that it contains parts of different nature (ll. 15–23).

οἷον τῆς γῆς. Bz. would add καὶ βώλου μιᾶς from the *Physics*. But the *Physics* has an altogether fuller text, for it reads not only these words but further καὶ πυρὸς καὶ σπινθῆρος. οἷον τῆς γῆς is intelligible enough by itself.

8–15. The argument to show that there cannot be a homogeneous infinite body is difficult. Aristotle first states the general position, and then (11–15) illustrates it by taking a particular case. The general argument is:

(*A*) If the infinite body is homogeneous, it will be immovable or else always in motion.

(*B*) This is impossible.

(*C*) For why should it rest, or move, down, or up, or anywhere in particular, rather than anywhere else?

(Therefore (*D*) there cannot be a homogeneous infinite body.)

Here each of the first three propositions is difficult. (1) The justification for (*A*) seems to be as follows: Since the whole is homogeneous, there is no part of its place which is more appropriate to one part of the whole than to another. The natural conclusion then is that each part, and therefore the whole, should remain where it is. But if the whole should move, then since no part of its place is a more appropriate resting-place for any part of the whole than for any other, it will never cease moving.

(2) (*B*) and (*C*) (τοῦτο δὲ ἀδύνατον· τί γὰρ μᾶλλον κάτω ἢ ἄνω ἢ ὁπουοῦν;) look as if they referred only to the second alternative consequent (ἀεὶ οἰσθήσεται). But if that be so, the first alternative is never shown to be false, and the antecedent (εἰ ὁμοειδές) is never refuted. τοῦτο δὲ ἀδύνατον must be taken to set aside both alternatives. This it will do if τί γὰρ μᾶλλον κάτω ἢ ἄνω ἢ ὁπουοῦν be taken to mean ' why should any part of the whole be resting unmoved, or be moving, in the downward or the upward or any particular region?' The question is grounded on the fact that, the whole being homogeneous, every part of its region is equally proper to every part of the whole. κάτω, ἄνω, ὁπουοῦν must refer to the place of rest, or motion, of the parts of the infinite whole; as applied to the whole itself they would be unmeaning. Accordingly Aristotle proceeds to illustrate his argument by the case of a clod of earth.

9. Simplicius points out that the opposition of ὁμοειδές to ἀνόμοιον is not identical with that of ἁπλοῦν to σύνθετον (1066ᵇ 26). A σύνθετον is ὁμοειδές if its elements so thoroughly coalesce as to lose their own nature, as happens in μῖξις as Aristotle conceives it.

10–15. Aristotle now comes to the particular case, that of a clod of earth. He considers and rejects various alternatives that present themselves. (1) Will the single clod occupy the whole region of earth? Obviously not. (2) How else can it rest, or move? (*a*) Suppose it to rest somewhere, it will equally well rest everywhere (all parts of the region of earth being alike to it), and so will never move. (*b*) Suppose it to move in one place, it will equally move everywhere, and so will never rest. That it should never move, and that it should never rest, Aristotle treats as alike absurd, in view of his experience of the fact that earth sometimes moves, viz. when it is not as near the centre of the universe as it can get, and sometimes rests, viz. when it is as near as it can get.

12. It is best to follow most manuscripts of the *Physics* in reading τοῦ συγγενοῦς αὐτῇ σώματος instead of αὐτῆς τοῦ συγγενοῦς σώματος. The order in the latter reading is very improbable, and Aristotle seems always to use the dative with συγγενής except when it is used as a noun.

17. ταῦτ', the parts of the infinite body.

18. πεπερασμένα μὲν οὖν οὐχ οἷόν τε. Light is thrown on the argument by 1066ᵇ 28–34. A finite number of kinds cannot make an infinite whole, because some of them (i. e. at least one) would have to be infinite in quantity in order to make up an infinite whole, and these (or this one) would swamp and destroy the others, and prevent the whole from having the variety it is supposed to have. Aristotle tacitly assumes that *all* the kinds could not be infinite in quantity ; they are limited by each other and thus cannot all be infinite.

20. καὶ ἁπλᾶ, ʻand if the parts which differ in species are themselves simple'. This is important with a view to both the conclusions that are drawn in l. 21.

21. εἰ δὲ τοῦτ' ἀδύνατον, sc. that there should be an infinite number of elements. This has been proved impossible in *Phys.* i. 6.

22. οἱ τόποι πεπερασμένοι, i.e. there are only six regions, up and down, before and behind, right and left (*Phys.* 205ᵇ 31).

καὶ τὸ πᾶν ἀνάγκη πεπεράνθαι, i.e. the universe must contain a finite number of kinds of part, and therefore (in view of the argument in ll. 18–20) be itself finite.

24. εἰ πᾶν σῶμα αἰσθητὸν ἢ βάρος ἔχει ἢ κουφότητα. The heavenly spheres have neither ; but they are not αἰσθητά.

29. τόπου δὲ εἴδη ἕξ, cf. l. 22 n.

35–37. οἷον κίνησις κατὰ τὸ μέγεθος . . . χρόνος δὲ διὰ τὴν κίνησιν, cf. Δ. 1020ᵃ 28. Time is ἀριθμὸς κινήσεως, *Phys.* 215ᵇ 1.

Change and movement (ch. 11).

1067ᵇ 1. That which changes may change (1) *per accidens* ; or (2) because a part of it changes ; or (3) directly *per se*. That which moves another may be similarly divided. There is something that moves directly, something that is moved, a time in which it is moved, something from which and something into which it is moved.

9. The forms, affections, and places which are the termini of motion are themselves unmoved. Change *per se* does not take place between all things, but between contraries and their intermediaries, and between contradictories.

14. Change must be from A to B, from not-A to not-B, from A to not-A, or from not-A to A (A and B standing for the positive terms), so that there are three kinds of change, since the process from not-A to not-B is not change, these terms being neither contrary nor contradictory.

21. Change from not-A to A is generation, simple or qualified; that from A to not-A is destruction, simple or qualified.

25. If neither that which is-not in the sense that it is a false proposition, nor that which is-not in the sense that it is only potentially, can be moved (that which is not white may be moved *per accidens*, since the not-white may be a man; but that which simply is not a particular thing cannot in any sense be moved), that which is not cannot be moved (and therefore generation is not motion, for that which is generated is not, and therefore that which is not is—*per accidens*—generated); nor can it be at rest.

34. A further difficulty is that that which is moved is in a place but that which is not is not in a place.

36. Nor, again, is destruction motion; for the contrary of motion is motion or rest, but the contrary of destruction is generation.

1068ᵃ 1. Of the three kinds of change, generation and destruction (the changes from not-A to A and from A to not-A) are not motion; motion must be the change from A to B. The termini are either contrary or intermediate (privative terms may be treated as contrary), and are indicated by positive terms such as 'naked'.

Chapters 11, 12 contain a series of extracts from *Phys.* v. 1–3 on the nature of change and on the definition of certain general physical relations.

1067ᵇ 6. Bz. is certainly right in omitting τι, with Bessarion and the *Physics.* τι is due to the influence of ἔστι δέ τι, ll. 5, 8.

7. Bz. inserts with Bessarion and the Aldine τὸ μέν before κατὰ συμβεβηκός; but the ellipse of τὸ μέν before τὸ δέ is not uncommon in Aristotle; cf. Bz. *Index* 166ᵇ 55.

8. τὸ κινοῦν πρῶτον, the proximate mover.

15. ἐξ ὑποκειμένου. ὑποκείμενον, as Aristotle says in l. 18, is here used not in the sense of substance but in the more general sense of anything denoted by a positive name, whether this be a substance or an attribute.

16. οὐκ ἐξ ὑποκειμένου is idiomatically = ἐξ οὐχ ὑποκειμένου. Cf. Bz. *Index* 539ᵃ 14.

19–20. ἡ γὰρ ... μεταβολή. If there is a change from non-A to non-B we may be sure that the non-A-ness is merely a concomitant of B, which is the real starting-point of the change, or the non-B-ness a mere concomitant of A, the real terminus of the change.

21. Bz. would place ὅτι οὐκ ἀντίθεσις before οὔτε l. 20, and this would give a reading corresponding more closely to that of *Phys.* 225ᵃ 10 ἡ γὰρ οὐκ ἐξ ὑποκειμένου εἰς μὴ ὑποκείμενον οὐκ ἔστι μεταβολὴ διὰ τὸ μὴ εἶναι κατ᾽ ἀντίθεσιν· οὔτε γὰρ ἐναντία οὔτε ἀντίφασίς ἐστιν. That order is the preferable one, but the order given in the manuscripts yields a fair sense. 'There cannot be change from non-A to non-B because they are not related as the terms of a change must be, as contraries or contradictories; they cannot be either, since they are not opposed at all.'

22. κατ᾽ ἀντίφασιν. I. e., the relation of the *terminus a quo* to the *terminus ad quem* is in this case (as opposed to that of change ἐξ ὑποκειμένου εἰς ὑποκείμενον) one of contradiction, not of contrariety.

23. ἡ μὲν ἁπλῶς ἁπλῆ, ἡ δὲ τινὸς τίς. E.g. when a man is produced from what was not a man but a seed, this is ἁπλῆ γένεσις; when a particular kind of man (a man with a particular quality, of a particular size, in a particular place) becomes a man with a different quality, size, or position, this is γένεσίς τις (*Phys.* 186ᵃ 14, 225ᵃ 14, 15). Any ἀλλοίωσις, αὔξησις or φθίσις, or φορά is γένεσίς τις, and can equally well be called φθορά τις (l. 24). Thus all the kinds of change recognized by Aristotle are included under the headings of change οὐκ ἐξ ὑποκειμένου εἰς ὑποκείμενον and ἐξ ὑποκειμένου εἰς μὴ ὑποκείμενον. Nothing is left for the third kind, change ἐξ ὑποκειμένου εἰς ὑποκείμενον (l. 15), and in fact Aristotle mentions it no more except very briefly in 1068ᵃ 4. The fact is that change of quality, size, or place may be regarded under either of two aspects. Take for instance change of quality. Aristotle first intends to bring it under the head of change ἐξ ὑποκειμένου εἰς ὑποκείμενον. It is change from X which is A to X which is B, where A and B are positive and contrary qualities. He meant to treat only generation as change οὐκ ἐξ ὑποκειμένου εἰς ὑποκείμενον, but by an after-thought brings qualitative change also under this heading. It may be described not only as it has been above, but also as change from X which is not B to X which is B. Or again it may equally well be described as φθορά τις, the destruction of X which is A.

25. τὸ κατὰ σύνθεσιν ἢ διαίρεσιν. This is what is in N. 1089ᵃ 28 (cf. Δ. 1017ᵃ 31, E. 1026ᵃ 35, Θ. 1051ᵇ 1) called τὸ ὡς ψεῦδος μὴ ὄν. τὸ μὴ ὂν τὸ κατὰ σύνθεσιν is an untrue affirmative, τὸ μὴ ὂν τὸ κατὰ διαίρεσιν an untrue negative proposition. Untrue propositions might be thought to change (Aristotle remarks) when they become true, but they do not really themselves change; they become true by a change in the facts (*Cat.* 4ᵃ 23 ff.).

26-27. μήτε τὸ κατὰ δύναμιν . . . ἀντικείμενον. τὸ κατὰ δύναμιν μὴ ὄν, that which is not, in the sense that it is potentially but not actually so-and-so, is subdivided into (1) that which is opposed to τὸ ἁπλῶς ὄν, and which is ἁπλῶς μὴ τόδε (l. 29), i. e. the μὴ ὄν of which 'not-man' is an instance, and (2) that which is opposed to τὸ τὶ ὄν, i. e. the μὴ ὄν of which 'not-white' is an instance (l. 27). These two, with the μὴ ὄν as ψεῦδος, are the three kinds of not-being here recognized.

In N. 1089ᵃ 26 we get a different threefold division of not-being, into (1) τὸ κατὰ τὰς πτώσεις, e.g. τὸ μὴ ἄνθρωπος, τὸ μὴ εὐθύ, (2) τὸ ὡς ψεῦδος, (3) τὸ κατὰ δύναμιν, e.g. τὸ μὴ ἄνθρωπος δυνάμει δὲ ἄνθρωπος, τὸ μὴ λευκὸν δυνάμει δὲ λευκόν : and the last is said to be the starting-point of becoming. This division agrees with that in E. 1026ᵃ 34, Θ. 1051ᵃ 34, if not-being in the sense of accidental not-being be left out of account. In Λ. 1069ᵇ 27 Aristotle speaks of three senses of not-being, but without specifying them, except by saying that one of them ἔστι δυνάμει.

30. The common reading ἀδύνατον γὰρ τὸ μὴ ὂν κινεῖσθαι leaves the sentence without a principal clause, and further does not agree with its general meaning. Aristotle has said that τὸ μὴ ὂν has several senses, and that in two of₊its senses it cannot be moved while in the third it can be moved but only *per accidens*. That that which is not cannot be moved is evidently not the reason for any of the previous statements but is the summing up of what results from them. γάρ should therefore be omitted, with JT and Christ. This is confirmed by Themistius' words (in *Phys.* 169. 18) ἀδύνατον τοίνυν τὰ οὕτω μὴ ὄντα κινεῖσθαι.

32. εἰ γὰρ καὶ ὅτι μάλιστα κατὰ συμβεβηκὸς γίγνεται, i.e. even if it is only in virtue of the matter that accompanies it that the privation can be said to be the *terminus a quo* of generation.

34. ὁμοίως δὲ καὶ τὸ ἠρεμεῖν, i.e. ὁμοίως ἀδύνατον καὶ ἠρεμεῖν τὸ μὴ ὄν (cf. l. 30), the words in ll. 30–34 being parenthetical. Rest, being the privation of movement, is equally inappropriate to that which is not.

34–35. ταῦτά . . . δυσχερῆ. M. 1085ᵇ 6, *De Caelo* 304ᵃ 22 lend support to Jaeger's emendation, but the sense is rather against it.

35–36. εἰ . . . οὐκ. εἰ here practically = (δυσχερὲς συμβαίνει) ὅτι, so that οὐκ is not irregular. Cf. Kühner ii. § 511. 4 bγ.

1068ᵃ 2. αἱ εἰρημέναι, *sc.* in 1067ᵇ 19.

4. κίνησις is sometimes used as synonymous with μεταβολή, including all four kinds of change (cf. 1065ᵇ 14), more often as including the three kinds of change other than generation and destruction, as here.

5–7. The terms between which movement (as opposed to generation and destruction) takes place are not contradictories but contraries or intermediates between contraries. Privative terms, though not strictly contraries (since only the extreme degree of privation is contrariety, Θ. 1046ᵇ 14, I. 1055ᵃ 35), may be classed with contraries since they stand not for the mere absence of a quality but for its absence from a subject which is in some degree qualified to have it. The termini of movement are, unlike the *terminus a quo* of generation and the *terminus ad quem* of destruction, expressed by a positive word (δηλοῦται καταφάσει), such as 'naked', 'toothless', 'black'. 'Naked' and 'toothless' are typical privative terms, but 'black' is for Aristotle a typical contrary. καὶ δηλοῦται καταφάσει, οἷον τὸ γυμνὸν καὶ νωδὸν καὶ μέλαν therefore follows in sense not on καὶ γὰρ ἡ στέρησις κεῖσθω ἐναντίον (which must be treated as parenthetical), but on τὰ δ' ὑποκείμενα ἢ ἐναντία ἢ μεταξύ.

7. Bz. in *Arist. Stud.* i. 37 points out that Aristotle displays great constancy in his choice of examples, and that he nowhere else cites γυμνόν as an instance of a privative term. He thinks either τυφλόν (cf. *Cat.* 10 *passim*, Δ. 1022ᵇ 26) or ψυχρόν (cf. *Cat.* 12ᵇ 34, *De Caelo* 286ᵃ 26, *De Gen. et Corr.* 318ᵇ 17) preferable. But γυμνόν is quite appropriate, and it would be a mistake to emend it when the evidence of all the manuscripts both of *Physics* and of *Metaphysics*, and of Simplicius and Themistius, is in its favour.

Denial of change of change (ch. 12).

1068ᵃ 8. There are three kinds of movement—of quality, quantity, and place; not of substance, because substance has no contrary; nor of relation, for change of relation is accidental to the terms that undergo it; nor of agent and patient, since there is no movement of movement, nor generation of generation, nor, in general, change of change.

16. For (*A*) change of change would imply (1) that change is a subject of change, which it clearly is not; or (2) that some other subject changes from change into some other mode of existence.

22. But this could only be *per accidens*. For change is from opposite to opposite. Hence the subject would be changing at the same time from health to disease and from this change to another, i. e. into the opposite change, convalescence; but this can only be *per accidens*, just as there is a change from recollecting to forgetting only because the subject changes into a state of knowledge and then into a state of ignorance.

33. (*B*) There will be an infinite regress if there is to be change of change. If coming to be was sometime coming to be, that which comes to be something was itself sometime coming to be, so that there was not yet that which simply comes to be something, but there was already something coming to be coming to be something. But this was sometime itself coming to be, so that it was not yet coming to be something else. Now in an infinite series there is no first and therefore no subsequent term, so that there would be no change at all.

ᵇ 6. (*C*) Generation and destruction belong to the same subject, so that that which comes to be is being destroyed when it has come to be coming to be; it must be then that it is being destroyed, for it cannot be before or after.

10. (*D*) What can be the nature of the underlying matter of change or becoming, and what can it be that they change into? The change must be change of something from something into something.

15. Since there is no change of substance, of relation, or of action and passivity, change must be in respect of quality, quantity, or place, each of which contains a contrariety; quality meaning not that which is included in the essence but that which is a mere affection of its subject.

20. The unchangeable means (1) in general, that which cannot change; (2) that which changes with difficulty or slowly; (3) that which is capable of changing but does not change when, where, and as it might; this alone of unchanging things is said to be at rest, rest being the contrary of motion and therefore presupposing the same subject.

Sundry definitions.

26. Those things are *together in place* which are in the same proximate place; those things *touch* whose extremities are together; those things are *between* at which that which continuously changes arrives before it arrives at the extremes. Those things are *contrary in place* which are at the greatest distance in a straight line; that is *successive* to another which comes after the beginning and has nothing of the same kind between it and that which it succeeds. That is *contiguous* which is successive and touches.

1069ᵃ 2. Since all change is between opposites, i.e. between either contraries or contradictories, and the latter have no intermediates, what is between must be between contraries.

5. The *continuous* is a species of the contiguous; it is found when the boundaries of the touching things are one.

8. 'Successive' is evidently the first of these terms; for what touches must be successive but not *vice versa*, and the continuous must touch but not *vice versa*. Therefore the point is not the same as the unit; for points have contact but units only successiveness, and points have intermediates but units have not.

1068ᵃ 8. In this list of categories ποτέ, κεῖσθαι, and ἔχειν are omitted The omission of the latter two is regular; they occur only in *Cat.* 1ᵇ 27, 2ᵃ 2 f., *Top.* 103ᵇ 23. It seems probable that Aristotle had come to regard them not as categories but as sub-categories—perhaps (as Mr. Collingwood has suggested to me) merging them respectively in διάθεσις and ἕξις, two of the sub-forms of ποιόν (*Cat.* 8ᵇ 26—9ᵃ 13). ποτέ occurs in the common text of the corresponding passage in the *Physics* (225^b 6), but is omitted by EH and by Simplicius (and in the summary in 226^a 23), and its absence is required by the logic of the sentence. Aristotle shows that there are four categories in which there is no movement, and concludes that there are only three in which there is movement. He must, then, have a list of only seven in his mind. Such a list occurs nowhere else in his writings. Simplicius quotes a discussion by Alexander of the question why there is no movement in the category of time, and discusses the subject himself (829. 29—832. 25). The reason for Aristotle's omission of time here is probably that he saw that time, having the peculiar relation to a movement of being its number (*Phys.* 219^b 1), could not also be related to it as either subject or terminus.

10. κατ' οὐσίαν δ' οὔ. There is change (μεταβολή) in respect of substance, but it is not movement (κίνησις) but generation and destruction, being between contradictories, not between contraries. Cf. 1067^b 21, 1068^a 25.

διὰ τὸ μηθὲν εἶναι οὐσίᾳ ἐναντίον, cf. *Cat.* 3^b 24.

11. οὐδὲ τοῦ πρός τι. There is no movement of, i. e. in respect of, relation, because A may change in respect of its relation to B when A itself does not change at all but only B. Then the movement of A in respect of relation is only incidental to a change of B in some other respect—in size, quality, or place.

12. Schwegler's emendation μεταβάλλοντος μή is required by the sense and is strongly confirmed by Alexander (as quoted by Simpl. 834. 27—835. 2) and by Them. 170. 21-24, as well as by N. 1088^a 34.

13. οὐδὲ ποιοῦντος καὶ πάσχοντος. I. e. there is not, besides movement in size, quality, and place, another kind of movement in respect of action or passivity. Movement from one activity to another or from one passivity to another or from activity to passivity or *vice versa* is, as Aristotle will try to show in ll. 22-33, merely incidental to alteration, increase or diminution, or locomotion.

It is true that acceleration or retardation, or change of direction of movement, is incidental to locomotion, but that is no reason why these should not be viewed as belonging to a distinct class of movements, i.e. movements from one movement to another.

14. κινοῦντος καὶ κινουμένου, variant names for the categories of ποιεῖν and πάσχειν. Cf. Z. 1029^b 25.

16. There might be supposed to be 'change of change', says Aristotle, in either of two senses. (1) Change might be thought of as a subject that changes from one state into another. But this is absurd.

(2) (l. 20 ff.). Some other subject might be supposed to change from a state of change into another mode of being. Simpl. and Phil. interpret εἰς ἕτερον εἶδος in *Phys.* 225^b 22 (answering to εἰς ἄλλο εἶδος, 1068^a 21) as 'into another kind of *change*'. But that is not a natural interpretation of ἐκ μεταβολῆς εἰς ἄλλο εἶδος. It is true that in ll. 26, 27 Aristotle says μεταβάλλει . . . ἐξ αὐτῆς ταύτης τῆς

μεταβολῆς εἰς ἄλλην, *sc.* μεταβολήν, but that comes after he has recalled the fact that change is between opposites (l. 25). Here he expresses himself more generally in the vague phrase εἰς ἄλλο εἶδος.

22. οἶον ἄνθρωπον ἐκ νόσου εἰς ὑγίειαν. οἶον must introduce an instance, not an analogy (the use of οἶον *comparationi significandae* illustrated in Bz. *Index* 501ᵇ 55—502ᵃ 1 offers no parallel to the present use). It is surprising, however, to find the change from disease to health offered as an instance of change from change to another mode of being; in l. 26 it is offered as an instance of the change from one *state* to another which is accompanied by a change from one change to another. One must therefore suppose Aristotle to be here using νόσος and ὑγίεια loosely for ‘falling ill’ and ‘becoming well’; in l. 26 they have their proper sense.

23–25. This sentence is preliminary to the proof that when change takes place from one change to another, this is *per accidens*, incidental to change from one *state* to another. In this sentence Aristotle merely lays down the general principle that all change is from one thing to another, and more precisely from opposite to opposite. He will presently apply this principle to change from change to change.

25. There is here a great variety in the readings of the manuscripts and of the Greek commentators; the best reading seems to be that of Aᵇ and Simplicius, πλὴν αἱ μὲν εἰς ἀντικείμενα ὡδί, ἡ δ᾽ ὡδί, ἡ κίνησις, ‘except that generation and destruction are changes into what are opposites in one sense (*sc.* contradictories, e.g. from not-man to man or *vice versa*), while the other, movement, is change into what are opposites in another sense (*sc.* contraries, e.g. from up to down, from small to large, from white to black)’. For this distinction between generation-and-destruction and the other kinds of change cf. 1067ᵇ 21 and note, *Phys.* 235ᵇ 13, 261ᵇ 8. The readings of most of the manuscripts of the *Physics*—ἡ δὲ κίνησις (H), ἡ δὲ κίνησις οὐχ ὁμοίως (FI)—seem to be attempts to get an antithesis to αἱ μὲν εἰς ἀντικείμενα ὡδί after ἡ δ᾽ ὡδί had been lost by haplography. The reading of EJΓ, οὐ κινήσεις, seems to have been introduced from l. 3.

26. Aristotle now proceeds to illustrate what he has referred to in l. 23—a change from one change to another, incidental to a change from one *state* to another. ἅμα at first sight seems questionable; it would seem that the change from change A to change B must *succeed* change A. But, as Simplicius points out, of that which is changing into something else some part must still have something of its former quality (Γ. 1010ᵃ 18). Change A must partly exist while it is changing into change B.

27. ἂν νοσήσῃ, ‘if it has fallen ill’.

28. εἰς ὁποιανοῦν, *sc.* μεταβολήν, ‘into whatever may be the other change concerned’.

ἐνδέχεται γὰρ ἠρεμεῖν is difficult. It is, on the face of it, inconsistent

with the immediately preceding statement that the subject must
have changed into some state of change. Phil. and Simpl. take
Aristotle to be referring to the fact that after falling ill one may
rest in the state of illness, and rejecting that fact as irrelevant to
the case considered. '*In the case supposed*, viz. that of change from
one change to another, that which has changed from health to
disease has also changed from falling ill to recovering (though we
must remember that *in fact* it may rest in the state of disease)'.

One is tempted to read οὐκ ἐνδέχεται, and to suppose οὐκ to have
fallen out by haplography after ὁποιανοῦν. 'For it is not possible,
in the case we are considering, that the subject should be at rest.'

29. καὶ ἔτι ... ἀεί, 'and further the change from one change must
not be, in any case, into any other change at random, but into the
opposite change'.

30. The sense requires a comma after the second ἔσται. 'So
that it will be the opposite change, viz. recovery of health.'

32. ὁτὲ μὲν εἰς ἐπιστήμην ὁτὲ δὲ εἰς ἄγνοιαν. ἄγνοιαν is Prof.
J. A. Smith's emendation of ὑγίειαν. One would expect this clause
to refer solely to the case last mentioned, the change from remember-
ing to forgetting, while ὑγίειαν introduces a reference to the remoter
case of change from falling ill to recovering. Further, ὁτὲ ... ὁτέ
refers naturally not to different cases but to successive stages in the
same case. Again, ὑγίεια in the one case does not answer to ἐπιστήμη
in the other. The corresponding pairs of terms are as follows:
There is primarily a change from health to illness, or from ignor-
ance to knowledge, and incidentally a change from falling ill to re-
covering, from recollecting to forgetting. Thus the corresponding
term to ἐπιστήμη is νόσος. Finally, the change from recollecting to
forgetting is incidental not merely to the change from ignorance
to knowledge but also to a subsequent change from knowledge to
ignorance. On all these grounds, ἄγνοιαν seems to be a necessary
emendation; it is confirmed by the interpretations of Simplicius (842.
18, 24, 26—843. 1) and Philoponus (853. 32, 854. 3).

34. ἀνάγκη δὴ καὶ τὴν προτέραν, *sc.* γένεσιν γίγνεσθαι. Aristotle
takes up the particular case of γενέσεως γένεσις rather than the more
general one of μεταβολῆς μεταβολή. If a generation is generated,
its generation must have been generated, and so *ad infinitum*.

35. ἁπλῆ γένεσις has not here its technical meaning of generation
as opposed to change in size, quality, or place (cf. 1067ᵇ 22 f.)—a
meaning which would be pointless here. It means the original,
simple coming to be as opposed to the 'coming to be coming to
be' which has just been mentioned in ᵃ 34 and will be mentioned
again in ᵇ 2.

ᵇ 1–3. In the extraordinary variety of readings recorded here by the
manuscripts and the Greek commentators it is hard to choose that
which Aristotle is most likely to have written. There would be
little profit in discussing the readings in detail, but the following
remarks may be made:

(1) The balance of evidence is in favour of omitting ἁπλῶς in l. 1, and the sense is not seriously affected by this.

(2) Bz.'s τι γιγνόμενον γιγνόμενον in l. 2 is what the sense requires, and is confirmed by ὅταν γένηται γιγνόμενον, l. 8.

(3) There is good evidence for the omission of τό in l. 2, but τὸ γιγνόμενον seems to be needed rather than γιγνόμενον, as the antithesis to τι γιγνόμενον γιγνόμενον.

(4) The balance of evidence is strongly in favour of ἤδη as against εἰ δή in l. 3. The sentence which Bz. gets by reading εἰ δή, viz. εἰ δὴ καὶ τοῦτ' ἐγίγνετό ποτε, ὥστ' οὐκ ἦν πω τότε γιγνόμενον, is a more violent instance of ὥστε *in apodosi* than any in Aristotle, more violent even than *Phys.* 232ᵃ 12–14, with which he compares it (*Arist. Studien* II. III. 109).

1–2. καὶ τὸ γιγνόμενον ... γιγνόμενον [ἢ] γιγνόμενον, 'that which comes to be something (by the simple γένεσις) was itself at one time coming to be, so that there was not yet that which simply comes to be something, but there was already something coming to be coming to be something'.

3. καὶ τοῦτ' ἐγίγνετό ποτε, ὥστ' οὐκ ἦν πω τότε γιγνόμενον. There is the same ambiguity in γίγνεσθαι here as in τὸ γιγνόμενον ἐγίγνετο in l. 1. 'And this was at one time itself coming to be, so that it was not yet at that time coming to be something else', i. e. coming to be coming to be something, which it was described in l. 2 as being. Cf. l. 9, where γιγνόμενον must from the context be interpreted as meaning γιγνόμενον γιγνόμενον.

6–7. ἔτι ... φθορά. 'Further, what is capable of one movement is capable of the contrary movement, and of resting, and what is capable of being generated is capable of being destroyed.' Philoponus understands ἡ ἐναντία with ἠρέμησις as well as with κίνησις, and takes Aristotle to mean that what is capable of one sort of rest is capable also of the contrary rest, i. e. of rest in the opposite region of the universe. More probably Simplicius is right in taking ἠρέμησις to mean the rest which is contrary to the original movement. According to this view Aristotle means that what can move from A ⟩ B can also move from B to A or rest at A. In any case καὶ ἠρέμησις is parenthetical, since the possibility of the opposite *movement* is alone what concerns the argument.

8–10. ὥστε ... φθειρόμενον. In accordance with the principle just laid down, that which comes to be must also cease to be; the question is, when? Not as soon as it is coming to be coming to be (we must interpret εὐθὺς γιγνόμενον as opposed to ὅταν γένηται, so that another γιγνόμενον is to be understood—or read—after it), nor after it has come to be (ὕστερον must apparently mean ὅταν γένηται, as opposed to ὅταν γένηται γιγνόμενον). For what is perishing must exist; and the γιγνόμενον does not exist at either of those times; at one of them there is only a γιγνόμενον γιγνόμενον, at the other only a γεγονός. It follows, then, that it perishes when it has become, and is, γιγνόμενον; i. e. it ceases to be while it is coming to be, which is absurd.

11. τίς οὖν ἔσται ὥσπερ ... οὕτω τί κτλ. is an instance of Riddell's 'binary structure' (*Apology of Plato*, 198, § 209).

14. The reading of the manuscripts, μὴ κίνησιν, is unsatisfactory. The words will hardly bear Bz.'s rendering 'Denn Bewegung muss Bewegung sein aus diesem bestimmten Etwas in dies bestimmte Etwas, nicht blosse Bewegung'. To get this meaning, one would have with Lasson to insert ἁπλῶς after μὴ κίνησιν, and this might easily have dropped out before πῶς. But it is better to adopt the reading which Alexander preferred (Simpl. 854. 21) and which is found in most manuscripts of the *Physics*, ἢ γένεσιν. 'For it must be the movement or becoming of something from something to something.'

18–19. λέγω δὲ τὸ ποιὸν οὐ τὸ ἐν τῇ οὐσίᾳ ... ἀλλὰ τὸ παθητικόν, cf. Δ. 1020ᵃ 33, ᵇ 8. Change with respect to a ποιόν which is ἐν τῇ οὐσίᾳ would be not κίνησις but γένεσις or φθορά.

22. Bz. seems to be right in preferring the reading of the *Physics* (confirmed by Simpl. and Them.) καὶ δυνάμενον μὴ κινούμενον δέ to that of the manuscripts of the *Metaphysics*, μὴ δυνάμενον δέ. The essential, in the meaning of a privative word, is not that the subject cannot, but that it does not, have the positive attribute when it might be expected to have it. Cf. *Cat.* 12ᵃ 29, Δ. 1022ᵇ 27, Θ. 1046ᵃ 32.

25. The stress is on τοῦ δεκτικοῦ. Rest is privation of movement in that which is capable of movement, and therefore not in things which are rather non-movable than immovable (τὸ ὅλως ἀδύνατον κινεῖσθαι).

26—1069ᵃ 14. The terms whose relations Aristotle is mainly interested in working out are ἅπτεσθαι, ἑξῆς, ἐχόμενον, συνεχές. ἅμα is introduced as implied in the definition of contact, μεταξύ as implied in the definition of ἑξῆς, and ἐναντίον κατὰ τόπον as connected with the definition of μεταξύ.

The relations between the four main terms are not altogether clear. Aristotle begins by defining contact (ἁπτόμενον) and succession (ἑξῆς) quite independently of one another, and says that both attributes must be united to make an ἐχόμενον (1069ᵃ 1). Thus, to take Simplicius' examples, two successive numbers are not ἐχόμενα because they are not in contact; and a coat in contact with the body is not ἐχόμενον to it because it is not successive to it, not being of the same kind (cf. the definition of succession, 1068ᵇ 31); but two successive houses which touch are ἐχόμενα. Later, however, Aristotle implies (1069ᵃ 9) that ἑξῆς is a wider term including ἁπτόμενον. τὸ γὰρ ἑξῆς οὐχ ἅπτεται ('is not necessarily in contact'), τοῦτο δ' ἑξῆς. If this be so, if the ἁπτόμενον be necessarily ἑξῆς, then ἐχόμενον is a mere synonym of ἁπτόμενον and ll. 1, 2 are misleading.

Finally, the continuous is described indifferently as a species of the ἐχόμενον (l. 5), or of the ἁπτόμενον (l. 10). It is the species in which the extremities are not merely together but are one.

Thus there is a confusion between two arrangements of the conceptions, which may be represented thus:

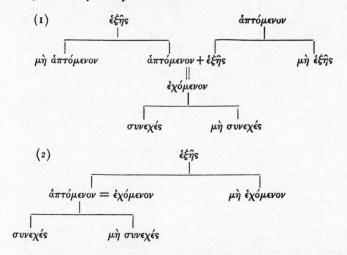

The latter is the prevalent classification in Aristotle. In no passage other than the present is there any attempt to distinguish ἐχόμενον from ἁπτόμενον.

26. ὅσα ἐν ἑνὶ τόπῳ πρώτῳ. 'You are ἐν τῷ οὐρανῷ because you are ἐν τῷ ἀέρι, ἐν τῷ ἀέρι because you are ἐν τῇ γῇ, ἐν τῇ γῇ because you are in this place which contains nothing but you' (*Phys.* 209ᵃ 33–ᵇ 1). The last is your τόπος ἴδιος, ἐν ᾧ πρώτῳ (ib. ᵃ 33), in which you are directly or proximately.

It is evident, then, that two things cannot be ἅμα κατὰ τόπον, for the place which includes nothing but A cannot include nothing but B. Yet Aristotle evidently means that in some sense two things can be ἅμα κατὰ τόπον. Two suggestions may be made as to his meaning. (1) He may mean that two things are ἅμα if they are in one place which includes nothing but the two, i. e. where there is nothing between them. Or (2) he might mean that one thing, occupying one place, may be two things in the sense that it discharges two functions. E. g. the ends of two lines which meet may be said to be ἅμα, but this only means that one point serves as the end of both lines.

But, since ἅμα is used in the definition not of continuity but of the less close relation of contact (l. 27), and in the *Physics* the unity of the ἄκρα is expressly distinguished from their being ἅμα (227ᵃ 22), it is evident that the former is Aristotle's meaning.

33. οἷον γραμμαὶ γραμμῆς, 'e. g. lines between the given line and the first line of the series'.

1069ᵃ 2–5. ἐπεὶ . . . μεταξύ. This section seems to be out of place in the manuscripts both of the *Metaphysics* and of the *Physics*.

The most appropriate place for it would be before ἐναντίον in 1068ᵇ 30, where Prantl proposed to place it. In Themistius' paraphrase it comes before μεταξύ in 1068ᵇ 27 (*Phys.* 226ᵇ 23), and 1068ᵇ 26–27 ἅμα . . . ἅμα (*Phys.* 226ᵇ 21–23) are omitted. This position is, however, less appropriate ; it is more likely that the sentence was originally a note appended to the mention of τὸ μεταξύ, which has been inserted at the wrong point in the text.

11–12. ἐν οἷς δὲ . . . τούτοις. This repeats in another form what has been already expressed by εἰ συνεχές, ἅπτεται.

12. ὥστ᾽ οὐκ ἔστι στιγμὴ μονάδι ταὐτόν. Aristotle is probably attacking the view of Zeno, of whom we are told that τὴν στιγμὴν ὡς τὸ ἓν λέγει (Simpl. 99. 10). Or it may be, as Philoponus says, the Pythagoreans that Aristotle has in mind, cf. M. 1080ᵇ 19, 1083ᵇ 14.

ταῖς μὲν γὰρ (*sc.* στιγμαῖς) ὑπάρχει τὸ ἅπτεσθαι. This is inconsistent with the definition of contact in 1068ᵇ 27, ἅπτεσθαι ὧν τὰ ἄκρα ἅμα, *sc.* κατὰ τόπον (cf. l. 26). Points have no ἄκρα ; and they have no τόπος, since they do not occupy space and therefore have no περιέχον.

13. καὶ τῶν μὲν μεταξύ τι τῶν δ᾽ οὔ. *Phys.* 227ᵃ 30 states this more fully : καὶ τῶν μὲν ἐνδέχεται εἶναί τι μεταξύ (πᾶσα γὰρ γραμμὴ μεταξὺ στιγμῶν), τῶν δ᾽ οὐκ ἀνάγκη· οὐδὲν γὰρ μεταξὺ δυάδος καὶ μονάδος. If there is to be any proper opposition between ἐνδέχεται and οὐκ ἀνάγκη, ἐνδέχεται must mean ἀνάγκη ἐνδέχεσθαι, 'it is *always* possible', and οὐκ ἀνάγκη must mean οὐκ ἀνάγκη ἐνδέχεσθαι. Now every line is between points, and therefore there is sometimes a μεταξύ between points ; but if points ever touched, as Aristotle has (l. 12) said they can, there would be no μεταξύ between them. And on the other hand, though successive units have not a μεταξύ, non-successive units have. Thus the opposition is ill thought-out.

BOOK Λ

Jaeger (*Arist.* 229 ff.) has various arguments in favour of an early date for Λ.

(1) Metaphysics is here restricted to the study of non-sensible substance ; the study of sensible substance in chs. 1–5 is merely preliminary (1069ᵃ 36–ᵇ 2). But Z contains equally explicit statements of this view, and *this* argument appears to have no force.

(2) Λ. 1071ᵇ 6 expresses like K (1060ᵃ 22) the view that if there were nothing apart from sensible things there would be no permanence in the world. Contrast this with the more guarded statements of Z. 1033ᵇ 5, H. 1043ᵇ 15. Like K (1060ᵃ 12), Λ (1071ᵇ 20, 1073ᵃ 4) treats the object of metaphysics as being that which is present in no sensible thing.

(3) There is a very close connexion between Λ and the early book N. 1072ᵇ 30–1073ᵃ 3 is based on 1092ᵃ 9–17, 1075ᵇ 37–1076ᵃ 4 on

1090ᵇ 13–20, 1075ᵃ 25–33 on 1087ᵃ 29–ᵇ 6, 1075ᵃ 34–36 on 1091ᵃ 35–37, 30–32.

But the astronomical theory of Callippus mentioned in ch. 8 belongs to the period 330–325, quite near the end of Aristotle's life (Jaeger, *Arist.* 365–367, Heath, *Aristarchus of Samos*, 197, 198, 212). Jaeger points to the difference between the sketchy style of the other chapters, with its series of terse arguments introduced by such words or phrases as μετὰ ταῦτα ὅτι, ἔτι, καί, ἅμα δέ, ὁμοίως δέ, ἢ καί (1069ᵇ 35, 1070ᵃ 4, 1074ᵇ 21, 25, 36, 38, 1075ᵃ 5, 6, 34, ᵇ 14, 16, 28, 34), and the ample style of ch. 8. The astronomical detail of this chapter breaks harshly into the continuity of the speculative theology of chs. 7, 9.

Aristotle seems originally, in the Περὶ Φιλοσοφίας, to have replaced Plato's notion of a world-soul by that of a separate first mover, but to have retained the notion that each star or planet is moved by a single star-soul. The doctrine of ch. 8 is due to the influence exerted on this early mode of thought by Eudoxus' analysis of each planetary orbit into several distinct rotatory movements. But the two lines of thought are not satisfactorily combined ; there remain inconsistencies which were already pointed out by Plotinus (*Enn.* v. 1. 9). In particular the section 1074ᵃ 31–38 is a fragment (in the curt style characteristic of Λ apart from ch. 8) representing the older doctrine, and inconsistent with the later doctrine of the ' intelligences '. There is in this section nothing to which οὗτοι in ᵇ 3 can refer, but with this section removed οὗτοι is seen to refer to θείων σωμάτων in ᵃ 30.

Ch. 8 then seems to represent a late venture of Aristotle's in a field in which he was not really at home. He deserts here the path of metaphysical speculation and enters on that of astronomical observation and mathematical reasoning ; and his prentice hand betrays itself in the arithmetical mistake of 1074ᵃ 13.

Freudenthal's careful study of the quotations made by Averroes, in his commentary on this book, from the commentary of Alexander has established the fact that Averroes had before him the genuine commentary of Alexander (or rather an Arabic translation of a Syriac version of it), while the commentary which passes under the name of Alexander is not genuine. He argues with great probability that the latter work is to be dated somewhere between A. D. 450 and 600. The same judgement must probably be passed on the commentary on Books E–K, M, N, which have long been thought to stand on a different footing from the admittedly genuine commentary on A–Δ. The fact that Averroes was dealing with a translation of a translation greatly diminishes the value of his citations from Alexander, but some important

hints are to be got from him. Similarly the value of Themistius'
commentary is greatly diminished by the fact that we possess it only
in a Hebrew translation of an Arabic translation; but here again some-
thing may be learnt of the text which Themistius had before him.

*The three kinds of substance.   Change implies matter as well as form
and privation* (chs. 1, 2).

1069ᵃ **18.** Our subject is substance. For (1) if the universe is a
whole, substance is its first part, and (2) if it is only a series, sub-
stance is prior to the other categories. Further, these others have
not being in the unqualified sense, or we shall have to say that things
like 'the not-white' have it also. Further, none of the other cate-
gories can exist apart. It was of *substance*, too, that the ancient
thinkers investigated the causes. Modern thinkers owing to their
abstract method make universals substances, but the ancients identi-
fied substance with some particular body such as fire.

30. There are three kinds of substance :—
  (*A*) the sensible, including
    (*A* 1) the eternal, and
    (*A* 2) the perishable (which is recognized by all)—e. g. plants and
animals,
  (*B*) the unchangeable, to which some thinkers assign separate exis-
tence,
    (*a*) distinguishing Forms and mathematical objects,
    (*b*) identifying them, or
    (*c*) recognizing mathematical objects alone.
  (*A*) is discussed by physics, (*B*) by metaphysics.

ᵇ **3.** Since change is from one contrary or the middle state to the other
contrary, there must be a substratum which changes (for the contraries
do not change), and which remains when the contrary does not remain ;
and this something is matter.

9. There are four kinds of change—
  (1) in respect of the 'what'—generation and destruction,
  (2) in respect of quality—alteration,
  (3) in respect of quantity—growth and diminution,
  (4) in respect of place—locomotion.

14. The matter which changes must be capable of both states. All
change is from the potential to the actual, from that which is not
(actually), but also is (potentially).

20. Anaxagoras, Empedocles, Anaximander, and Democritus all
pointed to matter in their view of the original state of the universe.

24. Different things have different kinds of matter ; things that are not capable of being generated have matter for locomotion. We must not say with Anaxagoras 'all things were together', for if they had not differed in matter they would not have come to be different, the reason which was at work on them being admittedly uniform.

32. Thus there are three principles, form, privation, matter.

1069ᵃ 19–21. Aristotle states here two alternative ways in which the universe may be regarded, (1) as ὅλον τι, (2) as τῷ ἐφεξῆς, i. e. as being a universe by virtue merely of forming a series. Bz. explains the meaning of ὅλον τι in opposition to this by reference to I. 1052ᵃ 22 τὸ ὅλον καὶ ἔχον τινὰ μορφὴν καὶ εἶδος, Δ. 1016ᵇ 12 ἂν μή τι ὅλον ᾖ, τοῦτο δὲ ἂν μὴ τὸ εἶδος ἔχῃ ἕν (cf. H. 1045ᵃ 10, M. 1077ᵃ 28, 1084ᵇ 30). One may regard the universe as being a unity of form and matter, as every individual substance (except those which are pure forms) is, and in this case, Aristotle says, substance, i. e. substance as form, is evidently the primary element in it. Cf. Z. 1029ᵃ 5 τὸ εἶδος τῆς ὕλης πρότερον καὶ μᾶλλον ὄν. If on the other hand we regard the universe as consisting merely of the categories arranged in a series, substance is evidently the first member of the series.

Bz.'s explanation is, however, not satisfactory. Substance is here contrasted not with matter but with the other categories. The substance which is the subject of study in these chapters (1–5) is not specially substance as form but substance in all the senses enumerated in Δ. 8, Z. 2, including substance as matter (1069ᵃ 25, 1070ᵃ 9), as form (1070ᵃ 11), and as individual thing (1070ᵃ 12). The contrast is simply that between the view of the universe as a genuine unity, in which substance is the primary element, and the view of it as forming a loosely connected series (the view, in fact, of Speusippus, which is referred to in this book, 1075ᵇ 37)—in which case substance is at any rate the first member.

22. It is doubtful whether we should read ἀλλά with the manuscripts or οἷον with Alexander and Bz. The latter is the easier reading; the former compels us to take ποιότητες in a wider sense than ποιόν, and to suppose that all the categories other than substance are summed up under the two headings ποιότητες and κινήσεις. Evidently it would be impossible to bring the categories of relation, time, and place under either heading; but at any rate quality and quantity might be grouped under ποιότητες, and ποιεῖν and πάσχειν under κινήσεις, and Aristotle may have meant the mention of ποιότητες and κινήσεις to be suggestive rather than exhaustive. It would be hard to explain the origin of the vulgate reading τἆλλα ἀλλά from an original ταῦτα οἷον, while ταῦτα ἀλλά makes the corruption natural enough. Themistius seems (1. 21–23) to confirm ἀλλά.

23. λέγομεν γοῦν εἶναι καὶ ταῦτα, οἷον ἔστιν οὐ λευκόν. οὐ λευκόν is evidently regarded here as the subject of ἔστιν. Aristotle treats ' a not-white exists' as necessarily implied in the fact that, e.g., a man who happens not to be white exists (cf. Δ. 1017ᵃ 18).

26. οἱ . . . *νῦν*, evidently the Platonists. Alexander unjustifiably considers the doctrine referred to non-Platonic, but cannot suggest any other definite school which could be meant.

28. διὰ τὸ λογικῶς ζητεῖν. For the use of λογικῶς cf. Γ. 1005ᵇ 22, Z. 1029ᵇ 13, and for similar expressions referring to Socrates, Plato, and the Platonists cf. A. 987ᵇ 3, Θ. 1050ᵇ 35, N. 1087ᵇ 21.

29. ἀλλ᾽ οὐ τὸ κοινόν, σῶμα. There is no κοινὸν σῶμα (*De Gen. et Corr.* 320ᵇ 23), i.e. no kind of body which is the basis of all the elements. It is better therefore to place a comma after κοινόν and interpret ' but not that which is common to them, viz. body '.

30-32. There is considerable divergence here between the various readings. ἡ μὲν ἀΐδιος ἡ δὲ φθαρτή . . . ἡ δ᾽ ἀΐδιος, the reading of all the manuscripts, cannot stand, and the best solution is to omit ἡ δ᾽ ἀΐδιος with Themistius, and with Alexander as quoted by Averroes. Probably ἡ μὲν ἀΐδιος ἡ δὲ φθαρτή was first corrupted by haplography into ἡ μὲν φθαρτή, and two attempts were made to correct this, one by mentioning the ἀΐδιος οὐσία before the φθαρτή, and the other by mentioning it later, which attempts both found their way into the traditional text. The subdivision of perceptible substance into the eternal and the perishable, ἧς ἡ μὲν . . . ζῷα, is doubtless parenthetical, and ἧς ἀνάγκη τὰ στοιχεῖα λαβεῖν refers to αἰσθητὴ οὐσία in general. Aristotle proceeds to this general discussion of perceptible substance in 1069ᵇ3—1071ᵇ2. Bz. thinks ἣν πάντες ὁμολογοῦσιν must refer to both kinds of perceptible substance, and proposes to read μία μὲν αἰσθητή, ἣν πάντες ὁμολογοῦσιν, ἧς ἡ μὲν φθαρτή . . . ἡ δ᾽ ἀΐδιος, following Alexander and in part Themistius. The eternal perceptible substance (that of the heavenly bodies) is included among the generally recognized (ὁμολογούμεναι) substances in H. 1042ᵃ 10, cf. Z. 1028ᵇ 12. But the eternity of the heavenly bodies was not universally admitted, and ἣν πάντες ὁμολογοῦσιν might well here be said only of terrestrial bodies; Bz.'s proposal is unnecessary.

34-36. τινες, Plato and his school. οἱ μέν, Plato, cf. Z. 1028ᵇ 19. οἱ δέ, Xenocrates, cf. Z. 1028ᵇ 24 n. οἱ δέ, Speusippus, cf. M. 1076ᵃ 20-21 n.

ᵇ 1. αὗτη δὲ ἑτέρας. Aristotle discusses unchangeable substance in chs. 6-10.

5. οὐ λευκὸν γὰρ ἡ φωνή, i. e. voice is an opposite, in one sense, of ' white '. Being not white it is contradictorily opposed to white. Yet there is no change from voice to white or vice versa. Hence change is not between contradictories but between contraries, which belong to the same genus as one another (I. 7).

6. οὐ γὰρ τὰ ἐναντία μεταβάλλει, cf. H. 1044ᵇ 25 n.

18. κατὰ συμβεβηκὸς ἐνδέχεται γίγνεσθαι ἐκ μὴ ὄντος, i. e. a thing comes to be out of what incidentally, or in virtue of a concomitant, is not. Y comes out of an X of which not-Y can incidentally be predicated.

20-23. The traditional punctuation is καὶ τοῦτ᾽ ἔστι τὸ Ἀναξαγόρου ἕν (βέλτιον γὰρ ἢ ὁμοῦ πάντα) καὶ Ἐμπεδοκλέους τὸ μῖγμα καὶ Ἀναξιμάνδρου, καὶ ὡς Δημόκριτός φησιν, ἣν ὁμοῦ πάντα δυνάμει, ἐνεργείᾳ δ᾽ οὔ. This reading, as Prof. Jackson has pointed out (*J. of P.* xxix. 139 f.),

presents the following difficulties. (*a*) Why does Aristotle, who in A.
989ᵇ 17 identifies Anaxagoras' νοῦς with τὸ ἕν in the Platonic sense of
that term, and his πανσπερμία with θάτερον, here assert that ἕν is a better
description of the πανσπερμία than ὁμοῦ πάντα? (*b*) By what right
does Aristotle use μῖγμα to describe the material principle of Anaxi-
mander, who was a monist? (*c*) What does Aristotle mean by
ascribing to Democritus the doctrine that ἦν ὁμοῦ πάντα δυνάμει,
ἐνεργείᾳ δ' οὔ? (*d*) Is not the addition of δυνάμει, ἐνεργείᾳ δ' οὔ just what
ought to reconcile Aristotle to Anaxagoras' theory of the material cause?

To find the material principle of Anaxagoras described as τὸ ἕν and
that of Anaximander as τὸ μῖγμα is certainly somewhat surprising, and
Lütze proposed accordingly to transpose 'Αναξαγόρου and 'Αναξιμάν-
δρου. He also renewed Karsten's proposal to excise βέλτιον γὰρ ἢ
ὁμοῦ πάντα. This, however, is an unnecessary tampering with the text.
Jackson adopts the less violent remedy of reading ὄν for ἕν and alter-
ing the punctuation so that the sentence reads καὶ τοῦτ' ἔστι τὸ 'Αναξα-
γόρου ὄν· βέλτιον γὰρ ἢ ὁμοῦ πάντα (καὶ 'Εμπεδοκλέους, τὸ μῖγμα, καὶ
'Αναξιμάνδρου, καὶ ὡς Δημόκριτός φησιν) ἦν ὁμοῦ πάντα δυνάμει
ἐνεργείᾳ δ' οὔ. On his interpretation (1) the subject of βέλτιον γὰρ ἢ ὁμοῦ
πάντα is " ἦν ὁμοῦ πάντα δυνάμει ἐνεργείᾳ δ' οὔ ", (2) 'Εμπεδοκλέους and
'Αναξιμάνδρου depend on τὸ ὄν, and τὸ μῖγμα is parenthetical and refers
to Empedocles alone, (3) the words καὶ 'Εμπεδοκλέους . . . φησιν in-
dicate that the doctrines of Empedocles, Anaximander, and Democritus
should, like that of Anaxagoras, be amended by the admission that the
material principle in its elemental state is only potentially existent.
For the phrase καὶ ὡς Δημόκριτός φησιν he compares Λ. 1071ᵇ 26,
De Gen. et Corr. 329ᵃ 13, ᵇ 1, and for the order of the words
βέλτιον γὰρ ἢ ὁμοῦ πάντα . . . ἦν ὁμοῦ πάντα δυνάμει ἐνεργείᾳ δ' οὔ he
compares *De An.* 435ᵃ 5 διὸ καὶ περὶ ἀνακλάσεως, βέλτιον ἢ τὴν ὄψιν
ἐξιοῦσαν ἀνακλᾶσθαι, τὸν ἀέρα πάσχειν ὑπὸ τοῦ σχήματος καὶ χρώματος
μέχρι περ οὗ ἂν εἰς ᾖ.
The first and the third point of Jackson's interpretation seem to be
right, but in two respects a view different from his seems preferable.
(1) τὸ 'Αναξαγόρου ἕν can be defended. It is true that τὸ ἕν does not
seem to have been used by Anaxagoras as a technical name for his
material principle. But that principle is called a μῖγμα (*Phys.* 187ᵃ 23,
Δ. 1012ᵃ 28), and τὸ μῖγμα ἓν βούλεται εἶναι (*De Sensu* 447ᵇ 10), so that
τὸ ἕν is not an inappropriate name for it, and in *Phys.* 187ᵃ 21 it is
actually called ἕν. It is true that in contrast with νοῦς it may be
opposed to ' the one ', but in contrast with the various substances that
come out of it it is properly called one.
(2) It is not necessary to take 'Εμπεδοκλέους τὸ μῖγμα καὶ 'Αναξιμάνδρου
in the awkward way in which Jackson takes it. It has commonly been
thought necessary to apologize for, or explain away, the description of
Anaximander's ἄπειρον as a μῖγμα. Thus Zeller supposes that it is by
an ' easy zeugma ' that μῖγμα, which is strictly applicable to Empe-
docles, is applied to Anaximander (i.⁶ 279 n. 1), and Prof. Burnet at
one time (*E. G. P.*² 59) regarded καὶ 'Εμπεδοκλέους τὸ μῖγμα as an

afterthought and held that 'Αναξιμάνδρου depended on τὸ ἕν (he now, ed. 3, p. 56, takes 'Αναξιμάνδρου to depend on τὸ μῖγμα).

Zeller has little difficulty in refuting (i.⁶ 277-283)· Ritter's view that Anaximander's ἄπειρον was a mechanical compound in which the elements were actually present, and he therefore thinks it can only loosely be called a μῖγμα. But the fact is that in Aristotle's terminology the word μῖγμα (a complete fusion) is more appropriate to Anaximander's ἄπειρον in which the elements were only potentially present than to the original matter of Empédocles and Anaxagoras in which they were actually present. The latter is a mechanical σύνθετον rather than a genuine μῖγμα. It is true that Aristotle nowhere else calls Anaximander's ἄπειρον a μῖγμα. But then he mentions Anaximander by name only five times; and further he may have avoided the expression elsewhere because Anaximander himself had not used it, while he uses it of Empedocles probably because Empedocles used it himself, in a natural though non-Aristotelian sense.

25. Bz.'s conjectural insertion of ἕτερα appears not to be necessary. Schwegler's parallels for ἀλλ' ἑτέραν, A. 991ᵇ 10, H. 1044ᵃ 30, I. 1058ᵇ 15, are not sound, but the use of ἄλλο for ἄλλο ἄλλου in 1071ᵃ 28 seems to be a good parallel.

26. ἀλλ' οὐ γενητὴν ἀλλὰ ποθὲν ποί, i.e. not the matter presupposed by generation but that presupposed by spatial motion, the 'local matter' of H. 1042ᵇ 6.

26-28. ἀπορήσειε δ' ἄν . . . ὄν refers to ἐκ μὴ ὄντος l. 20, the historical discussion being parenthetical.

27. τριχῶς γὰρ τὸ μὴ ὄν. The three senses are given in N. 1089ᵃ 26 (in a similar context) : (1) τὸ κατὰ τὰς πτώσεις (the categories), i.e. that which is not a man, that which is not white, &c. (2) τὸ ὡς ψεῦδος, i.e. false propositions. (3) τὸ κατὰ δύναμιν, i.e. that which is not a man but is potentially a man, &c. The same list is found in Θ. 1051ᵃ 34. Aristotle answers explicitly in N, as he does implicitly here (εἰ δή τι ἔστι δυνάμει, l. 28), that it is from the third kind of not-being that generation proceeds. Alexander gives a similar account of the three senses, except that for the first he substitutes τὸ μηδαμῇ μηδαμῶς ὄν, that which in no sense is. He is here doubtless following the suggestion of K. 1067ᵇ 25- 30, but inaccurately, for we have there (1) τὸ κατὰ σύνθεσιν ἢ διαίρεσιν (τὸ ὡς ψεῦδος), (2) τὸ κατὰ δύναμιν, (a) τὸ τῷ ἁπλῶς ὄντι ἀντικείμενον (τὸ ἁπλῶς μὴ τόδε), (b) τὸ μὴ λευκὸν ἢ μὴ ἀγαθόν. K, however, does not offer a list of three senses of not-being so definitely as does N, nor is the context so similar to the present passage, so that N is doubtless to be followed here.

28. εἰ δή τι ἔστι δυνάμει, ἀλλ' ὅμως οὐ τοῦ τυχόντος, 'if a thing exists by virtue of a potentiality, still it is not by virtue of a potentiality for anything and everything'.

29. ὁμοῦ πάντα and **31.** ὁ . . . νοῦς show that Aristotle is thinking primarily of Anaxagoras, but his remarks apply also to the other thinkers mentioned in ll. 21, 22.

32. ἐκεῖνο, i.e. ἐκεῖνο μόνον.

οὖ is explicable in the same way as τοῦ τυχόντος, l. 28, so that Schwegler's conjecture ὅ is unnecessary.

32–34. τρία δὴ . . . ὔλη. For this list of the implications of change cf. *Phys.* i. 6, 7. In view of the stress laid on στέρησις Λ stands closer to the *Physics* than to Z, which works for the most part with the simple opposition of ὔλη and εἶδος.

Generation considered.   If form ever exists apart from the concrete individual, it is in the case of natural objects (ch. 3).

1069^b 35. Neither proximate matter nor proximate form is generated. For in all change something (matter) is changed by something (proximate mover) into something (form). If not only the bronze came to be round but also the round or the bronze came to be, this would involve an infinite regress.

1070^a 4. Every substance comes from another of the same kind,

(*A*) by art (where the principle of becoming is in something else),

(*B*) by nature (where the principle of becoming is in the thing itself),

(*C*) by luck (which means the absence of art), or

(*D*) by spontaneity (which means the absence of natural process).

9. There are three kinds of substance—

(*A*) matter, which is *apparently* an individual something but coheres merely by contact, not organically,

(*B*) the individual nature and positive state of a thing,

(*C*) the resulting individual.

13. In the case of the products of art, the individual form does not exist apart from the concrete result, except in so far as the *art* is the form ; nor do the forms of such things come into being or pass out of being ; if the form ever exists apart, it is in the case of natural objects. Plato was not far wrong when he said that there are Forms of *natural* objects, if there *are* Forms distinct from sensible things. * Such as fire, flesh, head, which form a series of materials progressively approaching the complete substance * (these words should probably be transferred to l. 11).

21. Motive causes precede, formal causes are simultaneous with, the thing they produce. It is a further question whether the form ever survives the thing. E.g. the reasonable part of the soul may survive the body.

26. So far, there is no need for Ideas. The individual produces the individual of the same class, and each specific art is the cause of its specific result.

A a

1069ᵇ 35. μετὰ ταῦτα ὅτι, 'next we must observe that'. This phrase (repeated 1070ᵃ 4) is one of the clearest indications of the fact, apparent throughout chs. 1–5, that Aristotle is jotting down notes for a treatise (or lecture), not writing a treatise in its finished form; cf. 1071ᵃ 2 n. Alexander remarks on the 'confused and disordered' form of the book (673. 34).

36. λέγω δὲ τὰ ἔσχατα. Alexander takes Aristotle to mean the ultimate matter, that which is farthest from the individual γιγνόμενον, and the proximate form, that which is nearest to it (' Socrates ' as opposed to ' flesh '). But it is impossible that ἔσχατος should have opposite meanings in the two cases. If the ἐσχάτη ὕλη is ἀνείδεος ὕλη the ἔσχατον εἶδος should be ἄϋλον εἶδος, and this is what τὰ ἔσχατα means in *Meteor.* 390ᵃ 5. The instances Aristotle gives, however, are roundness and bronze (1070ᵃ 3), which are instances of the proximate matter and form, those immediately involved in the γένεσις, and it is of these that in Z. 8 Aristotle has shown that they are not generated (1033ᵃ 29), i. e. are not generated in the process of generating the bronze sphere. The bronze has been generated by previous processes, but that is beside the question. In saying λέγω δὲ τὰ ἔσχατα Aristotle does not mean that ultimate matter and form *are* generated, but merely that he is not speaking of them. For ἔσχατος in the sense of 'proximate' cf. Bz. *Index* 289ᵇ 55—290ᵃ 2. Cf. also τελευταία ὕλη 1070ᵃ 20.

1070ᵃ 1. πρώτου also must mean ' immediate ' or ' proximate '. For this sense of πρῶτον κινοῦν cf. *Phys.* 243ᵃ 3, 14, 245ᵃ 8, 25, ᵇ 1. It is awkward that while ἔσχατον means ' last, counting from the original state of things ', πρῶτον means ' first, counting from the γιγνόμενον ', but Aristotle is indifferent to such inconsistencies.

4. μετὰ ταῦτα ὅτι, cf. 1069ᵇ 35 n.

ἑκάστη ἐκ συνωνύμου γίγνεται οὐσία. ἐκ here refers not to origin but to agency. It is the agent of production, not the material, that is συνώνυμον with the product.

5. τὰ γὰρ φύσει οὐσίαι καὶ τὰ ἄλλα, a note to show that substance is being taken to include not only natural substances such as the word primarily suggests (cf. Δ. 1017ᵇ 10, Z. 1028ᵇ 9, H. 1042ᵃ 7 ὁμολογούμεναι μὲν αἱ φυσικαί), but also products of art, chance, or spontaneity.

6–9. Aristotle holds that, in natural and artistic production alike, A produces an actual B out of a potential B by virtue of the fact that A has the form of B in it. The male parent produces the offspring out of the matter contributed by the female parent, by impressing on the matter the form which is the form alike of the male parent and of the offspring. The artist produces the work of art out of the raw material by impressing on the latter the form of the product, which he ' has ' by virtue of knowing the art in question. The difference is that in the first case the producer ' has ' the form in the same sense in which the offspring will have it, and is therefore called by the same name, while in the second case the producer ' has ' the form only in the sense of knowing it, and is therefore not called by the same name. Thus a house is not produced by a house but by the ' form of house ' in the builder's mind, and is therefore not produced strictly ἐκ συνωνύμου (or ἐξ ὁμωνύμου, used loosely in Z. 1034ᵃ 22 in the sense of ἐκ συνωνύμου) but ἐκ μέρους ὁμωνύμου, from a part of itself which shares its name (Z. 1034ᵃ 23).

The difference stated in l. 7 between art as an ἀρχὴ κινήσεως ἐν ἄλλῳ and nature as an ἀρχὴ ἐν αὑτῷ is Aristotle's usual distinction between them. It is appropriate to most natural processes, where a living being produces changes in itself, but is not appropriate to generation, where the change produced is ἐν ἄλλῳ. The definition of nature really breaks down in the case of generation, but Aristotle would presumably seek to justify it by saying that in some sense the parent and the offspring, being members of the same species, are the same, or that in some sense the offspring is a part of the parent (cf. *E. N.* 1134ᵇ 11, 1161ᵇ 18).

8. ἄνθρωπος γὰρ ἄνθρωπον γεννᾷ. This is, as we have seen, not a good illustration of nature as an ἀρχὴ ἐν αὑτῷ, and Alexander supposes that these words go with ἑκάστη ἐκ συνωνύμου γίγνεται οὐσία (l. 5). But if placed after these words they would break very awkwardly the connexion between these words and τὰ γὰρ φύσει οὐσίαι καὶ τὰ ἄλλα. It seems better to suppose (1) that Aristotle wrote them carelessly as an illustration of the ἀρχὴ ἐν αὑτῷ, or (2) that a copyist borrowed them from l. 27 below. The fact that the words already existed in their present place in the time of Alexander (cf. Alexander apud Averroem 82. 3) makes one hesitate to adopt this otherwise attractive supposition.

αἱ δὲ λοιπαὶ αἰτίαι (*sc.* τύχη καὶ ταὐτόματον) στερήσεις τούτων. ταὐτόματον is strictly the generic term, including all cases in which (1) something that is normally produced directly by the unconscious teleology of nature is produced as a merely incidental result of a natural process, or (2) something that is normally produced directly by purposive human agency (here rather narrowly described as τέχνη) is produced as a merely incidental result of a purposive act (*Phys.* 197ᵇ 18, ᵃ 36); while τύχη is confined to the second type of case (*Phys.* 197ᵃ 36, ᵇ 2, 20). Sometimes, however, τύχη and ταὐτόματον are used without distinction in the general sense, and sometimes (as here) ταὐτόματον tends to be confined to the first type of case, τύχη being the στέρησις τέχνης and ταὐτόματον the στέρησις φύσεως.

Aristotle has said that all substances are produced ἐκ συνωνύμου, and that some are produced by τύχη or ταὐτόματον. But he does not mean that these are produced ἐκ συνωνύμου; spontaneously produced animals are produced οὐκ ἀπὸ συγγενῶν (*H. A.* 539ᵃ 22), and in chance events the art which is 'synonymous' with its product is lacking. He views chance and spontaneity, which are the negations of art and nature, as the exceptions that prove the rule. The words 'chance' and 'spontaneity', being meant merely to indicate the absence, in certain cases, of artistic or natural action, indicate that such action, with the 'synonymity' which it implies, is the normal thing.

9. οὐσίαι δὲ τρεῖς, cf. Z. 1029ᵃ 2.

10. τόδε τι οὖσα τῷ φαίνεσθαι. None of the attempts at emending this phrase seems at all successful. It is possible to make something of it as it stands. Ps.-Alexander interprets τῷ φαίνεσθαι as κατὰ φαντασίαν, and Bz. follows him in supposing that the meaning is that matter is a 'this' to the eye of imagination, since it has the power of becoming a 'this'. This interpretation of τῷ φαίνεσθαι, however, seems impossible, and it is better to adopt the simpler interpretation which, with others, is given by Alexander as quoted by Averroes, viz. 'which is a "this" in appearance'. I. e. to outward appearance the material parts of a whole as they lie side by side look like an individual thing, but if the organic unity is not there the appearance is deceptive (ὅσα γὰρ ἁφῇ καὶ μὴ συμφύσει, ὕλη καὶ ὑποκείμενον). Cf. Z. 1040ᵇ 5 τῶν δοκουσῶν εἶναι οὐσιῶν αἱ πλεῖσται δυνάμεις εἰσί, τά τε μόρια τῶν ζῴων . . . καὶ γῆ καὶ πῦρ καὶ ἀήρ.

It must be admitted, however, that this interpretation of οὖσα τῷ φαίνεσθαι as = φαινομένη εἶναι is not altogether satisfactory.

10. For συμφύσει cf. Z. 1040ᵇ 15 n.

11. The vulgate reading ἡ δὲ φύσις τόδε τι εἰς ἦν καὶ ἕξις τις is intolerably harsh, and it seems best to read, as Alexander apparently did (676. 30), ἡ δὲ φύσις τόδε τι (sc. οὖσα from l. 10) καὶ ἕξις τις εἰς ἦν (sc. ἡ γένεσίς ἐστιν). For the description of the form as a 'this' cf. Δ. 1017ᵇ 25 n.

13. τὸ τόδε τι, 'the individual character', i. e. the form, which has already been called τόδε τι in l. 11.

14. εἰ μὴ ἡ τέχνη, i. e. the form of the house has no existence separate from the house except as the art of house-building; cf. Z. 1034ᵃ 24 ἡ γὰρ τέχνη τὸ εἶδος.

15. οὐδ' ἔστι γένεσις καὶ φθορὰ τούτων κτλ. Aristotle is not referring to the general fact that forms come into being not by a process but instantaneously (Z. 1033ᵇ 5), but to some mode of 'being and not being without generation and destruction' which is peculiar to the forms of *artefacta*. This can only be the artist's instantaneously thinking of them and ceasing to think of them. So Alexander interprets the words.

17. ἀλλ' εἴπερ, ἐπὶ τῶν φύσει. This goes back in sense to ἐπὶ μὲν οὖν τινῶν κτλ. (l. 13), ll. 15–17 being parenthetical.

Aristotle does not think that the form of living things (τὰ φύσει), i. e. their soul, is in general capable of separate existence. Cf. *Phys.* 193ᵇ 4, *De An.* 403ᵃ 16. It is only reason that can exist apart (*De An.* 413ᵇ 26, 430ᵃ 17, *G. A.* 737ᵃ 9, *E. N.* 1178ᵃ 22). Here he simply says that at any rate the forms of lifeless things *cannot* exist apart.

18. For Plato's limitation (though not in the dialogues) of the Ideas to natural objects cf. A. 991ᵇ 6 n. It is noteworthy that the doctrine is ascribed to Plato himself and not merely to the 'believers in Ideas'. But Alexander as recorded by Averroes read οἱ τὰ εἴδη τιθέμενοι ἔφασαν, and Themistius seems to have had the same reading (8. 13).

19. εἴπερ ἔστιν εἴδη ἄλλα τούτων gives a good sense, 'if there are

Forms distinct from the things here on earth' (τῶν δεῦρο καὶ αἰσθητῶν
Al.). ταῦτα does not seem to be used in this sense elsewhere by
Aristot'e, but it is by Plato (*Parm.* 133 D 3, *Phil.* 58 E 5, 62 A 9). If
we adopt this reading we must suppose with Alexander that οἷον . . .
τελευταία (ll. 19–20) is out of place, and is really a note to ὅσα . . ὑποκεί-
μενον (ll. 10–11). Bz.'s interpretation, ' if there are Forms other than
these things, i. e. than fire,' &c. gives an unnatural sense.

If we read ἀλλ' οὐ τούτων, we should have to interpret τούτων as
referring forward and as explained by οἷον πῦρ σὰρξ κεφαλή. But (1)
τούτων οἷον in this sense is very unnatural, and (2) the denial of Forms
of fire, flesh, or head does not agree with what we know of Plato's
theory. οἷον . . . τελευταία would come in much more naturally in
l. 11, and it must be remembered that the first five chapters of Λ pre-
sent, more perhaps than any other part of the *Metaphysics*, the
appearance of a rather hastily put together series of notes, in which mis-
placements are likely to have occurred. Cf. note on 1069ᵇ 35.

19–20. Fire, being a ἁπλοῦν σῶμα, is the sort of material out of
which flesh, a ὁμοιομερές, is made. Flesh is the sort of material out
of which the head, an ἀνομοιομερές, is made. The head is the sort of
material out of which a living body, which is a substance in the full
sense, is made. Cf. *G. A.* 715ᵃ 9–11, Z. 1040ᵇ 5–10.

21–26. This passage has been used by Brentano as one of the main
arguments for his view that the human reason, though imperishable, is
not pre-existent from eternity, but is created by God at some point in
the development of the embryo. This view is opposed not only to the
explicit statement that reason is eternal (*De An.* 430ᵃ 23), but to the
principle that what cannot perish cannot have been generated (*De
Caelo* 282ᵃ 31, 283ᵃ 29, ᵇ 19). Aristotle's assertion that the formal
cause is simultaneous with its effect (l. 22) implies, no doubt, that it
not only is when its effect is, but comes into being when its effect
comes into being (*An. Post.* 95ᵃ 22). But that of which Aristotle says
that it may persist after the effect (the living body) has perished (ll. 24–
26) is not the same thing which is described as coming into being
when the living body does. The soul as a whole comes into being
with the body and (l. 26) perishes with it; but something (τι l. 24),
i. e. some element of the soul, may persist, viz. the reason, or more
definitely the νοῦς ποιητικός (*De An.* 430ᵃ 17) ; and this Aristotle cer-
tainly conceives as existing before birth no less than after death. The
soul is both generated and perishable, but there is τι τῆς ψυχῆς which
is neither.

The reference to the eternity of reason is parenthetical ; the main
point of the passage is to set aside the Platonic notion (cf. l. 18) that
Forms exist apart from and independently of the things whose Forms
they are. Rather, they exist only when the concrete things do
so, and only as elements in them. Further (ll. 26–30), separate
Forms are not necessary in order to explain generation ; in natural
production the cause is an individual parent, in artistic production it is
the art, which must be present in the mind of an individual artist.

For the uselessness of the Forms in explaining generation cf. Z.
1033ᵇ 26.

21. τὰ μὲν οὖν κινοῦντα αἴτια (*sc.* αἴτιά ἐστιν) ὡς προγεγενημένα ὄντα.

In what sense all things have the same causes (chs. 4, 5).

1070ᵃ 31. (*A*) The causes of different things are different, but (*B*)
analogically all are the same.

35. (*A*) (1) What could be the common cause of relations and
substances? There is nothing common to the several categories and
prior to them; nor can substance be an element in relations, nor
vice versa.

ᵇ 4. (2) No element can be the same as the complex which includes
it (nor, therefore, can any of the intelligibles such as being or unity be
the common element, for these are predicable of concrete things).
Therefore no element is either substance or relation; but there is
nothing else it can be.

10. (*B*) But (1) all sensible bodies have a form (e.g. heat), a priva-
tion (e.g. cold), and a matter. All things have by analogy the same
elements, in that they all have form, privation, and matter; but these
are different in detail for each different class of things.

22. Besides the internal causes or elements there is an external
moving cause. There are three elements but four causes. The
immediate moving cause, like the other immediate causes, is different
for each different thing.

30. In nature the moving cause is a similar individual, and in art
it is the form (or its contrary), so that as the efficient cause = the
formal, we may say either that there are three or that there are four
causes. Besides these there is the first mover, which is common to all
things.

36. (2) Things which can exist apart are substances; the causes of
all things are the same because affections and movements cannot exist
without substances. These causes are, perhaps, soul and body (or
reason, desire, and body).

1071ᵃ 3. (3) In another sense all things have the same principles
analogically—viz. potentiality and actuality—though these are different
in different cases, and apply in different ways.

6. They apply in different ways; for (*a*) in some cases the same
thing is at one time actual, at another potential. This distinction
can be brought into line with the previously named causes; the

form (if it is separable) and that which includes both elements but is a privation exist actually, the matter potentially.

11. (*b*) The distinction of potentiality and actuality takes a different shape where cause and effect have not the same matter (the form also in some cases being different). The causes of a man are not only (as in (*a*))

(i) his matter (fire and earth) and his peculiar form, but also

(ii) his peculiar external cause (his father), and

(iii) the sun and the ecliptic, which are neither the matter of the man nor his form nor the privation of his form nor identical in form with him, but the efficient causes.

17. Some causes can be stated universally, others cannot. The primary causes are the individual moving cause and the matter. The universals do not *exist*. Man is the cause of man, but there is no universal man. It is Achilles that exists, and his cause is Peleus.

24. If the causes of substances are causes of all things, yet things in different kinds have different causes, which are only analogically the same; and things in the same kind have causes the same in kind but numerically different.

29. The causes of things in different categories are the same or analogous (i. e. they are always matter, form, privation, mover), and the causes of substances are the causes of all things in the sense that with their destruction all things are destroyed. Further, the *primum movens* is the same for all things. But there are as many different causes as there are pairs of individual contraries, and the matters of different things are also different.

1070ᵇ 3. τῶν πρός τι. The category of relation, which is that farthest removed from substance (N. 1088ᵃ 23), is here taken as typical of all the categories other than substance. Substance cannot be the elementary constituent of relations, since what consists of substances must itself be substance. Nor can a relation be the elementary constituent of a substance, since substance is prior to the other categories and elements are prior to their compounds (l. 2); cf. Z. 1038ᵇ 23.

7–8. οὐδὲ . . . συνθέτων is clearly parenthetical, for αὐτῶν l. 9 refers not to τῶν νοητῶν nor to τῶν συνθέτων but to τῶν στοιχείων, l. 6. The meaning must be 'nor is any of the intelligibles, therefore, e. g. unity or being, an element in things; for these terms are predicable even of each of the composite things' (and therefore cannot be their elements, on the principle stated in ll. 5, 6). The use of the partitive genitive as subject (τῶν νοητῶν = τῶν νοητῶν τι) is rare, but cf. l. 22, Δ. 1021ᵃ 21 n.

For a similar argument, showing that unity and being cannot be the genera of things, cf. B. 998ᵇ 22.

Unity and being are called 'intelligibles' in distinction from 'sensibles', because they are the most universal predicates, those farthest removed from sense-particulars (cf. B. 998ᵇ 15–21).

10. ὥσπερ λέγομεν, cf. ᵃ 31.

12. τὸ δυνάμει ταῦτα πρῶτον καθ' αὑτό, 'that which directly, in virtue of itself (and not of a concomitant), potentially has these attributes'. πρῶτον distinguishes the proximate matter from the remote, and καθ' αὑτό distinguishes the matter, which as such becomes, for example, cold, from 'the white', which becomes cold in virtue of the matter whose concomitant it is.

13–15. Aristotle distinguishes here three kinds of substance :

(1) ταῦτα, i.e. matter, form, privation.

(2) τὰ ἐκ τούτων, i. e. substances which include (a) prime matter, (b) a certain form, e. g. heat, and which presuppose, as that which they had before they had the form, (c) the privation of the form, e. g. cold. τὰ ἐκ τούτων are in fact the four elements, two of which Aristotle supposes to be characterized by heat and two by cold.

(3) εἴ τι ἐκ θερμοῦ καὶ ψυχροῦ γίγνεται ἕν, οἷον σὰρξ ἢ ὀστοῦν, i. e. compounds of two oppositely qualified substances of class (2); in other words, binary compounds of the elements, or ὁμοιομερῆ.

Aristotle might have gone on to add the ἀνομοιομερῆ and the living bodies which they make up (cf. ᵃ 19–20 n.). But since these are ultimately formed from the elements, they come under the general description εἴ τι ἐκ θερμοῦ καὶ ψυχροῦ (Aristotle takes two of the πρῶται ἐναντιώσεις as typical of all four) γίγνεται ἕν.

Aristotle's doctrine has been explained above as not implying that privation must be actually present as well as form in every concrete substance, that every body which is hot must be partially cold; I have supposed him to mean that the form of each thing presupposes a *previous* privation. It is in this sense that matter, form, and privation are arrived at as the three ἀρχαί in *Phys.* i. 6, 7, and it is this sense that is relevant in 1069ᵇ 32–34. But it is rather surprising to find privation which is merely presupposed as previously existing, described as ἐνυπάρχον (l. 22); it is rather προϋπάρχον. It may be, therefore, that Aristotle has in mind his doctrine that no actual instance of any of the four elements is pure. Fire, though in the main characterized by the εἶδος heat, contains some of the στέρησις cold, and so in other cases (*De Gen. et Corr.* 330ᵇ 21, *Meteor.* 359ᵇ 32). Then εἴ τι ἐκ θερμοῦ καὶ ψυχροῦ γίγνεται ἕν will refer to ὁμοιομερῆ compounded out of a substance that is in the main hot (e.g. actual fire) and one that is in the main cold (e. g. actual water). But on the whole the former interpretation of the passage seems preferable.

15–16. ἕτερον ... γενόμενον. Alexander thinks these words should be placed after πρός τι, l. 9. But they may stand in their present position. They are meant to justify the assumption just made (l. 13 οὐσίαι δὲ ταῦτά τε καὶ τὰ ἐκ τούτων), that compounds must be different from

their elements, or the assumption that a compound of hot and cold
must be different from what is merely hot or merely cold.

16–18. Bz. prefers the reading ταῦτα in l. 16 on the ground that
τούτων ταῦτα, ἄλλων ἄλλα, πάντων τῷ ἀνάλογον ταῦτά gives the most
symmetrical form to the statement. But where does he get the
ταῦτά which he supplies with τῷ ἀνάλογον? It presupposes ταῦτά in
l. 16. The meaning is: 'these things, then (*sc.* sensible substances),
have the same elements and principles—*sc.* heat, cold, matter
(though specifically different things have specifically different ele-
ments); but we cannot say that all things (i. e. non-sensible substances
and things in other categories, as well as sensible substances) have the
same elements in this sense, but only by virtue of an analogy'; the
elements of all are form, privation, matter, which are analogically
the same wherever they occur.

22. For the construction of τῶν ἐκτὸς οἷον τὸ κινοῦν cf. l. 7, Δ. 1021ᵃ
21 n.

23. ἕτερον ἀρχὴ καὶ στοιχεῖον, cf. Δ. 1013ᵃ 4, 7, 1014ᵃ 26.

24. καὶ εἰς ταῦτα διαιρεῖται ἡ ἀρχή is in EJΓ repeated in l. 29, and
Christ brackets it here. But it is better to follow the authority of Aᵇ
Al. and omit it in l. 29. Here it makes quite good sense—
'principles are divided into two kinds, the ἐνυπάρχον and the ἐκτός';
cf. Δ. 1013ᵃ 4, 7.

26. This list of four causes differs from Aristotle's ordinary list by
the subdivision of form into form and privation (cf. Z. 1032ᵇ 2, *Phys.*
193ᵇ 19), and by the omission of the final cause (due doubtless to its
identity with the formal cause, H. 1044ᵇ 1). Aristotle here identifies
the proximate efficient cause with the formal (ll. 30–32, cf. *Phys.* 198ᵃ
26), but distinguishes the *ultimate* efficient cause from it (l. 34).

27. τὸ πρῶτον αἴτιον ὡς κινοῦν, the proximate moving cause. Bz.
thinks this difficult in view of l. 34, where τὸ ὡς πρῶτον πάντων κινοῦν
πάντα means the *ultimate* moving cause; he therefore here proposes
ποιητικόν for πρῶτον. But Aristotle is careless in matters of this sort
(cf. ᵃ1 n.), and further τὸ ὡς πρῶτον πάντων κινοῦν πάντα is different
enough from τὸ πρῶτον αἴτιον ὡς κινοῦν to remove any misunder-
standing.

29–30. καὶ . . . ἀρχή, cf. l. 24 n.

30. ἐν μὲν τοῖς φυσικοῖς ἀνθρώπῳ ἄνθρωπος. In view of Aristotle's
frequent formula ἄνθρωπος ἄνθρωπον γεννᾷ, and of the awkwardness of
φυσικοῖς ἀνθρώποις if the two words do not go together, I have adopted
Zeller's emendation. The corruption is evidently due to the influence
of φυσικοῖς.

32. τρία αἴτια ἂν εἴη, i. e. matter, form, privation.

34. Bz.'s conjecture, τὸ ὡς for ὡς τό, is required by the sense.
The first moving cause, to which Aristotle comes only now, is to be
the subject of the second half of the book, to which chs. 1–5 are pre-
liminary.

1071ᵃ 1. Christ's ταῦτά is preferable to the traditional ταῦτα, since
ταῦτα in l. 2, which refers back to this word, must mean not 'sub-

stances' but 'the causes of substances'. It is not substances but their causes that Aristotle views as the causes of all things; cf. l. 34. Because all other things are dependent on substance, the causes of all things are the same, viz. the causes of substance.

τῶν οὐσιῶν ἄνευ. This is apparently the only passage in Aristotle in which ἄνευ comes after the word it governs, that word not being a relative. The order is characteristic of later writers, and would in itself suggest a late date for Λ.

2–3. ἔπειτα . . . ὄρεξις καὶ σῶμα. Aristotle concentrates his attention on living things, which are in the strict sense the only substances (Z. 1040ᵇ 5–10, H. 1043ᵇ 21–23), and indicates their material and formal causes, (1) σῶμα and (2) ψυχή (subdivided, in the special case of man, into νοῦς καὶ ὄρεξις). Alexander seems to have read ἢ ὄρεξις καὶ σῶμα (the elements of irrational animals) after ἢ νοῦς καὶ ὄρεξις καὶ σῶμα, and it is not unlikely that these words have dropped out by haplography. But it may be that this is an addition of Alexander's own.

2. ἔπειτα comes in peculiarly here. Probably, like μετὰ ταῦτα (1069ᵇ 35 n., 1070ᵃ 4) it means 'next we shall point out that' &c., and indicates the hypomnematic character of the first half of Λ. Cf. l. 24.

ἔσται. If it be accepted that the causes of substances are the causes of all things, *we shall perhaps find* these universal causes to be soul and body, &c. This seems to be the meaning of the future ἔσται.

3–17. Aristotle has in ch. 4 shown that matter, form, and privation are principles present in all things; he now proceeds to show that potency and actuality are present in all things. Not only, however, are the potency and the actuality of one thing different from those of another (ἄλλα ἄλλοις, l. 5), but potency and actuality belong to things in different ways (καὶ ἄλλως, sc. ὑπάρχει). Lines 6–17 explain what Aristotle means by ἄλλως. In some cases (ἐν ἐνίοις μέν, l. 6) the antithesis of potency and actuality means that the same thing exists first potentially and then actually. But the distinction of potentiality and actuality is present in another way (ἄλλως δέ, l. 11) where one thing acts on another. I take the two modes of presence of potency and actuality to answer to the two senses of potency distinguished in Θ. The kind that is mentioned *second* here is δύναμις in the sense of 'power', that which is ἀρχὴ μεταβολῆς ἐν ἄλλῳ ἢ ᾗ ἄλλο (1046ᵃ 11), ἡ κατὰ κίνησιν λεγομένη (1048ᵃ 25). δύναμις in this sense is the power in one thing to produce a change in another thing, and ἐνέργεια is the change produced. The kind of δύναμις that is mentioned *first* here is δύναμις in the sense of potentiality which is followed by the corresponding actuality in the same individual (τὸ αὐτὸ ὁτὲ μὲν ἐνεργείᾳ ἔστιν ὁτὲ δὲ δυνάμει; contrast ἐν ἄλλῳ, 1046ᵃ 11). ἐνέργεια and δύναμις in this sense are opposed ὡς οὐσία πρός τινα ὕλην; in the other sense they are opposed ὡς κίνησις πρὸς δύναμιν (1048ᵇ 8).

7. οἷον οἶνος, i.e. the same matter is at one time potentially wine and later actually wine.

πίπτει δὲ καὶ ταῦτα εἰς τὰ εἰρημένα αἴτια, sc. form, privation, matter

Λ. 5. 1071ᵃ 2–13   363

(1070ᵇ 11). πίπτει εἰς, 'are divisible among'; for the phrase cf. Γ. 1005ᵃ 2, Δ. 1013ᵇ 17, *Phys.* 195ᵃ 15, 243ᵇ 16, *P. A.* 675ᵃ 25.

9. ἐὰν ᾖ χωριστόν. On the separate existence of the form in certain cases cf. 1070ᵃ 13–19.

τὸ ἐξ ἀμφοῖν, 'that which contains both form and matter'. The mention of the concrete individual is not really relevant, since it was not one of the causes recognized in 1070ᵇ 11–13. The mention of it is due to Aristotle's habitual distinction of three senses of 'substance'—matter, form, and the complex of the two.

στέρησίς τε (vulg. δὲ) οἷον σκότος ἢ κάμνον. The traditional reading is open to three objections : (1) If privation is being brought under the heading of actuality (as it must, since δυνάμει comes only in the next clause), the clause should be introduced not by στέρησις δέ but by καὶ ἡ στέρησις. (2) The adducing of instances, darkness and disease, is peculiar, when form, concrete substance, and matter are left unillustrated. (3) κάμνον is an instance not of privation but of the union of privation with matter; the privation in question is νόσος (cf. 1070ᵇ 28).

Themistius apparently did not read στέρησις δέ, and Christ condemns the whole clause. But the manuscripts and Alexander agree in having it, and some mention of privation is wanted in order to account for ἄμφω in l. 11. I have endeavoured to remove the first objection by reading τε for δέ. τε in this usage is rare in Aristotle, but cf. Γ. 1004ᵇ 14, *E. N.* 1158ᵇ 10, 13. For confusion of τε and δέ in manuscripts cf. for instance *E. N.* 1153ᵇ 7. The second objection is not very important, and as regards the third, the confusion is one which Aristotle makes elsewhere. The adjective or participle in the neuter with the definite article may always stand for an attribute as well as for a concrete thing. Cf. τὸ μὲν θερμὸν κατηγορία τις καὶ εἶδος, ἡ δὲ ψυχρότης στέρησις *De Gen. et Corr.* 318ᵇ 16. Or, in the highly abbreviated mode of expression which is used in chs. 1–5, καὶ τὸ ἐξ ἀμφοῖν (ὕλης καὶ στερήσεως), answering to τὸ ἐξ ἀμφοῖν (ὕλης καὶ εἴδους), may be meant to be supplied in thought. σκότος is an instance of στέρησις, κάμνον of τὸ ἐξ ἀμφοῖν.

11. ἄμφω, 'qualified by the form and by the privation', cf. 1070ᵇ 12, 13. It is implied that the privation no less than the form is a mode of realization of the matter, so that Alexander is wrong in supposing that Aristotle reckons privation to the side of potentiality (682. 34). Privation is in fact a kind of form (*Phys.* 193ᵇ 19).

Bz. accepts Trendelenburg's emendation ἄλλως δ' ⟨ἢ⟩ ἐνεργείᾳ καὶ δυνάμει διαφέρει ὧν. But this ignores the evident correspondence between ἄλλως here and ἄλλως in l. 6, and the opposition between ἄλλως δ' here and ἐν ἐνίοις μέν in l. 6. Aristotle has said that the distinction of δύναμις and ἐνέργεια belongs to different things in different ways. He has stated one way in ll. 6–11; he now has to state the other. 'The distinction in virtue of actuality and potency is present in another sense in things which', &c.

12–13. ὧν ... ὕλη, ὧν ... ἕτερον. It is to be noted that the negative in the first clause is μή, in the second οὐκ. The two clauses are there-fore not of the same nature. The first gives the essential nature of a certain class; the second states an additional fact about it; οὐκ in fact shows that the second ὧν might be replaced by καὶ τούτων. This pre-vents us from interpreting the two clauses as meaning 'things which have neither the same matter nor the same form' (Alexander, Tren-delenburg), or 'things which have not the same form differ from things which have not the same matter' (Bz.).

The meaning of these clauses may be ascertained by observing what Aristotle goes on to say. He proceeds to distinguish the following causes of a man :

(1) the elements present in him, i. e. (a) fire and earth, the matter of which he is made, and (b) his peculiar form,

(2) an external (proximate efficient) cause, his father,

(3) an external (remote efficient) cause (the sun and the ecliptic) 'which is neither (1 a) matter nor (1 b) form (nor privation, which is included in form above), nor (2) of the same species as the pro-duct'.

Aristotle has shown above (l. 6) that the existence ἐνεργείᾳ of a thing may be contrasted with its own previous existence δυνάμει. He seems to be now saying (though the expression is very obscure) that δύναμις and ἐνέργεια may be applied to different individual things, in the sense that one has the power to produce the other, i. e. δύναμις may be ap-plied to the father and to the sun, ἐνέργεια to the child which together they produce. Now both the father and the sun have a different matter from the child, and the sun has also a different form (οὔτε ὁμοειδές, l. 16).

In view of the whole context, it seems that we must insert ἐνίων after the second ὧν, and translate as follows: 'The distinction in respect of potency and actuality is present in a different sense in the case of causes which have not the same matter as their effects, some of them indeed not having the same form either'.

If we emphasize ἴδιον εἶδος (l. 14) we may say that even the father has a different (individual) form from the child, and then ἐνίων will be unnecessary. But the distinction between the relation of the father, and that of the sun, to the child, is emphasized, and is expressed by saying that the latter, unlike the former, is not ὁμοειδές with the child, so that τὸ αὐτὸ εἶδος probably means the same *specific* form or kind (as in l. 27), and this would involve ἐνίων. The addition of this word does a good deal to diminish the harshness of the two juxtaposed ὧν clauses. In view of the similarity to η of one of the abbreviations of ἐν in manuscripts (Bast 762) υληωνενιων would not unnaturally become υληων by haplography.

There is no great probability in Christ's conjecture that ὥσπερ ... κινοῦντα (ll. 13–17) should be placed after πάντα in 1070ᵇ 35. ἄλλως ... ἕτερον would then be as difficult as ever.

14. The στοιχεῖα (or ἐνυπάρχοντα) are evidently being distinguished from the external causes (ἔτι τι ἄλλο ἔξω). Form, then, is included

among the στοιχεῖα, as in 1070ᵇ 11, 25. The comma usually printed after *ὕλη* must therefore be removed.

15. ὁ ἥλιος καὶ ὁ λοξὸς κύκλος. Aristotle's meaning appears from *De Gen. et Corr.* 336ª 31, where he says that it is not the primary movement (the diurnal apparent movement) of the sun that is the cause of generation and decay, but ἡ κατὰ τὸν λοξὸν κύκλον. If the sun had but one movement, this might explain generation *or* decay, but not both. The inclination of the 'oblique circle' to the equator brings the sun nearer to us at one time (*sc.* when he is in that part of the 'oblique circle' which is north of the equator, i.e. in the summer), and removes him farther away at another (when he is south of the equator, i.e. in winter), and generation and decay take place accordingly (336ᵇ 6, 17). Cf. 1072ª 10–12.

ὁ λοξὸς κύκλος. The expression is a frequent one for the ecliptic, otherwise called ὁ διὰ μέσων τῶν ζῳδίων κύκλος (1073ᵇ 19). It seems to have been first called ὁ ἐκλειπτικός by Hipparchus about 150 B.C. The discovery of the obliquity of the zodiacal belt or of the ecliptic to the equator is probably due to Oenopides, an older contemporary of Philolaus (Eudemus as quoted by Theo Smyrnaeus, Diels.³ I. 11. 17). In 1073ᵇ 2ο we learn that Eudoxus, whom Aristotle follows, believed the sun to move not in the direction of the zodiacal belt but at an angle to it (κατὰ τὸν λελοξωμένον ἐν τῷ πλάτει τῶν ζῳδίων), but the obliquity referred to in the phrase λοξὸς κύκλος is that of the sun's supposed path not to the zodiacal belt but to the equator.

17. τὰ μὲν καθόλου ἔστιν εἰπεῖν, 'some causes may be stated universally (*sc.* the causes of certain types of product), while others cannot (*sc.* those of particular products)'. The cause of man is man, but the cause of Achilles is Peleus (l. 21).

18–20. Christ suggests with some probability that these two clauses should be transposed, and that δέ should be read for δή (so Al.ᶜ). Then δέ would answer to μὲν οὖν, which otherwise must be taken as marking a transition to a new point, as in *H. A.* 608ᵇ 19, *Poet.* 1460ª 11.

18. τὸ ἐνεργείᾳ πρῶτον τοδὶ καὶ ἄλλο ὃ δυνάμει, i.e. the individual actually existing efficient cause, and the potentially existing matter. Cf. ἀεὶ ἐκ τοῦ δυνάμει ὄντος γίγνεται τὸ ἐνεργείᾳ ὂν ὑπὸ ἐνεργείᾳ ὄντος, Θ 1049ᵇ 24.

τὸ ἐνεργείᾳ πρῶτον τοδί seems to mean 'the "this" which is first in actuality', i.e. which is not only prior to the product but (in Aristotle's view) prior also to the potentially existent matter. For this view cf. Θ. 1049ᵇ 24–25 n.

19. ἐκεῖνα . . . τὰ καθόλου, the universal causes referred to in l. 17. ἐκεῖνα may also suggest 'the famous universals of the Platonists'; cf. Kühner ii. 1. 650. 13. For the non-existence (more properly the lack of independent existence) of universals cf. Z. 13, 16.

24. The manuscript reading ἔπειτα εἴδη (or ἤδη) τὰ τῶν οὐσιῶν does not give a satisfactory sense. If εἴδη be kept, it is at least necessary to insert τά before it, with Christ. In that case we may (1) understand, with Bz., ὁρᾶν δεῖ from l. 17, so that the general sense would be 'that we may judge rightly whether all things have the same causes (cf. l. 29 τὸ δὲ ζητεῖν κτλ.) we must attend to the different species of things as well as to the different individuals ',—for which v. ll. 20–24. But the ellipse of ὁρᾶν δεῖ after such an interval is difficult. · Or (2) we may with Alexander understand αἴτιά ἐστι, taking ἔπειτα κτλ. to be opposed to πάντων δὴ πρῶται ἀρχαί, l. 18 ; but this also is not very satisfactory. The right solution seems to be provided by Rolfes's reading εἰ δή, though in other respects his interpretation is questionable. If εἰ δή be read, a comma instead of a colon must be read after οὐσιῶν. Then the sense is : 'Further, if the causes of substances are (as Aristotle has shown in 1070ᵇ 36—1071ᵃ 2) the causes of all things, yet different things have different causes and elements'. For δέ adversative in the apodosis of a conditional sentence cf. *Phys.* 215ᵇ 15, *Pol.* 1287ᵇ 13, B. 999ᵃ 27 n.

25. ὥσπερ ἐλέχθη, 1070ᵇ 17.

τῶν μὴ ἐν ταὐτῷ γένει is contrasted with τῶν ἐν ταὐτῷ εἴδει l. 27, so that γένος and εἶδος do not mean genus and species but are used indifferently for 'kind'. For the promiscuous use of the two words cf. Bz. *Index* 151ᵃ 57–ᵇ 56, and I. 1058ᵇ 28 n.

28. For ἄλλο where ἄλλου ἄλλο might be expected cf. 1069ᵇ 25 ἑτέραν = ἕτερα ἑτέραν.

29. τὸ . . . ζητεῖν is a *nominativus pendens* ; the sentence does not end as it was meant to end. For a similar anacoluthon cf. *Phys.* 222ᵇ 11 τὸ δὲ Ἴλιον φάναι ἤδη ἑαλωκέναι οὐ λέγομεν.

31. πολλαχῶς γε λεγομένων ἔστιν ἑκάστου, i.e. πολλαχῶς γε λεγομένων τῶν στοιχείων ταὐτά ἐστι τὰ στοιχεῖα ἑκάστου. So long as the names of the elements are used ambiguously, i. e. so long as we say 'matter, form, privation, mover' without specifying the particular matter, &c., we may say everything has the same elements.

In view of the frequent confusion of γε and τε in manuscripts (cf. *E. N.* 1099ᵃ 22, 1101ᵃ 8, 1113ᵇ 17, 1124ᵃ 9, 1178ᵇ 18, *Pol.* 1291ᵃ 17, 1339ᵃ 29, and Bast 710) we need not hesitate to accept Christ's γε for τε.

33. ὡδί, in the senses mentioned in ll. 33–36, i.e.

(1) the causes are the same or analogous because matter, form, privation, and mover are causes of all things,

(2) the causes of substances are causes of all things,

(3) the first mover is the cause of all things.

The sense requires ταὐτὰ ἢ τὸ ἀνάλογον ; cf. N. 1089ᵇ 3 τὸ αὐτὸ καὶ τὸ ἀνάλογον. τῷ ἀνάλογον has come in from l. 26.

33. ὅτι ὕλη, εἶδος, στέρησις, τὸ κινοῦν, cf. 1070ᵇ 18, 22.

34. καὶ ὡδὶ τὰ τῶν οὐσιῶν αἴτια. Bz. thinks that we should perhaps read ὅτι for ὡδί, as Them. (13. 5) may have done. But ὡδί is quite right, being explained by ὅτι ἀναιρεῖται ἀναιρουμένων. Themistius paraphrases the passage very briefly, and it cannot be said with any certainty that he read ὅτι.

τὰ τῶν οὐσιῶν αἴτια ὡς αἴτια πάντων, cf. 1070ᵇ 36—1071ᵃ 2.

35. ὡς αἴτια πάντων. The superfluous ὡς is difficult. Perhaps λέ-

γεται is to be understood, in which case the phrase would be parallel
to ὅσα λέγεται ὡς δάκρυα, *Meteor.* 388ᵇ 19, cf. *Phys.* 200ᵃ 31, *Meteor.*
379ᵇ 26.

ὅτι ἀναιρεῖται ἀναιρουμένων, 'because when substances are removed
all the other categories are removed'.

36–ᵇ 1. ὡδὶ δὲ ... ὗλαι. 'But in the following respect there are
different first causes, i. e. there are first causes as numerous as the
contraries which are neither generic nor ambiguous terms ; and further
the matters are different for different things.'

πρῶτα here means 'proximate', while πρῶτον earlier in the line
meant 'ultimate'. In using the word in the latter sense, Aristotle
seems to have been reminded that it has also the former, and forth-
with points this out. For the inconsistent use of πρῶτος in a single
context cf. 1070ᵇ 27, 35, H. 1044ᵃ 16, 18.

Aristotle has just said (l. 34) that matter, form, privation, and
moving cause are causes common to all things. He presently points
out (ᵇ 1) that nevertheless different things have different matters.
Probably therefore in ὅσα τὰ ἐναντία ... πολλαχῶς λέγεται he is saying
as in 1070ᵇ 19 that different things have different forms and different
privations, the difference of the moving cause being omitted for the
moment though it has been pointed out in 1070ᵇ 27, 1071ᵃ 28.

37. ἃ μήτε ὡς γένη λέγεται μήτε πολλαχῶς λέγεται. Aristotle indi-
cates that he does not mean (1) contraries stated generically, e. g. white
and black, which are the contraries involved in the whole genus of
colour (1070ᵇ 20), nor (2) contraries stated still more widely, even am-
biguously, i.e. form and privation, which are the contraries involved in
all sensible things alike (1070ᵇ 17, 1071ᵃ 31–34). He must mean,
then, the individual form and the individual privation which are differ-
ent for each individual thing, cf. ll. 27–29. καὶ ἔτι αἱ ὗλαι then will
mean not that different kinds of thing have different kinds of matter
but that different individual things have different individual matters
(cf. ᵃ 28).

There must be an eternal prime mover (ch. 6).

1071ᵇ 3. We must now speak of the unchangeable substance which
is distinct from the two natural substances. There must be an eternal
substance, for if all substances are perishable, all things are perishable ;
but motion or time cannot be generable or perishable. For there can-
not be a before or after where there is not time, and time is either =
motion or an attribute of it, so that motion must be continuous as
time is, and if so it must be local motion, and in a circle.

12. That which is capable of moving things but does not actually
do so will not account for motion. It is no use positing eternal sub-
stances (e. g. Forms) if we do not give them a principle of change.
Nor will it do if the principle is active but its essence is potentiality,

for then motion will not be eternal. Therefore there must be a principle whose being is actuality. And these substances must be without matter, for they must be eternal. Therefore they are actuality.

22. There is a difficulty. Everything actual has potentiality but not everything that is potential has actuality, so that potentiality seems prior. But if this were so, all that is might not be (i.e. not yet have been).

26. The same difficulty is involved if the world be generated from night or from 'all things together'. Matter cannot set itself in motion. Hence Leucippus and Plato say there is always motion—but do not specify it or its cause, or the cause of the motion's being of the particular kind it is. Nothing is moved at random; everything has its own proper motion, and its motion under compulsion, etc. Further, what kind of motion is first? Further, Plato could not tell what he means by describing the self-moving as a first principle, for the soul is later—coeval with the heavens. It is in a sense right to take potentiality as prior to actuality, but in another sense wrong. Anaxagoras testifies that actuality is first; so do Empedocles and Leucippus.

1072ª 7. Therefore chaos or night did not last an indefinite time. The same things existed always either in a cycle or in some other way, for actuality is prior to potentiality. If there is *cyclic* change, something must remain always active in the *same* way. If there is to be change at all, there must be something else whose activity *varies*. This must act in one way *per se*, in another way by virtue of something else, and this something else must be that which acts always in the same way. This is the cause of uniformity, the other the cause of variety, both together the cause of uniform variety. Accordingly these are the movements that actually exist. What need, then, to seek other principles?

1071ᵇ 3. ἦσαν, cf. 1069ª 30.

5. αἵ τε γὰρ οὐσίαι πρῶται τῶν ὄντων. Aristotle has tried to prove this in 1069ª 19–26.

6–10. ἀλλ᾽ ἀδύνατον . . . πάθος. The argument is: If all substances are perishable, everything else is perishable (since everything else is posterior to and depends on substance). But movement and time are not perishable. Therefore not all substances are perishable.

For the eternity of movement cf. *Phys.* viii. 1–3.

8. οὐ γὰρ . . . χρόνου. The argument is: If you say time comes into being, you imply that before that there was no time; but the very word 'before' implies time. But does not Aristotle's view that *space* is finite contain the same difficulty?

9. Having used the eternity of movement to prove that there must be an eternal substance, Aristotle now draws from it a further inference, that movement must be continuous, and from this he develops his whole astronomical theory.

10. ἡ κινήσεώς τι πάθος, cf. *Phys.* 251ᵇ 28. In *Phys.* 219ᵇ 1 time is defined more precisely as ἀριθμὸς κινήσεως κατὰ τὸ πρότερον καὶ ὕστερον. It is further said to be ἀριθμὸς οὐχ ᾧ ἀριθμοῦμεν ἀλλ' ὁ ἀριθμούμενος (220ᵇ 8), i. e. not abstract number, but the aspect in respect of which movement is numerable.

10–11. κίνησις δ' . . . κύκλῳ. Aristotle's proof that local movement is the only change that can be continuous is given in *Phys.* 261ᵃ 31–ᵇ 26, and his proof that circular movement is the only one that can be continuous in 261ᵇ 27—263ᵃ 3, 264ᵃ 7—265ᵃ 12. The reason for the first dictum is that all other changes are between opposites, and that, since a thing cannot have opposite movements at the same time, it must rest at the opposites which form the limits of its movement. The reason for the second dictum is that all other changes of place are from opposite to opposite, and therefore (like non-local changes) cannot be continuous.

13. οὐκ ἔσται κίνησις, 'there need not be (always) movement'. For this use of the future cf. Bz. *Index* 754ᵇ 5–12.

15. εἰ μή τις δυναμένη ἐνέσται ἀρχὴ μεταβάλλειν. Aristotle has argued in A. 988ᵇ 2 that there is no such ἀρχή in the Ideas.

16. οὐδ' ἄλλη οὐσία παρὰ τὰ εἴδη, e. g. the mathematical objects which Plato supposes to be independent substances, Z. 1028ᵇ 20. Robin suggests that the reference is to the Platonic world-soul (cf. 1072ᵃ 1). But, since this is thought of as essentially active, the objection εἰ μὴ ἐνεργήσει, οὐκ ἔσται κίνησις would not be appropriate to it.

19–20. Rolfes remarks that the description of God as pure actuality is inconsistent with any form of pantheism, which at once involves God in development. Aristotle's remarks on Speusippus and the Pythagoreans (1072ᵇ 31) show how clearly he saw the irreconcilability of pure actuality with development.

21. ταύτας . . . τὰς οὐσίας. So far Aristotle has spoken of the necessity of one unmoved mover of the universe. He now refers by anticipation to the unmoved movers of the several celestial spheres, for which cf. 1074ᵃ 15.

22. From Alexander 689. 19 it seems clear that he read, with Aᵇ, ἐνέργεια, which is the preferable reading.

24. ὥστε πρότερον εἶναι τὴν δύναμιν, on the principle stated in Δ. 1019ᵃ 2 τὰ δὲ κατὰ φύσιν καὶ οὐσίαν (πρότερα), ὅσα ἐνδέχεται εἶναι ἄνευ ἄλλων, ἐκεῖνα δὲ ἄνευ ἐκείνων μή.

25. οὐθὲν ἔσται τῶν ὄντων, 'nothing that is need be', cf. οὐκ ἔσται κίνησις, l. 13. That there never was a time when there was nothing, is proved in *De Caelo* i. 12.

26. εἰ ὡς λέγουσιν = εἰ οὕτως ἔχει ὡς λέγουσιν. For this use of ὡς cf. *De Gen. et Corr.* 329ᵃ 35 ταῦτα μὲν γὰρ μεταβάλλει εἰς ἄλληλα, καὶ οὐχ ὡς Ἐμπεδοκλῆς καὶ ἕτεροι λέγουσιν.

27. οἱ θεολόγοι, cf. A. 983ᵇ 29 n.

οἱ ἐκ νυκτὸς γεννῶντες, cf. N. 1091ᵇ 5, and Orpheus fr. 12 Diels, Musaeus fr. 14, Epimenides fr. 5, Acusilaus fr. 1, 3, Hesiod, *Op. et D.* 17, *Theog.* 116 ff., Aristoph. *Av.* 693.

οἱ φυσικοί, i. e. in particular Anaxagoras, fr. 1, but his view is in this respect like those of Anaximander, Empedocles, Democritus, and others; cf. 1069ᵇ 20–23.

30. οὐδὲ τὰ ἐπιμήνια οὐδ' ἡ γῆ, ἀλλὰ τὰ σπέρματα καὶ ἡ γονή, i. e. γονή is needed to transform the ἐπιμήνια, which are potentially the young animal, into the actual offspring, while σπέρματα are needed to transform the earth, which is potentially the young plant, into the actual plant. γονή is properly used only of the male element in the sexual generation of animals (*G. A.* 724ᵇ 12), while σπέρματα may be used with reference to plants as well, which have not the distinction of male and female (715ᵇ 19, 731ᵇ 10), but have something akin to it (715ᵇ 20, 732ᵃ 12), though the two elements are united in the same plant (731ᵃ 1, 21, 28, 741ᵃ 3, 759ᵇ 30, 763ᵇ 24).

31. διὸ ἔνιοι ποιοῦσιν ἀεὶ ἐνέργειαν, οἷον Λεύκιππος. Cf. *De Caelo* 300ᵇ 8.

32. καὶ Πλάτων, cf. *Tim.* 30 A.

33. ἀλλὰ διὰ τί καὶ τίνα οὐ λέγουσιν. Cf. A. 985ᵇ 19, *De Caelo* 300ᵇ 10, 16, and (on Democritus) 313ᵃ 21. The objection is not fair, as regards Plato; he makes the world-soul the cause of the movement, cf. 1072ᵃ 1.

34. Diels's reading, οὐδ', εἰ ὡδὶ ἢ ὡδί, is much the best emendation of the unmeaning οὐδὲ ὡδὶ οὐδέ of the manuscripts, and derives support from Alexander 690. 35. Schwegler's οὐδὲ τοῦ ὡδί and Zeller's οὐδ' εἰ ὡδί are less probable.

35. Prof. Jackson thinks that the readings of Aᵇ (δεῖ αἰεί τι) and of E (δεῖ τι ἀεί) point to an original δεῖ τι διὰ τί. But the two readings are merely an instance of the constant tendency of the two manuscript groups to vary the order of words, and the required sense 'there must be a cause' may be got out of the traditional reading. 'There must in every case be something present', *sc.* to account for the particular movement. The simplest emendation would be δεῖ τιν' (*sc.* αἰτίαν) ἀεὶ ὑπάρχειν.

36. ἢ . . . ἢ Alexander takes to mean 'either . . . or', Themistius (probably rightly) to mean 'or . . . or'.

ἄλλου, e.g. τῆς φαντασίας (Alexander).

1072ᵃ 1. ἀρχήν, *sc.* κινήσεως.

2. ὕστερον, *sc.* τῆς κινήσεως, not τοῦ οὐρανοῦ as Bz. supposes. Aristotle seems to be reasoning from the late point at which the formation of the soul appears in the *Timaeus* (34 B). He argues that Plato makes soul coeval with the heavens, which are later than the original disordered movement of *Tim.* 30 A, and that soul therefore cannot be the cause of this movement. Plato no doubt describes the soul as the principle of all movement and as eternal (*Phaedr.* 245 C—246 A, cf. *Laws* 894 C—896 E). Further, he describes

it as καὶ γενέσει καὶ ἀρετῇ προτέραν καὶ πρεσβυτέραν σώματος (*Tim*. 34 c),
and explains that it is only in the order of his exposition that it is later
(34 B). But he at any rate describes it as made by God (34 c), while
movement is found by God as something pre-existing (30 A). Some-
thing must be allowed for the mythical and conjectural character of the
Timaeus, but it does not seem that, as Zeller maintains in *Platonische
Studien*, Plato had a perfectly consistent theory.

4. εἴρηται δὲ πῶς. It is not very clear whether this refers to 1071ᵇ
22–26 or to Θ. 8. Bz. contends that when Aristotle refers in one book
of the *Metaphysics* to another, the reference is always fuller in form
than this. H. 1042ᵃ 3 and N. 1090ᵃ 15 hardly form exceptions to
this rule, since ZH and MN so clearly belong together respectively.
The only genuine exception is K. 1064ᵃ 36, which seems to refer
to Λ. 6, 7. In the other works the only instances I have noted
of very vague references in one work to another are *De Gen. et Corr*.
336ᵃ 15, *De Caelo* 271ᵃ 21, *De Resp*. 477ᵇ 12, *De Sensu* 436ᵃ 1, *G. A*.
715ᵃ 1. On the whole Bz. seems justified in inferring that the refer-
ence here is to 1071ᵇ 22–26. That passage does not definitely say in
what sense potency and in what sense actuality is prior, but indicates
obscurely that though each individual potency is prior to the
corresponding actuality, there must be some actuality prior to all
potency.

5. Alexander seems to have read ἐνέργεια (691. 33), and so do ΤΓ
Ald. This reading is preferable to that of EJAᵇ.

6. Ἐμπεδοκλῆς φιλίαν καὶ τὸ νεῖκος, *sc*. λέγων from λέγοντες. For
the arbitrary insertion of τό cf. the passages referred to by Vahlen on
Poet. 1449ᵃ 1–Θ. 1049ᵇ 11, M. 1081ᵃ 34, *Soph. El*. 173ᵃ 9, *De Resp*.
478ᵇ 28, *Rhet*. 1361ᵃ 24, 1363ᵇ 3, 1369ᵇ 5, 1390ᵃ 16, 1407ᵇ 31, 1414ᵇ
13.

οἱ ἀεὶ λέγοντες κίνησιν εἶναι, cf. 1071ᵇ 32.

8. ταὐτὰ ἀεὶ ἢ περιόδῳ ἢ ἄλλως. περιόδῳ refers to Empedocles' doc-
trine of cycles (*De Caelo* 279ᵇ 14, *Phys*. 250ᵇ 26). ἄλλως refers to
any view which, without committing itself to cycles, holds that the main
characteristics of the universe remain the same. In the next sentence
Aristotle concentrates on the belief in cycles, though what he says of
its implications would apply also to the alternative view referred to
in ἄλλως. It is not necessary with Schwegler to treat περιόδῳ in l. 10
as a gloss.

9–17. The general upshot of this passage is that the motion of the
sphere of the fixed stars, which is parallel to the equator and therefore
unchanging relatively to the earth, is the cause of the permanence in the
history of the world, while the ecliptic motion of the sun, which brings
it now nearer to and now farther from us, causes the alternation of birth
and death. Cf. 1071ᵃ 15, *De Gen. et Corr*. 336ᵇ 15.

10. δεῖ τι ἀεὶ μένειν ὡσαύτως ἐνεργοῦν. From *De Gen. et Corr*. 336ᵃ
23 ff. it is clear that the reference is to the sphere of the fixed stars,
while the ἐνεργοῦν ἄλλως καὶ ἄλλως is the sun, which moves in one way
(ὡδί)—i. e. has its yearly motion along the ecliptic— καθ' αὑτό, and

moves in another way—i.e. has its daily motion parallel to the equator —κατ' ἄλλο. The question then arises whether this ἄλλο is τὸ πρῶτον, i. e. the sphere of the fixed stars, or something else (e. g. the sphere of Saturn, says Alexander). But if we suppose something else to be the cause, then in turn the sphere of the fixed stars causes both the sun's motion and that of the supposed other.

15. αὐτῷ. The editors since Brandis read αὐτῷ and take the clause to mean that the sphere of the fixed stars will cause both its own motion and that of the supposed other. But in Aristotle's view the motion of the sphere of the fixed stars is not self-caused; it is caused by God. It is therefore better to read αὐτῷ with Alexander and take it to refer to the sun. Since we cannot suppose the motions, parallel to the equator, (a) of the fixed stars and (b) of Saturn and the sun, to be unconnected, we should have to suppose the motion of the fixed stars to be the cause of the motion of Saturn and therefore, in-directly, of the motion of the sun.

15-16. οὐκοῦν βέλτιον τὸ πρῶτον . . . ὡσαύτως. The principle is: If B causes C, but A causes B, A is more truly than B the cause of C. Cf. α. 994ᵃ 11. There is a further advantage in regarding the sphere of the fixed stars as the cause of the sun's daily motion; it has already been shown to be the cause of the uniformity in the uni-verse (καὶ γὰρ αἴτιον ἦν κτλ.), so that if we assign to it also the causation of the sun's daily motion we shall be practising economy in explanation.

17. οὐκοῦν οὕτως καὶ ἔχουσιν αἱ κινήσεις. Theory requires the ac-count given in ll. 9–17, and accordingly the actual motions are found to be such as have been described.

18. ἄλλας . . . ἀρχάς, sc. like the Platonic Ideas, cf. 1071ᵇ 14.

Nature and mode of operation of the first mover (ch. 7).

1072ᵃ 19. There must, then, be something that is in incessant, and therefore in circular, motion, and this is actually observed to be the case. The first heaven, then, must be eternal. Therefore there must also be something that moves it. Since that which is moved and moves is a middle term, there must be an extreme which moves without being moved, being eternal, substance, and actuality.

26. The object of desire and that of thought move thus. And in their primary forms they are identical. The object of desire is the good or the apparent good. Now desire depends on thought rather than thought on desire. And thought is moved by its object, and the terms in the column of positives are *per se* objects of thought, and in this column substance, and among substance that which is simple and actual, comes first. But the good and desirable belongs to the same column, and the first term in this column must be most good.

ᵇ 1. A final cause in the sense of that whose good is aimed at cannot be found among unchangeable things, but a final cause in the sense of the good aimed at can; it moves by being loved, while all other things that move do so by being moved.

4. That which is moved is capable of being otherwise than as it is, so that if its activity is the primary (i. e. circular) motion, it has contingency in this sense—liability to spatial motion, though not to change of substance. The unmoved mover, on the other hand, has no contingency; it is not subject even to the minimal change (motion in a circle), since this is what it originates. It exists therefore of necessity; its being is therefore good, and it is in this way that it is a principle of motion. (The necessary in the sense of the non-contingent must be distinguished from the necessary in the sense of what is contrary to natural impulse, and from the necessary in the sense of the *sine qua non*).

13. On such a principle, then, the physical universe depends. It is a life which is always such as ours is at its best. Its very activity is pleasure—just as waking, perceiving, thinking are most pleasant because they are activities.

18. Thought which is independent of lower faculties must be thought of the best object. Now thought does think itself, because it shares in the intelligibility of its object. It becomes intelligible by contact with the intelligible, so that thought and object of thought are one.

22. Activity rather than potentiality is the divine thing in thought—actual contemplation the pleasantest and best of all things. If God is always in that good state which we sometimes reach, this must move our wonder; and if his state is even better, this must move our wonder yet more.

26. God must also have life, for the actuality of thought is life and God is that actuality. God therefore has, or rather is, life continuous and eternal.

30. Those who, like the Pythagoreans and Speusippus, think the good is not a first principle because the developed living thing is better than the germ from which it comes, are wrong, for the germ comes from prior developed beings.

1073ᵃ 3. It is clear, then, that there is a substance eternal, immovable, separate from sensible things. We have shown that it

must be without magnitude; it cannot have finite magnitude, for
then it could not have the infinite power which it displays by
causing motion eternally, and it cannot have infinite magnitude be-
cause there is no such thing. It must also be free from change
of quality, for the other sorts of change presuppose locomotion.

1072ᵃ 19. ἐκ νυκτὸς ἔσται, cf. 1071ᵇ 27.

20. καὶ ἐκ μὴ ὄντος, cf. 1069ᵇ 19.

21. αὕτη δ' ἡ κύκλῳ, cf. 1071ᵇ 10–11 n.

23. ὁ πρῶτος οὐρανός, the sphere of the fixed stars, cf. De Caelo
288ᵃ 15, 292ᵇ 22. This is 'first', counting from the outer edge
of the universe.

ἔστι τοίνυν τι καὶ ὁ κινεῖ. From the existence of a κινούμενον there
cannot be inferred the existence of something which it moves, but
only the existence of something that moves it. ὁ therefore is sub-
ject of κινεῖ as in l. 25.

24. The traditional reading ἐπεὶ δὲ τὸ κινούμενον καὶ κινοῦν, καὶ
μέσον τοίνυν ἐστί τι gives an unsatisfactory sense; the unmoved
mover is not a μέσον. Nor does it mend matters if we punctuate
after μέσον instead of after κινοῦν. ἔστι δὲ καὶ τὸ κινούμενον μόνως
cannot as Alexander suggests be understood, and τοίνυν cannot
begin a clause, nor is καὶ μέσον intelligible. καί must in any case
be excised; we may then read for τοίνυν ἐστί either ἔστι τοίνυν or κινοῦν
ἔστι or simply ἔστι. The argument then is as follows: Aristotle has
just remarked that there must be something that moves the ἀεὶ
κινούμενον of l. 21. This κινοῦν may be (a) κινούμενον or (b) οὐ κι-
νούμενον. But a κινούμενον καὶ κινοῦν is something intermediate, which
presupposes τι ὁ οὐ κινούμενον κινεῖ. For the description of the κι-
νούμενον καὶ κινοῦν as a μέσον cf. M. A. 703ᵃ 5, and for the argument
cf. Phys. 256ᵇ 20 ff.

Professor Jackson proposes ἐπεὶ δὲ τὸ κινούμενον καὶ κινοῦν καὶ μή,
ὂν τοίνυν ἐστί τι κτλ., 'since there are two sorts of κινούμενον, a κινού-
μενον which is κινοῦν and a κινούμενον which is μὴ κινοῦν, there is also,
to complete the series, something existent which is κινοῦν and μὴ
κινούμενον'. But (1) Aristotle has not established the existence of
a κινούμενον καὶ κινοῦν and that of a κινούμενον καὶ μὴ κινοῦν, but
only that of a κινούμενον (l. 21) and that of a κινοῦν (l. 23). (2) ὂν
τοίνυν ἐστί τι is not a very natural mode of expression. Professor
Jackson quotes De An. 433ᵇ 13 in support of his view, but there we
have not what his view implies, a division of τὸ κινούμενον into two
kinds, but what our interpretation above implies, a division of τὸ
κινοῦν into two kinds.

26. κινεῖ δὲ ὧδε τὸ ὀρεκτὸν καὶ τὸ νοητόν· κινεῖ οὐ κινούμενα. In
general, according to Aristotle, there is no κινεῖν without ἀντικινεῖ-
σθαι (G. A. 768ᵇ 18); the action of an object of desire is the only
exception to this rule. On the ὀρεκτόν or ἀγαθόν as the motive power
in the world of nature cf. Phys. 192ᵃ 16, De Gen. et Corr. 336ᵇ 27,

De Vita 469ᵃ 28, *P. A.* 687ᵃ 15, *I. A.* 704ᵇ 15. The doctrine becomes very prominent in Theophrastus; cf. his fragment on Metaphysics, 309. 26, 310. 11, 311. 8, 312. 4, 315. 15, 321. 20. The doctrine that the motions of the stars were due to the desire to imitate the perfection of the divine nature lasted long. There was much discussion among theologians of the question whether the stars are conscious. St. Thomas (*S. T.* 1ᵃ. qu. 70) sums up by saying that Origen and Jerome held them to be conscious, Basil and John of Damascus denied them consciousness, and Augustine was neutral. He himself concludes that *corpora coelestia non sunt animalia eo modo quo plantae et animalia, sed aequivoce,* i. e. the consciousness to which the motion of a star is due is not its own form but the intelligence to which it is subject. Cf. Webb, *Studies in the Hist. of Nat. Theol.* 273 f. Kepler argued against the Ptolemaic theory on the ground, among others, that it implied that the planets know mathematics; but he himself thought that the sun apprehends the harmonies of number which regulate the planetary orbits.

The colon after νοητόν gives a better sense than Bekker's full stop after ὧδε or Bz.'s comma after ὀρεκτόν (with κινούμενον for κινούμενα). For ὧδε referring backwards cf. ᵇ 26, Kühner i, p. 646.

Aristotle is not here expressing the view that ὄρεξις and νοῦς are independent sources of *action* or local movement, the view stated provisionally in *De An.* 433ᵃ 13 and set aside in 433ᵃ 21 in favour of the view that ὄρεξις is the only direct principle of action. Line 30 here indicates that his meaning with regard to τὸ νοητόν is that it stimulates *thought* without being itself stimulated.

27-ᵇ 1. The argument for the identity of the πρῶτον ὀρεκτόν and the πρῶτον νοητόν is as follows: The actual object of desire is either the apparent or the real καλόν, so that the primary object of desire· is evidently the καλόν. (Aristotle next observes that the desire of it presupposes the recognition of it as καλόν. This remark makes the transition from desire to thought but is not meant to prove the identity of their primary objects; the proof of that comes in what follows.) Now the proper object of νοῦς is the assemblage of positive entities (ἡ ἑτέρα συστοιχία), negatives being known only as the opposites of positive entities (cf. Θ. 1046ᵇ 11). Substances are the first members of this assemblage, prior to positive *qualities,* and simple immaterial substance is prior to substance which includes matter as well as form. Hence immaterial substance is the πρῶτον νοητόν. But τὸ καλόν, which was shown to be the πρῶτον ὀρεκτόν, is something positive and therefore also belongs to the positive assemblage. This Aristotle takes to imply that the positive assemblage is the assemblage of καλά. And if so, immaterial substance, which is the first member of the assemblage, and therefore contains in the highest degree the character of all members of the assemblage (a. 993ᵇ 24), must be the ἄριστον or πρῶτον ὀρεκτόν, while it has already been shown to be the πρῶτον νοητόν.

27. τούτων τὰ πρῶτα τὰ αὐτά. Alexander points out that *some* ὀρεκτά are not νοητά, e. g. a loaf, and *some* νοητά are not ὀρεκτά, e. g. evil things.

27–28. ἐπιθυμητὸν ... ὂν καλόν. Aristotle establishes that the πρῶτον ὀρεκτόν is the καλόν by considering the species of ὄρεξις. There are in all three species—ἐπιθυμία, θυμός, βούλησις (*De An.* 414ᵇ 2, *M. A.* 700ᵇ 22); but Aristotle has also a tendency to divide ὄρεξις simply into that which is rational (βούλησις) and that which is against reason (ἐπιθυμία) (*De An.* 433ᵃ 22—26), and these two he is satisfied to mention here.

31. ἡ ἑτέρα συστοιχία, cf. A. 986ᵃ 23 n., K. 1066ᵃ 15, *Phys.* 201ᵇ 25. Not only is συστοιχία used of the Pythagorean list of opposites, but Aristotle himself recognizes a positive συστοιχία or column including such terms as being, unity, substance, and a negative συστοιχία including not-being, plurality, not-substance (Γ. 1004ᵇ 27, *De Gen. et Corr.* 319ᵃ 15, *De Sensu* 447ᵇ 30, 448ᵃ 16, *P. A.* 670ᵇ 21). In each case the negative is known not *per se* but as the negation of the positive term.

32–34. Alexander thinks this note on the difference between 'one' and 'simple' is meant to meet the objection that if the primary un-moveable substance is simple it must be one, whereas Aristotle be-lieves in a plurality of such substances (the beings that move the spheres, 1074ᵃ 15). Rather, Aristotle seems to be intent on explaining what he means by 'simple', without any further motive.

33. τὸ μὲν γὰρ ἓν μέτρον σημαίνει, cf. Δ. 1016ᵇ 18.

τὸ δὲ ἁπλοῦν πῶς ἔχον αὐτό. 'One' denotes that a thing is the measure *of something*, the unit used in counting an assemblage; 'simple' denotes that a thing is *itself* in a certain condition, i. e. unmixed.

35–ᵇ 1. καὶ ἔστιν ... πρῶτον. The first term in a series is the best term, if this description of it is appropriate (as it is in this case, since τὸ καλόν is in the series); or if it is not, then the first term may be said to be 'analogous to the best'. Thus circular movement may by analogy be called the best movement, to take Alexander's example.

ᵇ 1–3. ὅτι δ' ἔστι ... οὐκ ἔστι. It might be thought (cf. B. 996ᵃ 22, K. 1059ᵃ 35) that the teleological view implied in calling immaterial substance (God) the πρῶτον ὀρεκτόν is incompatible with the unchang-ing, eternal nature of immaterial substance (ᵃ 25). Aristotle therefore proceeds to point out that τὸ οὗ ἕνεκα, the object of purposive action, may in one sense of these words be found in the realm of eternal, unchangeable entities. I. e., when we speak of the οὗ ἕνεκα of a thing we may mean (1) that the thing is good τινί, for some conscious being, or (2) that it is good τινός (ἕνεκα), for the sake of some end. The latter exists in the sphere of unchangeables (ἔστι, l. 3 = ἔστιν ἐν τοῖς ἀκινήτοις), while the former does not, since the attainment of good involves change in that which attains it.

Christ's addition of καὶ τινός (τινός Aᵇ) after ἕνεκα (l. 2) is amply justified by *De An.* 415ᵇ 2 τὸ δ' οὗ ἕνεκα διττόν, τὸ μὲν οὗ τὸ δὲ ᾧ (cf. ib. 20, *Phys.* 194ᵘ 35). *G. A.* 742ᵃ 22, which Christ quotes, is not

a parallel, for the true reading there is not τὸ οὗ ἕνεκα but τὸ τούτου
ἕνεκα.

2. ἡ διαίρεσις δηλοῖ. Cf. ἐν τῇ διαιρέσει τῶν ἐναντίων I. 1054ᵃ 30,
ἐν τῇ ἐκλογῇ τῶν ἐναντίων Γ. 1004ᵃ 2. *Phys.* 194ᵃ 36 says the distinc-
tion εἴρηταί ἐν τοῖς περὶ φιλοσοφίας, i. e. in Aristotle's early work of
that name. Alexander thinks the reference is to the dialogue *De Bono*,
but elsewhere he refers to a separate Ἐκλογὴ τῶν ἐναντίων (cf. 250.
19, 262. 18, 23, 615. 14, 643. 2, 695. 26). The distinction here,
however, is not a distinction of contraries, and it seems improbable
that here ἡ διαίρεσις refers to a book at all. It probably means
simply 'the well-known distinction'.

3. The subject of κινεῖ is the οὗ ἕνεκα in the sense of τινός, the ob-
jective end.

4. κινούμενα δὲ τἆλλα κινεῖ. The manuscript reading κινουμένῳ, 'and
by something moved it moves all other things', is hardly possible
Greek, and κινούμενον, 'while the other (the πρῶτος οὐρανός) being
moved moves all other things', is little better. κινούμενα gives the
right sense, 'it moves as being loved (*sc.* without itself being
moved), while all other things move by being moved', i. e. simply
transmit the motion impressed on them. α and ω are often confused
in manuscripts (Bast 183, &c.).

5. Alexander's commentary here says ἐάν ἐστιν ἡ ἐνέργεια τοῦ
οὐρανοῦ ἡ πρώτη φορά, which leaves it doubtful what he read, except
that there is no trace of the καί which the manuscripts have be-
fore ἐνέργεια. I have adopted a reading which may have been
that of Alexander, and which gives better sense than those of the
manuscripts and, I think, than those of previous editors (εἰ φορὰ
ἡ πρώτη ἐνέργειά ἐστιν, ᾗ κινεῖται Bz., εἰ ἡ φορὰ ἡ πρώτη ἐνέργειά ἐστιν
ᾗ κινεῖται Christ). Taking ᾗ κινεῖται with what follows, and reading
ταύτῃ γε, which the sense requires, we get the following meaning
for the sentence. Aristotle has said, with the heavenly spheres in
mind, 'the other things move only by being moved. Now if a thing
is moved, it is capable of being otherwise than as it is'. He now
continues 'so that if its actual mode of existence is the primary kind
of local movement (*sc.* circular movement), then in so far as it is
subject to change, in this respect it is capable of being otherwise, i. e.
in respect of place even if not in respect of substance', i.e. even if it is
not subject to generation or destruction. The words εἰ μὲν οὖν . . .
οὐσίαν (ll. 4–7) are preparatory to the second part of the sentence, in
which Aristotle points out that the πρῶτον κινοῦν, in contrast to the
πρῶτον κινούμενον, is in *no* respect subject to contingency.

Jaeger reads εἰ φορὰ ἡ πρώτη καὶ ἐνέργειά ἐστιν ᾗ κινεῖται, ταύτῃ δ'
ἐνδέχεται ἄλλως ἔχειν κατὰ τόπον, and interprets 'thus if locomotion is
the primary kind of movement and if it has activity only in so far as it
is moved (i. e. really occurs), yet just for that reason it can be other-
wise in respect of place'. The use of δέ *in apodosi* might be justified
by reference to B. 999ᵃ 27, Γ. 1003ᵇ 5, Λ. 1075ᵃ 10, but the inter-
pretation as a whole is hardly satisfactory.

8–9. φορὰ γὰρ . . . κύκλῳ. For local movement as the primary movement, which a thing must have if it is to have movement or change at all, cf. *Phys.* 260ᵃ 26—261ᵃ 26, and for circular movement as the primary local movement cf. 265ᵃ 13–ᵇ 16.

9. ταύτην δὲ τοῦτο κινεῖ. The argument is: 'But the first mover *imparts* the first or minimal movement, and therefore cannot be supposed itself subject to it, since then we should have to look for something which is prior to the first mover and imparts this motion to it.'

10–11. ἐξ ἀνάγκης ἄρα . . . ἀρχή. 'Since it is not subject even to the minimal change (and therefore, *a fortiori*, is not subject to generation or destruction), it is a thing that exists of necessity; and inasmuch as it exists of necessity, its existence is good, and it is in this way (*sc.* as good or object of desire) that it is a principle', i. e. the principle of movement of the universe.

10. ᾗ ἀνάγκη, καλῶς. This is to be explained by Δ. 1015ᵇ 14 εἰ ἄρα ἔστιν ἄττα ἀΐδια καὶ ἀκίνητα, οὐδὲν ἐκείνοις ἐστὶ βίαιον οὐδὲ παρὰ φύσιν. That which admits of no contingency of any kind (1072ᵇ 8) καλῶς ἔχει because nothing contrary to its nature can happen to it.

11. For the three senses of 'necessary' cf. Δ. 5. Alexander thinks that the prime mover is necessary in the sense of τὸ οὗ οὐκ ἄνευ τὸ εὖ. But it has expressly been said (l. 8) to be necessary in the sense of τὸ μὴ ἐνδεχόμενον ἄλλως ἔχειν: τὸ οὗ οὐκ ἄνευ τὸ εὖ is simply the condition of the good, and may be a necessary evil, οἷον τὸ πιεῖν τὸ φάρμακον ἀναγκαῖον ἵνα μὴ κάμνῃ (Δ. 1015ᵃ 24); it is evidently not in this sense that the life of God is necessary.

13. ἀλλ᾽ ἁπλῶς, 'but can exist only in a single way', cf. Δ. 1015ᵇ 11.

14–24. Having shown (ᵃ 25) that there is a prime mover which is substance and is pure activity or actuality, Aristotle assumes that it must be such as the highest actuality or activity that we know, viz. νόησις, immediate or intuitive knowledge. Further (l. 18) this νόησις, being καθ᾽ αὑτήν, i. e. unconnected with any lower function such as sense or imagination, must be νόησις of what is in itself the best, and that which is in the fullest sense νόησις must be νόησις of that which is in the fullest sense best, i. e. of the πρῶτον ὀρεκτόν (ᵃ 27), the prime mover itself. Now νοῦς does know itself by sharing in the knowability of its object; for when it touches and knows it becomes knowable, so that it and its object are one. It is when it actually 'touches' its object that this happens, for, while νοῦς is that which is capable of receiving the knowable, i. e. essence, it is actual only when it actually possesses the object, so that actuality rather than potentiality is the divine thing in νοῦς—actual contemplation is the pleasantest and best of all things.

14–15. διαγωγὴ δ᾽ . . . ἡμῖν, 'it is a life such as the best that we live, and live for but a short time'. Or διαγωγή may be used in the more pregnant sense in which it implies both noble activity and pleasure

(*Pol.* 1339^b 17).   The *primum movens* is described not as having but as being a life, because it is pure ἐνέργεια.

15. οἷα ἡ ἀρίστη μικρὸν χρόνον ἡμῖν, i. e. when we are engaged in philosophic thought, cf. A. 982^b 19—983^a 10, *E. N.* 1177^b 26.   We can do this only for a short time because we are not all ἐνέργεια and our δύναμις being finite is bound to tire (cf. Θ. 1050^b 24, *E. N.* 1175^a 3, *De Somno* 454^b 8).

16. ἐπεὶ καὶ ἡδονὴ ἡ ἐνέργεια τούτου. ἡδονὴ ἡ ἐνέργεια is clearly preferable to the vulgate ἡ ἡδονὴ ἐνέργεια.   Aristotle uses here the language of *E. N.* vii. 1153^a 14, which identifies pleasure and activity. In the exacter language of *E. N.* x (1175^a 15), pleasure inevitably accompanies and completes activity.

17. διὰ τοῦτο, because they are activities.

18. διὰ ταῦτα, because they are hopes and memories of these activities.

18–21. In order to find the connexion between these two sentences, it seems necessary to suppose that when Aristotle says that the divine νόησις ἡ καθ' αὑτήν is of τὸ καθ' αὑτὸ ἄριστον he means the conclusion to be drawn 'and therefore of the divine νοῦς itself', which has been exhibited as the πρῶτον ὀρεκτόν (^a 27), in other words as the ἄριστον (^a 35).   He then goes on to show *how* νοῦς knows itself; he shows that it is only in the activity of νόησις that νοῦς becomes its object and so becomes knowable, and the distinction thus drawn between activity and potentiality leads him to the statement that the activity is better than the potentiality, that the actual exercise of θεωρία is the pleasantest and best thing in the world.

18. ἡ ... νόησις ἡ καθ' αὑτήν, thinking in itself as distinguished from the human thinking which depends on sense and imagination.   Alexander interprets these words as meaning ὁ κατ' ἐνέργειαν νοῦς in distinction from ὁ καθ' ἕξιν and ὁ δυνάμει, but it is difficult to get this out of καθ' αὑτήν.

19. αὐτὸν δὲ νοεῖ.   Bz. is not justified in inferring from 1074^b 33 that δή should be read; the argument there is obviously different. δή gives a good sense here, but so does δέ.

20. κατὰ μετάληψιν τοῦ νοητοῦ.   Cf. *De An.* 430^a 8 ἐκείνῳ (νῷ) τὸ νοητὸν ὑπάρξει.   νοῦς, as Alexander says (698. 7), knows primarily the intelligible form, and incidentally itself, through the fact that when it knows it becomes what it knows.   Cf. *De An.* 430^a 2 καὶ αὐτὸς (ὁ νοῦς) ... νοητός ἐστιν ὥσπερ τὰ νοητά. ἐπὶ μὲν γὰρ τῶν ἄνευ ὕλης τὸ αὐτό ἐστι τὸ νοοῦν καὶ τὸ νοούμενον· ἡ γὰρ ἐπιστήμη ἡ θεωρητικὴ καὶ τὸ οὕτως ἐπιστητὸν τὸ αὐτό ἐστιν.   The identity of actualized νοῦς (νοῦς actually engaged in νόησις) with the actualized νοητόν (which has been changed from a δυνάμει νοητόν to an ἐνεργείᾳ νοητόν by the action of νοῦς in νόησις on it) is parallel to the identity of actualized sensation with the actualized sensible object (*De An.* 424^a 25, 425^b 25).

The doctrine that the actual αἰσθανόμενον is identical with the actual αἰσθητόν seems to be based on two grounds :—

(1) The metaphorical description of the apprehension of the sensible form as δέχεσθαι, and the comparison of it with the reception of the shape of a seal by wax (424ᵃ 18), lead Aristotle to think of the percipient as becoming actually qualified by the form of the object.

(2) He interprets the inseparability of actual hearing from actual sound, of actual seeing from actual colour (425ᵇ 30), as implying that these are but two names for the same thing viewed from different standpoints.

The first of these grounds, at any rate, is also implied in his identification of νοῦς and νοητόν (νοῦς is δεκτικὸν τοῦ εἴδους καὶ δυνάμει τοιοῦτον ἀλλὰ μὴ τοῦτο 429ᵃ 15). νοῦς must have no character of its own, that it may be able to take the character of whatever it knows (429ᵃ 21). And doubtless the second ground is also implied in this case, though there is no passage so explicitly implying it as that referred to above with regard to sensation (425ᵇ 30).

21. θιγγάνων. For the metaphor cf. Θ. 1051ᵇ 24.

22. καὶ τῆς οὐσίας, i. e. 'of substance' in the sense of essence, cf. De An. 429ᵃ 15 δεκτικὸν τοῦ εἴδους.

22-24. ἐνεργεῖ δὲ . . . ἄριστον. 'But νοῦς is actual when it has its objects (instead of being merely capable of receiving them), so that (since actuality is better than potentiality, cf. Θ. 8) having them rather than being capable of having them is the most divine thing in νοῦς, and actual contemplation is the pleasantest and best thing.' I follow Alexander (698. 29) in the interpretation of ἐνεργεῖ δὲ ἔχων; for the use of ἔχων cf. Bz. *Index* 305ᵇ 46. Bz.'s interpretation of ἔχων, *quoniam ipse in se continet atque ipse est* τὸ νοητόν, is hard to get out of the Greek and seems less probable, the point being the contrast of actual with potential knowledge, without special reference at this stage of the argument to the identity of knowledge and its object.

Krische's interpretation of ἔχων as = 'having the potentiality of thought' is rightly rejected by Bz.; the supposed parallels in *Phys.* 255ᵃ 34, *De An.* 412ᵃ 26, 417ᵇ 5, are not convincing. Dr. Jackson (*Proc. Camb. Phil. Soc.* cix-cxiv. 11 f.) translates ἐνεργεῖ δὲ ἔχων 'and it energizes continually', comparing such phrases as τί κυπτάζεις ἔχων; and ἔχων φλυαρεῖς. This idiom seems, however, to be somewhat contemptuous and therefore out of place here; cf. the instances quoted in L. and S.

Mr. A. J. Rahilly has an ingenious conjecture (*New Ireland Review*, October, 1909), ἐνεργεῖ δὲ ἔχων ἐκεῖνο μᾶλλον, ὥστε τούτου ὃ κτλ., 'but it is rather by possessing the former (the intelligible) that it (the intellect) becomes actualized. And so the contemplation of that which the intellect seems to have divine in it (i. e. self-consciousness) is its greatest enjoyment and good'. The transposition gives an excellent sense, but does not seem to be necessary.

23. ὥστ' ἐκείνου μᾶλλον τοῦτο is the reading implied by Alexander (698. 35). He interprets the clause as meaning 'so that the divine thing in νοῦς (i. e. its self-knowledge) belongs rather to the πρῶτος νοῦς' (than to the actual νοῦς of mankind). ἡ θεωρία will then mean not 'contemplation in general but 'God's contemplation'. But it is difficult to supply τὸ ἑαυτὸν νοεῖν as the meaning of ὃ δοκεῖ ὁ νοῦς θεῖον ἔχειν. We must, it seems, choose one of two interpretations:

(1) 'so that what reason is thought to have of the divine belongs to the prime mover (ἐκείνου, cf. ἐκεῖνος l. 27) rather than to the human mind', sc. since it always ἔχει τὸ νοητόν while we only sometimes do so. Then ἡ θεωρία = 'God's contemplation'.

(2) 'so that this (actuality) rather than that (potentiality) is what reason is thought to have of the divine'. This derives some support from 1074ᵇ 21 ἔτι δὲ εἴτε νοῦς ἡ οὐσία αὐτοῦ εἴτε νόησίς ἐστι. Then ἡ θεωρία will mean 'actual contemplation' in general. So Bz. takes the passage.

If ἐκεῖνο μᾶλλον τούτου be read the meaning must be 'so that that which reason is thought to have of the divine belongs to the prime mover (τούτου) rather than to the human mind'. This is slightly less natural than the two interpretations above.

24. For ἡ θεωρία as the actuality, opposed to ἐπιστήμη, the potentiality of knowledge, cf. Θ. 1048ᵃ 34, 1050ᵃ 12–14, *Phys.* 255ᵃ 34, *De An.* 412ᵃ 11, 23, 417ᵃ 29, *G. A.* 735ᵃ 11, *E. N.* 1146ᵇ 31–35.

εἰ οὖν οὕτως εὖ ἔχει, ὡς ἡμεῖς ποτέ, ὁ θεὸς ἀεί resumes what was said in ll. 14, 15.

25. εἰ δὲ μᾶλλον. That God's νόησις is always better than ours ever is has not been proved, but has been suggested in the words ἡ δὲ νόησις ἡ καθ' αὑτήν (l. 18), where the self-dependent νόησις of God is contrasted with the human νόησις dependent on sense and imagination.

26. For ὧδε retrospective cf. ᵃ 26.

30–34. ὅσοι δὲ ... τούτων. For this view cf. 1075ᵃ 36, N. 1091ᵃ 33, 1092ᵃ 11. As regards the Pythagoreans, Ritter's notion that they believed in a development of the divine nature from imperfection to perfection is generally rejected by scholars. The late position of the good in the Pythagorean list of opposites perhaps fits in with the doctrine here ascribed to them. The production of the 'perfect' number ten from less perfect numbers is significant of the same tendency; and, consistently with this, the Pythagoreans assigned the higher entities and qualities to the higher numbers. Cf. *Theolog. Arithm.* p. 55 Ast Φιλόλαος δὲ μετὰ τὸ μαθηματικὸν μέγεθος τριχῆ διαστὰν (ἐν) τετράδι, ποιότητα καὶ χρῶσιν ἐπιδειξαμένης τῆς φύσεως ἐν πεντάδι, ψύχωσιν δὲ ἐν ἑξάδι, νοῦν δὲ καὶ ὑγείαν καὶ τὸ ὑπ' αὐτοῦ λεγόμενον φῶς ἐν ἑβδομάδι, μετὰ ταῦτά φησιν ἔρωτα καὶ φιλίαν καὶ μῆτιν καὶ ἐπίνοιαν ἐπ' ὀγδοάδι συμβῆναι τοῖς οὖσιν. This point, which was noted by Gruppe, affords a connexion between the Pythagoreans and Speusippus, who wrote a book on the Pythagoreans and was specially interested in the perfection of the highest number, ten (Diels i.³ 303. 20). He no doubt considered the good to be manifested first in one of the later of the grades of substance which he recognized (Z. 1028ᵇ 21).

28. Bz.'s conjecture δή for δέ greatly improves the sense, and is supported by Them. 24. 19.

32. διὰ τὸ καὶ τῶν φυτῶν κτλ., cf. N. 1092ᵃ 12.

35—1073ᵃ 3. Cf. Θ. 1049ᵇ 17–27.

1073ᵃ 3–ᵇ 17. Blass has pointed out that in this whole passage there are only two hiatuses (ᵃ 26, 34), that ᵇ 17–38 is almost free from hiatus, and 1074ᵃ 38–ᵇ 14 contains only one (ᵇ 7), while 1073ᵇ 38—1074ᵃ 38 is full of hiatuses. He points out further that οὗτοι in 1074ᵇ 3 does not refer naturally to anything that immediately precedes. He infers that Aristotle has here incorporated, with additions, extracts from an earlier and less scientific work of his own, in which much more attention was paid to style. This view can, however, hardly be right. At least the reference to Callippus' theory (1073ᵇ 32–38), and probably the whole discussion of the concentric spheres and their movers (1073ᵃ 14—1074ᵇ 14), belongs to the latest period of Aristotle's life. Cf. n. at beginning of ch. 8.

5, δέδεικται. Bz. thinks the reference is to *Phys.* 267ᵇ 17, but Aristotle's mode of reference to a separate book is almost invariably fuller than this (cf. 1072ᵃ 4 n.), and, since the first ὅτι clause (3–5) and the third (11, 12) clearly refer to the results of the immediately preceding argument, it is pretty certain that this one does so too. Aristotle has not, strictly speaking, shown that the *primum movens* is without extension, but he has proved something from which it readily follows (cf. ll. 7–11), and δέδεικται expresses this fact, though rather loosely.

7. οὐδὲν δ᾽ ἔχει δύναμιν ἄπειρον πεπερασμένον, cf. *Phys.* 266ᵃ 24–ᵇ 6.

10. ὅλως οὐκ ἔστιν οὐδὲν ἄπειρον μέγεθος, cf. *Phys.* iii. 5, *De Caelo* i. 5.

12. πᾶσαι γὰρ αἱ ἄλλαι κινήσεις ὕστεραι τῆς κατὰ τόπον, cf. 1072ᵇ 8, 9.

The number of the eternal moving principles (ch. 8).

1073ᵃ 14. Our predecessors have not been precise about this. The ideal theory does not discuss it. It identifies Ideas with numbers, but sometimes treats them as unlimited, sometimes (but without sufficient proof) as limited by the number 10.

22. We can use previous premises and distinctions. The first principle is an unmoved mover which causes one primary eternal motion. Since every eternal motion requires an eternal cause, and there are other eternal motions (viz. those of the planets) besides that of the first heaven, each of these requires an eternal substance as mover. It must be substance since the moved is a substance, mover is prior to moved, and only substance can be prior to substance. There must be as many such substances as there are motions.

ᵇ 3. Their number must be determined by astronomy—the most akin to philosophy of the mathematical sciences—since it alone of these sciences deals with concrete substance. It is obvious that the motions are more numerous than the moved bodies. We proceed to give a sketch of the accounts of various mathematicians.

17. Eudoxus assigned three spheres to the sun and three to the moon,

(1) a sphere having the daily rotation of the fixed stars,

(2) a sphere having a yearly motion along the zodiac,

(3) a sphere having a motion across the zodiac (stretching across a greater breadth of it in the case of the moon).

He assigned to the planets (1) and (2) and

(3') a sphere whose poles are in the ecliptic (the poles being the same for Venus and Mercury),

(4') a sphere moved obliquely to (3').   Total 26.

32. Callippus kept the same order, and the same number of spheres for Jupiter and Saturn, but added two each for the sun and moon, and one for each of the other planets.   Total 33.

38. We must suppose, for each of these bodies except the moon, counteracting spheres, one less in number than the positive spheres, to neutralize their action on the outer sphere of the next system (counting inwards).   Total 55.

Or if we do not add the said motions to sun and moon, we get

          Total 47.

1074^a 14. This is also the number of the unmoved movers (probably—we do not claim certainty). If there can be no motion which does not contribute to the motion of a star, and every substance which is impassive and in itself has attained the best is an end, this must be the total number of the unmoved substances. For if there are others, they must cause motion as ends of motion. But there cannot be other motions than those named. This is made probable by study of the moved bodies. For no motion is for its own sake or for the sake of another motion, but for the sake of the stars (otherwise there would be an infinite regress).

(31. The physical universe is one. For if there were many, each would have a different individual cause, and therefore the causes would have to have matter; for, as far as form goes, it is common to many individuals. But the prime essence has not matter; for it is actuality. Therefore the prime mover, and therefore also the universe which it moves, is one in number as well as in definition.)

38. There is an old tradition that the stars are gods. The rest of the tradition has been added to lend sanction to the laws and on utilitarian grounds—i.e. the anthropomorphic or zoomorphic parts of the mytho-

logy. But the original part, that the prime substances are gods, is inspired. It is a relic of that completest possible development of the arts and sciences, which must have been often achieved and often lost.

Jaeger has argued forcibly (*Arist.* 366–392) that while most of Bk. Λ is early, this chapter must have been written quite late in Aristotle's life. The theory of Callippus referred to in 1073ᵇ 32–38 as a thing of the past (ἐτίθετο, l. 33) can hardly be earlier than 330–325. The chapter interrupts the discussion of the first mover in chs. 7, 9. It is written in a full and careful manner, very different from the jottings which form the rest of the book. The doctrine of the 'intelligences' which move the spheres is hardly consistent with the doctrine of the single first mover in ch. 7 (cf. 1072ᵇ 13 f.), and is late—still absent in the *De Motu Animalium* and only tentative in *Physics* viii (258ᵇ 10–12, 259ᵃ 3–15). 1074ᵃ 31–38 seems to be a fragment belonging to the earlier and more monistic period of Aristotle's thought.

1073ᵃ 16. For ἀποφάσεις = ἀποφάνσεις, cf. *Rhet.* 1365ᵇ 27.

20. ὁτὲ δὲ ὡς μέχρι τῆς δεκάδος ὡρισμένων. This view is ascribed to some of the believers in ideal numbers in M. 1084ᵃ 12, to Platonists generally in 1084ᵃ 31, and to Plato himself in *Phys.* 206ᵇ 32. The doctrine was derived from the Pythagoreans, for whom cf. A. 986ᵃ 8; Philolaus fr. 11. 5; Theo Smyrn. pp. 93. 19, 25, 99. 8, 106. 7 Hiller; *Theologum. Arithm.* pp. 60, 61 Ast; Photius, *Bibl.* p. 439ᵃ 5 Bekker; Zeller i.⁶ 504–505; Burnet, *E. G. P.* § 48. Speusippus connected one with the point, two with the line, three with the plane surface (the triangle), four with the solid (the tetrahedron); and 1 + 2 + 3 + 4 = 10 (*Theologum. Arithm.* p. 63 f.). Cf. Z. 1028ᵇ 21 n.

24. ἀκίνητον καὶ καθ' αὑτὸ καὶ κατὰ συμβεβηκός = οὔτε καθ' αὑτὸ οὔτε κατὰ συμβεβηκὸς κινητόν.

29. τὴν τοῦ παντὸς τὴν ἁπλῆν φοράν, the diurnal apparent motion of the whole heavens.

32. ἐν τοῖς φυσικοῖς, *Phys.* viii. 8, 9, *De Caelo* i. 2, ii. 3–8.

33. ὑπ' ἀκινήτου τε κινεῖσθαι καθ' αὑτὴν καὶ ἀιδίου οὐσίας. These moving causes of the several planetary motions are, says Alexander (706. 32), not identical with the souls of the planets which Aristotle's language in *De Caelo* 292ᵃ 20 ff. implies. It is in virtue of their souls that the planets are able to move at all, but it is in virtue of the desire of their moving causes for God that they move eternally and uniformly. The souls of the planets, we may add, are immanent in them, but the moving causes transcend them as God transcends the ἀπλανὴς σφαῖρα. But it must be remembered that Aristotle nowhere speaks explicitly of souls of the planets, though he ascribes to the planets action and life (*De Caelo* 292ᵃ 20).

ᵇ 1. διὰ τὴν εἰρημένην αἰτίαν πρότερον seems to refer to ᵃ 5–11.

6. αἱ δ' ἄλλαι περὶ οὐδεμιᾶς οὐσίας, cf. M. 2, 3.

17—1074ᵃ 14. The views of Eudoxus, Callippus, and Aristotle about the planetary system are discussed more fully by Simplicius (Comm.

in *De Caelo* 488. 18–24, 493. 4—506. 18). Eudoxus' theory was first satisfactorily interpreted by Schiaparelli in *Pubblicazioni del R. Osservatorio di Brera in Milano*, 1875). Excellent accounts of the theory are given in Dreyer, *Planetary Systems*, 87–114, and in Heath, *Aristarchus of Samos*, 190–224. The importance of the theory in the history of astronomy is well indicated in the following remarks by Dreyer (p. 107). 'Scientific astronomy may really be said to date from Eudoxus and Kalippus, as we here for the first time meet that mutual influence of theory and observation on each other which characterizes the development of astronomy from century to century. Eudoxus is the first to go beyond mere philosophical reasoning about the construction of the universe; he is the first to attempt systematically to account for the planetary motions. When he has done this the next question is how far this theory satisfies the observed phenomena, and Kalippus at once supplies the observational facts required to test the theory and modifies the latter until the theoretical and observed motions agree within the limit of accuracy attainable at the time. Philosophical speculation unsupported by steadily pursued observations is from henceforth abandoned; the science of astronomy has started on its career.'

Simplicius derives his account largely from Sosigenes the Peripatetic (second century A. D., the teacher of Alexander Aphrodisiensis), who in turn borrowed from Eudemus' treatment of the subject in his *History of Astronomy*. Simplicius quotes from Sosigenes the statement that Aristotle discussed in his *Physical Problems* objections to the hypotheses of astronomers (*sc.* Eudoxus and Callippus) arising from the fact that even the sizes of the planets do not appear always the same. Simplicius further refers to 1073ᵇ 10–13 and 1074ᵃ 14–17 as indicating dissatisfaction with the theory of concentric spheres. But Aristotle's doubts are clearly only on points of detail.

'The theory of concentric spheres was pursued for some time after Aristotle. Schiaparelli conjectures that even Archimedes still held to it. Autolycus, the author of the treatises *On the moving sphere* and *On risings and settings*, who lived till the end of the fourth or the beginning of the third century B. C., is said to have been the first to try, presumably by some modification of the theory, to meet the difficulties which had been seen from the first and were doubtless pointed out with greater insistence as time went on. What was ultimately fatal to it was of course the impossibility of reconciling the assumption of the invariability of the distance of each planet with the observed differences in the brightness, especially of Mars and Venus, at different times, and the apparent difference in the relative sizes of the sun and moon' (Heath, 221).

17–32. On the general nature of Eudoxus' theory I cannot do better than quote Heath (p. 195). 'Eudoxus adopted the view which prevailed from the earliest times to the time of Kepler, that circular motion was sufficient to account for the movements of all the heavenly bodies. With Eudoxus this circular motion took the form of the revolution of different spheres, each of which moves about a diameter as axis. All the spheres were concentric, the common centre being the centre of the earth; hence the name of "homocentric spheres" used in later times to describe the system. The spheres were of different sizes, one inside the other. Each planet was fixed at a point in the equator of the sphere which carried it, the sphere revolving at uniform speed about the diameter joining the corresponding poles; that is, the planet revolved uniformly in a great circle of the sphere perpendicular to the axis of rotation. But one such circular motion was not enough; in order to explain the changes in the speed of the planets' motion, their stations and retrogradations, as well as their deviations in latitude, Eudoxus had to assume a number of such circular motions working on each planet, and producing by their combination that single apparently irregular motion which can be deduced from mere observation. He accordingly held that the poles of the sphere which carries the planet are not fixed, but themselves move on a greater sphere concentric with the carrying sphere and moving about two different poles with a speed of its own. As even this was not sufficient to explain the phenomena, Eudoxus placed the poles of the second sphere on a third, which again was concentric with and larger than the first and moved about separate poles of its own, and with a speed peculiar to itself. For the planets yet a fourth sphere was required similarly related to the three others; for the sun and moon he found that, by a suitable choice of the positions of the poles and of speeds of rotation, he could make three spheres suffice. In the accounts of Aristotle the spheres are described in the reverse order, the sphere carrying the planet being the last. The spheres which move each planet Eudoxus made quite separate from those which move the others. One sphere sufficed of course to produce the daily rotation of the heavens. Thus, with three spheres for the sun, three for the moon, four for each of the planets and one for the daily rotation, there were twenty-seven spheres in all. It does not appear that Eudoxus speculated upon the causes of these rotational motions or the way in which they were transmitted from one sphere to another; nor did he inquire about the material of which they were made, their sizes and mutual distances. In the matter of distances the only indication of his views is contained in Archimedes' remark that he supposed the diameter of the sun to be nine times that of the moon, from which we may no doubt infer that he made their distances from the earth to be in the same ratio 9 : 1. It would appear that he did not give his spheres any substance or mechanical connexion; the whole system was a purely geometrical hypothesis, or a set of theoretical constructions calculated to represent the apparent paths of the planets and enable them to be computed.'

Eudoxus of Cnidus (c. 408–355 B.C.), one of the greatest mathematicians of antiquity, was the discoverer of the theory of proportion expounded in the fifth book of Euclid's *Elements* and of the mensuration of areas and volumes by the method of exhaustion, and the first proposer of the Julian cycle. He was a pupil of Archytas and of Plato, who is said to have suggested to him for solution the problem of planetary motion (Simpl. 488. 21). He explained his system in a book *On Velocities*, which like all his other works is lost. Aristotle had his knowledge of the system from Polemarchus, an acquaintance of Eudoxus.

18. τὴν μὲν πρώτην τὴν τῶν ἀπλανῶν ἄστρων εἶναι, i. e. the first (outermost) sphere of the sun (and similarly the first sphere of the moon) was meant to explain its diurnal motion from east (through south) to west. Aristotle means not that the first sphere of the sun or of the moon was the sphere of the fixed stars, but that it had the same motion.

19. τὴν δὲ δευτέραν κατὰ τὸν διὰ μέσων τῶν ζῳδίων (κύκλον), i. e. the second sphere moved in the circle which bisects the signs of the zodiac longitudinally, in other words the ecliptic, the λοξὸς κύκλος of 1071ᵃ 16 (which is different from the λελοξωμένος of 1073ᵇ 20). Simplicius supposes that this second sphere produced, in the case of the *moon*, the revolution from west to east in a lunar month, while the third sphere produced the retrograde movement of the nodes (or points of highest latitude) in about eighteen years. But it has been pointed out that if these were the relative speeds of the two spheres the moon ' would have been found for nine years north, and then for nine years south, of the ecliptic . . . We must assume that the third sphere produces the monthly revolution of the moon from west to east . . . round a circle inclined to the ecliptic at an angle equal to the greatest latitude of the moon, and then that this oblique circle is carried round by the second sphere in a retrograde sense along the ecliptic in a period of 223 lunations ' (Heath, 197). Simplicius' mistake goes back to Aristotle, since ' Aristotle clearly implies that the second sphere corresponds to the movement in longitude for all the seven bodies including the sun and moon, whereas in fact it only does so in the case of the five planets ' (ib.).

With regard to the *sun*, Simplicius says that, as in the case of the moon, the third or innermost sphere moves much more slowly than the second, but (unlike the third sphere of the moon) in the direct order of the signs (493. 15–17, 494. 6, 7, 9–11). ' Simplicius makes the same mistake as regards the speeds of the second and third spheres as he made in the case of the moon. If it were the third sphere which moved very slowly, the sun would for ages remain in a north or a south latitude and in the course of a year would describe, not a great circle, but (almost) a small circle parallel to the ecliptic. The slow motion must therefore belong to the second sphere, the equator of which revolves in the ecliptic, while the revolution of the third sphere must take place in about a year . . ., the plane of its equator being inclined, at the small angle mentioned, to the plane of the ecliptic . . . The slightly inclined great circle of the third sphere which the sun appears to describe is thus carried round bodily in the

revolution of the second sphere about the axis of the ecliptic, the
nodes on the ecliptic thus moving slowly forward, in the direct order
of the signs; and lastly both the second and third spheres are carried
round by the revolution of the first sphere following the daily rota-
tion' (Heath, 198).

The sun's apparent motion is, as a matter of fact, along the
ecliptic, so that two circles would have been enough to explain its
motion. How did Eudoxus come to suppose that it moved at a small
angle to the ecliptic? Simplicius says this was inferred from the sup-
posed observation that the sun, at the winter and summer solstices,
does not always rise at the same point of the horizon (493. 11-17, cf.
Al. 703. 27). Schiaparelli thinks that the early astronomers inferred
a movement of the sun in latitude from the observed motion of the
moon and the planets in latitude. This belief was opposed by
Hipparchus, but lasted long; Pliny puts the inclination at one degree,
Theon at half a degree. Schiaparelli (p. 17) shows that the theory
was not started to explain the precession of the equinoxes, 'which was
discovered by Hipparchus, but was unknown to Eudoxus, Pliny, and
Theon' (Heath, 200).

'Eudoxus supposed the annual motion of the sun to be perfectly
uniform; he must therefore have deliberately ignored the discovery,
made by Meton and Euctemon sixty or seventy years before, that the
sun does not take the same time to describe the four quadrants of its
orbit between the equinoctial and solstitial points' (ib.).

23. καὶ τούτων δὲ τὴν μὲν πρώτην καὶ δευτέραν τὴν αὐτὴν εἶναι
ἐκείναις, i. e. the planets shared not only the diurnal motion of the sun
and the moon, but also their motion along the ecliptic. The periods
of this motion, 'in the case of the superior planets, are respectively
equal to the sidereal periods of revolution, and in the case of Mercury
and Venus (on a geocentric system) one year. As the revolution of the
second sphere was taken to be uniform, we see that Eudoxus had no
idea of the zodiacal anomaly of the planets, namely that which depends
on the eccentricity of their paths, and which later astronomers sought
to account for by the hypothesis of eccentric circles; for Eudoxus the
points on the ecliptic where successive oppositions or conjunctions
took place were always at the same distances, and the arcs of retro-
gradation were constant for each planet and equal at all parts of the
ecliptic. Nor with him were the orbits of the planets inclined at all to
the ecliptic; their motion in latitude was believed by Eudoxus to
depend exclusively on their elongation from the sun and not on their
longitude' (Heath, 200-201).

26. ὑπὸ ταύτῃ, nearer than this to the centre of the universe,
the earth.

27. ἁπασῶν, sc. τῶν σφαιρῶν or τῶν φορῶν. 'Of all the planets'
would have been more accurate.

28. τῆς δὲ τρίτης ἁπάντων τοὺς πόλους ἐν τῷ διὰ μέσων τῶν ζῳδίων
εἶναι, i. e. 'the third sphere had its poles at two opposite points on the

zodiac circle, the poles being carried round in the motion of the second sphere ; the revolution of the third sphere about the poles was again uniform and took place in a period equal to the synodic period of the planet or the time which elapsed between two successive oppositions or conjunctions with the sun' (Heath, 201). It is not clear in which of the two possible directions this sphere rotated, but Schiaparelli shows that this does not matter for the theory.

29. τῆς δὲ τετάρτης τὴν φορὰν κατὰ τὸν (κύκλον τὸν) λελοξωμένον πρὸς τὸν μέσον ταύτης (κύκλον). The fourth sphere moved in a circle inclined to the equator of the third. The inclination ' was constant for each planet but different for the different planets. And the rotation of the fourth sphere about its axis took place in the same time as the rotation of the third about its axis but in the opposite sense. On the equator of the fourth sphere the planet was fixed, the planet thus having four motions, the daily rotation, the circuit in the zodiac, and two other rotations taking place in the synodic period' (Heath, 201).

The combined effect of the rotation of the third and fourth spheres is thus described by Simplicius (496. 23—497. 6) : ' The third sphere, which has its poles on the great circle of the second sphere passing through the middle of the signs of the zodiac, and which turns from south to north and from north to south, will carry round with it the fourth sphere which also has the planet attached to it, and will moreover be the cause of the planet's movement in latitude. But not the third sphere only ; for, so far as it was on the third sphere (by itself), the planet would actually have arrived at the poles of the zodiac circle and would have come near to the poles of the universe ; but, as things are, the fourth sphere, which turns about the poles of the inclined circle carrying the planet and rotates in the opposite sense to the third, i. e. from east to west, but in the same period, will prevent any considerable divergence (on the part of the planet) from the zodiac circle, and will cause the planet to describe about this same zodiac circle the curve called by Eudoxus the *hippopede*, so that the breadth of this curve will be the (maximum) amount of the apparent deviation of the planet in latitude, a view for which Eudoxus has been attacked' (Heath, 201–202). Schiaparelli has shown how it was possible for Eudoxus, with the geometrical knowledge at his command, to arrive at the *hippopede* (horse-fetter) or spherical lemniscate (a sort of figure of eight) as the path of a planet so far as it is determined by the third and the fourth of its spheres. But in virtue of the second φορά the lemniscate itself moves along the ecliptic. The actual motion of the planet among the fixed stars is due to the combination of these two motions. For half the synodic period the motion of the planet along the lemniscate accelerates its motion along the ecliptic, and for half of the period it retards it. When the backward motion along the lemniscate is greater than the forward motion of the lemniscate the planet retrogrades, and when the two motions are equal it is stationary. The theory is evidently meant to explain the retrogradations and the stations of the planets; while the breadth of the lemniscate defines their motions in latitude. Except in the case of Mars, Eudoxus (according to the figures given by Simplicius 495. 26–29, 496. 6–9) assigned fairly accurately both the synodic and the zodiacal or sidereal periods, which implies the use of careful observations whether Egyptian or Babylonian. We do not know the angles of inclination of the axis of the fourth to that of the third sphere which he assigned for the several planets, but taking the most probable angles Schiaparelli has shown that 'for Jupiter and Saturn, and to some extent for Mercury also, the system was capable of giving on the whole a satisfactory explanation of their motion in longitude, their stationary points, and their retrograde motions; for Venus it was unsatisfactory, and it failed altogether in the case of Mars. The limits of motion in latitude represented by the various *hippopedes* were in tolerable agreement with observed facts, although the periods of the deviations and their places in the cycle were quite wrong' (Heath, 211).

30. εἶναι δὲ τῆς τρίτης σφαίρας τοὺς πόλους τῶν μὲν ἄλλων ἰδίους, τοὺς δὲ τῆς Ἀφροδίτης καὶ τοῦ Ἑρμοῦ τοὺς αὐτούς. 'As regards Mercury and Venus, inasmuch as their mean positions coincide with the mean position of the sun, Eudoxus must have assumed that the centre of the *hippopede* always coincides with the sun. This centre being on the ecliptic and at a distance of 90° from each of the poles of rotation of the third sphere, the poles of the third sphere of Mercury and the poles of the third sphere of Venus coincide' (Heath, 210).

31–35. These names for the planets are apparently late. They occur first in Pl. *Epinomis* 987 B f., where they are mentioned as comparatively new (the name Hermes occurs in *Tim.* 38 D). Plato ascribes the names to a Syrian origin, and they were in fact derived from Babylonia. In earlier Greek literature only Ἕσπερος and Ἑωσφόρος are mentioned by name, though the names Φαίνων (Saturn), Φαέθων (Jupiter), Πυρόεις (Mars), Φωσφόρος (Venus), Στίλβων are probably old (Burnet, *E. G. P.*[3] 23, n. 1).

32. Callippus of Cyzicus (fl. 330 B.C.) studied with Polemarchus, a friend of Eudoxus, and is said to have stayed at Athens with Aristotle, 'correcting and completing, with Aristotle's help, the discoveries of Eudoxus' (Simpl. 493. 5–8).

33–34. τοῦτ' . . . τάξιν, which is omitted by E, is doubtless a gloss like those (also beginning with τοῦτ' ἐστι) which A[b] has in A. 984[b] 11, Γ. 1009[a] 26. Cf. I. 1053[b] 31.

34. τῷ μὲν τοῦ Διὸς καὶ τῷ τοῦ Κρόνου τὸ αὐτὸ ἐκείνῳ ἀπεδίδου. As a matter of fact, Eudoxus' theory, as we have seen, works best for these planets. Callippus had evidently 'not perceived the elliptic inequality in the motion of either planet, though it can reach the value of five or six degrees' (Dreyer, 104). Nor can he have perceived their deviations in latitude.

35. τῷ δ' ἡλίῳ καὶ τῇ σελήνῃ δύο ᾤετο ἔτι προσθετέας εἶναι σφαίρας, τὰ φαινόμενα εἰ μέλλει τις ἀποδώσειν. Simplicius tells us that 'according to Eudemus, Callippus asserted that, assuming the periods between the solstices and equinoxes to differ to the extent that Euctemon and Meton held that they did, the three spheres in each case (i. e. for the sun and moon) are not sufficient to save the phenomena, in view of the irregularity which is observed in their motions' (Heath, 218). With regard to the sun, Euctemon, about 430 B. C., 'had made the length of the seasons (beginning with the vernal equinox) 93, 90, 90, and 92 days respectively ... Callippus, about 330 B. C., made the corresponding lengths 94, 92, 89, 90 days respectively' (ib. 215)—a much more accurate estimate. Callippus accounted for the inequality by supposing, besides the three spheres attributed by Eudoxus to the sun, a fourth with its poles on the third, and a fifth with the sun on its equator, its poles on the fourth sphere, and its axis slightly inclined to the axis of the fourth ; the fifth sphere rotating at the same speed as the fourth and in the opposite direction. Thus Callippus explains the sun's unequal motion in longitude as Eudoxus explained the synodic inequalities of the planets, by a *hippopede* ; and 'this representation of the motion of the sun is almost as accurate as that obtained later by means of the eccentric circle and the epicycle' (id. 216). Simplicius implies that Callippus assigned two new spheres to the moon for the same reason ; i. e. he 'was aware of the inequality in the motion of the moon in longitude' (ib.)—a discovery which would naturally have resulted from comparing the times of lunar eclipses with the corresponding longitudes of the moon. Here again a *hippopede* would explain all the facts except evection.

37. τοῖς δὲ λοιποῖς τῶν πλανήτων ἐκάστῳ μίαν. Simplicius tells us that 'the reason why Callippus added the one sphere which he added in the case of each of the three planets Ares, Aphrodite, and Hermes was shortly and clearly stated by Eudemus' (497. 17-24) ; but he does not tell us what it was. We have already seen that Eudoxus' system fails signally with Mars. The fifth sphere was probably meant to account for the retrogradations of Mars, without assuming as Eudoxus did a synodic period other than the true one (260 instead of 780 days). Schiaparelli has been able to show how three concentric spheres instead of Eudoxus' latter two will give the planet at certain points 'a much greater direct and retrograde velocity with the same motion in latitude' (Heath, 215) and thus 'preserve the appearances' much better.

In the case of Venus and Mercury also, Callippus' fifth sphere enabled him to approach nearer to the facts than Eudoxus had done.

38. Eudoxus and Callippus had offered a purely geometrical account of the planetary system ; Aristotle aims at a mechanical account, and cannot isolate the system of one planet from that of the next. He therefore supposes for each ' planet ' except the moon certain spheres which ' roll back' the outer sphere of the planet just nearer to the earth than the given planet, i. e. which prevent the influence of the forward-moving or deferent spheres of one planet from affecting the next. The mode of operation of the ' backward-rolling ' spheres is explained clearly by Heath. ' Suppose A, B, C, D to be the four spheres postulated for Saturn, A being the outermost and D the innermost on which the planet is fixed. If inside the sphere D we place a first reacting sphere D' which turns about the poles of D with equal speed, but in the opposite sense, to D, the rotations of D and D' will mutually cancel each other and any point of D' will move as though it was rigidly connected with the sphere C. Again, if we place inside the sphere D' a second reagent sphere C' rotating about the same poles with C and with equal speed, but in the opposite sense, the rotations of C and C' cancel each other, and any point of C' will move as if it were rigidly connected with the sphere B. Lastly, if inside C' a third reagent sphere B' is introduced which rotates about the same poles with B and at the same speed but in the opposite sense, the rotations of B and B' will cancel each other and any point of B' will move as if it were rigidly connected with the sphere A. But, as A is the outermost sphere for Saturn, A is the motion of the sphere of the fixed stars ; hence B' will move in the same way as the sphere of the fixed stars ; and consequently Jupiter's spheres can move inside B' as if the spheres of Saturn did not exist and as if B' itself were the sphere of the fixed stars ' (p. 218). In this system, however, both the innermost reacting sphere of a planet and the next sphere to it, the outermost deferent sphere of the next planet, are moving with the same motion, viz. that of the fixed stars, so that the second of these two spheres is superfluous. Aristotle might thus have reduced the total number of spheres by six.

1074ᵃ 5. The subject of ποιεῖσθαι is ἅπαντα, which = συντεθεῖσαι πᾶσαι (αἱ σφαῖραι) 1073ᵇ 38. τὴν φοράν answers to τὰ φαινόμενα 1074ᵃ 1.

6. αἱ μὲν ὀκτώ, i. e. four each for Saturn and Jupiter (1073ᵇ 23, 34).

7. αἱ δὲ πέντε καὶ εἴκοσιν, i. e. five for each of the other five bodies (1073ᵇ 17 and 35, 23 and 37).

7–8. τούτων δὲ μόνας οὐ δεῖ . . . φέρεται. 'Aristotle should have realized that, strictly speaking, the account which he gives in the *Meteorologica* of shooting stars, comets, and the Milky Way necessitates the introduction of four reacting spheres below the moon. For, according to Aristotle, these phenomena are the effects of exhalations rising to the top of the sublunary sphere and there coming into contact with another warm and dry substance which, being the last layer of the sublunary sphere and in contact with the revolution of the outer heavenly sphere, is carried round with it ; the rising exhalations are kindled by meeting and being caught in the other substance and are carried round with it. Hence there must be a sphere below the moon which has the same revolution as that of the sphere of the fixed stars, in order that comets, &c., may be produced and move as they are said to do. The four inner spheres producing the moon's own motion should therefore be neutralized as usual by the same number of reacting spheres' (Heath, 219).

10–12. ὁ δὴ ... πέντε. The number of the spheres in the several
theories is as follows :

	Eudoxus	Callippus	Aristotle
Saturn	4	4	7
Jupiter	4	4	7
Mars	4	5	9
Venus	4	5	9
Mercury	4	5	9
Sun	3	5	9
Moon	3	5	5
	26	33	55

12–14. εἰ δὲ ... τεσσαράκοντα. It is not evident how Aristotle reduces
the number from 55 to 47. If Callippus' extra spheres for the sun and the
moon, and the corresponding reagent spheres of the sun, be deducted,
the total is reduced only by six. Alexander makes three suggestions
(706. 8–15): (1) that Aristotle subtracts the two Callippean spheres
of the sun, and the two reagent spheres to correspond, and similarly
subtracts four spheres from the moon, forgetting that there are here
no reagent spheres to be subtracted. (2) that he subtracts all the
extra spheres assigned to the sun and the moon by Callippus and
himself, forgetting that two of the extra sun-spheres are needed to
counteract two of the Eudoxean sun-spheres. (3) that, as Sosigenes
had suggested, we should read ἐννέα for ἑπτά.

Another suggestion has been made by Krische, who (followed by
Schwegler and Bz.) holds that the motions to be subtracted are the
four reagent motions of Mercury which prevent its forward motions
from affecting the sun, and the four reagent motions of the sun which
prevent its forward motions from affecting the moon. These, he
thinks, may be omitted because, the sun and the moon being far from
one another and from the planets, there is no danger of their being
affected by the forward movements of Mercury and the sun respectively.
To this view there are three objections. (a) Aristotle says nothing of
a greater isolation of the sun and the moon, and it is clear that he
believed all the spheres to be in contact (De Caelo 287ᵃ 5–11)—
presumably assigning various thicknesses to the shells of the spheres.
(b) The reagent spheres are spoken of as belonging to the system of
the outer, not the inner, of the two planets concerned (l. 1), so that
the meaning required by Krische's view would have been expressed by
saying ' if one were not to assign to Mercury and to the sun the motions
we spoke of '. (c) Krische ignores De Caelo 291ᵇ 35 ἐλάττους γὰρ
ἥλιος καὶ σελήνη κινοῦνται κινήσεις ἢ τῶν πλανωμένων ἄστρων ἔνια.
This of course refers to the forward motions only. Now the greatest
number of forward motions assigned to any of the planets is five, so
that Aristotle must have assigned less than five forward motions to the
sun and the moon; i. e. the reduction of the total number of spheres

to 47 is not got by subtracting reagent spheres only, as Krische supposes.

Dreyer (p. 114) suggests, after Martin, that Aristotle might have meant to dispense not only with the extra Callippean spheres of the sun and the moon but also with one of the Eudoxean spheres of the sun, that which was devised to explain the supposed motion of the sun in latitude, and accordingly to reduce the reagent spheres of the sun to one. This would give the number 47, but as Dreyer observes Aristotle is unlikely to have thought of this reduction. There is at any rate nothing in this passage to suggest it.

The most probable explanation of Aristotle's meaning is the second given by Alexander, viz. that as regards the sun and the moon Aristotle proposes to return to Eudoxus' theory. But if this be so, he holds that the sun and the moon have fewer motions than *any* of the planets; why then does he say in the *De Caelo* (loc. cit.) that they have fewer motions than *some* of the planets? The answer is that the paradox he is examining there is that the number of motions of the heavenly bodies does not increase steadily as we proceed inward from the sphere of the fixed stars, which has one only, but first increases and then decreases. It is enough for the statement of the paradox to say that the sun and the moon have fewer motions than *some* of the planets, and Aristotle does not say more than the statement of the paradox requires.

14. The manuscripts and Alexander have σφαιρῶν, while Them.ᶜ and Simpl.ᶜ have φορῶν, and read καὶ τὰς αἰσθητάς l. 16, which is omitted by Alexander. If these last words are kept, they must refer to the spheres, and since the number of the spheres cannot be inferred from itself, σφαιρῶν in l. 14 cannot stand. φορῶν is probably an early emendation which has come in for this reason. But it does not suit the context. It is not the case that Aristotle has so far enumerated motions and only now proceeds to infer corresponding spheres. Spheres have been mentioned throughout the passage 1073^b 17— 1074^a 14, and the enumeration in 1074^a 6–14 has been expressly stated as an enumeration of spheres. σφαιρῶν therefore is right. But if so, καὶ τὰς αἰσθητάς, as we have seen, cannot also be right. In any case the word ἀρχαί is not appropriate to the sensible things in question, the spheres, but to their movers, and it is to these that the word οὐσίαι also is in the context applied (l. 22). The argument in ll. 17–24 is purely an argument from the number of the spheres (or movements) to the number of the moving causes. Goebel is therefore right in omitting καὶ τὰς αἰσθητάς.

17–24. The argument is: (1) There is no motion in the heavens which does not contribute to the motion of a star. (2) Every substance which is free from outside influence (ἀπαθής l. 19 = ἀκίνητος l. 15) and is enjoying the *summum bonum* must be an end, and must produce a motion by final causality (l. 22). In other words,

All motions in the heavens are motions required to explain the behaviour of the heavenly bodies.

Every perfect substance produces a motion in the heavens.

Therefore the number of perfect substances is the number of the motions required to explain the motion of the heavenly bodies.

20. Bz. is clearly right in proposing to read τέλος (which is read by two manuscripts of Alexander); this is shown by ὡς τέλος οὖσαι φορᾶς l. 23.

21. ταύτας, the 55 (or 47) unmoved movers answering to the 55 (or 47) spheres.

22-23. The movers of the planetary spheres are here said to act as final causes on the planetary spheres, as God does on the sphere of the fixed stars; i. e. a sort of desire is ascribed to the planetary spheres; cf. *De Caelo* 292ª 20–ᵇ 25. The relation of their movers to God is nowhere stated, but is presumably also one of desire.

Though the mover is the τέλος φορᾶς here, the moved body is the τέλος φορᾶς in l. 30; i. e. the mover is the οὖ ἔνεκα in the sense of the τινός, and the moved is the οὖ ἔνεκα in the sense of the τινί, to use the language of 1072ᵇ 2.

31-38. The unity of the universe is proved on physical grounds in *De Caelo* i. 8, 9; Aristotle here offers the metaphysical proof which he there merely refers to, 277ᵇ 9. Schwegler points out a difficulty into which Aristotle falls. If the immateriality of the first mover proves its uniqueness, how can there be 55 immaterial movers, as Aristotle's theory implies? The objection goes back to Plotinus, *Enn.* v. 1. 9 πῶς δὲ καὶ πολλὰ οὕτως ἀσώματα ὄντα ὕλης῾οὐ χωριζούσης; and is difficult to answer. Cf. Introduction, cxxxix f.

On this section cf. note at beginning of ch.

33. ὅσα ἀριθμῷ πολλά, ὕλην ἔχει. Cf. Z. 1044ª 7, *De Caelo* 278ª 18.

34. εἷς γὰρ λόγος καὶ ὁ αὐτὸς πολλῶν, οἷον ἀνθρώπου, Σωκράτης δὲ εἷς. Aristotle expresses himself rather obscurely, but the point seems to be this: One and the same definition, e. g. that of man, applies to many individuals, but Socrates is only one, and therefore must have in him something over and above the definition of man, something to distinguish him from other men, i. e. must have ὕλη.

35-36. τὸ δὲ τί ἦν εἶναι . . . τὸ πρῶτον, i. e. the prime mover, which has been described in 1072ª 25 as pure actuality or essence.

38–ᵇ 14. For Aristotle's views on the element of truth in popular religion see *De Caelo* 270ᵇ 5–9, 284ª 2–13, ᵇ 3, *Meteor.* 339ᵇ 19–30, and cf. Pl. *Crat.* 397 c, *Phil.* 16 c. Towards the *details* of popular belief Aristotle adopts a somewhat contemptuous attitude; cf. B. 1000ª 9, *De Caelo* 284ª 18.

3. οὗτοι. The reference is rather vague—either to the beings that move the stars (ª 22) or more probably to the stars themselves (ª 30). Cf. 1073ª 3–ᵇ 17 n. and n. at beginning of ch.

3-8. τὰ δὲ λοιπά . . . εἰρημένοις. Aristotle speaks as if Cronos, Zeus, Ares, Aphrodite, and Hermes were primarily star-gods and only later had human characteristics assigned to them. This is not historically true; the application of these names to the planets is late (cf. 1073ᵇ 31–35 n.). His meaning is probably more general—that

the gods of mythology have their origin in the prime forces that lie
behind nature, and that early religion is right in recognizing the divine
behind nature (ll. 8–10).

4. For the utilitarian value of myth cf. a. 995ᵃ 4.

5–7. The anthropomorphism of the early beliefs is referred to simi-
larly in B. 997ᵇ 10, *Pol.* 1252ᵇ 26. In Aristotle's own view the stars
are really much more divine than men (*E. N.* 1141ᵃ 34).

6. καὶ τῶν ἄλλων ζῴων ὁμοίους τισί. Alexander refers to the Egyptian
mythology, and Aristotle may have had this in mind, since he refers
to barbarians, and indeed to the Egyptians, in a similar connexion
(*De Caelo* 270ᵇ 5, *Pol.* 1329ᵇ 25–33).

The traces of zoolatry in Greek religion are very slight and their
meaning not clear. Cf. Farnell, *Cults of the Greek States*, iii. 58–62 on
the horse-headed Demeter, iv. 115–116 on Apollo Λύκειος.

10. For the belief in cycles of artistic and scientific discovery cf.
De Caelo 270ᵇ 19, *Meteor.* 339ᵇ 27, *Pol.* 1329ᵇ 25. Plato already has
the notion; he speaks more than once of past destructions of mankind
by fire or water (*Tim.* 22 C, 23 A–B, *Crit.* 109 D, *Laws* 676 A–677 D).

The mode of existence of the supreme reason (ch. 9).

1074ᵇ 15. What must be the mode of existence of reason, if it is the
most divine thing in the world? (1) If it thinks nothing, it is no
better than a man asleep. (2) If it thinks, but its thinking depends
on something else, it being itself only potency, not it but its thinking
will be the best thing. (3) What does it think? Itself or something
else? If the latter, either the same object always or different things
at different times. Does it make a difference whether its object is
noble or trivial? Evidently it must contemplate what is most divine,
and without changing; any change would be for the worse and would
infect with movement what is unmovable.

28. (Return to question (2).) If it is only a potency, (a) the
continuity of its thought will be laborious; (b) its object will be nobler
than it. The potency may be realized in the thinking of the worst
possible object, so that the mere thinking is not what is best.

33. (Return to question (3).) Therefore, since reason is the best
thing in the universe, it must think itself; its thinking is a thinking of
thinking.

35. (4) But how can this be? All apprehension seems to be of
another, and of itself only by the way. And (5) is it thinking or being
thought that gives reason its goodness?

38. (Answer to question (4).) Where the object is immaterial it is identical with the subject, and this is the case with the object of reason.

1075^a 5. (6) Is the object composite? If so, the thought of it involves transition. No; everything immaterial is indivisible. As the human reason (or rather that of composite beings) is in a certain period of time (for it possesses its good not in this or in that but in a whole, since its good is different from itself), so is the divine self-thought throughout eternity.

Aristotle now turns to the consideration of ὁ νοῦς, i.e. of the supreme intellect which has in ch. 7 been shown to be implied as the cause of the movement of the heavens.

1074^b 16. The description of the supreme reason as the most divine τῶν φαινομένων is strange, since τὰ φαινόμενα means properly things apprehended by sense. But φαίνεσθαι can also be used of what is discovered by reason (Bz. *Index* 809^a 8), and seems to be used here of all the things discovered whether by sense or by reason.

16-35. There are certain difficulties, which must be met if we are to succeed in describing the supreme reason in such a way as to make it the most divine of all the things we know. (1) Ll. 17, 18. We must not describe it as knowing nothing. This is to make it an unrealized potentiality, which is no fit object of worship. (2) Ll. 18-21. We must not say that it knows but something else determines it to know. This is to make it essentially a δύναμις, which must be inferior to its actuality and therefore not the best thing in the world. (3) Ll. 21-27. It must know (*a*) itself or (*b*) something else, and if something else, then either (i) always the same object or (ii) different objects at different times. Now the object of knowledge makes a difference to the value of the knowledge; the object of the supreme reason must therefore be what is most divine, and therefore not different things at different times. Any change must be a change for the worse, and, apart from this, no change should be ascribed to that which has been shown in ch. 7 to be unchangeable. (ii) is thus set aside.

Aristotle now (l. 28) recurs to the second difficulty, though this has already been dealt with in ll. 18-21. He has in ll. 21, 22, implied that that question is not quite settled, and he returns to it because it has a bearing on the third. If the supreme reason is a mere faculty of knowing, then (*a*) it will find continuous knowledge toilsome (cf. Θ. 1050^b 24, *De Somno* 454^a 26), which is absurd, and (*b*) the object of its knowledge, which as we have seen (ll. 25, 26) must be the most divine thing in the world, will be more precious than the reason or its knowing, since, if reason is a mere faculty, it is a δύναμις τῶν ἐναντίων and is capable of being actualized as the knowledge of the worst thing in the world, so that its mere actualization cannot be the best thing in the world.

This enables Aristotle (l. 33) to set aside not only the suggestion that the supreme reason is a mere faculty, but also the suggestion (3 (*b*) above) that it knows anything other than itself. Since it is the most divine thing in the world (l. 16), and its object is the most divine thing in the world (ll. 25, 26), it must be its own object. Its knowing is a knowing of knowing.

The argument is somewhat confused by the failure to keep the second and the third question distinct.

For the doctrine of νοήσεως νόησις cf. 1072ᵇ 20.

18–21. Alexander supposes Aristotle to be here setting aside the suggestion that not reason as a whole but some part of it is what strictly speaking knows (κύριον). But this interpretation is ruled out by ἀλλὰ δύναμις l. 20 and by εἴτε νοῦς εἴτε νόησις l. 21, where νοῦς answers to δύναμις l. 20. ἄλλο κύριον is 'some external condition determining reason to activity'.

35–38. Of the two difficulties raised here, Aristotle answers the first in 38—1075ᵃ 5; he points out that the divine νόησις knows itself not ἐν παρέργῳ but as its only object. The second question is left unanswered. The answer Aristotle probably has in mind is something like this: If A knows B and is known by C the question may fairly be asked 'is it in virtue of its knowing or of its being known that A is good?' But when A knows itself, the question becomes 'is it because A knows A or because A is known by A that A is good?' and this is an unmeaning question.

36. αὐτῆς δ' ἐν παρέργῳ, e.g. the medical man knows primarily about health, and secondly that his knowledge is knowledge about health.

1075ᵃ 1–3. ἐπὶ μὲν . . . νόησις, 'in the arts the knowledge is the substance and essence of its object, and in it only the matter of the object is omitted, while in the sciences the definition and knowing is the very object' (since the object in this case, being universal, contains no matter). Cf. Z. 1032ᵃ 32–ᵇ 14, De An. 430ᵃ 2, 19.

3–5. οὐχ ἑτέρου . . . μία. 'The object of thought and the thought not being different in the case of immaterial things, the supreme thought and its object will be the same, and the thinking will be one with its object.' Aristotle uses a certain amount of tautology here for the sake of emphasis.

6. μεταβάλλοι γὰρ . . . ὅλου, 'for if so, reason would change in passing from part to part of the whole', whereas reason has been shown in ch. 7 to be unchangeable.

7. ὥσπερ. Bz. reads ὥσπερ γάρ, but in the style of Bk. Λ the asyndeton seems possible. ἢ ἀδιαίρετον . . . 10. αἰῶνα; is an example of 'binary structure' with ὥσπερ. Cf. A. 983ᵇ 16 n.

8. ἢ ὅ γε τῶν συνθέτων. Bz. (after Ravaisson) brackets ἢ and translates 'although its objects are composite things'. But (1) γε cannot mean 'although'. (2) νοῦς with an objective genitive is difficult (cf., however, De An. 430ᵇ 28 ὁ τοῦ τί ἐστι, sc. νοῦς). (3) It is doubtful if νοῦς would be described as apprehending τὰ σύνθετα, which are properly the objects of ἐπιστήμη (διάνοια).   It is therefore better to follow Alexander's interpretation : ' As the human reason, or rather the reason of beings compounded out of matter and form '; the last words extend the remark so as to make it refer to any beings other than man who have reason and also have matter.   It is awkward that σύνθετον should refer in l. 5 to the object and in l. 8 to the subject of knowledge, but this is not unlike Aristotle's manner ; he is care- less in such matters.

For the opposition of τὸ σύνθετον, that which is half-divine, half- animal, to God, cf. *E. N.* 1177ᵇ 28, 1178ᵃ 20.

ἔν τινι χρόνῳ.   Bz. compares 1072ᵇ 15 μικρὸν χρόνον ἡμῖν, 25 ὡς ἡμεῖς ποτέ, but the comparison is misleading.   ἔν τινι χρόνῳ means not ' for a certain time' nor ' at certain times' but ' in a certain time'. The meaning of ἐν when used of time is seen from such passages as *E. N.* 1101ᵃ 11 ἔκ τε τῶν τοιούτων (*sc.* ἀτυχημάτων) οὐκ ἂν γένοιτο πάλιν εὐδαίμων ἐν ὀλίγῳ χρόνῳ, 1174ᵃ 27 οὐκ ἔστιν ἐν ὁτῳοῦν χρόνῳ λαβεῖν κίνησιν τελείαν τῷ εἴδει, ἀλλ' εἴπερ, ἐν τῷ ἅπαντι, *Meteor.* 355ᵃ 28 ἔν γέ τισι τεταγμένοις χρόνοις ἀποδίδωσι πᾶν τὸ ληφθέν.   The reference is therefore not to the enjoyment of the *summum bonum* in moments of illumination but to its progressive attainment ἐν βίῳ τελείῳ (*E. N.* 1098ᵃ 18).   Cf. *M. M.* 1185ᵃ 4 οὐδ' (*sc.* ἔσται ἡ εὐδαι- μονία) ἐν χρόνῳ γε ἀτελεῖ, ἀλλ' ἐν τελείῳ.

It is doubtful whether χρόνῳ is to be understood with τῳδὶ . . . τῳδί . . . ὅλῳ τινί in l. 9.   If it is, the meaning will be ' for it does not possess the good in this particular time or in that, but it possesses the *summum bonum* in a certain whole period'.   If χρόνῳ is not to be supplied, the meaning is ' for it does not possess the good in this par- ticular activity or in that, but it possesses the *summum bonum* in an organized life of activity'.

9. ὃν ἄλλο τι is opposed to αὐτὴ αὐτῆς.   It is because man's *summum bonum* is different from himself, because he is a σύνθετον, including in him unrealized potentialities, that time is needed for their realization.   God, being pure activity, pure self-thought, enjoys com- pletely in each moment and throughout eternity the bliss which man can be said to enjoy only in a complete life.

10. Bz.'s οὕτως δή is not improbably right.   But for δέ after a com- parative clause cf. Γ. 1003ᵇ 5 n.   There is a certain degree of opposi- tion between the principal and the subordinate clause which makes δέ not unnatural ; cf. B. 999ᵃ 27 n.

How the good exists in the world (ch. 10).

1075ᵃ 11.   Is the good a separate element in the universe, or the per- vading order ?   It is both, as in an army—though the general is the good in a higher sense than the order, since it depends on him and not *vice versa*.   All things are ordered together for the common weal though as in a household the higher members are less free than the lower.   All must, at least in their dissolution, contribute to the whole.

Difficulties in other views.

25. (1) All other thinkers make all things out of contraries.   But neither 'all things' nor 'out of contraries' is right.   Further, contraries cannot act on one another.   Our solution is that there is a *tertium quid*, the substratum.   But other thinkers make one of the contraries matter (e. g. the unequal, the many).   We refute this by saying that the matter which is one for all things is contrary to nothing. Further, on this view all things except the One will share in evil, since evil is one of the two elements.

36. Others do not even make the good and the bad first principles. Yet in all things the good is a principle.   The former view rightly makes it a principle, but does not say whether it is final, efficient, or formal cause.

b 1. Empedocles has a strange view.   He makes love the good, but makes it both an efficient and a material cause.   Even if the same thing is both, their essence is not the same.   In which capacity, then, is love a principle?   It is strange also that he makes strife (which = evil) imperishable.

8. Anaxagoras makes the good the efficient cause, for reason is the source of movement; but this implies an end other than reason (unless the efficient and final cause are identified, as by us).   Further, why does he not assume a contrary to the good?

11. None of those who speak of contraries use them—unless we recast their views.   And no one tells us how, if all things have the same causes, some things are perishable, some not.   Further, some make the things-that-are out of not-being; others to avoid this make all things one.

16. (2) No one states a proper efficient cause of generation.   Those who posit two principles need a third, supreme one; and those who posit Ideas need a supreme principle.   Why do particulars share in Ideas?

20. Other thinkers are bound to assume a contrary to first philosophy; *we* need not, since we assume no contrary to its object, for all contraries have matter and potentiality.

24. If there is *nothing* but sensibles, there is no governing principle, no order, no generation, no celestial movements, but, as in mythology and in physics, we are referred from one principle always to another.

27. If on the other hand there *are* Ideas or numbers, (*a*) they cause nothing or at least no motion. Further, (*b*) how can things that are unextended produce what is extended? Number cannot be either efficient or formal cause of a continuum. Further, (*c*) no contrary can be the efficient cause, since all contraries are capable of not being, and their activity is at least posterior to their potentiality, so that things could not be eternal if contraries were their cause. But there are eternal things. Therefore the premises must be revised in the way we have stated.

34. (*d*) No one tells us what unifies a number, or soul and body, or form and thing. The only true answer is, 'the efficient cause'.

37. (*e*) Those who put mathematical number first and make a series of kinds of substance, each kind with distinct principles, make the universe disjointed, with many governing principles. But such it must not have.

1075ᵃ 11–15. The doctrine here stated is that goodness exists not only immanently in the world but transcendently in God, and even more fundamentally in Him, since He is the source of the good in the world, which is produced by the desire for Him as the order in an army is produced by its striving to do the will of its leader.

15. διὰ τὴν τάξιν . . . διὰ τοῦτον. διά seems to mean not 'for the sake of' but 'by reason of'.

16–23. Bz. thinks that ἀλλ' ὥσπερ (l. 19) answers to ἀλλ' οὐχ ὁμοίως, and that καὶ οὐχ οὕτως . . . συντέτακται is parenthetical, explaining πάντα συντέτακταί πως. This leaves μέν in l. 18 without anything answering to it, and in general seems highly unnatural. It is more natural to make two sentences as Bekker does—(1) πάντα δὲ συντέτακται . . . ἔστι τι, (2) πρὸς μὲν γὰρ ἕν . . . ἡ φύσις ἐστίν, l. 23. The second sentence then repeats the first in greater detail; instead of saying merely ἀλλ' οὐχ ὁμοίως Aristotle describes the difference by using the instance of the household, ἀλλ' (οὕτω συντέτακται) ὥσπερ ἐν οἰκίᾳ κτλ.

19–22. The freemen in the house answer to the heavenly bodies, which are bound by necessity, the slaves and animals to mankind and indeed all sublunary creatures, which are much less divine (*E. N.* 1141ᵃ 34) and whose actions are largely contingent. Aristotle, as Grant observes (*Ethics*[4] i. 286), assumes freedom for man, 'not so much from a sense of the deep importance of morality, but rather from an idea of the slightness of man and of his actions in comparison with nature, and with what he would call the "diviner parts" of the universe'.

22. 'For the nature of each of them is such a principle', i.e. it pro-

COMMENTARY

duces obedience to duty in the higher creatures, caprice in the lower.

23. λέγω δ' οἷον εἷς γε τὸ διακριθῆναι ἀνάγκη ἄπασιν ἐλθεῖν, 'all things, even if they make no other contribution to the whole, must at least come to be dissolved', *sc.* so that better things may be made out of their elements.

25. Aristotle now begins a very brief discussion of some of the main metaphysical doctrines opposed to his own.

26. χαριεστέρως, cf. K. 1060ᵃ 25 n.

28. οὔτε δὲ τὸ πάντα οὔτε τὸ ἐξ ἐναντίων ὀρθῶς. (1) It is wrong to say that all things come from contraries. There is an eternal substance which does not come from contraries nor from anything else (1069ᵃ 30, 1071ᵇ 4). (2) Even things that are generated are not generated simply from contraries; there must be a substratum as well (1069ᵇ 6).

30. ἀπαθῆ γὰρ τὰ ἐναντία ὑπ' ἀλλήλων. Black cannot be affected by white, but only that which *is* black.

32. οἱ τὸ ἄνισον τῷ ἴσῳ refers to Platonists, cf. N. 1087ᵇ 5, 1088ᵇ 32, 1089ᵇ 6, 1091ᵇ 32. Aristotle's point is that matter, the substratum of contraries, should not be made one of the contraries.

33. ἡ τῷ ἑνὶ τὰ πολλά probably refers to Speusippus, cf. M. 1085ᵃ 9 n., ᵇ 5 n.

34. ἡ γὰρ ὕλη ἡ μία, 'the one matter which underlies any pair of contraries'.

35. τὸ γὰρ κακὸν αὐτὸ θάτερον τῶν στοιχείων, i.e. the unequal is identified with the bad; cf. A. 988ᵃ 14.

37. Robin points out that in the other passages referring to this doctrine of the Pythagoreans and of Speusippus (viz. 1072ᵇ 32, 34, N. 1091ᵃ 31, 36) τὸ καλόν is mentioned several times, τὸ κακόν never; and he would read καλόν. But τὸ κακόν is in place here in view of the context (cf. l. 35).

ᵇ **3.** καὶ ὡς ὕλη· μόριον γὰρ τοῦ μίγματος. That Empedocles thought of strife and love as material no less than the other elements is clear from such passages as fr. 17. 18–20, especially καὶ φιλότης ἐν τοῖσιν, ἴση μῆκός τε πλάτος τε. In Empedocles' time the notion of incorporeal forces did not yet exist.

5. τό γ' εἶναι οὐ ταὐτό, cf. Z. 1029ᵃ 22–23 n.

6–7. For strife as the origin of evil for Empedocles cf. A. 985ᵃ 6. Why does Aristotle regard the indestructibility of strife as a paradox? Alexander thinks it is because in the σφαῖρος all strife must have disappeared. This interpretation takes no account of τοῦτο δ' ἐστὶν αὐτὸ ἡ τοῦ κακοῦ φύσις. It must be because of its badness that Aristotle thinks strife must be perishable. He is in fact using his principle that ἐν τοῖς ἀϊδίοις οὐθέν ἐστι κακόν (Θ. 1051ᵃ 19, where see the proof).

9–10. ἀλλά seems to introduce an objection—Aristotle's first objection to Anaxagoras (cf. ἄτοπον δὲ καί l. 10). Anaxagoras exemplifies the vagueness of early thinkers on the question whether the good is a final, an efficient, or a formal cause (ᵃ 38). He introduces it as an efficient cause, in the shape of reason. But since it must be for some purpose that reason produces motion, there must be another good which is a final cause. The objection is the same which is expressed in A. 988ᵇ 6–16. The argument is made clearer by placing a full stop after κινεῖ in l. 8. Aristotle thinks that he can himself dispense with two distinct causes, an efficient and a final. The form of health, as existing in the doctor's mind, is the efficient cause of his action ; and as something to be realized in the body of another, it is the final cause. Cf. Z. 1034ᵃ 24, Λ. 1070ᵃ 14.

10–11. Aristotle complains that Anaxagoras, having recognized reason, or good, as one principle, ought to have recognized evil as another. Elsewhere Aristotle treats him as recognizing opposite principles of good and evil (A. 988ᵃ 17, cf. 989ᵃ 30, ᵇ 16). His point must be that Anaxagoras does not explicitly describe the chaos as the opposite of reason or of the good, though implicitly treating it as such (989ᵇ 19). But in reality, according to Aristotle, evil cannot be a first principle (ἐν τοῖς ἐξ ἀρχῆς οὐθέν ἐστι κακόν, Θ. 1051ᵃ 19).

12. οὐ χρῶνται τοῖς ἐναντίοις. The same objection is made in A. 985ᵃ 17–23 with special reference to Anaxagoras and Empedocles.

ἐὰν μὴ ῥυθμίσῃ τις, cf. what Aristotle says of Empedocles in A. 985ᵃ 4 and of Anaxagoras in 989ᵃ 30.

13–14. Cf. the discussion in B. 1000ᵃ 5–ᵇ 21. Aristotle himself escapes the difficulty by making the things which are eternal (1) contain no matter at all, or (2) contain a matter different from that of the four elements, viz. the πέμπτον σῶμα, which makes them capable of moving in space but not of being destroyed.

14. οἱ μέν, Hesiod and the other cosmologists, cf. 1072ᵃ 19. Aristotle regards the generation of what is from what is not as obviously wrong, and needing no argument to show that it is so.

15. οἱ δ', the Eleatics, cf. A. 986ᵇ 10. Their view also is self-condemned, in that it abolishes difference and change.

16–1076ᵃ 4. The general trend of these remarks is, as Bz. points out, to show that Aristotle's predecessors give no satisfactory account of the cause of generation and motion. Cf. ll. 16, 28, 30, 37. But parts of the passage have no bearing on this question, but form a general attack on Aristotle's predecessors and especially the Platonists —ll. 20–24, 28–30, 37—1076ᵃ 4.

16–17. For Aristotle's own explanation of the eternity of becoming cf. 1072ᵃ 10–18, De Gen. et Corr. ii. 10.

17. τοῖς δύο ἀρχὰς ποιοῦσιν refers to all Aristotle's predecessors (ᵃ 28, N. 1087ᵃ 29) or to nearly all (Γ. 1004ᵇ 30). The contrary principles are, in general, form and matter, and an efficient cause is needed to unite them (1070ᵇ 22), i.e. a first mover.

19. Bz.'s ἔτι for ὅτι derives some confirmation from Them. 38. 12, and is fairly certainly right. Christ's suggestion, however, that ὅτι ... κυριωτέρα is a gloss on διὰ τί γὰρ μετέσχεν ἢ μετέχει ; has something to be said for it.

διὰ τί γὰρ μετέσχεν ἢ μετέχει; *sc.* τὰ καθ᾽ ἕκαστα τῶν εἰδῶν.

20-24. This curious and difficult passage seems to be an allusion to Plato's recognition (*Rep.* 477-478) of ignorance as a state of mind opposed to knowledge and related to not-being as knowledge is to being. ' Other thinkers, since they recognize only two, and these contrary, principles, must recognize an ignorance related to one of them (non-being or matter) as knowledge is to the other (being or form). But *we* need not. For we make the highest knowledge refer to a first principle which stands above the contraries and itself has no contrary; for contraries contain matter, and things containing matter exist only potentially. The ignorance which is opposed to any knowledge leads to an object opposed to the object of the knowledge; but our first principle has no opposite, and therefore for us the highest knowledge has no opposite ignorance.'

22. τὰ ἐναντία here means ' things possessing contrary attributes ', while in ᵃ 30 it means the contrary attributes themselves.

23. καὶ δυνάμει ταῦτα ἔστιν. ταῦτα seems better than ταὐτά. Contraries are not potentially the same (though the same thing is potentially possessed of contrary qualities) ; nor, if they were, would it be in point to say so here. ταῦτα is probably subject and = τὰ ὕλην ἔχοντα. Bz. (reading ταὐτά ἐστιν and treating ταῦτα as predicate) takes the words to mean that each contrary is potentially its contrary ; *quod album est actu, idem nigrum est potentia et vice versa.* It is difficult to see how this can be got out of the Greek.

εἰς τὸ ἐναντίον. One might conjecture ἐστὶν (οι ἔσται) ἐναντίον (or τοῦ ἐναντίου). But the text is confirmed by *E. E.* 1227ᵃ 33 ἐπεὶ καὶ ἡ ἀπάτη οὐκ εἰς τὰ τυχόντα γίνεται, ἀλλ᾽ εἰς τὰ ἐναντία ὅσοις ἐστὶν ἐναντία, though that is made easier by γίνεται. εἰς means not ' is relative to ', which would be πρός, but something like ' leads the mind to '. The passage does not seem to have any connexion with the distinction between ἀπάτη and ἄγνοια in Θ. 1051ᵇ 25, to which Bz. refers.

24. εἴ τε μὴ ἔσται παρὰ τὰ αἰσθητὰ ἄλλα, οὐκ ἔσται ἀρχὴ καὶ τάξις καὶ γένεσις καὶ τὰ οὐράνια. If there is nothing besides sensible things, then (1) there is no first principle ; for sensible things exist potentially (i. e. include an element of contingency), and if we admit nothing which exists actually we are driven back from one potentiality to another *ad infinitum.* (2) There will be no order ; for this involves something eternal and separate from matter (K. 1060ᵃ 26). (3) There will be no generation ; for this has been shown to depend on the motion of the heavenly bodies, and ultimately on the prime mover (1072ᵃ 10-18). (4) There will be no celestial movements ; for they depend on a prime mover.

For the consequences of denying the existence of non-sensible, eternal substance cf. B. 999ᵇ 5, K. 1060ᵃ 26.

26. τὰ οὐράνια means the celestial movements, not the celestial bodies, for it is the former that involve a prime mover. For this use of τὰ οὐράνια cf. Xen. *Mem.* i. 1. 11, Pl. *Crit.* 107 D.

τοῖς θεολόγοις, the cosmologists, cf. B. 1000ᵃ 9.

28. οὔτι is sufficiently confirmed by *Cat.* 6^a 2, *Phys.* 258^b 22, *De Caelo* 271^a 18, *De Sensu* 439^a 32, *Pol.* 1282^a 11. In Z. 1035^a 30, *Phys.* 254^a 26 (cf. *Pol.* 1308^b 15, 1320^a 16) the manuscripts are divided between οὔτι and οὔτοι.

ἐξ ἀμεγέθων. ἐξ does not refer, as might be supposed, to material causation; Aristotle's point is that numbers cannot be either the efficient or the formal cause of extended magnitudes (l. 30).

30–34. 'But none of the contraries is essentially also a principle of production and of motion; for a contrary is capable of not being, and at any rate its period of action must come after a period of merely potential action. Hence it cannot have been making things from all eternity. Hence τὰ ὄντα are not eternal.

But there *are* eternal ὄντα.

Hence we must give up one of our assumptions,' viz. the assumption that contraries and nothing else are the principles of things. There must be a first principle which is substance, actual, and eternal.

33. ἀλλ' ἔστιν must apparently mean not 'the things that are are eternal', which Aristotle is not likely to have said, but 'there are· things that are eternal', e. g. the prime mover and the heavenly bodies whose eternity has been proved in ch. 7.

34. τοῦτο δ' εἴρηται πῶς, sc. in 1071^b 19, 20.

34–37. On this question cf. H. 6, especially 1045^a 30. Form and matter, as Aristotle there points out, belong together and require only an efficient cause to unite them.

37. οἱ δὲ λέγοντες κτλ. The reference is to Speusippus, who is mentioned by name in Z. 1028^b 21. For the doctrine cf. N. 1090^b 13.

1076^a 1. ἐπεισοδιώδη. Cf. the definition in *Poet.* 1451^b 34 λέγω δ' ἐπεισοδιώδη μῦθον ἐν ᾧ τὰ ἐπεισόδια μετ' ἄλληλα οὔτ' εἰκὸς οὔτ' ἀνάγκη εἶναι. The word is used again of Speusippus' theory in N. 1090^b 19.

3. The word πολιτεύεσθαι and the quotation from Homer show that ἀρχή is used with reference to its meaning of 'rule' as well as to its ordinary Aristotelian sense of 'originative source'. For a similar play on the meaning of ἀρχή cf. *An. Post.* 100^a 13.

4. οὐκ ἀγαθόν κτλ. Hom. *Il.* ii. 204. Susemihl would omit ἔστω, which is lacking in most of the manuscripts. But it is required by the rhythm of the sentence, and it would be particularly easy for the last word of a book to drop out in the archetype.

Aristotle is not a thoroughgoing monist. He is a monist in the sense that he believes in one supreme ruling principle, God or the primum movens. But God is not for him all-inclusive. (1) The sensible world is thought of as having a matter not made by God, though the whole history of the sensible world is caused by the desire to approximate to the divine life. (2) There are subordinate spiritual beings (1073^a 37, 1074^a 15) which move the heavenly spheres without being moved (i. e. move them ὡς ὀρεκτά), and whose relation to God is never indicated by Aristotle. Cf. Introduction, pp. cxxxvi–cxli.

BOOK M

Much light has been thrown on the date of Bks. M and N relatively to one another and to the rest of the *Metaphysics*, by Jaeger's researches in his *Aristoteles*, pp. 181–199, 212–215. Book M, with its clear distinction between the doctrines of Plato, Speusippus, and Xenocrates, belongs to a later period than the criticism of the ideal theory in Book A. The original ideal theory is now for Aristotle somewhat out of date, and he is content to reproduce in chs. 4, 5 what he has said about it in A. 9; his efforts are now turned towards the discussion of mathematical and ideal numbers and magnitudes. The discussion is completed by 1086ᵃ 15, and he ends, as he does occasionally elsewhere (Jaeger refers to the end of Λ and of *E. N.* ix), with a literary quotation (1086ᵃ 17). The final sentence (ib. 18–21) is difficult to construe, and perhaps its last words are missing, as might easily happen at the end of a book. Syrianus tells us that some manuscripts made M end at this point.

In M. 1086ᵃ 21–32 we have a preface which Jaeger (187–189) has shown to be a doublet of that at the beginning of M (1076ᵃ 8–32). The latter is much the more elaborate. It mentions, besides Ideas and numbers, the spatial magnitudes (l. 18); it distinguishes the views of Plato, Speusippus, and Xenocrates (ll. 19–22). It treats the discussion of the original ideal theory as a minor matter, sufficiently discussed in the ἐξωτερικοὶ λόγοι (ll. 26–29).

In trying to find a date for the section M. 1086ᵃ 21–end, Jaeger concentrates on 1086ᵇ 16–19. It is not clear that he is right in supposing that when Aristotle says βουλόμεθα he must mean, as in A. 990ᵇ 9, 11, 16, 18, 23, 991ᵇ 7, B. 997ᵇ 3, 1002ᵇ 14, 'we Platonists'. But it is at any rate possible to interpret the passage as an *argumentum ad hominem* directed against Platonists from a Platonic standpoint.

What is more convincing is that, while in 1086ᵃ 21–24 Aristotle says of the views of the materialists merely that they have been discussed in the *Physics*, and are inappropriate to the present discussion, in 1076ᵃ 8–10 he says that the matter of sensible things has been discussed in the *Physics*, and their actuality (or form) has been discussed *later*. I.e., M. *init.*—1086ᵃ 18 presupposes, while M. 1086ᵃ 21—*fin.* does not, the discussions of ZHΘ. The one version presupposes only AB; the other belongs to the time when Aristotle had worked the greater part of the *Metaphysics* more or less into a single whole. (Jaeger, 212–215.)

Jaeger concludes that M. 1086ª 21—end belongs to the same early
period as AB, i.e. to Aristotle's stay at Assos in 348–345 B.C. It is only
natural, then, that this brief section contains more references to AB
than the whole of Z–Λ (1086ª 34, ᵇ 2, 15).

But in N. 1091ª 32, οἷον βουλόμεθα λέγειν αὐτὸ τὸ ἀγαθὸν καὶ τὸ
ἄριστον, Aristotle certainly treats himself as a Platonist. N, then, also
belongs to the Assos period; and, since Xenocrates was Aristotle's
companion at Assos, it is only natural that, while M criticizes him
frequently and sharply (e.g. 1083ᵇ 2 χείριστα λέγεται ὁ τρίτος τρόπος),
N criticizes him only in passing (1088ᵇ 28–35, 1090ᵇ 20–32).
Further, the preface in M. 9 undertakes to examine the views of those
who hold that the elements (1) of Ideas or (2) of mathematical
numbers are the elements of all things. The theory of Ideas is treated
of in M. 1086ª 32—end. N begins with a reference to the wide-spread
doctrine that the elements of all things are contraries, but soon
(1087ᵇ 4) settles down to discuss the view that unity and plurality or
the equal and the unequal are the elements at once of mathematical
number and of all things; and to this theory (that of Speusippus,
already mentioned in the preface, M. 1086ª 29) and the kindred theory
of the Pythagoreans, the rest of N is for the most part devoted.
M. 1068ª 21—N. end thus forms a whole, and a whole earlier than M
beginning—1086ª 18.

*Two supposed kinds of immaterial substance to be discussed—
mathematical objects and Ideas* (ch. 1. 1076ª 8–32).

1076ª 8. We have discussed elsewhere the substance of sensible
things; we have now to consider whether there is apart from these an
unchangeable eternal substance. First we must sift the opinions of
others on the question.

16. Some hold that mathematical objects are substances; others
hold that the Ideas are. Some believe in both, some identify them,
some believe only in the mathematical objects.

22. We will discuss (I) mathematical objects, asking no further
questions about them but simply whether they exist, and if so, how;
(II) the Ideas (briefly); (III) and chiefly, whether the substances and
principles of things are numbers and Ideas.

1076ª 9. ἐν μὲν τῇ μεθόδῳ ... ὕλης no doubt refers to *Phys.* i.
ὕστερον is referred by Alexander to *Phys.* ii, and by Bz. to the latter
part of the *Physics*. But neither of these can be described strictly
as discussing 'substance according to actuality', i. e. form. The posi-
tion of μέν and δέ shows that ὕστερον δέ does not refer to the *Physics*,

and the part of Aristotle's works which best answers to the description is *Met.* ZHΘ. Bz.'s interpretation is partly actuated by the wish to show that MN do not presuppose the central part of the *Metaphysics.* Cf. Introduction, pp. xviii f.

12. πρῶτον. Alexander's notion that πρῶτον means 'with special care' cannot be accepted. πρῶτον must refer to time. A positive statement of Aristotle's doctrine of 'unchangeable and eternal substance' was meant to follow. But this cannot be identified with Λ, which seems to be an earlier and separate work.

15. τοῦτ' . . . δυσχεραίνωμεν. The order of the words is curious, the object being to throw into prominence the opposition between κοινόν and ἰδίᾳ. .'And that if some doctrine is common to us and them, we may not on that account be privately dissatisfied with ourselves.' For the expression cf. A. 984ᵃ 29.

19. οἱ μέν, *sc.* Plato and his most orthodox followers, cf. A. 987ᵇ 14–18.

20-21. οἱ δὲ . . . ἕτεροι δέ τινες. Alexander ascribes to Xenocrates (745. 32) and also to Speusippus (782. 32) the belief in mathematical number only; in 766. 8 he ascribes to both Speusippus and Xenocrates the identification of ideal and mathematical number, and to some of the Pythagoreans the belief in mathematical number only. We may safely infer that he knew little or nothing about the matter. A comparison of Z. 1028ᵇ 21–24, where Speusippus is mentioned by name, with Λ. 1075ᵇ 37—1076ᵃ 3 and N. 1090ᵇ 13–20 makes it evident that it was Speusippus who rejected the Ideas and believed in mathematical number only. Asc. (379. 17) thinks it was Xenocrates who identified ideal number with mathematical, and this is strongly confirmed by the reference in 1080ᵇ 29 (where see note) to the well-known Xenocratean doctrine of indivisible lines. οἱ δέ, then, means Xenocrates, ἕτεροι δέ τινες the Pythagoreans and Speusippus. Cf. Introduction, pp. lxxi-lxxvi. Aristotle omits the fourth possible view, ascribed to ἄλλος τις in 1080ᵇ 21, the view that ideal number exists but not mathematical.

22. πρῶτον μέν, chs. 2, 3.

26. ἔπειτα, chs. 4, 5.

27. ἁπλῶς, 'simply, without elaboration'. Cf. *Pol.* 1341ᵇ 38 τί δὲ λέγομεν τὴν κάθαρσιν, νῦν μὲν ἁπλῶς, πάλιν δ' ἐν τοῖς περὶ ποιητικῆς ἐροῦμεν σαφέστερον.

ὅσον νόμου χάριν, 'as far as the accepted manner of treatment requires'—and it requires *some* discussion of all views held by thinkers of repute. Cf. ὁσίας ἕνεκα, *dicis causa*, Diphilus Ζωγράφοι fr. 2. 13 οὐδὲν ἡδέως ποιεῖ γὰρ οὗτος ἀλλ' ὅσον νόμου χάριν, and *Pol.* 1341ᵇ 31 νῦν δὲ νομικῶς διέλωμεν, τοὺς τύπους μόνον εἰπόντες περὶ αὐτῶν.

28. τῶν ἐξωτερικῶν λόγων. The meaning of this phrase has been repeatedly discussed; the following discussions in particular may be mentioned: Bernays, *Dialoge des Aristoteles*, 29–93; Zeller, *Phil. der Griechen*, II. 2. (ed. 4) 112–126; Grant, *Ethics of Arist.* i, App. B; Grote, *Aristotle*, ed. 3, 44–53; Diels in *Sitzungsb. der Berl. Akad.* 1883. 477–494; Susemihl in *Neue Jahrb. für Philol.* 1884. 265–277;

Susemihl and Hicks, *Politics of Arist.* 561–565. The other references
to the ἐξωτερικοὶ λόγοι in the Aristotelian Corpus are as follows:

Phys. 217ᵇ 30 πρῶτον δὲ καλῶς ἔχει διαπορῆσαι περὶ αὐτοῦ (i. e.
χρόνου) καὶ διὰ τῶν ἐξωτερικῶν λόγων.

E. N. 1102ª 26 λέγεται δὲ περὶ αὐτῆς (i. e. ψυχῆς) καὶ ἐν τοῖς ἐξωτερι-
κοῖς λόγοις ἀρκούντως ἔνια, καὶ χρηστέον αὐτοῖς· οἷον τὸ μὲν ἄλογον αὐτῆς
εἶναι, τὸ δὲ λόγον ἔχον.

E. N. 1140ª 2 ἕτερον δ᾽ ἐστὶ ποίησις καὶ πρᾶξις (πιστεύομεν δὲ περὶ
αὐτῶν καὶ τοῖς ἐξωτερικοῖς λόγοις).

E. E. 1217ᵇ 20 τὸ εἶναι ἰδέαν μὴ μόνον ἀγαθοῦ ἀλλὰ καὶ ἄλλου ὁτουοῦν
λέγεται λογικῶς καὶ κενῶς· ἐπέσκεπται δὲ πολλοῖς περὶ αὐτοῦ τρόποις καὶ
ἐν τοῖς ἐξωτερικοῖς λόγοις καὶ ἐν τοῖς κατὰ φιλοσοφίαν.

E. E. 1218ᵇ 32 πάντα δὴ τἀγαθὰ ἢ ἐκτὸς ἢ ἐν ψυχῇ, καὶ τούτων αἱρε-
τώτερα τὰ ἐν τῇ ψυχῇ, καθάπερ διαιρούμεθα καὶ ἐν τοῖς ἐξωτερικοῖς λόγοις.

Pol. 1278ᵇ 30 ἀλλὰ μὴν καὶ τῆς ἀρχῆς γε τοὺς λεγομένους τρόπους ῥᾴδιον
διελεῖν· καὶ γὰρ ἐν τοῖς ἐξωτερικοῖς λόγοις διοριζόμεθα περὶ αὐτῶν πολλάκις.

Pol. 1323ª 21 νομίσαντας οὖν ἱκανῶς πολλὰ λέγεσθαι καὶ τῶν ἐν τοῖς
ἐξωτερικοῖς λόγοις περὶ τῆς ἀρίστης ζωῆς, καὶ νῦν χρηστέον αὐτοῖς.

With these references may be compared the following, in which
similar phrases are used: *De Caelo* 279ª 30 ἐν τοῖς ἐγκυκλίοις φιλοσο-
φήμασι, *E. N.* 1096ª 3 ἐν τοῖς ἐγκυκλίοις, *De An.* 407ᵇ 29 τοῖς ἐν κοινῷ
γινομένοις λόγοις.

Bernays tries to show that in all these passages except the first the
reference is to Aristotle's dialogues, which were 'exoteric', i. e. were
published in a fuller sense than the works in which the references occur.
In other words Bernays accepts the distinction, which had certainly
become current by the time of Cicero, between the exoteric and the
acroamatic works of Aristotle. It may be admitted that all the subjects
in question were probably treated of in Aristotle's dialogues, or in other
lost works of his which were published in the full sense. Thus (to take
the present passage and the first passage from the *Eudemian Ethics*)
it is certain that Aristotle criticized the Ideas in the dialogue *De Philo-
sophia* and in the works *De Ideis* and *De Bono*; he may also have
dealt with them, as Bernays suggests, in the dialogues *De Iustitia,
Sophistes*, and *Politicus*. But the meaning of λόγοι in the *Physics*
passage, as the preposition διά shows, is not 'books' but 'arguments',
and ὑπό in the present passage suggests the same, in view of the frequent
tendency in Greek to treat 'the argument' as if it were a person, as
in Δίκαιος Λόγος and Ἄδικος Λόγος, ὁ λόγος αἱρεῖ, and many other
examples quoted by Diels. By a comparison of *Pol.* 1323ª 21–35
with *E. N.* 1098ᵇ 9–18 (dealing with the same subject) Diels shows
beyond a doubt that by τὰ ἐν τοῖς ἐξωτερικοῖς λόγοις in 1323ª 22
Aristotle means the same as he does by τὰ λεγόμενα in 1098ᵇ 10,
i. e. that in that passage at least ἐξ. λόγοι means 'discussions not pecu-
liar to the Peripatetic school'. This is probably its meaning in the
other passages also. The precise shade of meaning may differ in the
different passages; in some the reference is to Academic doctrines, in
others to discussions or distinctions which were familiar to cultivated

Athenians of no particular philosophical school. In the present pas-
sage the reference probably is to attacks on the Ideas by Antisthenes
and by sophists like Polyxenus, the inventor of the 'third man' argu-
ment against the Ideas (cf. A. 990ᵇ 17 n.). Diels's conclusions do not
seem to have been refuted by Jaeger's argument in *Aristoteles*, 257–
270. Jaeger thinks the present reference is to the *De Philosophia*.

29–32. ἔτι δὲ . . . σκέψις. A further reason for brevity in the
second part of the treatise, the discussion of the Ideas *simpliciter*. The
third and main part of the treatise (τὸν πλείω λόγον) must finish by
throwing light on the second problem (πρὸς ἐκείνην δεῖ τὴν σκέψιν
ἀπαντᾶν), so that the second discussion need not itself be elaborate.

30. ὅταν ἐπισκοπῶμεν, chs. 6–9.

I. MATHEMATICAL OBJECTS (ch. 1. 1076ᵃ 32—3. 1078ᵇ 6).

1076ᵃ 32. If they exist, they must exist either (*A*) in sensible things,
in the way maintained by certain thinkers, or (*B*) separate from sensible
things, or (*C*) in some other way.

Mathematical objects cannot exist as distinct substances (ch. 2).

1076ᵃ 38. (*A*) We have shown (cf. B. 998ᵃ 7–19) that mathematical
objects cannot be *in* sensible things; (1) because two solids cannot be
in the same place, (2) because it would follow that the other powers
and characteristics of things must also be immanent.

ᵇ 4. We now add (3) that on this theory no body can be divided.
For it would have to be divided at a plane, the plane at a line,
the line at a point, so that since the point is on this view in-
divisible, the body is so too; and if mathematical body, then also the
sensible body in which it is.

11. (*B*) Nor can mathematical objects exist *apart from* sensible
things. For (1) if there are separate mathematical solids, there will be
(*a*) separate planes, lines, and points,

16. and therefore also besides (*b*) the planes, lines, and points of
the mathematical solid there must be (*c*) planes, lines, and points prior
to (while the former are simultaneous with) the mathematical solid.

24. Again there will be (*d*) lines and points prior to the lines in
these planes, and (*e*) points prior to those in these prior lines.

28. The accumulation is ridiculous; there is one set of solids apart
from the sensibles, three sets of planes, four of lines, five of points.
Which will be the objects of the mathematical sciences?

36. (2) The same argument can be applied to numbers. There wil be units apart from the points, units apart from the objects of sense, units apart from the objects of knowledge.

39. (3) The objects of astronomy will exist apart from sensible things, as much as geometrical objects; but how can there be moving objects such as the heavens apart from sensible things?

1077ᵃ 4. There will be objects of optics and of harmonics—voice, senses, sensibles, animals, all separate from the ordinary objects of sense.

9. (4) There will be separate objects, which are neither numbers, points, spaces, nor times, for the universal mathematics which is true of all of these alike.

14. (5) The belief violates common sense. It makes mathematical objects prior to sensible things, but really they are posterior in substance, being incomplete.

20. (6) What gives them unity? Things in *this* world are made one by soul, by a portion of soul, or the like, but what gives unity to these divisible quanta?

24. (7) Length is generated first, then breadth, then depth, so that if that which is posterior in becoming is prior in substance, body is prior to the plane or line; and it is more complete because it is what becomes the vehicle of soul.

31. (8) Body is a substance, but lines cannot be substances, either as form, or as matter (how could a thing be composed of lines?).

36. They may be prior in definition to body, but they are not therefore prior in substance. That is prior in substance which excels in power of separate existence; that is prior in definition whose definition is implied in the definition of something else.

ᵇ4. If attributes cannot exist apart from substances, they are prior in definition to the complex of substance + attribute, but not in substance; thus the product of abstraction is not prior nor that of addition posterior.

12. Mathematical objects, then, are not more substantial than bodies, nor prior to them in being (but only in definition), nor separately existent; and since they could not be *in* sensible objects either (1076ᵃ 38–ᵇ 11), they exist either not at all or in some qualified sense.

1076ᵃ 33. ἡ ἐν τοῖς αἰσθητοῖς εἶναι αὐτά. This doctrine is said (l. 39) to have been discussed ἐν τοῖς διαπορήμασιν, i.e. in Bk. B, and the reference is clearly to 998ᵃ 7–19. The view in question is there described in a way which marks it off clearly from the ordinary

Pythagorean view (for which see A. 987ᵇ 27–29), and is attacked both there (998ᵃ 11–13) and here (ᵇ 1–3) by arguments which have force only against believers in separate Ideas of some kind. Further, in 1080ᵃ 37–ᵇ 3 the regular Pythagorean view is distinguished from another form of belief in numbers immanent in things (sc. the view referred to here). We may infer that Aristotle is speaking here either of Platonizing Pythagoreans (as Robin infers) or of Pythagoreanizing Platonists. For evidence of a Platonizing school of Pythagoreans cf. Robin, 649–651. Syrianus (84. 21) says that no Pythagoreans or Platonists held this view; but this is part of his general policy of defence of Platonism against Aristotle.

39. εἴρηται μέν, B. 998ᵃ 11–15, 997ᵇ 12–34.

ᵇ 1. It is rather surprising that these thinkers recognized mathematical solids as distinct from sensible solids. Planes, lines, and points might naturally be distinguished from sensible things, since all sensible things have three dimensions; but what difference could there be between mathematical and sensible *solids*? The answer no doubt is that by mathematical solids were meant the regular solids to which sensible objects never do more than approximate.

2. τὰς ἄλλας δυνάμεις καὶ φύσεις. Alexander (725. 21) thinks the limits of sensible bodies, i. e. planes and lines, or else the characteristics studied by applied sciences like optics and harmonics, are meant. The meaning is fixed, however, by the corresponding passage in B. 998ᵃ 11–13. The δυνάμεις and φύσεις are, quite generally, the characteristics of things, which these thinkers treated as separate Forms when consistency required that they, like τὰ μαθηματικά, should be viewed as immanent in things.

4–11. Aristotle argues as follows: 'If these mathematical solids are divisible, they are divisible along or at (κατά) planes, and similarly the planes are divisible along lines, and the lines at points. But points are indivisible; so therefore are the lines, planes, and solids. But if the mathematical solids are indivisible, so must the sensible solids be. Which is absurd.' He treats the divisibility of the line at a point as implying the division of the point, and one might be disposed to question this. But the one does imply the other, according to the principles of the view he is criticizing, for (1) these thinkers cannot say, as he would, that the point is brought into actual existence by the act of division; it is a substance, always existing actually; and (2) they cannot say that the division comes *between* two consecutive points, since (so Alexander says, and we may suppose that he is right) they, like Aristotle, held the line to be continuous and so to have no consecutive points.

11—1077ᵇ 14. Aristotle now proceeds to the second alternative, stated in ᵃ 34, that mathematical objects exist apart from sensibles (the view of Plato and of Speusippus). If there are mathematical solids apart from and logically prior to the sensible solids, there will be

(1) (ll. 14–16) planes, lines, and points apart from sensible planes, lines, and points.

(2) (ll. 16-24) planes, lines, and points in the mathematical solids.

(3)   „   planes, lines, and points apart from those numbered (2).

(4) (ll. 24-27) lines and points prior to the lines in the planes numbered (3).

(5) (ll. 27, 28) points prior to those in the lines numbered (4).

The lines in the planes numbered (3), though introduced by πάλιν (1. 24) are not meant to be a new class not mentioned before ; else we should get five classes of lines instead of (as Aristotle says, l. 32) four. They are identified with the lines numbered (3), and are mentioned anew in l. 25 only as leading up to the further class of lines and points numbered (4).

The enumeration is careless and by no means complete. Aristotle might have argued that if there are two sets of solids (sensible and mathematical), there will be two sets of planes in these solids and two sets abstracted from them ; four sets of lines in these planes and four sets abstracted from them ; eight sets of points in these lines and eight abstracted from them.

The enumeration betrays its incompleteness by lack of symmetry. If we take the sets of mathematical objects which he mentions we get the series :—one set of solids, three of planes, four of lines, five of points ; and if we add in the sensibles we get the series 2, 4, 5, 6. Neither series is symmetrical. The fact is that Aristotle begins correctly the geometrical series 2, 4, 8, 16, but tires of the σώρευσις and turns the series into an arithmetical one. The σώρευσις is ἄτοπος enough, even as stated by him. The error which lies at its base is the χωρισμός of, or assigning of separate existence to, what is only distinguishable by thought.

21. ἀκινήτοις = μαθηματικοῖς.

38. For τὰ ὄντα αἰσθητά of the manuscripts it seems necessary to read τὰ ὄντα, τὰ αἰσθητά.

39. ἐν τοῖς ἀπορήμασιν, B. 997ᵇ 12-34.

1077ᵃ 2. Bz.'s ἔσται is confirmed by l. 5 and B. 997ᵇ 16.

3. οὐρανόν, sc. παρὰ τὸν αἰσθητὸν οὐρανόν, cf. B. 997ᵇ 16.

6. τὰ καθ᾽ ἕκαστα, cf. B. 999ᵃ 26 n.

9. γράφεται, Alexander explains, means δείκνυται. Cf. *Top.* 158ᵇ 30 οὐ ῥᾳδίως γράφεσθαι and the use of διάγραμμα = proposition in *Cat.* 14ᵃ 39, B. 998ᵃ 25, Δ. 1014ᵃ 36. In all these cases it would seem that a proof aided by a figure is meant. The general mathematics here referred to, which proves attributes that are not peculiar to numbers or to spatial magnitudes or to times, is also mentioned in 1077ᵇ 17, E. 1026ᵃ 27, *An. Post.* 74ᵃ 23. Eudoxus' doctrine of proportion, which is preserved in Euclid's *Elements*, Bk. V, is the best instance of this 'general mathematics' (cf. 74ᵃ 23).

20-24. ἔτι . . . συμμένειν is a digression from the main point. The question what causes the unity of mathematical magnitudes is inserted between two arguments from genesis, (1) the argument that sensible magnitudes must be prior in essence to mathematical because they are later in generation (ll. 18–20), and (2) the argument that solids must be prior in essence to planes and lines because they are later in generation (ll. 24–28).

20. Bz.'s τίνι καί ποτ', 'by virtue of what in the world' is attractive, but though τίς ποτε is common τίς καί ποτε does not seem to be recorded as occurring in this sense, and it is better to keep Bekker's reading τίνι καὶ πότ'.

22. μέρει ψυχῆς, e. g., says Alexander, in the case of animals which have only the sense of touch and therefore only a part of the soul.

For εὐλόγως added thus at the end of a clause cf. Bz. *Index* 297ᵇ22–27. Alexander illustrates ἄλλῳ τινὶ εὐλόγῳ by the case of things glued or tied together.

24–30. Bz. points out that there is a serious ambiguity in Aristotle's use of γένεσις in this argument. γένεσις in the sense in which τὸ γενέσει ὕστερον is οὐσία πρότερον is natural genesis, e. g. the growth of the boy into the man. But γένεσις in the sense in which it can be applied to mathematical objects refers to the quite different process by which the line is generated by a moving point, the plane by a moving line, the solid by a moving plane. The ambiguity deprives the argument of whatever value it might otherwise have possessed.

24–26. πρῶτον . . . ἔσχεν evidently refers to Speusippus fr. 4. 44–47 (Lang).

27. An ambiguity is to be noticed in the meaning of τῇ οὐσίᾳ πρότερον in this chapter. In this line it is used of that which is later in generation, and means in effect what is τέλειον (l. 28), and in l. 19 τῇ οὐσίᾳ ὕστερον has the corresponding meaning. So too in *Phys.* 260ᵇ18, 19 πρότερον κατ᾽ οὐσίαν; in Θ. 1050ᵃ5 τῷ εἴδει καὶ τῇ οὐσίᾳ πρότερα; in *G. A.* 742ᵃ22, *Rhet.* 1392ᵃ21 πρότερον τῇ οὐσίᾳ; in *Cat.* 14ᵇ5, *Phys.* 261ᵃ14, 265ᵃ22, A. 989ᵃ16 τῇ φύσει πρότερον. But in 1077ᵇ2 τὰ τῇ οὐσίᾳ πρότερα are defined as ὅσα χωριζόμενα τῷ εἶναι ὑπερβάλλει; i. e. of two things that is prior which can exist without the other while the other cannot exist without it. Cf. Δ. 1019ᵃ2, where τὰ κατὰ φύσιν καὶ οὐσίαν (πρότερα καὶ ὕστερα) are similarly defined. This is said to be the primary sense of πρότερον καὶ ὕστερον (1019ᵃ11), and so too in Θ. 1050ᵇ6, actuality having already (ᵃ4–ᵇ6) been shown to be prior οὐσίᾳ to potentiality in the first sense described above, Aristotle proceeds to say that it is καὶ κυριωτέρως (πρότερον οὐσίᾳ), and explains this in the second sense. This is again one of the senses assigned to πρότερον in *Cat.* 12, where it is described as τὸ μὴ ἀντιστρέφον κατὰ τὴν τοῦ εἶναι ἀκολούθησιν (14ᵃ30). Once more it is referred to in *Phys.* 260ᵇ18, where it is distinguished from τὸ κατ᾽ οὐσίαν πρότερον.

The two senses of κατ᾽ οὐσίαν (or φύσει) πρότερον answer to two of the meanings of οὐσία which are so often distinguished by Aristotle. The first sense answers to that sense of οὐσία in which it means form, or to the τόδε τι considered as a fully formed or developed thing; the second to that in which it means τὸ ὑποκείμενον or the τόδε τι considered as something capable of separate existence.

31. ἤδη γὰρ ἔχει πως τὸ τέλειον, cf. *De Caelo* 268ª 7–24. πως, says Alexander, because *qua* mere mathematical solid it lacks the qualities by which τὰ φυσικὰ εἰδοποιεῖται (732. 5).

ᵇ 3. ὅσων οἱ λόγοι ἐκ τῶν λόγων is difficult. The natural translation would be 'those things are prior in definition whose definitions are compounded out of the definitions of the other things', but this is the exact opposite of Aristotle's doctrine (cf. Δ. 1018ᵇ 34, Z. 1035ᵇ 4). We might interpret ὅσων as depending on λόγων, not on λόγοι, and translate 'of whose definitions the definitions of the other things are compounded', but it seems more likely that the transition from ὅσα to ὅσων leads Aristotle to substitute in thought an antecedent τούτων for the antecedent ταῦτα. 'Those things are prior in substance which when separated from other things surpass them in power of independent existence, and things are prior in definition to the things whose definitions are compounded out of their definitions.' Schwegler's proposal to excise ἐκ does not, therefore, seem necessary. For a similar confusion cf. Z. 1034ᵇ 31.

4. οὐχ ἅμα ὑπάρχει does not mean that these characteristics are never found together, but that they are not always found together. It is not necessary to read ὑπάρχει ⟨ἀεί⟩ as has been suggested.

10. ἐκ προσθέσεως γὰρ τῷ λευκῷ ὁ λευκὸς ἄνθρωπος λέγεται. Bz. proposes τοῦ λευκοῦ, which he takes to be Alexander's reading. He argues that 'man' cannot be considered as added to 'white', but rather 'white' as added to 'man'. On this interpretation the clause would mean something like this: 'We have spoken of "white man" as if it were ἐκ προσθέσεως compared with "white". But really it is ἐκ προσθέσεως only as compared with "man".' Alexander's general interpretation agrees with this, but it seems clear that he read τῷ λευκῷ with the manuscripts, and interpreted this as 'by virtue of white' (προσθέσει τοῦ λευκοῦ); v. 733. 34. This is surely an impossible interpretation. It seems better to translate 'by addition to the white'. It is true as Bz. says that we cannot suppose a 'white' to exist first and then to become a man. But we can think first of 'white' and then add the thought of 'man', and this is the Aristotelian use of πρόσθεσις. Cf. Z. 1029ᵇ 33, where we have τῷ ἄλλο (*sc.* ἄνθρωπον) αὐτῷ (*sc.* λευκῷ) προσκεῖσθαι, and Z. 5, where the definition of τὸ σιμόν as ῥὶς σιμή or of τὸ ἄρρεν as ἄρρεν ζῷον is described as being ἐκ προσθέσεως. On this view the clause in question does not correct what has gone before but justifies the previous description of λευκὸς ἄνθρωπος as being ἐκ προσθέσεως in comparison with λευκόν.

15. ἐνεδέχετο, as was shown in 1076ª 38–ᵇ 11.

Mathematics considers as if they existed separately objects that do
not exist separately (ch. 3).

1077ᵇ 17. (*C*) As the universal propositions in mathematics are about
spatial magnitudes and numbers but not about them as such, so there
may be proofs about sensible magnitudes but not about them *qua*
sensible.   As there are reasonings about things merely *qua* movable
without there being an entity 'the movable' either apart from or in
sensible things, so there can be reasonings about movable things *qua*
bodies, *qua* planes, &c.

31. Thus we can say without qualification that mathematical objects
exist, and are such as mathematicians suppose.   Each science deals
with objects in respect of some particular attribute and not of those
incidental to it.   Similarly mathematics deals neither with sensible
things as such nor with separate non-sensible things, but with the
attributes that belong to sensible things *qua* involving lines and
planes.

1078ᵃ 9. The simpler the object, the more exact the knowledge ;
arithmetic is more accurate than geometry, geometry than kinetics,
the kinetics of simple movement than the kinetics of complex
movement.

14. Harmonics and optics, again, study their objects not *qua* voice
or sight but *qua* numbers and lines ; so too mechanics.   There is no
mistake involved in supposing the objects separated from their con-
comitants, any more than in the geometer's supposition that a line is
a foot long when it is not.

21. The best procedure is that of arithmetic and geometry to
suppose separate what is not really so.   Their objects exist potentially
though not actually.

31. Since the beautiful may be found in unchangeable things though
the good is confined to action, they err who hold that mathematics
says nothing of the beautiful or the good.   Even if it does not mention
the beautiful it proves attributes that are the chief forms of beauty—
order, symmetry, definiteness.

ᵇ 2. Since these are the causes of many results, mathematics in
a sense treats the beautiful as a cause.

1077ᵇ 20. ἢ εἶναι διαιρετά.   One might have thought that divisi-
bility was an essential characteristic of all the objects of mathematics.
But it must be remembered that points (ᵃ 12) and units (1078ᵃ 24) are
among these objects.

33. Aristotle said in l. 16 of mathematical objects that οὐχ ἁπλῶς ἔστιν. Now he says ὅτι ἔστιν ἁπλῶς ἀληθὲς εἰπεῖν. They do not exist in the unqualified or strict sense, but we can say in an unqualified or general way that they exist (that ἁπλῶς goes with εἰπεῖν is indicated by l. 31). ἁπλῶς, 'without qualification', can mean 'strictly' or 'vaguely' according to the context.

36. The reading of EAᵇ εἰ ὑγιεινὸν τὸ λευκόν, ἡ δ' ἔστιν ὑγιεινόν, ἀλλ' ἐκείνου ἡ ἐστὶν ἑκάστου, ὑγιεινὸν ὑγιεινοῦ is unintelligible. Alexander read εἰ τὸ ὑγιεινὸν λευκόν, ἡ δ' ἔστιν ὑγιεινοῦ, ἀλλ' ἐκείνου οὗ ἐστὶν ἑκάστη, εἰ ὑγιεινὸν ὑγιεινοῦ, which with Bz.'s emendations, the reading of ἡ for ἡ and the addition of ἡ after the second εἰ, gives a good sense. In ᵃ 36 the reading of the manuscripts εἰ ὑγιεινὸν τὸ λευκόν could be kept without the sense being much affected, but it seems best to follow Alexander as far as possible throughout the passage.

1078ᵃ 1. εἰ ⟨ἡ⟩ ὑγιεινὸν ὑγιεινοῦ, 'if of the object *qua* healthy, then of the healthy'.

12. The ordinary punctuation, with a full stop after κινήσεως, is misleading. It suggests that καὶ μάλιστα ἄνευ κινήσεως introduces a higher degree of precision than ἄνευ μεγέθους, as if the geometry of motionless bodies were more precise than arithmetic. Rather καὶ μάλιστα ἄνευ κινήσεως introduces an independent principle of distinction. 'And, while the science is most precise if it deals with unmovables, it is next best that it should study the primary kind of movement, and especially *uniform* movement of the primary kind.' It is not clear whether τὴν πρώτην is meant to distinguish locomotion from the other kinds of change (Λ. 1072ᵇ 8) or circular motion from other kinds of locomotion (1072ᵇ 9). Very likely it is meant to point to both distinctions. Then, just as ἄνευ μεγέθους κτλ. places arithmetic above geometry, and μάλιστα ἄνευ κινήσεως places geometry above all sciences of motion, ἐὰν δὲ κίνησιν, μάλιστα τὴν πρώτην places astronomy above sublunary kinetics, which studies non-circular φοραί, and still more above, say, biology, which studies αὔξησις καὶ φθίσις.

15. γραμμαί refers to optics, which is subordinate to geometry, ἀριθμοί to harmonics, which is subordinate to arithmetic (*An. Post.* 75ᵇ 15).

16. The οἰκεῖα ... πάθη here mentioned are to be distinguished from the ἴδια πάθη of l. 7. The ἴδια πάθη were the derivative attributes which belonged to, e. g., animals *qua* male or *qua* female—the major terms of demonstration; the οἰκεῖα πάθη are the attributes linearity and numberedness which belong directly to the objects of optics and harmonics and from which other attributes can be derived—the middle terms of demonstration.

20. Alexander's reading is sufficiently confirmed by N. 1089ᵃ 22.

28. τούτων, humanity and indivisibility (cf. l. 26). Alexander *may* have read τούτου, indivisibility (739. 14).

τὸ δυνατόν. Alexander takes this as subject of ὑπάρχειν and supposes that it is a geometrical attribute which Aristotle states to be capable of belonging to man even if he were not indivisible. Alexander is no doubt thinking of the sense of δύνασθαι which has led to the use of the word 'power' in its arithmetical meaning. But (1) what is said δύνασθαι in this sense is the line on which a square or a cube is erected, so that δυνατόν in this sense is not a suitable epithet for a man, and (2) the subject of ὑπάρχειν is undoubtedly ἅ ... αὐτῷ. Bz. takes τὸ δυνατόν to mean 'so far as possibility is concerned', but this with ἐνδέχεται is otiose, and the usage is apparently not found elsewhere. τὸ δυνατόν is probably a gloss on ὑλικῶς (l. 31), perhaps introduced here by a copyist who took τούτων to be the antecedent of ἅ and thought that ὑπάρχειν needed a subject. The words are omitted by Γ.

30–31. διττὸν γὰρ ... ὑλικῶς. Aristotle means that mathematical objects exist ὑλικῶς, and this, since it is opposed to ἐντελεχείᾳ, we may interpret as = δυνάμει. The meaning must be that mathematical objects exist neither (1) as actually and substantially present all along in sensible things (refuted 1076ᵃ 38–ᵇ 11), nor (2) as substances actually existing apart from sensible things (refuted 1076ᵇ 11—1078ᵃ 21), but (3) as potentially present in sensible things and receiving actual existence by the geometer's act of χωρισμός. Cf. ll. 21 ff. and Θ. 1051ᵃ 21–33. The mathematical parts into which a body can be divided are its ὕλη νοητή, as its material elements are its ὕλη αἰσθητή (Z. 1035ᵃ 12, 1036ᵃ 9–12, ᵇ 32—1037ᵃ 5).

31–ᵇ 6. The thinkers here criticized are those referred to in B. 996ᵃ 32 as τῶν σοφιστῶν τινὲς οἷον Ἀρίστιππος. In B· nothing is said of τὸ καλόν; these thinkers are represented simply as attacking mathematics because it never uses ἀγαθόν as a middle term. Here they are represented as saying that mathematics never uses either ἀγαθόν or καλόν, and Aristotle replies that it uses the latter though not the former. This distinction of the two terms (καλόν being the wider of the two, ll. 31, 32) is not found elsewhere in Aristotle, though we may perhaps find a trace of it in M. A. 700ᵇ 25 τὸ τοιοῦτόν ἐστι τῶν ἀγαθῶν τὸ κινοῦν, ἀλλ' οὐ πᾶν τὸ καλόν. It is somewhat surprising to find Aristotle saying that τὸ ἀγαθόν is ἀεὶ ἐν πράξει, considering that it is found in every category and can be applied to God and to reason (E. N. 1096ᵃ 23). But, though καλόν and ἀγαθόν are often used synonymously, καλόν is applicable primarily to the physically beautiful and ἀγαθόν to the morally good; or at any rate for the sake of argument Aristotle is willing to admit this restriction of the meaning of ἀγαθόν.

35. The ἔργα of beauty are the facts in the nature of the universe due to τάξις and τὸ ὡρισμένον (ᵇ 2–4), i. e. to the striving of nature to attain to order and determinateness. By the λόγοι of beauty Aristotle means τάξις, συμμετρία, τὸ ὡρισμένον.

The next sentence presents them in another light, as main species (εἴδη) of beauty. His stricter view is that they are elements in the definition of beauty (cf. Poet. 1450ᵇ 36 τὸ καλὸν ἐν μεγέθει καὶ τάξει ἐστί, 'involves size and order'). The μέγεθος which is mentioned in the Poetics and in Pol. 1326ᵃ 33 as an element in beauty answers to τὸ ὡρισμένον here; the third element συμμετρία is mentioned in Top. 116ᵇ 21 as being thought to constitute the beauty of musical tunes.

ᵇ 1. τάξις, the spatial arrangement of the parts; συμμετρία, the proportional size of the parts; τὸ ὡρισμένον, the limitation in size of the whole. Mathematics does not speak of beauty but it proves that certain objects have these attributes, which are the very soul of beauty.

5. ἐν ἄλλοις. Neither Λ. 7 (1072ᵃ 34), 8, 10, nor N. 4, nor the *De Caelo* really fulfils the promise here made, and it seems best to treat it as one of Aristotle's unfulfilled promises.

II. THE FORMS (chs. 4, 5).

History and criticism of the theory of Forms (ch. 4).

1078ᵇ 7. We must first examine the doctrine in its original form, apart from any theory of numbers.

12. The founders of the doctrine were convinced by Heraclitus' arguments that sensible things are always in flux, and inferred that there must be other things to serve as objects of knowledge.

17. Socrates was the first to seek general definitions—viz. of the virtues. Democritus had defined, in a way, heat and cold; the Pythagoreans had reduced the definitions of a few things to numbers.

23. It was natural that Socrates should seek definitions; for he was trying to reason, and the 'what' is the starting-point of reasoning; there was at that time no dialectical power such as enables people to study contraries without knowing the 'what'. Two things we may ascribe to Socrates are inductive arguments and general definition, both concerned with the starting-point of knowledge.

30. Socrates did not treat the universals as existing separately; his successors did, and called them Ideas; by the same argument they involved themselves in Ideas of all universals.

34. Objections: (i) The theory merely doubles the number of things to be explained; for there is an Idea answering to every set of things with a common name; there is a 'one over many' both for substances and for non-substances, both for temporal and for eternal entities.

1079ᵃ 4. (ii) Of the proofs of the theory, some prove nothing, others would prove the existence of Ideas of things of which the Platonists think there are none. (a) The arguments from the existence of the sciences would prove that there are Forms of all things of which there are sciences. (β) The argument of 'one over many' would prove that there are Forms of negations. (γ) The argument from the possibility of thinking when the object has perished would prove that there are forms of perishable objects.

11. (δ) Of the most accurate arguments some lead to Ideas of relative terms, others posit the 'third man'. .

14. (iii) In general the arguments about the Forms destroy what the supporters of Forms think more important than the Forms; number becomes prior to the dyad, the relative prior to number and thus to the absolute. In various ways the opinions about the Forms conflict with the first principles of the theory.

19. (iv) According to the view on which the theory is based there will be Forms of many things besides substances (for there can be a single conception, or a science, of other things); but according to the logical requirements of the theory and their actual opinions, if the Forms are shared in there are Forms only of substances.

26. For (a) each is shared in not as an accident of something else but as something not predicated of a subject (i. e. not as anything that shares in doubleness shares in eternality because doubleness is eternal), so that the Forms must be substance. But (β) the same names must indicate substance in the sensible world as in the ideal (else what is meant by calling the Idea 'one over many'? If the Ideas and the things that share in them *have the same form*, there is something common, for instance, to the Idea of two and the particular two, as there is to the perishable twos and to the particular mathematical twos; if they *have not the same form*, they have only their name in common, as Callias and a statue may both be called 'a man'.)

b 3. If it be suggested that the common definition applies to a Form, and only the name of that which it is the Form of has to be added, the suggestion is unmeaning. (a) To what element in the definition is this to be added? Every element in it is an Idea, genus and differentia alike. (β) 'Formness' will itself be a Form present in all Forms, as 'plane' is present in all its species. ⟨Thus there is an infinite regress.⟩

1078ᵇ 7-8. ὅτι τε ὄντα ἐστὶ καὶ πῶς ὄντα (τὰ μαθηματικά) has been the general subject of chs. 2, 3; πῶς πρότερα καὶ πῶς οὐ πρότερα the subject in particular of 1077ᵃ 17-20, 24-ᵇ 11.

11. Who were οἱ πρῶτοι τὰς ἰδέας φήσαντες εἶναι? A comparison of ll. 12-32 with A. 987ᵃ 29-ᵇ 8 shows clearly that Aristotle means Plato. The evidence of Aristotle is against the ascription of the ideal theory to Socrates or to the Pythagoreans. It may, of course, be contended that Aristotle had no knowledge of Socrates' views except what he got from the Platonic dialogues, and that he com-

pletely misunderstood the dialogues in supposing that the doctrines ascribed to Socrates in them are ascribed to him for dramatic purposes. But that the 'mind of the school' misunderstood the dialogues so completely is unlikely and demands more proof than has yet been offered.

The 'first people who said there are Ideas' are stated here, exactly as Plato was stated in Bk. A, to have been influenced by the Heraclitean doctrines (1078ᵇ 13, 987ᵃ 32), to have followed the lead of Socrates in his search for ethical definitions or universals, and to have given the name of Ideas to these universals (cf. 1078ᵇ 17–19, 30–32, with 987ᵇ 1–8). Prof. Taylor's view (*Varia Socratica*, 81–89) that οἱ δ' ἐχώρισαν (l. 31) refers to the Megarian School, the εἰδῶν φίλοι of the *Sophistes*, ignores the correspondence of the passage with that in Aristotle. The main difference between A and M here is that M, in using the phrase οἱ πρῶτοι τὰς ἰδέας φήσαντες εἶναι, and in referring only to the influence of Heracliteanism in general and not of Cratylus in particular, perhaps suggests that Plato was one of a band of thinkers who by their united efforts arrived at the ideal theory. Socrates, however, was not one of this band, though he prepared the way for it ; the distinction between his view and the doctrine of Ideas is stated emphatically in ll. 30–32. The vague reference οἱ πρῶτοι τὰς ἰδέας φήσαντες is thoroughly characteristic of M, which is concerned with doctrines, not with people (cf. 1076ᵃ 16–22, 1080ᵇ 11–30).

There is, of course, a distinction drawn here between the theory of Idea-numbers (which we know Plato to have held) and the first form of the ideal theory (ll. 9–12). But this does not amount to a distinction, as Prof. Burnet maintains (*G. P.* 157) between Plato and 'the first persons who said that the Forms existed'. The distinction is between the theory of Idea-numbers (a theory held in different forms by Plato and by Xenocrates) and the ideal theory as it was originally (ἐξ ἀρχῆς) held by its first supporters (Plato and the rest of the band referred to above). Prof. Burnet tries to discount the value of Aristotle's statements about Socrates (in particular his refusal to treat Socrates as a, or the, founder of the ideal theory) by pointing out that Socrates 'had been dead for thirty years when Aristotle first came to Athens at the age of eighteen'. He maintains that all that Aristotle knew about Socrates was derived from the Platonic dialogues, and especially from the *Phaedo*. But it is as near certainty as we need wish that he must have learnt much from Plato about Socrates by word of mouth. Surely the very fact that he does not take the dialogues at their face value and ascribe to Socrates everything that is ascribed to him in the dialogues shows that he had independent information in the light of which he interpreted them. Cf. Introduction, pp. xxxiii–xlv.

13. περὶ τῆς ἀληθείας, 'on the question about the truth (or real nature) of things'. Cf. A. 983ᵇ 2 n.

τοῖς Ἡρακλειτείοις λόγοις, cf. A. 987ᵃ 32 n. Cratylus is there mentioned as the Heraclitean who was Plato's first master in philosophy.

15. φρόνησις is used here in the Platonic sense in which it is not distinguished from ἐπιστήμη and restricted to moral questions.

17. The sentence beginning here is never properly completed ; the long parenthesis, ll. 19–30, causes Aristotle to forget the construction; cf. K. 1067ᵇ 25–34.

19-20. The opposition τῶν μὲν ... φυσικῶν ... οἱ δὲ Πυθαγόρειοι suggests that τῶν φυσικῶν means 'of the physicists', and that the object of ἥψατο is 'the problem of definition'; Alexander's interpretation, that Democritus 'touched on natural objects' gives a good enough sense, but the other interpretation is made certain by a comparison with *P. A.* 642ᵃ 24–31. μόνον goes with ἐπὶ μικρὸν ἥψατο and emphasizes the slightness of Democritus' effort. Cf. *Phys.* 194ᵃ 20.

21. On the Pythagorean attempts at definition cf. A. 985ᵇ 29, 987ᵃ 20.

22. ἀνάπτειν is not used elsewhere by Aristotle in this sense, and one is tempted to read ἀνῆγον, which Alexander uses in his interpretation and E gives as an alternative reading. But ἀνάπτειν is used thus by other authors.

καιρός was identified with the number 7 (Al. 38. 16, 75. 23).

23. τὸ δίκαιον was identified, Alexander tells us (741. 5), with 'the number that divides 10 in half', i. e. 5 (cf. 721. 13). But elsewhere he says it was the first square, either 4 or 9 (38. 12), and the other evidence (*E. N.* 1132ᵇ 22, *M. M.* 1182ᵃ 14) tends more in this direction. γάμος was identified with 5, the sum of the first even and the first odd number (39. 8).

25. οὔπω τότ' ἦν. Aristotle is quoted as having called Zeno the Eleatic the inventor of dialectic (frr. 1484ᵇ 29), and Zeno was doubtless considerably senior to Socrates (Pl. *Parm.* 127 B c), so that οὔπω τότ' ἦν is meant only in a very limited sense. Aristotle means that the procedure of which we have an instance in the *Parmenides* (cf. *Meno* 86 E ff. and *Sophistes*), where the consequences of contrary hypotheses, 'if one is', 'if many are', are studied without any definition of one or of many having been agreed upon, was not yet a well-recognized mode of discussion in Socrates' time as it afterwards became.

26. τῶν ἐναντίων εἰ ἡ αὐτὴ ἐπιστήμη is again in *Top.* 105ᵇ 23 mentioned as a dialectical inquiry (πρότασις λογική). It is rather surprising to find this particular inquiry about contraries co-ordinated by καί with the general phrase τἀναντία, but it is not necessary with Maier (*Syll. des Arist.* ii. 2. 168) to regard καὶ ... ἐπιστήμη as a gloss.

28. Aristotle cannot mean that Socrates was the first person who used inductive arguments or gave general definitions, but that he was the first who recognized the importance of them and systematically used the former in order to get the latter. The inductive arguments referred to are not scientific inductions but arguments from analogy such as we often find Socrates using in the *Memorabilia* and in Plato's 'Socratic' dialogues. For an instance cf. Δ. 1025ᵃ 6–13.

34—1080ᵃ 8 agrees almost verbally with A. 990ᵇ 2–991ᵇ 9, with the exception of the section 1079ᵇ 3–11, which has nothing

answering to it in Book A.   The main points of divergence are noted
below ; for what is common to both passages cf. the notes on Book A.
Alexander had the passage in his text of M but does not comment on
it.   Occasionally A is fuller than M (cf. 990ᵇ 26, 991ᵃ 25, ᵇ 5 with
1079ᵃ 23, ᵇ 28, 1080ᵃ 4), but for the most part M is fuller (cf. 990ᵇ 20,
991ᵃ 4, 17, ᵇ 3, 7, 9 with 1079ᵃ 17, 35, ᵇ 21, 1080ᵃ 2, 6, 8).   Cf. A. 9
note *ad init.*

36—1079ᵃ 1.   For πλείω . . . εἴδη A has σχεδὸν γὰρ ἴσα—ἢ οὐκ ἐλάττω
—τὰ εἴδη ἐστὶ τούτοις, a milder statement.

1079ᵃ 5.   δείκνυται, 990ᵇ 9 δείκνυμεν.   Cf. 7 οἴονται, 990ᵇ 11 οἰόμεθα ;
12, 20, 1080ᵃ 6 φασιν, 990ᵇ 16, 23, 991ᵇ 7 φαμεν ;   14 βούλονται,
990ᵇ 18 βούλονται AᵇAl., βουλόμεθα E Asc.

20.   The M version as compared with the A version affects the
use of a plural verb with a neuter plural subject ; cf. l. 20 with 990ᵇ 24,
28 with 990ᵇ 31, ᵇ 12 with 991ᵃ 9.

ᵇ 3-11 is peculiar to M.   It suggests an alternative course between
the supposition that the Idea is συνώνυμον with its particulars (ᵃ 33)
and the view that it is ὁμώνυμον (ᵃ 36, ᵇ 1)—a course, however, which
does not free the Platonists from difficulties.   The suggestion is that
the definition of an Idea is the same as that of its particulars, except
that in the former we must add ' that of which it is ' the Idea or
pattern.   E. g. the Idea of circle would be defined as ' a plane figure
such that every point on the circumference is equidistant from the
centre, such figure being the Idea of sensible circles '.   Aristotle
makes two objections.   (1) To what element in the definition must the
οὗ ἐστί, the statement of what the Idea is an Idea of, be added ?   To
the word ' centre ', the word ' plane ', or to every word ?.   Every element
in the Idea must be ideal.   (2) ' Being an Idea of something' will
itself be a common nature present in all Ideas, i. e. itself an Idea.

10-11.   φύσιν . . . γένος is predicate of εἶναι, and there should
be a comma after ἐπίπεδον.   It is not necessary to omit τι as Christ
suggests.   ' " So-and-so itself " (αὐτό τι) will be a nature present in all
the Forms as their genus, as " plane " is present in all the species of
plane figure.'   αὐτό τι is a generalization of Platonic phrases like αὐτὸ
ἀγαθόν, and the meaning is that Formness will itself be a Form ; and
this can be attacked by a τρίτος ἄνθρωπος argument.

The Forms do not explain the changes in the sensible world (ch. 5).

1079ᵇ 12.   (v) The main question is, what do the Forms contribute
either to eternal or to transient sensibles ?   (α) They cause no change
in them, (β) they contribute nothing to the knowledge of them (for, not
being in them, they are not their substance),

17. nor (γ) to their being (if they were in them they might perhaps be their causes as white is of the whiteness of that in which it is mixed; but this view of Anaxagoras and Eudoxus is easily refuted).

23. (vi) Other things are not *composed of* Forms in any ordinary sense, and to call the Forms patterns and say that other things *share in* them is empty metaphor. For (a) what is it that works with its eye on the Ideas? (β) It is possible to be or become anything without being copied from an original.

31. (γ) There will be many patterns, and therefore Forms, of the same thing; to a man there will answer the Forms of animal, biped, and man. (δ) The genus will be the Form of its species, so that the same thing will be pattern and copy.

35. (vii) How can the Ideas, being the substances of things, exist apart from the things? In the *Phaedo* they are said to be causes both of being and of becoming.

1080ᵃ 3. Yet (a) even if the Forms exist, the things that share in them do not come into being unless there is a moving cause, and (β) many things, e.g. houses, come into existence though the Platonists say there are no Forms of them, and therefore those also of which they say there are Forms may be or come into being owing to similar causes, and not to the Forms.

9. These and other more abstract and accurate arguments may be brought against the Ideas.

1079ᵇ 28. It is not, I think, necessary to insert ὅμοιον from Book A with Bonitz. ' It is possible to be or become anything without being copied from an original.'

34. τῶν ὡς γένους εἰδῶν, cf. A. 991ᵃ 31 n.

1080ᵃ 10. λογικός, λογικῶς generally in Aristotle denote a discussion which does not start from the οἰκεῖαι ἀρχαί of the subject but from verbal considerations, and is a term of reproach rather than otherwise, so that it is somewhat strange to find λογικωτέρων coupled with ἀκριβεστέρων. If we remember, however, that the Platonic doctrines are themselves said by Aristotle to have been of this nature (1084ᵇ 25, A. 987ᵇ 31, Θ. 1050ᵇ 35, Λ. 1069ᵃ 28, N. 1087ᵇ 21), we may infer that he means that he could produce arguments which would meet the Platonists more on their own ground and would have the precision that comes from abstraction (cf. 1078ᵃ 9, 10).

III. Numbers as Separate Substances and First Causes (chs. 6–9. 1086^a 18).

Various ways in which numbers may be conceived as the substance of things (ch. 6).

1080^a 12. If number is an entity whose essence is just to be number, then (1) there is an order of priority and a specific difference between the numbers, and between the units, which therefore are incomparable.

20. or (2) all units are comparable, as in mathematical number;

23. or (3) the units of a single number are comparable, but those of different numbers are not comparable *inter se*;

30. so that while in mathematical number 1 is added to 1 to make 2, in this kind of number 2 is two ones distinct from the number 1;

35. or (4) there are all three kinds of number, those described in (1), (2), and (3).

37. Further these numbers must be either separate from things or in things, i.e. composing sensible things; the latter alternative may be true of some or of all numbers.

^{b} **4.** All those who treat the One as a first principle and a substance have adopted one or other of the above views, which are the only possible views; all the views but (1) have found support.

11. (*A*) Some (Plato) believe in both kinds of number—that which has priority and posteriority (the Ideas) and mathematical number; they believe both to exist apart from sensibles.

14. (*B*) (*a*) Some (Speusippus) believe in mathematical number only; (*b*) the Pythagoreans too believe in mathematical number only, but in the sense that sensible substances are actually composed of extended units—though they cannot tell us how the first extended unit came into being.

21. (*C*) (*a*) Another thinker says only ideal number exists, and (*b*) some (Xenocrates) identify this with mathematical number.

23. There is a similar variety of opinion about lines, planes, and solids. (*A*) Some distinguish the mathematical lines, &c., and those which come after the Ideas; (*B*) some say that the mathematical objects exist, and speak mathematically about them (viz. the non-believers in Ideas); (*C*) others say that the mathematical objects exist, but do not speak mathematically, for they say that not every magnitude is divisible into magnitudes, and not every two units make a two.

30. All who treat the One as a first principle suppose numbers to be composed of abstract units, except the Pythagoreans, who conceive of numbers as extended.

33. These are the possible views; all untenable, but perhaps some more so than others.

1080ᵃ 15–ᵇ 4. The sentence is irregular in structure. Aristotle begins (l. 17) by stating what looks as if it were to be the first of a series of alternative hypotheses about the nature of *numbers*, but he proceeds to state three possible forms of this one hypothesis, differing in the view they take of the nature of *units* (ll. 18, 20, 23), and recurs to numbers only in l. 35, where he states as a fresh alternative that there may be three kinds of number having the three kinds of unit respectively; finally in l. 37 he classifies the possible views according to a different principle of division. It is noteworthy that he brings forward his classification as one arrived at *a priori*, not by enumeration of existing views. This awakens a certain suspicion that he may in his account of the actual views do them some injustice in order to fit them into his ready-made scheme. He says definitely, however, that each of the views he mentions had supporters, except the view that all units are incomparable (1080ᵇ 8, cf. 1081ᵃ 35). ἢ τὰς μέν κτλ. (l. 23), though grammatically co-ordinate with ἤτοι εἶναι κτλ. (l. 17), is in sense co-ordinate with ἢ ἐπὶ τῶν μονάδων κτλ. (l. 18) and with ἢ εὐθὺς ἐφεξῆς κτλ. (l. 20). The views Aristotle mentions are

(1) the belief in incomparable numbers (l. 17), (*a*) with units all incomparable (l. 18),

or (*b*) with units all comparable (l. 20),

or (*c*) with the units of each number comparable with each other, but incomparable with those of other numbers (l. 23),

(2) the belief in all three kinds of number, i.e. the kind (1 *a*), the kind (1 *b*), and the kind (1 *c*) (l. 35).

He omits (3) the belief in two kinds of number, (1 *a*) and (1 *b*),

(1 *a*) and (1 *c*), or

(1 *b*) and (1 *c*).

In ll. 21, 36 he confuses (1 *b*), the belief in incomparable numbers whose units are all comparable, with (4), the belief in comparable numbers (whose units must necessarily be all comparable), for clearly this is what he conceives ὁ μαθηματικὸς ἀριθμός to be.

It must not be thought that this passage offers a classification of hypotheses about ideal number in particular, for the classification includes the Pythagoreans (ᵇ 16), who drew no distinction between mathematical and ideal number, and Speusippus (ᵇ 14), who believed only in the former. What we have is a classification of all the views which treated numbers as 'separate substances and first causes of existing things' (ᵃ 14). Alexander, failing to notice that the Pythagoreans enter into the classification, takes it to be a classification of theories of ideal number (e.g. 743. 13), and this leads him to give an absurd interpretation of ᵃ 35–37. He takes it to mean that e.g. 3, 4,

5 might be composed of units all of which are incomparable, 7, 8, 9 of units all of which are comparable, 20, 30 of units such that those in 20 are comparable with each other and those in 30 with each other but those in 20 are not comparable with those in 30. It seems clear that the view referred to in ᵃ 35–37 is one which believes in the existence of three *complete* number series of different kinds.

So far as ideal numbers are concerned, the doctrine that they are 'incomparable', i.e. incapable of being added or subtracted, multiplied or divided, is a perfectly sound one which is misunderstood by Aristotle. The ideal numbers are simply the natural numbers, 1, 2, 3, &c., or in other words oneness, twoness, threeness, &c., and these of course cannot be added. You cannot add oneness to oneness because there is only one oneness; and it is equally certain that you cannot add oneness to twoness. And, further, Aristotle's notion of numbers as containing units, and the resulting question whether these are comparable or incomparable, is equally mistaken. The number 2 does not contain two numbers 1, for there is only one number 1.

As against the mathematical or 'intermediate' numbers believed in by the Platonists, Aristotle's objection would have more force. There *are* no 'mathematical numbers' distinct on the one hand from the natural number, and on the other from the particular one-member groups, two-member groups, &c., which are the instances of the natural numbers. The weakness of Aristotle's position is that he believes in mathematical numbers, which do not exist, and does not believe in ideal or universal numbers, which do.

On the conception of ἀσύμβλητοι ἀριθμοί cf. Cook Wilson in *Classical Review*, xviii. 247–260, especially §§ 2, 3, 5.

19. ἀσύμβλητος. The usage of συμβάλλειν, συμβλητός, ἀσύμβλητος in Aristotle shows that the word must mean 'incomparable'; and things are comparable if and only if they belong to the same kind (*Phys.* 248ᵇ 8, 249ᵃ 3, *Top.* 107ᵇ 17, I. 1055ᵃ 6). Thus ἀσύμβλητος is practically equivalent to ἕτερον ὂν τῷ εἴδει (l. 17), and συμβλητός can be coupled with ἀδιάφορος (1081ᵃ 5). Strictly, to say that two things are συμβλητά is to say that one can be expressed as a fraction of the other, or at least as greater or less than or equal to the other. But in this context συμβληταί seems to mean 'capable of entering into arithmetical relations with one another—of being added and subtracted, multiplied and divided'.

35–37. οἷος ὁ πρῶτος ἐλέχθη, cf. ll. 15–20; οἷον οἱ μαθηματικοὶ λέγουσι, cf. 20–23; τὸν ῥηθέντα τελευταῖον, cf. 23–35.

ᵇ **2.** τὸ πρῶτον, 1076ᵃ 38–ᵇ 11. Aristotle is now omitting the compromise of Pythagorean and Platonic views referred to there, and taking account only of the genuine Pythagorean view.

4. Bz. argues that the view that all the numbers are immanent in sensibles has been already mentioned in l. 1, so that ἢ πάντας εἶναι is unmeaning. But Alexander evidently had these words (perhaps ἢ πάντας μὴ εἶναι as well), though his interpretation of them cannot be right; and so have all the good manuscripts. The solution of the difficulty is to treat οὐχ οὕτως . . . αἰσθητά as parenthetical. ' The numbers must be either transcendent, or immanent . . . either some immanent and not others, or all immanent.'

6. σχεδόν is explained by πλήν κτλ., l. 8.

7. ἄλλου τινός, i. e. the ἄπειρον in the case of the Pythagoreans, the ' great and small ' or indefinite dyad in the case of the Platonists.

10–11. οὐ γὰρ . . . εἰρημένους. We shall see how Aristotle can say this if we remember that (a) he confuses (4) above with (1 b), and (β), since the view (1 a) is not held by any one (ll. 8, 9), (3 a) and (3 b) disappear with it and (3 c) takes the place of (2). There thus remain (A) the belief in (1 b) (ll. 14–21), (B) the belief in (1 c) (ll. 21, 22), (C) the belief in both (ll. 11–14), and (D) the confusion of the two (ll. 22, 23).

11. οἱ μέν, who believed in both, means Plato and his orthodox followers; cf. A. 987ᵇ 14–18. Aristotle thinks of the Platonic τὰ μεταξύ as of the type (1 b), though they were more probably of the type (4).

14. οἱ δέ means Speusippus; cf. 1076ᵃ 20–21 n.

15. τὸν (not τὸ) πρῶτον τῶν ὄντων is somewhat strange; in the light of 1083ᵃ 23 (also on Speusippus) τὰ δὲ μαθηματικὰ εἶναι καὶ τοὺς ἀριθ-μοὺς πρώτους τῶν ὄντων one may conjecture that τόν should be omitted.

16. The Pythagoreans, like Speusippus, believed in mathematical number only; but they differed from him, as from all Platonists, in holding numbers to be actually present in things (cf. ᵃ 37–ᵇ 4). Mr. Cornford holds, with much probability, that the Pythagorean doctrine here referred to is not the mystical system of Pythagoras but a scientific system of number-atomism which was developed in the fifth century and was the forerunner of Atomism proper. He summarizes the main features of this system as follows : ' (1) there is only one kind of number—namely, mathematical number. (2) This number does not exist separately, but sensible substances are composed of it . . . (3) These numbers do not consist of abstract units, but the units are conceived as having spatial magnitude. (4) They are described as "indivisible magnitudes" (1083ᵇ 13). (5) Things or bodies are identified with numbers composed of the indivisible magnitudes or monads (1083ᵇ 12 sqq.). (6) The Pythagoreans regarded numbers as generated—the process of generation being, of course, identical with the physical generation of the sensible world (1091ᵃ 17 sqq.)' (Cl. Quart. xvii. 8). Cf. N. 1092ᵇ 8–15 n.

19. πλὴν οὐ μοναδικῶν. The Platonists, like Aristotle, thought of numbers as composed of unextended units; the Pythagoreans thought of them as extended and having extended units. In other words they had not reached the notion of arithmetic as distinguished from geometry. Aristotle uses ἀριθμὸς ἀριθμητικός in the same sense as ἀριθμὸς μοναδικός (1083ᵇ 16). Zeller thinks (i.⁶ 483–488) that in stating the Pythagorean units to be extended Aristotle is drawing a mistaken inference from the Pythagorean view that bodies are composed of numbers; he admits, however, that the Pythagorean *cosmology* implies the treatment of numbers as spatial. But at the time of the Pythagoreans the notion of non-corporeal reality did not exist, so that they necessarily thought of the units as extended. There is some ground for holding that they called them ὄγκοι (Burnet, *E. G. P.* § 146).

20–21. ὅπως δὲ . . . ἐοίκασιν. Cf. N. 1091ᵃ 15, where we learn that the Pythagoreans 'say that when the One had been put together whether out of planes or out of surface or out of seed or out of they know not what, immediately the nearest part of the infinite began to be drawn and limited by the limit'. The general sense of the present passage is : ' The Pythagoreans construct the universe out of numbers having spatial units ; but how the first unit was constructed as an extended thing they cannot tell '. ' They had not ', as Mr. Cornford observes (*Cl. Quart.* xvii. 9), 'reached the position of fully developed atomism, which postulates an indefinite plurality of atoms or monads as an ultimate and eternal fact.'

21. It is not easy to identify ἄλλος . . . τις, who believed in ideal number only. Alexander's suggestion that it was a Pythagorean can hardly be right, since Aristotle never ascribes the belief in Ideas to Pythagoreans. It must be a Platonist, but further than this we cannot go. Elsewhere in enumerating the views held Aristotle omits this one (1076ᵃ 19–22, 1086ᵃ 2–13, cf. 1080ᵇ 24–30).

Jaeger would remove the difficulty by treating ἔνιοι as a variant for εἶναι and removing εἶναι in l. 23 as a later addition due to the intrusion of ἔνιοι. But Alexander and Syrianus had our text ; and it is not particularly surprising that Aristotle should mention here a view he does not mention elsewhere—a view which is almost certain to have been held by some Platonist.

22. By the ἔνιοι who identified ideal and mathematical number Aristotle probably means Xenocrates. Cf. 1076ᵃ 20–21 n. ; Z. 1028ᵇ 24 n.

24. οἱ μέν answers to οἱ μέν in l. 11 and refers to Plato.

25. τὰ μετὰ τὰς ἰδέας. Cf. A. 992ᵇ 13 οὐθένα δ' ἔχει λόγον οὐδὲ τὰ μετὰ τοὺς ἀριθμοὺς μήκη καὶ ἐπίπεδα καὶ στερεά . . . ταῦτα γὰρ οὔτε εἴδη οἷόν τε εἶναι (οὐ γάρ εἰσιν ἀριθμοί) οὔτε τὰ μεταξύ (μαθηματικὰ γὰρ ἐκεῖνα) οὔτε τὰ φθαρτά, ἀλλὰ πάλιν τέταρτον ἄλλο φαίνεται τοῦτό τι γένος. Just as Plato distinguished the Idea of ' two ' from the many 2's of which arithmetic speaks, he distinguished ' the straight line itself ', ' the triangle itself ', ' the cube itself ', from the many straight lines, triangles, and cubes of which geometry speaks. In the earlier form of his theory he spoke of these as Ideas, but when he came to call the Ideas numbers he no longer called these Ideas, since they were not numbers. Accordingly he called them (or Aristotle calls them for him) τὰ μετὰ τὰς ἰδέας or τὰ μετὰ τοὺς ἀριθμούς. Just as mathematical number is prior to mathematical lines, planes, and solids, being ἐξ ἐλαττόνων, the Ideas of numbers were prior to these quasi-Ideas of lines, planes, and solids. τὰ μετὰ τὰς ἰδέας (τοὺς ἀριθμούς) : ἰδέαι (εἰδητικοὶ ἀριθμοί) : : μαθηματικὰ μήκη κτλ. : μαθηματικοὶ ἀριθμοί.

26. οἱ μέν answers to οἱ δέ in l. 14 and means Speusippus and the Pythagoreans.

28. οἱ δέ answers to ἔνιοι δέ in l. 22 and means Xenocrates. (No one is mentioned answering to ἄλλός τις in l. 21, and this view is difficult to distinguish from that of Xenocrates.) οὐ τέμνεσθαι μέγεθος πᾶν εἰς μεγέθη (l. 29) is a clear allusion to the doctrine of indivisible lines, of which the main supporter was Xenocrates, though it is also ascribed by Aristotle to Plato (A. 992ᵃ 20).

29. οὖθ' ὁποιασοῦν μονάδας δυάδα εἶναι is not strictly relevant here, where spatial magnitudes are being spoken of, but is rather illustrative. Xenocrates speaks of mathematical magnitudes in a non-mathematical way, supposing that the units in one mathematical number (as Plato had supposed that the units in one *ideal* number) are specifically different from those in another, so that a unit of 2 + a unit of 3 would not make 2.

30–33. Aristotle here recurs from τὰ μετὰ τὰς ἰδέας to numbers, and repeats what he has said in ll. 17–20.

36. μᾶλλον δ᾽ ἴσως θάτερα τῶν ἑτέρων. Aristotle means the view of Xenocrates, which χείριστα λέγεται (1083ᵇ 2), combining as it does δύο ἁμαρτίας, misdescribing mathematical number and also being open to all the objections against ideal number (1083ᵇ 3).

Examination of Plato's view (ch. 7–8. 1083ᵃ 20).

1080ᵇ 37. (*A*) We must first examine whether the units are comparable, and if not, in which of the two senses they are not.

1081ᵃ 5. (1) If all are comparable and not different in kind, we get only mathematical number, and the Ideas cannot be the numbers thus produced (for there is but one Idea of each thing, e. g. of man, while there is an indefinite number of similar numbers, e. g. threes;

12. but if the Ideas are not numbers, they cannot exist (for the first principles are said to be first principles of number, and the Ideas cannot be classed as either prior or posterior to numbers).

17. (2) If all units are incomparable, (*a*) the number so produced is not mathematical number (which is composed of undifferentiated units).

21. Nor is it ideal number, for 2 will not be the first product of 1 and the indefinite dyad, and be followed by 3, 4, &c. (the units in 2 not being prior or posterior to one another), since if one unit is to be prior to the other, it will be prior to the 2 which they compose.

29. (*b*) The units will be prior to the numbers after which they are named, e. g. the third unit (the second in the number 2) will be prior to the number 3.

35. Though no one has supposed the units incomparable in this way, the view agrees sufficiently with the principles of these thinkers. If there is a first unit, there will be priority and posteriority among the units, and similarly among the twos; but though they recognize a first unit and a first two, they do not recognize a second or a third.

^{b} **10.** (*c*) If all the units are thus incomparable, there cannot be a 'two itself', a 'three itself', &c. For whether the units are different or not, the numbers must be generated by successive additions of 1; but if so, they are not generated as these thinkers say they are, from the One and the indefinite dyad.

18. For the number two is a part of the number three, and this of the number four, whereas they generate four from the number two and the indefinite dyad and make it consist of two twos other than the number two;

22. otherwise 4 will consist of the number 2 and another 2, and the number 2 will consist of the One itself and another 1, and if so, the element in 2 other than the One itself cannot be the indefinite dyad, since it produces one unit, not a definite 2.

27. (*d*) How can there be other twos besides the number 2? How can they be composed of prior and posterior units? These suppositions are quite fictitious. But if the conclusions are absurd, the first principles must be wrong.

35. (3) If the units in different numbers are different but those in the same number not different, equal difficulties follow.

1082^a 1. (*a*) Since the ideal ten is no ordinary number and the fives in it no ordinary fives, the units in the one five must be different from those in the other; i.e. the theory inconsistently with itself implies that five of the units in 10 are different from the other five.

7. If the units in 10 differ, there must be other fives in 10 than those we have named, but if so, what sort of tens do they make? These thinkers recognize no other 10 in the number 10.

11. They must, as we have assumed (l. 3) that they do, suppose the number 4 to be composed of no chance twos, for they say the indefinite dyad received the definite dyad and made two dyads.

15. (*b*) How can the number 2 be something apart from the two units? Either by participation of one in the other, as 'white man', which shares in 'white' and in 'man', is apart from them, or by one part being a differentia of the other, as 'man' is apart from 'animal' and 'two-footed'

20. (*c*) The units in 2 or in 3 cannot be one by contact, mixture, or position; there is nothing apart from the units any more than a pair of men is anything apart from the two men. The indivisibility of the units makes no difference; points are indivisible, but a pair of points is nothing apart from the single points.

26. (*d*) The theory implies that there will be prior and posterior twos, threes, &c. The twos in 4 are prior to those in 8, and generated the fours in 8 as 2 generated *them*, so that, since the 2 is an Idea, they also are Ideas.

32. So too the units in 2 generate the units in 4, so that all the units are Ideas and an Idea is composed of Ideas, and therefore that of which the Idea is an Idea is similarly composite, e. g. animals are composed of animals.

b 1. (*e*) To make the units different in any way is absurd and artificial; unit differs from unit neither in quantity nor in quality, and a number which is neither greater nor less than another must be equal to it and identical with it; if it is not, neither will the twos in 10 be without difference, as the theory supposes them to be.

11. (*f*) If one unit and another unit always make two, a unit in 2 and a unit in 3 will make a 2. Now (*a*) this will consist of units differing in kind; (*β*) will it be prior or posterior to the number 3? Presumably prior, since one of the units is simultaneous with 3 and the other with 2.

16. *We* say that one and one (e. g. good and evil) always make two; but *they* say that not even one unit and another unit always make a two.

19. (*g*) The number 3 must surely be greater than the number 2, but if so, it will contain a number equal to and without difference from the number 2; which it cannot, if there is priority and posteriority between any two numbers.

23. (*h*) On this view the Ideas cannot be numbers. Those who say all units are different are right in supposing this to be implied in there being Ideas; for the Form is unique, but if units are without difference, the twos and the threes will be without difference too.

28. These thinkers are bound to say that in counting ' one, two ' we do not add one to the original one; for then (*a*) generation would not be from the indefinite dyad, and (*β*) an Idea would not be produced, since if it were it would contain another Idea, and all the Ideas would ultimately be parts of one Idea.

32. Thus what they say agrees with their hypothesis; but it destroys many of the truths of mathematics. They will say that there is a difficulty in the question whether we count by successive additions of 1 or by constructing each number separately. But we do both; it is absurd to suppose a separate kind of number to which the latter process applies.

1083ᵃ 1. (*i*) What is the differentia of a number, and of a unit, if a unit has any? Units must differ in respect either of quantity or of quality, but neither is possible. (*a*) If units differed in quantity, numbers equal in number of units would differ from each other. Are the first units greater or less than the later? All this is absurd.

8. (β) They cannot differ in quality. They have no qualities, for in numbers quality depends on quantity. They cannot get quality either from the One, which has none, or from the indefinite dyad, which gives *quantity*.

14. If units differ in some other way, these thinkers ought to have said why this difference must exist, or at least what difference they mean. Thus if the Ideas are numbers, the units cannot be all comparable, nor incomparable in either of the two ways.

Examination of the views of other Platonists and of the Pythagoreans
(ch. 8. 1083ᵃ 20–ᵇ 23).

1083ᵃ 20. (*B a*) The views of other thinkers are no better, viz. of those (Speusippus) who do not believe in Ideas but in mathematical objects, and make numbers the primary realities, and the One their first principle.

24. For it is paradoxical that there should be a first 1, but not a first 2, 3, &c. If only mathematical number exists, the One is not a first principle (for if it were, it would be different from other ones, and there must then be a two different from other twos); if the One is a first principle, the numbers must be such as Plato supposed them, i. e. incomparable.

35. If both Plato's doctrine and that of Speusippus lead to impossible results, number cannot exist apart.

ᵇ 1. (*C b*) The worst view is that ideal number and mathematical are the same (Xenocrates). This view falsifies the nature of mathematical number, and involves further the difficulties incidental to the belief in ideal number.

8. (*B b*) The Pythagorean view escapes some difficulties by not making number exist apart, but has peculiar difficulties arising from the supposition that bodies are composed of mathematical numbers.

13. For there are no indivisible magnitudes, or at any rate units have no magnitude, and therefore bodies cannot be composed of them, as the Pythagorean view implies.

19. Thus none of the ways of treating number as self-subsistent is satisfactory ; therefore it is not self-subsistent.

Aristotle first (1080^b 37) discusses the theory of incomparable numbers (which, we are told in 1083^a 32, was the view of Plato). Then (1083^a 20) he proceeds to the theory of Speusippus, then (1083^b 1) to that of Xenocrates, and last (1083^b 8–19) to that of the Pythagoreans.

1081^a 1. ὧνπερ διείλομεν. 1080^a 18–20, 23–35.

4. πρώτῳ = εἰδητικῷ Al. 748. 1. Cf. 1080^b 22, and πρώτη δυάς 1080^a 26 and MN *passim*, πρῶτον μῆκος, πλάτος, βάθος *De An.* 404^b 20, ἐπιφάνειαι πρῶται K. 1060^b 13.

7. Bz.'s proposal to omit τούς is supported by l. 12, but is not absolutely necessary. As he himself says, we may render the manuscript reading 'and the Ideas cannot be the numbers thus produced'.

11–12. ὥστ' οὐθὲν . . . ὁποιαοῦν. E. g. any of the threes in nine will be the Idea of man as much as any other, and the uniqueness of the Idea will be destroyed.

14. This is the first use in the *Metaphysics* of the phrase ἀόριστος δυάς. Doubt has been felt as to whether the phrase refers to the doctrine of Plato, or to that of his followers. The description of the material principle as the 'great and small' is certainly ascribed to Plato (cf. A. 987^b 20, 26, 988^a 13, 26). In N. 1088^b 28 Aristotle says εἰσὶ δέ τινες οἳ δυάδα μὲν ἀόριστον ποιοῦσι τὸ μετὰ τοῦ ἑνὸς στοιχεῖον, τὸ δ' ἄνισον δυσχεραίνουσιν εὐλόγως διὰ τὰ συμβαίνοντα ἀδύνατα. I. e., the adoption of the indefinite dyad as material principle seems to be described as an amendment of the description, which we can safely ascribe to Plato, of the material principle as the unequal. On the other hand the unequal and the indefinite dyad are coupled as belonging to the same theory in N. 1088^a 15. So, too, in 1083^b 23–32, N. 1090^b 32— 1091^a 5 the great and small and the indefinite dyad seem to be both referred to Plato. Cf. Theophr. *Met.* 33, Hermodorus ap. Simpl. *Phys.* 247. 30—248. 18, and Al., Simpl., Syr., Asc. *passim.* The reference of the indefinite dyad to Plato was doubted or denied by Susemihl (*Genet. Entwickl.* ii. 532 ff.), Zeller in *Plat. Stud.* (222), Trendelenburg (*De Id. et Num.* 48–51), Heinze (*Xenocr.* 10–15). On the strength of two passages (which are inadequate for the purpose) Heinze maintains that the phrase originated with Xenocrates (Theophr. *Met.* 11, Plut. *De An. Procr.* ii. 1, 2. 1012 D E). Zeller later gave up his doubts, and there is no reason to distrust the evidence of Hermodorus, Alexander, &c. In N. 1089^a 35, though the expressions 'great and small' and 'indefinite dyad' are distinguished, there is nothing to show that they were not used by the same thinkers to designate the same thing. And 1088^b 28 does not tell us that 'the indefinite dyad' was a later phrase than 'the unequal', but merely that some thinkers (Xenocrates is probably included) retained the former, while discarding the latter because it made one of the first principles something merely relative.

Zeller thinks that Plato described only the material principle *of ideal and mathematical numbers* as the indefinite dyad. But the silence of MN as to the derivation of sensible things from it proves nothing, since these books are not concerned with the derivation of sensible

things. The *Philebus* certainly describes the ἀπειρία as the material
cause in all οὐσία, without special reference to numbers (πάντα τὰ νῦν
ὄντα ἐν τῷ παντί 23 c 4). On the whole subject of the indefinite dyad
cf. Robin 641–654.

15. αἱ ἀρχαὶ καὶ τὰ στοιχεῖα = τὸ ἓν καὶ ἡ δυὰς ἡ ἀόριστος. The
argument seems to be: 'the only principles put forward by these
thinkers are put forward as principles of number. If, then, they are
also the principles of the Ideas, which they are clearly meant to be,
the Ideas must be (1) identical with numbers, which we have shown
they are not, or (2) prior or posterior to, causes or effects of, numbers,
which they evidently cannot be, since they are composed of a different
kind of units. Therefore the Ideas are left without any ἀρχαί at all'.
The order of the words is against Apelt's proposal to interpret l. 15
'and the principles (sc. of the Ideas) are said to be also the elements
of number'.

17. Aristotle passes now to the view according to which even the
units in one number are incomparable with one another. Considering
that this view had found no supporter (1080ᵇ 8, 1081ᵃ 35), the space
Aristotle devotes to it (1081ᵃ 17–ᵇ 33) is disproportionate.

21–29 is a difficult piece of argument. Alexander supposes ll. 21–23
to mean that if the units are incomparable each with each, the
numerical series will be destroyed because the numbers will be all
formed simultaneously (749. 19), and this view is adopted by Robin
(note 285, iii). But this is contrary to Aristotle's usage, according
to which 'incomparability' implies the very opposite of simultaneity;
τὸ μὲν πρῶτόν τι αὐτοῦ τὸ δ' ἐχόμενον 1080ᵃ 17 is synonymous with
ἀσύμβλητος ib. 19. Alexander, continuing to misunderstand the
passage, thinks that Aristotle should have said (l. 23) ἢ γὰρ ἅμα αἱ ...
μονάδες γεννῶνται ἢ οὐχ ἅμα. This means that Alexander is quite at
sea. Bz. perceives the general nature of the argument as it stands in
the received text, viz. that Aristotle offers two proofs to show that the
supposition of units incomparable each with each is contrary to the
Platonic view of ideal number as forming the series 1, 2, 3, 4, &c.
(ll. 21–23), one proof being given in ll. 23–25, another in ll. 25–29; and
that really what Aristotle professes to show (that οὐκ ἔσται ἡ δυὰς πρώτη)
is proved only by the second proof. The argument can be made
right by the alteration of one word—by reading ἐπεί for ἔπειτα in l. 25
(ἔπειτα has probably come in through the influence of ἔπειτα in l. 22).
Then the argument runs thus: 'For the two will on this hypothesis
not proceed first from the one and the indefinite dyad, and then the
other numbers, as the Platonists say "2, 3, 4"—for they generate the
units in the first (i. e. the ideal) two simultaneously—since if the one
unit in the two were prior to the other (as it must be, on the hypothesis
of incomparability, cf. 1080ᵃ 17, 19), it would be prior also to the two
which is composed of them. Thus the order would be not, as they
say, 1, 2, 3, 4, but 1, first unit in 2, 2, second unit in 2, first unit in
3,' &c. For the combination ἐπεὶ εἰ cf. 1087ᵃ 21.

24. ὁ πρῶτος εἰπών, sc. τὸν τῶν εἰδῶν ἀριθμὸν εἶναι (cf. l. 21). A com-

parison with 1086ᵃ 11, N. 1090ᵇ 32, where Aristotle is referring to
a doctrine which marks Plato off from Speusippus and Xenocrates
(cf. 1076ᵃ 19–21 nn.), shows that here also Plato is meant.

ἐξ ἀνίσων (ἰσασθέντων γὰρ ἐγένοντο). The unequals are the great and
the small (1083ᵇ 23, N. 1091ᵃ 24). Plato, according to Aristotle,
represented the One as producing the units in 2 by equalizing the
great and the small. But Aristotle speaks with some hesitation as to
how this was done (1083ᵇ 23–25). It is noteworthy that the material
principle is never spoken of as τὰ ἄνισα but always as τὸ ἄνισον, and
it seems probable that Plato did not think of two things, the great and
the small, but of one thing, the great-and-small, i. e. indeterminate
quantity, and that he represented this as simply being determined into
the successive numbers by the operation of the One or formal principle.
Cf. Introduction, lxi f.

30–31. τῶν ἄλλων . . . ἐκεῖνο, sc. the first unit in 2.

31–32. τρίτον . . . ἕν, sc. the second unit in 2.

32. The principal clause begins irregularly with ὥστε, as often in
Aristotle. Cf. *Ind. Ar.* 873ᵃ 31–44.

33. The reading of Aᵇ Al., πλέκονται, would require a strange per-
version of order, the antecedent of ὧν being then αἱ μονάδες. The
reading of EJ¹, λέγονται, gives an excellent sense and must be adopted.
'The units will be prior to the numbers after which they are called;
the third unit (i. e. the second unit in 2) will be prior to the number 3.
and so on.'

ᵇ **1–3.** τάς τε γὰρ . . . πρῶτον. 'It is natural that there should be
prior and posterior units, if there is also a first unit or first one'—sc.
the ideal one.

6–8 is a parenthetical recurrence to the point made in ᵃ 21–29.

8–10. It is doubtful whether Aristotle's attack is quite fair. The
Platonists spoke of the Ideal One as the first One not in the sense that
it was the first member of a series of units, but in the sense that it was
the principle of the whole class of units. The word 'first' is ill-
chosen, since it seems to make the universal a member of the class
which it constitutes; but there is not necessarily any serious confusion
in the thought.

12–14. 'Whether the units are without specific difference or not,
number must be counted by addition', i. e. each number must be
arrived at by adding 1 to the previous number. This is a successful
enough appeal to common sense, but is something of a *petitio principii*.
The Platonists simply denied the premise that the numbers were reached
by addition, and gave quite a different account of their generation.

17–19. 'The numbers cannot be generated as they try to generate
them, out of the indefinite dyad and the One; for three is generated
not from the indefinite dyad and the One but from the number two
and a unit.'

21. ἀλλ' does not, as Al. 753. 9 and Bz. suppose, introduce
a possible objection to the previous argument. It points out the con-
tradiction between the actual facts (ll. 18–20) and the Platonic account

(ll. 21, 22). Jaeger's addition of εἰ is ingenious, but not strictly
necessary.

22-26. ' If the two 2's in 4 are not distinct from the 2 itself, 4 will
be composed of the 2 itself and another 2, and similarly 2 of the One
itself and another one; so that the element other than the One itself
will not be (as they said) the indefinite dyad, since the second element
generates one unit (the second unit in the 2), not (as the indefinite
dyad does) a definite dyad.'
According to the Platonic account (as represented by Aristotle) the
indefinite dyad 'received the definite dyad and made two dyads'
(1082ᵃ 13).

27-33. Aristotle passes here from particular arguments to a general
protest against the absurdity of the position created by supposing all
units, even those in the same number, to be incomparable.

30. ἄτοπά. Alexander (754. 12) and Syrianus (131. 1) may have
read ἀδύνατα, or this may be their interpretation of ἄτοπα. For ἄτοπα
καὶ πλασματώδη and for the meaning of πλασματώδη cf. 1082ᵇ 2-4.

31. ἀνάγκη δ' κτλ. I. e., if each number is derived not (as common
sense says) from the previous number by the addition of 1, but (as the
Platonists say) from the One and the indefinite dyad, each number is
as it were a special creation, differing in kind from all others, and thus
we get an ideal two, an ideal three, &c.

1082ᵃ 1. οἷον γάρ, ' for, for example'.

2-4. What does Aristotle mean by saying that the ' 10 itself' is not
any chance number nor composed of any chance 5's or units? The
meaning seems to be that, the 10 itself being an ideal number, the
numbers contained in it must be numbers of a special kind, viz. ideal
numbers, just as the units in it are supposed by these thinkers to be
of the special type described in 1081ᵇ 35-37. Now two Ideas cannot
be specifically the same; therefore the two 5's in 10 differ specifically;
and therefore the units in them differ specifically; thus five of the
units in 10 differ specifically from the other five, which is contrary to
the hypothesis we are examining. There seems to be no allusion to
the presence of numbers other than 5 in 10 (Al. 755. 12), nor to the
specific difference between 10 and the 5's in it (Bz.).

7-11. In ll. 8, 9 (after μή), 10 it is not clear (as Bz. thinks) that
Alexander read ἔσονται; it seems better to keep the reading of all the
good manuscripts, ἐνέσονται, which Alexander may be merely misinter-
preting. ἐν τῇ δεκάδι in l. 11 rather confirms ἐνέσονται, and quite a good
interpretation may be given to the word. If the units in the 10 differ
specifically, will there be no other 5's in the 10 than the two already
mentioned? (1) We can hardly suppose that there are not. Aristotle
does not say why, but the reason obviously is that if you take, say,
three units from the first 5 and two units from the second, you will
get a new 5 different from the original two. (2) If there are these
other 5's in the 10, what sort of 10 will they constitute? Apparently
another 10 in the 10 itself, but the Platonists do not suppose that
there is any such thing.

11–15. Aristotle now proceeds to confirm what he has already used as a premise (l. 3), viz. that the 10 itself is not composed of any chance 5's. He infers the mode of composition of the 10 from the mode of composition of the 4. This, according to the Platonists, is not produced by successive additions of specifically like units, but by the action of the indefinite dyad, which received the definite dyad or ' 2 itself' and made two dyads.

For a similar use of ἀλλὰ μὴν . . . γε confirming a view of the opponent's position which has already been stated (' they not only say so but they must say so ') cf. Γ. 1007ᵇ 20–29 ἔσται γὰρ τὸ αὐτὸ καὶ τριήρης καὶ τοῖχος καὶ ἄνθρωπος, εἰ κατὰ παντός τι ἢ καταφῆσαι ἢ ἀποφῆσαι ἐνδέχεται . . . ἀλλὰ μὴν λεκτέον γ᾽ αὐτοῖς κατὰ παντὸς ⟨παντὸς⟩ τὴν κατάφασιν ἢ τὴν ἀπόφασιν.

13. λαβοῦσα, 'having received', not 'having taken'. The material principle receives the formative principle as the female receives the seed, which is the formal principle of generation. For the analogy cf. A. 987ᵇ 33—988ᵃ 7, and for the literal sense of λαμβάνειν cf. H. A. 559ᵇ 8, 577ᵃ 31, 32, 578ᵃ 14, 632ᵃ 28.

17–20. The union might be of the nature (a) of the accidental union of a subject with an attribute, or (b) of the intimate and essential union of genus with differentia. For the difference cf. Z. 1030ᵃ 11–14, 1037ᵇ 13–21.

17. The manuscript reading μεθέξει θατέρου θάτερον (' one will participate in the other ') does not offer a grammatical parallel to the other alternative ἢ ὅταν ἢ κτλ. Christ is therefore right in proposing μεθέξει θατέρου θατέρου (' by participation of one in the other ').

18. μετέχει γὰρ τούτων. We should expect μετέχει γὰρ ὁ ἄνθρωπος τοῦ λευκοῦ, answering to μεθέξει θατέρου θατέρου. But Aristotle is not careful about consistency of expression where his general meaning is clear.

20–21. As instances of things which are ἐν ἀφῇ, μίξει, θέσει Alexander mentions a bundle of sticks, mead, and the stones in a house. μίξις means complete fusion ; the distinction between ἀφή and θέσις is not so clear, but probably ἀφή means mere contact which may be accidental, while θέσις does not necessarily imply contact but does imply intentional arrangement. Cf. H. 1042ᵇ 15–20.

30–31. 'As the definite or ideal 2 produced (by co-operation with the indefinite dyad) the 2's in 4, so these 2's (again by co-operation with the indefinite dyad) produced the two 4's (more strictly, the four 2's) in 8.'

31–ᵇ 1. The argument in ll. 26–31 was directed to showing that some 2's are prior to others. But in the course of the argument Aristotle showed that the 2's in 4 discharge a function analogous to that of the ideal 2. He now draws another inference from this, viz. that therefore they also must be Ideas. And so, too, will be the units in the ideal 2 which similarly (by co-operation with the indefinite dyad) produce the units in 4. Thus the units in any number are Ideas. Ideas will be composed of Ideas. The Idea of one animal will contain the

Ideas of other animals, and therefore one animal itself will contain
other animals.

Jaeger points out that E¹JAᵇ read ἰδέαι after δυάς in l. 32 (he infers
from Al. 758. 21 that Alexander also read ἰδέαι; but 758. 25 has
ἰδέα). He concludes that ἡ πρώτη τετράς has dropped out before καὶ ἡ
πρώτη δυάς. But the argument in ll. 28–32 is that the dyads in 4,
since they generate the tetrads in 8 as the first dyad generates *them*,
must be Ideas as much as the first dyad; a reference to the first
tetrad would be out of place. ἰδέαι has come in because the eye of the
writer of the archetype travelled on to ἰδέαι later in the line. For the
idiomatic καί before ἡ πρώτη δυάς cf. N. 1089ᵃ 16.

ᵇ1. εἰ τούτων ἰδέαι εἰσίν. Christ's suspicion of these words seems
quite unfounded, and it seems clear that Alexander read them (759. 4).
They may be taken in either of two ways. (1) We may render 'if
there are Ideas of animals', or (2) we may take οἷον . . . ζῴων as
parenthetical and render 'if the Ideas are Ideas of the sensible
things'.

6. μοναδικόν, cf. 1080ᵇ 19 n. Aristotle means that while as regards
two concrete groups we might find some difficulty in admitting the
disjunction 'they are either equal or unequal', we can find no difficulty
about two abstract numbers.

11–16. From the premise that if we add one unit to another we
always get a 2, two objections to the view here attacked follow: (1) the
2 thus formed will be composed of units specifically different, which
contradicts the view in question; and (2) it will be hard for the
thinkers in question to say whether it is prior or posterior to the 3.
It would seem more likely to be prior, since one of its elements is
prior to and the other simultaneous with the 3. Why then should the
Platonists not say that it is prior? Aristotle does not say why, but no
doubt he means that it will be awkward for them thus to put a number
between 2 and 3.

21–22. δῆλον . . . ἔνεστι τῇ δυάδι. 'Clearly there is in 3 a number
equal to 2.'

22–23. 'But the 2 in 3 cannot be equal to the 2 itself, if there is a
first and a second number', i. e. if 2 and 3 are numbers qualitatively
different from one another. Cf. 1080ᵃ 17, 19, where τὸ μὲν πρῶτόν τι
αὐτοῦ (i. e. τοῦ ἀριθμοῦ) τὸ δ' ἐχόμενον is synonymous with ἀσύμβλητος.

23–24. 'Nor will the Ideas be numbers,' *sc.* as common sense
understands numbers.

26. πρότερον, 1081ᵃ 5–17.

28–30. 'For which reason they must say that when we count thus,
" 1, 2 ", we do not do this by adding 1 to the previous 1.'

32. πάντα τὰ εἴδη ἑνὸς μέρη, i. e. all the Forms would be parts of
the Form which is the largest number.

34–37. Alexander's commentary (762. 17—763. 3) may be sum-
marized thus: 'The Platonists raise this difficulty, whether when we
count " 1, 2 " we count by addition or by successive divisions of 10.
They say we cannot do so in either way; not in the former because

then we should be treating the units as comparable, and not in the latter because then we should make the Idea of 10 contain the Ideas of the smaller numbers. We must confine both addition and division to mathematical number, and recognize ideal number as otherwise produced. But we actually count, says Aristotle, in both ways. If the number is definite, like 8, we divide it into its proper parts; if it is indefinite we add unit to unit till we reach the number we wish to determine. But what does he mean by indefinite number? Perhaps he means that the numbers included in 20 are indefinite and of the nature of matter relatively to 20. And so, he says, it is absurd on the strength of this superficial ἀπορία to say that each of the numbers is a separate Idea and substance'. Bz. seems right in supposing that Alexander had before him words which do not exist in our text (cf. especially 762. 32 ἀλλὰ πῶς ἀόριστον εἶπε τὸν ἀριθμόν;); and there are traces of something similar in Syr.

As regards κατὰ μερίδας Alexander's interpretation is probably guesswork. A better interpretation has been suggested by Apelt. He quotes, for the meaning of μερίς, Plut. *Quaest. Conv.* ii. 2. 644 c τὰ δημόσια δεῖπνα πρὸς μερίδα γίγνεσθαι, which means 'to be served separately by portions, so that each guest has his separate dish'. Aristotle's point seems to be this : The Platonists deny many of the accepted truths of mathematics (for πολλὰ ἀναιροῦσιν cf. 1086ᵃ 9). E. g. they think they will put us in a difficulty by asking us whether we count by addition or by separate portions, i. e. constructing each number independently. If we say 'by addition', they will answer 'then you are not grasping the nature of abstract number'; if we say 'by separate portions', they will answer 'then you are already admitting a number other than mathematical number'. But in fact we can regard the process in either way; it is absurd to rest the doctrine of two entirely different kinds of number on so superficial an ἀπορία.

1083ᵃ 1-2. Aristotle's own view is that numbers have a differentia, but units have not.

4. The grammar requires ὑπάρχειν (which Alexander seems to have probably read, 763. 9) instead of the manuscript reading ὑπάρχον.

ἀλλ' ἦ ἀριθμός, κατὰ τό ποσόν, 'but number *qua* number differs in respect of *quantity*'.

9-10. οὐθὲν γὰρ . . . πάθος. Cf. *De Caelo* 299ᵃ 17, where Aristotle remarks that indivisibles cannot have πάθη because all πάθη are divisible.

11. By the quality of number Aristotle means such attributes as compositeness ()(primeness) and being 'plane' or 'solid' (having two or three factors); cf. Δ. 1020ᵇ 3. These attributes, according to Aristotle, attach to a number in virtue of its quantity.

12. τῆς δυάδος, the indefinite dyad.

13. Bz.'s reading ποσοποιόν is evidently right, though it is read only by Syr. and the second hand of E. The word seems to be a *hapax* *legomenon*, but δυοποιός (ᵇ 36, 1082ᵃ 15) supplies an analogy, and the play on words supplies a motive, for the coinage.

17–19. ὅτι ... φανερόν summarizes 1081ᵃ 5–17; **19–20.** οὔτε ... τρόπων summarizes 1081ᵃ 17–ᵇ 35, ᵇ 35—1083ᵃ 17.

20–ᵇ 1. Aristotle here passes from Plato's views (cf. l. 32) to discuss those of Speusippus. Cf. 1076ᵃ 20–21 n.

24–27. Aristotle shows that Speusippus was inconsistent in that while retaining as the formal cause of number the One, conceived as a separate substance and distinguished from mathematical units (cf. Z. 1028ᵇ 21 n.), he did not similarly believe in a Two or Three distinguished from the many twos and threes of arithmetic.

32. ὥσπερ Πλάτων ἔλεγεν is important as showing that the whole discussion in 1080ᵇ 37—1083ᵃ 17 was a discussion of Plato's views rather than of those of his followers. Speusippus is discussed much more briefly in 1083ᵃ 20–ᵇ 1, and Xenocrates in ᵇ 1–8. The imperfect tense indicates that Aristotle is thinking of Plato's lectures rather than of published works. This is the only reference to Plato by name in MN.

35. εἴρηται, 1080ᵇ 37—1083ᵃ 17.

ᵇ 2. ὁ τρίτος τρόπος, that of Xenocrates, 1080ᵇ 22, 23. Aristotle omits here the view of ἄλλος τις (1080ᵇ 21) that ideal number is the only number that exists.

6. μηκύνειν, cf. N. 1090ᵇ 29 ἔστι δ' οὐ χαλεπὸν ὁποιασοῦν ὑποθέσεις λαμβάνοντας μακροποιεῖν καὶ συνείρειν. As Robin remarks, Xenocrates' prolixity on mathematical matters is indicated by the list of his works in Diog. Laert. iv. 2. 13.

8. Aristotle now recurs to the Pythagorean view (1080ᵇ 16–21), which agrees with that of Speusippus in believing only in mathematical number, and differs from all the Platonic views in regarding numbers as the stuff out of which things are made.

8–9. τῇ μὲν ... εἰρημένων. The Pythagorean view avoids the mistakes implied in separating the substance of a thing from the thing itself (Z. 6).

13–19. The argument is as follows:
There are no indivisible magnitudes (proved in *De Gen. et Corr.* 315ᵇ 24—317ᵃ 17).
Or at least units (numerical indivisibles) have not magnitude.
And a magnitude cannot consist of indivisibles.
But arithmetical number consists of units, which are indivisibles.
Therefore real things, which are magnitudes, cannot consist of numbers.
But these thinkers apply arithmetical theorems directly to real things, and imply that real things consist of numbers.
Alexander illustrates this by saying that they thought body in general was composed of the number 210, fire of the number 11, air of 13, water of 9.

20. τῶν εἰρημένων τρόπων, sc. those enumerated in 1080ᵃ 15–ᵇ 36 and refuted in 1080ᵇ 37—1083ᵇ 19.

ARGUMENTS AGAINST ALL THEORIES OF SELF-SUBSISTENT NUMBER
(ch. 8. 1083^b 23—9. 1085^b 34).

(1) *How are the numbers produced from the material principle?*

1083^b 23. Is (a) each unit derived from the great and the small, equalized, or (b) one from the small, another from the great? If (b), then (α) the elements are not all present in everything; (β) the units are not without difference in nature; (γ) what of the odd unit in 3? Perhaps this is why they make the One itself occupy the middle place in odd numbers.

30. If (a), then (α) How will 2 be a single entity? How will it differ from a unit? (β) The unit is prior to the two and therefore must be an Idea of an Idea. And it must have been generated before the two. From what, then? Not from the indefinite dyad, for this makes not units but twos.

(2) *How many ideal numbers are there?*

36. Number must be either infinite or finite, if it is self-subsistent. But (a) it cannot be infinite. For (α) infinite number is neither odd nor even, but the generation of numbers whether by addition or by multiplication is always either of odd or of even numbers.

1084^a 7. (β) If every Idea is an Idea of something, and the numbers are Ideas, infinite number will be an Idea of something, which is neither possible on their theory nor reasonable in itself.

10. (b) If number is finite, how far does the series go? They should tell us both how far it goes, and why it goes just so far. If it stops at 10, then (a) the Forms will soon run short. E.g. the kinds of animal will exceed the numbers up to 10.

18. (β) If the number 3 is the Idea of man, then all the other threes will be Ideas of man, or at any rate men; thus there will be an infinite number of men.

21. (γ) If the smaller number is a part of the greater when composed of the addible units contained in a single number, then if the horse is 4 and man is 2, man will be a part of the horse.

25. (δ) It is absurd that there should be an Idea of 10 and not of 11.

27. (ε) There are, and come to be, things of which there are not Forms. The Forms, then, are not the causal agencies.

29. (ζ) It is absurd if the number-series up to 10 is more of an entity than 10, though never generated as a unity. Yet they treat the series up to 10 as a complete number. At least they generate the succeeding entities, the void, proportion, the odd, &c., within the series up to 10, assigning some to the first principles, others to the numbers. Further, they identify spatial magnitudes (lines, &c.) with numbers short of 10.

(3) What is the nature of the One?

^{b} **2.** If number is self-subsistent, is 1, or 2, 3, &c., prior? Inasmuch as the number is composite, the one is prior; inasmuch as the universal or form is prior, the number is prior, being to the units as form to matter.

7. The right angle is in a sense prior to the acute, viz. in definition and because it is determinate; the acute angle is in a sense prior, because it is a part of the right angle. The acute angle is prior as matter; the right angle which is the union of form and matter is prior because nearer to the form.

13. How, then, is the One a first principle? 'Because it is indivisible.' But both the universal and the particular or element are indivisible. They are first principles in different senses, however; the former is first in definition, the latter in time.

18. They make the One a first principle in both ways. But this is impossible; it cannot have the primariness both of form and of matter. Both the number and the unit are in a sense one, but if the number is actually one (not a mere aggregate), the units exist only potentially.

23. The cause of the mistake is that they were inquiring from two points of view, that of mathematics and that of general definitions; from the former they treated the One (i.e. the first principle) as a point, merely divested of position, a minimal material part analogous to the atoms, while from the latter they treated the unity which is predicated of each number as a formal element in the number. These characters, however, cannot belong to the same thing.

32. But if the One must only be without position, differing from the unit merely by being a first principle, and the number 2 is divisible while the unit is not, the unit is liker the One than the number 2 is, and therefore each unit in 2 is prior to 2. But they generate the number 2 first.

1085^a 1. Further, if the number 2 is one thing and the number 3 is one thing, they make, together, a 2. What, then, is the origin of this 2?

3. Does the number 2, or one of the units in it, come next after 1?

(4) Difficulties about the first principles of geometrical objects.

7. Similar difficulties arise about the genera posterior to number—the line, the plane, the solid. (*a*) Some derive them from the kinds of great and small, lines from the long and short, planes from the broad and narrow, solids from the deep and shallow. There is a difference of opinion about the formal principle answering to the One.

14. These views involve many impossible results. (i) Lines, planes, and solids are cut off from one another, unless their first principles go together so that the broad and narrow is also long and short (in which case the plane would be a line and the solid a plane).

20. (ii) The same difficulty arises as with regard to number; long, short, &c., are *attributes* of spatial magnitude, not the *matter* of it, any more than straight and curved are.

(23. We may put the same difficulty that arises with regard to species when we posit the existence of universals, viz. whether it is ' animal' itself or some other ' animal' that is present in a particular kind of animal. Similarly if the One and the numbers are self-subsistent, is the unit which we recognize in a number the One itself?)

31. (*b*) Others derive magnitudes from the point (which is akin to the One) and an element akin to plurality. The same difficulties follow.

35. For (i) if the matter is one, line, plane, and solid will be the same ; (ii) if it is different, the matters either go together or not, so that the plane either will not contain a line or will be a line.

(5) The difficulty of generating numbers and spatial magnitudes as the Platonists generate them.

[b] **4.** The difficulties which attend the great and small as material principles of number, attend plurality also if this be taken as the material principle (Speusippus). One thinker generates number from the plurality which is universally predicated, the other generates it from a particular plurality, viz. the first (the dyad). (*a*) In both cases we may ask whether the elements are united by mixture, position, fusion, generation, &c.

12. (*b*) Each unit must be composed of the One and either plurality or a part of plurality. Now the unit, being indivisible, cannot be a plurality, while if its material element be a part of plurality, (α) each of the parts must be indivisible, and it is not, as they say, plurality, but a part of it, that is the material principle; (β) number is being derived from a plurality of indivisibles, i.e. from another number.

23. (c) We may inquire with regard to these thinkers too, whether that number is infinite or finite.   There was a finite plurality from which the finite units were derived, and there is another 'plurality itself' which is infinite plurality.   Which kind of plurality is the first principle?

27. (d) Similarly (cf. ^{a} 32–34) a point cannot be derived from the 'point itself' and an interval, nor from the 'point itself' and an indivisible part of an interval; for spatial magnitudes are not, like number, composed of indivisibles.

SUMMING UP OF CRITICISM OF IDEAL NUMBERS
(ch. 9. 1085^b 34—1086^a 18).

1085^b 34. These objections show that number and spatial magnitudes are not self-subsistent, as is shown also by the diversity of views about numbers. (1) Those who believed only in the objects of mathematics (Speusippus) did so because they saw the difficulties about the Ideas.

1086^a 5. (2) Those who thought of the Ideas as numbers, and did not see how, if the first principles are what they suppose them to be, mathematical number could exist apart from ideal number (Xenocrates), made them the same in name, but really did away with mathematical number.

11. (3) The first thinker who held that Forms existed and were numbers, and that mathematical objects existed (Plato), naturally separated them.

13. All are partly right and (as their mutual contradictions show) partly wrong.   Their error springs from the wrongness of their assumptions.

1083^b 23—1085^b 34. So far Aristotle has distinguished the various modes of conceiving numbers as substantial entities, and has criticized them separately.   Now he attacks the general view which was common to the Pythagoreans and the Platonists, no longer drawing the distinctions drawn in 1080^a 15—1083^b 19. His criticisms from now onwards may best be classified not according to the thinkers attacked but according to the subjects on which he attacks the whole of the two schools.   These fall, as Bz. has pointed out, into five groups.

(1) **1083^b 23-36.** How are the numbers produced from the material principle?

(2) **1083^b 36—1084^b 2.** How many ideal numbers are there?

(3) **1084ᵇ 2—1085ᵃ 7.** What is the nature of the One?

(4) **1085ᵃ 7–ᵇ 4.** On the principles of geometrical objects.

(5) **1085ᵇ 4-34.** On the difficulty of generating numbers from unity and multitude, and spatial magnitudes from similar principles.

23. Aristotle begins with a difficulty arising out of Plato's (cf. 1081ᵃ 24) description of the units in the ideal two as produced through the equalization of the great and small by the One. Aristotle appears, as Bz. points out, to have misconceived the nature of the Platonic material principle. It was no doubt conceived as a principle which was both great and small; i.e., it was indeterminate quantity. But Aristotle habitually speaks of the great and *the* small as if they were two distinct principles, and his argument here turns entirely on this point. We may note a significant looseness in Aristotle's way of referring to the principle. Sometimes (and, we must suppose, more correctly) it is τὸ μεγὰ καὶ μικρόν, e.g. B. 998ᵇ 10, M. 1083ᵇ 32, 1085ᵃ 12, N. 1087ᵇ 8. At other times it is τὸ μεγὰ καὶ τὸ μίκρον, e.g. A. 987ᵇ 20, 988ᵃ 26, M. 1083ᵇ 27, 1085ᵃ 9, N. 1087ᵇ 11, 14, 16, and this is what the argument here requires.

28-30. ' Further, what account can the Platonists give of the units in the ideal Three? One of them is an odd unit and cannot be assigned to the great or to the small (since these produce only one unit each); which is perhaps why they make the ideal One the middle unit in odd numbers.' For the fact that they did so cf. Diels, *Vorsokr.*³ 270. 18. And why should they not? we might ask. Aristotle's answer would doubtless be that if they make the One a purely formative principle in the case of even numbers, they have no right to make it one of the material elements of odd numbers. We can hardly suppose, however, that they did this; it is more likely that they represented the One as a sort of arbiter (cf. Al. 767. 17 τὴν τῆς μονάδος μεσιτείαν) between the tendencies to excess and to defect.

30-32. ' If *each* of the units in the ideal Two comes from both the great and the small, these being equalized, how will the ideal Two be a *single* entity composed of the great and the small? Or how will it differ from one of its units? ', *sc.* if each of the units turns out to be what they describe the ideal Two as being, viz. what is produced by the co-operation of the One and the-great-and-the-small (which δυοποιὸς ἦν l. 36).

36. ἀόριστος δυάς. Robin quotes this as one of the few passages definitely relating to Plato in which this term is used. The other passages he cites are N. 1088ᵃ 15, 1091ᵃ 5, besides various places in later writers (Robin, 643-5).

37. χωριστὸν γὰρ ποιοῦσι. Aristotle holds that if you regard number as a separately existing substance, you have to say that it actually is finite or that it actually is infinite, and both alternatives are impossible; he believes himself to escape the difficulty by holding that number does not exist as something given for all time, but only in the process of counting, and that it is potentially infinite in the sense that, however high a number has been counted, a higher can be counted. λείπεται

δυνάμει εἶναι τὸ ἄπειρον *Phys.* 206ᵃ 18, ᵇ 13; οὕτως ἐστὶ τὸ ἄπειρον, τῷ
ἀεὶ ἄλλο καὶ ἄλλο λαμβάνεσθαι 206ᵃ 27 : it is not a τόδε τι like a man
or a house but like a day or a contest, whose being is not that of
a substance but is always in course of destruction or generation.

1084ᵃ 4–7. The peculiar words πίπτειν, ἐμπίπτειν (not elsewhere
found in Aristotle, nor, perhaps, in other authors, in this connexion)
are probably Academic terms to express the mode of generation of
numbers. There are three cases :

(1) By addition (ὡδὶ μέν) of 1 to an even number an odd number
is produced.

(2) By multiplication (ὡδὶ δέ) (*a*) of 1 by 2 a power of 2 is pro-
duced,

(*b*) of an even number by an odd number, an even number not
a power of 2 is produced.

εἰς τὸ ἕν is apparently to be supplied with ἐμπιπτούσης, being under-
stood from ὁ ἀφ' ἑνὸς διπλασιαζόμενος, while with ὡδὶ δὲ τῶν περιττῶν
we must supply in thought the εἰς τὸν ἄρτιον of ll. 4, 5. The main
opposition is that between generation of numbers by addition and by
multiplication, the latter being subdivided. Accordingly Aristotle says
ὡδὶ δὲ τῆς μὲν δυάδος, meaning to continue with τῶν δὲ περιττῶν. But
by an oversight he continues with ὡδὶ δὲ τῶν περιττῶν.

Alexander offers a more elaborate classification, which doubtless
preserves some real information about the Pythagorean and Platonic
arithmetic (cf. Heath, *Gk. Math.* i. 71–74). According to him every
genesis of number is

(1) ἀρτιάκις ἄρτια (powers of 2, = (2 *a*) above), or

(2) ἀρτιοπέρισσος (products of an odd number and 2), or

(3) περισσάρτιος (products of an odd number and 4 or a higher
power of 2), or

(4) πρώτη καὶ ἀσύνθετος (prime numbers), or

(5) δευτέρα καὶ σύνθετος (composite odd numbers), or

(6) καθ' ἑαυτὴν μὲν δευτέρα καὶ σύνθετος πρὸς ἄλλον δὲ πρώτη καὶ
ἀσύνθετος (pairs of composite numbers which are prime to one
another).

Alexander supposes that (1), (2 *a*), and (2 *b*) of Aristotle's classifica-
tion are identical with (4), (1), and (2) of his own, and that Aristotle
omits the rest διὰ βραχυλογίαν (769. 21). But it is evident that a *com-
plete* classification is necessary to Aristotle's purpose. Aristotle's (1)
includes Alexander's (4) and (5); his (2 *b*) includes Alexander's (2)
and (3); and Alexander's (6) has no proper place in the classification,
since it depends on a relation between two numbers, not on a quality
of one.

9. οὔτε κατὰ τὴν θέσιν ἐνδέχεται, i. e. it is incompatible with the
notion of the Idea as a principle of limit; **οὔτε κατὰ λόγον,** i. e. it is
unreasonable in itself, since it implies the existence of an actual
infinite.

10. τάττουσί γ' οὕτω τὰς ἰδέας. The manuscript reading (τάττουσι
δ' οὕτω τὰς ἰδέας) can hardly mean, as Alexander supposes, ' but they

limit the series of ideal numbers to 10 '. Since this is not mentioned till l. 12, it cannot be what οὕτω means here. The word would have to refer to l. 7, and mean 'but they conceive of the Ideas as Ideas of something, and of the numbers as being Ideas'. Schwegler's emendation is undoubtedly right ; τάττουσί γ' κτλ. = ' i. e. for those who arrange the Ideas as they do ', i. e. identifying each Idea with a finite number.

12. εἰ μέχρι τῆς δεκάδος ὁ ἀριθμός. Cf. ll. 25–34, N. 1088ᵇ 10, Λ. 1073ᵃ 19 οἱ λέγοντες ἰδέας περὶ . . . τῶν ἀριθμῶν ὀτὲ μὲν ὡς περὶ ἀπείρων λέγουσιν ὀτὲ δὲ ὡς μέχρι τῆς δεκάδος ὡρισμένων. In *Phys.* 206ᵇ 32 the doctrine is ascribed to Plato by name : μέχρι γὰρ δεκάδος ποιεῖ τὸν ἀριθμόν. Speusippus is probably also referred to (cf. Z. 1028ᵇ 21 n.). The origin of the view is of course to be found in the fact that the Greeks used a decimal system and in the reverence paid by the Pythagoreans to the number 10; cf. A. 986ᵃ 8 and Philolaus fr. 11 Diels. 10 was the sum of the first four numbers, the τετρακτύς, which had a special significance because they were the principles of the point, the straight line, the triangle, and the tetrahedron respectively.

15. Bz. (*Ind. Ar.* 125ᵃ 5) takes αὐτό as predicate ; 'each number up to 10 is a thing-itself (an Idea)'; cf. *Top.* 162ᵃ 28. It seems better to take αὐτὸ ἕκαστος ἀριθμός together = ὁ εἰδητικὸς ἀριθμός, as Alexander does (770. 23), and μέχρι δεκάδος as predicate. αὐτὸ ἕκαστος ἀριθμός = ' the series of numbers which are the several things-themselves (the Ideas of the several things)'. For αὐτὸ ἕκαστος cf. *Top.* 162ᵃ 27, *E. N.* 1096ᵃ 35.

16. τῶν ἐν τούτοις ἀριθμῶν is usually interpreted as 'the numbers within these limits', i. e. between 1 and 10. But on this view what is the point of ἀλλ' ὅμως (l. 17)? That suggests that in spite of there being a *large* variety of numbers to choose the Ideas of different kinds of animals from, there would not be enough. Now the notion of numbers contained in other numbers is clearly in Aristotle's mind (cf. ll. 18, 19 and notes) and is expressed similarly by ἐν. May it not be that Aristotle uses ἐν τούτοις in a double sense ? ' The Idea of horse must be one of the numbers contained in these, i.e. either one of the numbers between 1 and 10, or one of the numbers contained in those between 1 and 10.'

18–21. There is little to be said for Christ's transposition of this section to l. 25. οὕτως refers quite as naturally to l. 14 as it would to l. 22 (ὁ ἐκ τῶν συμβλητῶν μονάδων).

18. αἱ ἄλλαι τριάδες. Alexander explains this (770. 30) as αἱ τριάδες τῆς αὐτοεξάδος καὶ τῶν λοιπῶν, and similarly Bz. thinks the 3's included in the other ideal numbers (cf. 1082ᵃ 2, 28, ᵇ 13) are meant. Against this Robin argues (p. 351, n. 7) that on the view here criticized the ideal numbers are limited to ten, and the ' other 3's ' in these will be only 14 in number (1 in 4, 1 in 5, 2 in 6, 2 in 7, 2 in 8, 3 in 9, 3 in 10), so that the conclusion ἄπειροι ἔσονται ἄνθρωποι (l. 20) will not follow. He therefore supposes Aristotle to be now taking account of mathematical numbers, which are not limited to 10, and saying that

each 3 contained in them, since it is like the ideal 3, will be some sort
of a man, even if not an ideal man. We may either suppose this, or
suppose Aristotle to be taking account of a further complication within
the series of the ideal numbers. Besides the 14 3's of which Robin
takes account, there will be the 3 which is in the 4 which is in the 5,
the 3 in the 4 which is in the 6, the 3 in the 5 which is in the 6, the 3
in the 4 in the 5 in the 6, &c. A list which may fairly be called
ἄπειρον is thus produced.

19. ὅμοιαι γὰρ αἱ ἐν τοῖς αὐτοῖς ἀριθμοῖς. Bz. supposes ἰδέαι to be
the noun implied by αἱ, and takes the phrase to mean 'the Ideas con-
sisting in identical numbers '. But τριάδες is the only word that can
be supplied ; and further Bz.'s interpretation assumes that the ἄλλαι
τριάδες are Ideas, which Aristotle expressly leaves uncertain (ll. 20,
21). It seems better to suppose, with Robin (p. 352), that Aristotle
means that the 3 which is in the 4 itself is like the 3 which is in the 4
which is in the 6, and the 3 which is in the 6 itself is like the 3 which is
in the 6 which is in the 7 itself, and so on. Yet even this interpreta-
tion is not quite satisfactory, since to justify αἱ ἄλλαι (all the other)
τριάδες Aristotle ought also to mean that the 3 in the 4 itself is like
the 3 in the 6 itself. But probably Aristotle overlooked this point.

20-21. 'If each 3 is an Idea, each of the numbers will be Man Hin.-
self.'

25. The assignment of numbers to the different Ideas by Aristotle
is arbitrary ; it is quite unnecessary to read τριάς for δυάς with Christ
to bring the sentence into conformity with ll. 14, 18.

27-29. Bz. thinks this is an interpolation, belonging to the criticism
not of ideal numbers but of Ideas in general (cf. 1080ª 2–8). The
passage is, however, interpreted by Alexander and Syrianus without
any suspicion of its spuriousness, and it seems quite possible to connect
it with what precedes, if we interpret εἴδη as meaning ideal numbers,
which in view of the repeated identification of Ideas with numbers we
are entitled to do. Aristotle has just referred (ll. 25–27) to the
arbitrary assertion of the existence of Ideas of numbers up to 10, and
the arbitrary denial of their existence beyond that point. Here he
points to a similarly arbitrary distinction. ' Forms are introduced to
explain being and becoming. Yet some things (negations 1079ª 9,
relations 1079ª 12, manufactured objects 1080ª 5) are and become with-
out being supposed to have Forms answering to them. Why have they
not Forms? The fact that the Platonists can dispense with Forms in
these cases shows that Forms are not the causes of being and becoming.'

30. μᾶλλόν τι ὄν. It seems pretty clear that Alexander and Syrianus
had the same reading as our manuscripts. Alexander interprets it as
meaning καὶ ταῦτα τὸ ἐν κατ᾽ αὐτοὺς μᾶλλόν τι ὄν κτλ. ; so also Syrianus
(Alexander may have read in the next clause καί for καίτοι). Bz.'s
proposal to read εἰ ὁ ἀριθμὸς μέχρι τῆς δεκάδος, μᾶλλόν τι ὂν τὸ ἓν καὶ
εἶδος κτλ. has not the authority of the Greek commentators ; and the
accusative absolute is not probable. The interpretations of Alexander
and Syrianus do not commend themselves. According to Alexander the

argument is : ' If the One is both the Form of the 10 and ungenerated, while the 10 has come into being, there will be an 11 whose Form is the One and whose matter is the decad'. According to Syrianus the One in question is the One which is the formal principle of number, and what it is in relation to all the numbers, the ideal 10 is in relation to the other tens, the hundreds, and the thousands, for which reason it was called δευτεροδουμένα μονάς. The meaning seems to be: 'Further, it is paradoxical if the number series up to 10 is more of an entity and a Form than the 10 itself; to this we may object that there is no generation of the series as a unity, while there is of the 10. Yet they try to speak as if the number series up to 10 were complete'. Certain Platonists may have said something (we do not know what) to justify Aristotle in describing them as holding the series up to 10 to be more of an entity than the 10 itself; once grant this and Aristotle's objection becomes plain. He objects that, as the Platonic theory only describes the origin of the numbers severally and not of the series ὡς ἑνός, the series cannot form a true entity or Form.

32. τὰ ἑπόμενα, ' the derivative entities'.

33. τὸ κενόν κτλ. Alexander explains that the space between the even numbers 2, 4, 6, 8, or again between the odd numbers 3, 5, 7, 9 was the Idea or pattern of the void (this may be an inference from *Phys.* 213ᵇ 27 τὸ γὰρ κενὸν διορίζειν τὴν φύσιν αὐτῶν, *sc.* τῶν ἀριθμῶν, but it is of the Pythagoreans that Aristotle says this); that ' 2, 4, ⟨6⟩, 8 ' was the pattern of arithmetical and ' 2, 3, 6, 9 ' the pattern of geometrical proportion; that the number 1 was the Idea of oddness; while movement and good were derived from the One, rest and evil from the indefinite dyad. Thus he takes τὰ ἄλλα (l. 35) to refer to τὸ κενόν, τὴν ἀναλογίαν, τὸ περιττόν, τὰ ἄλλα τὰ τοιαῦτα. On the other hand Theophrastus (*Met.* 312. 18—313. 3 Br. = fr. xii. 11 fin., 12 Wimm.) says that the Platonists derived place, *the void*, the infinite from the indefinite dyad, and certain other things, e.g. soul, from the numbers and the One. Robin accordingly (p. 317) takes τὸ κενόν, ἀναλογία, τὸ περιττόν, as well as κίνησις, στάσις, ἀγαθόν, κακόν to have been derived from the ἀρχαί (the One and the indefinite dyad), and thinks that τὰ ἄλλα (l. 35) is left here without illustration but means what Theophrastus describes as ψυχὴ καὶ ἀλλ' ἄττα. With Theophrastus' statement that the void was derived from the indefinite dyad cf. *Phys.* 209ᵇ 11 Πλάτων τὴν ὕλην καὶ τὴν χώραν ταὐτό φησιν εἶναι. *The odd* is actually described in l. 36 as identified by the Platonists with one of the ἀρχαί, the One. In this the Platonists followed the Pythagoreans, who described the formal principle indifferently as the limit and the odd. The best explanation of the reference to proportion is furnished by Syrianus, who points out that instances of all the three fundamental ἀναλογίαι can be found without going beyond the number 10: arithmetical ἀναλογία, e.g. 1, 2, 3; geometrical, e.g. 1, 2, 4; harmonic, e.g. 2, 3, 6. For the derivation of *movement* from the indefinite dyad cf. K. 1066ᵃ 11, where we are told that some thinkers describe movement as ἑτερότητα καὶ ἀνισότητα καὶ τὸ μὴ ὄν (which = τὸ μέγα καὶ τὸ μικρόν *Phys.* 192ᵃ 7), and A. 992ᵇ 7. Eudemus also says that Plato identified movement with the great and small (ap. Simpl. *Phys.* 431. 6, 13, p. 41. 18, 42. 8 Spengel). For the reference of *good* and *evil* to the One and the indefinite dyad respectively cf. A. 988ᵃ 14.

36-37. 'And so they identify the odd with the One (a principle, not a number); for if oddness had depended on the first odd *number*, how would 5 (which according to the theory has not the ideal 3 in it) be odd?' To say that the number 3 is the principle of oddness would imply deriving 5 from the union of 2 and 3, whereas according to the Platonic view it is otherwise derived.

The force of διό seems to be this: The Platonists derived all derivative entities either from the first principles or from the numbers up to 10. Now oddness could not be derived from a number such as 3, because this would not explain the oddness of any other number (the numbers being supposed independent of each other) ; *therefore* it had to be derived from one of the principles, and of the two the One rather than the indefinite dyad was indicated for the purpose.

For the force of ἐν τῇ τριάδι cf. Eucken, *Sprachgebrauch d. Ar.* p. 23.

37-ᵇ 2. ἔτι ... δεκάδος. 'Further, magnitudes and the like extend, they say, only up to a certain point, e. g. there is the first or indivisible line, then the two, &c. ; these entities also extend only up to 10.' Aristotle is giving a further ground for his statement that the Platonists treat 10 as the perfect or complete number (l. 31). They recognize first the primary or indivisible line (their substitute for the 'point' of geometrical theory, A. 992ᵃ 22). ἡ πρώτη γραμμὴ ἄτομος is difficult, and it seems best to read ἡ πρώτη γραμμή, ἡ ἄτομος. (Alternatively we might omit ἡ after οἷον as Schwegler proposes, and translate 'first comes the indivisible line'; but ἡ is more likely to have been omitted after πρώτη than to have been inserted after οἷον.) I know of no exact parallel to πρώτη γραμμή in this sense, but in A. 992ᵃ 21 the indivisible line is called ἀρχὴ γραμμῆς, and ἡ τε ἀρχὴ πρώτον καὶ τὸ πρῶτον ἀρχή, *Top.* 121ᵇ 9.

Certain Platonists (A. 992ᵃ 21, *De An.* 404ᵇ 16-24 suggest that Plato himself was among them, while a comparison with N. 1090ᵇ 20-32 suggests that Xenocrates also is referred to) connected the point or indivisible line with the number 1, the line with 2, the plane with 3, the solid with 4 (N. 1090ᵇ 22, Z. 1036ᵇ 14, H. 1043ᵃ 33); and 1 + 2 + 3 + 4 = 10.

ᵇ 4-13. The discussion whether the One or number is prior may be compared with the discussion in Z. 10, 11, where the same illustration (the right and acute angles) is used (1034ᵇ 28, 1035ᵇ 6, 1036ᵃ 14). The present passage seems to be written without any reference to the previous one.

7. ὅτι ὥρισται καὶ τῷ λόγῳ. Two reasons for the priority of the right angle are given, (1) that it is definite, while the acute angle may be of any size between 0° and 90°, and (2) that it is involved in the definition of the acute angle while the acute angle is not involved in *its* definition.

12. τὸ ἄμφω, i. e. what is elsewhere called τὸ ἐξ ἀμφοῖν (Λ. 1071ᵃ 9), or τὸ συνάμφω (H. 1043ᵃ 22). ὁ ἀριθμός, which is here treated as a compound of form and matter, was in l. 6 described as form.

14-15. The list of three things that are indivisible—the universal, the particular (for the meaning of τὸ ἐπὶ μέρους cf. *Meteor.* 359ᵇ 30, *N. E.* 1107ᵃ 30), and the element—is somewhat embarrassing, since in the passage as a whole only two things are opposed to each other (e. g. τὸ μέν 15, τὸ δέ 16, ποτέρως 16). Alexander seems not to have read καὶ τὸ στοιχεῖον, but it is τὸ ἐπὶ μέρους that could be best dispensed with, since it is the opposition of universal or form to element, not to particular, that is insisted on through the greater part of the passage (cf. ll. 4, 5; 19, 20). At one point, indeed (ll. 9-12), the opposition of number to one is seen to be more truly that of *whole* to element; and the whole (τὸ ὅλον τὸ ἐκ τῆς ὕλης καὶ τοῦ εἴδους) = the particular (τὸ ἐπὶ μέρους); but for the most part number is treated as a universal. In fact the relations of whole and part, and of universal and particular, are not kept sufficiently distinct.

The difficulty may be escaped in various ways. (1) We might read τὰ δέ in l. 16 and take it to refer to both the particular and the element, τὸ μέν referring to the universal. (2) We might suppose τὸ ἐπὶ μέρους to be added for the sake of completeness though it does not enter into the argument and is forthwith ignored. (3) We might suppose that καὶ τὸ στοιχεῖον is explicative of τὸ ἐπὶ μέρους. The mention of τὸ καθόλου, we may suppose, led Aristotle to its natural opposite τὸ ἐπὶ μέρους, which elsewhere means the particular, but, the relations of whole and part and of universal and particular being here confused, Aristotle uses τὸ ἐπὶ μέρους in the sense of 'part' and explains his usage by adding καὶ τὸ στοιχεῖον. This use of ἐπὶ μέρους would be to some extent in line with the uses of κατὰ μέρος, ἀνὰ μέρος, παρὰ μέρος, ἐν μέρει quoted in *Ind. Ar.* 455ᵇ 3-23.—Of these possibilities the last is, in view of the dichotomy which pervades the passage, the most probable.

15-16. ἀλλὰ τρόπον ἄλλον κτλ. An opposition of 'indivisible in λόγος' and 'indivisible in time' would be quite unparalleled in Aristotle, and no reasonable meaning can be attached to it. Alexander explains that the universal is indivisible in λόγος because 'footed two-footed animal' is not divisible into other λόγοι and εἴδη as 'animal' is into 'man' and 'horse'—which is evidently nonsense; and that the particular is indivisible in time because my form is not prior in time to me—which, besides interpreting τὸ ἐπὶ μέρους in a sense which we have seen reason to doubt, is a very unnatural interpretation of 'indivisible in *time*'. Nor does any better interpretation of this last phrase seem possible. We are driven, then, to suppose that τρόπον ἄλλον κτλ. does not qualify 'indivisible'. If with Bekker we read a full stop before ἀλλά, we may take τρόπον ἄλλον as qualifying ἀρχή. 'The One is said to be ἀρχή because it is indivisible. But the universal as well as the element is indivisible. Yes, but their consequent primariness is of different kinds.' We thus get the ordinary opposition of πρότερον λόγῳ and χρόνῳ, for which cf. ll. 12, 13, Z. 1028ᵃ 32, 1038ᵇ 27, Θ. 1049ᵇ 11, *Phys.* 265ᵃ 22. Accordingly in l. 16 Aristotle asks not 'in which sense is the One indivisible?' but 'in which sense is the One ἀρχή?'

18. καὶ ἑκατέρα μία may mean (1), as Alexander says, ' and each of these is one and the same with itself'. I. e. these words may simply emphasize the fact that one single thing may be in one sense prior, in another posterior, to another single thing. But it seems more likely (2) that these words fit into the argument as follows: In which sense is the *One* ἀρχή? The right angle is prior to the acute angle, and in another sense the acute angle is prior to the right angle, and each of these is *one* (*sc.* the acute angle is one as an element is one, and the right angle is one as a whole—here confused with a universal—is one). The Platonists accordingly (δή) make the One primary in both senses, in time and in λόγος. But this is impossible ; for ' One ' is here used ambiguously— it is what is one, as a form or essence (= universal) is one, that is primary κατὰ λόγον, but it is what is one as a part, or as matter, that is primary κατὰ χρόνον.

20–24. ἔστι γάρ πως κτλ. ' For each of the two (the unit and the number) is one in a certain sense—in *truth*, if the number is not a mere aggregate but a unity consisting of units qualitatively distinct from those of any other number ' (cf. 1080ᵃ 15–35), ' each of its two units exists ' (and is one) ' only potentially, not actually ' (while the number exists, and is one, actually). ' This is the truth, and the cause of the *error* into which the Platonists fell is that ' &c.

22. For σωρός in this sense cf. Z. 1040ᵇ 9, 1041ᵇ 12, H. 1044ᵃ 4, 1045ᵃ 9.

25. ἐκ τῶν λόγων τῶν καθόλου. The Platonic method of inquiry is described similarly in A. 987ᵇ 31, Θ. 1050ᵇ 35, Λ. 1069ᵃ 28, N. 1087ᵇ 21.

26. τὸ ἕν καὶ τὴν ἀρχήν, ' the One, that is, the first principle '. The Platonists, Aristotle means, treated the One which was the formal principle of number as being at the same time to number what the point is to the line, viz. a material principle.

ἡ γάρ μονὰς στιγμὴ ἄθετός ἐστιν. Cf. the definition of the point as μονὰς θέσιν ἔχουσα *De An.* 409ᵃ 6, Δ. 1016ᵇ 25 n.

27. ἕτεροί τινες, the Atomists.

29. It is evidently not the unit's turning out to be matter and its turning out to be prior to the two that are meant to be described as ἅμα, but its turning out to be prior and its turning out to be posterior to the two, so that a comma is wanted after ἀριθμῶν. Cf. Robin, p. 396, who, however, puts a full stop after ἀριθμῶν.

30–32. διὰ δὲ ... ἔλεγον. ' But owing to the universal nature of their inquiries they treated the unity which can be predicated of every number as being in this way too a part ', *sc.* as a formal part or element in the definition predicable of each number, as well as a material part of it. For this line of thought about τὸ ἕν, which led the Platonists to treat it as the very essence of real things, cf. B. 996ᵃ 4, 998ᵇ 17, 1001ᵃ 4, 20, I. 1053ᵇ 9, 20, K. 1059ᵇ 27, 1060ᵇ 3.

32. ταῦτα δ' . . . ὑπάρχειν, ' but one thing cannot be at the same time a material and a formal element in one other thing '. Cf. l. 19.

32-34. εἰ δὲ . . . ἀρχή. ' But if the One itself must only be without position (for it differs in no respect except in that it is a first principle).' What the One differs from only by being a first principle is the *unit*; but its being without position distinguishes it from the *point* (l. 26). Thus the two clauses have not any such connexion as γάρ indicates, and can hardly be right as they stand. Alexander feels no difficulty, but gives an impossible interpretation; and Bz'.s interpretation, which takes ἄθετον as if it could mean ἀρχικόν, does nothing to meet the difficulty. The proposed emendations of ἄθετον (ἀδιαίρετον Schwegler, ἀσύνθετον Bywater) would give a satisfactory sense if it were not for μόνον, but in the presence of μόνον are unsatisfactory. Two suggestions may be made. (1) It is just possible that ἄθετον may be used in a new sense. Each unit has, on the Platonic view, a setting or θέσις in some particular number ; all that distinguishes the One which is the formal principle of number is that it has no such particular setting, that it is ἄθετον. It would not be unlike Aristotle to use ἄθετος thus in a different sense from that which it bore in l. 27, but the suggested use of ἄθετος is apparently without parallel. (2) We might suppose μοναδικόν to have been corrupted into μόνον ἄδικον, and this to have been altered through a reminiscence of l. 27 into μόνον ἄθετον.

33-34. The use of οὐθενὶ . . . ἤ for οὐθενὶ ἄλλῳ . . . ἤ or οὐθενὶ . . . ἀλλ' ἤ is irregular, but cf. Kühner, ii. 2. § 540, Anm. 4.

1085ᵃ 1-2. The argument is not, as Bz. says, the same as that in 1081ᵃ 25-35. It is simply this : If one thing added to another always makes a two, the two itself and the three itself make a two, and a two of whose generation the Platonists can give no account. They cannot derive it from the One and the indefinite dyad, since what these originate is the two itself, the three itself, and so on.

3. ἀφὴ μὲν οὐκ ἔστιν, cf. 1082ᵃ 20, *Phys.* 227ᵃ 20. Only those things touch one another ὧν τὰ ἄκρα ἅμα 226ᵇ 23, so that things which have not extent, such as units or numbers, cannot touch, though they can be successive. ἐν τοῖς ἀριθμοῖς is ambiguous ; Aristotle means that there is not contact but only succession, both as between units in a number (l. 4) and as between numbers (l. 6).

4-5. ὅσων . . . τριάδι might be taken either with what precedes or with what follows. The meaning may be (1) τὸ δ' ἐφεξῆς ἔστιν ἐν ταῖς μονάσιν ὅσων μὴ ἔστι μεταξύ, or (2) πότερον αἱ μονάδες, ὅσων μὴ ἔστι μεταξύ, ἐφεξῆς. In either case ἢ τῇ τριάδι is embarrassing, since it is only the units in 2 that Aristotle goes on to speak of ; but it is specially embarrassing if ὅσων κτλ. be taken as in (2). Therefore (1) seems preferable. Then αἱ ἐν τῇ δυάδι is to be understood as the subject of ἐφεξῆς (εἰσι) in l. 5.

6. Bz. reads τῷ ἐφεξῆς and claims the authority of Alexander. But it is not clear what Alexander read, so that it seems better to retain the manuscript reading τῶν ἐφεξῆς, which gives a good sense. Aristotle does not here state the objections which follow if (1) the units, or one of the units, in two, or (2) two itself, are to succeed the number one directly. The objection to (1) is that then there is a two (composed of the number one + one of the units in two) before there is the number two itself (cf. 1081ᵃ 32). The objection to (2) is that the first unit in two, being prior to the second unit, should be prior to the two composed of them (1081ᵃ 25-27).

7. τῶν ὕστερον γενῶν τοῦ ἀριθμοῦ, 'the kinds posterior to number'. These are also called τὰ μετὰ τοὺς ἀριθμούς A. 992ᵇ 13, τὰ μετὰ τὰς ἰδέας M. 1080ᵇ 25. For the priority of numbers to geometrical objects cf. A. 982ᵃ 26, Z. 1028ᵇ 21 n.

9. οἱ μὲν γάρ. ἕτεροι δέ does not come till l. 32. The Platonic opinions mentioned regarding the material principle of spatial magnitudes are

(1) That it is the various kinds of the great and the small (1085ᵃ 9, A. 992ᵃ 11, N. 1090ᵇ 37). Some, if we may believe Aristotle, did not distinguish the great and the small which is the material principle of number from that which is the material principle of spatial magnitudes (B. 1001ᵇ 19). Al. 228. 10, Asc. 207. 37, Syr. 48. 20 think Plato himself is here referred to, and this may well be so. Others divided the great and small into the many and few, which is the ἀρχή of number, and the long and short, the broad and narrow, the deep and shallow, which are the ἀρχαί of spatial magnitudes (N. 1089ᵇ 11).

(2) That it is something analogous to πλῆθος, i. e. something which is to spatial magnitudes what multitude is to numbers (1085ᵃ 33). πλῆθος is mentioned in various places as the material principle of number according to some Platonists (ᵇ 5, N. 1087ᵇ 6, 27, 1091ᵇ 31, 1092ᵃ 28, 35). A comparison of 1091ᵇ 30-35 with 1091ᵃ 29-ᵇ 3, and with Λ. 1072ᵇ 30 (where he is mentioned by name), makes it pretty certain that Speusippus is the thinker referred to. Cf. Al. 823. 12. Plut. De An. Procr. ii. 1, 2. 1012 D E, ascribes the view to Xenocrates, but his testimony is of less worth.

13-14. 'As regards the principle in such objects which answers to the One (i. e. which is for geometrical objects what the One is for numbers), different thinkers hold different views.' Al. 777. 17 distinguishes two views. (1) Some thought that the ideal numbers were the forms of geometrical objects—two the form of the line, three of the plane, four of the solid. (2) Others thought that the One was their form. Both views are suggested in B. 1001ᵇ 24.

(1) This view is mentioned in N. 1090ᵇ 22, Z. 1036ᵇ 13. It may be that the holder of this view was Xenocrates, for in Z. 1028ᵇ 24, after saying that Speusippus severed the various classes of being from each other, Aristotle continues with the words ἔνιοι δὲ τὰ μὲν εἴδη καὶ τοὺς ἀριθμοὺς τὴν αὐτὴν ἔχειν φασὶ φύσιν (this shows that Xenocrates is

in question, cf. M. 1076ᵃ 20 n.), τὰ δὲ ἄλλα ἐχόμενα, γραμμὰς καὶ ἐπίπεδα, μέχρι πρὸς τὴν τοῦ οὐρανοῦ οὐσίαν καὶ τὰ αἰσθητά. I. e. these thinkers linked up the various classes of entity, and made γραμμὰς καὶ ἐπίπεδα dependent on the numbers. Cf. Theophr. *Met.* 313. 4 Br. = fr. xii. 12 Wimm. The view of Zeller (ii. 1.⁴ 949, n. 2) that Plato was the holder of this view seems less probable. Al. 777. 16, Syr. 154. 9 refer the view to Plato, but we have seen reason to believe that they knew little about early Platonism. Cf. Robin, pp. 295–298.

We have no further information about view (2), but (3) a third view is expressed in l. 32, the view that the formal principle was the point, considered as analogous to the One. Cf. ᵇ 27. The persons who held this view are identified by Aristotle with those who took the material principle to be οἷον πλῆθος, and we saw (l. 9 n.) that Speusippus is meant. It could not be either Plato or Xenocrates that is referred to, for they did not believe in points (for Plato cf. A. 992ᵃ 20).

16. ἀπολελυμένα τε is caught up by ταὐτό τε l. 20. The argument in ll. 16–20 may be put thus : If long and short, broad and narrow, deep and shallow are the characteristics of the lines, the planes, the solids respectively, either (1) what is broad or narrow is not long or short, so that lines and planes are quite cut off from each other, or (2) it is, in which case the plane is a line.

19–20. The point of ἔτι δὲ ... ἀποδοθήσεται; seems to be : 'How will they describe the principles of excess and defect which are to angles and figures what the long and short is to the line, the broad and narrow to the plane, &c. ?'

20. ταὐτό τε συμβαίνει τοῖς περὶ τὸν ἀριθμόν, sc. συμβαίνουσιν. Long and short, &c., are, as much as straight and curved, attributes (to be exact, they are properties, which are καθ' αὑτά in the latter of the senses stated in *An. Post.* i. 4. 73ᵃ 34–ᵇ 3) of the line, not its matter, just as great and small are attributes, not matter, of number, A. 992ᵇ 2, N. 1088ᵃ 17.

23–31. Aristotle now introduces, in the middle of his discussion of the principles from which the Platonists derived geometrical objects, an argument against the general theory of ideal numbers existing apart from sensible things. The section breaks the continuity of the thought, and is evidently out of place.

23. πάντων ... τούτων appears to be neuter—'all these cases'.

24. τῶν εἰδῶν τῶν ὡς γένους, cf. A. 991ᵃ 31 n.

25. θῇ. Alexander and Bonitz take this in the sense of 'ascribes *separate* existence to', but it seems doubtful if the word can mean this; nor is either of the suggested emendations very plausible. I believe that θῇ has its ordinary meaning and that the argument runs thus : 'A question which can be applied to all these Platonic beliefs is that which must be faced in the case of species of a genus, when one posits the existence of universals, viz. whether it is 'animal' itself that is present in the particular species of animal, or an 'animal' distinct from 'animal' itself. If we do not assign separate existence to the universal there is no difficulty; if we do assign separate existence to the One and the numbers, the question is difficult, not to say impossible.'

26. ἢ ἕτερον αὐτοῦ ζῴου. Jaeger reads ζῷον for ζῴου and renders ' or an animal distinct from the sensible animal '. But this would be a mere synonym for τὸ ζῷον αὐτό, whereas πότερον ... ἢ suggests alternatives. The meaning is made clear by ll. 29–31.

27-28. χωριστοῦ δέ ... τοῦ ἑνὸς καὶ τῶν ἀριθμῶν, ' the One and the numbers being separate from sensible things '.

31. It seems quite possible, *pace* Bz., to retain αὐτὸ νοεῖ τι, in the sense of ' is one thinking a thing-itself (or Idea)? ' Cf. 1079ᵇ 9.

32. τοιαύτης ὕλης, the various forms of great and small, l. 9.

ἕτεροι δέ, apparently Speusippus, cf. l. 13 n.

33. καὶ ἄλλης ὕλης, cf. l. 9 n. For the construction ἄλλης ὕλης οἵας τὸ πλῆθος cf. *De An.* 424ᵇ 2, *G. A.* 766ᵇ 13.

35-ᵇ 4. Aristotle here reduces those who made the material principle of μεγέθη ' something analogous to πλῆθος ' (l. 33) to the same dilemma to which he reduced those who made the principle ' the kinds of great and small ' (ᵃ 9–20).

ᵇ 5. ἐκ τοῦ ἑνὸς καὶ πλήθους, the view of Speusippus, cf. ᵃ 9 n., Z. 1028ᵇ 21 n.

6. ὅπως δ᾽ οὖν λέγουσι, ' but however they speak '. λέγουσι is participle, cf. *Top.* 128ᵇ 33, *De Sensu* 444ᵃ 18, *Pol.* 1319ᵇ 37.

7. τοῖς ἐκ τοῦ ἑνὸς ... ἀορίστου. Plato is probably referred to, as well as Xenocrates. For the evidence cf. Robin, pp. 641–654.

9. ὁ δ᾽ = οἱ ἐκ τοῦ ἑνός κτλ., l. 7.

11. αἱ αὐταί, which is read by the *vetus versio* and apparently by Alexander, gives a better sense than the manuscript reading αὗται. Christ's conjecture αὐταί is nearer to the manuscripts, but the crasis does not appear to be used by Aristotle. The passage suggests 1082ᵃ 20, but the point is not the same. There the question was, How are the units combined into numbers? here it is, How are the formal and the material principle combined?

On μῖξις and θέσις cf. 1082ᵃ 20. κρᾶσις is a kind of μῖξις (*Top.* 122ᵇ 26)—the kind that belongs to fluids; though sometimes the words are used interchangeably (*Pol.* 1262ᵇ 18). Cf. Al. *De Mist.* xiii. 228. 7, 25 Br.

18-22. From the supposition that each unit is derived from the One and a part of plurality, three difficulties might seem to be deduced : (1) each of the parts of plurality must be indivisible, so that a divisible is composed of indivisibles (which is absurd),—unless we are to make the part of plurality itself a plurality and the unit divisible (which is equally absurd); (2) the elements will be not the One and plurality but the One and a part of plurality; (3) this plurality of indivisible parts which is supposed to be an element of number will be itself a number. But there is a difficulty in this interpretation. In l. 33 number is said to be composed of indivisible parts. That each of the parts of plurality should be indivisible (l. 18) is, then, in itself no difficulty. ἀδιαίρετον (l. 18) ... διαιρετήν (l. 19) is not a complete objection ; the following words καὶ . . . ἑνός must go with it. The first objection then is that each of the parts of plurality will be indivisible, and thus the material principle will not be πλῆθος at all ; and there are only two objections, not three. τε, then, in l. 18 is caught up not by καί in l. 19 but by ἔτι in l. 21.

In all this, Bz. remarks, Aristotle ignores the facts (1) that Plato probably did not think of number as containing units at all, (2) that he meant by the material principle of number something which was a mere potentiality and could not be charged with being an actual number. But as regards the first point, we must remember that Aristotle is here attacking not Plato but Speusippus (cf. l. 5 n.), who did not believe in ideal but only in ordinary mathematical number (cf. 1076ᵃ 20–21 n.), and is therefore more open to Aristotle's attack.

22. τὸ γὰρ πλῆθος ἀδιαιρέτων ἐστὶν ἀριθμός, cf. Z. 1039ᵃ 12 n.

23. καὶ περὶ τοὺς οὕτω λέγοντας κτλ. A similar question has already (1083ᵇ 36) been asked regarding the theory which derived number from the One and the indefinite dyad ; Aristotle is now considering the theory which derives number from the One and πλῆθος. But it is not quite the same question that is asked. In 1083ᵇ 36 the question was, Is number finite or infinite ? Here the question is, Is the number which we have shown the original πλῆθος to be (l. 22) finite or infinite ? That this is what Aristotle is asking is shown by l. 26 ποῖον οὖν πλῆθος στοιχεῖον.

περὶ τοὺς οὕτω λέγοντας. The manuscripts read παρά κτλ., and Bz. *Ind. Ar.* 562ᵃ 7 interprets παρά as 'according to', but this use seems unparalleled in Aristotle. Alexander seems not to have had the preposition, and to have taken τοὺς οὕτω λέγοντας as object of ζητητέον ; but this is not an Aristotelian construction.

24. καί, at first sight difficult, may be explained by the following paraphrase : 'Since the units produced from the πλῆθος and the One were finite, the πλῆθος also must have been finite'.

26. ἔστι τε . . . ἄπειρον. Alexander explains 'and plurality is different from infinite plurality'. (Though he does not use the word αὐτό, it would not be safe to infer with Christ that he did not read it.) So too Bz. The only objection to this interpretation is that if we adopt it, ll. 24–26 give no reason at all why the original plurality should not have been finite. But Aristotle evidently thinks that he is putting Speusippus into a difficulty. Perhaps, then, we should interpret the whole passage thus : ' There was, according to Speusippus, a finite plurality from which and the One the units were derived. And there is another plurality which is " plurality itself" and infinite plurality. Which sort of plurality, then, is the material principle in number ? '

27–34. Aristotle now passes from the views of Speusippus about the derivation of numbers to his views about the derivation of spatial magnitudes (stated in ᵃ 32–34). The objections stated here to the

derivation of points are clearly akin to those raised against the deriva-
tion of units in ll. 12–21. Line 29 answers to 14; 30, 31 to 15–17;
31–34 (less closely) to 17–21.

29. οὐ γὰρ . . . αὕτη, 'for this is not the one point which alone
exists'.

36. τρόπους. Alexander knew both this reading and πρώτους, and
preferred the latter, interpreting it as τοὺς ἐνδοξοτέρους (782. 25). But
this is awkward, considering that Aristotle uses ὁ πρῶτος immediately
after (1086ᵃ 11) in the chronological sense. It is equally awkward to
suppose that Plato, Speusippus, and Xenocrates could be grouped
as οἱ πρῶτοι in the chronological sense, since in 1086ᵃ 11 Plato is
distinguished from the other two as ὁ πρῶτος. It seems better, then,
to read with EJ τρόπους, which is used quite similarly in 1080ᵇ 4,
10, 35, 1083ᵇ 2, 1086ᵃ 31. There is perhaps, as Goebel remarks,
a special appropriateness in the use of the musical term τρόπος with
διαφωνεῖν.

1086ᵃ 2. οἱ μέν, *sc.* Speusippus. Cf. 1076ᵃ 20–21 n., 1080ᵇ 14.

4. τοῦ εἰδητικοῦ ἀριθμοῦ. This phrase, which occurs again in
N. 1088ᵇ 34, 1090ᵇ 35, seems to stand for the ideal, i. e. universal or
natural, numbers, as opposed to the so-called mathematical numbers.
It has no necessary connexion with the presumably later theory
which said that *all* Ideas were numbers. Nor has it any connexion
with the ' figurate numbers ', i. e. the numbers which can be represented
by a regular geometrical pattern, such as .·. or :: . This way of
thinking of numbers was an early Pythagorean device, and is referred
to in N. 1092ᵇ 12, but the expression εἰδητικὸς ἀριθμός comes not
from the old Pythagorean usage of εἶδος = σχῆμα but from the
developed Platonic sense of εἶδος. It is a synonym for ὁ ἀριθμὸς ὁ
τῶν εἰδῶν (1081ᵃ 21, N. 1090ᵇ 33) or οἱ ἐν τοῖς εἴδεσι ἀριθμοί (N.
1093ᵇ 21).

5. οἱ δέ, *sc.* Xenocrates. Cf. 1076ᵃ 20–21 n., 1080ᵇ 22, 1083ᵇ 2.

5–6. τὰ εἴδη . . . ποιεῖν, ' wishing to make the Ideas at the same
time also numbers '.

7. Alexander (783. 3) seems to have omitted τάς, and Jaeger
follows him, taking ταύτας as = τὰ εἴδη. But there would be no
special point here in the description of the εἴδη as ἀρχαί. A comparison
with 1081ᵃ 12–17, N. 1090ᵇ 36 shows the point to be that if the One
and the great-and-small are taken as the first principles, it is hard to
deduce *both* the Ideas *and* mathematical numbers from them. If
ταύτας be kept, the reference is to the discussion of the One and the
great-and-small in 1083ᵇ 23—1085ᵇ 34. But τὰς αὐτάς would be
rather more pointed, and may be the true reading.

11–12. ὁ δὲ πρῶτος . . . εἶναι, *sc.* Plato (Al. 783. 22). For the
phrase cf. 1078ᵇ 11, for the doctrine 1076ᵃ 19 n., 1080ᵇ 11.

According to the manuscript reading Plato is described as laying
it down (1) that the Ideas existed, (2) that they were numbers, (3)
that mathematical objects existed ; ἐχώρισεν is left rather awkwardly

without an object. There is therefore something to be said for Christ's proposal to omit the second εἶναι. This gives the sense ' He who first posited that the Ideas were also numbers naturally separated the Ideas and the mathematical objects '. Cook Wilson's proposal to put εἶναι after ἀριθμούς gives a still better sentence.

17. κατ᾽ Ἐπίχαρμον. Diels, *Vors.* fr. 14. Ahrens (*De Dial. Dor.* 457) writes the verse of Epicharmus thus : ἀρτίως τε γὰρ λέλεκται κεὐθὺς οὐ καλῶς ἔχον | φαίνεται.

CRITICISM OF THE DOCTRINE OF IDEAS (M. 9. 1086ª 18—N. 2. 1090ª 2).

(A) *It assigns separate existence to universals* (M. 9. 1086ª 18—10. 1087ª 25).

18. So much for the numbers; with regard to the first principles, what those say who are speaking of sensible substance only is a question for physics ; we must discuss the statements of those who believe in non-sensible substances, Ideas and numbers, whose principles are the principles of all things.

29. Those who believe in mathematical numbers only may be deferred ; we must discuss the believers in Ideas. They treat the Ideas as universals and at the same time as existing apart and as being particulars.

34. The reason of this impossible combination is that they thought that since sensible particulars were in constant flux, universals must be something apart from these.

ᵇ 2. Socrates by reason of his definitions gave the impulse to this view, but did not separate the universals from the particulars. He was right, for knowledge implies a universal ; it is the separation that causes the objections to the Ideas.

7. His successors, seeing that if there are substances apart from sensibles they must exist separately, could find no others than these universals to assign separate existence to, and therefore assigned it to them. The result is that their universals and their particulars are practically the same kind of thing.

14. We may state a difficulty already discussed which affects non-believers as well as believers in Ideas: if we do not suppose substances to exist apart, we annihilate substance ; if we do suppose them to do so, what are we to say of their elements ?

20. (1) If we make these particulars, then (*a*) things will be no

more in number than their elements, and (*b*) the elements will be un-knowable. For suppose syllables to be substances, and their elements (the letters) the elements of substances.

24. Then (*a*) each syllable will be a unique individual, and there-fore also each letter; and therefore there will be nothing but the letters.

32. (*b*) The elements will be unknowable. For knowledge is of the universal, as is clear from the nature of demonstration and definition.

37. (2) If the first principles are universal, either the substances com-posed of them will be universal, or what is not substance will be prior to substance. For the universal is not-substance, the first principle is universal, and the first principle is prior to what is composed of it.

1087ᵃ 4. These difficulties arise when people derive the Ideas from elements, and at the same time treat the Ideas as existing apart from the substances that have the same form. But (*a*) if there are many a's and b's and no ' a itself ' or ' b itself ' apart from the many, there can be an infinite number of similar syllables ; and so with substances and their elements.

10. (*b*) The view that knowledge is universal, so that the first principles of things must be universal and not separate substances, is true only in a sense.

15. The potentiality of knowledge, being universal and indefinite, is of the universal and indefinite, but the actuality is definite and of the definite, individual and of the individual; what the grammarian studies is ' this a ', and ' a ' only indirectly because this a is an a.

21. If the principles had to be universal, their compounds would have to be universal, and then there would be no self-subsistent sub-stance. But it is only in one sense that knowledge is universal.

1086ᵃ 20. Bz.'s proposal to read πεπεισμένον or πεπεισμένους for the second πεπεισμένος does nothing to remove the difficulty. The manuscript reading is as old as Alexander. The sentence though careless is not unnatural. Aristotle writes οὐθὲν μᾶλλον as if some-thing like ἂν ἐπιδοίη could be supplied from the previous clause ; but he happens to have written in the previous clause ἂν πεισθείη, which with πρὸς τὸ πεισθῆναι would make nonsense.—Cf. note at beginning of Book M.

21. Syrianus tells us (160. 6) that some manuscripts made Book N begin at this point. Certainly there seems to be a greater change of subject than at 1087ᵃ 29. So far, Aristotle has been discussing the question whether Ideas and numbers exist independently of particular things; now he proposes to discuss 'the first principles and the first causes and elements'. In essence 1086ᵃ 21—1087ᵃ 25 is a preface to N, and with N forms a parallel and probably earlier treatment of the subject dealt with in M. init.—1086ᵃ 18. Cf. note at beginning of Book M.

In the discussion now entered upon two distinct questions arise: (1) whether Ideas and numbers could serve as the elementary principles of things; (2) whether the account given by the Platonists of the principles of Ideas and numbers is satisfactory. The two questions are, as Bz. observes, not kept very clearly apart by Aristotle.

23. ἐν τοῖς περὶ φύσεως. Alexander refers to *Phys.* ii. 3, where the doctrine of the four causes is stated, and *De Gen. et Corr.* ii. 5, where the four elements are deduced. But the reference is more probably to *Phys.* i. 4–6, *De Caelo* iii. 3, 4, *De Gen. et Corr.* i. 1, where the views of the materialists are discussed.

29. οἱ μέν, the Pythagoreans and Speusippus, cf. 1076ᵃ 20–21 n., 1080ᵇ 14.

30. ὕστερον, N. 1090ᵃ 7–15, 20–ᵇ 20, 1091ᵃ 13–22.

32. καθόλου τε [ὡς οὐσίας] ποιοῦσι τὰς ἰδέας. 'They make the Ideas universal as substances' does not give the right sense; the substantiality of the Ideas should not be emphasized in this half of the sentence, but only their universality. Jaeger is probably right in treating ὡς οὐσίας as a variant of ὡς χωριστάς which has found its way from the margin into the wrong part of the text.

33. καὶ τῶν καθ᾿ ἕκαστον, 'and belonging to the class of particulars'. καί is unmeaning if we take τῶν καθ᾿ ἕκαστον as depending on χωριστάς.

34. διηπόρηται suggests a reference to Book B (cf. similar references in Γ. 1004ᵃ 32, I. 1053ᵇ 10, Λ. 1076ᵃ 39, ᵇ 39, M. 1086ᵇ 15); and B. 1003ᵃ 7 is quite relevant. The same point has been discussed in Z. 13. There is nothing in M. 4, 5 (which Bz. suggests) that quite suits the reference.

35–37. αἴτιον ... ἐποίουν. The traditional text would mean: 'The reason why these characteristics (universality and separate existence) were combined together by those who described the Ideas as universal was that they did not regard the Ideas as substances identical with sensible things'. This is evidently in more than one respect a weak sentence. It is completely cured by Jaeger's conjecture that ἰδέας is a gloss which supplanted οὐσίας, and that οὐσίας later found its way from the margin into its traditional position. His reading gives the excellent sense: 'the reason why these characteristics were combined by those who described their substances as universal was that they did not identify substances (as common sense does) with sensible things'.

ᵇ **2.** ἐν τοῖς ἔμπροσθεν, A. 6 (= M. 4).

3. ἐκίνησε, 'stirred up', perhaps (as Mr. W. J. Goodrich has suggested) with a suggestion of the impropriety of the action, as in κινεῖν τὰ ἀκίνητα.

δ.ὰ τοὺς ὁρισμούς, 'by reason of his definitions'. A less direct connexion is implied than would have been conveyed by the genitive.

5. δηλοῖ. For δηλοῖ impersonal and intransitive cf. *Ind. Ar.* 174ᵃ 15–17.

10. ἐξέθεσαν, cf. A. 992ᵇ 10 n.

15. τοῖς μὴ λέγουσιν refers both to Speusippus, who did not accept the doctrine of Ideas (ᵃ 29 n.), and to non-Platonists. ἐν τοῖς διαπορήμασιν, B. 999ᵇ 24 —1000ᵃ 4, 1003ᵃ 5–17.

18–19. ἀναιρήσει . . . λέγειν. 'One will be destroying substance in that sense in which we understand "substance".' For this use of βούλεσθαι λέγειν cf. N. 1089ᵃ 20, 1091ᵃ 32, Pl. *Laws* 892 c 2. When ὡς βουλόμεθα λέγειν is interpreted thus, Alexander's ὅπερ οὐ βουλόμεθα (787. 25) is seen to be not a variant reading but a paraphrase. Bz. supposes Aristotle to be admitting that the refusal to posit substances separate from sensibles leads to the negation of substance, and accordingly takes ὡς βουλόμεθα λέγειν to mean 'as we are willing to admit for the sake of argument'. But this is not (I think) idiomatic Greek, and no reason can be suggested why for the sake of argument Aristotle should admit something so entirely contrary to his own view. He is in fact saying something quite different: 'If one does not suppose substances to exist separately, and in the way in which individual things are said to exist, one will destroy the kind of substance that we wish to maintain'. The question of the chapter is a general one, involving those who do not believe in Ideas as well as those who do (l. 15). Aristotle agreed with the Platonists in supposing substances to exist separately (the substances *they* meant being Ideas, i. e. entities which were supposed to combine universality with independent existence, while the substances *he* means are individuals). He therefore dismisses at once the supposition that substances do not exist separately, and passes (l. 19) to the supposition that they do, which occupies the rest of the chapter. Are their elements unique individuals or universals? (1) If individuals (Aristotle is no doubt thinking here of expressions like '*the* One', '*the* indefinite dyad'), then (a) the substances will be unique individuals also, and (b) the elements will be unknowable. (2) If universal, the substances will be universal and no true substances. Aristotle's own view is that the elements, and the substances, are neither unique individuals nor universals. All that is substantial is individual, but individuals are not necessarily unique; there may be many of a kind. And what is true of substances is true also of their elements (1087ᵃ 7–10). So Aristotle meets objection (1 a); (1 b) he meets by the assertion that in a sense knowledge is of individuals (1087ᵃ 10–25); (2) he leaves alone, since his view is that the elements are individuals, though not unique individuals. Cf. note at beginning of Book M.

22–32. ἔστωσαν . . . μόνον τὰ στοιχεῖα. The main point of these lines may be put thus: If each letter of the alphabet were a unique individual, then you could never by any process of composition get any more at one time than just A, B, C, &c., each occurring once.

You could not have, for instance, a syllable BA *and* a syllable BC. Similarly, if the elements of substances were unique individuals, substances would be miserably limited in their number. Aristotle professes to be assuming that the elements are unique individuals (ll. 20, 21). But he complicates the argument by *deducing* this (ll. 27, 28) from the unique individuality of the composite substances, which he first states as following from their being separate substances (ll. 22–27), and then establishes by reference to what the Platonists actually say (ἔτι . . . τιθέασιν l. 27).

27. ὁμώνυμον is used here in the sense more properly expressed by συνώνυμον (cf. *Ind. Ar.* 514ᵃ 25–31, ᵇ 13–18), as often when there is no point in emphasizing the difference between the two words.

ἔτι δ᾽ . . . τιθέασιν, a parenthetical remark to the effect that the numerical singleness of the Idea is not a mere supposition of Aristotle's, but is actually believed in by the Platonists. 'They posit that "the just what a thing is" is in each case one.' For αὐτὸ ὃ ἔστι cf. *Crat.* 389 D 6 αὐτὸ ἐκεῖνο ὅ ἐστιν ὄνομα, *Phaedo* 78 D 3 αὐτὸ ἕκαστον ὃ ἔστι, *Symp.* 211 C 8 γνῷ αὐτὸ τελευτῶν ὃ ἔστι καλόν, *Parm.* 133 D 8 οὐκ αὐτοῦ δεσπότου δήπου, ὃ ἔστι δεσπότης, ἐκείνου δοῦλός ἐστιν. ὃ ἔστι appears as a more or less technical name for an Idea in *Phaedo* 75 B 1, D 2, *Rep.* 507 B 7, 597 C 9, &c. Cf. similar phrases in *Theaet.* 146 E 9, *Phil.* 62 A 2.

29–30. κατὰ τὸν αὐτὸν λόγον . . . καὶ ἄλλη, 'according to the same argument by which in the case of the syllables there will not be more than one instance of the same syllable'. For ὅνπερ = καθ᾽ ὅνπερ cf. A. 991ᵇ 8 n.

35. Prof. Shorey in *Class. Phil.* viii. 90–92 holds that εἰ μή here and in l. 36 means not 'unless' but 'but only that'. He argues that in l. 33 knowledge is said to be 'of' universals, i. e. to have universal conclusions as well as universal premises (cf. *Phys.* 189ᵃ 5–7, Z. 1039ᵇ 27), and that singular propositions never occur as conclusions in Aristotle's logical writings. This use of εἰ μή is found, e. g., in Ar. *Eq.* 186, *Av.* 1681, *Lys.* 943, *Thesm.* 898, and Alexander so interprets the words here (790. 1).—There are, however, occasional references in Aristotle to the occurrence of singular propositions as the minor premise or conclusion of syllogisms (e. g. *An. Pr.* 43ᵃ 37–40), and in the absence of any evidence of this idiomatic use of εἰ μή in Aristotle, it seems preferable to suppose that Aristotle has in mind a syllogism of the form:

All triangles have their angles = two right angles.
This figure is a triangle.
∴ This figure has its angles = two right angles.

Cf. *An. Post.* 71ᵃ 19–29 (where the same example occurs).

36. ὀρθαί is as much in accordance with Aristotelian usage as ὀρθαῖς, and it is better to keep the better attested reading.

37—1087ᵃ 4. ἀλλὰ μὴν . . . ἐστιν. According to the manuscript reading the argument is: 'But if the principles are universal, or for that matter if the substances composed of them are universal, non-substance will be prior to substance; for the universal is not sub-

stance, and the element or principle is universal, and an element or
principle is prior to the things of which it is principle and element '.
There is manifestly no argument here; the second clause makes
nonsense of the passage. All that is needed is to insert ἤ before ἔσται
in 1087ᵃ 1. 'But if the principles are universal, either the substances
composed of them are also universal or non-substance will be prior to
substance.' Cf. 1087ᵃ 21 ἐπεὶ εἰ ἀνάγκη τὰς ἀρχὰς καθόλου εἶναι, ἀνάγκη
καὶ τὰ ἐκ τούτων καθόλου. When the first ἤ once came to be mis-
understood as 'or', the second was bound to drop out. Syrianus
(164. 36) treats the clause beginning ἤ καί as apodosis, and therefore
probably read the second ἤ.

Aristotle has already (ll. 20–37) shown the difficulties that arise if
the elements of substances be taken to be numerically single. He has
now (1086ᵇ 37—1087ᵃ 4) shown that if the elements are universal,
either non-substance will be prior to substance (which is absurd) or
the substances will be universals; but this contradicts the very notion
of substances, which is that they are κεχωρισμέναι, καὶ τὸν τρόπον τοῦτον
ὡς λέγεται τὰ καθ᾽ ἕκαστα τῶν ὄντων (1086ᵇ 17).

Jaeger treats 37 ἤ . . . 1087ᵃ 1 καθόλου as a gloss intended origin-
ally to have come after οὐσίας in 1087ᵃ 1. But the clause goes back
to Alexander (790. 9), and the insertion of ἤ cures the passage more
simply.

1087ᵃ 4–10, in spite of πάντα, refer especially to the difficulty
expressed in τοσαῦτ᾽ ἔσται τὰ ὄντα ὅσαπερ τὰ στοιχεῖα (1086ᵇ 21,
cf. 1087ᵃ 9, 10); ll. 10–25 deal with the other difficulty, οὐκ ἐπιστητὰ
τὰ στοιχεῖα (1086ᵇ 22).

5–6. καὶ . . . κεχωρισμένον has given much trouble. Alexander has
two interpretations. (1) 'And when they claim that there is a single
separate αὐτοείδος distinct from the substances which are sensible and
have in them the Ideas' (791. 2). The Greek evidently will not bear
this meaning. (2) 'And when they claim that there is a single
αὐτοείδος separate from the substances, i. e. from the Ideas, which have
in them the ἀρχικὸν ἕν or αὐτοείδος' (791. 5). Besides misreading τὸ
αὐτὸ εἶδος as τὸ αὐτοείδος, this introduces a notion which the context
does not warrant, the notion of a hierarchy among the Ideas. The
passage is concerned solely with the relation between separately
existing substances and their elements. In view of the failure of
Alexander's interpretations Bonitz proposed the omission of καὶ ἰδέας.
His proposal entirely removes the difficulty; the two clauses ὅταν
. . . ἰδέας and παρὰ . . . κεχωρισμένον then answer exactly to the
original statement of the question, ἂν δέ τις θῇ τὰς οὐσίας (here =
the Ideas) χωριστάς, πῶς θήσει τὰ στοιχεῖα καὶ τὰς ἀρχὰς αὐτῶν;
(1086ᵇ 19).

7–10. Aristotle here states his own mode of escape from the
difficulty raised in 1086ᵇ 22–32, just as in ll. 13–25 he states his
mode of escape from the difficulty raised in 1086ᵇ 32–37.

7. Aristotle says ὥσπερ as if he were afterwards going on to state
the true view about the elements of substances, of which the true

view about the elements of syllables is an illustration; but the ὥσπερ clause gives his meaning sufficiently and the principal clause never appears. Cf. B. 1000ᵃ 1 n.

13. ἔχει μὲν μάλιστ' ἀπορίαν τῶν λεχθέντων. Aristotle means that this presents the greatest difficulty not to the Platonists but to every one, whatever his views about Ideas may be (1086ᵇ 15), and therefore proceeds to modify what he has said (τὸ λεγόμενον) in 1086ᵇ 33, that knowledge is of universals. The modification is contrary to his usual view, which is that actual knowledge is of universals. The doctrine of the *Posterior Analytics* cannot be understood in any other sense, and other works as well occasionally state the doctrine quite explicitly. *De An.* 417ᵇ 22 has τῶν καθ' ἔκαστον ἡ κατ' ἐνέργειαν αἴσθησις, ἡ δ' ἐπιστήμη τῶν καθόλου, where the ἐπιστήμη meant must be ἡ κατ' ἐνέργειαν as the αἴσθησις is. Cf. Z. 1039ᵇ 27 τῶν οὐσιῶν τῶν αἰσθητῶν τῶν καθ' ἔκαστα οὔτε ὁρισμὸς οὔτ' ἀπόδειξις ἔστιν. Yet the doctrine of the present passage is implied in *De An.* 417ᵃ 28 ὁ δ' ἤδη θεωρῶν, ἐντελεχείᾳ ὢν καὶ κυρίως ἐπιστάμενος τόδε τὸ Α, and, according to one reading, in Θ. 1048ᵃ 34 (λέγομεν) ἐπιστήμονα καὶ τὸν μὴ θεωροῦντα, ἂν δυνατὸς ᾖ θεωρῆσαι τόδε ἐνεργείᾳ. In neither of these passages is the doctrine introduced to escape from difficulties such as that put forward here; it is a genuine part of Aristotle's theory, though perhaps inconsistent with another part. Usually knowledge is opposed to sensation as being of the universal while sensation is of the particular, but occasionally Aristotle admits that knowledge is of the universal in the *particular*, as he admits (*An. Post.* 87ᵇ 28, *De An.* 424ᵃ 21–24) that sensation is of that in the particular which is *universal*. Cf. pp. cviii–cx.

17. Bz.'s excision of τοῦ is, in spite of Alexander's attempt at an interpretation, absolutely necessary.

22. ὥσπερ ἐπὶ τῶν ἀποδείξεων, because ἀπόδειξις must be in the first figure (*An. Post.* i. 14), and in that figure universal premises always give a universal conclusion.

BOOK N

(B) *The ideal theory treats contraries as first principles*
(ch. 1. 1087ᵃ 29–ᵇ 33).

1087ᵃ 29. All philosophers make the first principles contraries, the first principles of unchangeable substances as well as those of the objects of physics. Now, since there cannot be anything prior to the first principle of all things, the first principle cannot be an attribute of something else, for then that other would be prior to it. But all generation from contraries implies a substratum, so that all contraries are attributes of a subject and none is self-subsistent; therefore no contrary is strictly a first principle.

ᵇ 4. Now the Platonists make one of the contraries—viz. the unequal (the dyad of the great and small) or plurality—the material principle, and its contrary, 'the One', the formal principle.

12. Further, they state the first principles badly, whether they describe the material principle (*a*) as the great and small, or (*b*) as the many and few, or (*c*) as the exceeding and the exceeded. These diversities make no difference to any but the verbal objections.

21. If you treat the exceeding and the exceeded in general as the principle rather than the great and small, you should say that number in general is derived from the elements previously to the number two; but they do not say this.

26. Others oppose (*d*) 'the other', or (*e*) plurality, to the One. If the One has any contrary, it is plurality; but even this antithesis is wrong, because it would follow that the One is few.

Objections (ch. 1. 1087ᵇ 33–2. 1088ᵇ 35).

(1) *Objection relative to the formal principle.*

33. 'The one' evidently means a measure. It always has a substratum, in harmony the semitone, in length the finger, &c., and generally in qualities a quality indivisible in kind, in quantities a quantity indivisible to the senses; there is no substantial 'One itself'.

1088ª 4. This is natural, for 'one' means a measure of some plurality, and number a measured plurality or a plurality of measures (so that one is not a number).

8. A measure must be something common to the things measured; 'horse' is the measure of horses, 'living being' is the measure of a man, a horse, and a god, 'class' is perhaps the measure of 'man', 'white', and 'walking'.

(2) *Objections relative to the material principle.*

15. Those who make the dyad an indefinite something composed of great and small say what is neither plausible nor possible. For (*a*) these are, like odd and even, &c., attributes rather than the substratum of numbers and magnitudes.

21. (*b*) Great and small are relative terms, and therefore belong to the least substantial of all the categories. Relation is an accident of quantity, and always implies a substratum.

29. Its unsubstantiality is shown by this, that of it alone there is no generation, destruction, nor change, as there is increase and diminution in respect of quantity, alteration in respect of quality, motion in respect of place, generation and destruction in respect of substance; a thing becomes greater or smaller without itself changing, if its correlative becomes smaller or greater.

^{b} **1.** (*c*) The matter of a thing is what is potentially that thing; but relation is neither potentially nor actually substance. Non-substance cannot be an element in substance.

4. (*d*) Elements are not predicated of their compounds, but many and few are predicable of number, long and short of line, &c.

8. If there is a plurality (e. g. two) which is simply 'few', there must be one which is simply 'many' (e. g. 10 or 10,000). But if the many and few are elements in number, either both or neither should be predicable of it.

(3) *Objection to regarding eternal entities as composed of elements.*

14. Can eternal things be composed of elements? If they were, they would have matter. That which is composite is generated from its elements, but that from which a thing is generated is that which is potentially it. Now that which is potential need not become actual. Therefore that which has matter, however long it lasts, is capable of not being and is therefore not eternal.

28. Those who make an indefinite dyad the material principle, but avoid calling it the unequal, avoid only the objections incidental to making the unequal (a relative term) an element.

The mistake on which the theory rests (ch. 2. 1088^b 35–1090^a 2).

35. The chief reason why the Platonists turned to such causes was their archaic statement of the problem. They thought all things would be one, viz. 'being itself', if they did not oppose Parmenides' dogma and prove that not-being is; they thought that if things are many, they must be composed of being and something else.

1089^a 7. But (1) if 'being' has many senses (substance, quality, &c.), what sort of unity will all things be if not-being does not exist? Will all substances be one, all qualities, &c., or all things in whatever category they are? It is impossible that one thing (not-being) should cause the diversity between the different categories.

15. (2) What sort of not-being combines with being to make things? Not-being has different senses answering to the categories.

20. Plato means by 'not-being' the false; whence it was said that

we must presuppose something false, as geometers assume the line
which is not a foot long to be a foot long; but in fact geometers
assume nothing false, and this sort of not-being will not account for
the generation or destruction of anything.

26. It is from not-being in another sense, viz. the potential, that
generation takes place.

31. The inquiry seems to be how being in the sense of substance
is many; for what these thinkers generate is numbers, lines, and
bodies. But it is absurd to ask how there are many substances and
not how there are many qualities or quantities. The indefinite dyad
cannot be the cause of there being many colours, for instance; for then
colours would have been numbers and units.

ᵇ 2. If they had considered this, they would have seen the cause of
the plurality of substances also; for it must be at least analogous.
This error is also the cause of their treating as the material principle
a relative term (viz. the unequal) which is not really opposed to being
or to the One but is one kind of being.

8. They ought to have asked how relations are many; but while
they ask how there are many units besides the One, they do not ask
how there are many unequals besides the Unequal. Yet they use many
unequals—great and small, many and few, long and short, &c.

15. It is necessary to presuppose for each thing that which was
potentially it; the author of this theory indicated what in his view is
potentially substance, viz. the relative—he might as well have said
quality—which is neither potentially the One or being nor the con-
tradiction of them, but a kind of being.

20. Much more, if he was asking how things are many, was it
necessary not to confine himself to substances or to qualities.

24. In the categories other than substance there is another problem
as to how things are many; no doubt, since they do not exist apart,
they are many through the substratum taking on many qualities, &c.;
but there must be a matter for each category, only it cannot be one
existing apart from substances.

28. But in the case of substance we can see how the individual is
many things, if we avoid the mistake of treating the same thing both
as an individual and as a nature; the real difficulty here is how there
are many actually existing substances.

32. A 'this' and a quantity are not the same, but the Platonists do
not tell us how existing things in general are many, but how there are
many quantities; for every number indicates a quantity and so does
the unit. On the other hand, if a 'this' and a quantity are treated as
the same, many contradictions follow.

1087ᵃ 29. τῆς οὐσίας ταύτης, i. e. the ἀκίνητος οὐσία which has been the subject of Book M (cf. 1076ᵃ 11). Aristotle has already at 1086ᵃ 21 passed from the discussion of the Idea-numbers, which were the ἀκίνητος οὐσία that the Platonists believed in, to the discussion of the first principles of the Idea-numbers, so that the transition now made is really not from the ἀκίνητος οὐσία to its principles but from one question about the principles to another. This difficulty is correctly stated by Bz., but his proposal for its solution, the reading of ἀπορίας for οὐσίας, does not commend itself; Alexander read οὐσίας and interpreted it as we have done. We have already seen (1086ᵃ 21 n.) that there was an early divergence in the manuscripts as to where N should begin. It might be suggested that the original beginning was at 1086ᵃ 21 (or 18), and that the present clause or the whole sentence was added by an early copyist who divided the books at this point and felt the lack of a formal introduction. But it seems more probable that 1086ᵃ 18 and 1087ᵃ 29 were two alternative transitions, both written by Aristotle, to the question of the principles of Idea-numbers, or in other words that 1086ᵃ 18—1087ᵃ 25 is a fragment which does not really belong to the main structure of MN but was introduced by an early editor as dealing with the same subject.

In any case the distinction between M and N as dealing, the one with ἀκίνητος οὐσία, the other with its first principles, is not well maintained; we hear a good deal in M of the One and the indefinite dyad.

ᵇ 1. τοῦθ', i. e. ὑποκείμενόν τι.

3. For the λόγος cf. Cat. 3ᵇ 24–27.

4. ἀλλ' ἑτέρα, i. e. ἀλλ' ἡ ἀρχὴ ἑτέρα.

οἱ δέ κτλ. Aristotle proceeds to show (ll. 4–12) that the Platonists fall into the error (exposed in ᵃ 36–ᵇ 4) of making contraries the first principles.

5. οἱ μέν = (l. 9) ὁ τὸ ἄνισον καὶ ἓν λέγων. Plato is no doubt meant, since in M. 1081ᵃ 24 we have εἴτε ὥσπερ ὁ πρῶτος εἰπὼν ἐξ ἀνίσων. Cf. Al. 796. 23.

τῷ ἴσῳ, which is read by all the manuscripts and by Alexander (796. 26), is difficult, since ὡς τοῦτο τὴν τοῦ πλήθους οὖσαν φύσιν explains why these thinkers opposed τὸ ἄνισον instead of πλῆθος to τὸ ἕν, and this clause would be unnecessary if τὸ ἕν had already been identified with τὸ ἴσον. Jaeger is probably right in treating τῷ ἴσῳ as a gloss.

6. οἱ δέ = (l. 8) τῷ δ'. The expression πλῆθος seems to belong to Speusippus, cf. Z. 1028ᵇ 21 n., M. 1085ᵃ 9 n. In the light of the evidence there cited, we may ignore Alexander's statement that it is the Pythagoreans (796. 32) or Pythagoras himself (ib. 34) that Aristotle is referring to. Xenocrates may possibly also have used the expression in this context (Plut. De An. Procr. ii. 1, 2, 1012 D E, cf. Aet. i. 3. 23).

12. Alexander reads ἀριθμῷ λόγῳ δ' οὔ, and apparently takes the words to mean that the unequal, though in point of fact the same thing as the great and the small, has a different definition. But it seems more probable that the manuscript reading is right, and that

the meaning is: Plato treats the unequal (or the great and the small) as one and does not draw the distinction that though definable by a single definition it contains within itself a plurality, *sc.* the great and the small. This has more point in the context. Obviously contraries go in pairs, and Aristotle is confirming his statement that the Platonists make their first principles contraries by showing that for Plato the One and the-great-and-the-small are but *two* things. Aristotle himself in accordance with his usual misinterpretation of the great and small (cf. M. 1083ᵇ 23 n.) insists on treating them as *three* (l. 14). This interpretation is rendered certain by comparison with 1088ᵃ 15.

12–13. ἀλλὰ μὴν . . . ἀποδιδόασιν : i. e., apart from the general error of making contraries the first principles, the Platonists describe the first principles or elements badly.

16. οἱ δὲ τὸ πολὺ καὶ ὀλίγον. These thinkers are distinguished from those who posited the great and small, and, Plato being the chief of the latter thinkers (the doctrine is ascribed to him by name in A. 987ᵇ 20, 26, 988ᵃ 13, 26, *Phys.* 187ᵃ 17, 203ᵃ 15, 209ᵇ 35), the former must be disciples who modified the expression for the reason here assigned, viz. that the great and small was more fitted to serve as the principle of spatial magnitudes than of numbers. The other passages where the 'many and few' are referred to are 1088ᵃ 18, 1089ᵇ 12, A. 992ᵃ 16.

17–18. οἱ δὲ . . . τὸ ὑπερέχον καὶ τὸ ὑπερεχόμενον. Sext. Emp. p. 531 Bekker treats these as essential terms of the Pythagorean division of concepts, and Robin (p. 659) suggests that it may be 'acousmatic' Pythagoreans of the school of Hippasus that Aristotle has in mind; but the evidence is too vague to warrant any certain conclusion.

20, 21. λογικάς appears to take two somewhat different shades of meaning according as it is used with δυσχερείας or with ἀποδείξεις. In the former case it means, as in Γ. 1005ᵇ 22 λογικὰς δυσχερείας, *E. E.* 1221ᵇ 7 τὰς συκοφαντίας τὰς λογικάς, very much what we mean by 'quibbling' (almost = σοφιστικαὶ ἐνοχλήσεις *De Int.* 17ᵃ 36). We may connect this with the definition of a λογικὸς λόγος as ἐκ ψευδῶν, ἐνδόξων δέ (*Top.* 162ᵇ 27). With ἀποδείξεις the meaning seems rather to be 'abstract', cf. *G. A.* 747ᵇ 28 λέγω λογικὴν (ἀπόδειξιν) διὰ τοῦτο, ὅτι ὅσῳ καθόλου μᾶλλον, πορρωτέρω τῶν οἰκείων ἐστὶν ἀρχῶν.

24. Apelt's proposal of καί for ἐκ rests on the supposition that τῆς δυάδος means the indefinite dyad, not, as it evidently does (cf. Al. 798. 14), the ideal Two. Cf. A. 990ᵇ 20.

26. οἱ δὲ . . . ἀντιτιθέασιν. Alexander (798. 23) refers this view to 'other Pythagoreans' (cf. l. 6 n.), and with this we may compare Damasc. *De Princ.* c. 306 = Arist. fr. 1514ᵃ 24 Ἀριστοτέλης δὲ ἐν τοῖς Ἀρχυτείοις ἱστορεῖ καὶ Πυθαγόραν " ἄλλο" τὴν ὕλην καλεῖν. The latter statement is most improbable, since Aristotle in his preserved works never refers to the views of Pythagoras. But he may well have ascribed the view to certain Pythagoreans, and there may easily have been late Pythagoreans, influenced by Platonism, who adopted such a view. Cf. Robin, pp. 650, 660.

27. οἱ δὲ πλῆθος, cf. l. 6 n.

30. αὐτῷ. Alexander read αὑτῷ (798. 34), and evidently takes ἕτερον to be opposed to ταὐτό, 'the same', and ἄλλο to αὐτό, 'the thing itself'. But in I. 1054ᵇ 15 τὸ ἄλλο is opposed to τὸ ταὐτό, and there is no trace in Aristotle of such a distinction between ἕτερον and ἄλλο; the two words are synonymous. Presumably one of the thinkers he is criticizing used the words τὸ ἕτερον and τὸ ταὐτό, another the words τὸ ἄλλο and ταὐτό.

31. δόξης, i. e. πιθανότητος, says Alexander. τινος δόξης is 'something that can really be called an opinion'. Cf. the use of ἔνδοξος.

33. τὸ δ' ἓν ὅτι μέτρον σημαίνει. This is the strictest sense of 'one', I. 1052ᵇ 18, 1053ᵇ 4.

34. τι ἕτερον ὑποκείμενον, something, different in each genus, which is the subject to which 'one' belongs as an attribute.

35. δίεσις. Cf. Δ. 1016ᵇ 22 n.

36. βάσις means the dipody—cf. schol. in Heph. p. 124 ed. Westphal βάσις δέ ἐστι τὸ ἐκ δύο ποδῶν συνεστηκός, τοῦ μὲν ἄρσει τοῦ δὲ θέσει παραλαμβανομένου; ib. p. 151 δέχεται δὲ (the iambic metre) ἐν μὲν τῇ πρώτῃ βάσει ἴαμβον καὶ σπονδεῖον.

1088ᵃ 2–3. τὸ μὲν . . . αἴσθησιν. Alexander explains (799. 21) that the finger is indivisible in εἶδος because it is not divided into fingers but into half-fingers, which are different in εἶδος from the finger; while the δίεσις is indivisible κατὰ τὴν αἴσθησιν because it is the smallest sound— he means of course the smallest interval. This account of 'indivisible in εἶδος' is not a natural one, and does not agree with Aristotelian usage. In Aristotle the phrase seems to apply (1) to infimae species (B. 999ᵃ 3); (2) both to genera and to species, in virtue of the core of identity in each (Δ. 1016ᵃ 19; Aristotle says there ὧν ἀδιαίρετον τὸ εἶδος κατὰ τὴν αἴσθησιν, so that κατὰ τὸ εἶδος and κατὰ τὴν αἴσθησιν is a distinction not always maintained); this seems to be the meaning also in I. 1052ᵃ 31; (3) to that which cannot be divided into parts different in kind from the whole (Δ. 1014ᵃ 27—this contrasts strongly with the meaning Alexander assigns)—i. e. to elements. In I. 1 the indivisible in quantity is opposed first to the indivisible in quality (1052ᵇ 35) and then to the indivisible in εἶδος (1053ᵃ 20, cf. De An. 430ᵇ 14), and the indivisible in εἶδος is evidently meant to be the same as the indivisible in quality. Further, κατὰ τὴν αἴσθησιν, πρὸς τὴν αἴσθησιν is used in describing the indivisible in quantity (1053ᵃ 5, 23). Evidently, then, τὸ μὲν κατὰ τὸ εἶδος refers to ἐν μὲν τοῖς ποιοῖς ποιόν τι, and τὸ δὲ πρὸς τὴν αἴσθησιν to ἐν δὲ τοῖς ποσοῖς ποσόν τι (l. 1). The latter refers to quantitative units such as have been mentioned in 1087ᵇ 34–37; the former to species and genera, which have conceptual unity (ὧν ἡ νόησις μία I. 1052ᵃ 30); of these, instances are given in ll. 9–14.`

5. καὶ ὁ ἀριθμὸς ὅτι πλῆθος μεμετρημένον καὶ πλῆθος μέτρων, cf. Δ. 1020ᵃ 13 n., Z. 1039ᵃ 12 n.

6–8. διὸ . . . ἕν. Sir T. Heath thinks (*Gk. Math.* i. 69) that this doctrine may be of Pythagorean origin. It appears in Nicom. *Introd. Arithm.* ii. 6. 3, 7. 3, and is implied by Euclid (*El.* vii, Defs. 1, 2).

Some of the Pythagoreans called the unit ἀριθμοῦ καὶ μορίων μεθόριον (Iambl. *in Nicom. Ar. Introd.,* p. 11. 10). Perhaps the first to treat 1 as a number were the followers of Chrysippus, who called it πλῆθος ἕν, magnitude one (ib. 11. 8).

9. εἰ ἵπποι . . . ἄνθρωπος. Lines 10, 11 indicate that the εἰ clause should relate not to the measure but to the things measured, so that Bz.'s conjecture (which is confirmed to some extent by Alexander) seems necessary. Bywater's proposal to excise τὸ μέτρον in l. 8 (*J. of P.* xxxii. 111) does not meet the whole difficulty.

15-16. οἱ δὲ . . . μικροῦ. This is one of the passages which indicate that Plato used the phrase 'indefinite dyad', for τὸ ἄνισον and τὸ μέγα καὶ μικρόν are phrases characteristic of his doctrine. For similar passages cf. 1090ᵇ 32—1091ᵃ 5, M. 1083ᵇ 23-36, and see Robin, pp. 643-653.

15. τὴν δυάδα δέ. δέ has its usual adversative force. The first clause states the unity of the ἄνισον, the second its twofold nature (cf. 1087ᵇ 9-12). Thus Trendelenburg's proposal to omit δέ is unnecessary.

23. τῶν κατηγοριῶν is clearly a gloss on πάντων. The description of relation as the least substantial of the categories is unique in Aristotle, but cf. *E. N.* 1096ᵃ 21.

25. With εἴ τι ἕτερον there is no difficulty in supplying ὕλη ἐστίν.

29-35. There is no distinct kind of change which can be called change in respect of relation, as there is change in respect of substance, quality, quantity, and place. Change in respect of a relation is always due to change, in one of these other respects, of one of the *relata*. A thing may change in respect of a relation when *it* does not change at all, but its correlative changes. This indicates, Aristotle observes, that relation is a superficial category. The statement that relation is the only category which has not a specific kind of change answering to it implies a list of categories including only substance, quality, quantity, place, relation. This precise list is not found elsewhere. But Aristotle probably has in mind a list of eight categories without κεῖσθαι and ἔχειν (which occur only in *Cat.* 1ᵇ 27, *Top.* 103ᵇ 23), and omits ποιεῖν and πάσχειν as being practically equivalent to κίνησις itself (cf. *Phys.* 225ᵇ 13 = K. 1068ᵃ 14), and ποτέ because, while time is involved in change, there is obviously no change which is merely in respect of time.

There is an excellent conspectus of the forms in which the list of categories appears in Aristotle, in Apelt, *Beitr. z. Gesch. d. Gr. Phil.* pp. 140, 141.

The subsidiary character of relation is nowhere stated in the *Categories*; this distinction between it and the other categories belongs more properly to metaphysics than to logic.

ᵇ 6. καὶ χωρὶς καὶ ἅμα, e. g. two is merely few, the largest number is merely many, but three is many relatively to two, few relatively to the other numbers.

8-11. εἰ δὲ δὴ . . . μύρια. The sentence is very difficult. Various solutions of the difficulty may be proposed: (1) The manuscript reading may be translated 'if plurality is a class of which one member is always few'. This, however, is very unnatural. (2) Alexander 802. 37 says λέγει εἰ δὲ δὴ καὶ ἔστι τι πλῆθος, λέγων τι πλῆθος τὴν δυάδα, καθ' ἧς τὸ ἕτερον μόριον τῆς ἐναντιώσεως κατηγορεῖται, οἷον τὸ ὀλίγον. This suggests the reading οὗ τὸ μὲν ἀεί, τὸ ὀλίγον; we may understand κατηγορεῖται from l. 6 (cf. l. 12). (3) All the difficulties would be removed by a change of two letters if we read πλῆθος ὃ λέγομεν ἀεὶ ὀλίγον. But it is hard to see how this could have been corrupted into the manuscript reading.

10. Bz.'s omission of καί is necessary.

14-28. The argument is :
Things that have elements are complexes.
Complexes have matter.
What has matter is capable of ceasing to be.
What is capable of ceasing to be is not eternal.
Therefore things that have elements are not eternal.
The argument is put forward in opposition to the Platonic doctrine that the numbers have elements and are eternal.

16. εἰ καὶ ἀεὶ ἔστι. Alexander understands as the subject of this τὸ ἐξ οὗ. But a remark of this sort about the elements would be irrelevant to the argument. Bz. is therefore right in taking the subject to be τὸ ἐξ αὐτοῦ ὄν (cf. l. 20).
What the passage requires is the insertion of commas after ἔστι and κἂν in line 17. What Aristotle is saying is that even if a thing is eternal, yet, if it *had* been generated, it would have been generated out of the elements of which it is composed. This corresponds to what he says in ll. 20–21, 'however true it be that number or anything else that contains matter exists for ever, it must be *capable* of not being'.

18. We must either take τοῦτο ὃ γίγνεται as predicate of γίγνεται or read τούτου ὃ γίγνεται.

24. ἐν ἄλλοις λόγοις. The reference may be either, as Alexander says, to the *De Caelo* (I. 12, not I. 7 as Bz. says) or to Θ. 1050ᵇ 7 ff. It is not safe to assume with Bz. that MN never refer to ΓΕΖΗΘ.

28-35. Christ thinks that this section belongs to the latter part of ch. 1. But it is quite appropriate that after mentioning the general difficulties (cf. ἁπλῶς l. 14) that attend the derivation of number from elements (ll. 14–28), Aristotle should now point out that by giving up the term ἄνισον certain particular difficulties, though not the general difficulties, are escaped.

28-30. The passage suggests at first sight that the description of the material principle as 'the indefinite dyad' was a modification of an earlier description of it as 'the unequal'. Yet Aristotle couples the two phrases as occurring in the same theory (1088ᵃ 15), and implies that the phrase 'indefinite dyad' goes back to Plato (1090ᵇ 32 —1091ᵃ 5, M. 1083ᵇ 23–32). His meaning here is that owing to certain difficulties some thinkers abandoned the phrase 'the unequal'

but retained 'the indefinite dyad'. Cf. Robin, pp. 643–653. Xeno-
crates is probably meant, as there is evidence connecting the phrase
'indefinite ·dyad' particularly with him (M. 1081ª 14 n.).

1089ª 2–6. Aristotle plainly has the *Sophistes* in mind ; cf. such
passages as 237 A, 256 E.

4. οὐ γὰρ . . . ἐόντα = fr. 7 in Diels, *Vors.* In Pl. *Soph.* 237 A the
best manuscripts are divided between τοῦτ' οὐδαμῇ (BT) and τοῦτ' οὐ
δαμῇ (W); here EJ have τοῦτο δαμῇ, AᵇΓ τοῦτ' οὐδαμῇ, Alexander
has τοῦτο μηδαμῇ, and only inferior manuscripts have τοῦτο δαῇς.
Simpl. *Phys.* 135. 21, 143. 31, 244. 1 has τοῦτο δαμῇ (best manu-
scripts), which is clearly the right reading.

5. ἀνάγκη is the right case after ἔδοξε l. 2 ; Bz.'s proposal of ἀνάγκην
is a mistake. Aristotle is thinking of such passages as *Soph.* 241 D. ἐκ
τοῦ ὄντος καὶ ἄλλου τινός is explanatory of οὕτω, and should therefore
be preceded and followed by commas.

7. ὅτι seems to be an emblema from l. 8. Cf. H. 1043ª 34 n.

9–10. ποῖον οὖν . . . ἔσται ; 'What sort of unity will all things that
are constitute, if that which is not be not admitted to be?' Aristotle
means that Plato hastened to maintain the existence of τὸ μὴ ὄν without
considering what sort of unity of all things Parmenides' denial of τὸ μὴ
ὄν implied—whether a unity of substance, or of substance with all the
other categories.

Aristotle asks 'what sort of unity do all things make?', and interprets
this (l. 10) as meaning 'what things make the unity?'. The question
he addresses to the Platonists really is 'do you mean that all substances
make a one of substance, or that all the categories make a one which
embraces them all?' Cf. *Phys.* 185ª 20–30.

Bz.'s ποῖα is impossible, and the text needs no emendation.

11. ἢ πάντα. καὶ ἔσται . . . σημαίνει is evidently meant to convey
the same meaning as the last of the possibilities stated before it. Now
the meaning of καὶ ἔσται κτλ. is 'and will substance, quality, &c., form
all together a single unity'. This seems to justify Bz. in reading ἢ
before πάντα. (It is read by JΓ, and omitted by EAᵇ Al.) Thus
there are three alternatives. The unity may be (1) a unity of sub-
stance, (2) a unity of quality, &c., separately from substance, (3) a unity
of all the categories together.

12. Bz.'s ὄν does not seem necessary. ἕν τι = one genus or
category.

12–15. ἀλλ' ἄτοπον . . . πού. Aristotle now points out that τὸ μὴ ὄν
will not save Plato from a unity of the third kind, if that was what he
feared. It might divide the world into two parts, but it could not
divide it into ten. μίαν φύσιν τινά = τὸ μὴ ὄν. γενομένην, 'having
been called into play by the doctrine'.

17. Jaeger is probably right in supposing εἶναι to have dropped out
by haplography ; this is more likely than that ἄνθρωπος should have
been corrupted into ἄνθρωπον. Alexander's ὁ μὴ ἄνθρωπος (806. 16)
is probably only his interpretation of τὸ μὴ ἄνθρωπον.

20. Either the manuscript λέγειν or Alexander's λέγει gives a

possible sense. (1) 'He means by "not-being" the false and every-
thing of that sort'. (2) 'He means the false and calls that kind
of entity not-being'. The manuscript reading is the more idiomatic
(cf. M. 1086ᵇ 18–19 n.), and the other has probably arisen from a
failure to understand it.
The reference is to Plato (*Soph.* 237 A, 240), but Plato only says
that there cannot be ψεῦδος unless there is not-being; he does not
identify the two.

21–23. διὸ . . . μὴ ποδιαίαν. Apparently some Platonist (not, as far
as we know, Plato) argued that, just as geometry has to assume what
is false in order to prove what is true, so philosophy must assume the
false or non-existent in order to explain the true or existent. The
charge against geometry that it makes false assumptions goes back to
Protagoras (B. 998ᵃ 3). Cf. *An. Pr.* 49ᵇ 35, *An. Post.* 76ᵇ 41.

24. οὐ γὰρ ἐν τῷ συλλογισμῷ ἡ πρότασις. Alexander explains (806.
34) οὐ γὰρ ἡ προτεινομένη καὶ γραφομένη γραμμὴ ἐν τῷ συλλογισμῷ καὶ
τῇ ἀποδείξει παραλαμβάνεται, ἀλλ' ἡ νοουμένη. This, however, is an
unexampled sense of πρότασις. Proclus *in Eucl.* (p. 203. 5) uses
the term πρότασις for the enunciation of a proposition, τίνος δεδομένου
τί τὸ ζητούμενόν ἐστιν; e.g. in Eucl. i. 1 δέδοται εὐθεῖα πεπερασμένη
(ib. 208. 4). So too in the case mentioned here the geometer says
δέδοται γραμμὴ ποδιαία and seeks to prove something about it or to
construct some figure on it. But supposing the given line is not a foot
long, what then? It does not matter, says Aristotle; the πρότασις is
not part of the proof. Strictly the ψεῦδος occurs not in the πρότασις
or general enunciation but in what Proclus calls the ἔκθεσις or setting
out of the particular data. But in Aristotle's time πρότασις may have
been used to cover both.
In M. 1078ᵃ 20 ταῖς προτάσεσι is used (in a similar context) in its
more ordinary sense of 'premises'.

26. τὸ . . . κατὰ τὰς πτώσεις μὴ ὄν, 'the μὴ ὄν taken according to
its different cases', such as those named in ll. 16–19. πτῶσις is as
general in its meaning as 'case' (cf. its use in geometry). The only
exact parallel to the present use in the Aristotelian corpus is *E. E.*
1217ᵇ 29 τὸ ἀγαθὸν ἐν ἑκάστῃ τῶν πτώσεων (= τῶν κατηγοριῶν) ἐστι
τούτων.

34. τὸ τί ἐστι is in apposition to τὸ ὄν, 'being, in the sense of
substance'.

35. πῶς δὲ ἢ ποιὰ ἢ ποσά, sc. πολλὰ ἔστιν.

ᵇ 3. τὸ γὰρ αὐτὸ καὶ τὸ ἀνάλογον αἴτιον, 'it is the same thing or
something analogous that is the cause'. Aristotle means ὕλη, which
is the same in all the categories, or analogically the same; i.e. in all
things matter and form are in the same relation to one another,
cf. Z. 1029ᵇ 23, Λ. 1070ᵇ 17, 25.

12. For πολὺ ὀλίγον cf. 1087ᵇ 16, 1088ᵇ 5–13, A. 992ᵃ 16.

16–20 is a digression. Plato defined that which is potentially sub-
stance as τὸ ἄνισον, which is a πρός τι. This is as bad as if he had
said that what is potentially being is quality—which, so far from

being the potentiality or negation of being, is merely one kind of being.

20. ὥσπερ ἐλέχθη, ᵃ 34.

25. ἐπίστασιν. Bz. prefers the interpretation of this as = ἀπόκρισιν, which occurs once in one manuscript of Alexander (811. 27). But Alexander's commentary there shows that this is a mere copyist's error. Alexander really interpreted the word as meaning ἀπορίαν (816. 8, 12, 21, 811. 27), and this meaning alone agrees with the Aristotelian usage of ἐπίστασις (cf. *Phys.* 196ᵃ 36, *E. E.* 1236ᵇ 33) and of ἐφιστάναι (cf. 1090ᵃ 2 and *Ind. Ar.* 305ᵃ 2–17). ἐπίστασις is an arresting of the attention, and this is caused by a problem or ἀπορία.

Bz.'s preference for the meaning 'answer' is no doubt due to the fact that the words immediately following, διὰ γὰρ . . . ποσά, answer a question instead of propounding one. But these words are concessive and preparatory to the problem, which is stated in καίτοι . . . τῶν οὐσιῶν. The special difficulty attaching to the minor categories is that of assigning to each a matter which shall render plurality possible without being separable from substance.—Alexander is quite at sea about ll. 25–28.

27. It seems impossible to interpret the εἶναι after πολλά. We should either read εἴη ἄν with Apelt (or ἔστι or ἔσται) or treat εἶναι as an emblema and understand ἔστι.

29. ἔχει τινὰ λόγον. Alexander explains as 'contains a difficulty', but the only meaning the phrase seems to have in Aristotle is 'is intelligible' (*Ind. Ar.* 436ᵃ 48–54), and this suits the context perfectly. Aristotle has assumed in l. 26 that a ὑποκείμενον becomes and is many, i.e. comes to have and has many attributes. Now he continues ' it is intelligible how the individual thing can be many, if we do not confusedly suppose that a thing can be both an individual and a certain characteristic ',—the confusion with which Aristotle habitually charges the Platonists. If an individual were a characteristic, it could not be many in the sense of being many characteristics, but there is no reason why a genuine individual should not be many in the sense of having several characteristics.—Alexander's interpretation of ll. 29, 30, adopted with reserve by Bz., seems impossible.

30–31. αὕτη δέ . . . οὐσίαι. ' The problem that really arises out of the facts about substance is this, how there can be many actually existing substances ',—not how one thing can be many in the sense of having many attributes.

32. ἀλλὰ μὴν καὶ εἰ, 'but also if', not ' but even if'.

35. εἰ μὴ . . . ἀδιαίρετον. The manuscript reading seems to mean that if the unit is not some finite measure it is the limiting case of quantity—infinitesimal quantity; it is always quantity of some kind. But ὅτι is superfluous, and the opposition of μέτρον to τὸ κατὰ τὸ ποσὸν ἀδιαίρετον is not Aristotelian. Alexander (812. 23) says ἐφιστάνει καλῶς λέγων, εἰ μὴ ἄρα ἡ μονὰς οὐ ποσόν, διότι μέτρον ἀριθμοῦ καὶ διότι κατὰ ποσὸν ἀδιαίρετος. Cf. Syr. 176. 6. This suggests the reading εἰ μὴ μέτρον καὶ τὸ κατά κτλ. ' The unit indicates a quantity unless it means a measure or what is indivisible in quantity.' 'Measure' and 'indivisible in quantity' are not, indeed, absolute synonyms, for the measure may be an 'indivisible in quality' (I. 1053ᵇ 4–7), but τὸ ἕν is a measure of quantity *primarily* (1052ᵇ 20, 1053ᵇ 5).

For a similar confusion between ὅτι and καί in the manuscripts, where Alexander preserves καί, cf. H. 1043ᵃ 28. The error probably arose from the misreading of a contraction.

Even if 'unit' means not a quantity but what is indivisible in quantity, it *refers* to quantity and thus confirms Aristotle's point.

1090ᵃ 1–2. πολλὰς . . . ἐναντιώσεις. Alexander (812. 19) mentions two. (1) If substance is quantity, then since quantity is an accident, substance will be an accident. (2) Substance as substance will be a substratum; as quantity it will be *in* a substratum.

CRITICISM OF THE THEORY OF NUMBERS (ch. 2. 1090ᵃ 2—6. 1093ᵇ 29).

(A) *The theory that mathematical numbers exist separately*
(ch. 2. 1090ᵃ 2—3. 1091ᵃ 12).

1090ᵃ 2. (1) How are we to be convinced that the numbers exist? For the believers in *Ideas* they act as causes of existing things, since each number is an Idea.

7. But why should we believe one who sees the difficulties about the Ideas but posits *mathematical* number; what causal value has this? It is not asserted to be the cause of anything, but a self-subsistent entity, nor does it turn out to be the cause of anything; the theorems of arithmetic are true of sensible things, and do not imply self-subsistent mathematical number.

16. (*a*) Those who hold that there are Ideas and that these are numbers (Plato) fail to show why there must be Ideas, and therefore why self-subsistent number must exist.

20. (*b*) The Pythagoreans, because they saw many attributes of numbers belonging to sensible bodies, thought things must be numbers —not separately existing numbers but numbers of which things were made.

25. (*c*) Those who believe in mathematical number only (Speusippus) cannot say this; they only said that the objects of the sciences could not be sensible things. We maintain that they are. If mathematical objects existed apart, their attributes would not be found in bodies.

30. The Pythagoreans are free from objection on this score, but in constructing bodies out of numbers seem to be speaking of other bodies than those we perceive

35. while those who treat number as self-subsistent are open to the objection made above (l. 29).

ᵇ **5.** (*d*) Some treat the limits, point, line, and plane, as separate entities. But (i) at this rate the limit of a walk should be a substance, and (ii) at all events the limits do not exist apart from the things of which they are limits.

13. (2) One might point out that the prior genera contribute nothing to the later; (*a*) if number did not exist, spatial magnitudes could still exist for those who believe in mathematical objects only (Speusippus); and if these did not exist, the soul and sensible things could still exist. But nature is not episodic like a bad tragedy.

20. (*b*) The believers in Ideas (Xenocrates) escape this objection, for they construct magnitudes out of matter and number, lines out of the number two, planes out of three, solids out of four. But (i) are these magnitudes Ideas, or what are they? They contribute nothing to sensible things, any more than the mathematical objects referred to above (l. 15).

27. (ii) No mathematical proposition is true of them, unless one starts a new set of assumptions.

32. (*c*) The first thinkers who believed in both ideal and mathematical number (Plato) cannot tell us how the latter exists. They make it intermediate between ideal and sensible number. If it is derived from the great and small, it is the same as ideal number; if not, the elements are getting rather numerous. If the formal principle in both kinds of number is a One, how does the One take these two forms, if at the same time number cannot on Platonic principles be derived from anything but the One and the indefinite dyad?

1091ᵃ 5. The theory is evidently like Simonides' 'long story', which slaves spin when they have nothing sound to say. The great and small seem to complain of their ill-treatment; for they cannot generate any number but two and its powers.

1090ᵃ 2—1091ᵃ 12 is a discussion of the doctrine of separately existing numbers, covering much the same ground as that covered in M. 2, 3, and it seems impossible to detect the distinction Bz. draws between the two passages : ' Illic ipsa rei natura disputandi legem et ordinem praescribit, hic vero eorum philosophorum, qui res mathematicas per se esse statuerunt, sententias singulas respicit et refutat.' M and N cannot have been meant to form parts of a single treatise ; they were originally independent essays.

4. εἰσίν. Alexander 812. 30 interprets this as εἰσὶ χωριστοί, and this is confirmed by ll. 11–13.

τῷ μὲν γὰρ ἰδέας τιθεμένῳ. This applies to Plato (cf. M. 1076ᵃ 19 n.). τῷ δέ κτλ. (l. 7) applies to Speusippus (cf. M. 1076ᵃ 20–21 n.). Aristotle returns to these two views respectively in ll. 16–20 and in ll. 25–30, and to both alike in 35–ᵇ 5. Thirdly, he discusses the views of the Pythagoreans in ll. 20–25, 30–35.

11. οὐθενός depends on αἴτιον, which can be supplied from αἴτιος l. 13.

15. καθάπερ ἐλέχθη, M. 3, especially 1077ᵇ 17–22.

16–20 refer to Plato, 20–25 to the Pythagoreans, 25–30 to Speusippus, 30–35 to the Pythagoreans, 35–ᵇ 5 to Plato and Speusippus alike. The views of Plato, who believed in both mathematical and ideal number, apart from sensible things, of Speusippus, who believed in mathematical number apart from sensible things, and of the Pythagoreans, who believed in mathematical number existing in sensible things, are to some extent played off against one another. E.g. in ᵇ 2 in attacking the view of Plato and Speusippus Aristotle says the Pythagoreans (ὁ ἐναντιούμενος λόγος) can make out as good a case for the opposite view.

16–19. The best interpretation of this very difficult sentence seems to be got by reading, as Bessarion perhaps did, τῷ before κατά in l. 17, omitting τό in l. 18, and reading ἔστιν in l. 19. 'As for those who assert that the Ideas exist, and that they are numbers, by their assumption —in virtue of the method of setting out each term apart from its instances—of the unity of each general term they try at least to give some account of why they believe number to exist.' I take the subject of ἔστιν to be number, which is the subject of the whole discussion (cf. ll. 3 f., 10, 13, 20). It is impossible to say what Alexander read, except that he does not seem to have had τό. Other attempts to deal with the sentence are (1) that of Winckelmann, who keeps the manuscript reading and translates 'those who posit the Ideas ... try at least to say how and why it is possible, according to the doctrine which separates each kind of thing from its many particulars, to assume each to be a unity'. The objections to this are that (a) τό is unexplained, and (b) the order in which the words are taken is intolerably unnatural. (2) Bz. suggests κατὰ τὸ ἔκθεσιν ... λαμβάνειν. This leaves the difficult τό, and it neglects a passage which in some respects illustrates the present passage, Z. 1031ᵇ 21 κατὰ τὴν ἔκθεσιν ἀνάγκη ἔν τι εἶναι ἄμφω. (3) Maier proposes τὸ κατὰ τὴν ἔκθεσιν ... λαμβάνειν ἔν τι ἕκαστον. But if, as he says, the subject of ἔστιν (sic) is ἔν τι ἕκαστον, then τὸ ... λαμβάνειν is left without a construction, while if τὸ ... λαμβάνειν ἔν τι ἕκαστον is the subject, the order is highly unnatural. (4) Bullinger proposes λαμβάνοντες ἔν for λαμβάνειν τὸ ἔν, which gives much the same sense as the reading we have adopted but is somewhat less probable as an emendation. (5) Prof. Joachim proposes τῷ κατὰ τὴν ἔκθεσιν ἕκαστον παρὰ τὰ πολλὰ λαμβάνειν, ἔν τι ἕκαστον πειρῶνται κτλ.

The reading adopted in l. 18 as being the better attested, πως for πῶς καί, does not affect the main difficulties of the passage.

17. For the meaning of ἔκθεσις cf. A. 992ᵇ 10 n., Z. 1031ᵇ 21,

M. 1086ᵇ 10. Ps.-Alexander here describes the process very much as Alexander describes it in A. 992ᵇ 10. The procedure according to him is as follows: You adduce particular αἰσθητά, e.g. Plato, Socrates, Alcibiades, Dion. You then argue 'Man is either the same as Socrates or different. If it were the same, it would not be also present in Plato. Therefore it is different from Socrates, and similarly from Plato and from all the other individuals. There is, therefore, one thing apart from the many men, and this is man himself. Similarly with horses, oxen, &c.' This account of the Platonic ἔκθεσις is probably correct.

25-26. τοῖς δὲ... ἀριθμόν, i.e. Speusippus, cf. M. 1076ᵃ 20-21 n. These thinkers cannot justify their belief in the substantial existence of numbers by saying that sensible things are composed of them; their own language precludes this (cf. l. 11). They therefore only said that the objects of the sciences could not be sensible things (αὐτῶν l. 27 refers to τὰ αἰσθητὰ σώματα l. 22, ἁρμονία, οὐρανός, and πολλὰ ἄλλα ll. 24, 25), and must therefore be immaterial but substantial numbers.

28. εἴπομεν, M. 3.

35-37. ὅτι... ψυχήν must be taken to give the reason for ὑπολαμβάνουσι. not for χωριστὸν ποιοῦντες; otherwise εἶναι... χωριστὰ εἶναι is otiose.

37. σαίνει τὴν ψυχήν, 'fawn on, flatter, the soul'. Cf. φαιδρὰ γοῦν ἀπ' ὀμμάτων | σαίνει με Soph. O. C. 319.

χωριστά. The subject of εἶναι should be τὸν ἀριθμόν (cf. l. 35 οἱ δὲ χωριστὸν ποιοῦντες). But Aristotle has, not unnaturally, passed in thought to a vague subject such as ταῦτα; it is not necessary to adopt Bz.'s conjecture χωριστόν.

ᵇ2. καὶ... καὶ, 'both... and'. ὁ ἐναντιούμενος λόγος means the Pythagorean argument (ᵃ 20-25).

ἄρτι ἠπορήθη, ᵃ 29.

5. εἰσὶ δέ τινες. The persons meant are probably Pythagoreans. They seem to be distinguished from Plato (Z. 1028ᵇ 15, 19), and from the Platonists (B. 1002ᵃ 8, 11).

11. οὐ μὴν ἀλλά answers irregularly to οὔτε l. 8.

12. εἰσί, sc. τὰ ἔσχατα οὐσίαι.

15-16. τὸ μηθὲν... ὕστερον. Speusippus' doctrine is similarly characterized in Z. 1028ᵇ 21 (where he is mentioned by name) and in Λ. 1075ᵇ 37. τοῖς τὰ μαθηματικὰ μόνον εἶναι φαμένοις (l. 17) also shows that Speusippus is meant; cf. M. 1076ᵃ 20-21 n.

19. ἐπεισοδιώδης, used in the same connexion in Λ. 1076ᵃ 1.

20-32. A comparison with De An. 404ᵇ 16-27 has led some interpreters to suppose that Plato is referred to, but the phrase κινεῖν τὰ μαθηματικὰ καὶ ποιεῖν ἰδίας τινὰς δόξας (l. 28) at once suggests Xenocrates (cf. M. 1080ᵇ 28, 1086ᵃ 10), and this is confirmed by Alexander's interpretation of προσγλιχόμενοι (1090ᵇ 31). From the thinkers here referred to Aristotle distinguishes in l. 32 οἱ πρῶτοι, i. e. Plato (οἱ πρῶτοι is replaced by ἐκεῖνον in 1091ᵃ 5).

21. τοῦτο μὲν ἐκφεύγει, 'this objection escapes', i. e. fails to hit them.

There seems to be no quite similar use of ἐκφεύγειν in Aristotle, but cf. ἔοικεν οὑτωσί γε σκοπουμένοις διαφεύγειν 1093ᵇ 9. **26–27.** οὐθὲν γάρ . . . συμβάλλεται, i. e. Xenocrates' assumption of μαθηματικά which were Ideas does as little to explain the sensible world as Speusippus' assumption of μαθηματικά which were not Ideas. It appears from this passage that as Xenocrates identified ideal with mathematical numbers, he identified ideal with mathematical figures. By ἴδιαι δόξαι is meant the belief in indivisible magnitudes.

30. μακροποιεῖν, cf. μηκύνειν M. 1083ᵇ 6 and μακρὸς λόγος 1091ᵃ 7. συνείρειν, cf. 1093ᵇ 27, *De Div.* 464ᵇ 4, *G. A.* 716ᵃ 4. It is short for τοὺς λόγους συνείρειν, for which cf. *E. N.* 1147ᵃ 21.

31. προσγλιχόμενοι ταῖς ἰδέαις τὰ μαθηματικά. προσγλίχομαι occurs with a different construction in A. 986ᵃ 6 εἴ τί που διέλειπε, προσεγλίχοντο τοῦ συνειρομένην πᾶσαν αὐτοῖς εἶναι τὴν πραγματείαν. Alexander interprets (816. 37) σὺν ἡδονῇ προστιθέασι τὰ μαθηματικὰ ταῖς ἰδέαις καὶ ἰδέας αὐτὰ ποιοῦσιν. γλίχομαι occurs with the accusative (Pl. *Hipparch.* 226 E, and in some manuscripts of Hipp. *Epp.* ix. 364 Littré), and it seems quite possible for the two elements in προσ-γλίχομαι to govern ταῖς ἰδέαις and τὰ μαθηματικά respectively. Cf. Hdt. iii. 21 γῆν ἄλλην προσκτᾶσθαι τῇ ἑωυτῶν.

37. The manuscript reading, ἐξ ἄλλου δέ τινος μικροῦ καὶ μεγάλου· τὰ γὰρ μεγέθη ποιεῖ, may be dealt with in various ways. (1) We may omit the colon and the γάρ (the reading implied in Bessarion, and possibly in Al. 817. 7 ; but cf. 817. 14). (2) We may read τίνος for τινος, and translate 'from what other small and great can he construct mathematical numbers ? He already constructs spatial magnitudes out of *one* other'. But the supplying of 'out of one other' is difficult. (3) Christ's μεγάλου οὗ is open to the same objection.

1091ᵃ 2–3. καὶ εἰ . . . ἕν. Aristotle here passes to the formal cause and says 'if some One is the formal principle of each of the two kinds of number, unity will be something common to these two Ones'.

3–5. The point here is : how can there be this plurality of Ones, if at the same time, as Plato says, number or plurality is generated only by the union of One with an indefinite dyad? Plurality, which is said to involve a material principle, breaks out even in the formal principle.

3. ταῦτα πολλά. For the absence of the article cf. Xen. *An.* iv. 7. 5 ὀλίγους τούτους ἀνθρώπους, Lys. 7. 10 τέθνηκε ταῦτα τρία ἔτη, and Kühner, *Griech. Gramm.* § 465 Anm. 6 a.

5. Trendelenburg remarks that here it is only 'One and *an* indefinite dyad', not *the* indefinite dyad, that is ascribed to Plato. But this is probably unimportant. Cf. M. 1081ᵃ 14 n.

ἐκεῖνον. Aristotle has previously said οἱ πρῶτοι (1090ᵇ 32), but clearly has had Plato in his mind.

7. ὁ Σιμωνίδου μακρὸς λόγος. The scholiast on Eur. *Phoen.* 215 quotes a verse from Simonides of Amorgos :

τί ταῦτα διὰ μακρῶν λόγων ἀνέδραμον ;

But Aristotle seems to point to some more striking phrase or passage than this; further, he never refers by name to Simonides of Amorgos, and often to Simonides of Ceos, so that we need not doubt that the latter is meant. Alexander says that in the Ἄτακτοι Simonides represented the sort of story that a slave will tell to cover his failure in some duty (fr. 189 Bergk.). Cf. *Rhet.* 1415^b 23. Perhaps the reference is to a mime like those of Sophron and Epicharmus; cf. Schneidewin in *Rh. Mus.* vii. 460–463. We may compare Eur. *Iph. in Aul.* 313 μακροὺς δὲ δοῦλος ὢν λέγεις λόγους. Antisthenes contemptuously called definition a μακρὸς λόγος (H. 1043^b 25).

10. The great and the small cannot (Aristotle maintains) produce any number save 2 and its powers, since it is δυοποιός (M. 1082^a 14, 1083^b 35). In order to derive other numbers the Platonists had to use (contrary to their own principles) addition as well as multiplication (M. 1084^a 4).

(B) *Absurdity of ascribing generation to the numbers if these are thought of as eternal* (ch. 3. 1091^a 12—4. 1091^a 29).

12. It is absurd to ascribe generation to eternal things, as the Pythagoreans certainly do. They say that when the One had been put together the nearest part of the unlimited began to be drawn and limited by the limit.

18. But the discussion of these thinkers is more appropriate to physics; *we* are seeking the principles of *unmovable* things.

1091^a 23. They say the odd is not generated, implying that the even is, viz. from the equalization of the great and the small. These, then, must previously have been unequal, so that the account is meant to be historical, and not merely logical.

1091^a 12–29. Bz. points out the connexion between this passage and 1088^b 14–35. Aristotle there showed that eternal things cannot be constructed out of elements. Here he shows that the Pythagoreans and Platonists actually proposed to explain the generation of eternal things.

15–18. This is one of the comparatively few passages which throw light on the general Pythagorean cosmology. Aristotle's suggestions as to the mode of composition of τὸ ἕν (i.e. the spatially extended first unit, M. 1080^b 20–21 n.) are not necessarily based on anything the Pythagoreans had said; they might be merely derisive conjectures of his own, like his suggestions about the constitution of the Platonic numbers in 1092^a 21 ff. (where σπέρμα occurs again, ib. 32). But in one respect he uses the Pythagorean terminology, for χροιᾶς is doubtless used in the Pythagorean sense of 'surface' (*De Sensu*

439ᵃ 30). Aristotle is here referring to the Pythagorean generation of solids by fluxion from planes, of planes from lines, and of lines from points. Again, his reference to seed probably implies that some Pythagoreans thought of the generation of numbers as akin to that of living things. For the conception of the 'nearest parts of the infinite' being 'drawn and limited by the limit' (here apparently = the One) cf. Anatol. p. 30 Heib. (Diels, *Vors.* 112. 1) τὴν μοναδικὴν φύσιν Ἑστίας τρόπον ἐν μέσῳ ἱδρῦσθαι, Philol. fr. 7 Diels τὸ πρᾶτον ἁρμοσθέν, τὸ ἔν, ἐν τῶι μέσωι τᾶς σφαίρας ἑστία καλεῖται, fr. 17 ὁ κόσμος εἷς ἐστίν, ἤρξατο δὲ γίγνεσθαι ἀπὸ τοῦ μέσου. The 'infinite' is the air (*Phys.* 204ᵃ 31), πνεῦμα (213ᵇ 23), or πνοή (Stob. *Ecl.* i. 18. 1 b = Diels 276. 43),—things not distinguished in the early period of Pythagoreanism (cf. Anaximenes). The One is thought of as being in the centre of a shapeless mass of air or vapour and gradually introducing shape and limit into it, working from within outwards. The 'drawing in' is further described as 'breathing', and the wind or void drawn in is said to keep the units apart (*Phys.* 213ᵇ 24). 'This is', as Prof. Burnet remarks (*E. G. P.* § 53), 'a very primitive way of describing the nature of discrete quantity'. It will be observed that the Pythagoreans are trying to describe at one moment the formation of the number system and that of the physical universe, which is just what on their principles they were bound to do. The number One is identified with the central fire, as two was with the earth and seven with the sun.

15–17. ὡς . . . ὅτι. For similar tautology cf. *Ind. Ar.* 538ᵇ 33–39.

19. ἐξετάζειν τι περὶ φύσεως. There is much to be said for Bywater's proposal ἐξετάζειν ἐν τῃ περὶ φύσεως.

Aristotle discusses the Pythagorean cosmology in such passages as *Phys.* iii. 4, *De Caelo* ii. 2, 9, 13.

23–29. Though so far Aristotle has mentioned only the Pythagoreans (l. 13), he now proceeds to argue that the Platonic account of the origination of things from the principles is chronological, not merely logical. For their failure to give any account of the production of odd number cf. A. 987ᵇ 34 n. It is hard to believe that they seriously denied the derivativeness of odd numbers. Zeller supposes that it was only the first odd number (3) that they treated as ungenerated, as it is their original (πρῶτον) generation of even number that is referred to in l. 24; if they assumed the number 3 without generating it, they might be said to deny the derivativeness of odd number, though they gave a derivation for odd numbers other than 3. Syrianus' explanation is probably the correct one—viz. that the Platonists were speaking 'symbolically'; 'likening odd number to the gods, they naturally say it is ungenerated', while, taking even number as analogous to things that have matter in them, they call it generated and liken it to a dyad; but none the less they derive the series of even and odd numbers from the same principles'; i. e. they described the odd numbers as ungenerated because they likened them to the One, the principle of pure form, and the even numbers as generated because they likened them to the indefinite dyad, the principle of matter and change.

28. οὐ τοῦ θεωρῆσαι ἔνεκεν. Alexander tells us (819. 37) that Aristotle is here attacking Xenocrates' interpretation of Plato; for this cf. *De Caelo* 279ᵇ 32—280ª 2, which the Greek commentators interpret as referring to Xenocrates. A similar interpretation of the Platonic ψυχογονία as logical, not temporal, was offered by Xenocrates and Crantor (Plut. *An. Procr.* 3. 1013).

From Procl. *in Euclid.* ed. Friedlein, p. 77. 15—78. 8, we may infer that Speusippus is also referred to.

(C) *Relation between the first principles and the good*
(ch. 4. 1091ª 29—5. 1092ª 21).

29. It is a difficult question whether the good and the beautiful are among the first principles or are later.

33. The cosmologists seem to agree with some moderns who treat them as later owing to the objection which confronts those who make the One a first principle; but the objection is not to the ascribing of goodness as an attribute to the principle, but to making the One actually the constituent element in things.

ᵇ **4.** Similarly the cosmologists say that not the first beings—Night, Ouranos, Chaos, Ocean—but Zeus rules the world;

8. but those whose treatment is not purely mythical, such as Pherecydes and the Magi, identify the first generator and the best, as do Empedocles and Anaxagoras. Of the believers in unchangeable substances some identify the One with the good, but make oneness its essence.

16. It is strange if it is not as being good that self-sufficiency and eternality belong to the primary being; but truly they belong to it just because it is good. The first principle, then, is good.

20. But that this good principle should be the One, or an element of numbers, is impossible. Difficulties arise (to avoid which some make the One the principle of mathematical number only):

25. (1) Each unit becomes essentially a good, and we get too many goods.

26. (2) Every Form becomes essentially a good. But if there are Forms only of goods, the Forms are not substances; while if there are Forms also of substances, all animals, plants, &c., will be goods.

31. (3) The contrary element will be the bad itself. One thinker avoided describing the One as good, just because it would follow that plurality was bad. Others accept the identification of the unequal with the bad.

35. It follows that (*a*) all things partake of the bad except the One ; (β) the numbers share it in a purer form than the spatial magnitudes ; (γ) the bad is the place of the good and shares and desires in that which destroys it ; (δ) the bad is the potentially good.

1092ᵃ 5. These conclusions follow from treating (1) every principle as an element, (2) the contraries as principles, (3) the One as first principle, (4) the numbers as the primary substances, self-subsistent, and Forms.

9. If, as we have seen, it is impossible either to put or not to put the good among the first principles, evidently the account of the first principles must be wrong. It is wrong, too, to argue that because living things come from something indefinite and undeveloped, the first principles of all things must be undeveloped ; the undeveloped seed comes from a fully developed parent.

17. Again, it is absurd to make place simultaneous in origin with the mathematical solids (for they are not anywhere), and to say that they must be somewhere without saying what their place is.

1091ᵃ 29—1092ᵃ 17. The relation of the good to the ἀρχαί; and the views of Speusippus and the Pythagoreans about it, have already been briefly discussed in Λ. 1072ᵇ 30 ff.

30. εὐπορήσαντι ἐπιτίμησιν, ' a reproach to any one who makes light of it '.

31. ἀπορίαν μέν. The δέ clause does not come till ᵇ 16.

32. οἷον βουλόμεθα λέγειν αὐτὸ τὸ ἀγαθόν. Cf. note at beginning of Book M.

33. παρὰ μὲν γάρ. The δέ clause does not come till ᵇ 13.

34. τῶν θεολόγων. Though Aristotle uses θεολογική as a synonym for first philosophy, θεολόγοι never means, in his works, anything but the cosmologists, such as Homer and Hesiod, as opposed to the φυσικοί ; cf. B. 1000ᵃ 9, Λ. 1071ᵇ 27, 1075ᵇ 26. So θεολογία *Meteor.* 353ᵃ 35, θεολογεῖν A. 983ᵇ 29.

τῶν νῦν τισίν refers, as Λ. 1072ᵇ 31 shows, to the Pythagoreans and Speusippus.

37. Aristotle does not specify what the δυσχέρεια was which Speusippus tried to avoid. He must mean that Speusippus, observing that Plato (who is meant by ἔνιοι in ᵇ 1), through treating the One as first principle and regarding it as good (cf. A. 988ᵃ 14), fell into difficulties (such as those which Aristotle points out *passim*), tries to avoid them, not, as he should have done, by ceasing to regard the abstract One as first principle, but by ceasing to regard the first principle as good.

ᵇ 2. Two mistakes are here ascribed to Plato : (1) he regarded the One as a first principle, (2) he regarded it as that sort of principle which is an actual constituent element in its product, viz. in number. A fuller

list of the mistakes involved is given in 1092ᵃ 6 : (1) he makes every
first principle an element, (2) he treats contraries as first principles,
(3) he makes the One a first principle, (4) he treats the numbers
as the first substances, separately existent, and Forms. For the differ-
ence between element and first principle cf. Δ. 1, 3, Z. 1041ᵇ 31,
Λ. 1070ᵇ 25.

4. οἱ ... ποιηταὶ οἱ ἀρχαῖοι = οἱ θεολόγοι ᵃ 34.

5. νύκτα καὶ οὐρανόν. Zeller (i.⁶ 122 ff.) enumerates four Orphic
cosmogonies, of which the first is referred to by Plato (*Crat.* 402 B, *Tim.*
40 D—41 A) and Aristotle (cf. Λ. 1071ᵇ 26) and described by Eudemus
(ap. Damasc. c. 124). Aristotle supposed it to have been put into writing
by Onomacritus (fr. 1475ᵃ 44). According to this system, Night came
first and gave birth to Earth and Heaven. The children of Earth and
Heaven were Ocean and Tethys (Orpheus, fr. 12 Diels). Musaeus
is said to have derived all things from Night and Tartarus (fr. 14);
Epimenides, from Air and Night (fr. 5); Acusilaus, from Chaos, Night,
and Erebus (fr. 1). Aristophanes (*Av.* 694) makes the birds sing of
Erebus and Night as the first parents. The chief other Orphic system
is the ' rhapsodic' cosmogony dating from the third century B. c. and
described by Damascius (c. 123), which places Chronos in the first place,
followed by Aether and Chaos, &c. Zeller argues convincingly for
the priority of the first-named system, but Lobeck and others took the
opposite view. Tannery shows in *A. G. P.* xi. 13–17 that the rhap-
sodic cosmogony differed from the original Orphic cosmogony not by
transforming it so much as by adding to it. For the place of Night
in the cosmogonies cf. Λ. 1071ᵇ 27, 1072ᵃ 8, 19.

6. χάος. Aristotle is here referring to the Hesiodic system; he else-
where quotes Hesiod's (*Theog.* 116)

πάντων μὲν πρώτιστα χάος γένετ', αὐτὰρ ἔπειτα
γαῖ' εὐρύστερνος

(A. 984ᵇ 27, *Phys.* 208ᵇ 30). Acusilaus is said also to have made
Chaos the first parent (frr. 1, 2).

ὠκεανόν. The reference is presumably to Homer (cf. A. 983ᵇ 30
and *Il.* xiv. 201). The same view is ascribed to Orpheus by Plato
(*Crat.* 402 B) and by Eudemus (Diels, *Vors.* 476. 16).

τούτοις μέν is answered irregularly by ἐπεί κτλ. l. 8.

9. Φερεκύδης. Pherecydes of Syros (a younger contemporary of
Anaximander, c. 600–525), placed Zeus (Heaven), Chronos (Time),
and Chthonia (Earth) at the beginning of things (Diels, *Vors.*³ 201.
18, 23, 202. 4),—or Zeus, Chthonia, and Eros (201. 32). It is his
placing of Zeus at the beginning that warrants Aristotle's statement
about him here. In other respects too his system marks an advance
on earlier cosmogonies (Zeller, i.⁶ 117).

10. οἱ Μάγοι, i. e. the hereditary caste of priests who took the place
of the ' fire-kindlers' of the Zoroastrian religion. They are one of the
six Median tribes mentioned by Herodotus (i. 101).

Diog. Laert. (*Prooem.* 8) tells us that in the dialogue on Philosophy

Aristotle identified their two principles, Ormuzd and Ahriman, with
Zeus and Hades. Eudoxus is said to have visited the East with a view
to acquiring its astronomical knowledge, and seems to have aroused
in the Academy a deep interest in Zoroastrianism (cf. Jaeger, *Arist.*
133–138).

12. στοιχεῖον : Love was for Empedocles one of six material elements.
ἀρχήν : Reason was for Anaxagoras a motive principle set over against
everything else—not a στοιχεῖον.

13. τῶν δὲ τὰς ἀκινήτους οὐσίας εἶναι λεγόντων, the Pythagoreans and
Platonists.

οἱ μέν. There is no δέ clause, but one can be easily understood,
and Bz. successfully meets Zeller's suggestion that words to the effect
of ' others held the good not for the One itself' have dropped out
before οὐσίαν. οἱ μέν means primarily Plato (A. 988ᵃ 14); Alexander
and Syrianus cite also Brotinus the Pythagorean, but on this we have no
further information. οἱ δέ would be the Pythagoreans in general and
Speusippus (Λ. 1072ᵇ 31), whose view has been stated in ᵃ 34–ᵇ 8.

16–19. ' It would be strange if to that which is first and eternal and
self-sufficient this very attribute, self-sufficiency and self-maintenance
(= eternality), does not belong in the first place *as a good*. But truly
it is imperishable (= eternal) and self-sufficient for no other reason
than because its condition or nature is good.' Aristotle establishes
the goodness of the first principle in two ways : (1) the self-sufficiency
and eternality which it is assumed to possess are good qualities.
(2) It could not have these if it were not in itself good. One is
tempted to read ὡς ἀγαθῷ in l. 17, but then ll. 18, 19 would merely
repeat what is said in ll. 16–18.

20. τοιαύτην = ἀγαθήν, ταύτην = τὴν ἀρχὴν τὴν ἀγαθήν. It is
impossible, says Aristotle, to suppose that this good first principle is
the One, or even, without saying this (εἰ μὴ τοῦτο), to describe it (more
indefinitely) as an element, and an element of numbers. (Plato says
that the good is the ἀρχή of things ; he also says the στοιχεῖα of num-
bers are the ἀρχαί of things. It follows, then, that the good is
a στοιχεῖον of number, even if it be not expressly identified with the
One.) The reasons for describing this as impossible come in ll. 25–32 ;
Aristotle mentions parenthetically in ll. 22–25 the attempt made by
some thinkers (evidently Speusippus is meant ; cf. M. 1076ᵃ 20–21 n.)
to escape the difficulties.

22–25. Speusippus attempted to escape the difficulty by doing away
with the ideal numbers and treating the One as the starting-point of
mathematical numbers only, so that no goodness need be assigned to
it and no superabundance of goods be produced from it (l. 26 πολλή
τις εὐπορία ἀγαθῶν).

25. ὅπερ ἀγαθόν τι, species of the genus good, cf. Γ. 1003ᵇ 33 n.

28. ' If there are Ideas only of the qualities which are the species
of the quality good, the Ideas (will not be Ideas of substances and
therefore) will not be substances.' For the missing step of the
argument cf. A. 990ᵇ 29—991ᵃ 2 n.

32. ὁ μέν = Speusippus; cf. M. 1085ᵃ 9 n., ᵇ 5 n. His theory differs in two ways from that of Plato: (1) (l. 23) he treats the One as principle only of mathematical number (the only kind of number he believed in); (2) (l. 33) he did not connect the One and the good, but described the good as coming in only at a later stage of the evolution of the world (ᵃ 35). But how is this to be reconciled with the statement (*E. N.* 1096ᵇ 6) that he placed the One ἐν τῇ τῶν ἀγαθῶν συστοιχίᾳ? Aristotle must mean that Speusippus put the One in the series to which all good things belonged, though he did not think of it as itself a good.

35. οἱ δέ = Plato and Xenocrates.

37—1092ᵃ 1. μᾶλλον ἀκράτου . . . μεγέθη, *sc.* because the numbers are more directly derived than the spatial magnitudes from the original material principle. Spatial magnitudes are 'the genera posterior to number' (M. 1085ᵃ 7).

1092ᵃ 1. χώραν εἶναι, a reminiscence of *Tim.* 52 A B. Cf. *Phys.* 209ᵇ 11.

2. ὀρέγεσθαι τοῦ φθαρτικοῦ, cf. *Phys.* 192ᵃ 18–25.

3. For parallels to the superfluous ὅτι cf. *Ind. Ar.* 872ᵇ 39–48.

12. τις, i. e. Speusippus; cf. Λ. 1072ᵇ 30–34 n.

13–15. Speusippus' argument is represented as follows :
(1) The One is the beginning of all things.
(2) All beginnings are imperfect.
Therefore the One is imperfect.
From this Aristotle draws a consequence of his own probably not drawn by Speusippus :
(3) What is imperfect cannot be said really to be.
The One is imperfect.
Therefore the One is not.
Aristotle denies the premise numbered (2) above.

17–21. The charge of 'producing place simultaneously with the mathematical solids' and of 'assigning place to them without saying what their place is' has little connexion either with what precedes or with what follows. Alexander takes it to refer to Plato; but Plato's χώρα (which Aristotle often refers to as τόπος, e. g. *Phys.* 208ᵇ 7, 209ᵃ 8, ᵇ 15, *De Caelo* 309ᵇ 24–26) was eternal. It seems more probable that (as Ravaisson, Brandis, and Zeller suppose) Speusippus is referred to. In that case the section continues the attack on him made in ll. 11–17.
Syrianus throws some light on the later Platonic theory of place or space by saying that four kinds were recognized—the place of physical bodies, that of ἔνυλα εἴδη (viz. matter), that of mathematical bodies (viz. φαντασία), that of ἄυλοι λόγοι (ἡ ἄνω or διανοητικὴ ψυχή).

21. ὁ τόπος, 'their place', which is evidently not the same kind of place that sensible solids have.

(D) *Relation between number and its first principles* (ch. 5. 1092ᵃ 21–ᵇ 8).

21. These thinkers ought to have distinguished the meanings of 'from' and then told us in which sense number is derived 'from' its principles. Not by mixture, for (1) not everything can be mixed; (2) what is produced by mixture is different from its elements, so that the One would then not exist apart, as they want it to do. **26.** Not by composition, for (1) that implies position; (2) number would then be two distinct things, the unit + plurality. Number cannot be derived from elements which inhere in it (for this applies only to things that are generated), nor as from seed (for nothing analogous to seed can come off from the indivisible One). **33.** Is it derived from its contrary? This implies a substratum which persists. These thinkers seem to derive number from contraries; a substratum therefore is implied. **ᵇ 3.** Again, why are all other things that are derived from contraries or have contraries perishable, while number is not? The contrary of a thing *always* tends to destroy it.

1092ᵃ 21–ᵇ 8. This section seems to refer primarily to Speusippus. Cf. Introduction, p. lxxii.

22–23. διελομένους . . . ἐστίν. Aristotle's suggestions here as to the sense of ἐκ have little connexion with his classification in Δ. 24.

24. μίξει, cf. A. 989ᵇ 1 n. Two reasons are given why the One cannot be supposed to be 'mixed' with the great and small. (1) Not any and every sort of thing can be mixed. This follows from the definition of the μικτόν as ὃ ἂν εὐόριστον ὂν παθητικὸν ᾖ καὶ ποιητικόν (*De Gen. et Corr.* 328ᵇ 20); again μίγνυται ὦν τὰ ἔσχατα ἕν (*De Sensu* 447ᵃ 30). Further, ὑπάρχειν δεῖ χωριστὸν ἑκάτερον τῶν μιχθέντων· τῶν δὲ παθῶν οὐθὲν χωριστόν (*De Gen. et Corr.* 327ᵇ 21), and great and small are πάθη (1088ᵃ 17). μῖξις is an affair of material things, and to speak of it as existing between the One and the indefinite dyad is a mere metaphor. (2) The product of mixture is something different from its elements, so that after the mixture had been achieved the One would no longer exist as a separate and distinct entity; cf. *De Gen. et Corr.* 327ᵇ 22–26 for the doctrine that the constituents exist only potentially when once the mixture has been made.

The second τε in l. 25 serves to introduce not, as Bz. supposes, a third argument, but (as Alexander takes it to do) the second part of the same argument.

26. ἀλλὰ συνθέσει. σύνθεσις differs from μῖξις as mechanical from chemical combination (*De Gen. et Corr.* 328ᵃ 3–17).

30. ἔστι μὲν . . . οὔ. Alexander says Aristotle is here subdividing σύνθεσις. It seems more likely that μῖξις and σύνθεσις are treated as subdivisions of generation ἐξ ἐνυπαρχόντων, from material constituents present potentially (in the case of μίξις) or actually (in the case of σύνθεσις) in the resultant. From this is to be distinguished the generation of a thing from an efficient cause which is *not* present in the thing (Δ. 1023ᵃ 26, 29; cf. 1013ᵃ 4, 7, Λ. 1070ᵇ 22 for the meaning of ἐνυπάρχειν).

32. ἀλλ᾽ ὡς ἀπὸ σπέρματος; Cf. 1091ᵃ 16. Alexander (825. 30) takes this as an instance of ὡς ἐκ μὴ ἐνυπαρχόντων, as ἀλλά suggests, and takes γένεσις to refer to artistic production. Bz. supposes that ἀλλά indicates not as in ll. 26, 33 the transition to a fresh alternative, but as in ll. 24, 27, 32 (ἀλλ᾽ οὐχ οἷον κτλ.) an objection to the alternative under discussion. 'Only those things which γίγνεται can be said to be ἐξ ἐνυπαρχόντων. But can we suppose that number γίγνεται ὡς ἀπὸ σπέρματος?' Bz. is evidently right as against Alexander in saying that γένεσις cannot = artistic production as against natural generation. It either means natural generation as opposed to artistic production or includes both (Z. 1032ᵃ 26). On the other hand, Bz. seems not to be right in taking ὡς ἀπὸ σπέρματος to be a case of ὡς ἐξ ἐνυπαρχόντων. σπέρμα, no doubt, means sometimes the seed of plants, in which the male and female elements are united, and which may be said to be 'present in' the plant that grows from it; but it seems more likely to mean, as it constantly does, the male element in animal reproduction, which is no part of the offspring but only its efficient and formal cause (*G. A.* 729ᵇ 1–21, 35, 730ᵇ 10–19, 716ᵃ 4–7, 765ᵇ 11).

The supposition that number comes from its principles ὡς ἐξ ἐνυπαρχόντων is sufficiently refuted by the answer that it is only things that are generated (whether naturally or artificially) that are ἐξ ἐνυπαρχόντων—while the numbers are eternal (cf. 1088ᵇ 14–28). ὡς ἀπὸ σπέρματος is one form of ὡς ἐκ μὴ ἐνυπαρχόντων.

ἀλλ᾽ οὐχ οἷόν τε τοῦ ἀδιαιρέτου τι ἀπελθεῖν. Bz. interprets thus: 'To explain growth from seed, something must be supposed to come off from the seed; but nothing can come off from the indivisible One'. But it is no part of Aristotle's theory to suppose that in generation something comes off from the seed; rather the seed comes off from the male parent (for this use of ἀπελθεῖν cf. *Meteor.* 466ᵇ 9, *P. A.* 641ᵇ 34, *G. A.* 721ᵇ 12 *et passim*).

33. ἀλλ᾽ ὡς ἐκ τοῦ ἐναντίου μὴ ὑπομένοντος; Aristotle now passes to another case of production ἐκ μὴ ἐνυπάρχοντος. Production from a *contrary* which does not persist (cf. *a.* 994ᵃ 24, 30) is ἀλλοίωσις, not γένεσις ἁπλῆ; for γένεσις ἁπλῆ is γένεσις κατὰ τὴν οὐσίαν, and an οὐσία has no contrary (1087ᵇ 3 n.); γένεσις ἁπλῆ is μεταβολὴ κατ᾽ ἀντίφασιν, from the absence of a substance to its presence, not from one contrary to another (*Phys.* 225ᵃ 12–17), and it involves no persisting sensible substratum (*De Gen. et Corr.* 319ᵇ 14, 33), while the kind of production here in question does involve such a substratum (1092ᵃ 34).

34-ᵇ 3. The argument against the suggestion that number comes from a contrary which does not persist runs thus: 'What comes from its contrary presupposes also something that persists. Now number is represented as coming from contraries. Therefore there must be something else, from which, as well as from one contrary, number is produced'. The reasoning is evidently fallacious. The major premise states that when A is produced from *its contrary* B, a substratum C is presupposed. The minor states that number is according to the Platonists produced from *two contraries*. Production of a thing from its contrary, and production of a thing from two contraries, are quite different, and there is a fallacy of four terms. Aristotle perhaps means to say that instead of deriving number from the One and plurality the Platonists should have derived it (since it is itself plurality) from the contrary of plurality, viz. the One, and from something which can be the substratum at one time of oneness, at another of plurality, as the change from white to black implies a substratum which can be either ; but if this be his meaning, he does not express it clearly.

35. ὁ μέν. In the light of 1091ᵇ 32 and Λ. 1072ᵇ 31 it is clear that this means Speusippus; cf. M. 1085ᵃ 9 n., ᵇ 5 n. Plutarch (*De An. Procr.* ii. 1. 2, 1012 D E) tells us that *Xenocrates* spoke of the material principle as plurality, but of this we cannot be so sure. ὁ δέ (ᵇ 1) means Plato.

ᵇ **4.** ὅσα ἐξ ἐναντίων contains the ambiguity commented on in the note on ᵃ 34–ᵇ 3 ; it might mean things of which each is produced from its contrary, or things each of which is produced from two contraries. κἂν ἐκ παντὸς ᾖ, 'even if all the contrary is used up' (which refers to this case alone, not to οἷς ἔστιν ἐναντία) shows that the former is meant. The contrary which has been used up in making a thing is conceived of as still potentially present in it (ἐνυπάρχον l. 6) and capable of destroying it, no less than a contrary which is outside the thing (μὴ ἐνυπάρχον).

7. οἷον τὸ νεῖκος τὸ μῖγμα, in Empedocles' system.

(E) *Numbers as causes of other things* (ch. 5. 1092ᵇ 8—6. 1093ᵇ 29).

8. We are not told how numbers are the causes of substances, whether (1) as boundaries (as points are of spatial magnitudes, or as Eurytus determined the number of each thing by counting the pebbles he used in tracing its outline), or (2) because harmony, man, and everything else is a ratio of numbers.

15. But (1) how can attributes, liké white, be numbers? (2) The ratio is the substance of a thing ; the number is merely matter. The number is always a number of something, of portions of fire or earth or of units ; the substance is 'so much to so much ', i. e. a ratio of mixture of numbers.

23. Thus number is neither efficient, material, formal, nor final cause of things.

26. What is the good that comes from the fact that a mixture is expressible in numbers? (1) It is more important that honey-water should not be too strong than that its elements be in any particular ratio.

30. (2) The ratios of mixture involve not numbers merely but the addition of numbers, not 'thrice two' but 'three of one to two of *another*', while in multiplication the genus must be the *same*.

1093ª 1. (3) If all things share in number, (*a*) it does not follow that a thing's number is its cause, (*b*) many things have the same number and will therefore, on the theory in question, be the same.

13. There are seven Pleiads and there were seven against Thebes, but the nature of the number seven is not the cause of their being seven.

20. They say there are only the three double letters, ΞΨZ, because there are just three concords; but the number is in either case arbitrary. We are reminded of the methods of the old Homeric scholars. Other numerical comparisons which the Platonists make are equally frivolous.

ᵇ 7. The lauded characteristics of numbers are not causes in any of the senses of 'cause'; but these thinkers do show in a sense that goodness belongs to the odd, the straight, &c. There is a sort of correspondence between the straight in length, the even in breadth, the odd in number, the white in colour.

21. (4) It is not the ideal numbers that are the causes of harmonic relations and so forth (for equal ideal numbers are different in kind), so that this affords no reason for believing in Ideas.

24 These difficulties show that mathematical objects are not separate from sensible objects, and that the first principles are not those which these thinkers put forward.

1092ᵇ 8—1093ᵇ 29. Aristotle now passes from the alleged genesis of numbers to the alleged genesis of things out of numbers. The following considerations show that he has in mind the Pythagoreans and perhaps also the Platonists who most resembled them :
(1) The mention of Eurytus.
(2) The reference to the connexions established between numbers and movements of sun and moon, and the periods of animal life (1093ª 4–6, cf. A. 986ª 3–8).
(3) The reference to the significance of the number 7 (1093ª 13).
(4) The reference to the two συστοιχίαι (1093ᵇ 11–14).
It is only at 1093ᵇ 21 that Aristotle turns to the Platonic theory of Idea-numbers.

8–15. Mr. Cornford suggests with much probability (*Class. Quart.*

xvii. 10 f.) that the second of the alternatives here mentioned, the view that 'things *embody* or *represent* numbers, not *are* numbers', is the original Pythagorean doctrine; and that the first alternative, 'the crude materialistic view . . . that things *are* numbers, and numbers consist of monads, which are the terms or boundary-stones (ὅροι) marking out the void "field" (χώρα) in the geometrical patterns of numbers "figured" by pebbles', is a later, fifth-century doctrine. Aristotle's doubt as to the meaning of the Pythagoreans may well be due to his not having distinguished successive phases of their doctrine. Cf. M. 1080ᵇ 16 n.

10. We may infer from Theophr. *Met.* 11 Wimm. = 312. 15 Br. that the source of Aristotle's information about Eurytus was Archytas. Eurytus belongs to the beginning of the fourth century; he was a disciple of Philolaus. Alexander tells us that his method was to sketch the outline of, e. g., a man with coloured pebbles, and then to say that the number of pebbles he had used, say 250, was the number of man. This is a travesty of the method of limits according to which the early Pythagoreans represented the line by the number 2 (the number of points required to determine it), the surface by 3, the solid by 4 (cf. Z. 1036ᵇ 8 n.). The same process was as it were worked backwards when the numbers were 'reduced to the forms of triangle and square' (l. 12). 3 (∴), 6 (∴∴) and all numbers of the form $\frac{n^2 + n}{2}$ were triangular (cf. Plut. *Plat. Quaest*, 2. 1003 F). Nicomachus of Gerasa (*Introd. Arithm.* ii. 8–11) and Theo of Smyrna (pp. 31–33 Hiller) represent numbers by α's arranged in various geometrical patterns:

1	2	3	4	5	6	9
α	α α	α	α α	α	α α α	α α α
		α α	α α	α α	α α α	α α α
				α α		α α α

'Square' and 'cube' survive as names for kinds of numbers; 'linear', 'plane', 'solid', 'triangular', 'oblong', 'pentagonal', and other names which belong to the same geometrizing order of thought have passed out of current use, but, as Prof. Burnet observes, we still represent numbers in this Pythagorean way on dice and dominoes, and we still call numbers figures. On 'figured numbers' cf. Heath, *Euclid*, vol. ii. 288 f., *Gk. Math.* i. 76–84, Burnet, *E. G. P.* § 47, *G. P.* 53, Iamblichus, *Introd.* p. 56. 26 ff. Pistelli. According to Lucian (Βίων πρᾶσις 4) the 'triangular numbers' were recognized by Pythagoras himself.

13. φυτῶν is surprising when the instances given have been man and horse. Christ conjectures ζῴων καὶ φυτῶν from Alexander (827. 26), but it is by no means clear that Alexander read this (cf. 826. 35), and it seems more likely that Aristotle uses φυτόν in its older and wider sense of 'living being', which is found in Plato (*Soph.* 233 E 8, *Rep.*

401 A 4, *Tim.* 90 A 6). Aristotle may be quoting from Archytas' account of Eurytus.

15-16. τὰ δὲ δὴ πάθη . . . θερμόν. This is an objection to the first suggested mode of treating numbers as causes of things (ll. 9–13); you can make an outline of a man, but how are you to sketch the outline of a πάθος?

16-17. ὅτι δὲ . . . δῆλον is an objection to the second suggested mode (ll. 13–15); if harmony is a λόγος ἀριθμῶν, the numbers are merely the matter, the ratio is the essence.

18. ὁ δ' ἀριθμὸς ὕλη is in verbal contradiction with οὔτε ὕλη l. 24, and Schwegler would read ὕλης (cf. Al. 827. 40 ὁ δὲ ἀριθμός . . . τὸ ποσόν ἐστι τῆς ἑκάστου ὕλης). Aristotle's view, however, is that ἀριθμὸς σωματικός (l. 22) (i. e. amounts of certain simpler forms of matter, numerically determined) is the ὕλη of a compound, though ἀριθμὸς μοναδικός (l. 20) is not the ὕλη of any material thing but only the measure of its constituents; so that both statements are true, though of number in different senses.

19. τρία πυρὸς γῆς δὲ δύο. This suggestion is clearly framed on the analogy of Empedocles' analysis of bone—

τὰς δύο τῶν ὀκτὼ μερέων λάχε Νήστιδος αἴγλης,
τέσσαρα δ' Ἡφαίστοιο· τὰ δ' ὀστέα λευκὰ γένοντο (*De An.* 410ᵃ 5).

ἀριθμὸς . . . πύρινος ἢ γήϊνος. Cf. the ἀριθμοὶ μηλῖται, φιαλῖται, numbers of apples (or of sheep), of bowls, &c., which Geminus (cf. Procl. *in Eucl.* i, p. 40. 2–5) and the scholiast on the *Charmides* (165 Ε) describe as studied by λογιστική in distinction from ἀριθμητική (Heath, *Hist. of Gk. Math.* i. 14, ii. 442).

25. If number is in no sense the cause of things, how is it related to them? Aristotle nowhere gives a positive theory of number (the nearest approach is in M. 3), but his answer might be that number is an οἰκεῖον πάθος of their matter.

27. ἐν εὐλογίστῳ means not, as Alexander says, ἐν ἀρτίῳ, i. e. in a ratio like 1 : 2 or 1 : 4, but 'in an easily reckoned ratio' (illustrated in *De Sensu* 439ᵇ 25—440ᵃ 6 by 3 : 2 and 3 : 4). It excludes (1) ratios of which either term is an irrational, and perhaps also (2) ratios which cannot be expressed in terms of numbers within the series 1–10.

28. ἐν περιττῷ, in a ratio like that of 1 : 3 (Alexander) or possibly like that of 2 : 3 (*n* : *n*+1). For the virtues of the odd number according to the Pythagoreans cf. A. 986ᵃ 18 n.

τρὶς τρία. The meaning of this difficult phrase is clear from l. 32. Aristotle supposes the Pythagoreans, when they say τρὶς δύο, to mean 'three to two'. When they gave τρὶς τρία, then, as the recipe for μελίκρατον, they meant that if you take three parts of honey you must take three parts of the other ingredient (milk in Homeric times, later water). Alexander's mention of a third ingredient, saffron, seems due to a misinterpretation of τρὶς τρία; it is contrary to his statements about μελίκρατον elsewhere and to those of other writers. Cf. Columella xii. 12.

29. ἐν οὐθένι λόγῳ. Aristotle does not mean that the constituents could be in no ratio; he means that the particular ratio does not matter provided there is enough water.

30. ἄκρατον, not of course absolutely ἄκρατον (for then there would be no ratio), but ἀκρατέστερον.

30—1093ᵃ 1. Aristotle's statement that '3 to 2', not '3 times 2', is the right way of stating the formula of a mixture is evidently right. A mixture is got not by taking the same thing over and over again but by taking two or more things in a given ratio. Multiplication means the addition of things of the *same* kind (τὸ αὐτὸ δεῖ γένος εἶναι ἐν ταῖς πολλαπλασιώσεσιν l. 32).

If a given kind of body could be properly represented as ΑΒΓ, i. e. as 1 × 2 × 3, it must be 'measured by Α', i. e. it must consist of a unitary amount of some substance, taken six times. If another kind of body could be properly represented as ΔΕΖ, i. e. as 4 × 5 × 7, it must similarly consist of four portions of some substance, taken 35 times. ὥστε τῷ αὐτῷ πάντα (*sc.* δεῖ μετρεῖσθαι) (l. 35) seems to mean ' so that all the things in whose formula a certain number occurs must consist of a larger or smaller number of portions of a single elementary substance'. It follows that the number of fire cannot be ΒΕΓΖ (2 × 5 × 3 × 7) and at the same time the number of water 2 × 3. 2 × 5 × 3 × 7 = 6 × 35, and a unitary amount of fire would simply consist of 35 unitary amounts of water (which Aristotle treats as absurd).

1093ᵃ 1–13. There seem to be two arguments used here. (1) ll. 3–9. If all things share in number (this is not a mere concession to the adversary, but is Aristotle's own view), there is nothing surprising in the fact that some things (e. g. the periods of movement of sun and moon, the periods of the life of animals) should be designated by square and cube numbers, or by numbers related as equal or as double and half to one another. This is no warrant for treating the numbers as the *cause* of the phenomena. (2) ll. 9–13. It was assumed that different things could fall under the same number. Then, on the view which is being considered, they will be the same thing, which is absurd.

This interpretation involves treating ἐνεδέχετό τε l. 9 as not depending on εἰ (Bekker, Bz.) but starting a fresh sentence. τε often introduces a new objection (e. g. Α. 991ᵃ 27).

4. For the number of the motions required to account for the motions of the sun and the moon cf. Λ. 1073ᵇ 17, 35.

8. ἀνάγκη ἐν τούτοις στρέφεσθαι, 'all things must move within these limits' (i. e. be designable by square or cube, equal or double, numbers); cf. κύκλῳ στρέφεσθαι.

12. The sun and the moon on Aristotle's view have, each of them, five proper motions (Λ. 1073ᵇ 17, 35), and this makes them a good enough illustration of his meaning. The Pythagoreans themselves assigned *different* numbers to them (2, 7).

13–ᵇ 4. Syrianus says that no important Pythagorean quoted trivialities such as those which Aristotle here ridicules, as instances of the power of numbers. He refers to the Pythagorean Prorus as having written about the number 7 (the treatise really belonged in all probability to Alexandrian times, Diels, *Vors.* 267. 22), but says he confined himself to showing how many things 'nature does in seven years, months, or days'; while others wrote about the number 10. He retorts on Aristotle by pointing out that Aristotle himself does reverence to the number 3 in the *De Caelo* (268ª 13), and forcibly reduces the flavours and the colours to seven each (*De Sensu* 442ª 19). On the number 7 in Greek cultus, mythology, philosophy, and medicine cf. Roscher in *Abh. der phil.-hist. Kl. der K. Sächs. Gesellschaft d. Wissenschaften,* vols. xxi, xxiv, esp. xxiv. 24–43 on the Pythagoreans. The numerical fact about 7 which interested the Pythagoreans was that within the decade it alone has neither product nor factor (Philol. fr. 20 Diels).

14. χορδαὶ ἢ ἁρμονίαι (JAᵇΓ Al.) is not very natural, since seven chords are very different from seven modes or harmonies. E's reading χορδαὶ ἢ ἁρμονία is strongly confirmed by *Probl.* 918ª 13 (= 922ᵇ 3) Διὰ τί οἱ ἀρχαῖοι ἑπταχόρδους ποιοῦντες ἁρμονίας κτλ. Cf. 919ᵇ 21 (= 922ª 22). Alexander finds a difficulty in reckoning seven harmonies (832. 20).

ἐν ἑπτὰ δὲ ὀδόντας βάλλει, cf. Solon fr. 27. 1 Bergk.

15. ἔνιά γε, ἔνια δ' οὔ. The horse, e. g., does not, *H. A.* 576ª 6.

19. τὴν δὲ ἄρκτον γε δώδεκα. Galen (ix. 935 K.), who evidently has this passage in view, says that *seven* stars were reckoned in each of the two Bears, and the same account is given in Philo *de Mundi Opif.* 39. 114, Anatol. p. 36. 4 Heiberg, Hermipp. Beryt. ap. Clem. *Strom.* vi. 16. 143. 1. Ptolemy, however, assigned 27 stars to the Great Bear, and Hevelius, much later, assigned 12.

οἱ δὲ (Χαλδαῖοι Al.) πλείους. We know that the Chaldeans had a name for the Bear, viz. Narkabti, but we do not know how many stars they reckoned in it. Cf. Ginkel in *Klio,* vol. i. 5.

20–21. ὅτι ... τρία. Alexander says that ζ was connected with the fourth, ξ with the fifth, ψ with the octave.

21. ὅτι δὲ μυρία ἂν εἴη τοιαῦτα. Tannery has published (*Bull. de Corr. Hell.* xx. 422) a table of the fourth century B. C. found at Delphi giving simple symbols for various groups of consonants.

22. εἰ δ' ὅτι, 'if they say that'; cf. φασίν l. 20. 'If they meet our objection (that there are many combinations of letters for each of which a single sign might be devised) by saying that ξ ψ ζ are the only combinations each of which takes twice as long to pronounce as a single consonant, and if the cause of this is', etc.

23. τριῶν ὄντων τόπων, the palate, the lips, the teeth, against which the tongue is placed when ξ, ψ, ζ respectively are formed. Syrianus says that Archinus (the introducer of the Ionian orthography in the second half of the fifth century) gave this explanation of the fact that there were in Greek only these three double letters.

24. ἐν ἐφ' ἑκάστου ἐπιφέρεται τῷ σίγμα, ' a single letter (guttural, labial, or dental) is applied to the sigma in each region'. Alexander seems to have read τὸ σίγμα assuming the sigma to be sounded *after* the other element in the double sound. But ἐν ... τὸ σίγμα would

be an unnatural combination, and further ζ = σδ, not δσ (A. 993ᵃ 5).
ἐπιφέρεται must be taken as implying nothing with regard to the order
of the two sounds combined.
26. πλείους γε αἱ συμφωνίαι, i. e. new combinations (such as the
eleventh) can be made out of the primary concords. But you cannot
combine two double consonants to produce a new consonant.
27-28. τοῖς ἀρχαίοις ... παρορῶσιν. The reference is probably to
allegorizing interpreters of Homer such as Pherecydes of Syros
(*c.* 600–525), Theagenes of Rhegium (fl. 525), Metrodorus of Lampsa-
cus (d. 464), Anaxagoras (*c.* 500–427), and Democritus (fl. 420).
Cf. Diels, *Vors.*³ i. 376. 15–17, 414. 9–24, ii. 67. 21, 22, 203. 27—204.
7, 205. 26—206. 10, Sandys, *Hist. of Classical Scholarship,* i. 29, 30.
29. αἵ τε μέσαι ἡ μὲν ἐννέα ἡ δὲ ὀκτώ. The μέσαι are the fourth and
the fifth, the chief notes intermediate between the keynote and the
octave. The fourth and the fifth answer to the ratios 8 : 6, 9 : 6.
30. τὸ ἔπος δεκαεπτά. The epic verse has seventeen syllables, if we
assume a spondee only in the last place. Alexander takes ἐν μὲν τῷ
δεξιῷ to mean 'in the first half of the verse', and this is confirmed by
the fact that 'right' and 'left' were technical terms for the first and
second parts of a lyric system. The alternative is to suppose that
'right' is the part after the caesura κατὰ τρίτον τροχαῖον, the common-
est caesura in Homer; this too has nine syllables. Wilamowitz in
Berl. Classikertexte, v. 2. 141, and S. E. Bassett in *Class. Phil.* xi. 458–
460 defend Alexander's interpretation of τὸ δεξιόν. For the identi-
fication of the right with the ἀρχή of movement cf. *H. A.* 498ᵇ 6,
I. A. 705ᵇ 18, *De Caelo* 285ᵇ 16 (cf. 284ᵇ 6, where the Pythagoreans
are referred to). Bassett quotes many instances to show that τὸ
δεξιόν was used by the metricists of the section of the verse which
came first, e. g. Mar. Vict. 108. 16 Keil '*arma virumque cano ...*
Huius incisioni quae syllaba clauditur, si alteras duas adicias, ut
tertium pedem trisyllabon compleas, erit hoc trimetrum δεξιόν', i. e.
the three dactyls at the beginning of the line form the *colon dextrum*
or ἀρκτικόν (cf. Mar. Vict. 74. 8 K., Plotius 514. 28 K.). Further,
Aristotle would naturally mention the first half of the line first. And,
finally, βαίνεσθαι refers not to caesura but to scansion in feet. The
earliest Greek definition of caesura is in Aristides Quintilianus (p. 52
Meibom), in the second or third century A. D.
ᵇ **2-4.** The meaning is that there are 24 notes on the flute, from
the βόμβυξ (an onomatopoeic word for the deepest note) to the highest.
φωνήν is to be supplied with ὀξυτάτην.
4. ἧς. 24 is reckoned as the number of the highest note, so that
Diels's οἷς is unnecessary.
ἴσος τῇ οὐλομελείᾳ. Alexander suggests that the number of the uni-
verse is 24 because there are 12 signs of the zodiac, 8 spheres (i. e.
the sphere of the fixed stars and those of Saturn, Jupiter, Mars,
Venus, Mercury, Sun, Moon) and 4 elements. οὐλομέλεια is an Ionic
word meaning the whole nature of a thing (μέλος = limb) ; cf. Hipp.
De Artic. iv. 108 L., *De Anatom.* viii. 540, *De Gland.* viii. 556,

De Nutr. ix. 106. Here, however, there is probably a reference to the music of the spheres, cf. A. 986ª 2 f. (μέλος = tune). Nicom. ap. Phot. *Bibl.* 144ᵇ 25 says it was used as a name for the number 7, and in *Theol. Arithm.* p. 36 Ast we are told that the Pythagoreans, following Orpheus, applied it to the number 6 ; but the present passage shows that it was with the number 24 that it was identified.

9. οὑτωσί γε σκοπουμένοις, ' if we look at them in the critical way in which we have been looking at them, they seem to vanish away ' For the dative cf. 1090ᵇ 20 τοῖς δὲ τὰς ἰδέας τιθεμένοις τοῦτο μὲν ἐκφεύγει.

10. τῶν διωρισμένων περὶ τὰς ἀρχάς, Δ. 1, 2.

11. Bekker and Bonitz read αἴτιόν ἐστιν. ἐκεῖνο μέντοι ποιοῦσι φανερόν κτλ. Christ reads αἴτιόν ἐστιν. ὡς μέντοι ποιοῦσι, φανερόν κτλ. ὡς is better attested than ἐκεῖνο, but Christ's punctuation gives a false antithesis between ὡς μὲν λέγουσί τινες καὶ αἴτια ποιοῦσι τῆς φύσεως and ὡς μέντοι ποιοῦσι. Diels's punctuation removes this difficulty. Aristotle makes a concession to the Pythagoreans. Their view that numbers are the *causes* of good and evil evaporates on examination; but they make it clear that in some sense the good ' belongs ' to certain numbers. The seasons of the year and of life go ' together ' with certain numbers. There is an analogical relation between things in different ' categories ' (loosely used here for genera), whereby oddness in number may correspond to straightness in a line, evenness in a surface, and perhaps even to good in things which can be either good or evil. But all this is mere correspondence and not causation

12. συστοιχίας, cf. A. 986ª 23 n.

13. τὸ περιττόν, cf. A. 986ª 18 n., 23.

τὸ εὐθύ, cf. A. 986ª 25 n.

τὸ ἰσάκις ἴσον is probably the right reading, since it preserves a rare but genuine Pythagorean phrase (cf. *M. M.* 1182ª 14 οὐ γάρ ἐστιν ἡ δικαιοσύνη ἀριθμὸς ἰσάκις ἴσος, *sc.* ' as Pythagoras said it was ', and Pl. *Theaet.* 148 A 1), and accounts best for the variants ἴσον Aᵇ, ἰσάριθμόν E. ἰσάκις ἴσον = τετράγωνον, which occurs in the συστοιχία of the good, A. 986ª 26.

14. αἱ δυνάμεις ἐνίων ἀριθμῶν. It is doubtful whether this means the ' powers ', in the mathematical sense (cf. Δ, 1019ᵇ 34, Θ. 1046ª 8, *De Lin. Insec.* 970ª 2), of certain numbers (τετράγωνον occurs in the συστοιχία of the good in A. 986ª 26, and cf. τετραγώνους, κύβους 1093ª 7), or whether it means the powers of certain numbers, in the non-technical sense of ' power '. ἐνίων is in favour of the latter view ; according to A. 986ª 26 one would suppose the *square* of *any* number to be in the συστοιχία of goods. Alexander gives the second interpretation, and illustrates ἐνίων by τετραγώνων, τριγώνων (numbers like 1, 3 (= 1 + 2), 6 (= 1 + 2 + 3)), ἑξαγώνων (numbers like 1, 6 (= 1 + 5), 15 (= 1 + 5 + 9)).

ἅμα γὰρ ὧραι καὶ ἀριθμὸς τοιοσδί, ' for the seasons and a certain kind of number (the square number 4) go together '. There may also be a reference to the comparison, ascribed by Aristides Quintilianus (*Musica*, iii, p. 145 Meib.) to Pythagoras, of the seasons to the concords; spring is to autumn the fourth, spring to winter the fifth, spring to summer the octave, so that the four seasons are to one another as 6, 8, 9, 12. Plut. *On the Birth of the Soul in the Timaeus* 1028 f. ascribes the same view to the Chaldaeans.

17. συμπτώμασιν, 'chance coincidences'.

οἰκεῖα ἀλλήλοις πάντα, i. e. the normal in each class corresponds to the normal in every other class.

20. ἴσως, i. e. for the sake of argument Aristotle is willing to allow the superiority of the odd number, on which the Pythagoreans laid such stress.

21. It is not Idea-numbers but ordinary mathematical numbers that are at the base of musical harmony and the like, for equal Idea-numbers, like Idea-units, differ in kind (M. 6–8), whereas the theory of harmony implies that equal numbers are identical.

22–23. διαφέρουσι γὰρ . . . καὶ γὰρ αἱ μονάδες. From the fact that Plato treated the different numbers as different in kind Aristotle infers that the units were also different in kind, and from this that equal numbers composed of different units were different in kind.

27. For συνεῖραι used absolutely cf. 1090^b 30 n.

INDEX VERBORVM

0ª—93ᵇ = 1000ª—1093ᵇ

α privativum 22ᵇ32
ἀβαρές 4ᵇ14
ἀγαθόν = οὗ ἕνεκα 982ᵇ10, 983ª32,
996ª24, ᵇ12, 13ᵇ25, 59ª36 syn.
καλόν 13ª22, 91ª30 dist. καλόν
78ª31 dist. φαινόμενον ἀ. 13ᵇ27
σημαίνει τὸ ποιόν 20ᵇ23, cf. ib. 13
πῶς ἀρχή 75ª38, cf. ib. 12, ᵇ8, 11 πῶς
ἔχουσι πρὸς τὸ ἀ. τὰ στοιχεῖα 91ª30,
cf. 92ª9 οὐθὲν λέγειν τὰς μαθη-
ματικὰς ἐπιστήμας περὶ ἀ. 78ª31
κλεπτὴν ἀ. καὶ συκοφάντην ἀ. 21ᵇ19
τὸ ἄμεινον 8ᵇ27 εἰς τὸ ἄμεινον
ἀποτελευτῆσαι 983ª18 Pyth. 986ª
26 Plat. 31ª31–ᵇ12, 84ª35
ἀγαπᾶσθαι 980ª23
ἀγάπησις 980ª22
ἀγαπητόν 76ª15
ἀγένητον 999ᵇ7
ἄγνοια opp. τὸ εἰδέναι 982ᵇ20, cf. 75ᵇ
23 dist. ψεῦδος, ἀπάτη 52ª2
ἄγνωστος 995ª2, 36ª9
ἀγροικότεροι 986ᵇ27
ἀγύμναστοι 985ª14
ἀγώνιον 20ª35
ἀδιαίρετος I. 1, 84ᵇ14, 85ᵇ16-22 κατὰ
τὸ ποσόν (κατὰ τὴν αἴσθησιν), κατὰ τὸ
εἶδος 999ª2, 16ª19, 21, ᵇ23, 89ᵇ35,
cf. 88ª2 τῷ εἴδει 14ª27 εἰς
εἴδη 999ª4 κατὰ χρόνον 16ª6
ἀ. αὐτὸ τὸ ἕν 1ᵇ7 ἀ. στιγμή 2ᵇ4
syn. ἁπλοῦς 14ᵇ5 ἀ. πρός 16ª33
ἀδιάφορος 16ª18, 38ª16, 54ᵇ4 ἀ.
μονάδες 81ᵇ13, 36, 82ᵇ27
ἀδικία Pyth. 990ª24
ἄδικος 61ª22, 25
ἀδιορίστως 986ª34
ἀδρός 17ᵇ8
ἄδρυνσις 65ᵇ20
ἀδυναμία ποσαχῶς 19ᵇ20 def. 46ª29
ἀ. διορισθεῖσα ἢ συνειλημμένη τῷ
δεκτικῷ 55ᵇ8, 58ᵇ27
ἀδυνατεῖν 36ᵇ7, 38ª13
ἀδύνατον συμβαίνει 2ᵇ32, 47ᵇ11, 19
ἀ. ποσαχῶς 19ᵇ21 dist. ψεῦδος
47ᵇ14 ἀ. εἶναι ib. 5 ἀδυνα-
τώτερον 998ª19
ἀέρινος 49ª26

ἀήρ (Anaximenes) 66ᵇ21
ἄθετον ἡ μονάς 16ᵇ25, 30, 84ᵇ27, 33
ἀθρεῖν 998ᵇ1
Αἴγινα 15ª25
Αἴγυπτος 981ᵇ23
ἄδηλος Emp. 0ᵇ8
ἀΐδιος. διαμένειν ἀΐδια 984ª16 ἀ. καὶ
ἀκίνητα 987ᵇ16, 15ᵇ14 τὰ ἀΐδια
990ᵇ8, cf. 991ª10 οὐθὲν δυνάμει
ἀ. 50ᵇ7 ἐν τοῖς ἀ. οὐθὲν κακόν 51ª
20 οὐσία αἰσθητὴ ἀ. 69ª31, ᵇ25
ἀνάγκη εἶναι ἀ. οὐσίαν Λ. 6 ἆρα τὰ
ἀ. ἐκ στοιχείων 88ᵇ14 ἄτοπον γένε-
σιν ποιεῖν ἀϊδίων 91ª12
αἱρετὸν δι' αὑτό 72ª35
αἴσθημα 10ᵇ32, 63ᵇ4
αἴσθησις 980ª22, 27, 29, ᵇ25, 981ᵇ10,
986ᵇ32, 999ᵇ3, 10ᵇ2, 3, 36ª6, 88ª3
αἱ κοιναὶ αἰσθήσεις 981ᵇ14 ἢ αἱ.
ἀλλοίωσις 9ᵇ13
αἰσθητήριον 63ª2
αἰσθητός 987ᵇ8, 14, 997ᵇ12, 10ᵇ32,
78ᵇ16 τῶν αἰ. ἀεὶ ῥεόντων 987ª33,
cf. 999ᵇ4, 10ª3, 36ᵇ28, 69ᵇ3 ἐπι-
στήμης περὶ τῶν αἰ. οὐκ οὔσης 987ª
34, Z. 15 opp. μαθηματικός 989ᵇ31,
990ª15 coni. κίνησις 989ᵇ31, 36ᵇ
28 opp. νοητός 990ª31, 999ᵇ2,
25ᵇ34, 36ª3, 9, 43ᵇ29, 45ª34 opp.
εἰδητικός 90ᵇ36 πότερον τὰς αἰ.
οὐσίας μόνας εἶναι φατέον 997ª34,
2ᵇ12, 59ª39 αἰ. οὐσίαι ὕλην
ἔχουσι 42ª25 αἱ. ἐναντιώσεις 61ª
32 οὐσία αἱ. 69ª30
αἰτεῖσθαι τὸ ἐν ἀρχῇ 6ª17, cf. 20
αἰτία syn. ἀρχή 982ᵇ9, 983ᵇ4, 986ᵇ33,
989ᵇ23, 13ª17 πρώτη αἰ. 983ª25,
cf. 3ª31 αἰτίαν ἔχει 984ᵇ19 τοῦ
κατὰ συμβεβηκὸς αἰ. 65ª7 αἰ. τέσσαρες
70ᵇ26 ποσαχῶς 19ᵇ21 dist. πολλῶν
ἐπιστημῶν θεωρῆσαι τὰς αἰ. 995ᵇ6
αἰτιᾶσθαι 985ª21, 13ᵇ13
αἰτιατόν 65ª11
αἴτιον. σοφίαν περὶ τὰ πρῶτα αἴ. ὑπο-
λαμβάνουσι πάντες 981ᵇ28, cf. 982ª
13 τὰ ἐξ ἀρχῆς αἴ. 983ª24 syn.
ἀρχή ib. 29, 990ª2, 3ᵇ24, 13ª16,
69ᵇ33 syn. στοιχεῖον 25ᵇ5, 42ª5,

504 INDEX VERBORVM

φαινόμενα 73ᵇ37, 74ᵃ1 τι ταῖς ἀρχαῖς 84ᵃ35
ἀποκαθιστάναι 74ᵃ3
ἀποκρίνειν 989ᵇ6, 14, 48ᵇ3, 63ᵇ30
ἀπολαμβάνειν 61ᵇ21
ἀπολογίαν ἔχειν 1ᵇ15
ἀπολύειν. ἀπολελυμένος 31ᵇ3, 85ᵃ16
ἀπόρημα 4ᵃ34, 11ᵃ6, 77ᵃ1
ἀπορία 995ᵃ30, 87ᵃ13 ἀ. διέρχεσθαι 988ᵇ21 διαλύειν 61ᵇ15, 62ᵇ31
ἀπορρίπτειν ἀδιορίστως 986ᵃ34
ἀπορωτάτη οὐσία 29ᵃ33
ἀποτελευτᾶν εἰς τοὐναντίον 983ᵃ18
ἀποτέμνεσθαι 3ᵃ24
ἀποτρώγειν 1ᵃ2
ἀποτυγχάνειν 993ᵇ1
ἄπουν 22ᵇ35
ἀπουσία 4ᵃ14
ἀποφαίνεσθαι 984ᵃ3, 993ᵇ17 ἰδίᾳ 42ᵃ7
ἀποφάναι τι πρός τι 12ᵃ13 ἀποπέφηκε ib. 16
ἀπόφασις. εἴδη τῶν ἀποφάσεων Plat. 990ᵇ13, 79ᵃ10 dist. στέρησις 4ᵃ12 ἀπουσία ἤ ἀ. ib. 15 τὸ ἐναντίον ἐπιφέρει 12ᵃ9, cf. 46ᵇ13 ἀ. τὸ μὴ εἶναι 12ᵃ16 αἱ ἀπὸ τοῦ ā ἀ. 22ᵇ32 ἀ. στερητικὴ 56ᵃ17, 29 = ἀπόφανσις 73ᵃ16
ἀποφορά syn. ἀπόφασις 46ᵇ14
ἀποψηφίζεσθαι 10ᵃ31
ἅπτεσθαι 998ᵃ2, 2ᵃ34, 14ᵇ21, 25, 68ᵇ27, 69ᵃ13 metaphorice 984ᵃ28, 985ᵇ24, 988ᵃ29, 69ᵇ24
ἀπύρηνον 23ᵃ1
ἀρετὴ τελείωσίς τις 21ᵇ20
ἀριθμητικός 5ᵃ31, 90ᵃ14 ἀ. ἀριθμός 83ᵇ16 ἀριθμητικὴ ἀκριβεστέρα γεωμετρίας 982ᵃ28 ἡ ἀριθμητικὴ 991ᵇ28
ἀριθμητός 66ᵇ25
ἀριθμός. ἡ δεκὰς δοκεῖ πᾶσαν περιειληφέναι τὴν τῶν ἀ. φύσιν 986ᵃ9, 73ᵃ20, 84ᵃ12, 32 τὸν ἀ. νομίζοντες ἀρχὴν εἶναι 986ᵃ16, 76ᵃ31 ἀριθμοῦ στοιχεῖα, γένεσις, πάθη 986ᵃ17, 87ᵇ15, 84ᵃ3, 91ᵃ29, 990ᵃ19, 4ᵇ10, 90ᵃ21, cf. 986ᵃ20, 84ᵃ28, 89ᵇ12 τὸν ἀ. τὴν οὐσίαν ἁπάντων 987ᵃ19, 1ᵇ26, 76ᵃ31, 80ᵃ13, 83ᵃ23, 92ᵇ16, cf. 987ᵇ24, 1ᵃ25, 90ᵃ23 πρῶτοι ἀ. 987ᵇ34, 52ᵃ8, 81ᵃ5 ἀ. νοητοί, αἰσθητοί 990ᵃ30, 90ᵇ36 coni. εἴδη 991ᵇ9, 80ᵇ22, 86ᵃ6, 91ᵇ26 coni. ἰδέαι 76ᵃ20, 80ᵇ12, 81ᵃ7, 90ᵇ37 λόγοι ἀριθμῶν, etc. 991ᵇ13, 17, 19, 92ᵇ14, 31, cf. 985ᵇ33 διὰ τί ἐν ὁ ἀ. 992ᵃ1, 44ᵃ3, 45ᵃ8 ἀριθμῷ, κατ᾽ ἀριθμὸν ἕν 999ᵇ26, 33, 2ᵇ24, 16ᵇ31, 18ᵃ13, 33ᵇ31, 39ᵃ28, 54ᵃ34,

60ᵇ29, 87ᵇ12 τὸ ἑνὶ εἶναι ἀρχῇ τινί ἐστιν ἀριθμοῦ εἶναι 16ᵇ18, 21ᵃ13, 52ᵇ24, cf. 88ᵃ6 def. 20ᵃ13, 39ᵃ12, 53ᵃ30, 57ᵃ3, 85ᵇ22, 88ᵃ5 οἱ ἀ. ποιοί τινες 20ᵇ3 ἀνάγειν εἰς τοὺς ἀ. 36ᵇ12 coni. ὁρισμός 43ᵇ34, 45ᵃ8 ἡ ἐνέργεια ἡ κατ᾽ ἀριθμόν 51ᵃ33 ἀ. μαθηματικοί 76ᵃ20, 80ᵃ21, 30, ᵇ13, 81ᵃ6, 83ᵇ3, 86ᵃ5, 90ᵇ33, 35, 91ᵇ24 οἱ ἀ. Acad. M. 6-9, N ὁ ἀ. ὁ ἔχων τὸ πρότερον καὶ ὕστερον 80ᵇ12 ἀ. μοναδικοὶ 80ᵇ19, 30, 82ᵇ6, 83ᵇ17, 92ᵇ20 ἀ. πρῶτος 80ᵇ22, 81ᵃ4 ὁ τῶν εἰδῶν ἀ. 81ᵃ21, 83ᵇ3, 90ᵇ33 τίς ἀριθμοῦ διαφορά 83ᵃ1 οὐ συμβλητοὺς εἶναι τοὺς ἀ. Plat. ib. 34 ἀ. ἀριθμητικός 83ᵇ16 ἄπειρος, πεπερασμένος ib. 36 ὁ ἀφ᾽ ἑνὸς διπλασιαζόμενος 84ᵃ6 ἀφῇ οὐκ ἔστιν ἐν τοῖς ἀ., τὸ δ᾽ ἐφεξῆς 85ᵃ4 ἀ. εἰδητικός 86ᵃ5, 88ᵇ34, 90ᵇ35 opp. λόγος 87ᵇ12 ἀ. πύρινος, γήϊνος 92ᵇ20 ἐν ἀριθμῷ εἶναι ib. 27 ἀ. τετράγωνοι, κύβοι 93ᵃ7 τὰ μετὰ τοὺς ἀ. 992ᵇ13, cf. 85ᵃ7
ἀριστερόν 986ᵃ24
᾽Αρίστιππος 996ᵃ32
ἄριστον 42ᵇ21
ἄρκτος 93ᵃ19
ἁρμονία 985ᵇ31, 986ᵃ3, 92ᵇ14 ἑπτὰ χορδαὶ ἡ ἀ. 93ᵃ14
ἁρμονική 997ᵇ21, 78ᵃ14 ἁρμονικά 77ᵃ5, 93ᵇ22
ἁρμόττειν τινί 22ᵃ2 ἐπί τινος 81ᵃ20
ἄρρεν 988ᵃ5, I. 9 Pyth. 986ᵃ24
ἀρρύθμιστος 14ᵇ27
ἄρσις 19ᵇ16 v. l.
ἀρτᾶσθαι 3ᵇ17
ἄρτιον Pyth. 986ᵃ18, 24, 990ᵃ9, 66ᵇ21 Plat. 84ᵃ3-7, 91ᵃ24
ἀρτιότης 4ᵇ11
ἀρχαϊκῶς 989ᵃ11
ἀρχαῖος 989ᵃ11, 69ᵃ25
ἀρχή syn. αἰτία, αἴτιον 982ᵇ9, 983ᵃ29, ᵇ4, 986ᵇ33, 989ᵇ23, 990ᵃ2, 3ᵇ24, 13ᵃ17, 25ᵇ5, 42ᵃ5, 69ᵃ26, ᵇ33, 86ᵃ21 τὰ ἐξ ἀ. αἴτια 983ᵃ24 ὁ θεὸς ἀ. τις ib. 9 syn. στοιχεῖον 983ᵇ11, 989ᵇ30, 995ᵇ27, 998ᵃ22, 25ᵇ5, 42ᵇ8, 81ᵃ5 dist. στοιχεῖον 41ᵇ31, 70ᵇ23, 91ᵇ3, 10 ἀ. ἐν ὕλης εἴδει, τὸ ἐξ οὗ, ὡς ὕλη, σωματική 983ᵇ7, 24, 986ᵃ17, 987ᵃ4, 46ᵃ23, cf. 984ᵃ6 τῆς κινήσεως, μεταβλητική, κινητικὴ ἢ στατική, ὡς κινοῦν ἢ ἱστάν 984ᵃ27, 46ᵃ14, ᵇ4, 49ᵇ6-9, 70ᵇ25, cf. ᵃ7 ἐν ἄλλῳ ἐν αὐτῷ 70ᵃ7 ἀ. τὸ οὗ ἕνεκα 50ᵃ8

δεῖπνον 42ᵇ20
δέκα τὰς ἀρχὰς λέγουσιν εἶναι Pyth. 986ᵃ22
δεκαεπτά 93ᵃ30
δεκάς. τέλειον ἡ δ. Pyth. 986ᵃ8 Plat. 73ᵃ20, 82ᵃ1–11, 84ᵃ12, 29–ᵇ2
δεκτικόν 18ᵃ23, 29, 32, 23ᵃ12, 56ᵃ26, δεξιόν 986ᵃ24, 93ᵇ1 [68ᵇ25
δεσμός 42ᵇ17
δεῦρο, τὰ 991ᵇ30, 2ᵇ15, 59ᵇ8, 11, 60ᵃ9, 63ᵃ11, 22
δηλοῖ intrans. 86ᵇ5
δήλωσις dist.
ἀπόδειξις 25ᵇ16
Δημόκριτος 985ᵇ4–20, 9ᵃ27, ᵇ11, 15, 39ᵃ9, 42ᵇ11, 69ᵇ22, 78ᵇ20
δημοτικὴ ὑπόληψις 989ᵃ11
διὰ πασῶν 13ᵃ28, ᵇ33
διὰ τί opp. ὅτι 981ᵇ12, 41ᵃ10 διὰ τί πρῶτον 983ᵃ29
διάγραμμα 998ᵃ25, 14ᵃ36, 51ᵃ22
διαγράφειν 54ᵃ30
διαγωγή 981ᵇ18, 982ᵇ23, 72ᵇ14
διάθεσις 19ᵇ5, 22ᵇ10 ποσαχῶς Δ. 19
διαθιγή Democr. 985ᵇ15, 42ᵇ14
διαιρεῖν 27ᵇ33, 51ᵇ3, 69ᵃ34 mathem. 2ᵇ3 log. 8ᵃ19,21,27,62ᵇ3
διαιρεῖσθαι 4ᵃ28, 28ᵃ10, 29ᵇ1
διαίρεσις 16ᵇ4, 5 mathem. 994ᵇ23, 2ᵃ19, ᵇ10, 48ᵇ16, 60ᵇ14, 19 log. 27ᵇ19, 37ᵇ28, 67ᵇ26, 72ᵇ2 τῶν ἐναντίων 54ᵃ30
διαιρετόν 20ᵃ7, 77ᵇ20
διακεῖσθαι 8ᵇ30, 22ᵇ11, 63ᵇ1
διακόσμησις 986ᵇ6
διακρίνειν 984ᵃ11, 985ᵃ24, 28, 75ᵃ23
διάκρισις 984ᵃ15, 988ᵇ33
διακριτικὸν χρῶμα 57ᵇ8, 10, 19
διαλέγεσθαι 989ᵇ33, 4ᵇ20, 7ᵃ20, 78ᵃ29 πρὸς αὐτόν 6ᵇ8 ἐξ ὁρισμοῦ 12ᵇ7
διαλείπειν 986ᵃ7
διαλεκτικοί 995ᵇ23,4ᵇ17 διαλεκτική 987ᵇ32, 4ᵇ25 δ. ἰσχὺς οὔπω ἦν 78ᵇ25
διάλλαξις 1₅ᵃ2
διαλῦσαι ἀπορίαν 63ᵇ8, 13
διαμάχεσθαι 992ᵃ20
διαμέτρου ἀσσυμετρία 983ᵃ16, cf. 20, 12ᵃ33, 17ᵃ35, 19ᵇ24, 24ᵇ19, 47ᵇ6, 51ᵇ21, 53ᵃ17
διαμφισβητεῖν 62ᵇ34
διανοεῖσθαι 74ᵇ25
διανοητικός 25ᵇ6
διανοητόν 21ᵃ30, 31 dist. νοητόν 12ᵃ2
διάνοια 12ᵃ2, 13ᵃ20, 21ᵃ31, 32, 25ᵇ6, 17, 27ᵇ27, 28, 32ᵃ28 = δόξ2 984ᵃ5,986ᵇ10, 9ᵃ16 opp. λέγειν 985ᵃ4 ἐφιστάναι τὴν δ. 987ᵇ4 τῇ δ. ὁρίσαι, ἀφελεῖν, ὑπολαβεῖν 9ᵃ4, 36ᵇ3, 73ᵇ12 συνάπτει ἢ διαιρεῖ ἡ δ.

27ᵇ33 συμπλοκῇ τῆς δ. 65ᵃ22 ἀπὸ δ. γίγνεσθαι 49ᵃ5, cf. 32ᵃ28, 70ᵇ31
διαπορεῖν 991ᵃ9, 995ᵃ28, 35, ᵇ5, 996ᵃ 17, 999ᵃ31, 9ᵃ22, 59ᵃ19, ᵇ15, 79ᵇ 12, 21, 85ᵃ25, 86ᵃ19, 34
διαπόρημα 53ᵇ10, 76ᵇ1, 86ᵇ15
διαρθροῦν 986ᵇ6, 989ᵃ32, 2ᵇ27, 41ᵇ2
διασαφηνίζειν 986ᵇ22
διάστημα log. 55ᵃ9 mathem. 85ᵇ30
διαφέρειν I. 4 κατὰ γένος 18ᵃ26, cf. 54ᵇ28 διὰ τί γυνὴ ἀνδρὸς οὐκ εἴδει διαφέρει I. 9
διαφερόντως 8ᵇ11
διαφεύγειν 2ᵃ27, 93ᵇ10
διαφθορά 51ᵃ21
διαφορά 998ᵇ23, 998ᵇ25,30, 4ᵃ14, 20ᵃ 33–ᵇ2, ᵇ15, 42ᵇ15, 57ᵇ4–19, 58ᵃ 30, 59ᵇ33 πολλὰς δηλοῖ δ. 980ᵃ27 δ. τρεῖς Democr. 985ᵇ13, 42ᵇ12 dist. ἐναντιότης, ἑτερότης 4ᵃ21, 54ᵇ 23—55ᵃ33, 58ᵃ11 ἀντικείμεναι δ. 16ᵃ25, cf. 48ᵇ4, 57ᵇ5 γένη τῶν δ. 42ᵇ32 ὃ διὰ τῶν δ. λόγος 43ᵃ19 opp. λόγος ἐνοποιός 45ᵇ17 def. 58ᵃ7 γένους δ. ib. 8 οὐ ποιεῖ δ. ἡ ὕλη ᵇ6 πρῶται δ. 61ᵇ14 τίς ἀριθμοῦ διαφορά, καὶ μονάδος, εἰ ἔστιν 83ᵃ1
διάφορος ποσαχῶς 18ᵃ12 μονάδες δ. 81ᵇ33, 35
διαφωνεῖν 85ᵇ36
διαχωρίζεσθαι 23ᵃ23
διαψεύδεσθαι 5ᵇ12, 9ᵃ11, 14, 61ᵇ34
δίδαξις 41ᵇ10
διδασκαλικός 982ᵃ28 διδασκαλικώ- τερος τῶν αἰτίων ib. 13
διδάσκειν 981ᵇ7
διδόναι = συγχωρεῖν 6ᵃ24
διέρχεσθαί τι 988ᵇ21 περί τινος 48ᵃ30
διερωτᾶν 0ᵃ20
δίεσις 16ᵇ21, 53ᵃ12, 87ᵇ35 αἱ δ. δύο 53ᵃ15
διέχειν 63ᵃ31
διΐστασθαι 985ᵃ25, 59ᵃ14
δίκαιος 78ᵇ23 def. 61ᵃ24 exem- plum τοῦ συμβεβηκότος 15ᵇ20–26, 17ᵃ8
δικαιοσύνη Pyth. 985ᵇ29
Διογένης 984ᵃ5
Διονύσια 23ᵇ10
διορίζειν 55ᵇ8 διωρισμέναι opp. τυχοῦσαι 986ᵃ32, cf. 58ᵇ27 διώρι- σται ἱκανῶς, διοριστέον, etc. 27ᵇ18, 29ᵃ1, 48ᵇ37, 996ᵇ8, 14
διορισμός 5ᵇ23, 48ᵃ2, 20
διότι 981ᵃ29 = ὅτι 62ᵃ6
διπλασιαζό;ενος ἀφ᾽ ἑνός 84ᵃ6
διπλάσιον 20ᵇ34
δίπουν 38ᵃ23

διττὸν τὸ ὄν 69ᵇ15
δόγμα 62ᵇ25, 76ᵃ14 γεωμετρικὸν δ.
992ᵃ21
δοκοῦντα coni. φαινόμενα, δυνατά 9ᵃ8,
88ᵃ16
δολιχαίωνες Emp. 0ᵃ32
δόξα 984ᵃ2, 991ᵃ19, 993ᵇ12, 18, 996ᵇ
28, 9ᵇ36, 10ᵃ1, 51ᵇ14 Ἡρακλεί-
τειοι δ. 987ᵃ33 Pyth. 990ᵃ23
αἱ περὶ τῶν ἰδεῶν δόξαι, etc. 990ᵇ22,
28, 78ᵇ10, 13, 79ᵃ18, 25 coni.
ὑπόληψις 5ᵇ29-31, 9ᵃ23 (cf. 30), 10ᵃ
10 coni. διάνοια 9ᵃ6 (cf. 16)
coni. φαντασία 62ᵇ33 dist. ἐπι-
στήμη 39ᵇ33, 34 πάτριος δ. 74ᵇ13
ἔχονταί τινος δόξης 87ᵇ31 ἴδιαι
δόξαι 90ᵇ29
δοξάζειν 9ᵃ11, 13 opp. ἐπίστασθαι
8ᵇ28, 30
δούλη 982ᵇ29
δυάς dist. διπλάσιον 987ᵃ26 coni.
μέγα καὶ μικρόν Plat. 987ᵇ26 (cf. 33),
988ᵃ13, 87ᵇ7, 10, 88ᵃ15 φθαρταὶ
δυάδες 991ᵃ4 πρώτη τῶν ἀριθμῶν
999ᵃ8, cf. 85ᵇ10, 88ᵇ9 = αὐτο-
γραμμή Plat. 36ᵇ14, cf. 43ᵃ34 δ.
ἀόριστος Plat. 81ᵃ14, 22, ᵇ21, 32,
82ᵃ13, ᵇ30, 83ᵇ36, 85ᵇ7, 88ᵃ15,
ᵇ28, 89ᵃ35, 91ᵃ5 δ. πρώτη 81ᵃ
23 (cf. 21), ᵇ4—83ᵃ33 αὐτὴ δ.
81ᵇ27, 82ᵇ12, 20, 22, cf. 991ᵇ31
δυοποιός 82ᵃ15, 83ᵇ36 ἢ τοῦ
ἀνίσου δ. 87ᵇ7
δύναμις Δ. 12, Θ. 1–9 πότερον δυνά-
μει τὰ στοιχεῖα 2ᵇ33 τὸ δυνάμει
ὂν ἀόριστον 7ᵇ28 dist. ἐνέργεια
7ᵇ28, Θ. 3, 48ᵃ32, 69ᵇ15, 71ᵃ7
ἢ ἐν τῇ γεωμετρίᾳ 19ᵇ34, 46ᵃ6 dist.
νοῦς, τέχνη, φύσις 25ᵇ23, 27ᵃ6, 32ᵃ
28, 33ᵇ8, 64ᵃ13, 49ᵇ9 coni. ὕλη
42ᵃ28, ᵇ10, 49ᵃ23, 50ᵃ15, ᵇ27, 60ᵃ
20, 69ᵇ14, 70ᵇ12, 71ᵃ10, 75ᵇ22,
88ᵇ1, 92ᵃ3 τὸ δυνάμει καὶ τὸ
ἐνεργείᾳ ἕν πώς ἐστιν 45ᵇ21 δ.
ἄλογοι, μετὰ λόγου Θ. 2, 50ᵇ33, cf.
47ᵇ31 πῶς τὸ ἄπειρον καὶ τὸ κενὸν
λέγεται δυνάμει 48ᵇ9–17 πότε
δυνάμει ἕκαστον 6ᵇ1 πρότερον
ἐνέργεια δυνάμεως Θ. 8 οὐθὲν δυνά-
μει ἀΐδιον 50ᵇ8 ἅμα τῆς ἀντιφά-
σεως ib. 31, cf. 71ᵇ19 πρότερον δ.
ἐνεργείας 71ᵇ24, cf. 3ᵃ1 — μίας ἐμ-
πειρίας δύναμιν ἀποτελεῖν 981ᵃ1 τρό-
πος τῆς δ. 4ᵇ24 δύναμις = ἐπιστήμη
18ᵃ30, 55ᵃ31, cf. 27ᵃ5 = signifi-
catio 52ᵇ7 αἱ δ. ἐνίων ἀριθμῶν
93ᵇ14
δύνασθαι τὸ αὐτό 11ᵃ7
δυνατὸν ποσαχῶς 19ᵃ33, ᵇ28, Θ. 4,
48ᵃ27 coni. ἐνδέχεται 47ᵃ26,

50ᵇ11 δ. εἶναι 47ᵇ8 πρώτως
δ. 49ᵇ13 ταὐτὸν δ. τἀναντία 51ᵃ6
εἰς τὸ δ. 74ᵇ11 τὸ δ. adv. 78ᵃ
28 v. l.
δύο τὰ πολλὰ τῶν ἀνθρωπίνων 986ᵃ31
δυοποιός 82ᵃ15, 83ᵇ36
δυσκολία = ἀπορία 997ᵇ5, 74ᵇ17
δύσκολον 1ᵇ1
δυστυχεῖς 983ᵃ1
δυσχεραίνειν τι ἑαυτοῖς 984ᵃ29 κατά
τινος 76ᵃ15 τι 88ᵇ30
δυσχέρεια 995ᵃ33, 85ᵇ17, 86ᵃ4, ᵇ12,
90ᵃ8, 91ᵃ37, ᵇ1, 22 λογικαί
5ᵇ22, 87ᵇ20
δυσχερῆ 81ᵇ37, 85ᵇ6, 86ᵇ7, 88ᵇ31
συνάγειν δ. 63ᵇ32

ἐγγύτερον αἴτιον 14ᵃ5
ἐγκέφαλος 13ᵃ6, 35ᵇ26
ἐγρηγορός 48ᵇ1
ἐγρήγορσις 72ᵇ17
ἐγχειρεῖν 0ᵇ32, 5ᵇ2
ἐθέλει εἶναι 13ᵇ27 εἰς ἀδιαίρετα ἐ.
53ᵃ23 v. l.
ἔθνος 981ᵇ25
ἔθος, δι' opp. φύσει 981ᵇ5, cf. 47ᵇ32
κατὰ τὰ ἔ. 994ᵇ32
εἰδέναι 980ᵃ21, 981ᵃ24, 28, 983ᵃ25,
993ᵇ23, 994ᵇ21, 29, 996ᵇ15, 19,
28ᵃ36 syn. ἐπίστασθαι 982ᵃ30,
ᵇ21, 994ᵇ20
εἰδητικός 86ᵃ5, 88ᵇ34, 90ᵇ35
εἶδος opp. ὕλη 988ᵃ3, 50ᵃ15, 69ᵇ34,
70ᵃ2, ᵇ11, 84ᵇ10, cf. 35ᵃ8 τῆς
ὕλης μᾶλλον ὄν, αἴτιον 29ᵃ6, 41ᵇ8
γένος εἰδῶν 991ᵃ31 εἴδη ὡς γένους
57ᵇ7, 58ᵃ22, 79ᵇ34, 85ᵃ24, cf.
998ᵇ24, 30ᵃ12 coni. γένος 999ᵃ4,
23ᵇ18, 24, 25, 38ᵃ7, 57ᵇ7, 59ᵇ37-39
= γένος 58ᵇ26, 31, 71ᵃ27, cf. 58ᵇ
28, 59ᵃ10, 71ᵃ25
τῶν ὄντων λαβεῖν ἐπιστήμην τὸ τῶν
εἰ. λαβεῖν 998ᵇ7 ἀδιαίρετον
κατὰ τὸ εἰ. 999ᵃ3, cf. 2ᵇ24, 16ᵇ32,
18ᵃ13, ᵇ8, 49ᵇ18, 29, 58ᵃ18 syn.
μορφή 999ᵇ16, 15ᵃ5, 17ᵇ26, 33ᵇ5,
44ᵇ22, 52ᵃ23, 60ᵃ22, ᵇ20, cf. 22ᵃᵇ
coni. τὶ ἦν εἶναι, οὐσία 13ᵃ26, 30ᵃ12,
32ᵇ1, 33ᵇ5, 35ᵇ10, 32, 41ᵇ8, 44ᵃ36,
50ᵇ2, 84ᵇ10 coni. λόγος, ὁρισμός
13ᵃ26, 35ᵃ21, 36ᵃ28, ᵇ5, 43ᵃ20,
44ᵇ12, 69ᵃ34, 84ᵇ10 μία ἢ
συνεχείᾳ ἢ εἴδει ἢ λόγῳ 16ᵇ9, cf.
ib. 23 ἕτερα τῷ εἴδει 18ᵃ38, Ι. 8,
9, cf. 54ᵇ28 coni. τόδε τι 17ᵇ26,
49ᵃ35 τελευταῖον εἰ. 18ᵇ5, 61ᵃ24
def. 32ᵇ1 ἄτομον 34ᵃ8 coni.
τέχνη ib. 24, 70ᵃ14 τὸ μὴ γίγνε-
σθαι τὸ εἰ. 34ᵇ8, cf. 43ᵇ17, 44ᵇ22,
69ᵃ35, 70ᵃ15 τὰ τοῦ εἰ. μέρη

Z. 10, 11 τὸ εἶδος ἐκ τοῦ γένους
καὶ τῶν διαφορῶν 39ᵃ26, 57ᵇ7 syn.
ἕξις 44ᵇ33 opp. στέρησις, ib., 70ᵇ
11 — ἐν ὕλης εἴδει 983ᵇ7, 984ᵃ17
—εἴδη Plat. A. 6, 9, 999ᵃ3, B. 6,
28ᵇ20, 31ᵇ14, 15, 36ᵇ15-20, Z. 14,
59ᵃ11, 13, M. 4, 5, 84ᵃ13-29 οἱ
τὰ εἴ. τιθέντες, λέγοντες 9ᵒ8ᵇ1, 990ᵇ
19, 997ᵇ2, 79ᵃ15, cf. 42ᵃ11, 75ᵇ19
τὰ τῶν εἰ. στοιχεῖα 987ᵇ19 εἴ. τῶν
ἀποφάσεων 990ᵇ13, 79ᵃ9 εἴδη
ἔστιν ὁπόσα φύσει 70ᵃ18, cf. 14, 991ᵇ7
εἰ μεθεκτὰ τὰ εἴ. 990ᵇ28 coni.
ἀριθμοί 991ᵇ9, 80ᵇ22, 81ᵃ21, 83ᵇ3,
86ᵃ4, 90ᵇ33, 91ᵇ26 τὰ εἴ. αἰσθητὰ
ἀΐδια 997ᵇ12 ἢ τῶν εἰ. αἰτία 33ᵇ26
πρὸς τὰς γενέσεις καὶ τὰς οὐσίας οὐ
χρήσιμα ib. 28
εἰκάζεσθαι 79ᵇ28 πρός τι 991ᵃ24
εἰκών 991ᵇ1, 79ᵇ35
εἶναι. ᾧ τὸ εἰ. ἕτερον καὶ τῶν κατη-
γοριῶν ἑκάστῃ 29ᵃ22, cf. 52ᵇ15,
75ᵇ5 τὸ ὂν coni. τὸ ἕν 986ᵇ15,
998ᵇ22, 1ᵃ5-ᵇ1, 3ᵇ23, 4ᵇ5, 5ᵃ9,
12, 40ᵇ16, 45ᵇ6, I. 2, 59ᵇ28, 31,
60ᵇ5, 70ᵇ7 οὐκ εἶναι γένος, οὐκ
εἶναι οὐσίαν τῶν ὄντων 998ᵇ22, 1ᵃ5,
5ᵃ9, 40ᵇ18, 45ᵇ6, 59ᵇ31, 70ᵇ7
τὸ ὂν πολλαχῶς 992ᵇ19, 3ᵃ33, Δ. 7,
19ᵃ4, 26ᵃ33, 27ᵇ31, 28ᵃ5, 10, 30ᵃ
21, 42ᵇ25, 51ᵃ34, 60ᵇ32, 64ᵇ15,
89ᵃ7 τὸ ὂν ᾗ ὄν, syn. ὂν ἁπλῶς,
καθόλου, opp. ὄν τι, κατὰ μέρος Γ. 1,
2, 25ᵇ3, 9, 26ᵃ31, 32, 60ᵇ32, 64ᵇ15
τὸ ὂν τὸ κατὰ συμβεβηκός 17ᵃ7, E. 2,
3 τὸ ὡς ἀληθές 17ᵃ31, E. 4,
Θ. 10, 65ᵃ21 τὸ ὂν δυνάμει, ὑλι-
κῶς, opp. ἐντελεχείᾳ 17ᵃ35, 78ᵃ30
κυρίως ὄν 27ᵇ31, cf. 51ᵇ1 πρῶτον
ὂν τὸ τί ἐστι 28ᵃ14, cf. 30 τὸ ὂν
τὸ κατὰ τὰς οὐσίας 89ᵃ32, cf. 34
— μὴ ὄν 69ᵇ19, 72ᵃ20 τὸ μὴ ὂν
εἶναι μὴ ὄν 3ᵇ10 τὸ μὴ ὂν ὡς τὸ
ψεῦδος 26ᵃ35, E. 4, Θ. 10, 89ᵃ28
τὸ μὴ ὂν λέγεται πλεοναχῶς 67ᵇ25,
cf. 51ᵃ34, 69ᵇ27, 89ᵃ26 ἀδύνατον
τὸ μὴ ὂν κινεῖσθαι 67ᵇ30 τὸ μὴ ὄν
Plat. 26ᵇ14, 89ᵃ5-28
εἰπεῖν, ὡς 980ᵃ25, 985ᵇ31, 998ᵇ32,
10ᵃ30, 26ᵇ9, 28ᵇ7, 85ᵇ11, 87ᵇ19
εἰς ὅ 70ᵃ2
εἰσαγωγὴ τῶν εἰδῶν 987ᵇ31
ἔκ τινος 991ᵃ19, 994ᵃ22, Δ. 24, 44ᵃ24,
92ᵃ23
ἐκεῖνος 33ᵃ7, 49ᵃ19, 21
ἐκείνως 1ᵃ9
ἔκθεσις 992ᵇ10, 31ᵇ21, 90ᵃ17
ἔκλειψις 44ᵇ10
ἐκλογὴ τῶν ἐναντίων 4ᵃ2
ἐκμαγεῖον 988ᵃ1

ἐκτιθέναι 86ᵇ10 ἐκτίθεσθαι 3ᵃ10 v.l.
ἐκτοπώτερος 989ᵇ30
ἐκτροπὴ 89ᵃ1
ἐκφέρειν ὅρον 40ᵇ2
ἐκφεύγειν τινί 90ᵇ21
ἑκών 25ᵃ9, 12
ἐλεγκτικῶς ἀποδεῖξαι 6ᵃ12, 15
ἔλεγχος opp. ἀπόδειξις 6ᵃ18, 9ᵃ21
σοφιστικός 32ᵃ7, 49ᵇ33
ἐλεύθερος 982ᵇ26, 75ᵃ19
ἕλικες τοῦ οὐρανοῦ 998ᵃ5
ἕλκεσθαι 91ᵃ10
ἔλλειψις opp. ὑπεροχή 992ᵇ7, 42ᵇ25, 35
ἔμβρυα 14ᵇ22
Ἐμπεδοκλῆς 984ᵃ8, 985ᵃ2-10, 21-ᵇ4,
988ᵃ16, 27, 989ᵃ20-30, 993ᵃ17,
996ᵃ8, 998ᵃ30, 0ᵃ25-ᵇ20, 1ᵃ12,
69ᵇ21, 72ᵃ6, 75ᵇ2, 91ᵇ11 cita-
tur 0ᵃ29-ᵇ16, 9ᵇ18, 15ᵃ1
ἐμπειρία 980ᵇ26—981ᵇ9
ἔμπειρος 981ᵃ29, ᵇ30
ἐμπίπτειν εἴς τι 986ᵃ15, 56ᵃ2, 84ᵃ5
ἐμποιεῖν φαντασίαν 24ᵇ24, 25ᵃ5
ἐμποιητικός 25ᵃ4
ἐμφαίνεσθαι 28ᵃ28, 91ᵃ36
ἔμψυχος 46ᵃ37, 48ᵃ4
ἔν τινι, ποσαχῶς 23ᵃ24
ἕν, τό I. 1-3 κατὰ τὸν λόγον, τὴν
ὕλην, τὴν αἴσθησιν 986ᵇ19, 20, 32
ἀριθμῷ, κατ' εἶδος, κατὰ γένος, κατ'
ἀναλογίαν 999ᵇ25, 33, 2ᵇ24, 16ᵇ31,
33ᵇ31, 39ᵃ28, 54ᵃ34, 60ᵇ29 κατὰ
τὸ συνεχές, ποσόν, ποιόν 14ᵇ25 συν-
εχείᾳ, εἴδει, λόγῳ 16ᵇ9 ἁφῇ,
μίξει, θέσει 82ᵃ20 λόγῳ, ἀριθμῷ
87ᵇ12 ἓν τὸ πᾶν 988ᵇ22 ἓν
ἐπὶ πολλῶν 990ᵇ7, 13, 991ᵃ2, 40ᵇ29
οὐκ ἔστι γένος, οὐσία 998ᵇ22, 1ᵃ5-
ᵇ25, 5ᵃ9, cf. 40ᵇ18, 45ᵇ6, I. 2, 59ᵇ
31, 70ᵇ7 καὶ τὸ ὂν 998ᵇ22, 1ᵃ5-
ᵇ4, 3ᵃ23, 4ᵇ5, 5ᵃ9, 12, 40ᵇ16, 45ᵇ6,
I. 2, 59ᵇ28, 31, 60ᵇ5, 70ᵇ7 ἓν τὸ
ἀδιαίρετον 999ᵃ2, 41ᵃ19 πρὸς ἕν,
καθ' ἕν, καθ' ἑνός, ἓν 3ᵃ33, ᵇ15, 5ᵃ10,
30ᵇ3, 43ᵃ37, 61ᵇ12, 6ᵇ15 ἓν
ἅπαντα ἔσται 6ᵇ17, 36ᵇ20 ποσαχῶς
Δ. 6, 52ᵃ15 ἀρχὴ ἀριθμοῦ καὶ
μέτρον 16ᵇ18, 21ᵃ12, 52ᵇ18, 23,
84ᵇ18, cf. 87ᵇ33 τὸ ἑνὶ εἶναι
16ᵇ18, 41ᵃ19, 52ᵇ3, 16 ἀριθμός,
ὁρισμὸς εἰς 44ᵃ3, 6, H. 6, cf. Z. 12
ἓν καὶ πολλά I. 3, 6, 75ᵃ33, cf. 4ᵃ10,
87ᵇ28 ἓν α 56ᵇ23, 83ᵃ25 dist.
ἁπλοῦν 72ᵃ32 οὐκ ἔστιν ἀριθμός
88ᵃ6 — Pyth. 986ᵃ19, 21, 24,
987ᵃ18, 27, 1ᵃ11, 80ᵇ20, 31 Eleat.
986ᵇ15, 19, 24, 1ᵃ33 Plat. 987ᵇ
21, 988ᵇ2, 992ᵃ8, 1ᵃ11, 80ᵇ6
Anaxag. 989ᵇ17, 69ᵇ21 Emp.
0ᵃ28

ἐναντίον 13ᵇ12, 18ᵃ25-38, 54ᵃ25, ᵇ32,
I. 4, 5, 7, 58ᵇ26, 75ᵇ21-24, 31, 92ᵃ3,
33-ᵇ8 τἀναντία ἀρχαὶ τῶν ὄντων
986ᵇ3, 4ᵇ30, 75ᵃ28-32, ᵇ12, 87ᵃ30
ἀνάγεται τἀν. εἰς τὴν ἀρχὴν ταύτην
4ᵃ1, cf. ᵇ27 ἐκλογὴ τῶν ἐν. 4ᵃ2,
cf. 54ᵃ30 τί ἐστι, ποσαχῶς λέγε-
ται 4ᵇ3, 18ᵃ25 ἐν ἑνὶ ἐναντίον 4ᵇ3,
cf. 55ᵃ20 τῶν ἐ. ἡ ἑτέρα συστοιχία
στέρησις 4ᵇ27, 11ᵇ18, 55ᵇ14, 27,
61ᵃ19, 63ᵇ17 ἐν. εἰπεῖν 11ᵃ16
τἀν. οὐχ ἅμα ὑπάρχειν ἐνδέχεται τῷ
αὐτῷ ᵇ17, cf. 63ᵇ26 coni. ἀπό-
φασις 12ᵃ9 τῶν ἐ. τὸ αὐτὸ εἶδος
32ᵇ2 οὐ πάντα τἀναντία γίγνεσθαι
ἐξ ἀλλήλων 44ᵇ25, cf. 69ᵇ7 ἀσύν-
θετα ἐξ ἀλλήλων 57ᵇ22 ἀπαθῆ ὑπ'
ἀλλήλων 75ᵃ30 coni. πρός τι 56ᵇ
36, 57ᵃ37 ἐκ τῶν ἐ. τὰ μεταξύ
I. 7 τὰ ἐ. τῆς αὐτῆς ἐπιστήμης
61ᵃ19, cf. 996ᵃ20, 78ᵇ26 μηθὲν
οὐσίᾳ ἐ. 68ᵃ11 ἐ. κατὰ τόπον ᵇ30
dist. ἀντικείμενα 69ᵇ5 οὐ τὰ ἐν.
μεταβάλλει ib. 6 ὕλην ἔχει 75ᵇ22,
87ᵇ1 τὰ ἐναντίως διαφέροντα 57ᵇ11
ἐναντιότης 995ᵇ22, 55ᵃ16-ᵇ15, 58ᵃ
11, 63ᵇ17 dist. διαφορά, ἑτερότης,
ἀντίφασις, στέρησις, πρός τι 4ᵃ20,
55ᵇ1 διὰ τί ἡ μὲν ποιεῖ τῷ εἴδει
ἕτερα ἐναντίωσις ἢ δ' οὔ I. 9
ἐναντιοῦσθαί τινι 990ᵇ22, 79ᵃ18
ἐναντίως διαφέροντα 57ᵇ11
ἐναντιώσεις 986ᵇ1, 63ᵇ28, 69ᵇ6, 13
ἐν τῇ οὐσίᾳ ἐ. ἔχειν 18ᵇ3 = ἐναν-
τιότης I. 3, 4, 58ᵃ8 πρῶται ἐ. τοῦ
ὄντος 61ᵃ12, ᵇ13, cf. ᵇ5 αἰσθη-
ταὶ ἐ. ᵃ32 πολλὰς ὑπομένειν ἐ.
90ᵃ2
ἐνάριθμος 991ᵇ22
ἐναύξεται Emp. 9ᵇ19
ἑνδεκάς 84ᵃ26
ἐνδέχεσθαι. ὡς ἐφ' ὅσον ἐνδέχεται 982ᵃ
9, 26ᵇ25 τὰς ἐνδεχομένας ἀπορίας
988ᵇ21 τὸ ἐνδεχόμενον = ἐφ'
ὅσον ἐνδέχεται 9ᵇ34 coni. δυνατόν
47ᵃ26, 50ᵇ11
ἐνδιατρίβειν περί τινος 989ᵇ27
ἕνεκα. οὗ ἕνεκα 44ᵃ36 = τὸ ἀγαθόν
982ᵇ10, 983ᵃ32, 996ᵃ24, ᵇ12, 13ᵃ
21, ᵇ25, 44ᵇ12, 59ᵃ36 coni.
τέλος, ἀρχή 994ᵇ9, 13ᵃ33, ᵇ26, ᵃ21,
50ᵃ8 τινὶ καὶ τινός 72ᵇ2 τὸ
ἕνεκά του 65ᵃ26
ἐνέργεια Θ. 6-9, K. 9 coni. οὐσία,
εἶδος, λόγος, etc. 42ᵇ10, 43ᵃ23, 35,
50ᵇ2, 43ᵃ20, 32, ᵇ1, 50ᵃ16, 71ᵃ8,
43ᵃ12, 25, 28, 30, 51ᵃ31 opp.
ὕλη 43ᵃ6, 12, 45ᵃ35, 71ᵇ22, 76ᵃ10
opp. δύναμις 43ᵃ18, 65ᵇ16, 69ᵇ16,
71ᵃ6, 11, ᵇ20, 22 dist. ἐντελέχεια

47ᵃ30, 50ᵃ22 dist. κίνησις 48ᵇ28
πρότερον δυνάμεως Θ. 8, 9 dist.
ἔργον 50ᵃ22 ἄλλη ἄλλης ὕλης
43ᵃ12 τὸ δυνάμει καὶ τὸ ἐνεργείᾳ
ἐν πως 45ᵇ21 ἐνεργείᾳ, opp. γνώσει,
χωριστόν 48ᵇ15 ἡδονὴ ἡ ἐ. 72ᵇ16
ἐνεργεῖν 72ᵃ11, 13 τὰ ἐνεργοῦντα
καὶ τὰ καθ' ἕκαστον 14ᵃ21
ἐνία ψυχή 26ᵃ5
ἐνίζειν 986ᵇ21
ἐνίστασθαί τι 62ᵇ10
ἐννόημα 981ᵃ6
ἐννοίας χάριν 73ᵇ12
ἐνοποιὸς λόγος 45ᵇ17
ἑνότης 18ᵃ7, 23ᵇ36, 54ᵇ3
ἐνοχός τινι 9ᵇ17, 76ᵃ14, 90ᵃ31
ἐνταῦθα, τὰ ἐ. 990ᵇ34, 991ᵇ13, 2ᵇ17
ἐντελέχεια opp. δύναμις 7ᵇ28, 15ᵃ19,
17ᵇ1 ἀπελθόντα ἐκ τῆς ἐ. 36ᵃ7
opp. ὕλη 38ᵇ6, 78ᵃ30 ἡ ἐ. χωρίζει
39ᵃ7 syn. οὐσία, φύσις 44ᵃ9
coni. ἐνέργεια 47ᵃ30, 50ᵃ22, 65ᵇ22
ἔντευξις 9ᵃ17
ἐντραφῆναι 985ᵇ25
ἐνυπάρχειν 986ᵇ7, 13ᵃ4, 7, 24, 14ᵃ26,
ᵇ15, 18, 70ᵇ22, 92ᵃ30 ὁ ἐκ τῶν
ἐνυπαρχόντων λόγος 43ᵃ20
ἐξαιρεῖν 994ᵇ12, 43ᵇ12, 47ᵃ14
ἐξανθεῖν 10ᵃ10
ἑξῆς 68ᵇ31—69ᵃ7
ἕξις opp. ὑποκείμενον 983ᵇ15 coni.
πάθος 986ᵃ17, 15ᵇ34 = σώματος
διάθεσις 9ᵇ18 opp. στέρησις 18ᵃ34,
19ᵇ7, 8, 55ᵃ33, ᵇ13 ποσαχῶς Δ.
20 coni. εἶδος, φύσις 44ᵇ32, 70ᵃ12
ἡ τοῦ εἴδους ἕ. 55ᵇ12 ἐ. ἀπαθείας
46ᵃ13
ἐξίστασθαι 9ᵇ29
ἔξω λαβεῖν τι 21ᵇ13, 55ᵃ12 ἐ. ὃν
καὶ χωριστόν 65ᵃ24, cf. 28ᵃ2 ἐξω-
τέρω 55ᵃ25
ἐξωσθεὶς 25ᵃ27
ἐξωτερικοὶ λόγοι 76ᵃ28
ἐπάγειν 989ᵃ33
ἐπαγωγὴ 25ᵇ15, 64ᵃ9 dist. ἀπόδειξις,
ὁρισμός 992ᵃ33, 48ᵃ36 λαμβάνειν
διὰ τῆς, δῆλον ἐκ τῆς ἐ. 25ᵃ10, 54ᵇ33,
55ᵇ6, ᵇ17, 58ᵃ9
ἐπαίειν 981ᵃ24 περί τινος 996ᵇ34,
4ᵇ10
ἐπακτικοὶ λόγοι 78ᵇ28
ἐπάλλαξις τῶν δακτύλων 11ᵃ33
ἐπαναβῆναι 990ᵃ6
ἐπαναδιπλοῦσθαι 3ᵇ28
ἐπαναλαβόντες εἴπωμεν 35ᵇ4
ἐπανέρχεσθαι 38ᵇ1
ἐπεισοδιώδης 76ᵃ1, 90ᵇ19
ἐπεκτείνειν 14ᵇ17, 28ᵇ7
ἐπέρχεσθαι 986ᵃ13, 995ᵃ24 περί
τινος 38ᵇ8, 42ᵃ25 τι 89ᵇ2

ἕπεσθαι. τὰ ἑπόμενα 84ᵃ33   ἑπομέ-
νως 23ᵃ24, 30ᵃ22
ἐπέχειν 5ᵃ26
ἐπί τινος 993ᵇ17, 996ᵇ21, 999ᵃ7, ᵇ27,
2ᵇ21   ἐν ἐπὶ πολλῶν 990ᵇ7, 13, 991ᵃ
2, 40ᵇ29   ἐπὶ τῶν καθ᾽ ἕκαστα 0ᵃ1,
35ᵇ28   ἐπὶ τοῦ πάσχειν 19ᵃ26,
47ᵇ35   ἐπὶ κυνί 26ᵇ33   ἐπὶ πλέον,
ἐπὶ τὸ πολύ, ἐφ᾽ ἕν ν. πολύ,
συνεχές
ἐπιβάλλειν τινί 993ᵇ2   τι 53ᵃ35
ἐπιβλέπειν σφόδρα 33ᵃ21   τι 79ᵇ3
ἐπιγίγνεσθαι 987ᵃ29, 35ᵃ12, 36ᵃ31, ᵇ6
ἐπιζητεῖν 988ᵃ16
ἐπιθυμεῖν 48ᵃ21   ἐπιθυμητόν 72ᵃ27
ἐπιλείπειν 84ᵃ13
ἐπιμελεῖσθαι 8ᵇ28
ἐπιμελές 26ᵇ4
ἐπιμήνια 71ᵇ30
ἐπιμόριον 21ᵃ2
ἐπίπεδον 16ᵇ27, 28. 76ᵇ5-35, 79ᵇ10
σχῆμα ἐ. 24ᵇ1, 45ᵃ35, 79ᵇ5
ἐπιπολαίως 987ᵃ22   ἐπιπολαιότερον
993ᵇ13
ἐπίπονος 50ᵇ26
ἐπισκέψασθαι 4ᵇ16, 5ᵇ7
ἐπίσκεψις 983ᵇ2, 989ᵇ27
ἐπισκοπεῖν καθόλου, κατὰ μέρος 3ᵃ23,
5ᵃ29   περί τινος 37ᵇ28
ἐπίστασθαι syn. εἰδέναι 982ᵃ30, ᵇ21,
994ᵇ20, 8ᵇ27, 30
ἐπίστασις 89ᵇ25
ἐπιστήμη 981ᵃ2, 3, ᵇ26   ἀρχικωτέρα,
ὑπηρετοῦσα, etc. 982ᵃ14-17, ᵇ4, 27,
31, 983ᵃ5, 996ᵇ10   τῶν ἐξ ἀρχῆς
αἰτίων ἐπιστήμη 983ᵃ25, cf. 25ᵇ6
ἀπ᾽ ἐπιστήμης 985ᵃ16   ἐπιστήμης
περὶ τῶν αἰσθητῶν οὐκ οὔσης 987ᵃ34
οἱ λόγοι οἱ ἀπὸ τῶν ἐπιστημῶν 990ᵇ12
ὅπερ ταῖς ἐπιστήμαις αἴτιον 992ᵃ29
τῶν ὄντων λαβεῖν ἐπιστήμην τὸ τῶν
εἰδῶν λαβεῖν 998ᵇ7, cf. 31ᵇ6   opp.
αἴσθησις 999ᵇ3   καθόλου 3ᵃ15,
59ᵇ26, cf. 60ᵇ20, 86ᵇ37, 87ᵃ11-25
διανοητική 25ᵇ6   πρακτική, ποιη-
τική, θεωρητική 25ᵇ18-26, 64ᵃ16-19,
cf. 982ᵃ9   ποιητικαὶ ἐπιστῆμαι 46ᵇ3,
75ᵃ1   οὐ τοῦ συμβεβηκότος 26ᵇ4,
27ᵃ20, 64ᵇ31, 65ᵃ4, 77ᵇ34   opp.
δόξα 39ᵇ32 coni. λόγος 46ᵇ7, 59ᵇ26,
77ᵇ28   μέτρον τῶν πραγμάτων 53ᵃ31,
57ᵃ9   ἤ ἐ. περὶ ἓν γένος ἤ μία 55ᵃ32,
cf. 3ᵇ13 coni. ἐπιστητόν 56ᵇ36, 57ᵃ
8-12   τἀναντία τῆς αὐτῆς ἐ. 61ᵃ19,
78ᵇ26, cf. 996ᵃ20, 4ᵃ9   opp.
ἄγνοια 75ᵇ21-24   ἐ. διττόν 87ᵃ15
ἐπιστημονικός 39ᵇ32
ἐπιστήμων 48ᵃ34
ἐπιστητόν 982ᵇ2, 996ᵇ13, 3ᵃ14, 21ᵃ29,
56ᵇ36, 57ᵃ8-12

ἐπιτιθέναι τέλος 42ᵃ4
ἐπιτιμᾶν 56ᵃ31
ἐπιτίμησις 91ᵃ30
ἐπιφάνεια 2ᵃ4, 19ᵃ1, 20ᵃ14, 22ᵃ30,
29ᵇ17-21, 60ᵇ15   ἐ. πρῶται 60ᵇ13
ἐπιφέρειν τὸ ἐναντίον 12ᵃ9
Ἐπίχαρμος 10ᵃ6, 86ᵃ17
ἐπιχειρεῖσθαι pass. 85ᵇ6
ἔπος hexam. 93ᵃ30
ἑπτά Pyth. 93ᵃ13
ἐρᾶν. ἐρώμενον 72ᵇ3
ἔργον opp. ὄργανον 13ᵇ3   dist. ἐνέρ-
γεια 50ᵃ23   πρὸ ἔργου 31ᵃ16
ἐριστικοὶ λόγοι 12ᵃ19
Ἑρμῆς 73ᵇ32   ἐν τῷ λίθῳ 2ᵃ22,
17ᵇ7, 48ᵃ33, cf. 50ᵃ20
Ἑρμότιμος 984ᵇ19
ἔρος Hes. 984ᵃ29
ἔρως Parm. 984ᵇ24, 27, 988ᵃ34
ἐσχάτη δόξα 5ᵇ33   ἐ. ὑποκείμενον,
ὕλη, εἶδος 16ᵃ23, 17ᵇ24, 35ᵇ30, 69ᵇ
36, cf. 14ᵃ29, 33   syn. ἄτομον
59ᵇ26, 35   ἐσχατώτερος 55ᵃ20
ἔσχατον adv. 983ᵃ28
ἑταῖρος 985ᵇ4
ἑτερόμηκες Pyth. 986ᵃ26
ἕτερον ποσαχῶς 18ᵃ9, 54ᵇ14-23   τῷ
εἴδει 18ᵃ38-ᵇ7, I, 8, 9   τῷ γένει
24ᵇ9-16
ἑτερότης 18ᵃ15, 54ᵇ23, 58ᵃ7   dist.
διαφορά 4ᵃ21
ἑτερόφθαλμος 23ᵃ5
ἑτέρως 48ᵃ30
εὖ, τό 988ᵃ14, 92ᵇ26, 93ᵇ12
εὐδαιμόνηκεν 48ᵇ26
Εὔδοξος 991ᵃ17, 73ᵇ17, 79ᵇ21
εὔηθες 62ᵇ34   εὐήθως 24ᵇ32
Εὔηνος 15ᵃ29
εὐθύ 986ᵃ25, 93ᵇ13, 19
εὐθύγραμμος 54ᵃ3
εὐθύς 4ᵃ5, 31ᵇ31, 45ᵃ36
εὐθυωρία 994ᵃ2
εὔιατος 9ᵃ19
εὐκίνητος λόγος 991ᵃ16, 79ᵇ20
εὐλόγιστος ἀριθμός 92ᵇ27
εὔλογος 991ᵇ26, 999ᵇ13, 0ᵃ23, 60ᵃ18,
74ᵇ28, 77ᵃ22, 85ᵃ15, 91ᵃ7, ᵇ20
οὐκ εὖ. 996ᵇ33, 997ᵃ18, 19, 998ᵃ
11   dist. ἀναγκαῖον 74ᵃ16, 81ᵇ4,
cf. 0ᵇ31, 74ᵃ24, 81ᵃ37, ᵇ2   εὐλό-
γως 989ᵃ26, 78ᵇ23, 86ᵃ12, 88ᵃ6,
ᵇ30   εὐ. συμπίπτει, λύεται, συμ-
βέβηκε 26ᵇ13, 75ᵃ31, 80ᵇ10
εὐμετακίνητος 19ᵃ28
εὐνοῦχος 19ᵇ19
εὐόριστος 56ᵇ13
εὐπορεῖν 995ᵃ27, 91ᵃ30   τινός 996ᵃ16
εὐπορία 995ᵃ29
εὐρύστερνος Hes. 984ᵇ28
Εὔρυτος 92ᵇ10

εὐτέλεια τῆς διανοίας 984ᵃ4
εὐφυές 3ᵇ3   εὐφυῶς 987ᵇ34
εὐχερής 25ᵃ2, 90ᵇ14
ἐφαρμόττειν 986ᵃ6
ἐφεξῆς 4ᵃ9, 68ᵇ33—69ᵃ14, 69ᵃ20
dist. πρὸς ἕν, ἕν 5ᵃ11, 27ᵇ24 arithm.
80ᵃ20, 85ᵃ4
ἐφιστάναι τὴν διάνοιαν, σκέψιν 987ᵇ3,
90ᵃ2   ἐπισταθεῖσα ὀρθή 51ᵃ28
ἔχειν ποσαχῶς Δ. 23   ἔχων· 72ᵇ23
ἐχόμενος 4ᵃ4, 28ᵇ26, 37ᵇ32, 60ᵇ12,
69ᵃ1, 5

ζ 993ᵃ5   συμφωνία 93ᵃ20
Ζεύς 73ᵇ34, 91ᵇ6
ζῆν ταῖς φαντασίαις opp. τέχνῃ 980ᵇ26
τὸ θερμὸν τῷ ὑγρῷ 983ᵇ24   def.
45ᵇ12
Ζήνων 1ᵇ7
ζήτησις 983ᵃ22
ζῴδιον 73ᵇ20, 29
ζωὴ τοῦ θεοῦ 72ᵇ26–30
ζῷον Ζ. 14, 74ᵇ6   ζῷα ἔνια διαιρούμενα ζῇ 40ᵇ13

ἤ obicientis 29ᵇ29, 70ᵇ10, 75ᵃ6
respondentis 30ᵃ3, 31ᵃ24, 33ᵇ21,
58ᵃ36, 74ᵇ38   corrigentis 43ᵃ9
ἤ 65ᵇ23
ἡγεμονικωτάτη ἐπιστήμη 996ᵇ10
ἤδη 22ᵇ19
ἡδονὴ ἢ ἐνέργεια 72ᵇ16
ἠθικά 981ᵇ25, 987ᵇ1   ἠ. ἀρεταί 78ᵇ18
ἡλικία opp. ἔργα 984ᵃ12
ἥλιος 71ᵃ15, 73ᵇ17, 22, 35, 74ᵃ12
ἡμικύκλιον 35ᵇ9, 10   ἢ ἐν ἡ. 51ᵃ27
ἡμιόλιον 12ᵃ12, 21ᵃ1
ἡμίονος 33ᵇ33, 34ᵃ2, ᵇ3
ἡμίσεια ἐν τῇ ὅλῃ 48ᵃ33, cf. 17ᵇ7
Ἡρακλεῖδαι 58ᵃ24
Ἡρακλείτειοι δόξαι, λόγοι 987ᵃ33, 78ᵇ
14
ἡρακλειτίζειν 10ᵃ11
Ἡράκλειτος 984ᵃ7, 5ᵇ25, 10ᵃ13, 12ᵃ24,
34, 62ᵃ32, 63ᵇ24
ἠρέμα syn. μόλις 19ᵃ31   ἠ. γνώριμα
29ᵇ9
ἠρεμεῖν 10ᵃ36, 12ᵇ23   ἠρεμοῦν 986ᵃ
25
ἠρέμησις 13ᵃ30
Ἡσίοδος 984ᵇ23, 989ᵃ10, 0ᵃ9   citatur 984ᵃ27
ἡττᾶσθαι ὑπὸ τῆς ζητήσεως 984ᵃ30

Θαλῆς 983ᵇ20, 984ᵃ2
Θαργήλια 23ᵇ11
θαῦμα 983ᵃ14
θαυμάζειν 982ᵇ12
θαυμαστόν 63ᵃ36, 82ᵇ21
θεᾶσθαι 86ᵃ31

θεῖον 26ᵃ20, 64ᵃ37, 72ᵇ23   εἰ πέφυκε φθονεῖν τὸ θ. 983ᵃ1   περιέχει
τὸ θ. τὴν ὅλην φύσιν 74ᵇ3   τὰ θεῖα
26ᵃ18   θειοτάτη ἐπιστήμη 983ᵃ5
τῶν φαινομένων θειότατον 74ᵇ16
θείως εἰρῆσθαι 74ᵇ9
θεμέλιος 13ᵃ5
θεολογεῖν 983ᵇ29
θεολογική 26ᵃ19, 64ᵇ3
θεολόγοι 0ᵃ9, 71ᵇ27, 75ᵇ26, 91ᵃ34
θεός 983ᵃ6, 72ᵇ25, 29, 30   ἀρχή τις
983ᵃ8   τὸ ἐν ὁ θ. Xen. 986ᵇ24
ὁ θ. Emp. 0ᵃ29   θεοί 997ᵇ10,
74ᵇ2–9
θέρμανσις 67ᵇ12
θερμαντικός 20ᵇ29
θερμαντός 20ᵇ29
θερμός. τὸ θ. Parm. 987ᵃ1   ὡς εἶδος
τὸ θ. 70ᵇ12
θερμότης 32ᵇ8, 34ᵃ26, 27
θέσις math. 985ᵇ15, 16ᵇ26, 22ᵃ23, ᵇ2,
42ᵇ19, 77ᵇ30, 82ᵃ21, 85ᵇ12   log.
32ᵃ7, 63ᵇ32, 84ᵃ9
θετός 16ᵇ30
θεωρεῖν περί τινος 983ᵃ33, 3ᵇ35, 4ᵇ1,
etc. τεθεώρηται ἱκανῶς, τεθεωρήσθω
983ᵃ33, 4ᵃ1   θ. τὰς δυσχερείας,
τὸν λόγον, etc. 995ᵃ33, 64ᵃ26, 997ᵃ
15, 998ᵃ10, 999ᵃ25, 4ᵃ1, 10, 76ᵃ13,
78ᵃ21, 86ᵃ26   τὰ καθ' αὑτὰ συμβεβηκότα 997ᵃ20–33, 3ᵃ25, cf. 80ᵃ
13   φορτικῶς 1ᵇ14   syn. ἐπισκοπεῖν 3ᵃ21, cf. 23   τὸ ὂν ᾗ ὄν 3ᵃ21,
5ᵃ3, cf. 3ᵇ15   περί τι 27ᵇ28   ἔκ
τινος 38ᵇ34   opp. ἐπιστήμων 48ᵃ34,
cf. 50ᵃ12, 14   τὰς ἀρχὰς 61ᵇ19,
cf. 996ᵇ25, 59ᵃ24   τοῦ θ. ἕνεκα
91ᵃ28
θεώρημα 83ᵇ18, 90ᵃ13, ᵇ28, 93ᵇ15
θεωρητική 993ᵇ20, E. 1, 75ᵃ2   τινος
982ᵃ29, 5ᵃ16   περί τι θεωρητικός 5ᵃ35, 25ᵇ26, 61ᵇ11
θεωρία 989ᵇ25, 993ᵃ30, 5ᵃ29, 61ᵃ29
τὸ ἥδιστον καὶ ἄριστον 72ᵇ24
θῆλυ 988ᵃ5, 24ᵃ35, I. 9   Pyth. 986ᵃ
25
θηρεύειν τἀληθές 63ᵃ14   ἔκ τινος
84ᵇ24
θιγεῖν τῆς φύσεως 986ᵇ23, cf. 988ᵃ23,
ᵇ18, 0ᵃ16   coni. φάναι, νοεῖν
51ᵇ24, 72ᵇ21
θλαστόν 46ᵃ25
θρυλεῖν 12ᵇ14, 76ᵃ28
θύρα 993ᵇ5

ἴασις 9ᵃ21
ἰατρευόμενος 19ᵃ18
ἰατρικός 3ᵇ1–4, 60ᵇ33—61ᵃ5, 70ᵃ30,
ᵇ33
ἰδέα Plat. 987ᵇ8, A. 9, 31ᵃ31–ᵇ16,

39ᵇ12, 70ᵃ28, M. 1, 4, 5, 83ᵇ34—
84ᵃ26, 86ᵃ26–ᵇ7, 91ᵇ28, 29   οἱ τὰς
ί. αἰτίας τιθέμενοι, λέγοντες, etc. 990ᵃ
34, 90ᵃ16, ᵇ20, 36ᵇ14, 39ᵃ25, 73ᵃ19,
86ᵃ31, ᵇ14, 78ᵇ12   ί. τῶν πρός τι
990ᵇ16, 79ᵃ12   οὐδεμίαν ἔστιν ὁρί-
σασθαι 40ᵃ8   χωριστή ib. 9, 86ᵃ33
πᾶσα μεθεκτή 40ᵃ27   καθόλου 42ᵃ
15, 86ᵃ33   coni. ἀριθμοί 76ᵃ20, 80ᵇ
12, 81ᵃ7, 90ᵇ37   τὰ μετὰ τὰς ἰδέας
80ᵇ25   — τὸ σχῆμα τῆς ί. 29ᵃ4
ἴδιος 990ᵃ18, 10ᵇ3, 16, 64ᵇ22   ί. πάθη
4ᵇ11, 15, 16   ὡς ί. ὑπάρχειν 38ᵇ23
ὑποθέσεις, δόξαι 86ᵃ10, 90ᵇ29   ἰδίᾳ
42ᵃ7   ἰδίως 61ᵇ18
Ἰλιὰς τῷ συνεχεῖ ἕν 30ᵇ9, cf. ᵃ9, 45ᵃ13
ἱμάτιον 29ᵇ27—30ᵃ2, 45ᵃ26
Ἵππασος 984ᵃ7
Ἵππων 984ᵃ3
ἰσάζεσθαι pass. 81ᵃ25
ἰσάκις ἴσον 93ᵇ13
ἰσάριθμος 93ᵃ30
ἰσαχῶς 13ᵃ16, 54ᵃ14
ἰσογώνιος 54ᵇ2
ἰσόπλευρον 16ᵃ31
ἴσος def. 21ᵃ12, 56ᵃ2, 82ᵇ7.   πῶς
ἀντίκειται τῷ μεγάλῳ καὶ τῷ μικρῷ
I. 5   τὸ ί. Plat. 75ᵃ33, 87ᵇ5 v. l.
ἴσως caute asseverantis 9bᵇ7ᵃ26, 995ᵃ
17, 5ᵃ6, 10, 15ᵇ33, 26ᵃ15
ἰσοσκελές 16ᵃ31
ἰσότης 4ᵇ11, 54ᵇ3
ἱστάν 70ᵇ25   ἵστασθαι 999ᵇ8, 0ᵇ28,
70ᵃ4
ἰσχναίνειν 48ᵇ19, 27
ἰσχνασία 13ᵇ1, 48ᵇ19, 29
ἰσχὺς διαλεκτική 78ᵇ25
Ἰταλικοί 987ᵃ10, 31, 988ᵃ26
Ἴωνες 24ᵃ33

καθέζεσθαι 47ᵃ15, 16
καθεύδειν 10ᵇ8
καθόλου dist. γένος 992ᵇ12, 15ᵇ28, 28ᵇ
34 coni. κατὰ πάντων, κοινόν,
ὅλως 999ᵃ20, 3ᵃ8, 23ᵇ29   opp.
καθ' ἕκαστον, ἔσχατον, κατὰ μέρος,
ἐπὶ μέρους, στοιχεῖον 0ᵃ1, 18ᵇ33,
71ᵃ28, 59ᵇ26, 60ᵇ32, 84ᵇ14   πό-
τερον αἱ ἀρχαὶ καθόλου 3ᵃ7, 60ᵇ19–
23, 69ᵃ27, M. 10, cf. 71ᵃ20   τὰ
κ. οὐκ οὐσίαι 3ᵃ8, Ζ. 13, 53ᵇ16, 60ᵇ
21, 87ᵃ2, cf. 69ᵃ26, 27, 71ᵃ20
καθ' αὑτὰ ὑπάρχει 17ᵇ35   def. 23ᵇ
29, 38ᵇ11   τῷ κ. αἱ ἰδέαι συνάπ-
τουσιν 42ᵃ15, 86ᵃ32   ἐπιστήμη
τῶν κ. 59ᵇ26, 60ᵇ20, 87ᵃ17, cf. 999ᵃ
28, 3ᵃ13, 36ᵃ28, 86ᵇ5
καί explicative 13ᵃ7, 20ᵇ3, 38ᵃ7, 49ᵃ
9, 72ᵇ22, 89ᵇ3, etc.
καινοπρεπεστέρως 989ᵇ6

καιρός Pyth. 985ᵇ30, 990ᵃ23, 78ᵇ22
ἔχει τινὰ καιρόν 43ᵇ25
κακοπαθεῖν 93ᵇ26
κακός.   τὸ κ. σημαίνει τὸ ποιόν 20ᵇ23,
cf. ib. 13   τὰ κακά, τὸ κακόν 51ᵃ
15–21, 75ᵇ7   πλείω τὰ κ. τῶν
ἀγαθῶν 985ᵃ2   Pyth. 986ᵃ26   τὸ
κ. θάτερον τῶν στοιχείων Acad. 75ᵃ
35, cf. ib. 37, 84ᵃ35, 91ᵇ34
Καλλίας 981ᵃ8, etc.
Κάλλιππος 73ᵇ32
καλόν syn. ἀγαθόν 13ᵃ22, 91ᵃ30 dist.
ἀγαθόν 78ᵃ31–ᵇ5   φαινόμενον κ.,
ὂν κ. 72ᵃ28   Pyth. 93ᵇ13   τὸ
κάλλιστον μὴ ἐν ἀρχῇ εἶναι 72ᵇ32
καμπή 40ᵇ13
κάμπτειν. κεκαμμένη γραμμή 16ᵃ12
καμπύλον 986ᵃ25
καμπυλότης 37ᵇ2
κάμψις 16ᵃ10
κανών 998ᵃ3
καρδία 13ᵃ5, 35ᵇ26, 44ᵇ17
κατά τι λέγεσθαι 987ᵇ9, 998ᵇ8, 4ᵃ19,
18ᵃ36, 19ᵃ12   —καθ' ἕκαστον.
αἱ γενέσεις περὶ τὸ καθ' ἕ. εἰσιν 981ᵃ
17   εἴτε μὴ ἔστι τι παρὰ τὰ κ. ἕ.
999ᵃ26, cf. 60ᵃ3   τί 999ᵇ33
πότερον αἱ ἀρχαὶ ὡς τὰ καθ' ἕκαστα
3ᵃ7, 71ᵃ20, 86ᵇ21   syn. ἐνεργοῦντα
14ᵃ21, cf. 13ᵇ36   κατὰ τὴν αἴ-
σθησιν πρότερα 18ᵇ33   μᾶλλον οὐσίαι
69ᵃ29   —καθ' ἕτερον, ἄλλο 13ᵇ7,
39ᵇ10, 49ᵃ25   — καθ' αὑτό 990ᵇ
21, 20ᵃ14–26, 22ᵃ24–36, 29ᵇ14, 16,
29, 30ᵇ22, 31ᵃ28   κ. αὑ. καὶ πρῶτα
31ᵇ13   —καθ' ὅ Δ. 18, 32ᵃ22
τὸ καθ' οὗ 7ᵃ34, 49ᵃ28
καταλελειμμένα 74ᵇ2
καταλλήλως 41ᵃ33 v.l.
καταμετρεῖν 23ᵇ15
καταμήνια 44ᵃ35
καταναλίσκειν τι εἴς τι 990ᵃ3
κατανοεῖν 52ᵇ1
κατασκευάζειν γένεσιν, οὐσίας, etc. 984ᵇ
25, 60ᵃ18, 991ᵇ28, 80ᵇ18
καταφάναι 7ᵇ21, 11ᵇ20
κατάφασις dist. φάσις 51ᵇ24
κατηγορεῖν ἐπί τινος 998ᵇ16, 24, 999ᵃ
15   κατά τινος 999ᵃ20, 23ᵇ31,
60ᵇ5   τὰ κατηγορούμενα 70ᵇ1, cf.
28ᵃ13
κατηγόρημα 28ᵃ33, 53ᵇ19
κατηγορία 4ᵃ29, 18ᵃ38, 29ᵃ22, ᵇ23,
32ᵃ15, 34ᵇ10, 47ᵃ34, 65ᵇ48,
88ᵃ23, 89ᵃ27, ᵇ24   σχῆμα, σχή-
ματα τῆς κ. 16ᵇ34, 17ᵃ23, 24ᵇ13,
26ᵃ36, 51ᵃ35, 54ᵇ29   συστοιχία
τῆς κ. 54ᵃ35, 58ᵃ14
καττίτερος 43ᵇ28, 54ᵇ12
κάτω 992ᵃ18, 994ᵃ19

φ. ἄνευ τοῦ φθείρεσθαι 43ᵇ15, cf. 27ᵃ
29 τὸ φ. καὶ τὸ ἄφθαρτον I. 10
τὰ φθαρτά 992ᵇ17, 0ᵃ6
φθέγγεσθαι 8ᵇ8
φθείρεσθαι 0ᵃ22, 27ᵃ30, 43ᵇ15
ἅπαντα φ. εἰς ταῦτ' ἐξ ὧν ἔστιν 0ᵇ25
φθίσις 69ᵇ11
φθονεῖν 982ᵇ32
φθορά 994ᵇ6, 0ᵃ27, 67ᵇ24, 69ᵇ11
τοῦ ἐκ τούτων μόνου φ. ἔστι 42ᵃ30,
cf. 70ᵃ15 κατὰ στέρησιν καὶ
φθοράν 44ᵇ33, cf. 45ᵃ1
φιλεῖν ἀμφοτέρους 73ᵇ16
φιλία Emp. 985ᵃ3, 24, 988ᵃ33, 996ᵃ8,
4ᵇ33, 72ᵃ6, 75ᵇ2, 6
φιλόμυθος 982ᵇ18
φιλοσοφεῖν 982ᵇ13, 983ᵇ2, 4ᵇ9, 9ᵇ37
οἱ πρῶτοι φιλοσοφήσαντες 982ᵇ11,
983ᵇ6
φιλοσοφία 983ᵇ21, 987ᵃ29, 31, 992ᵃ
32, 993ᵇ20, 4ᵃ3, 74ᵇ11 dist.
σοφιστική, διαλεκτική 4ᵇ21–26 τρεῖς
φ. θεωρητικαί 26ᵃ18 πρώτη φ.
ib. 24, 30, 61ᵇ19 = θεολογική
61ᵇ5, 25
φιλόσοφος 982ᵇ18, 3ᵇ19, 4ᵃ6, 34, ᵇ1,
16, 18, 5ᵃ21, ᵇ6, 11, 60ᵇ31 = θεο-
λόγος 61ᵇ10
φιλότης Emp. 0ᵇ11
φλεγματώδης 981ᵃ11
φοινικοῦν 57ᵃ25
φορά 69ᵇ12, 72ᵇ5 κινητὰ φορᾷ 69ᵇ
26 πρώτη τῶν μεταβολῶν 72ᵇ8
φοραὶ τῶν πλανήτων Λ. 8 ἁπλῆ φ.
73ᵃ29
φορτικῶς θεωρεῖν 1ᵇ14
φρέαρ 8ᵇ15
φροιμιάζεσθαι 995ᵇ5
φρόνησις 982ᵇ24, 9ᵇ13, 32, 78ᵇ15
φρόνιμος 980ᵇ21, 22
Φρῦνις 993ᵇ16
φύεσθαι 14ᵇ20
φυσικὸς τρόπος 995ᵃ16 φ. = φυσιο-
λόγος 5ᵃ31, 34, 26ᵃ5, 37ᵃ16, 67ᵃ6,
71ᵇ27, 75ᵇ27, 78ᵇ19 γενέσεις
φ. 32ᵃ16 φ. οὐσίαι 42ᵃ8, 44ᵇ6
ἡ φυσική 995ᵃ18, 5ᵇ1, 25ᵇ19, 26,
26ᵃ6, 12, 37ᵃ14, 59ᵇ16, 61ᵇ6, 28,
69ᵃ34 φ. σώματα 28ᵇ10, 90ᵃ32,
cf. 25ᵇ34 τὰ φ. opp. τὰ ἀπὸ δια-
νοίας 70ᵇ30 τὰ φ. = ἡ φ. πραγματεία
993ᵃ11, 42ᵇ8, 59ᵃ34, 62ᵇ31, 73ᵃ32,
76ᵃ9 φυσικῶς λέγειν 91ᵃ18, cf.
66ᵇ26
φυσιολογεῖν περὶ πάντων 988ᵇ27
φυσιολόγοι 986ᵇ14, 989ᵇ30, 990ᵃ3,
992ᵇ4, 23ᵃ21, 62ᵇ21
φύσις ποσαχῶς Δ. 4, 32ᵃ22–24 = ὅθεν
ἡ κίνησις ἡ πρώτη ἐν αὐτῷ ᾗ αὐτὸ
ὑπάρχει 14ᵇ18, 15ᵃ14, 49ᵇ8, 70ᵃ7

ἡ φ. ἀρχή 13ᵃ20 φύσει opp. δι'
ἔθος, τέχνη, τῷ αὐτομάτῳ, ἀπὸ δια-
νοίας 981ᵇ4, 32ᵃ12, 65ᵃ27, 70ᵃ6, 17
φύσις dist. δύναμις 33ᵇ8, 49ᵇ8 dist.
τέχνη 33ᵇ8, 70ᵃ7 opp. βία 52ᵃ
23, 71ᵇ35, cf. 15ᵇ15, 33ᵇ33 τὰ
φύσει ὄντα 14ᵇ19, 27, 32, cf. 34ᵃ23,
70ᵃ5, 17 = ὕλη 14ᵇ33, cf. 983ᵇ
13, 24ᵃ4 = εἶδος, ἐντελέχεια,
ἕξις 15ᵃ5, 32ᵃ24, 44ᵃ9, 70ᵃ11 τὸ
κατὰ τὴν φύσιν 986ᵇ12 τὸ τῇ
γενέσει ὕστερον τῇ φ. πρότερον 989ᵃ
15 φύσει opp. πρὸς ἡμᾶς 29ᵇ4
φύσιν ἔχειν 15ᵃ5, 32ᵃ23 = οὐσία
993ᵇ2, 997ᵇ6, 11ᵃ11, 3ᵃ27, 14ᵇ36,
15ᵃ12, 19ᵃ2, 31ᵃ30, 53ᵇ9, 21, 64ᵇ
11, 88ᵃ23 ἡ φύσις μόνη τῶν ἐν
τοῖς φθαρτοῖς οὐσία 43ᵇ23 φ. ὑγρά
983ᵇ26 φ. κινητική 984ᵇ7 ἡ
τοῦ ἀγαθοῦ, τοῦ ἀορίστου, τοῦ κακοῦ
φ. 994ᵇ13, 996ᵃ23, 10ᵃ4, 75ᵇ7
τὸ ποιὸν τῆς ὡρισμένης φ. 63ᵃ28
χρῆται ὡς μιᾷ φ., etc. 985ᵇ1, 988ᵇ22,
998ᵃ6, 3ᵇ23, 69ᵃ35, 89ᵇ7 ὕλη,
πᾶσα, ἡ τῶν ὄντων, τοῦ ὅλου φ. 987ᵇ
2, 5ᵃ32, 10ᵃ7, 984ᵇ9, 75ᵃ11, cf.
993ᵇ2 τὰ περὶ φ. 983ᵃ33, 985ᵃ
12, 988ᵃ22, 989ᵃ24, 86ᵃ24 οἱ
περὶ φ. λόγοι 990ᵃ7 οἱ περὶ φ.
= οἱ φυσιολόγοι 1ᵃ12, 6ᵃ3, 50ᵇ24,
62ᵇ26 ἡ φ. ἕν τι γένος τῶν ὄντων
5ᵃ34 Emp. 15ᵃ1
φυτόν 72ᵇ33, 92ᵇ13 φυτῷ ὅμοιος
6ᵃ15
φῶς 986ᵃ25, 53ᵇ31

χαλκός 14ᵃ12, 34ᵇ11
χαλκοῦς. χαλκῆ σφαῖρα 33ᵃ30, 34ᵇ11
χάος 72ᵃ8, 91ᵇ6 Hes. 984ᵇ28
χαριέστατοι 60ᵃ25 χαριεστέρως 75ᵃ
26
χειροτέχνης 981ᵃ31, ᵇ4
χολώδης 981ᵃ12
χορδαὶ ἑπτά 93ᵃ14
χρεία 980ᵃ22
χρῆσις opp. εἰδέναι 982ᵇ21 opp.
ἔργον 50ᵃ24
χροιά 91ᵃ16, 93ᵇ21
χρόνος κατὰ συμβεβηκὸς ποσόν 20ᵃ29
ἀδύνατον χρόνου ἢ γενέσθαι ἢ φθαρῆναι
71ᵇ7 coni. κίνησις ib. 9 πρῶ-
τον, πρότερον χρόνῳ 28ᵃ32, 38ᵇ27,
49ᵇ11
χρῶμα διακριτικόν, συγκριτικόν 57ᵇ9
χυμοί 16ᵃ22
χωλαίνειν 25ᵃ11
χώρα Plat. 92ᵃ1
χωρίζειν 99ᵇ3, 16ᵇ2, 40ᵇ6, 28, 78ᵇ
31, 86ᵇ4
χωρίς 998ᵃ18, 68ᵇ26 εἶναι, ὑπάρχειν

χ. 991ᵇ1, 3, 79ᵇ36, 40ᵇ27   χ.
νοεῖν 27ᵇ23, 24
χωρισμός 989ᵇ4
χωριστόν 5ᵃ10, 17ᵇ25, 25ᵇ28, 26ᵃ9,
    14, 28ᵃ34, 40ᵃ9, 59ᵇ13, 60ᵃ8, 78ᵇ
    30, 86ᵃ33   λόγῳ, ἁπλῶς 42ᵃ29, 30
ἐνεργείᾳ, γνώσει 48ᵇ15

ψ συμφωνία 93ᵃ20
ψελλίζεσθαι 985ᵃ5, 993ᵃ15
ψευδὴς ἄνθρωπος 25ᵃ2
ψεῦδος Δ. 29   def. 11ᵇ25   τὸ ὡς
    ψ. μὴ ὄν Ε. 4, Θ. 10   dist. ἀδύ-
    νατον 47ᵇ14   = οὐκ ὄν Plat. 89ᵃ20
ψόφος 41ᵃ25
ψυχὴ αἴτιον τοῦ εἶναι τῷ ζῴῳ 17ᵇ16,

cf. 35ᵇ14, 43ᵃ35, 77ᵃ21, 22   περὶ
    ψ. ἐνίας θεωρῆσαι τοῦ φυσικοῦ 26ᵃ5
    ψυχῇ εἶναι καὶ ψυχὴ ταὐτό 36ᵃ1,
    43ᵇ2   τῆς ψ. τὸ λόγον ἔχον 46ᵇ1
    dist. νοῦς 70ᵃ26   πᾶσαν ὑπομένειν
    ἀδύνατον ib.   Pyth. 985ᵇ30   Plat.
    72ᵃ2
ψυχρὸν στέρησις 70ᵇ12

ᾠδεῖον 10ᵇ11
ὡδὶ μὲν ... ὡδὶ δέ 31ᵃ10
Ὠκεανός 983ᵇ30, 91ᵇ6
ὡς εἰπεῖν 980ᵃ25, 985ᵇ31, 998ᵇ32, 10ᵃ
    30, 26ᵇ9, 28ᵇ7, 85ᵇ11, 87ᵇ19
ὡσανεί 36ᵇ10
ὥστε in apodosi 3ᵇ33, 81ᵃ32

INDEX TO THE INTRODUCTION AND COMMENTARY[1]

$0^a-93^b = 1000^a-1093^b$

[1] This index is simply supplementary to the *Index Verborum*. E. g. under 'Plato' will be found only references to passages in which Aristotle does not explicitly mention him.